Das Buch

CIA-Spitzenagent Harry Lennox ermittelt unter strengster Geheimhaltung gegen die gefährliche Nazivereinigung »Bruderschaft der Wacht«. Er lässt sich dort einschleusen und gelangt an Informationen, die vor ihm niemand zu Gesicht bekam. Doch er wird enttarnt und verschwindet danach spurlos. Als er eines Tages wieder bei der CIA auftaucht, hat er ein Dokument in der Tasche, dessen Inhalt eine Gefahr für die westliche Welt darstellt. Es ist eine Liste, auf der die Namen hochrangiger Persönlichkeiten aufgeführt sind, die alle Parteigänger der Bruderschaft sind. Dieser politische Sprengstoff könnte das demokratische System der westlichen Staaten aus den Angeln heben. Aber ist die Liste echt? Und wer steckt dahinter? Die Suche nach der Wahrheit wird ein Wettlauf gegen die Zeit, der fast nicht zu gewinnen ist.

Der Autor

Robert Ludlums Romane wurden in über dreißig Sprachen übersetzt und er gilt als »größter Thrillerautor aller Zeiten« (*The New Yorker*). Robert Ludlum verstarb im März 2001 in seiner Heimatstadt Naples, Florida. Die Romane aus seinem Nachlass erscheinen bei Heyne.

Lieferbare Titel

Der Tristan-Betrug – Die Paris-Option – Das Genessee-Komplott – Das Bourne-Imperium – Das Sigma-Protokoll – Der Gandolfo-Anschlag – Der Janson-Befehl – Der Cassandra-Plan – Die Bourne-Identität – Der Prometheus-Verrat – Der Altman-Code – Der Ikarus-Plan – Das Jesus-Papier – Das Scarlatti-Erbe

Robert Ludlum

Die Lennox Falle

Roman

Aus dem Amerikanischen
von Heinz Zwack

WILHELM HEYNE VERLAG
MÜNCHEN

Die Originalausgabe THE APOCALYPSE WATCH, erschien
bei Bantam Books, New York

Verlagsgruppe Random House
FSC-DEU-0100
Das FSC-zertifizierte Papier München Super für
Taschenbücher aus dem Heyne Verlag
liefert Mochenwangen Papier.

2. Auflage
Vollständige Deutsche Taschenbuchausgabe 02/2006
Copyright © 1995 by Robert Ludlum
Copyright © 1996 der deutschsprachigen Ausgabe by
Wilhelm Heyne Verlag GmbH & Co. KG, München
Coypright © 2006 dieser Ausgabe by
Wilhelm Heyne Verlag, München,
in der Verlagsgruppe Random House GmbH
Printed in Germany 2006
Umschlagillustration: © Mark Garanger/CORBIS und
© Heather Perry/getty images
Umschlagdesign: © Nick Castle
Umschlaggestaltung: Nele Schütz Design, München
Druck und Bindung: GGP Media GmbH, Pößneck
ISBN-10: 3-453-43154-5
ISBN-13: 978-3-453-43154-6

http://www.heyne.de

Eine Bemerkung des Autors

Ich habe selten eine Widmung geschrieben, die länger als zwei oder drei Zeilen war. Das ist hier anders, und der Grund dafür liegt auf der Hand.

Für Mary, meine geliebte Frau in über vierzig Ehejahren, und unsere Kinder, Michael, Jonathan und Glynis, die die ganze Zeit Stärke, Entschlossenheit und unverzagte gute Laune (eine der Stützen unserer Familie) an den Tag gelegt haben. Ich hätte sie mir nicht besser wünschen können, und ich weiß nicht, wie ich meine Liebe und meine Dankbarkeit für sie ausreichend zum Ausdruck bringen kann.

»Ihr Vater ist jetzt vom Operationstisch runter.«
»Und wer hebt ihn wieder auf?«

Für den brillanten Kardiologen Jeffrey Bender, M.D., und den hervorragenden Herz-Lungen-Chirurgen Dr. John Elefteriades und das ganze Operationsteam und all jene im Yale-New Haven Hospital, deren Fähigkeiten und Fürsorge jedes erdenkliche Maß übersteigen. (Obwohl man natürlich behaupten könnte, daß ich auch ein großartiger Patient war – nur leider ohne große Überzeugungskraft.)

Für unseren Neffen, Dr. Kenneth M. Kearns, ebenfalls ein hervorragender Chirurg, der seinen keineswegs heiligmäßigen Onkel mit einer Toleranz erträgt, wie sie sonst nur Märtyrer aufbringen. Und, Ken, vielen Dank für das »Listerin«. Und auch seinem Bruder Donald Kearns, Ph.D. Nuklearmedizin. (Wie habe ich es nur geschafft, in eine so talentierte Familie hineinzuheiraten?) Danke, Don, für deine täglichen Anrufe und Besuche. Und ihre Kollegen, Dres. William Preskenis und David »the Duke« Grisé vom Lungenteam. Ich habe verstanden, Ihr Mordskerle, und gebe mir verdammte Mühe, brav zu sein.

An unsere Vettern I.C. »Izzy« Ryducha und seine Frau Janet, die immer da waren, wenn wir sie brauchten.

An Dres. Charles Augenbraun und Robert Greene von der Notstation im Norwalk Hospital, Connecticut, und all die großartigen Leute, die einem ziemlich kranken Fremden das Gefühl vermitteln konnten, daß er vielleicht doch noch den nächsten Sonnenaufgang erleben würde. Keine Kleinigkeit.

Zuallerletzt und trotz aller Mühe, die ganze Geschichte nicht an die große Glocke zu hängen, an all die vielen Leute, Freunde und viele andere, die ich nie kennengelernt habe, die ich aber ganz sicherlich als Freunde betrachte: vielen Dank für all die Karten und Briefe mit Ihren guten Wünschen. Sie haben mir gutgetan, und ich bin für sie dankbar.

Aber jetzt wollen wir wieder fröhlichere Töne anschlagen; es gibt immer etwas zu lachen, selbst wenn die Zeiten noch so schlimm sind. Ein oder zwei Tage nach der Operation war eine freundliche Schwester damit beschäftigt, mich zu waschen, und dabei drehte sie mich mit großer Würde und blitzenden Augen auf meinem Bett herum und sagte: »Keine Angst, Mr. L., ich werde am Morgen immer noch Respekt vor Ihnen haben.«

Amen. Und allen noch einmal meinen tiefempfundenen Dank. Ich fühle mich stark genug, beim nächsten Marathonlauf mitzumachen.

*Für jeden normal denkenden Menschen war es immer ein uner-
gründliches Rätsel, wie das Naziregime so systematisch Böses tun
konnte. Wie ein schwarzes Loch der Moral scheint es den Natur-
gesetzen zu widersprechen und ist doch auch Teil jener Natur.*

David Ansen
Newsweek, 20. Dezember 1993

Prolog

Der kalte Nordwind fegte den Schnee über den Paß der Reichenspitze, während unten im Tal schon die ersten Krokusse und Narzissen den Frühling ankündigten. Bei diesem Paß handelte es sich weder um eine Grenzkontrollstelle noch um einen Übergang von einem Teil der Bergkette zur nächsten. Tatsächlich war er nicht einmal auf den der Öffentlichkeit zugänglichen Karten verzeichnet.

Es gab eine massiv gebaute Brücke, deren Breite gerade für ein Fahrzeug ausreichte und die gut hundert Meter über einem reißenden Nebenfluß der Ziller eine zwanzig Meter breite Schlucht überspannte. Wenn man sie überquerte und ein dichtes Baumlabyrinth passierte, stieß man auf eine versteckte, kurvenreiche Straße, die die tausend Meter in das isolierte Tal hinunterführte, wo die Krokusse und Narzissen wuchsen. Grüne Felder und noch grünere Bäume schmückten das wärmere Tal ... und dazwischen gab es einen Komplex aus kleinen Bauten, deren Dächer mit Tarnfarbe gestrichen waren, so daß sie mit der Berglandschaft verschmolzen und aus der Luft nicht zu erkennen waren. Das war das Hauptquartier der Bruderschaft der Wacht, der Vorläufer von Deutschlands Viertem Reich.

Die zwei Männer, die gerade über die Brücke gingen, trugen dick gefütterte Parkas, Pelzmützen und schwere Bergstiefel; beide wandten das Gesicht zur Seite, um es vor dem kalten Wind zu schützen. Als sie auf der anderen Seite ankamen, sprach der vordere der beiden Männer.

»Ich würde diese Brücke ungern öfter überqueren«, sagte der Amerikaner, wischte sich den Schnee vom Parka und zog dann die Handschuhe aus, um sich das Gesicht zu reiben.

»Bei der Rückkehr werden Sie das wohl müssen, Herr Lassiter«, erwiderte lächelnd der Deutsche, der etwa Anfang Fünfzig war, während er sich im Schutz eines Baumes ebenfalls den Schnee abklopfte. »Aber keine Sorge, bevor Sie sich versehen, sind Sie in einer Gegend, wo es warm ist und die Blumen blühen.

In dieser Höhe herrscht noch Winter, und unten im Tal ist schon Frühling ... Kommen Sie, unser Fahrzeug ist da. Folgen Sie mir.«

In der Ferne konnte man Motorengeräusch hören; die beiden Männer gingen schnell zwischen den Bäumen zu einer kleinen Lichtung, wo ein an einen Jeep erinnerndes Fahrzeug stand, nur viel größer und schwerer, auf dicken Ballonreifen mit tiefen Profilen.

»Was für ein Monstrum«, sagte der Amerikaner.

»Sie sollten stolz darauf sein, das ist ein amerikanisches Modell! Nach unseren Angaben in Ihrem Bundesstaat Michigan gebaut.«

»Was haben Sie denn gegen Mercedes?«

»Zu nahe und zu gefährlich«, erwiderte der Deutsche. »Wenn man so dicht vor seiner Haustür eine versteckte Festung bauen will, greift man nicht auf seine eigenen Hilfsmittel zurück. Was Sie in Kürze zu sehen bekommen werden, ist das Produkt der gemeinsamen Bemühungen mehrerer Länder – ihrer habgierigeren Geschäftsleute, das gebe ich zu, Geschäftsleute, die bereit sind, ihre Kunden und ihre Lieferungen als Gegenleistung für außergewöhnlich hohe Profite geheimzuhalten. Sobald die ersten Lieferungen erfolgt sind, werden diese Profite zu einem zweischneidigen Schwert; die Lieferungen müssen dann fortgesetzt werden, und es kommen vielleicht noch ein paar exotischere Dinge dazu. Aber das ist der Lauf der Welt.«

»Ganz sicher«, sagte Lassiter lächelnd und nahm seine Pelzmütze ab, um sich den Schweiß vom Haaransatz zu wischen. Er war knapp einen Meter achtzig groß, ein Mann in mittleren Jahren, dessen Alter die grauen Strähnen an den Schläfen und die feinen Fältchen um seine tiefliegenden Augen bestätigten; das Gesicht selbst war schmal und scharfgeschnitten. Jetzt setzte er sich ein paar Schritte hinter seinem Begleiter in Richtung auf das Fahrzeug in Bewegung. Was freilich weder sein Begleiter noch der Fahrer des überdimensionierten Vehikels sehen konnten, war, daß er immer wieder in die Tasche griff, unauffällig die Hand wieder herauszog und Metallkügelchen in das vom Schneesturm zerzauste Gras fallen ließ. Er hatte das die ganze letzte Stunde über getan, seit sie auf einer Bergstraße zwischen zwei Dörfern aus einem Lkw geklettert waren. Die Metallkugeln waren vorher einer Strahlung ausgesetzt worden, die man ohne Mühe mit Handscannern orten konnte. An der Stelle, wo der Lkw angehalten hatte, hatte er einen elektronischen Transponder aus seinem Gürtel geholt und so getan, als würde er straucheln, und das kleine Gerät zwischen zwei Felsbrocken geschoben. Die Spur war jetzt klar; das Peilgerät der Leute, die nach ihm kamen, würde an dem Punkt ausschlagen und durchdringende Pieplaute von sich geben.

Der Mann, den sein Begleiter mit Lassiter angesprochen hatte, übte einen höchst riskanten Beruf aus. Er sprach mehrere Sprachen, war als Agent für den amerikanischen Nachrichtendienst tätig und hieß Harry Lennox. In den sakrosankten Gemächern der Agency lautete sein Deckname Sting.

Die Reise in das Tal hinunter war für Lennox faszinierend. Er hatte mit seinem Vater und seinem jüngeren Bruder schon ein paar Berge bestiegen, aber das waren unbedeutende, völlig undramatische Gipfel in New England gewesen, mit dem hier in keiner Weise zu vergleichen. Hier war, je tiefer sie ins Tal kamen, der Wandel um so deutlicher – andere Farben, andere Gerüche, eine wärmere Brise. Allein auf der Ladebrücke des großen, offenen Wagens sitzend, entfernte er die heißen Kugeln aus seiner Tasche und bereitete sich auf die gründliche Durchsuchung vor, die er erwartete; er war sauber. Und er befand sich in Hochstimmung. Es war da! Er hatte es gefunden! Dennoch war selbst Harry Lennox, als sie schließlich die Talsohle erreicht hatten, überrascht von dem, was er wirklich gefunden hatte.

Bei den knapp acht Quadratkilometern, die das Tal umfaßte, handelte es sich in Wirklichkeit um einen nahezu perfekt getarnten Militärstützpunkt. Die Dächer der verschiedenen einstöckigen Bauwerke waren so gestrichen, daß sie praktisch in ihre Umgebung übergingen, und größere Partien der Felder waren mit einem fünf Meter hohen Gitterwerk aus Seilen und Tauen überdacht. Unter diesem Netzwerk gab es mit grüner Tarnplane aus Plastik überspannte Korridore, durch die graue Motorräder mit Beiwagen jagten. Die Fahrer und ihre Passagiere trugen Uniform, und dahinter konnte man Gruppen von Männern und Frauen bei allen möglichen Übungen sehen. Was Harry Lennox besonders auffiel war, daß sich offenbar alles in ständiger Bewegung befand. Von dem ganzen Tal ging eine geradezu furchterregende Intensität aus, aber das galt natürlich auch für die ganze Bruderschaft, und dies hier war der Schoß, aus dem sie kroch.

»Beeindruckend, nicht wahr, Herr Lassiter?« schrie der Deutsche, der neben dem Fahrer saß, als sie das Tal erreicht hatten und in einen mit grüner Tarnplane überdachten Korridor fuhren.

»Unglaublich«, pflichtete der Amerikaner ihm bei. »Alle Achtung.«

Der Deutsche lächelte Alexander Lassiter, alias Harry Lennox aus Stockbridge, Massachusetts, mit ausdrucksloser Miene an. »Wir begeben uns direkt zum Oberbefehlshaber. Der Kommandant ist sehr erpicht darauf, Ihre Bekanntschaft zu machen.«

Zweiunddreißig Monate aufreibender Arbeit würden jetzt bald Früchte tragen, dachte Lennox. Beinahe drei Jahre, in denen er ein Leben aufgebaut, ein Leben gelebt hatte, das nicht seines war, würden jetzt zu Ende gehen. Die aufreibenden Reisen durch Europa und den Nahen Osten, wo er sich mit dem Abschaum der Erde hatte treffen müssen – Waffenhändlern ohne Gewissen, deren Profite in Tankerladungen voll Blut gemessen wurden; Drogenbaronen, die Generationen von Kindern auf der ganzen Welt zum Tod oder zu einem Krüppeldasein verurteilten, käuflichen Politikern, ja Staatsmännern, die Gesetze beugten und manipulierten – das alles war vorbei. Die hektischen Bewegungen gigantischer Geldbeträge durch Schweizer Konten würden ein Ende haben, und all die geheimen Nummern und Spektrographen-Unterschriften, die alle zu den tödlichen Spielen des internationalen Terrorismus gehörten. Harry Lennox' persönlicher Alptraum, so wichtig er auch war, war vorbei.

»Wir sind da, Herr Lassiter«, sagte Lennox' deutscher Begleiter, als das Fahrzeug an einer Barackentür unter dem Tarnnetz hoch über ihnen anhielt. »Jetzt ist es viel wärmer, viel angenehmer, nicht wahr?«

»Kann man wohl sagen«, antwortete der Agent und stieg aus dem Wagen. »Ich schwitze jetzt sogar unter meiner Kleidung.«

»Wir können drinnen die Schutzkleidung ausziehen und sie trocknen lassen, damit Sie sie für die Reise zurück wieder haben.«

»Da wäre ich Ihnen sehr dankbar. Ich muß heute abend wieder in München sein.«

»Ja, das wissen wir. Kommen Sie, der Kommandant erwartet Sie.« Als die beiden Männer auf die schwere, schwarz lackierte Holztür mit dem roten Hakenkreuz in der Mitte zugingen, war über ihnen in der Luft ein zischendes Geräusch zu hören. Durch das Tarnnetz konnte man ein weißes Segelflugzeug erkennen, das sich kreisend ins Tal heruntersenkte. »Wie gefällt Ihnen das, Herr Lassiter? Das Mutterflugzeug hat den Segler in einer Höhe von etwa vierhundert Metern abgesetzt. Der Pilot muß natürlich erstklassig ausgebildet sein, denn die Thermik ist hier gefährlich und unberechenbar. Man setzt solche Segler nur im äußersten Notfall ein.«

»Wie es runterkommt, kann ich sehen. Aber wie kommt es wieder hinauf?«

»Dieselbe Thermik, in dem Fall nur durch Startraketen unterstützt, die dann abgeworfen werden. In den dreißiger Jahren haben wir Deutschen die fortschrittlichsten Segelflugzeuge entwickelt, die es damals auf der Welt gab.«

»Wirklich erstaunlich«, sagte Lassiter, als sein Begleiter die Tür öffnete. »Man muß Ihnen allen wirklich gratulieren. Wirklich hervorragende Geheimhaltung. Exzellent!« Lennox sah sich mit gespielter Nonchalance in dem großen Saal um. Es wimmeln geradezu von modernsten Computeranlagen, einer Unzahl von Bildschirmen und Schaltkonsolen an den Wänden, vor denen uniformiertes Bedienungspersonal, allem Anschein nach Männer und Frauen gleichmäßig verteilt, tätig war. Männer und Frauen – da war etwas Eigenartiges, zumindest war es nicht ganz normal. Aber was war es? Und dann wußte er es; jeder einzelne der Uniformierten war jung, meist Mitte Zwanzig, überwiegend blond oder hellhaarig mit sonnengebräunter Haut. Als Gruppe wirkten sie geradezu auffällig attraktiv, wie von einer Werbeagentur zusammengetrommelte Fotomodelle, die vor den Computerprodukten eines Klienten posieren sollten, um die Botschaft zu vermitteln, potentielle Kunden dieser Firma könnten auch so aussehen, wenn sie die Ware kauften.

»Jeder einzelne von ihnen ist Experte, Mr. Lassiter«, sagte eine ihm unbekannte Stimme hinter Lennox. Der Amerikaner fuhr herum. Der Mann, der gesprochen hatte, war mit ihm etwa gleichaltrig und trug einen Tarnanzug und eine Offiziersmütze der

Wehrmacht; er war lautlos aus einer offenen Tür zur Linken getreten. »General Ulrich von Schnabe«, fuhr er fort und streckte ihm die Hand hin. »Ich betrachte es als ein Privileg, die Bekanntschaft einer lebenden Legende machen zu dürfen.«

»Sie sind zu liebenswürdig, Herr General. Ich bin lediglich ein internationaler Geschäftsmann, aber wenn Sie so wollen, mit einer ausgeprägten ideologischen Überzeugung.«

»Zu der Sie zweifellos in all den Jahren gelangt sind, in denen Sie das internationale Geschehen beobachtet haben?«

»Das könnte man allerdings sagen. Es heißt, Afrika sei die Wiege der Menschheit gewesen, aber während die anderen Kontinente sich im Lauf der Jahrtausende entwickelt haben, ist Afrika der schwarze Erdteil geblieben, die Heimat minderwertiger Menschen.«

»Gut formuliert, Mr. Lassiter. Und doch haben Sie Millionen, manche sagen sogar Milliarden, damit verdient, indem Sie diese dunkelhäutigen Rassen bedient haben.«

»Warum nicht? Gibt es für einen Menschen wie mich denn eine größere Befriedigung, als den Untermenschen dabei zu helfen, sich gegenseitig abzuschlachten?«

»Hervorragend formuliert ... Sie haben unsere Leute hier studiert, ich habe Sie dabei beobachtet. Sie können selbst sehen, daß sie alle, jeder einzelne von ihnen, von arischem Geblüt sind. Das gilt für alle, die hier in unserem Tal leben. Sie alle sind sorgfältig ausgewählt, und ihre Herkunft ist überprüft worden. Ihre Loyalität ist absolut und über jeden Zweifel erhaben.«

»Der Traum des Lebensborns«, sagte der Amerikaner leise, beinahe ehrfürchtig. »Die Zuchtanstalten, wo die besten SS-Offiziere mit starken teutonischen Frauen gepaart wurden –«

»Eichmann hat Studien veranlaßt. Dabei ergab sich, daß die nordgermanische Frau nicht nur die beste Knochenstruktur in Europa und außergewöhnliche Kräfte besitzt, sondern auch eine ausgeprägte Unterwürfigkeit dem Mann gegenüber an den Tag legt«, unterbrach ihn der General.

»Die wahre Herrenrasse«, schloß Lassiter bewundernd. »Möge der Traum in Erfüllung gehen.«

»Das ist er in großem Maß, erklärte von Schnabe ruhig. »Wir glauben, daß viele, wenn nicht sogar die Mehrzahl der hier

Anwesenden, die Kinder jener Kinder sind. Wir haben Listen vom Roten Kreuz in Genf an uns gebracht und jahrelang jede einzelne Familie recherchiert, denen man Lebensbornsäuglinge zugeteilt hatte. Diese und andere, die wir noch in ganz Europa rekrutieren werden, sind die Sonnenkinder, die Erben des Reichs!«

»Unvorstellbar.«

»Unsere Hand reicht weit, und die von uns Ausgewählten melden sich von überall her, weil die Umstände dieselben sind. So wie in den zwanziger Jahren der Würgegriff des Versailler Friedensdiktats zum wirtschaftlichen Zusammenbruch der Weimarer Republik führte und damit bewirkte, daß unerwünschte Elemente nach Deutschland strömten, hat auch der Zusammenbruch der Berliner Mauer zum Chaos geführt. Wir sind eine Nation, die in hellen Flammen steht, minderwertige Nichtarier dringen in Strömen über unsere Grenzen, nehmen uns die Arbeit weg, beschmutzen unsere Moral und machen unsere Frauen zu Huren. Dem muß ein Ende gemacht werden! Sie stimmen mir doch zu?«

»Warum wäre ich sonst hier, General? Ich habe Millionen über die Banken von Algier und Marseille zu Ihnen geschleust. Mein Kennwort war Frères – Brüder – und ich hoffe, es ist Ihnen vertraut.«

»Aus diesem Grunde umarme ich Sie auch aus ganzem Herzen, so wie die ganze Bruderschaft.«

»Dann lassen Sie mich Ihnen jetzt mein abschließendes Geschenk übergeben, General, abschließend sage ich, weil Sie mich nicht mehr brauchen werden ... sechsundvierzig Marschflugkörper aus den Arsenalen Saddam Husseins, von seinem Offizierskorps vergraben, weil sie glaubten, er würde nicht überleben. Ihre Sprengköpfe können auch chemische Ladung tragen – Gase, die ganze Stadtviertel bewegungsunfähig machen können. Diese Sprengköpfe werden natürlich ebenso wie die Abschußrampen mitgeliefert. Ich habe fünfundzwanzig Millionen Dollar dafür bezahlt. Zahlen Sie mir, was Sie können, und wenn es weniger ist, werde ich meinen Verlust in Ehren hinnehmen.«

»Sie sind wahrhaftig ein Mann von großer Ehre, Herr Lassiter.«

Plötzlich öffnete sich die Tür und ein Mann in einem schneeweißen Overall trat ein. Er sah sich um, bis sein Blick auf von
Schnabe fiel, und ging dann mit schnellen Schritten auf ihn zu,
salutierte und überreichte dem General einen verschlossenen
Umschlag. »Das ist es«, sagte der Mann in deutscher Sprache.

»Vielen Dank«, erwiderte von Schnabe, öffnete den Umschlag, und entnahm ihm einen kleinen Plastikbeutel. »Sie sind
ein guter Schauspieler, Herr Lassiter, aber ich glaube, Sie haben
etwas verloren. Unser Pilot hat es mir gerade gebracht.« Der General ließ den Inhalt des Beutels in seine Hand fallen. Es war der
Transponder, den Harry Lennox am Rand der Bergstraße zwischen Felsbrocken geschoben hatte. Die Jagd war zu Ende.
Harrys Hand fuhr schnell an sein rechtes Ohr. »Festhalten!«
schrie von Schnabe, aber der Pilot hatte Lennox' Arm schon gepackt und ihn ihm im Polizeigriff auf den Rücken gebogen. »Für
Sie wird es kein Zyankali geben, Mr. Harry Lennox aus Stockbridge, Massachussetts. Wir haben andere Pläne für Sie, brillante
Pläne.«

1

Die Morgensonne blendete, so daß der alte Mann beim Kriechen durch das Gebüsch mehrere Male blinzeln mußte, und sich immer wieder etwas zittrig mit dem rechten Handrücken über die Augen fuhr. Von der kleinen Kuppe aus konnte man auf einen eleganten Landsitz im Loiretal hinunterblicken. Die mit Steinplatten belegte Terrasse, zu der ein von Blumen gesäumter, ebenfalls mit Platten belegter Weg führte, lag knapp hundert Meter unter ihm. Die linke Hand des alten Mannes hielt einen Karabiner fest, dessen Schulterriemen gestrafft war. Das Visier der Waffe war auf die exakte Entfernung eingestellt. Die Waffe war schußbereit. Bald würde sein Ziel – ein Mann, der noch älter war als er – im Fadenkreuz des Zielfernrohrs erscheinen. Das Monster würde in seinen wallenden Morgenrock gehüllt seinen morgendlichen Spaziergang zur Terrasse machen, und als Belohnung für seine sportliche Leistung würde ihn sein Morgenkaffee mit einem Schuß erlesenen Cognacs erwarten. Eine Belohnung freilich, die er an diesem Morgen nicht mehr würde genießen können. Stattdessen würde er sterben, würde zwischen den Blumen zusammenbrechen: der Tod des Inbegriffs des Bösen inmitten von Schönheit, eine passende Ironie des Schicksals.

Jean-Pierre Jodelle, achtundsiebzig Jahre alt und einstmals ein leidenschaftlicher Anführer der Résistance, hatte fünfzig Jahre gewartet, um ein Versprechen zu erfüllen, eine Verpflichtung, die er vor sich und seinem Gott eingegangen war. Vor Gericht war er gescheitert; nein, nicht gescheitert, beleidigt hatte man ihn, alle hatten sie über ihn gelacht und ihm gesagt, er solle doch seine albernen Phantasievorstellungen in eine Zelle in einer Irrenanstalt mitnehmen, wo er hingehörte. Der große General Monluc war ein wahrer Held Frankreichs, ein enger Gefährte Charles André de Gaulles, des glanzvollsten aller Soldaten und Staatsmänner, der während des ganzen Krieges über die Radiofrequenzen der Untergrundbewegung mit Monluc in Verbindung geblieben war.

Es war alles *merde!* Monluc war ein Wendehals, ein Feigling und ein Verräter! Dem arroganten De Gaulle hatte er Belanglosigkeiten geliefert, die er als nachrichtendienstliche Erkenntnisse hinstellte, und sich zugleich die eigenen Taschen mit dem Gold der Nazis gefüllt. Und dann, als alles vorüber war, hatte le grand Charles voll euphorischer Begeisterung Monluc als einen Mann, dem Ehre gebührte, bezeichnet. Für ganz Frankreich kam das einem Befehl gleich.

Merde! Wie wenig De Gaulle doch gewußt hatte! Monluc hatte die Exekution von Jodelles Frau und seines ersten Sohnes, eines fünfjährigen Kindes, angeordnet. Ein zweiter Sohn, ein sechsmonatiger Säugling, war verschont worden, vielleicht wegen der verdrehten Logik des Wehrmachtsoffiziers, der gesagt hatte: »Er ist kein Jude, vielleicht findet ihn jemand.«

Es fand ihn jemand. Ein Mitkämpfer aus der Résistance, ein Schauspieler von der Comédie Française. Er fand das schreiende Baby inmitten des verwüsteten Hauses am Rande von Barbizon, wo er sich am Morgen darauf zu einem Geheimtreffen hätte einfinden sollen. Der Schauspieler hatte das Kind seiner Frau nach Hause gebracht, einer gefeierten Schauspielerin, die die Deutschen verehrten – eine Zuneigung, die sie nicht erwiderte, denn ihre Auftritte waren befohlen, nicht etwa freiwillig geleistet. Und als der Krieg zu Ende ging, war Jodelle ein Skelett seines früheren Ichs, physisch nicht mehr wiederzuerkennen und geistig nicht mehr herzustellen, und das wußte er auch. Drei Jahre in einem Konzentrationslager, in dem er die Leichen vergaster Juden, Zigeuner und »Unerwünschter« aufeinandergestapelt hatte, hatten ihn beinahe zu einem Idioten gemacht, einem Mann mit einem beständigen nervösen Tic am Hals, unkontrollierbarem Blinzeln, plötzlichem kehligen Aufschreien und all dem anderen, das mit solch schweren psychischen Schäden einherging. Er hatte sich seinem überlebenden Sohn oder den »Eltern«, die ihn aufgezogen hatten, nie zu erkennen gegeben. Stattdessen beobachtete Jodelle auf seinen Zügen durch die Eingeweide von Paris, bei denen er immer wieder seinen Namen wechselte, aus der Ferne wie das Kind langsam zum Mann heranwuchs und nach und nach einer der populärsten Schauspieler Frankreichs wurde.

Und Monluc, das Monstrum, das sich jetzt auf das Fadenkreuz in Jodelles Zielfernrohr zubewegte, hatte diese Trennung und diesen unerträglichen Schmerz verursacht. Nur Sekunden noch und das Versprechen würde erfüllt sein, das er vor Gott abgelegt hatte.

Plötzlich war ein schrecklicher Knall zu hören, und Jodelles Rücken stand in Flammen, so daß er den Karabiner fallen ließ. Er fuhr herum und blickte erschreckt auf die zwei Männer in Hemdsärmeln, die auf ihn herunterblickten und von denen einer eine Bullenpeitsche in der Hand hielt.

»Es wäre mir ein Vergnügen, dich zu töten, du kranker alter Idiot, aber dein Verschwinden würde nur zu Komplikationen führen«, sagte der Mann mit der Peitsche. »Mit deinem vom Wein umnebelten Verstand plapperst du ja unentwegt Blödsinn. Besser, du gehst nach Paris zurück zu den anderen betrunkenen Landstreichern. Verschwinde hier, sonst stirbst du!«

»Wie …? Woher wußtet ihr …?«

»Du bist doch reif für die Klapsmühle, Jodelle, oder wie du dich auch sonst gerade nennst«, sagte der Wachmann neben dem Mann mit der Peitsche. »Meinst du, wir hätten dich die letzten zwei Tage nicht beobachtet, wie du mit deinem Karabiner durchs Gebüsch gekrochen bist? Früher warst du viel besser, hat man mir erzählt.«

»Dann bringt mich doch um, ihr Schweinehunde! Ich würde lieber hier sterben, nachdem ich ihm so nahe gekommen bin, als weiterleben.«

»Oh nein, das wäre dem General nicht recht«, sagte der Mann mit der Peitsche. »Du könntest ja anderen gesagt haben, was du vorhast, und wir wollen nicht, daß man auf diesem Besitz nach dir oder deiner Leiche sucht. Du bist verrückt, Jodelle, das weiß jeder. Das haben die Gerichte ja festgestellt.«

»Die sind doch korrupt!«

»Und du bist paranoid.«

»Ich weiß, was ich weiß!«

»Und ein Säufer bist du auch, das bestätigen ein Dutzend Cafés am Rive Gauche, die dich rausgeworfen haben. Trink dich doch zur Hölle, aber verschwinde hier, ehe ich dich jetzt dorthin schicke. Steh auf! Und dann lauf weg, so schnell dich deine krummen Beine tragen!«

Der Vorhang senkte sich nach der letzten Szene der Aufführung, einer französischen Übersetzung von Shakespeares Coriolanus, neu belebt von Jean-Pierre Villier, dem fünfzigjährigen Schauspieler, der jetzt der König der Pariser Bühne ebenso wie der französischen Leinwand war und den man kürzlich nach auf seinem ersten in den Vereinigten Staaten gedrehten Film für einen Oscar nominiert hatte. Der Vorhang hob sich wieder, senkte sich herab und hob sich erneut, als der große, breitschultrige Villier sich lächelnd und mit leichtem Händeklatschen bei seinen Zuschauern bedankte. Niemand schien auf den Akt des Wahnsinns vorbereitet, der kurz bevorstand.

Aus den hinteren Reihen des Theaters taumelte ein alter Mann in zerfetzter, schäbiger Kleidung den Mittelgang herunter und schrie so laut seine heisere Stimme das erlaubte. Plötzlich hatte er ein Gewehr in der Hand, und von den Wänden des Theaters hallten Entsetzensschreie wider. Villier bewegte sich schnell, schob die paar Schauspieler und Bühnentechniker beiseite, die neben ihm an die Rampe getreten waren.

»Einen wütenden Kritiker kann ich akzeptieren, Monsieur!« donnerte er und trat so dem abgerissenen alten Mann entgegen, der sich der Bühne näherte. »Aber das ist verrückt!« dröhnte seine markante Stimme, die jeden Zuhörer in ihren Bann zwang. »Legen Sie Ihre Waffe weg, dann reden wir!«

»Für mich gibt es nichts mehr zu reden, mein Sohn! Mein einziger Sohn! Ich habe dich und deine Mutter im Stich gelassen, ich bin nutzlos, ein Nichts! Du sollst nur wissen, daß ich es versucht habe … ich liebe dich, mein Sohn, und ich habe es versucht, aber ich habe es nicht geschafft!«

Mit diesen Worten drehte der alte Mann sein Gewehr herum, schob sich den Lauf in den Mund und seine rechte Hand griff nach dem Abzug. Als er abdrückte, riß es ihm die hintere Kopfhälfte weg, und Blut und Gehirnmasse bespritzten alle um ihn herum.

»Wer, zum Teufel, war dieser Mann?« rief Jean-Pierre Villier in seiner Garderobe erschüttert aus. Seine Eltern standen neben ihm. »Er hat so verrücktes Zeug geredet und sich dann selbst getötet. Warum?«

Die beiden Villiers, die jetzt Ende der Siebzig waren, sahen einander an. Dann nickten sie.

»Wir müssen mit dir reden«, sagte Catherine Villier und massierte dem Mann, den sie als ihren Sohn großgezogen hatte, den Nacken. »Vielleicht sollte deine Frau auch dabei sein.«

»Das ist nicht nötig«, fiel ihr der Vater ins Wort. »Das kann er selbst entscheiden, wenn er es für nötig hält.«

»Du hast recht, mein Lieber. Es ist seine Entscheidung.«

»Wovon redet ihr beiden eigentlich?«

»Wir haben dir viele Dinge vorenthalten, mein Sohn. Dinge, die dir damals in deiner Jugend vielleicht hätten schaden können –«

»Mir schaden?«

»Wir waren ein besetztes Land, und der Feind suchte dauernd nach denen, die sich insgeheim den Siegern widersetzten. In vielen Fällen haben sie ganze Familien, die sich verdächtig machten, eingesperrt und gefoltert.«

»Natürlich, die Résistance«, unterbrach Villier. »Ihr wart ja beide in der Résistance, das habt ihr mir erzählt, wenn ihr mir auch nie gesagt habt, was ihr im einzelnen gemacht habt.«

»Es ist besser, das zu vergessen«, sagte die Mutter. »Es war eine schreckliche Zeit – so viele, die man als Kollaborateure angeprangert und geschlagen hat, haben in Wirklichkeit nur ihre Familie beschützt.«

»Aber dieser Mann im Theater, dieser verrückte Clochard! Er hat mich als seinen Sohn bezeichnet … Ich kann mich ja mit einem gewissen Maß an übertriebener Hingabe abfinden – das muß man in diesem Beruf, wenn es auch noch so unsinnig ist – aber sich vor meinen Augen umzubringen? Das ist doch Wahnsinn!«

»Er war wahnsinnig, von all dem, was er durchlitten hat, in den Wahnsinn getrieben«, sagte Catherine.

»Ihr habt ihn gekannt?«

»Ja, sehr gut sogar«, erwiderte der alte Schauspieler Julian Villier. »Er hieß Jean-Pierre Jodelle, er war einmal ein vielversprechender junger Bariton an der Oper und wir, deine Mutter und ich, haben uns nach der Niederlage von 1940 verzweifelt bemüht, ihn zu finden. Aber es gab keine Spur von ihm. Und da wir wußten, daß die Deutschen ihn entdeckt und in ein Konzentrationslager geschickt hatten, nahmen wir an, daß er wie Tausende andere auch tot war.«

»Warum habt ihr versucht ihn zu finden? Was hat er euch bedeutet?«

Die einzige Mutter, die Jean-Pierre je gekannt hatte, kniete neben seinem Garderobenstuhl nieder; ihre feingeschnittenen Züge ließen auch heute noch den großen Star erkennen, der sie einmal gewesen war; ihre blaugrünen Augen unter ihrem vollen weißen Haar bohrten sich förmlich in die seinen. »Nicht nur uns, mein Sohn«, sagte sie leise, »auch dir. Er war dein leiblicher Vater.«

»Oh mein Gott! ... Dann seid ihr –«

»Deine leibliche Mutter«, unterbrach ihn Villier père ruhig, »war ein Mitglied der Comédie –«

»Ein hervorragendes Talent«, unterbrach ihn Catherine, »sie wußte in jenen schrecklichen Jahren nicht, ob sie mehr die jugendliche Naive war, wie ihre Rollen es von ihr verlangten, oder eine Frau. Und es war wirklich eine schreckliche Zeit mit den Besatzungssoldaten überall. Sie war ein reizendes Mädchen, und für mich war sie wie eine jüngere Schwester.«

»Bitte!« rief Jean-Pierre und sprang auf, während die Frau, die er bisher als seine Mutter betrachtet hatte, aufstand und sich neben ihren Mann stellte. »Das kommt alles so schnell, ist so erschütternd! Ich ... Ich kann nicht denken!«

»Manchmal ist es besser, eine Weile das Denken einzustellen, mein Sohn«, sagte der ältere Villier. »Bleib einfach eine Weile starr und betäubt, bis dein Verstand dir sagt, daß er bereit ist, das Neue aufzunehmen.«

»Das hast du mir vor vielen Jahren häufiger gesagt«, sagte der Schauspieler mit einem betrübten und zugleich warmen Lächeln zu Julian, »immer hast du das gesagt, wenn ich Probleme mit einer Szene oder einem Monolog hatte und ich sie nicht richtig begreifen konnte. Du hast dann immer gesagt ›Lies die Worte einfach immer wieder, ohne dich so zu bemühen. Dann kommt es von allein.‹«

»Das war ein gutgemeinter Rat, Julian.«

»Ich war immer als Lehrer besser denn als Schauspieler.«

»Richtig«, sagte Jean-Pierre leise.

»Wie bitte? Du gibst mir recht?«

»Ich meinte nur, Vater, daß du, wenn du auf der Bühne warst, du ... du –«

»Da war immer ein Stück von dir, das sich auf die anderen konzentriert hat«, kam ihm Catherine Villier zu Hilfe und tauschte wissende Blicke mit ihrem Sohn – der nicht ihr Sohn war.

»Ah, ihr beiden verschwört euch wieder gegen mich, das geht ja schon seit Jahren so, wie? Zwei große Stars, die zu einem kleineren Talent nett sind ... Gut! Das hätten wir dann hinter uns ... Jetzt haben wir ein paar Augenblicke nicht an heute abend gedacht. Jetzt können wir vielleicht reden.«

Schweigen.

»Um Himmels willen, sagt mir, was passiert ist!« rief Jean-Pierre schließlich aus.

In diesem Augenblick klopfte es an der Tür; gleich darauf trat der alte Nachtwächter des Theaters ein. »Entschuldigen Sie die Störung, aber ich dachte, Sie sollten das erfahren. An der Bühnentür warten immer noch Reporter. Sie wollen weder der Polizei noch mir glauben. Wir haben gesagt, Sie seien schon vor einer Weile durch den Haupteingang weggegangen, aber sie lassen sich nicht überzeugen. Sie können jedenfalls nicht herein.«

»Dann werden wir noch eine Weile hierbleiben, wenn nötig die ganze Nacht – ich zumindest werde das. Im Nebenzimmer ist eine Couch, und ich habe bereits meine Frau angerufen. Sie hat alles in den Nachrichten gehört.«

»Sehr wohl, Monsieur ... Madame Villier und auch Sie, Monsieur, trotz der schrecklichen Umstände ist es wirklich eine große Freude, Sie beide wiederzusehen. Wir alle erinnern uns sehr gerne an Sie.«

»Vielen Dank, Charles«, sagte Catherine. »Sie sehen gut aus, mein Freund.«

»Noch besser würde ich aussehen, wenn Sie wieder auf der Bühne wären, Madame.« Der Mann nickte und schloß die Tür hinter sich.

»Weiter, Vater. Was ist damals geschehen?«

23

»Wir waren alle in der Résistance«, begann Julian Villier und nahm auf einem kleinen Sofa Platz, »Künstler, die sich gegen einen Feind zusammengetan hatten, der jede Kunst zerstören würde. Und wir verfügten über gewisse Talente, die uns dienlich waren. Musiker übermittelten Nachrichten, indem sie einzelne Phrasen einfügten, die nicht in der Partitur enthalten waren; Bühnenmaler produzierten die Plakate, die die Deutschen verlangten, und benutzten auf subtile Weise Farben und Bilder, die ebenfalls als Codes dienten. Und wir im Theater veränderten beständig die Texte, ganz besonders die von wohlbekannten Stücken und gaben auf die Weise häufig direkte Instruktionen an die Saboteure –«

»Ja, ja«, sagte Jean-Pierre ungeduldig. »Ich habe die Geschichten alle gehört. Aber danach frage ich jetzt nicht. Ich weiß, es ist für euch genauso schwierig wie für mich, aber bitte sagt mir, was ich wissen muß.«

Die beiden alten Leute sahen einander tief in die Augen; dann nickte die Frau, als sie sich so fest bei der Hand nahmen, daß die Venen hervortraten. »Jodelle wurde entdeckt«, sagte ihr Mann, »ein junger Kurier, der der Folter nicht widerstehen konnte, hat ihn verraten. Die Gestapo umringte sein Haus und wartete eines Abends auf seine Rückkehr. Aber er konnte nicht kommen, weil er in Le Havre war und dort in der frühen Planungsphase der Invasion mit britischen und amerikanischen Agenten den Kontakt herstellte. Es hieß, der Anführer der Gestapo-Einheit sei, als schließlich der Morgen dämmerte, wütend geworden. Das Haus wurde gestürmt und deine Mutter und dein älterer Bruder, ein fünfjähriges Kind, wurden exekutiert. Jodelle griffen sie einige Stunden später auf; wir konnten ihn verständigen, daß du überlebt hattest.«

»Oh … mein Gott!« Der gefeierte Schauspieler wurde bleich und seine Augen schlossen sich, als er in seinen Sessel sank. »Diese Ungeheuer! … Nein, wartet, was habt ihr da gerade gesagt? ›Es hieß, der Anführer der Gestapo –‹ Es hieß? Das ist nicht bestätigt?«

»Du begreifst sehr schnell, Jean-Pierre«, stellte Catherine fest. »Du hörst zu, deshalb bist du ein großer Schauspieler.«

»Zur Hölle damit, Mutter! Was hast du gemeint, Vater?«

»Es war bei den Deutschen nicht üblich, die Familien von Résistance-Kämpfern zu töten, egal ob ihre Zugehörigkeit zur Widerstandsbewegung nun erwiesen oder nur vermutet war. Sie hatten andere Verwendung für sie – man folterte sie, um an Informationen zu gelangen, oder benutzte sie als Köder für andere, und dann gab es immer Zwangsarbeit, Frauen für das Offizierskorps, eine Kategorie, in die deine leibliche Mutter mit Sicherheit gekommen wäre.«

»Warum hat man sie dann getötet? … Nein, zuerst ich. Wie habe ich überlebt?«

»Ich kam auf dem Weg zu einem Treffen im Wald von Barbizon, das in den frühen Morgenstunden stattfinden sollte, an eurem Haus vorbei, sah die eingeschlagenen Fenster, die eingetretene Tür, und hörte ein kleines Kind weinen. Dich. Mir war sofort alles klar, und das Treffen fiel natürlich aus. Ich brachte dich nach Hause, fuhr mit dem Fahrrad auf Nebenstraßen nach Paris.«

»Dir dafür zu danken, ist es heute ein wenig spät, aber noch einmal: Warum hat man meine – meine leibliche Mutter und meinen Bruder erschossen?«

»Jetzt hast du nicht richtig aufgepaßt, mein Sohn«, sagte der ältere Villier.

»Was?«

»In dem Schock, den dir das alles bereitet haben muß, hast du nicht so genau hingehört, wie vorher, als ich die Ereignisse jener Nacht schilderte.«

»Hör jetzt auf, Papa! Sag, was du meinst!«

»*Ich* habe gesagt ›exekutiert‹, *du* hast gesagt ›erschossen‹.«

»Ich verstehe nicht …«

»Jodelle erwähnte gegenüber einigen wenigen von uns, daß es einen Mann in der Résistance gab, der so weit oben stand, daß man von ihm wie von einer Legende nur im Flüsterton sprach; seine wahre Identität war eines der bestgehüteten Geheimnisse der Bewegung. Jodelle behauptete nun, er habe erfahren, wer dieser Mann sei und daß eben dieser Mann in Wirklichkeit kein großer Held, sondern vielmehr ein Verräter sei.«

»Und wer war er?« bohrte Jean-Pierre.

»Das hat er uns nie gesagt. Er sagte lediglich, der Mann sei ein General in unserer Armee und davon gab es Dutzende. Er sagte, wenn er recht habe, und einer von uns den Namen des Mannes verlauten ließe, würden wir von den Deutschen erschossen werden. Wenn er Unrecht hätte und jemand in diffamierender Weise von ihm redete, dann würde es heißen, unser Flügel sei nicht stabil, und man würde uns nicht mehr vertrauen.«

»Und was wollte er dann tun?«

»Falls es ihm gelingen sollte, seinen Verdacht eindeutig zu beweisen, würde er den Mann selbst beseitigen. Er schwor, daß er dazu in der Lage sei. Wir nahmen an – und ich glaube bis zum heutigen Tage, zu recht – daß der Verräter, wer auch immer er war, irgendwie von Jodelles Verdacht erfuhr, und Anweisung gab, ihn und seine Familie hinzurichten.«

»Und das war alles? Sonst nichts?«

»Du mußt versuchen, die damaligen Umstände und die Zeit, in der das damals geschah, zu verstehen, mein Sohn«, sagte Catherine Villier. »Ein falsches Wort, ja sogar ein feindseliger Blick oder eine Geste, konnten zur sofortigen Festnahme führen und zur Folge haben, daß man ins Gefängnis gesteckt oder deportiert wurde. Die Besatzungsstreitkräfte, ganz besonders die ehrgeizigen subalternen Offiziere, hegten geradezu fanatischen Argwohn gegenüber allem und jedem. Jede neue Aktion der Résistance schürte ihre Wut. Es war niemand sicher. Eine Hölle, wie sie nicht einmal Kafka hätte erfinden können.«

»Und ihr habt ihn bis heute abend nie wieder zu Gesicht bekommen?«

»Wenn wir ihn gesehen hätten, hätten wir ihn nicht erkannt«, erwiderte Villier *père.* »Ich hatte Mühe, seine Leiche zu identifizieren.«

»Vielleicht war er es gar nicht. Ist das möglich, Vater?«

»Nein, es war Jodelle. Seine Augen waren im Tod geweitet und immer noch so blau, so strahlend blau wie ein wolkenloser Himmel am Mittelmeer – wie die deinen, Jean-Pierre.«

»Jean-Pierre …?« wiederholte der Schauspieler leise. »Ihr habt mir seinen Namen gegeben?«

»Es war auch der Name deines Bruders«, korrigierte ihn die Schauspielerin mit leiser Stimme. »Das arme Kind brauchte ihn nicht mehr, und wir dachten, daß du ihn Jodelle zu Ehren tragen solltest.«

»Das war sehr fürsorglich von euch –«

»Wir wußten, daß wir dir die wahren Eltern nie würden ersetzen können«, fuhr die Schauspielerin schnell, beinahe bittend fort, »aber wir haben uns die größte Mühe gegeben, mein Liebling. In unserem gemeinsamen Testament haben wir alles festgehalten, was geschehen ist. Aber bis heute abend hatten wir beide nicht den Mut, es dir zu sagen. Wir lieben dich so.«

»Hör um Gottes willen auf, Mutter. Sonst fange ich zu heulen an. Wer auf dieser Welt könnte sich bessere Eltern als euch beide wünschen? Ich werde nie wissen, was ich nicht wissen kann, aber ihr seid für alle Zeit mein Vater und meine Mutter, und das wißt ihr.«

Das Telefon klingelte und ließ sie alle zusammenzucken. »Die Presse hat doch diese Nummer nicht?« fragte Julian.

»Nicht, daß ich wüßte«, erwiderte Jean-Pierre und drehte sich zu dem Telefon auf dem Garderobentisch herum. »Nur ihr habt sie, Giselle und mein Agent. Nicht einmal mein Anwalt oder, da sei Gott vor, die Besitzer des Theaters … Ja?« sagte er in gutturalem Ton.

»Jean-Pierre?« tönte die Stimme seiner Frau Giselle aus dem Hörer.

»Natürlich, meine Liebe.«

»Ich war nicht sicher –«

»Ich auch nicht, deshalb habe ich meine Stimme verstellt. Mutter und Vater sind hier, und ich komme nach Hause, sobald die Journalisten die Belagerung hier aufgegeben haben.«

»Ich denke, du solltest möglichst bald nach Hause kommen.«

»Was?«

»Hier ist ein Mann, der dich sprechen will –«

»Um *diese* Zeit? Wer ist es denn?«

»Ein Amerikaner, und er sagt, er muß dich sprechen. Es ist wegen heute abend.«

»Heute abend … hier im Theater?«

»Ja, Liebster.«

»Du hättest ihn vielleicht gar nicht hereinlassen sollen, Giselle.«

27

»Ich fürchte, ich hatte da keine Wahl. Er ist mit Henri Bressard gekommen.«

»Henri? Was hat das, was heute abend geschehen ist, mit dem Quai d'Orsay zu tun?«

»Unser lieber Freund Henri sitzt mir gegenüber und lächelt und versprüht seinen ganzen Diplomatencharme, ist aber nicht bereit, mir etwas zu sagen, bevor du kommst … Stimmt das, Henri?«

»Allerdings, meine allerliebste Giselle«, hörte Villier schwach die Antwort im Hintergrund. »Ich weiß selbst wenig bis gar nichts.«

»Hast du es gehört, Liebling?«

»Ganz deutlich. Was ist mit dem Amerikaner? Ist er ein Rüpel? Antworte nur mit Ja oder Nein.«

»Ganz im Gegenteil. Obwohl in seinen Augen, wie ihr Schauspieler sagen würdet, eine heiße Flamme brennt.«

»Was ist mit Mutter und Vater? Sollen sie mitkommen?«

Giselle wandte sich den beiden Männern im Raum zu und wiederholte die Frage. »Später«, sagte der Mann von Quai d'Orsay so laut, daß man ihn über das Telefon hören konnte. »Wir werden später mit ihnen sprechen, Jean-Pierre«, fügte er noch etwas lauter hinzu. »Nicht heute abend.«

Der Schauspieler und seine Eltern verließen das Theater durch den Haupteingang, nachdem der Nachtwächter der Presse mitgeteilt hatte, daß Villier in Kürze an der Bühnentür erscheinen würde. »Sag uns Bescheid, was da los ist«, bat Julian, als er und seine Frau ihren Sohn umarmt hatten, und zu dem ersten der beiden Taxis gingen, die sie telefonisch von der Garderobe aus bestellt hatten. Jean-Pierre stieg in das zweite Taxi und gab dem Fahrer seine Adresse im Parc Monceau.

Die Vorstellung des Amerikaners war knapp und beunruhigend. Henri Bressard, Erster Sekretär für Auswärtige Angelegenheiten der Republik Frankreich und seit über zehn Jahren ein enger Freund des jüngeren Villier, sprach mit ruhiger Stimme und deutete dabei auf seinen amerikanischen Begleiter, einen hochgewachsenen Mann Mitte Dreißig mit dunkelbraunem Haar, scharf

28

geschnittenen Gesichtszügen und klaren grauen Augen, die auf geradezu verstörende Art lebendig waren und einen ausgeprägten Kontrast zu seinem sanften Lächeln bildeten. »Jean-Pierre, das ist Drew Lennox. Er ist Sonderbeamter einer Abteilung des amerikanischen Nachrichtendienstes, die lediglich unter der Bezeichnung Consular Operations bekannt ist, eine Einheit, die, wie unsere eigenen Gewährsleute festgestellt haben, sowohl dem amerikanischen Außenministerium als auch der Central Intelligence Agency untersteht … Mein Gott, wie die beiden es geschafft haben, zusammenzuarbeiten, übersteigt mein diplomatisches Begriffsvermögen!«

»Das ist auch nicht immer einfach, Mr. Secretary«, sagte Lennox freundlich, wenn auch ein wenig stockend in gebrochenem Französisch, »aber irgendwie schaffen wir es.«

»Vielleicht sollten wir englisch sprechen«, bot Giselle Villier an. »Wir sprechen es alle fließend.«

»Vielen Dank«, erwiderte der Amerikaner in englischer Sprache. »Ich möchte nicht mißverstanden werden.«

»Das werden Sie nicht«, sagte Villier, »aber bitte nehmen Sie zur Kenntnis, daß wir – vor allem ich – verstehen müssen, weshalb Sie heute hierher gekommen sind. An diesem schrecklichen Abend. Ich habe heute Dinge gehört, die ich nie zuvor gehört habe – wollen Sie da noch etwas hinzufügen, Monsieur?«

»Jean-Pierre«, sagte Giselle abrupt, »wovon redest du da?«

»Laß ihn antworten«, sagte Villier und fixierte den Amerikaner mit seinen großen blauen Augen.

»Vielleicht – vielleicht auch nicht«, erwiderte der Agent. »Ich weiß, daß Sie mit Ihren Eltern gesprochen haben, aber ich kann nicht wissen, worüber Sie geredet haben.«

»Natürlich nicht. Aber ist es möglich, daß Sie in etwa ahnen, welche Richtung unser Gespräch hatte, wie?«

»Offen gestanden ja, obwohl ich nicht weiß, wieviel man Ihnen schon früher gesagt hat. Die Ereignisse des heutigen Abends lassen vermuten, daß Sie nichts von der Existenz Jean-Pierre Jodelles wußten.«

»Ganz richtig«, sagte der Schauspieler.

»Die Sûreté, die ebenfalls nichts weiß, hat Sie ausführlich verhört, und war überzeugt, daß Sie die Wahrheit gesprochen haben.«

»Warum nicht, Monsieur Lennox? Ich *habe* die Wahrheit gesagt.«

»Gibt es jetzt eine andere Wahrheit, Mr. Villier?«

»Ja, allerdings.«

»Würdet ihr beide aufhören, euch im Kreis zu drehen!« rief die Frau des Schauspielers. »Was ist das für eine Wahrheit?«

»Ganz ruhig, Giselle. Wir liegen auf derselben Wellenlänge, wie die Amerikaner sagen.«

»Sollten wir an dem Punkt aufhören?« fragte der Beamte von Consular Operations. »Würden Sie es vorziehen, unter vier Augen zu sprechen?«

»Nein, selbstverständlich nicht. Meine Frau hat ein Recht darauf, alles zu wissen, und Henri ist einer unserer engsten Freunde und ein Mann, der gelernt hat zu schweigen.«

»Wollen wir uns nicht setzen?« fragte Giselle mit fester Stimme. »Das ist alles viel zu wirr, als daß man es sich stehend anhören kann.« Als sie alle Platz genommen hatten, Giselle neben ihrem Mann, fügte sie hinzu »Bitte fahren Sie fort, Monsieur Lennox, und bitte drücken Sie sich klarer aus.«

»Verzeih mir, Giselle«, sagte der Schauspieler. »Ich würde gerne wissen, weshalb Monsieur Lennox es für richtig gehalten hat, sich Henris Vermittlung zu bedienen, um an mich heranzukommen.«

»Ich wußte, daß Sie Freunde sind«, antwortete der Amerikaner darauf. »Als ich übrigens Henri gegenüber vor ein paar Wochen erwähnte, daß ich keine Karten für Ihr Stück bekommen könne, waren Sie so liebenswürdig, zwei an der Kasse für mich hinterlegen zu lassen.«

»Ah ja, jetzt erinnere ich mich … Ihr Name kam mir irgendwie bekannt vor, aber heute ist so viel geschehen, daß ich nicht gleich daraufkam. ›Zwei Karten auf den Namen Lennox …‹ Ja, ich erinnere mich.«

»Sie waren großartig –«

»Sie sind sehr liebenswürdig«, unterbrach ihn Jean-Pierre und tat das Kompliment mit einer Handbewegung ab. Er musterte den Amerikaner scharf, sah dann zu Bressard hinüber. »Deshalb«, fuhr er dann fort, »darf ich annehmen, daß Sie und Henri befreundet sind.«

»Mehr dienstlich als privat«, sagte Bressard. »Ich glaube, wir haben nur einmal miteinander zu Abend gegessen; und das war am Ende einer Konferenz, die im großen und ganzen ergebnislos blieb.«

»Zwischen den beiden Regierungen«, bemerkte Giselle.

»Ja«, sagte Bressard.

»Und worüber konferierst du mit Monsieur Lennox, Henri?« bohrte sie nach. »Wenn ich das fragen darf.«

»Natürlich darfst du das, meine Liebe«, erwiderte Bressard. »Ganz allgemein gesagt, über heikle Situationen, über gegenwärtige Vorkommnisse oder solche in der Vergangenheit, die für unsere jeweiligen Regierungen schädlich oder peinlich sein könnten.«

»Fällt dieser Besuch heute abend in eine solche Kategorie?«

»Die Frage muß Drew beantworten, Giselle. Ich kann das nicht und bin genauso interessiert wie ihr, es zu erfahren. Er hat mich vor über einer Stunde aus dem Bett geholt, und darauf bestanden, daß ich ihn in unser beider Interesse sofort zu euch bringe. Als ich wissen wollte warum, machte er mir klar, daß nur Jean-Pierre die Erlaubnis erteilen könne, mir nähere Informationen zu geben – Informationen, die die Ereignisse des heutigen Abends betreffen.«

»Und deshalb haben Sie vorgeschlagen, daß wir unter vier Augen sprechen. Ist das richtig, Monsieur Lennox?« fragte Villier.

»Ja, das stimmt.«

»Dann ist Ihr Besuch heute, an diesem schrecklichen Abend dienstlicher Natur, *n'est-ce pas?*«

»Ich fürchte ja«, sagte der Amerikaner.

»Selbst im Hinblick auf die späte Stunde und die tragischen Ereignisse, die ich angedeutet habe?«

»Ja, muß ich leider sagen«, nickte Lennox. »Jede Stunde ist für uns von entscheidender Bedeutung, ganz besonders für mich, wenn Sie es so konkret haben wollen.«

»Ich will es sogar sehr konkret haben, Monsieur.«

»Also gut, ich werde ganz offen sprechen. Mein Bruder ist für die Central Intelligence Agency tätig. Man hat ihn in geheimer Mission zur Reichenspitze in die Alpen geschickt. Er hatte den Auftrag, gegen eine sich ausbreitende Neonaziorganisation zu ermitteln, und seit sechs Wochen fehlt jede Nachricht von ihm.«

»Ich verstehe Ihre Besorgnis, Drew«, unterbrach Henri Bressard, »aber was hat das mit diesem Abend zu tun – diesem schrecklichen Abend, wie Jean-Pierre ihn genannt hat?«

Der Amerikaner sah Villier stumm an, worauf der Schauspieler sagte: »Der geistesgestörte alte Mann, der im Theater Selbstmord begangen hat, war mein Vater«, sagte er leise, »mein leiblicher Vater. Vor vielen Jahren im Krieg war er ein Résistancekämpfer. Die Nazis haben ihn entdeckt und ihn zerbrochen, ihn in den Wahnsinn getrieben.«

Giselle stöhnte auf; ihre Hand schoß vor und packte den Arm ihres Mannes. »Sie sind wieder da«, sagte Lennox, »ihre Zahl und ihr Einfluß wächst, wächst über jedes Maß hinaus.«

»Nehmen wir einmal an, daß auch nur ein Körnchen Wahrheit an dem ist, was Sie sagen«, bohrte Bressard. »Was hat das mit dem Quai d'Orsay zu tun? Sie haben gesagt, ›in unser beider Interesse.‹ Wieso, mein Freund?«

»Sie werden morgen in unserer Botschaft vollständig informiert werden. Darauf habe ich vor zwei Stunden bestanden, und Washington hat zugestimmt. Bis dahin kann ich Ihnen nur sagen – und das ist alles, was ich weiß – daß die Geldfährte, die über die Schweiz nach Österreich und dort zu der sich ausbreitenden Nazibewegung führt, von Leuten hier in Frankreich ausgeht. Wer das ist, wissen wir nicht, aber es geht um immense Beträge, Millionen und Abermillionen Dollar. Und das Geld fließt zu Fanatikern, die die Partei wieder aufbauen – Hitlers Partei im Exil –, aber noch in Deutschland, in Deutschland versteckt.«

»Und, wenn Sie recht haben, bedeutet das, daß es eine weitere Organisation hier gibt – wollen Sie das sagen?« fragte Bressard.

»Jodelles Verräter«, flüsterte Jean-Pierre Villier und lehnte sich in seinem Stuhl nach vorne. »Der französische General!«

»Oder etwas, das er aufgebaut hat«, sagte Lennox.

»Herrgott, wovon redet ihr beiden?« rief die Frau des Schauspielers aus. »Ein neu entdeckter Vater, die Résistance, Nazis,

Millionen von Dollar, die zu Fanatikern in den Bergen strömen! Das klingt alles verrückt – *fou!*«

»Ich schlage vor, Sie fangen ganz von vorne an, Drew Lennox«, sagte der Schauspieler mit leiser Stimme. »Vielleicht kann ich dann ein paar Dinge beitragen, von denen ich vor dem heutigen Abend noch nichts wußte.«

2

Nach den in unserem Besitz befindlichen Aufzeichnungen«, begann Lennox, »erschien im Juni 1946 mehrmals ein repatriierter Angehöriger der französischen Résistance bei unserer Botschaft, der sich abwechselnd der Namen Jean Froisant und Pierre Jodelle bediente, wobei er in unterschiedlicher Verkleidung und stets nachts auftrat. Er behauptete, die Pariser Gerichte versuchten, ihn im Hinblick auf seine Kenntnisse über verräterische Aktivitäten eines Führers der Résistance zum Schweigen zu bringen. Angeblich handelte es sich bei dem Verräter um einen französischen General, der sich wie die anderen Ihrer Generale, die in Frankreich geblieben waren, während der Besatzungszeit in privilegiertem Hausarrest befunden hatte, den ihnen die deutsche Oberste Heeresleitung zugestand. Die OSI-Ermittler kamen zu einer negativen Beurteilung und erklärten, Froisant/Jodelle sei geistesgestört, wie andere Hunderte, wenn nicht Tausende, die man in den Konzentrationslagern zu seelischen Krüppeln gemacht hatte.«

»Das OSI ist das Büro für Sonderermittlungen, Office of Special Investigations, wie die offizielle Amtsbezeichnung lautet«, erklärte Bressard, dem die Verwirrung in den Gesichtern der beiden Villiers aufgefallen war. »Das ist die amerikanische Behörde, die für die Verfolgung von Kriegsverbrechern eingerichtet worden war.«

»Tut mir leid, ich dachte, das wüßten Sie«, sagte Lennox. »Das OSI war hier in Frankreich in erheblichem Maß und in enger Zusammenarbeit mit Ihren Behörden tätig.«

»Ja, natürlich«, sagte Giselle. »Das war die offizielle Bezeichnung. Man hat mir erzählt, daß man hier andere Bezeichnungen dafür hatte. Kollaborateurjäger, Schweinesucher und noch eine ganze Anzahl anderer.«

»Bitte fahren Sie fort«, sagte Jean-Pierre und runzelte die Stirn. »Man hat Jodelle also zum Verrückten erklärt – einfach so?«

»Das geschah keineswegs willkürlich, falls Sie das meinen. Er wurde ausführlich befragt, und die Archive enthalten drei separate Aussagen, die unabhängig voneinander aufgenommen wurden, um seine Darlegungen auf Unstimmigkeiten zu überprüfen. Das ist die übliche Vorgehensweise –«

»Dann haben Sie die Information also«, fiel ihm der Schauspieler ins Wort. »Wer war dieser General?«

»Das wissen wir nicht –«

»Sie *wissen* es nicht?« rief Bressard aus. »*Mon Dieu*, Sie haben die Unterlagen doch nicht etwa verloren, oder?«

»Nein, wir haben sie nicht verloren, Henri. Sie sind gestohlen worden.«

»Aber Sie sagten doch ›nach unseren Aufzeichnungen‹!« warf Giselle ein.

»Ich sagte ›nach den in unserem Besitz befindlichen Aufzeichnungen‹«, korrigierte sie Lennox. »Man kann einen Namen in einem bestimmten Zeitraum mit einem Index versehen und erhält dann die bestätigten Unterlagen, soweit vorschriftsmäßig vorgegangen worden war. Materialien wie Verhörprotokolle und Aussagen werden aus Datenschutzgründen in separaten Archiven unter Verschluß gehalten … und diese Akten sind verschwunden. Warum wissen wir nicht – aber vielleicht wissen wir es jetzt.«

»Aber Sie waren über mich informiert«, sagte Jean-Pierre. »Wieso?«

»Wenn neue Informationen eingehen, werden die Kurzfassungen vom OSI aktualisiert. Vor etwa drei Jahren belästigte Jodelle in betrunkenem Zustand den amerikanischen Botschafter vor dem Lyceum-Theater, wo Sie in einem Stück auftraten –«

»*Je m'appelle Aquilon!*« fiel ihm Bressard begeistert ins Wort. »Du warst *magnifique!*«

»Oh, sei still, Henri … bitte fahren Sie fort, Mr. Lennox.«

»Jodelle schrie die ganze Zeit, was für ein großer Schauspieler Sie wären und daß Sie sein Sohn seien, und daß die Amerikaner nicht auf ihn hören wollten. Natürlich zogen ihn die Theaterangestellten weg, während der Türsteher den Botschafter zu seiner Limousine brachte. Er erklärte ihm, der alte betrunkene Clochard sei geistesgestört, ein besessener Fan, der sich immer vor den Theatern herumtrieb, wo Sie auftraten.«

»Ich habe ihn nie gesehen. Wie kommt das?«

»Das hat der Türsteher ebenfalls erklärt. Jedesmal, wenn Sie an der Bühnentür erschienen, rannte er weg.«

»Das gibt doch keinen Sinn!« sagte Giselle entschieden.

»Ich fürchte doch, meine Liebe«, wandte Jean-Pierre ein und warf seiner Frau dabei einen traurigen Blick zu. »Wenigstens nach dem, was ich heute erfahren habe ... Also wurde mein Name wegen jenes seltsamen, aber doch nicht gerade ungewöhnlichen Vorfalls in Ihre – wie nennen Sie das – Ihre nicht unter Verschluß gehaltenen nachrichtendienstlichen Archive aufgenommen?« fuhr der Schauspieler fort.

»Nur routinemäßig. Der ganzen Geschichte wurde keine besondere Bedeutung beigemessen.«

»Aber Sie haben ihr Bedeutung beigemessen, *n'est-ce pas?*«

»Bitte verstehen Sie mich, Sir«, sagte Lennox und beugte sich in seinem Stuhl nach vorne. »Vor fünf Wochen und vier Tagen sollte mein Bruder mit seinem Verbindungsmann in München Kontakt aufnehmen. Es war eine konkrete Vereinbarung, kein ungefährer Termin, alle logistischen Voraussetzungen waren auf einen Zeitraum von zwölf Stunden eingeengt. Drei Jahre einer riskanten und harten Operation waren abgeschlossen, das Ende in Sicht und die Arrangements für seine sichere Rückführung in die Staaten waren getroffen. Als eine Woche vergangen war, ohne daß wir irgendeine Nachricht von ihm erhalten hatten, flog ich nach Washington zurück und sah mir alle für Harrys Operation wesentlichen Einzelheiten in unseren Unterlagen an – das ist mein Bruder Harry Lennox ... und blieb aus irgendeinem Grund, wahrscheinlich nur, weil es so ein seltsamer Hinweis war, an der Episode vor dem Lyceum-Theater hängen. Wie Sie selbst schon angedeutet haben, warum hatte man diese Aussage überhaupt aufgenommen? Berühmte Schauspieler und Schauspielerinnen werden häufig von Fans belästigt, die von ihnen besessen sind. Wir lesen das ja schließlich häufig in den Boulevardblättern.«

»Ich glaube, das sagte ich schon«, meldete sich Villier zu Wort. »Das ist ein Berufsrisiko, im übrigen meist ein recht harmloses.«

»Das dachte ich auch. Warum hatte man aber den Hinweis in die Akten aufgenommen?«

»Haben Sie eine Antwort darauf gefunden?«

»Eigentlich nicht, aber immerhin genug, um mich dazu zu veranlassen, die Suche nach Jodelle aufzunehmen. Seit ich vor zwei Wochen nach Paris zurückkam, habe ich mich in sämtlichen Seitengassen des Montparnasse und in allen heruntergekommenen Vierteln der Stadt umgesehen.«

»Warum?« wollte Giselle wissen. »Was hat Sie zu dieser Suche veranlaßt? Warum hat man den Namen meines Mannes überhaupt nach Washington weitergeleitet?«

»Dieselbe Frage habe ich mir auch gestellt, Mrs. Villier. Und deshalb habe ich während meines Aufenthalts in Washington den ehemaligen Botschafter – den der vorangegangenen Regierung – aufgesucht und ihn gefragt. Sie müssen wissen, die Information wäre nicht an die Nachrichtendienste weitergegeben worden, wenn er das nicht ausdrücklich genehmigt hätte.«

»Und was hat mein alter Freund, der Botschafter, gesagt?« fragte Bressard in unmißverständlich kritischem Ton.

»Es war seine Frau –«

»Ah«, machte der Mann vom Quai d'Orsay. »Dann sollte man zuhören. Eigentlich hätte *sie* der *ambassadeur* sein sollen. Sie war wesentlich intelligenter als er und besser informiert. Sie ist Ärztin, müssen Sie wissen.«

»Ja, ich habe mit ihr gesprochen. Sie ist auch eine große Theaterliebhaberin. Sie besteht immer auf einem Platz in einer der drei vordersten Reihen.«

»Das sind keineswegs die besten Plätze«, sagte der Schauspieler leise. »Man verliert dort die Perspektive für das Gesamte. Aber verzeihen Sie mir, fahren Sie fort. Was hat sie gesagt?«

»Es waren Ihre Augen, Mr. Villier. Und die Jodelles, als er sie auf dem Bürgersteig anhielt und hysterisch zu schreien anfing. ›Sie hätten beide so auffällig blaue Augen‹, sagte sie. ›Aber es war eine ungewöhnlich helle Farbe, etwas, was bei blauäugigen Menschen nur sehr selten vorkommt.‹ Also dachte sie, daß an dem Gewäsch des alten Mannes, Wahnvorstellungen hin oder her, vielleicht doch etwas dran sein könnte. Sie gab zu, daß das eine höchst spekulative Vermutung war, aber eine, die man nicht einfach übersehen sollte. Und wie Henri schon erwähnte, sie ist Ärztin.«

»Also hatten Sie einen Verdacht, dem Sie nachgegangen sind«, sagte Jean-Pierre mit einem Kopfnicken.

»Als im Fernsehen gemeldet wurde, ein nicht identifizierter alter Mann habe sich im Theater erschossen, nachdem er geschrien hatte, Sie seien sein Sohn – nun, da wußte ich, daß ich Jodelle gefunden hatte.«

»Aber das hatten Sie nicht, Mr. Lennox. Sie haben den Sohn gefunden, nicht den Vater, den er nie kennengelernt hat. Und wo stehen Sie jetzt? Ich kann dem, was Sie bereits wissen, kaum etwas hinzufügen, und alles das habe ich selbst erst heute abend von den einzigen Eltern erfahren, die ich je gekannt habe. Sie sagten mir, Jodelle sei ein Bariton an der Pariser Oper, ein Résistancekämpfer gewesen, den die Deutschen entdeckt und in ein Konzentrationslager geschickt hatten, aus dem er angeblich nie zurückgekehrt war. Offensichtlich ist er doch zurückgekehrt, und allem Anschein nach hat der arme Mann um seine Schwächen gewußt und sich nie zu erkennen gegeben.« Der Schauspieler dachte nach und fügte dann ein paar Augenblicke später nachdenklich und bedrückt hinzu: »Er hat mir ein privilegiertes Leben verschafft und selbst auf ein lebenswertes Leben verzichtet.«

»Er muß dich sehr geliebt haben, mein Herz«, sagte Giselle. »Aber stell dir nur vor, mit welcher Sorge und welchen Qualen er leben mußte.«

»Sie haben ihn gesucht. Sie haben sich so bemüht, ihn zu finden – er hätte ärztlich behandelt werden können. Herrgott, wie tragisch!« Jean-Pierre blickte zu dem Amerikaner hinüber. »Noch einmal, Monsieur, was kann ich sagen? Ich kann Ihnen auch nicht mehr helfen, als ich mir selbst helfen kann.«

»Sagen Sie mir genau, was geschehen ist. Ich habe im Theater nur sehr wenig erfahren. Die Polizei war nicht da, als es passierte, und die Zeugen, die dageblieben sind – bis ich eintraf, waren es nur noch Platzanweiser –, waren keine große Hilfe. Die meisten behaupteten, sie hätten die Rufe gehört und zuerst gedacht, es sei Beifall, und dann sahen sie einen alten Mann in abgerissener Kleidung, der den Mittelgang heruntergerannt kam und schrie, Sie seien sein Sohn. Er habe ein Gewehr in der Hand gehalten, sich den Lauf in den Mund gesteckt und geschossen. Und das war so ziemlich alles.«

»Nein, da war noch mehr«, sagte Villier und schüttelte den Kopf. »Im Zuschauerraum herrschte einen Augenblick lang Stille, der Schock des Erstaunens, und in diesem kurzen Augenblick habe ich ganz deutlich gehört, was er gerufen hat. ›Ich habe dich und deine Mutter im Stich gelassen – ich bin nutzlos, ein Nichts. Du sollst nur wissen, daß ich es versucht habe – ich habe es versucht, aber nicht geschafft.‹ Das ist alles, woran ich mich erinnere. Dann trat Chaos ein. Ich habe keine Ahnung, was er gemeint hat.«

»Es muß in den Worten stecken, Mr. Villier«, sagte Lennox mit Nachdruck, »und es muß etwas gewesen sein, was für ihn so ungeheuer wichtig, so katastrophal war, daß er das Schweigen eines ganzen Lebens gebrochen und Ihnen gegenübergetreten ist. Eine letzte Geste, bevor er sich selbst tötete; irgend etwas muß das ausgelöst haben.«

»Oder das letzte Aufbäumen eines gestörten Bewußtseins, das in den Abgrund des völligen Wahnsinns gestürzt wurde«, schlug die Frau des Schauspielers vor.

»Das glaube ich nicht«, merkte der Amerikaner höflich an. »Dazu war er zu zielbewußt. Er wußte ganz genau, was er tat, was er tun würde. Irgendwie hatte er es geschafft, sich mit einem am Körper verborgenem Gewehr ins Theater zu schleichen, was gar nicht leicht ist, und dann gewartet, bis die Vorstellung vorbei war und Ihr Mann den Beifall der Menge entgegennahm. Den wollte er ihm nicht versagen. Ein Mann im emotionalen Aufruhr einer Wahnsinnstat würde eher dazu neigen, das Stück zu unterbrechen und damit die ganze Aufmerksamkeit auf sich zu ziehen. Das hat Jodelle nicht getan. Ein Teil seiner Person war zu rational, auf rationale Weise zu großzügig, um das zuzulassen.«

»Sind Sie auch Psychologe?« fragte Bressard.

»Nicht mehr als Sie auch, Henri. In unserem Beruf kommt es doch darauf an, das Verhalten der Menschen zu studieren und es, wenn möglich, vorherzusagen. Stimmt das nicht?«

»Sie meinen also«, sagte Villier, »daß mein Vater – der leibliche Vater, den ich nie kannte – ganz rational die Schritte kalkulierte, die zu seinem eigenen Tod führten, weil irgendein Erlebnis ihn dazu bewogen hatte.« Der Schauspieler lehnte sich in seinen Sessel zurück und runzelte die Stirn. »Dann müssen wir herausfinden, was das war, oder nicht?«

»Ich weiß nicht, wie wir das anstellen sollten, Sir. Er ist tot.«

»Wenn ein Schauspieler eine Figur analysiert, die er auf der Bühne oder im Film zum Leben erwecken muß, und jene Figur sich außerhalb der Klischeevorstellungen seiner Phantasie befindet, muß er die Realität studieren, sich mit ihr auseinandersetzen, nicht wahr?«

»Ich bin nicht sicher, ob ich verstehe, was Sie meinen.«

»Vor vielen Jahren sollte ich einen mörderischen Beduinenscheich spielen, einen höchst unsympathischen Mann, der brutal seine Feinde tötet, weil er in ihnen Feinde Allahs sieht. In mir beschwor das all die Klischees herauf, die man dabei erwartet: die satanischen Gesichtszüge, den spitzen Kinnbart, die schmalen bösen Lippen, die messianischen Augen – ich fand das alles zu banal. Also flog ich nach Dschiddah, ging dort in die Wüste – unter höchst luxuriösen Umständen, das kann ich Ihnen versichern – und traf mich dort mit einigen Beduinenhäuptlingen. Sie waren nichts dergleichen. Sie waren zwar religiöse Eiferer, aber sie waren ruhig und sehr höflich, und sie waren fest davon überzeugt, daß das, was der Westen die arabischen Verbrechen ihrer Großväter nannte, völlig gerechtfertigt war, weil jene alten Feinde tatsächlich die Feinde ihres Gottes waren. Sie erklärten mir sogar, daß ihre Ahnen jedesmal, wenn sie einen ihrer Feinde getötet hatten, zu Allah beteten, daß er erlöst werden möge. Für sie war das ein notwendiges Abschlachten, das sie mit großer Betrübnis erfüllte. Verstehen Sie, was ich sagen will?«

»Das war *Le Carnage du Voile*«, sagte Bressard. »Du warst großartig und hast den beiden Stars den Film gestohlen. Der führende Kritiker von Paris schrieb damals, das Böse in dir sei deshalb so rein gewesen, weil du es in so stilles Wohlwollen gekleidet hattest –«

»*Bitte*, Henri. Genug.«

»Ich weiß immer noch nicht, worauf Sie hinauswollen, Mr. Villier.«

»Wenn das, was Sie von Jodelle glauben ... wenn das, was Sie glauben, stimmt, dann war er zumindest zum Teil gar nicht so verrückt, wie sein Handeln eigentlich andeuten würde. Ist es nicht das, was Sie eigentlich sagen wollen?«

»Ja, das ist es. Daran glaube ich. Deshalb habe ich mich so bemüht, ihn zu finden.«

»Und ein solcher Mann, ganz abgesehen von seinen Schwächen, ist imstande, mit anderen in Verbindung zu treten, mit seinen Schicksalsgenossen, oder nicht?«

»Wahrscheinlich. Sicher.«

»Dann müssen wir mit seiner Realität beginnen, der Umgebung, in der er lebte. Das werden wir tun. Ich werde es tun.«

»Jean-Pierre!« rief Giselle. »Was sagst du da?«

»Wir haben keine Matinee-Vorstellungen. Nur ein Idiot würde *Coriolanus* achtmal die Woche spielen. Ich habe tagsüber Zeit.«

»Und?« fragte Bressard verstört und hob die Brauen hoch.

»Wie du so liebenswürdigerweise angedeutet hast, Henri, bin ich ein einigermaßen brauchbarer Schauspieler, und habe Zugang zu jedem Kostümverleih in Paris. Die Kleidung wird kein Problem sein, und ein extremes Make-up hat schon immer zu meinen Stärken gehört. Vor seinem Tode waren Monsieur Olivier und ich uns darüber einig gewesen, daß es ein unehrliches Hilfsmittel ist – er nannte es das Chamäleon –, aber dennoch ist damit schon die halbe Schlacht gewonnen. Ich werde in die Welt eindringen, in der Jodelle existierte. Und vielleicht habe ich Glück. Mit irgend jemandem mußte er doch reden. Davon bin ich überzeugt.«

»Jene Umgebung«, sagte Lennox, »jene Welt Jodelles ist ziemlich gemein und kann recht gefährlich sein, Mr. Villier. Manche dieser Typen würden Ihnen, wenn sie glauben, daß Sie zwanzig Franc in der Tasche haben, dafür beide Beine brechen. Ich trage eine Waffe und war ohne Übertreibung während der letzten Wochen in fünf verschiedenen Fällen der Ansicht, daß es besser wäre, sie sehen zu lassen. Außerdem sind diese Leute meist recht zugeknöpft und mögen Fremde nicht, die Fragen stellen; sie nehmen das sogar ziemlich übel. Ich bin nicht weitergekommen.«

»Ah, aber Sie sind kein Schauspieler, Monsieur, und Ihr Französisch ist, offen gesagt, auch ein wenig verbesserungsbedürftig. Sie sind ohne Zweifel in normaler Kleidung durch jene Straßen gegangen und haben nicht viel anders ausgesehen als jetzt, *n'est-ce pas?*«

»Nun … ja.«

»Ich muß noch einmal um Vergebung bitten, aber ein glattrasierter Mann in ordentlicher Kleidung, der in stockendem Französisch Fragen stellt, würde unter Jodelles Kumpanen in jener Welt wohl kaum Zutrauen erwecken.«

»Jean-Pierre, hör auf!« rief seine Frau. »Was du da vorschlägst, kommt nicht in Frage! Mal ganz abgesehen von meinen Gefühlen und deiner Sicherheit, dein Vertrag verbietet dir doch irgendwelche körperlichen Risiken einzugehen. Mein Gott, du darfst weder Skilaufen noch Polospielen oder auch nur mit deinem Flugzeug fliegen.«

»Aber ich werde nicht Skilaufen oder Reiten oder mein Flugzeug fliegen. Ich werde mir lediglich verschiedene Arrondissements in der Stadt ansehen, um dort Milieustudien zu betreiben. Das ist viel weniger, als eine Reise nach Saudi-Arabien wegen einer Nebenrolle.«

»*Merde!*« rief Bressard. »Das ist doch lächerlich!«

»Ich bin nicht hergekommen, um so etwas von Ihnen zu verlangen, Sir«, sagte Lennox. »Ich kam, in der Hoffnung, daß Sie vielleicht etwas wissen, was mir weiterhelfen könnte. Das ist nicht der Fall, und das akzeptiere ich. Meine Regierung kann Leute engagieren, um das zu tun, was Sie hier vorschlagen.«

»Dazu möchte ich ohne falsche Bescheidenheit sagen, daß Sie dann nicht den Besten bekommen würden. Sie wollen doch den Besten, oder nicht, Mr. Lennox? Oder haben Sie Ihren Bruder so schnell vergessen? Ihre Sorge sagt mir, daß das nicht der Fall ist. Er muß ein guter Mensch sein, ein älterer Bruder, wie man ihn sich wünscht, der Ihnen ohne Zweifel geholfen hat und Ihnen manchmal ein Vorbild war. Sie haben natürlich das Gefühl, ihm etwas schuldig zu sein.«

»Ja, ich mache mir Sorgen, aber das ist rein persönlich«, sagte der Amerikaner mit scharfer Stimme. »Ich bin Profi.«

»Das bin ich auch, Monsieur. Und ich schulde diesem Mann, den wir Jodelle nennen, genausoviel wie Sie Ihrem Bruder schulden. Vielleicht sogar mehr. Er hat seine Frau und sein erstes Kind im Kampf für uns alle verloren und dann in einer Art und Weise, die wir uns gar nicht vorstellen können, in der Hölle gelebt, nur damit ich eine Zukunft habe. Oh ja, ich stehe in seiner Schuld – professionell und persönlich. Und ebenso stehe ich in der Schuld der Frau, der jungen Schauspielerin, die meine leibliche Mutter war, und des Kindes, dessen Vornamen ich trage, des älteren Bruders, der mir vielleicht hätte Vorbild sein können. Es ist eine große Schuld, Drew Lennox, und Sie werden mich nicht daran hindern, sie abzutragen. Niemand von euch wird das … bitte seien Sie so freundlich und kommen Sie morgen mittag hierher. Dann werde ich bereit sein und alle Vorkehrungen getroffen haben.«

Lennox und Henri Bressard verließen das beeindruckende Haus der Villiers am Parc Monceau und gingen zum Wagen. »Muß ich Ihnen sagen, daß mir das gar nicht gefällt?« sagte der Franzose.

»Mir auch nicht«, stimmte Drew ihm zu. »Mag ja sein, daß er ein großartiger Schauspieler ist, aber damit läßt er sich auf etwas ein, was seine Vorstellungskräfte übersteigt.«

»Kräfte? Welche Kräfte? Mir gefällt einfach nicht, daß er sich der Pariser Unterwelt aussetzt. Wenn man ihn erkennt, könnte man ihn wegen seines Geldes überfallen oder ihn vielleicht sogar entführen, um Lösegeld zu erpressen. Aber Sie meinen, glaube ich, etwas anderes. Habe ich recht?«

»Da bin ich nicht sicher, nennen Sie es einfach Instinkt. Mit Jodelle ist etwas passiert – hier geht es nicht nur darum, daß ein geistesgestörter Mann sich vor den Augen seines Sohns umgebracht hat, zu dem er sich erst zu spät direkt bekannt hat. Die Tat selbst war eine Tat letzter Verzweiflung; er wußte, daß er besiegt war. Unwiderruflich besiegt.«

»Ja, ich habe gehört, was Jean-Pierre gesagt hat«, sagte Bressard und ging hinten um den Wagen herum auf die Fahrerseite, während Lennox die Tür am Bordstein öffnete. »Der alte Mann schrie, er habe versagt; er habe es versucht, aber es nicht geschafft.«

»Aber was hatte er versucht? Was hat er nicht geschafft? Was war das?«

»Vielleicht die Erkenntnis nicht mehr weiterzukommen«, erwiderte Henri, während er den Wagen anließ und losfuhr. »Das Wissen, daß der Feind zu guter Letzt seinem Zugriff entzogen war.«

»Um das zu wissen, muß er jenen Feind gefunden und dann begriffen haben, daß er hilflos war und keine Chance hatte. Er wußte, daß man ihn für einen Verrückten hielt. Also ging er auf eigene Faust los, seinen Feind zu finden, und sobald er ihn gefunden, geschah etwas. Sie haben etwas unternommen, um ihn zu stoppen.«

»Wenn das der Fall war, warum haben sie ihn dann nicht getötet, anstatt ihn bloß zu stoppen?«

»Das konnten sie nicht. Das hätte zuviele Fragen aufgeworfen. Wenn er ermordet worden wäre, hätte das seine verrückten Behauptungen möglicherweise glaubwürdiger erscheinen lassen. Leute wie ich könnten anfangen zu graben und zu bohren, und das kann sich sein Feind nicht leisten.«

»Ich kann nicht erkennen, welchen Bezug das alles auf Jean-Pierre haben soll.«

»Jodelles Feinde, die Gruppe hier in Frankreich, von der ich überzeugt bin, daß sie mit der Nazibewegung in Deutschland in Beziehung steht, hat sich tief unter der Erde eingenistet. Aber sie haben Augen und Ohren über der Erde. Wenn der alte Mann den Kontakt hergestellt hat, werden sie zumindest seinem Selbstmord nachgehen. Sie werden nach jemandem ausschauen, der Fragen über ihn stellt. Wenn an dem, was Jodelle behauptet hat, auch nur ein Funken Wahrheit ist, können sie es sich gar nicht leisten, das nicht zu tun ... und das bringt mich wieder auf die verschwundenen OSI-Akten in Washington. Es muß einen Grund für diesen Diebstahl geben.«

»Jetzt verstehe ich, was Sie meinen«, sagte Bressard, »und jetzt bin ich um so mehr dagegen, daß Villier sich hier einschaltet. Ich werde mir alle Mühe geben, ihn davon abzubringen; Giselle wird mir dabei helfen. Sie ist ebenso stark wie er, und er betet sie an.«

»Vielleicht haben Sie eben nicht richtig zugehört. Er hat gesagt, keiner von uns könne ihn daran hindern. Das war sein Ernst.«

»Ich bin ganz Ihrer Meinung, aber Sie haben jetzt einen anderen Faktor ins Spiel gebracht. Wir werden das überschlafen, falls einer von uns Schlaf finden kann … Haben Sie immer noch Ihr Appartement in der Rue du Bac?«

»Ja, aber ich möchte vorher zur Botschaft. Ich muß jemand in Washington über eine sichere Leitung anrufen. Von dort kann mich dann ein Fahrer nach Hause bringen.«

»Wie Sie wünschen.«

Lennox fuhr mit dem Fahrstuhl in das Kellergeschoß der Botschaft und ging durch einen weißen von Neonröhren beleuchteten Korridor in die Fernmeldezentrale. Er schob seine Zugangsberechtigungskarte in den Sicherheitsschlitz; ein kurzes, durchdringendes Summen ertönte, dann öffnete sich die schwere Tür, und er trat ein. Der große klimatisierte und mit Staubfiltern versehene Raum war ebenso wie der Korridor weiß getüncht; drei Wände wurden von einer Vielzahl elektronischer Gerätschaften gesäumt, und alle zwei Meter stand ein Drehstuhl vor einer Konsole. Infolge der späten Stunde war nur einer der Sessel besetzt; zwischen zwei und sechs Uhr morgens herrschte hier kaum Betrieb.

»Ich sehe, du hast die Totengräberschicht gezogen, Bobby«, sagte Drew zu dem einzigen anderen Anwesenden. »Wie läuft's denn so?«

»Mir macht's Spaß«, erwiderte Robert Durbane, ein dreiundfünfzigjähriger Fernmeldespezialist und für die Kommunikationszentrale der Botschaft verantwortlich. »Meine Leute glauben immer, ich tu ihnen einen Gefallen, wenn ich mich selbst für die Schicht eintrage; sie täuschen sich, aber sag ihnen das ja nicht. Siehst du, was ich mir mitgebracht habe?« Durbane zeigte ihm die zusammengefaltete Londoner Times mit dem berüchtigten Kreuzworträtsel.

»Ich würde sagen, du bist ein Masochist«, sagte Lennox und ging auf den Stuhl rechts von Durbane zu. »Mir sind die zu schwer, ich versuche es inzwischen gar nicht mehr.«

»Du und all die anderen jungen Leute. Was kann ich für dich tun?«

»Ich möchte Sorenson anrufen.«

»Hat er dich vor einer Stunde nicht erreicht?«

»Ich war nicht zu Hause.«

»Du wirst eine Nachricht von ihm vorfinden ... aber seltsam, das klang bei ihm so, als ob ihr miteinander geredet hättet.«

»Das haben wir auch, aber das liegt mehr als drei Stunden zurück.«

»Nimm das rote Telefon dort in dem Käfig.« Durbane drehte sich um und deutete auf eine verglaste Zelle an der Wand. Der »Käfig«, wie man die Zelle nannte, war eine schalldichte Zone, wo völlig abhörsicher vertrauliche Gespräche geführt werden konnten. Das Botschaftspersonal wußte das zu schätzen; was sie nicht hörten, konnte man auch nicht aus ihnen herauspressen. Drew stand auf, ging zu der dicken Glastür des Käfigs und trat ein. In der Mitte stand ein großer Tisch mit einer beschichteten Platte, auf der das rote Telefon, Bleistifte, Schreibblocks und ein Aschenbecher angeordnet waren. In der Ecke der gläsernen Zelle stand ein Aktenreißwolf, dessen Inhalt alle acht Stunden verbrannt wurde, wenn nötig auch häufiger. Lennox ließ sich hinter dem Tisch in einem Sessel nieder, der so angeordnet war, daß er dem Bedienungspersonal der Konsolen den Rücken zuwandte; maximale Sicherheit schloß die Angst vor Lippenlesern ein, etwas, worüber man lange Zeit gelacht hatte, bis auf dem Höhepunkt des Kalten Krieges ein sowjetischer Maulwurf im Fernmeldesystem der Botschaft entdeckt wurde. Drew nahm den Hörer ab und wartete; zweiundachtzig Sekunden später hörte man das Piepsen und Brummen, mit dem sich der Zerhacker einschaltete, und dann war die Stimme von Wesley T. Sorenson, dem Direktor von Consular Operations, zu hören.

»Wo zum Teufel haben Sie gesteckt?« fragte Sorenson.

»Nachdem Sie meine Kontaktaufnahme mit Henri Bressard freigegeben hatten, ging ich ins Theater und habe dann Bressard angerufen. Er hat mich zu dem Haus der Villiers am Parc Monceau gebracht. Ich bin gerade hier angekommen.«

»Dann waren Ihre Vermutungen richtig? Der alte Mann war also wirklich Villiers Vater?«

»Das hat Villier selbst bestätigt, der es – wie er es formulierte – von den einzigen Eltern erfahren hatte, die er je gekannt hat.«

»Wenn man die Begleitumstände bedenkt, muß das ein schrecklicher Schock für ihn gewesen sein!«

»Darüber werden wir uns ausführlicher unterhalten müssen, Wes. Der Schock hat in unserem berühmten Schauspieler einen geradezu gigantischen Schuldkomplex erzeugt. Er ist fest entschlossen, seine schauspielerischen Fähigkeiten einzusetzen, um mit Jodelles Freunden Verbindung aufzunehmen und zu erfahren, ob der alte Mann irgend jemandem gesagt hat, was er in den letzten Tagen vorgehabt hat, wen er hat finden wollen.«

»*Ihr* Szenario«, sagte Sorenson. »Ihr Szenario, da Ihre Vermutungen sich als richtig erwiesen.«

»Das mußte es sein – wenn ich recht hatte. Aber dieses Szenario sah vor, unsere eigenen Leute einzusetzen, nicht Villier selbst.«

»Ich verstehe. Und worin liegt jetzt Ihr Problem?«

»In Villiers Entschlossenheit. Ich habe versucht, ihm sein Vorhaben auszureden, aber das habe ich nicht geschafft, das konnte ich nicht schaffen, und ich glaube nicht, daß das irgend jemandem gelingen wird.«

»Warum sollten Sie es ihm ausreden? Vielleicht bringt er etwas in Erfahrung. Warum sich da einmischen?«

»Weil ich überzeugt bin, daß derjenige, der Jodelles Selbstmord ausgelöst hat, ihm den Mut genommen hat, weiterzuleben. Irgendwie hat man ihn überzeugt, daß er versagt hatte, daß er erledigt war. Für den alten Mann muß eine Welt zusammengebrochen sein.«

»Psychologisch betrachtet, leuchtet das ein. Und?«

»Wer auch immer es war, sie werden ganz bestimmt seinem Selbstmord nachgehen. Wie ich Bressard schon sagte, sie können es sich gar nicht leisten, das nicht zu tun. Wenn jemand, ganz gleich wer es ist, auftaucht und anfängt, Fragen nach Jodelle zu stellen – nun, wenn seine Feinde diejenigen sind, die ich glaube, dann hat der Betreffende keine große Chance.«

»Haben Sie das Villier gesagt?«

»Nicht so deutlich, aber ich habe keinen Zweifel daran gelassen, daß sein Vorhaben äußerst gefährlich ist. Darauf hat er praktisch gesagt, ich solle doch zum Teufel gehen. Er sagte, er schulde Jodelle ebenso viel wie ich Harry schulde, wenn nicht mehr. Ich soll morgen mittag zu seinem Haus kommen. Er sagt, er werde dann bereit sein.«

»Dann schenken Sie ihm doch reinen Wein ein«, empfahl Sorenson. »Wenn er dann immer noch darauf besteht, dann lassen Sie ihn gehen.«

»Wollen wir uns die Verantwortung aufladen, wenn er dabei ums Leben kommt?«

»Schwere Entscheidungen heißen deshalb schwer, weil sie einem nicht leicht fallen. Sie wollen Harry finden, und ich will ein Krebsgeschwür finden, das in Deutschland wuchert.«

»Ich würde gern beide finden«, sagte Lennox.

»Natürlich. Das würde ich auch gern. Wenn Ihr Schauspieler also eine Rolle spielen will, dann hindern Sie ihn nicht daran.«

»Ich möchte, daß er überwacht wird.«

»Das sollten Sie, ein toter Schauspieler kann uns schließlich nicht sagen, was er erfahren hat. Arrangieren Sie das mit dem Deuxième, die sind in solchen Dingen gut. Ich werde in etwa einer Stunde Claude Moreau anrufen. Er ist Chef des Büros und wird bis dahin an seinem Schreibtisch sein. Wir haben in Istanbul zusammengearbeitet; er war der beste Außenagent, den die französische Abwehr je eingesetzt hat. Er wird Ihnen alles geben, was Sie brauchen.«

»Soll ich es Villier sagen?«

»Ich bin einer aus der alten Schule, Lennox, das ist vielleicht gut, vielleicht auch schlecht, aber ich war immer der Ansicht, wenn man eine Sache anpackt, soll man es richtig tun. Sie sollten Villier reinen Wein einschenken. Er soll eine saubere Entscheidung treffen.«

»Freut mich, daß wir da einer Meinung sind. Vielen Dank.«

»Ich bin aus der Kälte gekommen, Drew, aber ich war einmal da, wo Sie jetzt sind. Das ist ein lausiges Schachspiel, besonders wenn die Bauern dabei getötet werden können. Die haben Sie dauernd im Visier, glauben Sie mir das. Ein Alptraum ist das.«

»Alles, was man über Sie erzählt, stimmt, nicht wahr? Auch, daß Sie es gerne haben, wenn wir Außendienstleute Sie mit Vornamen ansprechen.«

»Das meiste, was man von mir erzählt, ist maßlos übertrieben«, sagte der Direktor von Consular Operations, »aber als ich da draußen war, wenn ich damals meinen Boß Bill oder George oder Stanford oder einfach Casey hätte nennen dürfen, dann wäre ich, denke ich, manchmal viel offener gewesen. Und das ist es, was ich von euch will. ›Mr. Director‹ ist da ein Hindernis.«

»Da haben Sie recht.«

»Ich weiß. Tun Sie also, was Sie tun müssen.«

Lennox verließ die Botschaft an der Avenue Gabriel und ging zu dem bereitstehenden gepanzerten Diplomatenfahrzeug, das ihn in seine Wohnung in der Rue du Bac bringen sollte. Es war ein Peugeot, dessen Rücksitze viel zu wenig Platz boten, so daß er es vorzog, sich vorne neben den Fahrer, einen Marine, zu setzen. »Kennen Sie die Adresse?« fragte er.

»Oh ja, Sir, sicher. Ganz gewiß.«

Drew sah kurz zu dem Mann hinüber; der Akzent war unverkennbar amerikanisch, aber die Formulierung erschien ihm irgendwie seltsam. Vielleicht kam das aber auch nur daher, daß er so müde war und sich das nur einbildete. Er schloß die Augen eine Weile und genoß die formlose Leere, die jetzt vor seinem inneren Auge wie auf einer Leinwand zu sehen war. Wenigstens einige Minuten lang waren seine Ängste in den Hintergrund getreten. Er brauchte die Entspannung, begrüßte sie. Dann spürte er plötzlich eine Bewegung, wurde in die Polster gedrückt. Er schlug die Augen auf; der Fahrer jagte über eine Brücke, als befinde er sich auf der Rennstrecke von Le Mans. »Hey, Sie«, sagte Lennox, »ich hab's nicht eilig. Nehmen Sie den Fuß vom Gas, Kumpel.«

Sie jagten von der Brücke herunter, und der Marine lenkte den Wagen in eine dunkle, ihm nicht vertraute Straße. Und dann war es ihm plötzlich klar; diese Gegend hier hatte mit der Rue du Bac oder ihrer Umgebung nicht das Geringste gemeinsam. »Was zum Teufel machen Sie?« schrie Drew.

»Das ist eine Abkürzung, Sir.«

»Quatsch! Halten Sie an, verdammt!«

»*Nein*!« schrie der Mann in der Uniform der Marineinfanterie. »Sie fahren dorthin, wo ich Sie hinbringe, Kumpel!« Damit riß er eine Automatik heraus und richtete die Waffe auf Lennox' Brust. »Sie geben mir keine Befehle, ich gebe *Ihnen* Befehle!«

»Herrgott, Sie sind einer von denen. Verdammter Mistkerl, Sie sind einer von denen!«

»Sie werden noch andere kennenlernen, und dann ist Schluß mit Ihnen! *Sieg Heil!*«

»Stecken Sie sich Ihren Sieg in den Arsch«, sagte Drew leise und schob in den vorüberhuschenden Schatten die linke Hand zur Seite, während sein linker Fuß sich vorsichtig am Wagenboden entlangschob. »Wie wär's mit einer Überraschung à la Blitzkrieg!« Damit trat Lennox heftig mit dem linken Fuß auf das Bremspedal und schmetterte gleichzeitig die linke Hand gegen den Ellbogen seines Entführers. Der Neonazi ließ die Waffe los; Drew packte sie und gab einen Schuß auf die rechte Kniescheibe des Fahrers ab, während der Wagen gegen eine Gebäudewand prallte.

»Pech gehabt!« sagte Lennox außer Atem, klinkte die Tür auf und packte den Mann an seinem Uniformrock. Er stieg aus dem Wagen, riß ihn quer über die Sitzbank und warf ihn aufs Pflaster. Sie befanden sich in einem der Industrieviertel von Paris, umgeben von zwei- und dreistöckigen Fabrikgebäuden, die alle verlassen waren. Abgesehen von den schwachen Straßenlaternen lieferten ihnen nur die Scheinwerfer des beschädigten Peugeots Licht. Das reichte aber aus.

»Sie werden jetzt auspacken, Kumpel«, sagte er zu dem falschen Marine, der stöhnend auf dem Bürgersteig lag und sich mit beiden Händen sein verletztes Bein hielt, »sonst kriegen Sie die nächste Kugel durch die beiden Hände, mit denen Sie sich jetzt das Knie halten.«

»*Nein! Nein!* Nicht schießen!«

»Warum nicht? Sie wollten mich doch auch töten, das haben Sie doch gesagt. Ich erinnere mich ganz deutlich daran. Da bin ich viel netter … Wer sind Sie und wie sind Sie an die Uniform und den Wagen gekommen? Raus mit der Sprache!«

»Wir haben Uniformen … amerikanische, französische, englische.«

»Der Wagen ist der Dienstwagen der Botschaft. Wo ist der Mann, dessen Stelle Sie eingenommen haben?«

»Man hat ihm gesagt, daß er nicht zu kommen braucht –«

»Wer?«

»Das weiß ich nicht! Man hat den Wagen nach vorne gebracht. Der Schlüssel steckte. Man hat mir befohlen, Sie zu fahren.«

»Wer hat das befohlen?«

»Meine Vorgesetzten.«

»Die Leute, zu denen Sie mich bringen sollten?«

»Ja.«

»Wer sind diese Leute? Ich will Namen hören. Schnell.«

»Ich kenne keine Namen! Wir haben alle Codes, Nummern und Buchstaben.«

»Wie heißen Sie?« Drew kauerte neben dem Mann und preßte den Lauf seiner Pistole gegen die Hand, die das blutende Knie umfaßt hielt.

»Erich Hauer, das schwöre ich!«

»Ihren Codenamen, Erich. Sonst können Sie Ihre Hände und Füße vergessen.«

»C-Zwölf.«

»Wo sollten Sie mich hinbringen?«

»Fünf, sechs Straßen von hier. Ein Wagen mit aufgeblendeten Scheinwerfern in einer schmalen Seitenstraße links –«

»Bleiben Sie hübsch da«, sagte Lennox und stand auf und schob sich seitwärts zum Wagen hin, wobei er die Waffe weiterhin auf den Deutschen gerichtet hielt. Er zwängte sich auf den Fahrersitz und griff mit der linken Hand unter das Armaturenbrett, bis er das Telefon mit der direkten Leitung zur Botschaft gefunden hatte. Da die Sendeanlage im Kofferraum untergebracht war, war die Chance gar nicht schlecht, daß das Gerät noch funktionierte. Und das tat es auch. Nach einem schnellen Blick auf seinen Gefangenen drückte Drew schnell hintereinander viermal das Signal für einen Notfall.

»Amerikanische Botschaft«, meldete sich Durbanes Stimme über den Lautsprecher. »Band läuft, bitte sprechen!«

»Bobby, hier ist Lennox –«

»Das weiß ich. Wo brennt's?«

»Hier stinkt einiges. Ich war auf dem Weg zu einer schnellen Exekution, eine kleine Aufmerksamkeit unserer Nazifreunde. Der Fahrer vom Marinekorps war falsch; jemand in der Fahrbereitschaft hat das arrangiert. Nimm die ganze Einheit unter die Lupe!«

»Du großer Gott, bist du okay?«

»Nur ein wenig zittrig; wir hatten einen kleinen Unfall und der ist dem Nazi nicht gut bekommen.«

»Also, ich schicke eine Streife –«

»Du weißt genau, wo wir sind?«

»Selbstverständlich.«

»Dann schickst du besser zwei Streifen, Bobby, eine bewaffnet für eine Kommandooperation.«

»Bist du wahnsinnig? Wir sind hier in Paris. Hier haben die Franzosen das Sagen!«

»Ich übernehme die Verantwortung. Das ist ein Befehl von Cons-Op … Fünf oder sechs Blocks südlich von hier links parkt ein Wagen in einer Seitenstraße mit eingeschalteten Scheinwerfern. Den Wagen und die Leute, die in ihm sitzen, müssen wir uns schnappen!«

»Wer sind sie?«

»Unter anderem diejenigen, die sich meine Exekution vorgenommen hatten … Wir haben jetzt keine Zeit, Bobby. Tu, was ich sage!« Lennox knallte den Hörer auf die Gabel und eilte zu Erich Hauer hinüber, der sie zu hundert anderen seinesgleichen in Paris und anderen Städten führen konnte, ob er es nun wußte oder nicht. Die Chemikalien würden die Türen seines Gedächtnisses öffnen, das war von entscheidender Wichtigkeit. Drew packte seine Beine, und der Mann stieß einen Schmerzensschrei aus.

»Bitte …!«

»Maul halten, Arschloch. Und jetzt pack aus, das kann nur zu deinem Vorteil sein.«

»Ich weiß nicht. Ich bin nur C-Zwölf, was kann ich denn sonst noch sagen?«

Eine schwarze Limousine kam plötzlich mit quietschenden Reifen aus einer verlassenen dunklen Seitenstraße herausgeschossen. Sie bremste schnell ab, kam kurz zum Stillstand, und dann peitschten in schneller Folge Schüsse, eine ganze Salve aus einer Schnellfeuerwaffe. Lennox versuchte den Nazi in den Schutz des gepanzerten Diplomatenfahrzeugs zu ziehen, aber dafür war es zu spät. Als die schwarze Limousine davonjagte, warf er einen Blick auf seinen Gefangenen. Erich Hauer war von einem Dutzend Kugeln durchbohrt und mit Blut überströmt. Er war tot. Der einzige Mann, der ihm wenigstens ein paar Fragen hätte beantworten können, war tot. Wie lange würde es dauern, einen anderen zu finden, dem man Fragen stellen konnte?

3

Die Nacht war vorüber, und die ersten Strahlen der Morgensonne durchzogen den Himmel im Osten, als Lennox erschöpft in der engen, aus Messingstangen bestehenden Fahrstuhlkabine zu seiner Wohnung im fünften Stock in der Rue du Bac hinauffuhr. Normalerweise hätte er die Treppe benutzt, weil das gut für die Kondition war, aber nicht jetzt; er konnte kaum noch die Augen offenhalten. Die Zeit zwischen kurz nach zwei und halb sechs war mit diplomatischen Formalitäten angefüllt gewesen und hatte Drew außerdem die Gelegenheit geboten, die Bekanntschaft des Chefs des mächtigen Deuxième Bureau, Claude Moreau, zu machen. Er hatte Sorenson in Washington telefonisch gebeten, den hohen französischen Abwehrbeamten zu so früher Stunde anzurufen und ihn zu ersuchen, sich sofort in die amerikanische Botschaft zu begeben. Moreau war ein Mann in mittleren Jahren, mittelgroß, mit schütter werdendem Haar, der seinen Anzug so ausfüllte, als würde er den größten Teil des Tages damit verbringen, Gewichte zu stemmen. Sein unbekümmerter Humor verhalf ihm dazu, die Dinge auch dann aus der richtigen Perspektive zu sehen, wenn sie drohten außer Kontrolle zu geraten. Diese Gefahr trat erstmalig auf, als Henri Bressard unerwartet in das Büro des Botschafters gestürmt kam.

»Was zum Henker geht hier vor?« ereiferte er sich, überrascht Moreaus Anwesenheit zur Kenntnis nehmend. »*Allô*, Claude«, sagte er und fiel ins Französische zurück. »Ich bin nicht sehr verblüfft, Sie hier zu sehen.«

»*En anglais*, Henri … Monsieur Lennox kann uns verstehen, aber der Botschafter ist noch Berlitzschüler.«

»Ah, das berühmte diplomatische Taktgefühl der Amerikaner!«

»*Das* habe ich verstanden, Bressard«, sagte Botschafter Daniel Courtland, der in Bademantel und Pantoffeln hinter seinem Schreibtisch saß, »und ich arbeite noch an Ihrer Sprache. Offen gestanden, wollte ich den Posten in Stockholm – ich spreche fließend Schwedisch –, aber andere waren da anderer Ansicht. Und deshalb werden Sie mich jetzt wohl ertragen müssen, so wie ich Sie ertragen muß.«

»Ich bitte um Entschuldigung, Mr. Ambassador. Das war eine anstrengende Nacht … Ich habe versucht, Sie anzurufen, Drew, aber ich habe nur Ihren Anrufbeantworter erreicht und deshalb angenommen, daß Sie noch hier sind.«

»Ich hätte schon vor einer Stunde zu Hause sein sollen. Aber warum sind Sie hier? Warum wollten Sie mich sprechen?«

»Es steht alles in dem Bericht der Sûreté. Ich habe darauf bestanden, daß die Polizei sie hinzuzieht –«

»Was ist denn passiert?« fiel ihm Moreau ins Wort. Er schob die rechte Braue hoch. »Ihre Ex-Frau macht doch nicht etwa Schwierigkeiten? Ihre Scheidung ist doch am Ende einvernehmlich über die Bühne gegangen.«

»Ich weiß nicht so recht, ob ich mich noch einmal mit ihr anlegen möchte. Lucille kann ja ein rechtes Miststück sein, aber dumm ist sie nicht. Das waren diese Leute nämlich.«

»Welche Leute?«

»Nachdem ich Drew hier abgesetzt hatte, fuhr ich zu meinem Apartment in der Avenue Montaigne. Wie Sie wissen, besteht eines der wenigen Privilegien meines Amtes darin, daß ich einen Diplomatenparkplatz vor dem Gebäude habe. Der war zu meiner Überraschung besetzt. Und dabei waren, was mich noch mehr ärgerte, in der Nähe ein paar andere Plätze frei. Dann sah ich, daß im Wagen vorne zwei Männer saßen und der Fahrer telefonierte, was ja um zwei Uhr morgens nicht gerade ein normaler Anblick ist, ganz besonders nicht, wo ihm das Parken ohne die entsprechende Genehmigung eine Strafe von fünfhundert Franc eintragen könnte.«

Moreau nickte langsam. »Da sieht man mal wieder die Neigung des Diplomaten, Dinge spannend und farbenfroh zu schildern. Aber bitte Henri, was ist passiert?«

»Die Dreckskerle fingen an, auf mich zu schießen!«

»*Was*?« Lennox sprang auf.

»Sie haben ganz richtig gehört! Mein Fahrzeug ist natürlich gegen solche Angriffe geschützt, also legte ich schnell den Rückwärtsgang ein und dann habe ich sie gerammt und ihren Wagen am Bordstein eingekeilt.«

»Und was dann?« rief Botschafter Courtland, der jetzt ebenfalls aufgestanden war.

»Die beiden Männer sprangen auf der anderen Seite aus dem Wagen und rannten davon. Ich rief mit einigem Herzklopfen die Polizei über mein Autotelefon an und verlangte, daß sie die Sûreté alarmieren.«

»Sie haben wirklich Mumm«, sagte Drew erstaunt mit leiser Stimme. »Sie haben die gerammt, während die auf Sie geschossen haben?«

»Der Wagen war doch gepanzert, da könnten keine Kugeln durchdringen, nicht einmal durchs Glas.«

»Glauben Sie mir, manche schon – Stahlmantelgeschosse beispielsweise.«

»Wirklich?« Bressard wurde blaß. »Es gibt Kugeln, die *kugelsicher* gepanzerte Wagen durchschlagen können …?«

Der Zusammenhang mit Jodelles Selbstmord und dem anschließenden Zusammentreffen im Hause Villiers am Parc Monceau war nur zu offenkundig. In Verbindung mit dem Angriff auf Lennox erforderte die Situation mehrere Entscheidungen: Bressard und Drew würden ab sofort rund um die Uhr von Beamten des Deuxième Bureau beschützt werden – der Franzose auffällig, Lennox weniger auffällig. Deshalb würde das Zivilfahrzeug des Deuxième Bureau vor Drews Appartementgebäude stehenbleiben, bis er abgelöst würde oder der Amerikaner am Morgen das Haus verließ. Und schließlich würde man unter keinen Umständen zulassen, daß Jean-Pierre Villier, der ebenfalls Polizeischutz bekommen würde, sich in den einschlägigen Vierteln von Paris auf die Suche nach irgend jemandem begab.

»Das werde ich ihm selbst klarmachen«, sagte Claude Moreau. »Villier ist eines der wertvollsten Besitztümer Frankreichs! … Außerdem würde meine Frau mich umbringen, wenn ich nicht verhindern würde, daß ihm etwas passiert.«

Die beunruhigenden Zweifel an der Fahrbereitschaft der Botschaft waren schnell aufgeklärt: Der Einsatzleiter war ein Ersatzmann, den niemand kannte, der aber wegen seiner einwandfreien Zeugnisse für die Nachtschicht eingestellt worden war. Minuten, nachdem der Wagen mit Lennox sich in Bewegung gesetzt hatte, war er verschwunden. In der Nazibewegung gab es also auch einen französisch sprechender Amerikaner in Paris.

Die frühen Morgenstunden waren mit einer Unzahl von Lagebesprechungen angefüllt gewesen – wobei die Frage mit der größten Priorität die gewesen war, wen man zur Teilnahme zulassen konnte und wen nicht –, und es hatte mehrere längere Telefonate zwischen Moreau und Wesley Sorenson in Washington gegeben. Drew war mit dem, was er hörte, einverstanden. Ebenso wie sein Bruder Harry war er ein Mann schneller Entscheidungen, wenn er auch nicht ganz dessen kalten Intellekt besaß. Moreau und Sorenson andererseits waren Meister der Täuschung, die beide während des Höhepunktes des Kalten Krieges Massaker an Spionen erlebt hatten. Von solchen Männern konnte man etwas lernen.

Lennox verließ schläfrig die Fahrstuhlkabine und ging den Korridor zu seiner Wohnung. Als er den Schlüssel ins Schloß schieben wollte, war er plötzlich wieder hellwach. Da war kein Schloß! An seiner Stelle war nur ein kreisrundes Loch zu sehen; das Schloß selbst war wie vom Skalpell eines Chirurgen entfernt worden, entweder mit einem Laser oder mit einer motorbetriebenen Handsäge. Er tippte die Tür an, worauf diese nach innen schwang und ihm den Blick auf das in der Wohnung herrschende Chaos freigab. Drew riß seine Automatik aus dem Schulterhalfter und trat vorsichtig ein. Seine ganze Wohnung war verwüstet; die Polstermöbel waren aufgeschlitzt, Kissen zerrissen und ihre Füllung verstreut; die Schubladen waren herausgerissen und ihr Inhalt über den Boden verstreut. Dasselbe Bild bot sich in den beiden Schlafzimmern, den begehbaren Wandschränken, der Küche, den Badezimmern und im Arbeitsraum, wo man selbst die Teppiche zerfetzt hatte. Seinen Schreibtisch hatten die Eindringlinge buchstäblich in Stücke gehackt, um nur ja kein Versteck für Geheimpapiere zu übersehen. Die Verwüstung war umfassend; nichts war mehr da, wo es einmal gewesen war. Lennox wollte in seiner Erschöpfung gar nicht daran denken; er brauchte Ruhe; er brauchte jetzt dringend Schlaf. Wie unlogisch das Ganze doch war und welche Verschwendung, dachte er kurz; vertrauliches Material wurde schließlich in seinem Büro-safe im Obergeschoß der Botschaft verwahrt. Die Feinde des alten Jodelle – jetzt seine Feinde – hätten sich das eigentlich denken können.

Er wühlte in einem seiner Kleiderschränke herum und stieß dabei amüsiert auf einen Gegenstand, den die Eindringlinge, wenn sie erkannt hätten, worum es sich handelte, ohne Zweifel mitgenommen oder unbrauchbar gemacht hätten. Die etwa sechzig Zentimeter lange Stahlstange besaß an beiden Enden Gummikappen, in denen ein Alarmmechanismus untergebracht war. Wenn er auf Reisen in Hotelzimmern wohnen mußte, sicherte er damit immer die Tür, wobei der Alarm durch Drehen der Gummikappen eingestellt wurde. Falls jemand eine von ihm so gesicherte Tür von außen zu öffnen versuchte, gab das Gerät ein ohrenbetäubendes Pfeifen von sich, das die Eindringlinge zumeist zur Flucht veranlaßte. Drew ging damit zu der schloßlosen Tür seiner Wohnung, schaltete den Alarm ein und stemmte die Stange zwischen Boden und Türfüllung. Dann ging er in sein verwüstetes Schlafzimmer, warf ein Laken über die zerfetzte Matratze, zog die Schuhe aus und legte sich hin.

Binnen weniger Minuten war er eingeschlafen, und nur Minuten später klingelte sein Telefon. Desorientiert taumelte Lennox aus dem Bett und griff nach dem Hörer. »Ja? ... Hallo?«

»Ich bin's, Courtland, Drew. Tut mir leid, Sie um diese Zeit anrufen zu müssen, aber es ging nicht anders.«

»Was ist passiert?«

»Der deutsche Botschafter –«

»Hat er gewußt, was heute nacht los war?«

»Überhaupt nichts. Sorenson hat ihn aus Washington angerufen und allem Anschein nach einen ziemlichen Wirbel gemacht. Kurz darauf hat Claude Moreau das Gleiche getan.«

»Das sind echte Profis. Und?«

»Botschafter Heinrich Kreitz wird heute morgen um neun Uhr hier erscheinen. Sorenson und Moreau wollen, daß Sie auch kommen. Nicht nur, um die Berichte zu bestätigen, sondern logischerweise auch, um wegen des Überfalls auf Sie heftigen Protest einzulegen.«

»Dann kann ich ja vielleicht noch ein bißchen schlafen, ich bin todmüde.«

»Wie lange brauchen Sie, um von Ihrer Wohnung aus in die Botschaft zu kommen?«

»Ich muß zuerst zu der Tiefgarage, wo mein Wagen abgestellt ist –«

»Ihnen steht jetzt doch ein Fahrzeug des Deuxième zur Verfügung«, fiel Courtland ihm ins Wort.

»Entschuldigung, das habe ich vergessen … je nach Verkehr etwa eine Viertelstunde.«

»Es ist jetzt zehn nach sechs. Ich werde veranlassen, daß meine Sekretärin Sie um halb neun weckt, und dann sehen wir uns um neun. Ruhen Sie sich aus.«

»Vielleicht sollte ich Ihnen noch sagen, was hier passiert ist –«

Aber dafür war es zu spät. Der Botschafter hatte bereits aufgelegt. Wahrscheinlich war es besser so, dachte Lennox. Courtland würde Einzelheiten wissen wollen und damit das Gespräch in die Länge ziehen. Drew kroch wieder ins Bett, wobei er immerhin noch schaffte, vorher den Hörer auf die Gabel zu legen.

Das weiße Segelflugzeug senkte sich in der späten Nachmittagswindströmung ins Tal der Bruderschaft herab. Sofort nach der Landung wurde es unter ein grünes Tarndach gezogen. Die Plexiglaskuppeln der beiden Cockpits sprangen auf; aus dem vorderen stieg der Pilot in einem schneeweißen Overall, sein wesentlich älterer Passagier kletterte aus dem Sitz hinter ihm.

»Kommen Sie«, sagte der Flieger und deutete mit einer Kopfbewegung auf ein Motorrad mit Beiwagen. »Zum Krankenhaus.«

»Ja, natürlich«, erwiderte der Zivilist, drehte sich um und hob eine schwarze Arzttasche aus dem Flugzeug. »Ich nehme an, Dr. Kröger ist bereits da«, fügte er hinzu und kletterte in den Seitenwagen, während der Pilot in den Sattel stieg und den Motor anließ.

»Das weiß ich leider nicht. Ich habe nur Auftrag, Sie zur Klinik zu bringen. Ich kenne keinen Namen.«

»Dann vergessen Sie, daß ich einen erwähnt habe.«

»Ich habe nichts gehört.« Das Motorrad raste in einen der abgedeckten Korridore und jagte dann quer durch das Tal zu dessen nördlichem Ende. Dort, wiederum von Tarnnetzen vor Beobachtung aus der Luft geschützt, stand eines der üblichen einstöckigen Gebäude, das aber doch irgendwie anders wirkte. Während die anderen Bauten recht einfache Holzkonstruktionen darstellten, war dieser hier massiver und dauerhafter – Hohlblockbauweise mit Beton – und an seiner Südmauer war ein Generatorenbau angeschlossen, aus dem ein beständiges machtvolles Brausen ertönte. »Ich habe hier keinen Zutritt, Herr Doktor«, sagte der Pilot und brachte das Motorrad vor der grauen Stahltür zum Stehen.

»Das weiß ich, junger Mann. Man hat mir gesagt, wo ich hin muß. Übrigens, ich muß morgen wieder abreisen, gleich bei Tagesanbruch. Ich nehme an, Sie wissen das.«

»Ja, das ist mir bekannt. Die Windverhältnisse sind dann am günstigsten.«

»Schlimmer könnten sie nicht sein.« Der Doktor kletterte aus dem Seitenwagen, und der Pilot brauste davon, während sein Passagier auf die Tür zuging, zu der darüber angebrachten Kamera aufblickte, und den runden, schwarzen Knopf auf der rechten Seite drückte.

Eine halbe Minute später öffnete ein etwa vierzigjähriger Mann in weißer Krankenhauskleidung die Tür. »Hans Traupmann, schön dich wiederzusehen«, sagte er begeistert. »Seit deinem Vortrag in Nürnberg sind schon einige Jahre vergangen. Willkommen!«

»Vielen Dank. Ich wollte, man könnte auf weniger beschwerliche Weise hierher kommen.«

»Den Weg über den Berg würdest du sicherlich noch anstrengender finden. Er ist endlos, und die Schneedecke wird alle paar hundert Meter höher. Geheimhaltung hat ihren Preis. Komm, trink einen Schnaps, entspann dich ein paar Minuten, und wir unterhalten uns ein wenig. Dann wirst du sehen, was wir hier für Fortschritte gemacht haben. Ich kann dir sagen, es ist atemberaubend!«

»Wir können uns ja unterhalten, während ich beobachte«, erwiderte der Besucher. »Ich habe ein längeres Gespräch mit von

Schnabe, nicht gerade eine erfreuliche Aussicht – und ich möchte, so schnell ich kann, möglichst viel erfahren. Er wird mich nach meiner Meinung fragen und mich verantwortlich machen.«

»Warum darf ich nicht an dem Gespräch teilnehmen?« fragte der jüngere Arzt ein wenig gereizt, während die beiden im Vorraum der Klinik Platz nahmen.

»Er meint, du seist zu schnell begeistert, Gerhard. Er bewundert deinen Enthusiasmus zwar, vertraut ihm aber nicht.«

»Mein Gott, wer versteht denn von dem Prozeß mehr als ich? Ich habe ihn schließlich entwickelt! Bei allem Respekt, Hans, das ist mein Spezialbereich, nicht deiner.«

»Das weiß ich, und das weißt du, aber unser General ist kein Mediziner und versteht das nicht. Ich bin Neurochirurg und habe mir einen gewissen Ruf für Schädeloperationen erworben, deshalb stützt er sich auf diesen Ruf und nicht auf die eigentliche Erfahrung. Du mußt mich also überzeugen ... Wie ich den mir zugänglichen Informationen entnehme, ist es nach deiner Ansicht theoretisch möglich, den Denkprozeß ohne Drogen oder Hypnose zu verändern – eine Theorie, die mich ein wenig an Science-Fiction erinnert, aber das waren schließlich Herz- und Lebertransplantationen vor gar nicht so vielen Jahren auch. Wie geschieht es denn tatsächlich?«

»Du hast deine Frage eigentlich schon selbst beantwortet.« Gerhard Kröger lachte, und seine Augen funkelten freudig. »Du brauchst nur das ›trans‹ wegzustreichen und statt dessen ›im‹ einzufügen.«

»Implantation?«

»Du implantierst doch Stahlplatten, oder nicht?«

»Natürlich, zum Schutz.«

»Das habe ich auch gemacht ... Du hast schon Lobotomien durchgeführt, oder?«

»Natürlich. Um elektrischen Druck zu mildern.«

»Das war gerade das nächste Zauberwort, Hans. ›Elektrisch‹ wie in elektrische Impulse, die elektromagnetischen Impulse des Gehirns. Ich nehme einfach eine Mikrokalibrierung vor und zapfe diese Impulse mit einem Objekt an, das im Vergleich zu einer Stahlplatte geradezu mikroskopisch klein ist, so klein, daß es auf einer Röntgenaufnahme nur als Schatten erscheinen würde.«

»Und was ist das für ein Objekt?«

»Ein Computerchip, der exakt auf die elektrischen Impulse des Gehirns des jeweiligen Individuums abgestimmt ist.«

»Ein was ...?«

»In wenigen Jahren wird psychologische Indoktrinierung der Vergangenheit angehören. Gehirnwäsche wird dann ein alter Hut sein!«

»Wie bitte?«

»Im Laufe der letzten neunundzwanzig Monate habe ich mit zweiunddreißig Patienten experimentiert – sie operiert – häufig fünf von ihnen in jeweils verschiedenen Entwicklungsstadien –«

»Das hat man mir auch gesagt«, unterbrach ihn Traupmann. »Patienten, die man euch zur Verfügung gestellt hat aus Gefängnissen und allen möglichen anderen Institutionen.«

»Sorgfältig ausgewählt, Hans, alle männlichen Geschlechts und mit überdurchschnittlicher Intelligenz und Bildung. Soweit es sich um Gefängnisinsassen handelte, hatte man sie wegen Straftaten wie Unterschlagung oder Dokumentenfälschung und dergleichen verurteilt. Also Verbrechen, die Sachverstand und Scharfsinn erforderten, nicht etwa Gewalttätigkeit. Das gewalttätige Bewußtsein kann ebenso wie das weniger intelligente viel zu leicht programmiert werden. Ich mußte den Beweis liefern, daß mein Verfahren auch oberhalb dieses Niveaus funktionierte.«

»Und hast du es bewiesen?«

»Hinreichend genau, würde ich sagen.«

»Warum willst du deinen Erfolg jetzt abschwächen, Gerhard?«

»Weil es noch einen Schwachpunkt gibt. Bis zur Stunde funktioniert das Implantat nicht länger als zwölf Tage.«

»Und was geschieht dann?«

»Dann wird es vom Gehirn abgestoßen. Bei dem Patienten kommt es schnell zu Blutungen, und dann stirbt er.«

»Das heißt also, das Gehirn explodiert.«

»Ja, so könnte man es nennen. Sechsundzwanzig meiner Patienten sind auf diese Weise verstorben, aber die letzten sieben haben zunehmend länger durchgehalten, von neun bis zu zwölf Tagen. Ich bin überzeugt, daß es mit weiteren mikrochirurgischen Techniken schließlich gelingen wird, den Zeitfaktor zu überwinden. Am Ende, und das kann noch Jahre dauern, wird es dauerhaft funktionieren. Politiker, Generäle und Staatsmänner auf der ganzen Welt können auf ein paar Tage verschwinden und als unsere Jünger zurückkehren.«

»Aber für den Augenblick glaubst du, daß man diesen amerikanischen Agenten, diesen Lennox, hinausschicken kann, stimmt das?«

»Ohne Zweifel. du wirst es selbst sehen. Er hat jetzt den vierten Tag hinter sich und hat also noch mindestens fünf und höchstens acht Tage. Wie unsere Leute in Paris, London und Washington uns mitteilten, braucht man ihn nicht länger als vierzig bis zweiundsiebzig Stunden, und deshalb ist das Risiko minimal. Bis dahin wird er genau wissen, was unsere Feinde über die Bruderschaft wissen, und wir haben zusätzlich, was viel wichtiger ist, den großen Nutzen, daß Lennox sie alle in eine falsche Richtung lenken wird.«

»Laß uns bitte noch einmal ein Stück zurückgehen«, sagte Traupmann und schlug die Beine auf dem Plastiksessel sitzend übereinander. »Ehe wir auf das eigentliche Verfahren kommen, würde ich gerne wissen, was dieses Implantat eigentlich bewirkt.«

»Bist du mit Computerchips vertraut, Hans?«

»Damit habe ich so wenig wie möglich zu tun. Ich überlasse das meinen Technikern, genauso wie die Narkose. Es gibt genügend anderes, worum ich mich kümmern muß. Aber du wirst mir ganz bestimmt sagen, was ich wissen muß.«

»Die neuesten Mikrochips sind keine drei Zentimeter lang und weniger als zehn Millimeter breit und können das Äquivalent von sechs Megabyte Software aufnehmen. Das würde ausreichen, um alle Werke von Goethe, Kant und Schopenhauer aufzuzeichnen. Wir brennen die Information in den Chip ein und aktivieren dann das ROM – Read Only Memory –, das auf die sonischen Instruktionen in der gleichen Weise reagiert, wie ein Computer auf die Befehle, die ein Programmierer in einen Rechner eingibt. Es gibt zwar eine kurze Verzögerung, bis das

Gehirn sich der veränderten Wellenlänge anpaßt, aber das kann den Gesprächspartner nur davon überzeugen, daß die Versuchsperson wirklich nachdenkt.«

»Und du kannst das beweisen?«

»Komm, ich zeig es dir.« Die beiden Männer standen auf, und Kröger drückte einen roten Knopf rechts von der schweren Stahltür. Binnen Sekunden erschien eine uniformierte Schwester, die eine Chirurgenmaske in der Hand trug. »Greta, das ist der berühmte Dr. Hans Traupmann.«

»Ja, ich weiß«, sagte die Schwester. »Ich fühle mich geehrt, Sie wiederzusehen, Herr Doktor. Bitte, Ihre Maske.«

»Ja, natürlich, ich kenne Sie doch!« rief Traupmann erfreut aus. »Greta Frisch, eine der besten Operationsschwestern, die je mit mir zusammengearbeitet hat. Mein liebes Mädchen, man hat mir gesagt, Sie hätten sich aus dem Berufsleben zurückgezogen, was mir für eine so junge Frau nicht nur bedauerlich, sondern auch unglaublich erschien.«

»Ich habe mich in die Ehe zurückgezogen, Herr Doktor. Mit ihm hier.« Greta deutete mit einer Kopfbewegung auf den grinsenden Kröger.

»Ich war nicht sicher, ob du dich an sie erinnern würdest, Hans.«

»Ob ich mich erinnern würde? Eine Schwester Frisch vergißt man nicht, die einem jeden Wunsch von den Augen abliest. Ehrlich gesagt, Gerhard, im Augenblick ist deine Glaubwürdigkeit gerade um ein paar Punkte gestiegen ... Aber was soll die Maske, Greta? Wir operieren doch nicht.«

»Das soll Ihnen mein Mann beantworten. Ich verstehe nichts von diesen Dingen, ganz gleich wie oft er mir sie auch erklärt.«

»Wir wollen nicht, daß dieser Patient zuviele Bilder von identifizierbaren Gesichtern wahrnimmt, und das deine könnte in diese Gattung fallen.«

»Das ist mir auch zu hoch. Na schön, gehen wir weiter.« Die drei gingen durch die Tür und betraten einen langen, breiten, hellgrün gestrichenen Korridor mit einer Reihe großer rechteckiger Glasfenster zu beiden Seiten. Hinter den Fenstern konnte man hübsch eingerichtete Zimmer sehen, jedes mit einem Bett, einem Schreibtisch, einer Couch, einem Fernsehgerät und einem Radio sowie einer Tür, die in ein Bad mit Dusche führte. An den Außenwänden gaben Fenster den Blick auf Wiesen mit hohem Gras und Frühlingsblumen frei.

»Wenn das die Krankenzimmer der Patienten sind«, sagte Traupmann, »dann habe ich schon lange keine so hübschen mehr gesehen.«

»Die Radios und die Fernseher sind natürlich vorprogrammiert«, sagte Kröger. »Alles harmloses, unschuldiges Zeug, mit Ausnahme der Radios bei Nacht, da senden wir Informationen, die auf die einzelnen Patienten abgestimmt sind.«

»Sag mir, was mich erwartet«, bat der Neurochirurg aus Nürnberg.

»Du wirst einen äußerlich völlig normalen Harry Lennox kennenlernen, der immer noch glaubt, er habe uns getäuscht. Er reagiert auf seinen Decknamen, Alexander Lassiter, und ist uns in hohem Maße dankbar.«

»Warum?« unterbrach ihn Traupmann. »Warum ist er uns dankbar?«

»Weil er der Meinung ist, er habe einen Unfall gehabt und sei gerade noch mit dem Leben davongekommen. Wir haben eines unserer Geländefahrzeuge eingesetzt und das Ganze höchst überzeugend in Szene gesetzt, den Wagen umgekippt, so daß er darunter eingezwängt war und haben in der unmittelbaren Umgebung ein kleines Feuerwerk hochgehen lassen. Ich habe den Einsatz von Drogen und Hypnose erlaubt – sofort, um seine ersten Minuten hier in unserem Tal auszuradieren.«

»Und du bist sicher, daß sie ausradiert sind?« Sie blieben im Korridor stehen, und Traupmann musterte Kröger starr.

»Ganz und gar. Das Trauma des ›Unfalls‹ und die Bildeindrücke und der Schmerz, den wir induziert haben, haben sämtliche Erinnerungen an seine Ankunft überlagert. Die sind jetzt ausgeblockt. Wir haben uns natürlich anschließend mittels Hypnose vergewissert. Er erinnert sich nur an die Schreie, die unerträglichen Schmerzen und das Feuer, durch das man ihn schleppte, als er gerettet wurde.«

»Die Stimuli sind psychologisch schlüssig«, bemerkte der Neurochirurg. »Und was ist mit dem Zeitfaktor? Wenn er sich dessen bewußt ist, wie habt ihr ihm dann die verstrichene Zeit erklärt?«

»Das war das kleinste Problem. Als er erwachte, war seine obere Schädelpartie dick bandagiert, und man hat ihm, während er noch unter dem Einfluß starker Sedativa stand, erklärt – und zwar immer wieder – daß er schwere Verwundungen erlitten hätte und dreimal operiert werden mußte, während er in einem ausgedehnten Koma lag. Man hat ihm erklärt, daß ich ihn aufgegeben hätte, wenn er nicht so deutliche Lebenszeichen von sich gegeben hätte.«

»Gut formuliert. Ich bin sicher, daß er sehr dankbar ist … Weiß er, wo er sich befindet?«

»Oh ja, wir verbergen nichts vor ihm.«

»Wie könnt ihr ihn dann wieder hinausschicken? Mein Gott, er wird die Lage des Tals verraten! Dann werden sie Flugzeuge schicken, und man wird hier alles in Schutt und Asche legen!«

»Das macht nichts, denn wie von Schnabe dir sicher sagen wird, werden wir nicht existieren.«

»*Bitte*, Gerhard, eines nach dem anderen. Ich gehe jetzt keinen Schritt weiter, wenn du nicht deutlicher wirst.«

»Später, Hans. Begrüße zuerst unseren Patienten, dann wirst du alles viel besser verstehen.«

»Meine liebe Greta«, sagte Traupmann und drehte sich halb zu Krögers Frau herum. »Ist Ihr Mann noch das gleiche vernünftige menschliche Wesen, das ich einmal gekannt habe?«

»Ja, Herr Doktor. Diesen Teil, den Teil, den er Ihnen erklären wird, verstehe ich auch. Es ist wirklich brillant, Sie werden sehen.«

»Aber zuerst mußt du dir unseren Patienten ansehen; das nächste Fenster, die nächste Tür rechts. Und denk daran, er heißt Lassiter, nicht Lennox.«

»Was soll ich zu ihm sagen?«

»Was du willst. Ich würde dir vorschlagen, daß du ihm zu seiner Genesung gratulierst. Komm.«

»Ich warte am Empfang«, sagte Greta Frisch-Kröger.

Die beiden Ärzte betraten das Zimmer, wo Harry Lennox, mit einer grauen Flanellhose und einem gestreiften Hemd bekleidet, den Kopf dick bandagiert, am Fenster stand und sie lächelnd begrüßte. »Hallo, Gerhard, wie geht's. Schöner Tag heute, was?«

»Tag Alex. Darf ich Ihnen Dr. Schmidt aus Berlin vorstellen?«

»Erfreut Ihre Bekanntschaft zu machen, Doktor.« Lennox ging mit ausgestreckter Hand auf ihn zu. »Im übrigen bin ich froh, in dieser erstaunlichen Anlage einen weiteren Arzt zu sehen, nur für den Fall, daß Gerhard Mist baut.«

»Bis jetzt hat er das ja wohl nicht«, sagte Traupmann und schüttelte ihm die Hand. »Aber Sie sind ja auch, wie ich höre, ein ausnehmend braver Patient.«

»Ich glaube nicht, daß ich da eine große Wahl hatte.«

»Verzeihen Sie meine Maske, Herr Lassiter. Ich bin ein wenig erkältet, und der Arzt hier nimmt es mit den Vorschriften sehr genau. Jedenfalls herzlichen Glückwunsch zu Ihrer Genesung.«

»Also, das Lob muß ich an Dr. Kröger weitergeben.«

»Ich bin neugierig, vom ärztlichen Standpunkt her meine ich. Wenn es nicht zu schwierig für Sie ist, woran erinnern Sie sich, als Sie ins Tal kamen?«

»Oh.« Lennox/Lassiter hielt kurz inne, und seine Augen wirkten einen Moment lang glasig und leer. »Sie meinen, der Unfall … Du lieber Gott, es war schrecklich. Das meiste sehe ich wie durch einen Nebel, aber das erste, woran ich mich dann wieder erinnere, ist das Geschrei; richtig hysterisch war das. Und dann merkte ich, daß ich unter dem Geländewagen festgeklemmt war und ein schweres Metallstück gegen meinen Kopf preßte – ich habe noch nie solchen Schmerz empfunden. Rings um mich herum waren Leute und versuchten diesen Gegenstand von mir wegzuheben, was auch immer es war – und dann hatten sie mich schließlich befreit und zerrten mich über das Gras, und ich schrie, weil ich das Feuer sah und die Hitze spürte und dachte, mein ganzes Gesicht würde verbrennen. Und dann verlor ich die Besinnung – für ziemlich lange Zeit übrigens.«

»Ein schreckliches Erlebnis. Aber Sie sind auf dem Weg zur völligen Wiederherstellung, Mr. Lassiter, und das ist eigentlich das Wichtigste.«

»Wenn Sie in dem neuen Deutschland eine Möglichkeit finden, Gerhard eine Villa an der Donau zu besorgen, dann werde ich dafür aufkommen.« Lennox' Augen blickten jetzt wieder völlig klar.

»Sie werden immer einen festen Platz in unseren Gebeten haben, Alex.«

»Vergessen Sie die Gebete, sorgen Sie dafür, daß wir bald das Vierte Reich haben.«

»Das werden wir.«

»Guten Tag, Herr Lassiter.«

Traupmann und Kröger verließen das Zimmer und gingen durch den Korridor in den Vorraum. »Du hast recht gehabt«, sagte Traupmann und setzte sich. »Es ist *wirklich* bemerkenswert!«

»Du stimmst mir also zu?«

»Wie sollte ich Einwände haben? *Perfekt.* Selbst die kleine Pause. Du hast es geschafft!«

»Vergiß nicht, Hans, es gibt noch Mängel. Ich will da ganz ehrlich sein. Wenn die äußeren Umstände stabil bleiben, kann ich maximal für fünf bis acht Tage garantieren, aber nicht mehr.«

»Aber du sagst doch London, Paris und Washington bezeichnen das als ausreichend, oder nicht?«

»Ja.«

»Und jetzt sag mir, was diese Bemerkung soll, daß dieses Tal nicht existiert. Das ist ein Schock für mich. *Warum?*«

»Man braucht uns nicht mehr. Wir gehen auseinander. Wir haben im Verlauf der letzten Jahre mehr als zwanzigtausend Jünger indoktriniert – ausgebildet –«

»Das Wort Jünger gefällt dir, wie?« unterbrach ihn Traupmann.

»Es paßt. Sie sind nicht nur wahre Gläubige, sie sind auch Führer in unteren Rängen und vom Potential her auch für gehobene Führungsaufgaben ... Man hat sie überall hingeschickt, größtenteils innerhalb Deutschlands, aber diejenigen mit Sprachtalent und sonstigen geeigneten Fähigkeiten auch in andere Länder. Jetzt warten alle darauf, ihren Platz in sorgfältig ausgewählten Tätigkeiten und Berufen einzunehmen.

»Soweit sind wir bereits fortgeschritten? Ich hatte ja keine Ahnung.«

»Dann hast du in der ganzen Eile nicht bemerkt, daß wir jetzt viel weniger Leute hier haben. Die Evakuierung hat schon vor Wochen begonnen, unsere zwei Geländeraupen sind Tag und Nacht im Einsatz, um Personal und Gerätschaften zu entfernen. Es ist, wie wenn eine Ameisenkolonie einen Hügel verläßt, um einen anderen aufzusuchen – unser Ziel und unsere Bestimmung, das neue Deutschland.«

»Noch einmal zu diesem Amerikaner, diesem Harry Lennox. Abgesehen davon, daß wir mit ihm in Kontakt bleiben müssen, um zu erfahren, was er an Informationen sammelt, was man vermutlich mit bezahlten Informanten erreichen könnte, welche Funktion hat er? Oder ist das schon alles? Die Informationen und ein Beweis deiner Theorien für künftigen Einsatz.«

»Was wir von ihm erfahren, wird natürlich großen Wert haben und wird den Einsatz eines miniaturisierten Computers auf kurze Distanz erfordern. Der Computer ist so klein, daß man ihn ohne Mühe in einem kleinen Gegenstand verbergen kann. Aber Harry Lennox hat eine viel wichtigere Mission zu erfüllen. Du erinnerst dich vielleicht daran, ich erwähnte dir gegenüber, daß er unsere Feinde in alle Himmelsrichtungen scheuchen wird. Aber das ist eigentlich nur die Spitze des Eisbergs.«

»Jetzt spann mich doch nicht so auf die Folter, Gerhard, ich merke ja, wie begeistert du bist.«

»Während der Wochen, die er hier verbracht hat, bei unseren Sitzungen und bei den gemeinsamen Mahlzeiten, haben wir ihm Hunderte von Namen eingespeist – Franzosen, Deutsche, Engländer, Amerikaner.«

»Was für Namen?« fragte Traupmann ungeduldig.

»Jene Männer und Frauen in Deutschland und im Ausland, die uns im stillen unterstützen, die wesentliche Beiträge zu unserer Sache leisten. Im wesentlichen Leute von Einfluß und Macht, die für die Bruderschaft tätig sind.«

»Bist du wahnsinnig?«

»Zu dieser stummen Elite im Untergrund«, fuhr Kröger fort, als hätte er Traupmanns heftigen Einwurf nicht gehört, »gehören amerikanische Kongreßabgeordnete, Senatoren und Spitzenmänner der Wirtschaft und der Medien. Ebenso Angehörige des britischen Establishments, ähnlich der Cliveden-Clique, die

Hitler in England unterstützt hat, sowie maßgebende Leute im britischen Geheimdienst –«

»Du mußt völlig übergeschnappt sein –«

»Bitte, Hans, laß mich ausreden … In Paris haben wir einflußreiche Sympathisanten am Quai d'Orsay, der Deputiertenkammer und sogar im Deuxième Bureau. Und schließlich in Deutschland selbst eine Anzahl der angesehensten Leute in Bonn. Lennox hat alle diese Informationen und sämtliche Namen. Als ausgebildeter Spezialist für nachrichtendienstliche Einsätze im Untergrund wird er den größten Teil davon an seine Vorgesetzten berichten.«

»Du mußt wirklich *völlig* den Verstand verloren haben. Ich werde das nicht zulassen!«

»Oh doch, das mußt du wohl. Du mußt wissen, alles, was Harry Lennox aus unserem Tal hinausträgt, mit Ausnahme einiger echter Gefolgsleute, die wir aus Gründen der Glaubwürdigkeit opfern müssen, ist falsch. Die Namen, die er sich eingeprägt hat, sind tatsächlich für uns sehr wichtig, aber nur in dem Sinne, daß diese Leute diskreditiert, ja unschädlich gemacht werden sollen. Diese Leute sind nämlich in Wirklichkeit Gegner von uns. Sobald ihre Namen in aller Stille den internationalen Nachrichtendiensten, die ja alle miteinander vernetzt sind, zur Kenntnis gebracht wurden, wird die Hexenjagd ihren Anfang nehmen. Und wenn dann die aufrichtigsten von ihnen infolge öffentlichen Verdachts und konstruierten Andeutungen stürzen, werden unsere Leute das so entstehende Vakuum füllen … ja, unsere Jünger, Hans. Ganz besonders in Amerika, dem mächtigsten unserer Feinde, weil man dort für solche Dinge am empfänglichsten ist. Man braucht sich ja nur an die hektischen Kommunistenjagden der vierziger und fünfziger Jahre zu erinnern. Die USA waren damals eine vor Angst förmlich gelähmte Nation. Tausende und Abertausende wurden verdächtigt, unter sowjetischem Einfluß zu stehen. Ganze Industriezweige erlagen dem allgemeinen Verfolgungswahn, und das Land wurde von innen heraus geschwächt. Die Kommunisten wußten, wie man so etwas macht; Moskau hat, wie wir inzwischen erfahren haben, den Eiferern damals insgeheim das Geld und die falschen Informationen zugespielt … Ein einziger Mann kann diesen ganzen Prozeß für uns in Gang setzen: Harry Lennox, Deckname Sting.«

»*Mein Gott!*« Traupmann sank in seinen Stuhl zurück, und seine Stimme war kaum mehr als ein Flüstern. »Ein brillanter Plan. Weil er der einzige ist, der bis zum Kern vorgedrungen ist und das Tal gefunden hat. Sie werden ihm glauben müssen – *überall.*«

»Er wird heute nacht entkommen.«

4

Heinrich Kreitz, der deutsche Botschafter in Frankreich, war ein kleiner, schlanker Mann von siebzig Jahren. Er hatte ein asketisches Gesicht, seidiges weißes Haar, traurig blickende, braune Augen und eine stets sorgenvoll gefurchte Stirn. Kreitz war jahrelang an der Universität Wien Professor für europäische Politik gewesen und hauptsächlich wegen seiner zahlreichen Arbeiten, die sich mit der Geschichte der internationalen Beziehungen im neunzehnten und zwanzigsten Jahrhundert befaßten, für den diplomatischen Dienst rekrutiert worden. Diese Arbeiten, die gesammelt in Buchform erschienen waren und den Titel ›Dialog zwischen Nationen‹ trugen, waren Pflichtlektüre für Diplomaten in siebzehn Sprachen und an den Universitäten der zivilisierten Welt.

Es war 9.25 Uhr, und Kreitz, der vor dem Schreibtisch des amerikanischen Botschafters saß, starrte stumm Drew Lennox an, der links neben Botschafter Courtland stand. Auf einer Couch an der Wand saß Moreau vom Deuxième Bureau. »Ich schäme mich der Schuld meines Landes«, sagte Kreitz schließlich, und seine Stimme klang so traurig wie seine Augen blickten, »der Schuld, die darin besteht, daß wir je zugelassen haben, daß solche Ungeheuer, solche Verbrecher, jemals unser Land beherrscht haben. Wir werden uns noch mehr bemühen müssen, wenn das überhaupt möglich ist, sie auszurotten und zu vernichten. Bitte verstehen Sie, meine Herren, meine Regierung hat es sich zur vornehmsten Aufgabe gemacht, diese Leute zu entlarven und sie auszuschalten. Sie wissen alle, daß wir uns ihre Existenz einfach nicht leisten können.«

»Das wissen wir, *Monsieur l'Ambassadeur*«, sagte Claude Moreau von seinem Platz auf der Couch aus. »Aber allem Anschein nach ist die Art und Weise, wie Sie dabei vorgehen, wenig effektiv. Ihre Polizei kennt die Anführer dieser Fanatiker in einem Dutzend Städten. Warum sperrt man sie nicht ein?«

»Wo man ihnen Gewalttätigkeiten nachweisen kann, tut man das. An unseren Gerichten sind zahlreiche Verfahren dieser Art anhängig. Aber soweit es um die Meinungsfreiheit Andersdenkender geht, müssen Sie bedenken, daß wir auch eine Demokratie sind; wir haben die gleiche Redefreiheit, die Ihnen hier in Frankreich Ihre friedlichen Streiks und den Amerikanern ihr Versammlungsrecht gewährleistet, was häufig zu Märschen auf Washington führt, wo Männer und Frauen ihren Gefolgsleuten flammende Reden von Rednertribünen und – wie sagt man da? oh, ja – ›Seifenkisten‹ halten. Die Gesetze Ihrer beiden Länder enthalten das Recht, auf so drastische Weise in Opposition zur Regierung zu treten. Sollen wir also jeden zum Schweigen bringen, der anderer Meinung ist, als die Regierung in Bonn, darunter auch diejenigen, die *gegen* die Neonazis demonstrieren?«

»*Nein*, verdammt!« schrie Lennox. »Aber Sie *bringen* sie ja zum Schweigen! Wir haben keine Konzentrationslager gebaut und keine Gaskammern und auch nicht den Genozid eines ganzen Volkes betrieben!«

»Ja, zu unserer Schande muß ich gestehen, daß wir das zugelassen haben ... genauso wie Sie zugelassen haben, daß eine Rasse versklavt wurde, und Sie untätig zugesehen haben, wie man in Ihren Südstaaten Schwarze zu Zehntausenden an Bäumen aufgehängt hat, und die Franzosen haben genau dasselbe in Äquatorialafrika und in ihren Kolonien im Fernen Osten getan. In uns allen steckt das Schreckliche genauso wie das Anständige. Das beweist die Geschichte aller Nationen.«

»Das ist nicht nur Unsinn, Heinrich, es hat auch hier nichts zu suchen. Und das wissen Sie ganz genau«, sagte Botschafter Courtland mit überraschendem Nachdruck. »Ich weiß das, weil ich Ihr Buch gelesen habe. Sie haben das ›die Perspektive der historischen Realität‹ genannt. Das, was jeweils für die Wahrheit *gehalten* wurde. Damit kann man das Dritte Reich nicht rechtfertigen.«

»Das habe ich nie getan, Daniel«, erwiderte Kreitz. »Ich habe das Dritte Reich lautstark dafür verdammt, daß es *falsche* Wahrheiten geschaffen hat, Wahrheiten, die einer gedemütigten, verwüsteten Nation nur zu leicht eingingen. Die Mythologie der

Nazis war ein Rauschmittel, das sich ein schwaches, seiner Illusionen beraubtes, ausgehungertes Volk ohne nachzudenken in seine Venen spritzte. Habe ich es nicht so formuliert?«

»Ja, das haben Sie«, gab der amerikanische Botschafter zu. »Sagen wir mal, ich wollte Sie nur daran erinnern.«

»Das habe ich verstanden. Aber ebenso wie Sie die Interessen Washingtons schützen müssen, habe ich meine Verpflichtungen gegenüber Bonn ... Wo stehen wir also? Wir wollen alle dasselbe.«

»Ich schlage vor, *Monsieur l'Ambassadeur*«, sagte Moreau und erhob sich von der Couch, »daß Sie mir gestatten, eine Anzahl der höherrangigen Attachés in Ihrer Botschaft überwachen zu lassen.«

»Abgesehen davon, daß das eine Verletzung der diplomatischen Immunität seitens der Regierung des Gastgeberlandes wäre, was würde damit erreicht werden? Ich kenne sie alle. Es sind anständige, hart arbeitende Männer und Frauen und sie sind alle gut ausgebildet und vertrauenswürdig.«

»Das können Sie in Wirklichkeit gar nicht wissen, Monsieur. Die vorliegenden Beweise lassen sich nicht wegdiskutieren: Es gibt hier in Paris eine Organisation, die für die neue Nazibewegung tätig ist. Alle Anzeichen deuten darauf hin, daß das möglicherweise die zentrale Organisation außerhalb Deutschlands sein könnte. Und es ist durchaus vorstellbar, daß sie ebenso wichtig ist, wie die in Ihrem Lande, weil sie außerhalb des Wirkungsbereichs der deutschen Gesetze und für deutsche Augen unsichtbar operieren kann. Außerdem ist so gut wie bewiesen – es fehlen lediglich noch die Details über den Transfer –, daß über Frankreich Millionen und Abermillionen Dollar in die Bewegung hineingeschleust werden, zweifellos infolge der Aktivitäten dieser Organisation, deren Ursprung möglicherweise fünfzig Jahre in die Vergangenheit reicht. Sie sehen also, *Monsieur l'Ambassadeur*, wir haben es hier mit einer Situation zu tun, die weit über die engen Grenzen diplomatischer Bereiche hinausgeht.«

»Ich würde dazu natürlich die Zustimmung meiner Regierung brauchen.«

»Natürlich«, nickte Moreau.

»Informationen finanzieller Natur könnten über unsere sicheren Kanäle von irgendwelchen Personen des Botschaftsstabes an Leute hier in Paris weitergegeben werden, die diese Psychopathen unterstützen«, sagte Kreitz nachdenklich. »Ich verstehe, was Sie meinen, so beunruhigend es auch ist … Also gut, ich werde mich im Laufe des Tages dazu äußern.« Heinrich Kreitz' Blick wanderte zu Drew Lennox. »Meine Regierung wird natürlich für jeglichen Schaden aufkommen, der Ihnen zugefügt wurde, Herr Lennox.«

»Sorgen Sie dafür, daß wir die notwendige Unterstützung bekommen, sonst könnte es sein, daß Ihre Regierung für Schäden verantwortlich ist, die Sie nie mit Geld ausgleichen könnten«, sagte Drew. »Und es wäre nicht das erste Mal.«

»Er ist nicht hier!« schrie Giselle Villier ins Telefon. »Monsieur Moreau vom Deuxième Bureau war vor vier Stunden hier und hat uns gesagt, was Ihnen und Henri Bressard gestern nacht zugestoßen ist, und mein Mann hat allem Anschein nach Bressards Anweisung akzeptiert, sich da nicht einzumischen. *Maintenant, mon Dieu*, Sie wissen doch, wie Schauspieler sind! Sie sind fähig, überzeugend alles Mögliche zu sagen und man sieht sie und hört sie und glaubt ihnen, während sie in Wirklichkeit etwas ganz anderes denken.«

»Wissen Sie, wo er ist?« fragte Drew.

»Ich weiß, wo er *nicht* ist, Monsieur! Nachdem Moreau gegangen war, wirkte er irgendwie resigniert, und dann hat er mir gesagt, er würde ins Theater gehen, zu einer Probe für die zweite Besetzung. Er sagte – und das hat er schon viele Male gesagt –, daß seine Anwesenheit bei solchen Proben den Leuten Schwung gibt. Ich hatte keinen Anlaß, an seinen Worten zu zweifeln, und dann hat Henri vom Quai d'Orsay angerufen und wollte Jean-Pierre sprechen. Also habe ich ihm gesagt, er solle im Theater anrufen –«

»Und da war er nicht«, fiel Lennox ihr ins Wort.

»Nein, er war nicht nur nicht dort, sondern die Probe für die zweite Besetzung ist auch nicht heute, sondern erst morgen!«

»Dann glauben Sie, daß er dabei ist, seinen Plan in die Tat umzusetzen, den Plan, den er gestern abend gefaßt hat?«

»Da bin ich sogar ganz sicher, und ich habe schreckliche Angst.«

»Das ist wahrscheinlich nicht nötig. Das Deuxième Bureau läßt ihn beschützen. Seine Bewacher folgen ihm überall hin.«

»Ich sage es noch einmal, *mon ami,* und ich hoffe, Sie sind ein Freund –«

»Durch und durch. Glauben Sie mir.«

»Sie verstehen wirklich nicht, was in talentierten Schauspielern vorgeht. Sie können ein Gebäude betreten und aussehen, wie sie immer aussehen, und dann auf der Straße als jemand völlig anderer wieder auftauchen. Ein Hemd, das sie sich unter ihr Jackett stopfen, ausgebeulte Hosen, ein anderer Gang, und Gott bewahre, daß in dem Gebäude ein Kleiderladen ist.«

»Sie glauben, daß er so etwas getan haben könnte?«

»Deswegen habe ich ja solche Angst.«

»Ich werde mit Moreau sprechen.«

»Und dann rufen Sie mich wieder an.«

»Natürlich.«

Drew, der hinter seinem Schreibtisch in der Botschaft saß, legte den Hörer auf, schlug die Nummer des Deuxième Bureau nach und rief dessen Chef an. »Hier spricht Lennox«, sagte er.

»Ich habe Ihren Anruf erwartet, Monsieur. Was soll ich sagen? Wir haben den *acteur* verloren; er war uns zu raffiniert. Er ist durch den *Marché aux puces* gegangen, der ja ohnehin der reinste Zirkus ist, all die Stände – Bücher, Trödel, Blumen, alte Zeitschriften – das völlige Chaos. Und dann war er plötzlich verschwunden!«

»Ihre Leute haben nach jemandem Ausschau gehalten, der er nicht war. Was werden Sie jetzt tun?«

»Ich habe einige Trupps ausgeschickt, die sich in den etwas dunkleren Straßen unserer Stadt umsehen sollen. Wir müssen ihn finden.«

»Dann wünsche ich Ihnen viel Erfolg.« Drew legte den Hörer auf und überlegte, wen er sonst noch anrufen und was er sonst noch tun könnte. Ein Klopfen an der Tür riß ihn aus seinen Gedanken. »Herein«, sagte er ungeduldig.

Eine attraktive, dunkelhaarige Frau Anfang Dreißig mit einer schweren Schildpattbrille trat ein. Sie trug einen dicken Aktendeckel unter dem Arm. »Ich glaube, wir haben das Material gefunden, das Sie haben wollten, Monsieur.«

»Entschuldigen Sie, aber wer sind Sie?«

»Ich heiße Karin de Vries, Sir. Ich arbeite in der Abteilung Dokumente und Recherchen.«

»Euphemismus für alles von ›äußerst heikel‹ bis ›oberste Geheimhaltungsstufe‹.«

»Nicht alles, Monsieur Lennox. Wir haben auch Straßenkarten und Flug- und Fahrpläne.«

»Sie sind Französin.«

»Belgierin, um es genau zu sagen«, korrigierte ihn die Frau, deren schwacher Akzent das ohnehin verriet. »Aber ich habe einige Jahre in Paris verbracht, und auch ein paar Semester an der Sorbonne studiert.«

»Sie sprechen ausgezeichnet Englisch –«

»Und auch Französisch und Holländisch, natürlich inklusive der flämischen und wallonischen Dialekte, und Deutsch«, ergänzte die Frau ruhig. »In Wort und Schrift.«

»Und deshalb sind Sie in Dokumente und Recherchen.«

»Das war Voraussetzung.«

»Natürlich … Und was haben Sie für mich gefunden?«

»Sie hatten uns aufgefordert, die Verordnungen des Ministère de Finances zu recherchieren und herauszufinden, was es dort im Hinblick auf ausländische Investitionen möglicherweise für Lücken geben könnte.«

»Dann geben Sie her.«

Die Frau ging um den Schreibtisch herum, legte Drew den Aktenordner hin und klappte ihn auf. Ein Stapel Computerausdrucke lag obenauf. »Das ist eine Menge Datenmaterial, Miss de Vries«, sagte Lennox. »Ich würde eine Woche brauchen, um das alles durchzuarbeiten, und diese Woche habe ich nicht. Die Welt der Hochfinanz ist nicht gerade eine meiner Stärken.«

»Oh, nein, Monsieur, das meiste hier sind Auszüge aus den Gesetzen und Vorschriften. Dann sind hier Berichte über Leute, die diese Vorschriften verletzt haben. Ihre Namen und die Zusammenfassung ihrer Manipulationen nehmen nur sechs Seiten ein.«

»Du lieber Gott, das ist ja viel mehr, als ich verlangt hatte. Und das haben Sie alles in fünf Stunden gemacht?«

»Die Geräte, die mir zur Verfügung stehen, sind hervorragend, Sir. Und das Ministerium war äußerst kooperativ. Sie haben mir sogar die Zugangscodes für Modemübertragung zur Verfügung gestellt.«

»Die hatten also nichts dagegen einzuwenden, daß wir die Informationen direkt abrufen?«

»Ich hatte die richtige Kontaktperson. Er hat begriffen, woran Sie interessiert sind, und auch, warum das so ist.«

»Und *Sie* sehen das genauso?«

»Ich bin weder blind noch taub, Monsieur. Da fließen enorme Beträge über die Schweiz nach Deutschland auf unbekannte, illegale Konten, wobei die Schweizer Methode benutzt wird, handschriftliche Ziffern spektrographisch zu untersuchen.«

»Und die Identität dieser Ziffern?«

»Die werden unverzüglich nach Zürich, Bern oder Genf weitergeleitet, wo niemand an sie herankann. Die Banken dort geben weder Bestätigungen noch Negativauskünfte.«

»Sie kennen sich mit diesen Methoden recht gut aus, nicht wahr?«

»Erlauben Sie mir, daß ich Ihnen das erkläre, Monsieur Lennox. Ich war bei der NATO für die Amerikaner tätig. Die amerikanischen Behörden haben mich für den Umgang mit Verschlußsachen freigegeben, weil ich häufig Dinge sah und erkannte, die den Amerikanern entgangen waren. Warum fragen Sie? Wollen Sie etwas anderes andeuten?«

»Ich weiß nicht. Vielleicht bin ich nur von Ihrer Effizienz beeindruckt – Sie haben doch diese Akte hier zusammengestellt? Ich meine, Sie allein?«

»Ja«, sagte Karin de Vries und ging langsam um den Schreibtisch herum und stellte sich vor Lennox hin. »Ich habe Ihre Anforderung – mit rotem Reiter – in der Akte unseres Abteilungsleiters gesehen. Ich habe sie herausgenommen und sie mir angesehen. Ich wußte, daß ich über die notwendigen Kenntnisse verfügte, um das zu erledigen, deshalb habe ich die Akte herausgenommen.«

»Haben Sie das Ihrem Vorgesetzten gesagt?«

»Nein.« Die Frau ließ eine kurze Pause eintreten und fügte dann leise hinzu. »Ich hatte sofort erkannt, daß ich diese Informationen schneller analysieren und auswerten konnte, als sonst jemand in unserer Abteilung. Ich habe Ihnen die Ergebnisse gebracht – in nur fünf Stunden.«

»Sie wollen sagen, sonst weiß in D und R niemand, daß Sie diesen Vorgang bearbeitet haben. Auch Ihr Abteilungsleiter nicht?«

»Er ist heute den ganzen Tag in Calais, und ich habe keine Notwendigkeit gesehen, seinen Stellvertreter zu informieren.«

»Warum nicht? Brauchten Sie keine Genehmigung? Hier handelt es sich doch um einen Vorgang, der eine Sondergenehmigung erfordert. Das sagt doch der rote Reiter.«

»Ich sagte Ihnen doch schon: Die amerikanischen Behörden bei der NATO und Ihre eigenen Abwehrspezialisten hier in Paris haben mich für den Umgang mit Verschlußsachen freigegeben. Ich habe Ihnen das gebracht, was Sie haben wollten, und meine persönlichen Motive dafür sind doch ohne Belang.«

»Ja, wahrscheinlich schon. Ich habe auch ein paar persönliche Motive und werde deshalb alles, was in dieser Akte ist, gründlich überprüfen.«

»Sie werden feststellen, daß alles korrekt und bestätigt ist.«

»Das hoffe ich. Vielen Dank, Miss de Vries. Das wäre dann alles.«

»Wenn ich Sie korrigieren darf, Sir, nicht Miss, sondern Mrs. de Vries. Ich bin Witwe. Mein Mann ist in Ostberlin von der Stasi getötet worden, eine Woche vor dem Fall der Mauer – der Stasi, Monsieur. Der Name war geändert worden, aber sie waren genauso gemein und bösartig wie die schlimmsten Einheiten der Gestapo und der Waffen-SS. Mein Mann, Frederik de Vries, hat für die Amerikaner gearbeitet. Das können Sie ebenfalls überprüfen.« Damit drehte sie sich um und ging hinaus.

Lennox blickte ihr ein wenig benommen nach, bis die Tür sich hinter ihr geschlossen hatte, so heftig übrigens, daß man auch hätte sagen können, sie sei zugeschlagen worden. Er griff nach dem Telefon und wählte die Nummer des Sicherheitschefs der Botschaft. Als er es geschafft hatte, an einer Sekretärin vorbeizukommen, die ihr Collegefranzösisch an ihm üben wollte, das weniger brauchbar als sein eigenes war, hatte er schließlich den Mann an der Leitung.

»Was gibt's, Cons-Op?«

»Wer zum Teufel ist Karin de Vries, Stanley?«

»Ein Segen, den uns die Typen von der NATO zur Verfügung gestellt haben«, erwiderte Stanley Witkowski, ein Veteran der militärischen Abwehr, der er mehr als dreißig Jahre angehört hatte, bis er wegen seiner außergewöhnlichen Erfolge bei G-2 im Rang eines Colonel ins State Department versetzt worden war. »Sie ist schnell, intelligent, hat Phantasie und beherrscht fünf Sprachen fließend. Die hat der Himmel uns geschickt, mein Freund.«

»Das genau will ich wissen. Wer hat sie geschickt?«

»Was soll diese Frage bedeuten?«

»Ihre Arbeitsmethoden sind ein wenig eigenartig. Ich habe eine verschlossene Anfrage mit rotem Reiter in die Recherche geschickt, und sie hat sie ohne Genehmigung aus der Akte genommen und sie selbst bearbeitet.«

»Roter Reiter? Das ist tatsächlich eigenartig; das sollte sie doch wissen. Ein Reiter muß vom Abteilungsleiter und seinem Stellvertreter schriftlich freigegeben werden und die bearbeitende Person muß registriert werden.«

»Das dachte ich auch, und bei dieser Operation habe ich geradezu paranoide Vorstellungen von Sicherheitslecks und falschen Informationen. Wer hat sie hierher geschickt?«

»Vergessen Sie es, Drew. Sie hat sich um die Versetzung nach Paris bemüht und hatte erstklassige Referenzen. Pures Gold, Drew.«

»Es ist nicht alles Gold, was glänzt, Stan. Sie hat da Dinge beigebracht, die eindeutig über ihre Unbedenklichkeitsstufe hinausgehen, und ich will wissen, weshalb und wie das möglich ist.«

»Könnten Sie mir einen Tip geben?«

»Ich will mal soweit gehen und Ihnen sagen, daß es um die unangenehmen Typen geht, die neuerdings wieder in Deutschland herummarschieren.«

»Das hilft mir nicht wesentlich weiter.«

»Sie hat gesagt, Ihr Mann sei in Ostberlin von der Stasi umgebracht worden. Können Sie das bestätigen?«

»Verdammt, ja, das kann ich. Sogar persönlich. Ich war damals auf unserer Seite der Mauer stationiert und habe mir rings um die

80

Uhr den Arsch aufgerissen, um den Kontakt zu unseren Leuten auf der anderen Seite zu halten. Freddie de Vries war einer unserer cleversten jungen Spitzenagenten. Das arme Schwein wurde von der Stasi geschnappt – und das nur wenige Tage, bevor die weg vom Fenster waren.«

»Dann könnte sie ganz legitim und ernsthaft an den Vorgängen in Deutschland interessiert sein.«

»Aber sicher. Um noch einmal auf Freddie de Vries zurückzukommen: Er hat mit Ihrem Bruder Harry zusammengearbeitet. Das weiß ich, weil meine G-2-Einheit die beiden koordiniert hat. Harry hat es nicht nur schwer getroffen, als er das von Freddie hörte, sondern er war richtig wütend. Gerade, als ob er sein kleiner Bruder gewesen wäre.«

»Vielen Dank, Stanley. Ich glaube, ich habe gerade einen Fehler gemacht und die Frau beleidigt. Trotzdem gibt es da noch ein paar Lücken, die man füllen muß.«

»Was wollen Sie damit sagen?«

»Also ich frage mich, wie Mrs. de Vries von *mir* erfahren hat?«

In den Schatten der Nachmittagssonne taumelte Jean-Pierre Villier, das Gesicht zur Unkenntlichkeit verändert, die Nase doppelt so groß, die Augen verquollen, in Fetzen und Lumpen gekleidet durch die Seitengasse auf dem Montparnasse. Auf dem Kopfsteinpflaster des Trottoirs saßen an die Wand gelehnt Betrunkene, die meisten eingesunken, andere in eine Art Fötalposition eingerollt. Seine Stimme hatte den Tonfall des Gewohnheitstrinkers, eine Art Singsang, in dem die Worte ineinander verschwammen.

»*Écoutez, écoutez – gardez-vous, mes amis!* Ich habe von unserem lieben Kameraden Jodelle gehört – interessiert das jemanden, oder vergeude ich bloß meinen Atem?«

»Jodelle ist verrückt!« antwortete eine Stimme zu seiner Linken.

»Der macht uns bloß Ärger!« rief eine Stimme von rechts. »Sag ihm, er soll zum Teufel gehen.«

»Ich muß Freunde von ihm finden, er hat gesagt, es ist wichtig!«

»Dann geh zu den nördlichen Docks an der Seine, dort kann er besser schlafen und mehr klauen.«

Jean-Pierre ging zum Quai des Tuileries hinauf, hielt an jeder dunklen Gasse und stieß in jeder auf praktisch dieselben Ergebnisse – er schien nicht viele Freunde gehabt zu haben.

»Der alte Jodelle ist ein Schwein! Er gibt keinem von seinem Wein ab.«

»Er sagt, er hat einflußreiche Freunde – aber wo *sind* sie?«

»Dieser große Schauspieler, von dem er immer sagt, daß er sein Sohn sei – solcher *Blödsinn!*«

»Ich weiß ja, daß ich ein Säufer bin, und das ist mir egal, aber meinen Freunden erzähle ich keine Lügenmärchen.«

Und dann, als Villier schließlich die Landungsstege oberhalb des Pont de l'Alma erreichte, hörte er von einer abgetakelten alten Frau die ersten ermutigenden Worte.

»Natürlich spinnt Jodelle, aber zu mir ist er immer nett. Er bringt mir Blumen – gestohlen, natürlich – und sagt, ich sei eine große Schauspielerin. Können Sie das glauben?«

»Ja, Madame, ich glaube, daß ihm das ernst ist.«

»Dann spinnen Sie genauso wie er.«

»Vielleicht, aber Sie sind eine hübsche Frau.«

»Oje! … Ihre Augen, die sind wie blaue Wolken im Himmel. Sie sind sein Geist!«

»Ist er tot?«

»Wer weiß? Wer sind *Sie?*«

Und schließlich Stunden später, als die Sonne hinter dem Trocadéro versank, hörte er in einer noch viel dunkleren Gasse, wie einer rief: »Wer redet da von meinem Freund Jodelle?«

»*Ich*«, schrie Villier zurück und trat tiefer in die enge Gasse ein. »Bist du sein Freund?« fragte er und kniete neben dem zusammengesunkenen, abgerissenen Bettler nieder. »Ich muß Jodelle finden«, fuhr Jean-Pierre fort, »und ich habe Geld für jeden, der mir helfen kann! Da schau! Fünfzig Francs.«

»Es ist lange her, daß ich das letzte Mal fünfzig Francs gesehen habe.«

»Dann schau sie dir nur gut an. Wo ist Jodelle, wo ist er hingegangen?«

»Oh, er hat gesagt, das ist geheim –«

»Aber *dir* hat er es gesagt.«

»Oh ja, wir waren wie Brüder –«

»Ich bin sein Sohn. Sag es mir.«

»Das Loiretal, ein schrecklicher Mann im Loiretal, das ist alles, was ich weiß«, flüsterte das Wrack. »Keiner weiß, wer er ist.«

Plötzlich trat eine Gestalt aus dem hellen Licht an der Mündung der Gasse heraus, die sich nur silhouettenhaft abzeichnete. Der Mann war etwa so groß wie Jean-Pierre, sofern dieser aufrecht dastand und nicht gebeugt wie jetzt. »Warum erkundigen Sie sich nach dem alten Jodelle?« wollte der Mann wissen.

»Ich muß ihn finden, Monsieur«, erwiderte Villier mit bebender Stimme. »Er schuldet mir Geld, wissen Sie, und ich suche ihn jetzt schon seit drei Tagen.«

»Ich fürchte, das Geld werden Sie nicht mehr kriegen. Lesen Sie denn keine Zeitung?«

»Warum soll ich das wenige Geld, das ich habe, den Verlegern in den Rachen werfen?«

»Ein alter Landstreicher, den man als Jodelle identifiziert hat, hat sich gestern abend in einem Theater umgebracht.«

»Oh, der Mistkerl! Er war mir sieben Francs schuldig.«

»Wer *sind* Sie, alter Mann?« fragte der andere und trat näher an Jean-Pierre heran und musterte ihn im schwachen Licht der Gasse.

»Ich bin Auguste Renoir, und ich male Bilder. Und manchmal bin ich Monsieur Monet und häufig auch der Holländer Rembrandt. Und im Frühling möchte ich gerne Georges Seurat sein; und im Winter der Krüppel Toulouse-Lautrec – all die warmen Bordelle. Museen sind wunderschön, wenn es regnet und draußen kalt ist.«

»Ach, Sie sind ein alter Narr!« Der Mann drehte sich um und ging den Weg zurück, den er gekommen war, und Villier humpelte schnell hinter ihm her.

»Monsieur!« rief der Schauspieler.

»Was?« Der Mann blieb stehen.

»Da Sie mir diese schreckliche Nachricht gebracht haben, denke ich, sollten Sie mir die sieben Francs zahlen.«

»Warum? Was ist denn das für eine Logik?«

»Sie haben mir meine Hoffnung gestohlen.«

»Was habe ich gestohlen …?«

»Meine Hoffnung, meine Erwartung. Ich habe Sie nicht nach Jodelle gefragt, Sie sind auf mich losgegangen. Woher wußten Sie denn, daß ich ihn suche?«

»Weil Sie kurz zuvor seinen Namen gerufen haben.«

»Und unter einem so trivialen Vorwand dringen Sie in mein Leben ein und zerstören meine Erwartungen? Vielleicht sollte ich fragen, wer *Sie* sind, Monsieur. Sie sind viel zu teuer gekleidet, um mit meinem Freund Jodelle bekannt zu sein – diesem Mistkerl! Was bedeutet Ihnen Jodelle? Warum haben Sie sich eingemischt?«

»Sie sind nicht ganz bei Trost«, sagte der Mann und griff in die Tasche. »Da, haben Sie zwanzig Francs und entschuldigen Sie, daß ich in Ihr Leben getreten bin.«

»Oh, vielen Dank, vielen Dank, mein Herr, danke!« Jean-Pierre wartete, bis der neugierige Fremde die Gasse verlassen hatte und rannte dann hinter ihm her, spähte um die Ecke, als der Mann auf einen Wagen zuging, der zwanzig Meter entfernt am Bordstein parkte. Wieder war Villier ganz der zerlumpte Vagabund, als er auf dem Bürgersteig taumelte und dann wie ein verwachsener Hofnarr herumzuhüpfen begann und seinem Wohltäter nachrief. »Möge Gott Sie lieben und möge der heilige Jesus Sie umarmen, Monsieur! Möge das Paradies –«

»Laß mich in Ruhe, du versoffener alter Penner!«

Oh, das werde ich ganz bestimmt, dachte Jean-Pierre und prägte sich die Zulassungsnummer des Peugeot ein, der sich jetzt in Bewegung setzte.

Am späten Nachmittag fuhr Lennox zum zweiten Mal innerhalb von achtzehn Stunden mit dem Fahrstuhl ins Kellergeschoß der Botschaft, diesmal freilich nicht, um die Fernmeldezentrale aufzusuchen, sondern die sakrosankte Abteilung Dokumente und Recherchen. Ein Sergeant der Marines saß an einem Tisch rechts von der Stahltür; als er Drew erkannte, lächelte er.

»Wie ist denn das Wetter oben, Mr. Lennox?«

»Nicht so kühl und sauber wie hier unten bei Ihnen, Sergeant, aber Sie haben hier schließlich die teuerste Klimaanlage im ganzen Gebäude.«

»Wir sind hier unten sehr empfindlich. Wollen Sie Zutritt zu unserer Halle der Geheimnisse und der harten Pornovideos?«

»Zeigen die gerade schmutzige Filme?«

»Wir nehmen hundert Franc pro Platz, aber Sie lasse ich gratis rein.«

»Ich habe schon immer viel von den Marines gehalten.«

»Weil Sie das gerade sagen, meine Kumpels lassen für die Gratisdrinks danken, die Sie für uns in diesem Café in der Grenelle spendiert haben.«

»War mir ein Vergnügen. Man kann ja nie wissen, wann man sich einen Porno reinziehen möchte … Übrigens, die Leute, denen das Café gehört, sind alte Freunde von mir, und Sie und Ihre Freunde hatten da eine recht beruhigende Wirkung auf ein paar unangenehme Stammgäste.«

»Yeah, das sagten Sie schon. Wir waren richtig rausgeputzt mit sämtlichem Lametta, wie zur Parade.«

»Sergeant«, sagte Drew und sah ihn dabei an. »Kennen Sie eine Karin de Vries in D und R?«

»Nur soweit, daß ich ›Guten Morgen‹ und ›Gute Nacht‹ sage. Mehr nicht. Das Mädchen sieht wirklich klasse aus, aber ich glaube, das will sie verstecken. Mit ihrer Brille zum Beispiel, die bestimmt fünf Pfund wiegt, und dem dunklen Zeug, das sie immer trägt und das überhaupt nicht nach Paris paßt.«

»Ist sie neu hier?«

»Also, ich würde sagen, etwa vier Monate, von der NATO versetzt. Es heißt, sie sei ziemlich ruhig und zurückgezogen, verstehen Sie?«

»Ich denke schon … Also schön, Bewahrer der geheimen Schlüssel, besorgen Sie mir einen Logenplatz.«

»Genauer gesagt, ist es die erste Reihe, drittes Büro rechts. Ihr Name steht an der Tür.«

»Sie haben wohl geschnüffelt?«

»Und ob ich das habe. Wenn diese Tür hier abgesperrt ist, dann gehen wir jede Nacht mit der Hand an der Waffe Streife, für den Fall, daß es ungeladene Gäste gibt.«

»Ah, richtige Geheimdiensttypen. Sie sollten sich mal um eine Filmrolle bemühen, in einem von der sauberen Art, meine ich.«

»Das müssen Sie gerade sagen. Komplettes Abendessen mit Wein, soviel wir trinken können für dreizehn Marines? Und ein nervöser Wirt, der die ganze Zeit rumrennt und jedem sagt, daß wir seine besten Freunde seien und wahrscheinlich sogar seine amerikanischen Verwandten und daß er uns bloß zu rufen brauchte, wenn er mal Ärger hat, und dann würden wir sofort mit Bazookas aufkreuzen? So was ist ja ganz normal, wie?«

»Eine harmlose, unschuldige Einladung von einem glühenden Bewunderer des Marinekorps.«

»Ihre Nase wird immer länger, Mr. Pinocchio.«

»Jetzt haben Sie mir mein Billett schon abgerissen. Lassen Sie mich bitte rein.«

Der Marine drückte einen Knopf auf seinem Schreibtisch, worauf aus dem Innern der Stahltür ein lautes Klicken zu hören war. »Willkommen im Palast des Zauberers.«

Lennox trat ein und fand sich sofort vom stetigen Summen und Brummen der Computeranlagen umgeben. Die Abteilung Dokumente und Recherchen bestand aus mehreren Reihen von Büros beiderseits eines Mittelgangs, und auch hier war ebenso wie im Fernmeldekomplex alles weiß und antiseptisch gehalten und von Neonröhren an der Decke beleuchtet. Er ging nach rechts zur dritten Bürotür; am oberen Drittel der Tür war ein schwarzer Plastikstreifen mit weißen Blockbuchstaben angebracht. MADAME DE VRIES. Nicht Mademoiselle, sondern Madame: Die Witwe de Vries würde jetzt gleich einige Fragen bezüglich eines gewissen Harry Lennox und seines Bruders Drew zu beantworten haben. Er klopfte.

»Herein«, sagte die Stimme hinter der Tür. Als Lennox die Tür öffnete, blickte ihm Karin de Vries verblüfft entgegen; sie saß an ihrem Schreibtisch an der linken Wand. »Monsieur, Sie sind der letzte, den ich hier erwartet hätte«, sagte sie. »Ich muß mich für meine schlechten Manieren entschuldigen. Ich hätte nicht einfach so aus Ihrem Büro stürmen sollen.«

»Sie sehen das falsch, Lady. Ich bin es, der sich entschuldigen sollte. Ich habe mit Witkowski gesprochen –«

»Oh ja, der Colonel –«

»Darüber müssen wir uns unterhalten.«

»Ich hätte es wissen müssen«, sagte sie. »Ja, wir werden uns unterhalten, Monsieur Lennox, aber nicht hier. Woanders.«

»Warum? Ich habe mir alles angesehen, was Sie mir gegeben haben. Das war nicht nur gut, das war hervorragend. Ich bin kaum imstande, Soll und Haben zu unterscheiden, aber damit komme ich zurecht. Sie haben das alles so klar dargestellt.«

»Vielen Dank. Aber Sie sind aus einem anderen Grund hier, nicht wahr?«

»Was wollen Sie damit sagen?«

»An der Avenue Gabriel ist ein Café, sechs Straßen von hier entfernt, Le Sabre d'Orléans. Es ist ziemlich klein und nicht sehr bekannt. Seien Sie in einer Dreiviertelstunde dort. Ich erwarte Sie in einer Nische im hinteren Teil des Cafés.«

»Ich verstehe nicht –«

»Das werden Sie dann schon.«

Exakt siebenundvierzig Minuten später betrat Drew das kleine, ein wenig verwahrlost wirkende Café an der Avenue Gabriel, stutzte über die schwache Beleuchtung und wunderte sich dann über die schäbige Ausstattung in einem der teuren Viertel der Stadt. Karin de Vries fand er, wie sie gesagt hatte, in einer Nische ganz hinten in dem Lokal. »Was für eine Spelunke«, flüsterte er, als er ihr gegenüber Platz nahm.

»*L'obstination du Français,*« erklärte de Vries, »und Sie brauchen nicht so leise zu sprechen. Hier hört uns niemand zu.«

»Wer ist stur?«

»Der Inhaber. Man hat ihm eine Menge Geld für das Lokal angeboten, aber er weigert sich, es zu verkaufen. Er ist reich, und das Café ist seit Jahren im Besitz seiner Familie. Lange bevor er reich wurde. Er behält es, um Verwandten Arbeit zu geben – hier kommt jetzt einer; erschrecken Sie nicht.«

Ein offensichtlich betrunkener, älterer Kellner näherte sich mit unsicheren Schritten dem Tisch. »Wollen Sie bestellen, es gibt nichts zu essen?« fragte er in einem Atemzug.

»Einen Scotch, bitte«, erwiderte Lennox.

»Heute gibt es keinen Scotch«, sagte der Kellner und rülpste. »Wir haben eine gute Weinauswahl und japanisches Gesöff, das die Whisky nennen.«

»Dann Weißwein. Chablis, wenn Sie welchen haben.«

»Weiß wird er sein.«

»Für mich bitte dasselbe«, sagte Karin de Vries. Als der Kellner davongeschlurft war, fuhr sie fort: »Jetzt sehen Sie, warum das Lokal nicht sehr populär ist.«

»Es sollte eigentlich gar nicht existieren ... Aber kommen wir zur Sache. Ihr Mann hat in Ostberlin mit meinem Bruder zusammengearbeitet.«

»Ja. Harry ist ein Mann, den Frederik ebenso wie ich als sehr guten Freund betrachtet hat.«

»So gut haben Sie Harry gekannt?«

»Freddie war für ihn tätig, aber das stand nicht in den Büchern.«

»In diesem Geschäft gibt es keine Bücher.«

»Ich meine damit, daß nicht einmal Harrys Leute, geschweige denn Colonel Witkowski und seine G-2 wußten, daß Harry der Führungsoffizier meines Mannes war. Es durfte auch nicht die leiseste Andeutung geben, daß die beiden zusammenarbeiteten.«

»Aber Witkowski hat mir doch gesagt, daß sie zusammengearbeitet haben.«

»Auf derselben Seite, das schon, aber nicht als Führungsoffizier und Agent. Ich glaube, das hat niemand auch nur geahnt.«

»Es war also so wichtig, daß es geheimgehalten wurde, selbst gegenüber unseren eigenen Spitzenleuten?«

»Ja.«

»Warum?«

»Wegen des ganz speziellen Jobs, den Frederik für Harry getan hat – bereitwillig und begeistert. Wenn man gewisse Vorgänge mit den Amerikanern hätte in Verbindung bringen können, dann hätte das schreckliche Konsequenzen haben können.«

»Keine der beiden Seiten war damals sonderlich sauber, und manchmal ging es auf beiden Seiten ziemlich schlimm zu. In der Beziehung konnte man sich gegenseitig nichts vorwerfen. Warum also das ganze Theater?«

»Ich denke, es war wegen der Menschen, die getötet wurden. Mir hat man es wenigstens so erklärt.«

»Sie meinen, Ihr Mann –«

»Ja«, unterbrach ihn Karin de Vries leise. »Freddie hat Ihrem Bruder gute Dienste geleistet und sich bei der Stasi eingenistet, und zwar so, daß sie große Feste für ihn veranstalteten, weil sie ihn für einen Diamantenhändler aus Amsterdam hielten, der die Apparatschiks reich machte. Und dann entwickelte sich dabei ein gewisses Schema; mächtige Funktionäre der DDR, die im Dienste des Kreml standen, befanden sich zur richtigen Zeit am richtigen Ort und wurden getötet. Harry und ich haben sowohl jeder für sich als auch gemeinsam Frederik zur Rede gestellt. Er hat natürlich alles abgeleugnet, und sein unschuldiger Charme und seine Redegewandtheit – Eigenschaften, die ihn zu einem außergewöhnlich guten Geheimagenten machten – haben uns beide überzeugt, daß es nur Zufall gewesen war.«

»In diesem Geschäft gibt es keinen Zufall.«

»Das haben wir auch erfahren, als Frederik eine Woche vor dem Fall der Berliner Mauer erwischt wurde. Man hat meinen Mann gefoltert und ihm Wahrheitsdrogen gespritzt, und das führte schließlich dazu, daß er die Morde gestand. Harry gehörte zu den ersten Spezialisten, die das Stasihauptquartier erreichten und dort das Unterste nach oben kehrten, und in seinem Zorn über Freddies Tod wußte er genau, was er suchen mußte und wann es geschehen war. Er fand eine Kopie des Protokolls, die er an sich nahm und später mir brachte.«

»Dann war Ihr Mann also schießwütig, und weder Sie noch mein Bruder haben ihn durchschaut?«

»Sie hätten Freddie kennen müssen. Es gab einen Grund für seine Maßlosigkeit. Er war voll Haß auf die militanten Deutschen, das war ein tiefer Abscheu, der nicht den toleranten, ja bußwilligen Bürgern Westdeutschlands galt. Sie müssen wissen, seine Großeltern wurden von einem Erschießungstrupp der SS auf dem Marktplatz vor der gesamten Dorfbevölkerung exekutiert. Ihr Verbrechen bestand darin, daß sie den verhungernden Juden, die man in einem offenen Stacheldrahtpferch in einem Feld hinter dem Bahnhofsgelände gefangen hielt, Essen gebracht hatten. Aber – und das ist besonders schmerzlich – mit seinem Großvater und seiner Großmutter wurden sieben weitere unschuldige Männer, alles Väter, als Exempel für die Zivilbevölkerung erschossen. Die Familie de Vries war eine Generation lang gebrandmarkt. Frederik ist von Verwandten in Brüssel aufgezogen worden und durfte seine Eltern, die dann schließlich gemeinsam Selbstmord begingen, nur ganz selten sehen. Ich bin fest überzeugt, daß Freddie die schreckliche Erinnerung an jene Jahre nie losgeworden ist, bis zum Augenblick seines Todes nicht.«

Schweigen. Dann kehrte der gestörte Kellner mit ihrem Wein zurück und verschüttete etwas davon auf Drews Hose. Als er sich wieder entfernt hatte, sagte Lennox: »Lassen Sie uns hier weggehen. Gleich um die Ecke ist ein ordentliches Restaurant, eine Brasserie.«

»Das Lokal kenne ich auch, aber ich würde unser Gespräch lieber hier zu Ende führen. Ich glaube nicht, daß es gut ist, wenn man uns zusammen sieht.«

»Herrgott noch mal, wir arbeiten schließlich im selben Gebäude. Übrigens, wie kommt es, daß ich Sie nie bei einer der Veranstaltungen unserer Botschaft zu sehen bekommen habe? Ich hätte mich sicherlich an Sie erinnert.«

»Solche Partys bedeuten mir nicht viel, Monsieur Lennox. Ich lebe sehr zurückgezogen.«

Drew zuckte die Achseln. »Also gut. Dann sagen Sie mir bitte noch, warum Sie Ihre Versetzung beantragt haben.«

»Ich sagte Ihnen doch, ich war für den Umgang mit NATO-Verschlußsachen der obersten Geheimhaltungsstufe freigegeben. Vor sechs Monaten habe ich aus der Funkzentrale ein Memorandum der Geheimhaltungsstufe acht zum obersten Befehlshaber gebracht und, weil ich neugierig war – so wie ich das heute auch war –, habe ich es mir angesehen. In dem Papier stand, daß ein gewisser Drew Lennox mit voller Billigung des Quai d'Orsay nach Paris versetzt werden sollte, um das ›deutsche Problem‹ zu erforschen. Es gehörte nicht viel Phantasie dazu, herauszubekommen, was damit gemeint war, Monsieur. Das ›deutsche Problem‹ war es, was zum Tod meines Mannes geführt hatte, und ich erinnerte mich nur zu deutlich daran, daß Ihr Bruder mit großer Zuneigung von Ihnen gesprochen hat. Er sagte immer, ihm wäre lieber gewesen, wenn Sie nicht in seine Fußstapfen getreten wären, weil Sie zum Jähzorn neigten und kein besonderes Sprachtalent hätten.«

»Harry ist eifersüchtig, weil Mutter mich immer lieber hatte.«

»Jetzt machen Sie Witze.«

»Natürlich mache ich das. Tatsächlich habe ich so das Gefühl, daß sie der Ansicht war – und ist –, daß wir beide ein wenig seltsam sind.«

»Wegen Ihres Berufs?«

»Ach was, nein. Sie weiß gar nicht, was wir machen, und Dad ist clever genug, es ihr nicht zu sagen. Sie ist fest überzeugt, daß wir irgendwo eine mittlere Position im Außenministerium haben, manchmal monatelang in der Welt unterwegs sind, und ärgert sich darüber, daß wir beide nicht verheiratet sind und sie deshalb keine Enkel verwöhnen kann.«

»Eine ganz natürliche Sorge, würde ich sagen.«

»Nicht für zwei Söhne in einem unnatürlichen Beruf.«

»Harry hat allerdings auch eingeräumt, daß Sie sehr stark und ziemlich intelligent seien.«

»Ziemlich intelligent? … Wieder die Eifersucht. Ich habe noch ein Draufgeld zu meinem Collegestipendium bekommen, weil ich schon in der High School ein guter Eishockeyspieler war – er ist auf Schlittschuhen bloß ständig auf den Hintern gefallen.«

»Sie machen sich schon wieder über mich lustig.«

»Nein, ganz bestimmt nicht, das ist die reine Wahrheit.«

»Sie hatten Stipendien?«

»Das mußten wir. Unser Vater war Archäologe, und das hat ihm nur Ausgrabungen von Arizona bis in den Irak eingebracht. Die National Geographic Society und der Explorers' Club haben zwar die Reisespesen bezahlt, sind aber nicht für die Frau und die Kinder aufgekommen. Als diese Filme herauskamen, haben Harry und ich immer gelacht und gesagt, zum Teufel mit dem ›verschwundenen Schatz‹, wo waren die Kinder von Indiana Jones?«

»Ich kann da nicht ganz folgen, aber den akademischen Aspekt verstehe ich natürlich.«

»Unser Vater hatte einen festen Lehrstuhl, also waren wir nicht pleite, aber reich waren wir ganz sicherlich auch nicht. Höchstens einigermaßen versorgt. Wir *mußten* Stipendien bekommen … So jetzt haben Sie meine Lebensgeschichte gehört und ich habe mehr über Ihren Mann gehört, als ich eigentlich hören wollte … Aber was ist mit Ihnen? Wo kommen Sie denn her – sind Sie einfach aus dem Wald aufgetaucht, Mrs. de Vries?«

»Das ist unwichtig –«

»Ja, das haben Sie schon einmal gesagt, und das kaufe ich Ihnen nicht ab. Ehe Sie hier in der Botschaft weiter Karriere machen, ganz besonders in D und R, sollten Sie sich dazu äußern.«

»Sie glauben mir kein Wort –«

»Ich glaube all die Äußerlichkeiten, das was Witkowski mir bestätigt hat, aber darüber hinaus bin ich recht skeptisch.«

»Dann können Sie sich meinetwegen zum Teufel scheren, Monsieur.« Karin de Vries wollte gerade aufstehen, als der angeheiterte Kellner wieder auftauchte.

»Ist hier jemand namens Le Noce?« fragte er.

»*Lennox?* Ja, das bin ich.«

»Da ist ein Anruf für Sie. Das kostet zusätzlich dreißig Francs.« Der Kellner entfernte sich wieder.

»Bleiben Sie hier«, sagte Drew zu Karin de Vries. »Ich habe der Fernmeldezentrale gesagt, wo ich sein würde.«

»Warum soll ich bleiben?«

»Weil ich es möchte, ich möchte es wirklich.« Lennox stand auf und ging mit schnellen Schritten zu dem uralten Telefon am Ende der verlassenen Bar. Er hob den Hörer auf, der in einer Weinpfütze lag, und meldete sich: »Hier Lennox.«

»Hier Durbane«, sagte die Stimme am anderen Ende der Leitung. »Ich verbinde dich jetzt mit Direktor Sorenson in Washington. Beide Seiten klar. Sprechen bitte.«

»*Drew?*«

»Ja, Sir –«

»Es ist passiert! Wir haben gerade von Harry gehört. Er lebt!«

»Wo?«

»Soweit wir das in Erfahrung bringen konnten, irgendwo im Tauerngebirge. Ein Anruf kam von den Neonazi-Gegnern in Obernberg durch. Sie sagten, sie würden sich um seine Flucht bemühen, und wir sollten unsere sicheren Leitungen an der österreichischen Grenze offenhalten. Sie haben es abgelehnt, sich zu identifizieren, aber nach dem, was sie wissen, müssen sie echt sein.«

»Gott sei Dank!« rief Lennox erleichtert.

»Seien Sie nicht zu zuversichtlich. Der Mann hat gesagt, Harry müßte beinahe zwölf Meilen verschneites Bergland durchqueren, ehe sie an ihn rankämen.«

»Sie kennen Harry nicht. Der schafft es. Ich mag vielleicht stärker sein, aber er war immer zäher.«

»Wovon reden Sie da?«

»Schon gut. Ich werde in die Botschaft zurückkehren und warten.« Lennox legte den Hörer auf und ging zum Tisch zurück.

Karin de Vries war verschwunden.

5

Die lange Reihe in dicke Winterkleidung eingehüllter Gestalten stapfte in den immer länger werdenden Abendschatten über den Bergweg, die Scheinwerferbündel der zwei schweren Raupenfahrzeuge und die Taschenlampen der Wachen lieferten die einzige Beleuchtung. Harry Lennox sprang von dem Fahrzeug herunter, und seine Kopfschmerzen wurden in dem Maß schwächer, wie sie sich der Brücke über die Schlucht näherten, in der tief unten ein kleiner Nebenfluß der Ziller strömte. Er konnte es schaffen! Sobald er die schmale Brücke hinter sich hatte, würde er sich zurechtfinden; er hatte sich die Route und all die Markierungen, die er angebracht hatte, gut gemerkt, hatte sie sich während seines sogenannten Krankenhausaufenthalts tausende Male ins Gedächtnis zurückgerufen. Aber auf dem Raupenfahrzeug, auf dem er sich versteckt hatte, hatte er nicht bleiben können, weil die Fahrzeuge durchsucht und jedes Gerät mit einer Liste verglichen wurde. Stattdessen hatte er sich der Gruppe der Sonnenkinder anschließen müssen, die blindlings, patriotische Marschlieder singend, ihrer unsicheren Zukunft in ganz Deutschland, ja sogar Europa entgegenmarschierte. Harry sang laut mit, was ihm gelegentlich ein Grinsen und anerkennende Blicke seiner Marschgenossen eintrug, als sie die Brücke überquerten.

Und dann war der Augenblick da! Die Gruppe marschierte nach rechts ins Schneegestöber hinein, und Harry duckte sich weg und hastete davon. Ein aufmerksamer Wachmann sah ihn und hob seine Pistole.

»*Nicht!*« sagte der Anführer der Gruppe und drückte dem Soldaten die Waffe herunter. »*Ist schon in Ordnung!*«

Der Mann, der in Geheimdienstkreisen die Decknamen Sting trug, trottete durch den knietiefen Schnee, voll Hoffnung bald die Markierungen zu entdecken, die er Wochen zuvor angebracht hatte, als man ihn in das verborgene Tal gebracht hatte. Da war es! Zwei abgebrochene Zweige an einem jungen Baum auf der linken Seite, und jetzt würde gleich auf der rechten Seite eine Markierung folgen und eine schräge Linie nach unten bilden … dreihundert Meter weiter, sein Gesicht brannte inzwischen von der Anstrengung. Und dann sah er es! Der Ast einer Bergtanne, den er abgeknickt hatte, hing immer noch herunter, saftlos und leer. Die Bergstraße zwischen den zwei Dörfern war jetzt weniger als fünf Meilen entfernt und der größte Teil des Weges dorthin würde bergab führen. Er würde es schaffen. Er mußte es schaffen!

Und schließlich hatte er es auch geschafft, wenn er auch nicht wußte, ob seine Beine noch schmerzten oder schon abgestorben waren. Er setzte sich hin und massierte sich die Beine, soweit die steifgefrorene Hose das zuließ, als links ein Geländefahrzeug auftauchte. Er arbeitete sich hoch, taumelte auf die Straße hinaus und fuchtelte wild mit den Armen, als die Scheinwerferbündel auf ihn fielen. Das Fahrzeug kam zum Stehen.

»*Hilfe!*« schrie er in deutscher Sprache. »Mein Wagen ist von der Straße abgekommen!«

»Keine Erklärungen bitte«, sagte der bärtige Fahrer in einem Englisch mit starkem Akzent. »Ich habe Sie erwartet. Ich bin die letzten drei Tage immer wieder diese Straße auf- und abgefahren, Stunde um Stunde.«

»Wer sind Sie?« fragte Harry und kletterte auf den Beifahrersitz.

»Ihre Rettung«, erwiderte der Fahrer schmunzelnd.

»Sie wußten, daß ich herauskommen würde?«

»Wir haben eine Spionin in dem versteckten Tal, obwohl wir keine Ahnung haben, wo das Tal ist. Man hat sie wie alle anderen auch mit verbundenen Augen hingebracht.«

»Und woher wußte sie es?«

»Sie ist Krankenschwester, wenn sie nicht gerade Befehl hat, mit einem der arischen Brüder zu kopulieren, um ein neues Sonnenkind hervorzubringen. Sie hat Sie beobachtet und gesehen, wie Sie Papierstücke in Ihre Kleider einnähten –«

»Und wie hat sie Sie verständigt.«

»Alle Sonnenkinder dürfen oder, besser gesagt, müssen Verbindung mit ihren Verwandten halten, um ihre Abwesenheit mit irgendwelchen harmlosen Märchen zu erklären. Sie hat sich an ihre ›Eltern‹ gewandt und hat mit ganz präzisen Codeangaben durchgegeben, daß der Amerikaner das Tal verlassen würde. Sie wußte natürlich nicht genau wann, aber war ganz sicher, daß Sie in naher Zukunft fliehen würden.«

»Die Evakuierung – und genau darum handelt es sich – war meine Fluchtchance.«

»Was auch immer, jedenfalls sind Sie jetzt hier und nach Kiefersfelden unterwegs. Aus unserer bescheidenen Zentrale dort können Sie mit Ihren Leuten Verbindung aufnehmen. Sie müssen wissen, wir sind die Antineos.«

»*Wer* sind Sie?«

»Anti-Neos, die Gegner der Neonazis. Das sind wir.«

Harry Lennox ließ sich schwer in die Polsterung seines Sitzes zurückfallen. »Na schön, ich hab zwar noch nie von Ihnen gehört, aber wenn es Ihnen Spaß macht ...«

»Warum sind Sie weggegangen?« fragte Drew, der sich Karin de Vries' Telefonnummer von der Sicherheitsabteilung beschafft hatte.

»Weil es nichts mehr zu sagen gab«, erwiderte sie.

»Es gab noch eine ganze Menge zu sagen. Und das wissen Sie auch.«

»Bitte, sehen Sie sich meine Akten an, und wenn Sie darin etwas finden, was Sie stört, dann melden Sie es.«

»Lassen Sie doch den Blödsinn. Harry *lebt*! Nach drei Jahren als Maulwurf ist er wieder aufgetaucht und ist jetzt auf dem Weg zurück!«

»*Mon Dieu*. Ich kann Ihnen gar nicht sagen, wie glücklich, wie erleichtert ich bin!«

»Sie wußten doch die ganze Zeit, was mein Bruder macht, nicht wahr?«

»Nicht am Telefon, Drew. Kommen Sie zu meinem Appartement in der Rue Madeleine. Nummer 26, Appartement fünf.«

Drew gab Durbane die Nummer, griff nach seinem Jackett und rannte zu dem Wagen des Deuxième Bureau hinaus, dessen Fahrer sein ständiger Chauffeur geworden war. »Rue Madeleine«, sagte er. »Nummer sechsundzwanzig.«

»Ein hübsches Viertel«, sagte der Fahrer und ließ den Wagen an.

Das Appartement in der Rue Madeleine fügte dem Rätsel, das Karin de Vries für ihn darstellte, eine weitere Dimension hinzu. Es war nicht nur groß, sondern auch geschmackvoll und teuer eingerichtet. Die Möbel, die Gardinen und die Gemälde gingen weit über das Einkommen einer Botschaftsangestellten hinaus.

»Mein Mann war nicht gerade arm«, sagte Karin, der Drews Reaktion nicht entgangen war. »Er hat nicht nur die Rolle eines Diamantenhändlers gespielt, sondern diesen Beruf auch aktiv und mit seinem üblichen Schwung ausgeübt.«

»Das muß schon ein besonderer Mann gewesen sein.«

»Das und noch einiges mehr«, fügte die Frau mit ausdrucksloser Stimme hinzu. »Bitte setzen Sie sich, Monsieur Lennox. Darf ich Ihnen etwas zu trinken anbieten.«

»In Anbetracht des sauren Weins, den ich in dem Café Ihrer Wahl zu trinken bekam, nehme ich Ihr Angebot gerne an.«

»Ich habe Scotch.«

»Dann nehme ich nicht nur einen, sondern bitte sogar darum.«

»Nicht nötig«, sagte de Vries mit einem leichten Lächeln und trat an eine verspiegelte Bar. »Freddie hat mir beigebracht, immer vier Getränke bereitzuhalten«, fuhr sie fort und nahm den Deckel von einem Eiskübel, entnahm ihm eine Flasche und schenkte ein. »Rotwein bei Zimmertemperatur, Weißwein gekühlt, zwei Flaschen, eine fruchtig, der andere trocken, beide von guter Qualität – und Scotch für die Engländer und Bourbon für die Amerikaner.«

»Und für die Deutschen?«

»Bier, und die Qualität spielt keine Rolle, weil er immer sagte, die trinken alles. Aber wie ich schon sagte, er war nicht gerade ein toleranter Mensch.«

»Er muß doch auch andere Deutsche gekannt haben.«

»Natürlich. Er hat immer gesagt, daß sie einen Fetisch daraus machen, die Engländer nachzuahmen. ›Whisky‹ – womit sie Scotch meinen – ohne Eis, und obwohl sie lieber Eis hätten, geben sie es nicht zu.« Sie brachte Drew sein Glas und sagte, indem sie auf einen Sessel deutete: »Bitte setzen Sie sich, Monsieur Lennox, wir haben einiges miteinander zu besprechen.«

»So pflege eigentlich ich Gespräche zu eröffnen«, sagte Drew und ließ sich auf einen bequemen Ledersessel gegenüber der hellgrünen samtbezogenen Couch nieder, auf der Karin de Vries Platz genommen hatte. »Und Sie trinken nicht mit?« fragte er und hob sein Glas ein wenig an.

»Später vielleicht – wenn es ein Später gibt.«

»Sie geben sich aber sehr rätselhaft, Lady.«

»Von Ihrem Standpunkt aus muß das wohl so aussehen. Aber aus meiner Sicht bin ich die Unkompliziertheit selbst. Sie sind das Rätsel. Sie und die amerikanischen Geheimdienste.«

»Ich glaube, das müssen Sie mir näher erklären, Mrs. de Vries.«

»Natürlich, das will ich auch. Sie schicken einen Mann hinaus, einen ungewöhnlich talentierten Agenten, der fließend fünf oder sechs Sprachen spricht und halten seine Existenz hier in Europa so geheim, daß er überhaupt keinen Schutz hat, ohne jemanden als Führungsoffizier, weil niemand über die Vollmachten, geschweige denn die Position verfügt, um ihm irgendwelche Anweisungen zu erteilen.«

»Harry hätte jederzeit aussteigen können«, widersprach Lennox. »Er ist in ganz Europa und dem Nahen Osten umhergereist und hätte überall aussteigen können. Er hätte bloß den Telefonhörer abzunehmen, Washington anzurufen und zu sagen brauchen ›Schluß damit, ich mag nicht mehr.‹ Er wäre nicht der erste Agent in seiner Position gewesen, der so etwas macht.«

»Dann kennen Sie Ihren eigenen Bruder nicht.«

»Was wollen Sie damit sagen? Herrgott, ich bin schließlich mit ihm aufgewachsen.«

»Beruflich?«

»Nein, das nicht. Wir waren in unterschiedlichen Bereichen tätig.«

»Dann haben Sie also wirklich keine Ahnung, was für ein Bluthund er ist.«

»Ein Bluthund …?«

»Ebenso fanatisch wie die Fanatiker, auf die er Jagd gemacht hat.«

»Er mochte keine Nazis, aber wer mag die schon?«

»Darauf will ich nicht hinaus, Monsieur. Als Harry als Führungsoffizier tätig war, verfügte er in Ostdeutschland über Mittel, wurde von den Amerikanern bezahlt und erhielt von ihnen seine Informationen, auf denen wiederum seine Befehle an seine Leute basierten, Leute, wie mein Mann einer war. Aber dieses letzte Mal war Ihr Bruder ganz allein, und verfügte nicht über derartige Mittel.«

»Das mußte er. Das lag an seiner besonderen Mission – er mußte da völlig isoliert auftreten. Es durfte unter keinen Umständen irgendwelche Spuren geben. Selbst ich kannte seinen Decknamen nicht. Noch einmal – worauf wollen Sie hinaus?«

»Harry hatte hier keine Verbindungen, aber der Feind hat Verbindungen in Washington.«

»Was zum Teufel soll das jetzt wieder heißen?«

»Sie haben ganz richtig angenommen, daß ich über den Auftrag Ihres Bruders informiert war. Übrigens sein Deckname lautete Lassiter, Alexander Lassiter.«

»*Was?*« Lennox schoß förmlich nach vorne. »Wo haben Sie das her?«

»Da nicht einmal Sie seinen Decknamen kannten, woher wohl? Vom Feind natürlich. Einem Mitglied der Bruderschaft – so nennen die sich.«

»Das wird jetzt äußerst delikat, Lady. Haben Sie vielleicht noch eine Erklärung.«

»Nur teilweise. Solche Dinge müssen Sie einfach glauben.«

»Ich glaube gar nichts. Ganz besonders jetzt nicht. Also fangen wir einmal an, auch wenn Sie mir nur bruchstückhafte Informationen geben können. Und dann sage ich Ihnen, ob Sie immer noch einen Job haben oder nicht.«

»Also gut. Freddie und ich hatten eine Wohnung in Amsterdam, sie war natürlich auf seinen Namen eingetragen, ein Appartement, das mit seinem Wohlstand als junger Unternehmer im Diamantengeschäft im Einklang war. Wir trafen uns dort immer, wenn es die Zeit erlaubte. Aber ich war dann jedesmal, nun sagen wir, eine ganz andere Frau als die, die man in der NATO zu sehen bekam … auch anders als die, die Sie hier in der Botschaft sehen. Ich kleidete mich modisch, ja sogar ein wenig extravagant und trug eine blonde Perücke und viel Schmuck –«

»Sie haben also ein Doppelleben geführt«, unterbrach sie Lennox.

»Das war ja wohl auch notwendig.«

»Zugegeben. Und?«

»Wir hatten Gäste – nicht sehr häufig, in erster Linie Freddies wichtigste Kontaktleute – ... Ich muß Ihnen zunächst etwas erklären, was Sie möglicherweise schon wissen. Wenn eine regierungsamtliche Abwehrorganisation von Externen getäuscht wird, dann sorgt eine solche Organisation natürlich dafür, daß die Eindringlinge beseitigt werden, geben Sie mir da recht?«

»Nun, ich habe davon gehört, weiter will ich jetzt nicht gehen.«

»Aber eines dulden sie nie: Sie lassen sich nicht in Verlegenheit bringen und werden nie zugeben, daß sich jemand bei ihnen eingeschlichen hat. Wenn so etwas einmal vorkommt, wird das nach Möglichkeit streng geheim gehalten, selbst innerhalb der eigenen Organisation.«

»Auch davon habe ich schon gehört.«

»Bei der Stasi ist es vorgekommen. Nachdem Frederik getötet worden und die Mauer gefallen war, hinterließen einige seiner wichtigen ostdeutschen Kontaktleute dauernd Nachrichten auf unserem Anrufbeantworter und baten darum, sich mit Freddie treffen zu dürfen. Ich habe an einigen dieser Zusammenkünfte in meiner Rolle als seine Frau teilgenommen. Zwei Männer, der erste davon war der vierthöchste Offizier der Stasi, der andere ein verurteilter Notzuchttäter, den seine Vorgesetzten freibekommen hatten, waren von der Bruderschaft rekrutiert worden. Sie kamen zu Frederik, um ihre Diamanten in Bargeld umzutauschen. Ich habe sie wie die anderen zum Essen eingeladen und sie mit Alkohol abgefüllt – Alkohol, den ich mit gewissen Pülverchen versetzt hatte, die ich auf Freddies Wunsch immer in einer Zuckerdose bereithielt –, und als die beiden versuchten, mich ins Bett zu bekommen, wobei jeder mir erklärte, wie wichtig er sei, verrieten sie mir in ihrem Rausch auch beide, warum sie so wichtig waren.«

»Mein Bruder Harry«, sagte Drew mit monotoner Stimme.

»Ja. Auf mein Drängen sprachen beide von einem amerikanischen Agenten namens Lassiter, über den die Bruderschaft Bescheid wüßte, und auf den sie vorbereitet war.«

»Woher wußten Sie, daß es Harry war?«

»Auf ganz eindeutige Weise. Meine anfänglichen Fragen waren unverfänglich, aber mit der Zeit wurden sie gezielter – Freddie hat immer behauptet, das sei die beste Methode, ganz besonders, wenn der Befragte unter dem Einfluß von Alkohol und den besonderen Zutaten stand. Zuletzt sagten beide Männer praktisch dasselbe: ›Sein richtiger Name ist Harry Lennox, Central Intelligence, Verdeckte Operationen, Projekt Time, Code Sting, alle Information auf Basis AA-Zero aus den Computern gelöscht.‹«

»Du großer Gott! AA-Zero kommt praktisch aus dem Büro des Direktors … Das ist ja unerhört, Mrs. de Vries.«

»Da ich keine Ahnung hatte und habe, was AA-Zero bedeutet, nehme ich an, daß es stimmt. Ich habe das wörtlich so gehört. Und deshalb habe ich meine Versetzung nach Paris beantragt. … Habe ich meinen Job immer noch, Monsieur?«

»Der steht fest und unversehrt wie ein Felsen in der Brandung. Nur, daß sich jetzt eine Kleinigkeit ändert.«

»Nämlich?«

»Sie bleiben bei D und R, aber gehören jetzt zu Consular Operations.«

»Und warum?«

»Unter anderem werden Sie eine eidesstattliche Erklärung unterschreiben und beeiden müssen, daß Sie unter keinen Umständen das, was Sie mir jetzt gerade gesagt haben, irgend jemandem weitergeben werden. Und dann wird auf der Erklärung noch stehen, daß es Ihnen dreißig Jahre in einem amerikanischen Gefängnis einträgt, wenn Sie es doch tun.«

»Und wenn ich mich weigere, ein derartiges Dokument zu unterzeichnen?«

»Dann sind Sie der Feind.«

»Gut! Das gefällt mir. Das ist wenigstens präzise.«

»Lassen Sie mich noch präziser werden«, sagte Lennox, und jetzt bohrten sich seine Augen in die von Karin de Vries. »Wenn Sie die Seite wechseln oder umgedreht werden, gibt es keinen Pardon. Verstehen Sie?«

»Voll und ganz, Monsieur.«

»Das reicht mir, Mrs. de Vries. Willkommen auf unserer Seite.«

»Dann will ich jetzt mit Ihnen trinken, Monsieur. Es gibt also doch ein ›Später‹.«

Die amerikanische F-16 landete auf dem Flughafen von Altheim. Der Pilot, ein von der CIA überprüfter Airforce-Colonel, erbat sofortige Startfreigabe, sobald sein »Paket« an Bord war. Harry Lennox wurde quer über die Piste gefahren, und jemand half ihm in das zweite Cockpit zu klettern; dann wurde die Kabinenhaube zugeklappt, und wenige Minuten später befand sich die Maschine bereits wieder auf dem Rückflug nach England. Kurz nach seiner Ankunft dort wurde der völlig erschöpfte Agent von einer Eskorte zur amerikanischen Botschaft am Grosvenor Square gebracht, wo ihn drei hochrangige Funktionäre der Central Intelligence Agency, des britischen MI-6 und des Service d'Etranger in Empfang nahmen.

»Hey, ist ja prima, daß Sie wieder da sind, Harry!« sagte der Amerikaner.

»Famos, alter Junge«, sagte der Engländer.

Und der Franzose fügte »*Magnifique!*« hinzu.

»Vielen Dank, Gentlemen, aber können wir meine Befragung nicht ein wenig aufschieben, bis ich ein paar Stunden geschlafen habe?«

»Das Tal«, drängte der Amerikaner, »wo zum Teufel ist es? Das kann nicht warten, Harry.«

»Das Tal ist jetzt nicht mehr wichtig. Damit ist Schluß, die Feuer sind vor zwei Tagen gelegt worden. Alles ist dort zerstört, und alle sind abgezogen.«

»Was soll das heißen?« fragte der Amerikaner. »Das Tal ist der Schlüssel zu allem.«

»Mein Kollege hat völlig recht, alter Junge«, pflichtete der Engländer ihm bei.

»*Absolument*«, sagte der Mann vom Deuxième. »Wir müssen es zerstören.«

»Jetzt mal langsam, *langsam!*« konterte Harry und musterte das Geheimdienst-Tribunal, dem er sich gegenübersah, müde. »Kann schon sein, daß es der Schlüssel ist, aber es gibt dort kein Schloß mehr. Aber das hat nichts zu besagen.« Zum Erstaunen aller Anwesenden fing Lennox an, das Futter seines Jacketts aufzureißen; dann zog er die Hose aus, drehte sie um und riß ebenfalls das Innenfutter heraus. In Hemd und Unterhose dastehend, holte er langsam und bedächtig Dutzende fein beschriebener Papierfetzen heraus und breitete sie auf dem Konferenztisch aus.

»Ich habe alles mitgebracht, was wir brauchen. Namen, Positionen, Zuständigkeiten und Abteilungen. Den ganzen Laden, wie mein Bruder sagen würde. Übrigens ich wäre sehr dankbar –«

»Ist schon erledigt«, unterbrach ihn der CIA-Stationsleiter, der seine Bitte vorhergeahnt hatte. »Sorenson bei Cons-Op hat ihm gesagt, daß Sie raus sind. Er ist in Paris.«

»Vielen Dank ... Wenn es hier ein paar absolut verläßliche Schreibkräfte gibt, dann sollten Sie das alles abtippen lassen, aber stückweise; niemand sollte wissen, was die anderen machen. Was die verschlüsselten Stücke angeht, so werde ich die später selbst zusammenfügen.«

»Was ist das?« fragte der Engländer und starrte auf die vielen Papierfetzen.

»Eine einflußreiche Armee, die hinter der Bruderschaft steht, mächtige Männer und Frauen in jedem unserer Länder, die die Neonazis entweder aus Habgier oder aus sonstigen Gründen unterstützen, deren Motive man nur ihren kranken Gehirnen zuschreiben kann. Ich warne Sie. Sie werden da einige Überraschungen finden, sowohl in unseren Regierungsstellen als auch in der privaten Wirtschaft ... Und wenn jetzt jemand ein anständiges Hotel für mich ausfindig machen und mir etwas zum Anziehen kaufen könnte, würde ich gern ein oder zwei Tage durchschlafen.«

Harry lag im Bett. Er hatte mit seinem Bruder gesprochen. Sie würden sich gegen Ende der Woche in Paris treffen oder jedenfalls, sobald Harry Bericht erstattet und die aus Deutschland mitgebrachten Informationen dechiffriert haben würde. Hinsichtlich seiner Pläne für die unmittelbare Zukunft äußerte sich der ältere Bruder nicht und brauchte das auch nicht, weil Drew auch so Bescheid wußte. Nur folgendes sagte er ihm:

»Jetzt, wo du wieder zurück bist, können wir wirklich Tempo zulegen. Wir haben die Daten eines Wagens, den zwei von diesen

Drecksäcken gefahren haben ... Übrigens, du kannst mich in meinem Büro oder im Hotel Meurice an der Rue du Rivoli erreichen.«

»Was ist mit deiner Wohnung? Haben Sie dich wegen schlechten Benehmens rausgeschmissen?«

»Nein, aber sie ist unbewohnbar, weil andere Leute sich schlecht benommen haben.«

»Tatsächlich? Das Meurice ist aber ganz schon teuer, kleiner Bruder.«

»Die Rechnung bezahlt Bonn.«

»Meine Güte, da bin ich aber gespannt. Ich ruf' dich an, wenn ich hinüberkomme. Übrigens, ich wohne im Gloucester, unter dem Namen Moss, Wendell Moss.«

»Du hast Stil ... Freut mich, daß du wieder da bist, Bruderherz.«

»Mich auch, Bruderherz.« Harry hatte die Augen geschlossen und spürte, wie der Schlaf kam, als an seiner Zimmertür leise geklopft wurde. Er schüttelte irritiert den Kopf, schlüpfte unter der Decke hervor, kletterte ein wenig benommen aus dem Bett und griff nach dem Hotelmorgenmantel, der über einem Stuhl lag. Dann ging er etwas unsicher zur Tür. »Wer ist da?« rief er.

»Spottdrossel aus Langley«, tönte es leise von draußen. »Ich muß mit Ihnen sprechen, Sting.«

»Oh?« Etwas verwirrt, aber durch den Gebrauch seines Codenamens beruhigt, öffnete Harry die Tür. Ein ziemlich kleiner Mann mit freundlichem, aber nichtssagendem Gesicht stand davor. Er war mit einem dunklen Straßenanzug bekleidet und trug eine Stahlbrille. »Spottdrossel?« fragte Lennox und bedeutete dem Abgesandten der CIA, er solle hereinkommen.

»Unsere Codes haben sich geändert, bloß der Ihre nicht«, erwiderte der Fremde, trat ein und streckte Harry die Hand hin. »Ich kann Ihnen gar nicht sagen, wie froh wir sind, daß Sie aus dieser kalten Gegend zurückgekehrt sind.«

»Was soll das, spielen wir hier John le Carré? Wenn ja, dann kann ich nur sagen, daß der es besser gemacht hat. Sting verstehe ich, aber Spottdrossel klingt ein wenig albern, finden Sie nicht? Und warum waren Sie nicht in der Botschaft? Ich bin jetzt wirklich müde, Mr. Spottdrossel. Ich brauche meinen Schlaf.«

»Ich will Ihre Zeit nur ein paar Minuten beanspruchen«, sagte der Mann und holte eine Taschenuhr heraus. »Das hier ist ein Familienerbstück, und seit meine Sehkraft ein wenig nachläßt, komme ich damit besser zurecht. Zwei Minuten, Mr. Lennox, dann gehe ich wieder.«

»Also schön, aber ehe wir weitermachen, sollten Sie mir vielleicht einen autorisierten Ausweis zeigen.«

»Selbstverständlich.« Der Mann hielt Harry die Taschenuhr vor die Nase und sprach deutlich und exakt, während er den Einstellknopf der Uhr niederdrückte. »Hallo, Alexander Lassiter. Ich bin es, Ihr Freund, Dr. Gerhard Kröger. Wir müssen miteinander reden.«

Harrys Augen wurden plötzlich glasig, und seine Pupillen weiteten sich. Einen Moment starrte er ins Leere. »Hallo, Gerhard«, sagte er, »wie geht's denn meinem Lieblingsknochenflicker?«

»Ausgezeichnet, Alex. Wie geht es Ihnen? Und haben Sie heute schon Ihren kleinen Spaziergang auf der Wiese gemacht?«

»Hey, Doc, reden Sie doch keinen Unsinn, es ist doch Nacht. Wollen Sie vielleicht, daß mich die Hunde zerfleischen? Bißchen durcheinander, wie?«

»Tut mir leid, Alexander. Ich habe fast den ganzen Tag operiert. Sie haben ganz recht. Ich bin genauso müde wie Sie … aber sagen Sie, Alex, als Sie mit diesen Leuten von der amerikanischen Botschaft zusammenkamen, was ist da passiert?«

»Eigentlich gar nichts. Ich habe ihnen alles gegeben, was ich mitgebracht habe. Wir werden das im Lauf der nächsten Tage alles durchgehen.«

»Das ist gut. Sonst noch irgend etwas?«

»Mein Bruder hat aus Paris angerufen. Die sind hinter einem verdächtigen Wagen her. Mein kleiner Bruder ist ein netter Kerl, Sie würden ihn mögen, Gerhard.«

»Ganz sicher würde ich das. Das ist doch der, der für Consular Operations tätig ist, nicht wahr?«

»Das stimmt … Warum stellen Sie mir diese Fragen?«

Wieder hielt der Fremde ihm die Taschenuhr hin und drückte den Einstellknopf zweimal, worauf Harry Lennox' Blick wieder klar wurde. »Sie brauchen wirklich Schlaf, Harry«, sagte der Mann, der sich als Spottdrossel vorgestellt hatte. »Ich habe das

Gefühl, Sie hören mir gar nicht richtig zu. Ich will Ihnen was sagen, ich versuche es morgen noch einmal, einverstanden?«

»Was ...?«

»Schlafen Sie sich jetzt aus, Sting. Sie haben es sich verdient.« Spottdrossel ging hinaus und schloß die Tür hinter sich, während Harry Lennox automatenhaft zu seinem Bett zurückging und sich hineinfallen ließ.

»Wer ist Spottdrossel?« fragte Harry. Inzwischen war es Morgen geworden, und die drei hohen Geheimdienstbeamten saßen wie am Tag zuvor mit ihm um den Konferenztisch.

»Ich habe Ihren Anruf vor zwei Stunden bekommen«, sagte der amerikanische Stationschef. »Ich habe den DCI persönlich geweckt. Er hat noch nie von einem Mann mit dem Codenamen Spottdrossel gehört. Im übrigen fand er den Namen ziemlich dumm – so wie Sie auch, Lennox.«

»Aber er war da! Ich habe ihn gesehen, habe mit ihm gesprochen. Er war ganz bestimmt da!«

»Worüber haben Sie gesprochen?« fragte der Mann von der französischen Abwehr.

»Das weiß ich nicht genau – nein, ich weiß es wirklich nicht. Er wirkte völlig normal auf mich, stellte mir ein paar belanglose Fragen und dann ... ich erinnere mich einfach nicht.«

»Ich möchte das mit Ihrer Erlaubnis einmal so formulieren, Field Officer Lennox«, schaltete sich der Brigadier vom britischen MI-6 ein, »Sie haben höchst anstrengende – ach hol's der Teufel – unerträgliche drei Jahre hinter sich gebracht. Wäre es nicht möglich, und damit will ich Ihnen beileibe nicht zu nahe treten, daß Sie vielleicht gelegentlich unter Halluzinationen leiden? Mein Gott, ich habe erlebt, wie Leute, die eine Doppelrolle spielen mußten, Phantasievorstellungen bekamen und zusammenbrachen, und die haben höchstens die Hälfte von dem durchgemacht, was Sie hinter sich haben.«

»Ich breche nicht zusammen, General. Ich breche nicht zusammen, und ich habe keine Phantasievorstellungen.«

»Lassen Sie uns noch einmal von vorne anfangen, Monsieur Lennox«, sagte der Franzose. »Als Sie im Tal der Bruderschaft eintrafen, was geschah da?«

»Oh.« Harrys Blick senkte sich; ein paar Augenblicke lang kam er sich desorientiert vor, dann war alles wieder klar. »Sie meinen den Unfall. Du lieber Gott, es war schrecklich. Das meiste sehe ich wie durch einen Nebel, aber das erste, woran ich mich dann wieder erinnere, ist das Geschrei, richtig hysterische Schreie waren das. Und dann merkte ich, daß ich unter dem Geländewagen festgeklemmt war und daß irgendein Metallstück gegen meinen Kopf drückte – ich habe noch nie solchen Schmerz empfunden ...« Lennox ließ die Litanei ablaufen, die Dr. Gerhard Kröger ihm einprogrammiert hatte. Und als er damit fertig war, hob er den Kopf, und seine Augen blickten wieder ganz klar. »Den Rest habe ich Ihnen bereits erzählt, Gentlemen.«

Die Tribunalmitglieder sahen einander an und jeder schüttelte kurz, sichtlich irritiert den Kopf. Dann ergriff der Amerikaner das Wort.

»Also passen Sie auf, Harry«, sagte er mit leiser Stimme, »wir werden uns in den nächsten Tagen alles das gründlich ansehen, was Sie uns gebracht haben, okay? Und dann – also ich finde, Sie haben sich ein wenig Erholung verdient, okay?«

»Ich würde gerne nach Paris fliegen und meinen Bruder besuchen –«

»Aber klar, kein Problem, selbst wenn er bei Cons-Op ist, und das ist nicht meine Lieblingsabteilung.«

»Soweit ich gehört habe, leistet er sehr gute Arbeit.«

»Ja, hol's der Teufel«, pflichtete ihm der CIA-Stationsleiter bei, »er war verdammt gut, als er in Manitoba für die Islanders Eishockey spielte. Ich war damals in Kanada stationiert, und ich kann Ihnen sagen, dieser Bulle von einem Mann hat manchmal Leute gegen die Bande geworfen, die ein ganzes Stück größer waren als er. Der hätte es in New York zu etwas bringen können.«

»Glücklicherweise konnte ich ihm diesen aggressiven Sport ausreden«, sagte Harry Lennox.

Drew Lennox erwachte in dem zu weichen Bett in seiner Suite im Hotel Meurice an der Rue du Rivoli. Er blinzelte ein paarmal, dann fiel sein Blick auf das Telefon neben ihm auf dem Nachttisch, und er drückte den Knopf für den Etagenkellner. Er beschloß, sich ein Porterhouse-Steak mit zwei pochierten Eiern und Porridge mit einer Extraportion Sahne zu leisten. Man erklärte ihm, daß sein Frühstück in einer halben Stunde serviert würde. Er streckte sich noch einmal wohlig im Bett aus, wobei ihn die Automatik unter dem Kopfkissen ein wenig behinderte, und schloß dann die Augen, um noch einmal ein paar Minuten zu ruhen.

Ein Kratzen, ein metallisches Scharren an der Tür – das war ungewöhnlich, ganz und gar ungewöhnlich! Plötzlich war von der Straße her, sechs Stockwerke tiefer, das Stakkato eines Preßlufthammers zu hören, irgendwelche Straßenreparaturen, ungewöhnlich früh am Morgen … Ungewöhnlich – alles andere als normal! Es war doch gerade erst hell geworden! Drew griff nach seiner Waffe und rutschte nach links aus dem Bett, rollte sich zur Seite und drückte sich an die Wand. Die Tür flog auf, und ein Feuerstoß aus einer Maschinenpistole riß das Bett in Stücke, zerfetzte Matratze und Kissen und mischte sich in den betäubenden Lärm von der Straße. Lennox hob seine Waffe und gab schnell hintereinander fünf Schüsse auf die schwarzgekleidete Gestalt in der Tür ab. Der Mann kippte nach vorne; Drew richtete sich auf, als der Preßlufthammer auf der Straße verstummte und rannte auf den Mann zu, der ihn hatte töten wollen. Er war tot, aber der Mann hatte sich, als Drews Kugeln ihn trafen, mit beiden Händen an die Brust gegriffen und dabei seinen enganliegenden schwarzen Pullover heruntergerissen. Auf seiner Brust waren drei kleine Blitze eintätowiert. Blitzkrieg. Die Bruderschaft.

6

Jean-Pierre Villier nahm die Kritik Claude Moreaus mit stoischer Ruhe entgegen. »Das war in der Tat eine tapfere Geste Ihrerseits, Monsieur, und Sie können versichert sein, daß wir uns bemühen, das fragliche Automobil ausfindig zu machen. Aber bitte verstehen Sie doch, daß ganz Frankreich uns verdammt hätte, wenn Sie zu Schaden gekommen wären.«

»Ich glaube, das ist ziemlich übertrieben«, sagte der Schauspieler. »Trotzdem freut es mich, daß ich wenigstens einen kleinen Beitrag leisten konnte.«

»Einen recht ansehnlichen Beitrag sogar, aber wir verstehen einander jetzt doch, nicht wahr? Es wird keine weiteren derartigen Beiträge geben, ist das klar?«

»Wie Sie wünschen, obwohl es nur eine ganz einfache Rolle war, und ich vielleicht noch weitere Informationen beschaffen könnte –«

»Jean-Pierre!« rief Giselle Villier aus. »Du wirst nichts dergleichen tun. Ich erlaube das nicht!«

»Das Deuxième Bureau wird es nicht zulassen, Madame«, sagte Moreau. »Sie werden es ohne Zweifel im Lauf des Tages auch erfahren, also kann ich es Ihnen auch jetzt schon sagen. Vor drei Stunden ist ein weiteres Attentat auf den Amerikaner Drew Lennox versucht worden.«

»Mein Gott ...!«

»Ist ihm etwas passiert?« fragte Villier und beugte sich nach vorne.

»Er kann von Glück reden, daß er noch am Leben ist. Er ist, vorsichtig formuliert, ein sehr guter Beobachter und hat einiges über das Leben in Paris gelernt, ich meine Dinge, mit denen wir nicht so gerne an die Öffentlichkeit gehen.«

»Wie bitte?«

»Es war zeitlich ganz genau abgestimmt. Ein Straßenausbesserungstrupp war zu ungewöhnlich früher Stunde vor dem Hotel tätig, ich meine, zu einem Zeitpunkt, wo die meisten Besucher unserer Stadt gerade erst zu Bett gegangen sind, nach all den Freuden, die unsere Stadt zu bieten hat, ganz besonders die, die man in den teureren Hotels findet.«

»Es ist doch Sommer«, sagte Giselle und schüttelte den Kopf. »Man kritisiert uns doch ohnehin schon genug wegen unserer Manieren. Das Ministerium für Tourismus würde doch Köpfe rollen lassen.«

»Das scheint unser Freund Lennox gewußt zu haben. Es war auch kein Straßenausbesserungstrupp, nur ein einzelner Mann mit einem Preßlufthammer direkt unter seinem Fenster. Und das war das, wie war doch der Titel eines Ihrer Filme, Monsieur Villier, *Vorspiel zum Kuß des Todes*, wenn ich mich nicht irre. Das ist einer der Lieblingsfilme meiner Frau.«

»Ich ärgere mich jedesmal, wenn er im Fernsehen gezeigt wird«, sagte der Schauspieler beinahe barsch. »Und es war der Kuß einer ziemlich blöden Schauspielerin, die die ganze Zeit nur darauf bedacht war, ins Bild zu kommen, statt ihren Text zu lernen.«

»Ich glaube nicht, daß Monsieur Moreau gekommen ist, um sich die Klagen eines Schauspielers anzuhören.«

»Oh, für mich ist das faszinierend, Madame. Meine Frau wird jedes Wort von mir hören wollen, das wir hier gesprochen haben!«

»Werden polizeiliche Befragungen denn nicht vertraulich behandelt?« fragte Giselle.

»Natürlich – verzeihen Sie, das war jetzt eine dumme Bemerkung.«

»Sie dürfen ruhig mit Ihrer Frau darüber sprechen, Moreau«, sagte Jean-Pierre grinsend. »Wissen Sie, meine Frau war früher einmal Rechtsanwältin, falls Sie das nicht bereits gewußt haben, und die fragliche Schauspielerin hat ihren Beruf schon lange aufgegeben und einen Ölmagnaten in Amerika geheiratet, in Texas oder Oklahoma, das habe ich vergessen.«

»Könnten wir bitte wieder zu unserem Thema zurückkehren?«

»Aber selbstverständlich, Madame.«

»Wenn Drew Lennox dem Attentat entgangen ist, haben Sie dann irgendwelche Informationen über den Täter?«

»Die haben wir allerdings. Er ist tot, Monsieur Lennox hat ihn erschossen.«

»Identifiziert?«

»Nein. Abgesehen von drei kleinen Tätowierungen über seiner rechten Brust. Blitze, das Symbol des Naziblitzkriegs. Lennox hat sie richtig erkannt, weiß aber auch nicht, was sie bedeuten sollen. Wir schon. ... Diese Tätowierungen gibt es nur in einem sehr engen Kreis, einer besonders ausgebildeten Elitetruppe innerhalb der Neonazi-Organisation. Insgesamt sind es nach unserer Schätzung höchstens zweihundert hier in Europa, Südamerika und den Vereinigten Staaten. Man nennt sie die Blitzkrieger – es sind Meuchelmörder, ausgebildete Killer. Sie verstehen sich auf alle Kampfarten. Die Auswahlkriterien sind rückhaltlose Loyalität, körperliche Kondition und in allererster Linie ihre Bereitschaft – besser gesagt ihr Bedürfnis – zu töten.«

»Psychopathen«, sagte die ehemalige Anwältin. »Psychopathen im Dienste anderer Psychopathen.«

»Da bin ich ganz Ihrer Meinung, Madame.«

»Und Sie haben den Amerikanern oder den Briten oder weiß Gott sonstwem nichts davon gesagt, ich meine von diesem – wie würden Sie es nennen – diesem Killerbataillon?«

»Die obersten Verantwortungsträger sind natürlich informiert worden. Aber niemand auf unterem Niveau.«

»Warum nicht? Warum nicht ein Drew Lennox?«

»Dafür hatten wir unsere Gründe. In den unteren Rängen gibt es undichte Stellen.«

»Warum sagen Sie es dann uns?«

»Weil Sie Franzosen sind und weil Sie berühmt sind. Prominente sind verletzbar; wenn etwas herauskommen würde, dann, nun, dann würden wir es wissen –«

»Und?«

»Wir appellieren an Ihren Patriotismus.«

»Das ist doch albern, das kann sich doch nur zum Schaden für meinen Mann auswirken!«

»Einen Augenblick mal, Giselle –«

»Sei still, Jean-Pierre, dieser Mann vom Deuxième ist aus einem anderen Grund hier.«

»Was?«

»Sie müssen eine hervorragende Anwältin gewesen sein, Madame Villier.«

»Die Art und Weise, wie Sie direkte Fragen und versteckte Andeutungen miteinander vermengen, ist nicht zu übersehen, Monsieur. Sie verlangen, daß mein Mann eine Sache unterläßt – etwas, das nach meinem Verständnis und in Anbetracht seiner Talente in Wirklichkeit für ihn gar nicht sonderlich gefährlich ist – , und im nächsten Atemzug weihen Sie ihn in geheimste Dinge ein, die ihn, wenn er sie irgendwie preisgeben würde, seine Karriere und sein Leben kosten könnten.«

»Ich sagte ja«, schmunzelte Moreau, »eine brillante Anwältin.«

»Jetzt verstehe ich kein Wort mehr, verdammt!« erregte sich der Schauspieler.

»Das sollst du auch nicht, Liebling. Überlaß das ruhig mir.« Giselle funkelte Moreau an. »Sie haben uns da ganz bewußt hineingezogen, nicht wahr?«

»Ich kann es nicht leugnen.«

»Und jetzt, wo er verletzbar geworden ist, indem er das weiß, was er weiß, was wollen Sie jetzt, daß wir tun? Ist das nicht die entscheidende Frage?«

»Ich denke schon.«

»Also dann, raus mit der Sprache.«

»Geben Sie das Stück auf, geben Sie *Coriolanus* auf und begründen Sie das mit einer Teilwahrheit. Ihr Mann hat soviel über diesen Jodelle erfahren, daß er einfach nicht weiterspielen kann. Er ist von Gewissensbissen geplagt und zugleich von Abscheu und Haß auf die Leute erfüllt, die dem alten Mann das angetan haben. Man wird Sie rund um die Uhr beschützen.«

»Und was ist mit meiner Mutter und meinem Vater?« rief Villier. »Wie könnte ich ihnen das antun?«

»Ich habe vor einer Stunde mit beiden gesprochen, Monsieur Villier. Ich habe ihnen soviel wie möglich gesagt, auch einiges über die neue Nazibewegung in Deutschland. Sie sagten, Sie müßten das entscheiden, äußerten zugleich aber auch die Hoffnung, daß Sie Ihre leiblichen Eltern ehren würden. Was kann ich sonst noch sagen?«

»Ich mache also mit dem Stück vorzeitig Schluß, und mache mich durch das, was ich nicht der Öffentlichkeit gesagt habe, für diese Leute zur Zielscheibe, mich und meine liebe Frau. Ist es das, was Sie von mir verlangen?«

»Um es noch einmal zu sagen, Sie werden nie, niemals, ohne unseren Schutz sein. Straßen, Dächer, gepanzerte Limousinen, Agenten in Restaurants, Polizei in Urlaubshotels – es wird weit über das hinausgehen, was Sie jemals für Ihre Sicherheit benötigen. Alles, was wir brauchen, ist ein lebender Blitzkrieger, damit wir herausbekommen, woher sie ihre Befehle erhalten.«

»Sie haben noch nie einen gefangen?« fragte Giselle.

»Oh ja, doch. Vor ein paar Monaten haben wir zwei erwischt, aber sie haben sich selbst in ihren Zellen erhängt, ehe wir sie unter Chemikalien setzen konnten. Das ist ganz typisch für solche psychopathischen Fanatiker. Der Tod ist ihr Beruf. Selbst ihr eigener.«

Wesley Sorenson, der Direktor von Consular Operations, saß in Washington an seinem Schreibtisch und betrachtete die Faxmitteilungen, die über eine sichere Leitung aus London hereingekommen waren. »Ich kann es einfach nicht glauben«, sagte er und schüttelte den Kopf. »Es ist unvorstellbar.«

»Das dachte ich zuerst auch«, sagte Sorensons junger Stabschef, der links von seinem Schreibtisch stand. »Aber wir können das nicht einfach abtun. Diese Namen kommen schließlich von Sting, dem einzigen Agenten, dem es je gelungen ist, in die Bruderschaft einzudringen. Das war sein Auftrag, und er hat ihn erfüllt.«

»Aber, mein Gott, unter diesen Namen sind eine ganze Anzahl absolut untadeliger Leute, und das ist noch nicht mal die vollständige Liste – bestimmte Namen hat man bewußt zurückgehalten! Zwei Senatoren, sechs Kongreßabgeordnete, die Vorstandsvorsitzenden von vier großen Firmen und ein halbes Dutzend prominenter Männer und Frauen aus den Medien, Gesichter und Stimmen, die wir jeden Tag im Fernsehen und im Radio hören und sehen und deren Meinungen wir in den Zeitungen lesen ... Da, sehen Sie, zwei Nachrichtenkommentatoren und drei Talkmaster der obersten Kategorie –«

»Bei dem Fetten würde ich es für möglich halten«, unterbrach ihn der Stabschef. »Der nimmt jeden aufs Korn, der auch nur eine Spur links von Attila dem Hunnenkönig steht.«

»Keineswegs, das wäre viel zu auffällig. Ein Mann mit einem drittklassigen Verstand, ohne Schulbildung und von Haß erfüllt, ohne Zweifel, aber ein Nazi? Niemals! Das ist bloß ein Angeber mit einer glatten Zunge.«

»Die Namen kommen aus dem Zentrum der Bruderschaft. Von nirgends sonst.«

»Du großer Gott, hier ist jemand aus dem Kabinett des Präsidenten!«

»Der hat mich auch vom Stuhl gehauen, das gebe ich zu«, sagte der Stabschef. »Ein Schleimer, wie er im Buche steht, und ohne jedes Rückgrat ... andererseits verstehen sich solche Leute geradezu hervorragend darauf, ihre Umgebung zu täuschen. Ende der dreißiger Jahre gab es eine Menge Nazis im Kongreß, und in den fünfziger Jahren wimmelte Washington geradezu von Kommunisten, wenn man dem glaubt, was McCarthys Gefolgsleute damals in die Gegend posaunt haben.«

»Die meisten von ihnen waren genauso anständige Amerikaner wie Sie und ich, junger Mann«, sagte Sorenson mit Nachdruck.

»Das ist mir auch klar, Sir, aber einige kamen doch vor Gericht.«

»Wieviele denn? Wenn ich mich richtig an die Statistiken erinnere, und ich habe mich mit dem Thema eingehend befaßt, dann haben dieser Hurensohn Hoover und der Schwindler McCarthy neunzehntausendsiebenhundert Leute auf ihre Listen gesetzt. Und nachdem das ganze Geschrei vorbei war, hat man genau vier von ihnen verurteilt! Vier von beinahe zwanzigtausend! Das sind Null Komma Null zwei Prozent, und dafür der ganze Wirbel im Kongreß und einer Unmenge an Steuergeldern, die man verschwendet hat. Kommen Sie mir bitte nicht mit dieser guten alten Zeit. Ich war damals etwa so alt wie Sie – weiß Gott nicht so schlau – aber mich hat dieser Wahnsinn eine Menge Freunde gekostet.«

»Tut mir leid, Mr. Sorenson, ich wollte nicht –«

»Ich weiß, ich weiß«, fiel der Direktor von Cons-Op ihm ins Wort, »Sie können wahrscheinlich gar nicht verstehen, wieviel Leid damals angerichtet worden ist, und genau das ist es, was mir Sorgen macht.«

»Das verstehe ich nicht, Sir.«

»Könnte es sein, daß wir da Hals über Kopf wieder eine neue Hexenjagd beginnen? Harry Lennox ist wahrscheinlich das einzige echte Genie, das die CIA draußen im Einsatz hat, ein Superhirn, jemand, der sich von keinem etwas vormachen läßt, aber dieses Zeug hier stammt von einem anderen Planeten ... oder doch nicht? Herrgott, das ist einfach verrückt!«

»Was ist verrückt, Mr. Sorenson?«

»Die Leute hier sind alle mehr oder weniger im selben Alter – Ende Vierzig, Anfang Fünfzig – ein paar von ihnen sogar Anfang Sechzig.«

»Und?«

»Vor Jahren, als ich in die Agency eintrat, gab es Gerüchte, die aus Bremerhaven zu uns drangen – tatsächlich von einer alten U-Boot-Basis in der Helgoländer Bucht ... Es war die Rede von einer letzten Wahnsinnstat von Fanatikern des Dritten Reiches, die wußten, daß sie den Krieg verloren haben. Das Ganze lief unter der Codebezeichnung Operation Sonnenkinder, es hieß, man habe ausgewählte Kinder unter strengster Geheimhaltung auf Familien in ganz Europa verteilt, die sie großziehen und dafür sorgen sollten, daß sie später einmal einflußreiche Positionen in Politik und Wirtschaft einnehmen konnten. Das Ziel der Aktion war es, mit Hilfe dieser Kinder einmal eine Situation und äußere Umstände herbeizuführen, die die Gründung eines ... des Viertes Reiches ermöglichen sollte.«

»Das ist doch heller Wahnsinn, Sir.«

»Man ist den Gerüchten damals gründlich nachgegangen und hat sie als unhaltbar widerlegt. Wir hatten damals ein paar hundert Agenten eingesetzt, die gemeinsam mit der militärischen Abwehr und dem britischen MI-6 über zwei Jahre lang jedem einzelnen Hinweis nachgingen. Das Ganze erwies sich als heiße Luft. Wenn es je eine solche Operation gegeben hatte, dann hatte man sie bereits ganz zu Anfang wieder abgeblasen. Es gab auch nicht den Funken eines Beweises dafür.«

»Und jetzt fragen Sie sich, ob nicht doch etwas dahintergesteckt hat, nicht wahr, Mr. Sorenson?«

»Ja, wenn auch widerstrebend, Paul. Ich gebe mir die größte Mühe, meine Phantasie zu zügeln, obwohl gerade sie mich über all die Jahre dort draußen am Leben gehalten hat. Aber ich bin nicht dort draußen, ich befinde mich nicht in einer Situation, wo ich vorhersehen muß, was jemand hinter der nächsten Straßenecke oder auf der anderen Seite eines Hügels vorhat. Ich muß die ganze Landschaft bei hellem Tageslicht betrachten, und aus dieser Sicht kann ich diesen Wahnsinn einfach nicht glauben.«

»Warum legen Sie die Namensliste dann nicht einfach beiseite und warten ab?«

»Weil ich das nicht kann. Ich kann es nicht und ich darf es nicht. Schließlich hat Harry Lennox sie gebracht … Setzen Sie für morgen eine Besprechung mit dem Secretary of State und dem DCI an, drüben im State Department oder in Langley. Da ich das Stiefkind bin, sollen die sagen, wo die Besprechung stattfinden soll.«

Drew Lennox saß an seinem Schreibtisch im Obergeschoß der amerikanischen Botschaft und war gerade dabei, seine dritte Tasse Kaffee zu leeren. Es klopfte kurz an seiner Tür, dann trat Karin de Vries mit besorgter Miene ins Zimmer.

»Ich habe gehört, was passiert ist!« rief sie. »Ich wußte sofort, daß Sie das waren!«

»Guten Morgen«, sagte Drew, »oder ist es schon Mittag? Und wenn Sie Ihren Scotch mitgebracht haben, dann wäre der jetzt sehr willkommen.«

»Alle Zeitungen sind voll davon«, sagte sie und warf die Mittagsausgabe des L'Exprès auf den Tisch. »Ein Einbrecher hat versucht, einen Gast im Meurice zu berauben und ist von einem Wachmann getötet worden, als er im Zimmer des Gastes anfing, um sich zu schießen!«

»Mann, deren Public-Relations-Leute sind aber auf Draht, wie? Das ist echte Sicherheit; viel besser kann es gar nicht mehr werden.«

»Hören Sie auf, Drew! Sie waren im Meurice, das haben Sie mir selbst gesagt. Und als ich die Polizei im dortigen Arrondissement anrief, haben die gesagt – sie druckſten ziemlich herum –, daß keine Informationen zur Verfügung ständen.«

»Na, super! Keiner in Paris will die Touristen verscheuchen. Ist ja auch in Ordnung so. So etwas passiert nur Leuten wie mir.«

»Dann waren Sie das also.«

»Das haben Sie doch schon gesagt. Ja, das war ich.«

»Und Ihnen ist nichts passiert?«

»Ich glaube, das hat man mich schon gefragt, aber ja – alles ist in Ordnung. Der Schrecken sitzt mir noch in den Knochen – aber ich sitze hier an meinem Schreibtisch, atme und kann mich bewegen. Wollen Sie mit mir zu Mittag essen, irgendwo, wo Sie wollen, bloß nicht in dieser letzten Kneipe, die Sie mir empfohlen haben?«

»Ich habe wenigstens noch für eine Dreiviertelstunde Arbeit, die dringend erledigt werden muß.«

»So lange kann ich warten. Ich habe gerade ein Gespräch mit Botschafter Courtland und seinem Busenfreund, dem deutschen Botschafter Kreitz, gehabt. Wahrscheinlich reden die beiden immer noch, aber ich habe dieses geschraubte Geschwätz einfach nicht mehr ertragen.«

»Sie sind Ihrem Bruder tatsächlich in mancher Hinsicht sehr ähnlich. Er kann auch mit Autorität nichts anfangen.«

»Kleine Richtigstellung bitte«, sagte Lennox. »Wir mögen beide Autorität dann nicht, wenn die Betreffenden nicht wissen, wovon sie reden, ganz einfach. Übrigens, er kommt morgen oder übermorgen aus London herüber. Würden Sie ihn gerne sehen?«

»Mit dem größten Vergnügen. Ich mag Harry sehr!«

»Wie schön für Harry. Wo essen wir?«

»Wo Sie gestern vorgeschlagen haben. In der Brasserie gegenüber dem Café an der Avenue Gabriel, wo wir uns unterhalten haben.«

»Man wird uns zusammen sehen.«

»Das macht jetzt nichts mehr. Ich habe mit dem Colonel gesprochen. Er hat nichts dagegen. ›Kein Problem, Kleines‹, hat er gesagt.«

»Wie schön für mich … In einer Stunde also, okay?«

»Ich werde uns einen Tisch bestellen. Die kennen mich.« Karin de Vries ging hinaus und schloß die Tür viel leiser als beim letzten Mal.

Lennox' Telefon klingelte. Es war Botschafter Courtland. »Ja, Sir. Was gibt es?«

117

»Kreitz ist gerade gegangen, Drew. Es ist wirklich schade, daß Sie nicht hiergeblieben sind und sich noch angehört haben, was er zu sagen hatte. Ihr Bruder hat nicht nur in ein Hornissennest gestochen, sondern er hat es in die Luft gesprengt.«

»Was wollen Sie damit sagen?«

»Kreitz hätte das vor Ihnen ohnehin nicht sagen können, aus Sicherheitsgründen. Es hat eine so hohe Geheimhaltungsstufe, daß selbst ich mir zuerst eine Freigabe besorgen mußte, um es zu bestätigen.«

»Sie?«

»Angesichts der Tatsache, daß Kreitz mir gegenüber Farbe bekannt hat und Harry ja schließlich Ihr Bruder ist und morgen hierher kommt, dachten die Abwehrheinis wahrscheinlich, daß es wenig Sinn hätte, mich weiter im dunkeln tappen zu lassen.«

»Was hat Harry denn gemacht, hat er Hitler und Martin Bormann in einer südamerikanischen Schwulenbar aufgestöbert?«

»Ich wünschte, es wäre etwas so Unwichtiges. Ihr Bruder hat von seinem Einsatz in Deutschland Listen mitgebracht, Namen von einflußreichen Leuten, die die Neonazis unterstützen. Leute in wichtigen Positionen in der deutschen Industrie und der Bonner Regierung und desgleichen in den USA, Frankreich und England.«

»Mein tüchtiger Bruder Harry!« rief Lennox. »Er gibt sich wirklich nie mit halben Sachen ab, was? Verdammt, ich bin richtig stolz auf den alten Knaben.«

»Sie haben nicht richtig verstanden, Drew. Einige – nein, ich sollte eher sagen, eine ganze Menge der Leute auf dieser Liste – bekleiden ausgesprochene Spitzenpositionen, es sind alles Männer und Frauen von allerbestem Ruf und höchster Prominenz. Es ist wirklich unglaublich.«

»Wenn Harry diese Liste gebracht hat, dann können Sie sich darauf verlassen, daß sie echt ist. Niemand auf der ganzen Welt wäre imstande, meinen Bruder umzudrehen.«

»Ja, das hat man mir auch gesagt.«

»Wo liegt dann das Problem? Knöpfen Sie sich die Mistkerle vor! Wenn jemand ein Maulwurf ist, dann ist das nicht nur eine Frage von Wochen oder Monaten, ja nicht einmal von Jahren. Ebenso gut könnten es Jahrzehnte sein, der Traum eines jeden

Strategen in jeder Geheimdienstorganisation, die Sie sich vorstellen können.«

»Es fällt schwer, sich das vorzustellen –«

»Dann stellen Sie es sich eben nicht vor. Machen Sie sich an die Arbeit!«

»Heinrich Kreitz sagt, vier Leute auf der Bonner Liste kämen unter keinen Umständen in Frage, drei Männer und eine Frau.«

»Seit wann ist Kreitz denn allwissend? Ist er der liebe Gott?«

»Sie haben alle vier jüdisches Blut in den Adern; sie haben Angehörige in den KZ's verloren.«

»Woher weiß er das denn?«

»Sie sind jetzt alle um die Sechzig, aber alle vier haben bei ihm studiert. Er hat ganz persönlich sein Leben für sie riskiert und sie gedeckt.«

»Möglicherweise hat man ihn beschwindelt. Ich habe den Mann jetzt zweimal zu Gesicht bekommen, und er macht auf mich den Eindruck, daß es gar nicht so schwer ist, ihn zu beschwindeln.«

»Er ist eben ein echter Akademiker. Solche Leute sind häufig zugleich redselig und zurückhaltend, aber auch wenn er diese beiden Schwächen hat, heißt das noch lange nicht, daß er nicht auch ein brillanter Kopf wäre. Er ist ein Mann mit einer hervorragenden Auffassungsgabe und ungeheuer erfahren.«

»Letzteres könnte man von Harry auch sagen. Es ist einfach unvorstellbar, daß er irgendwelche falschen Informationen liefert.«

»Wie man mir sagt, stehen auf der Washingtoner Liste auch ein paar völlig undenkbare Namen. Absolut unglaublich, hat Sorenson gesagt.«

»Das hat man von Lindbergh auch gesagt; der *Spirit of St. Louis* stand auf Görings Seite, bis er herausfand, zu was für Gemeinheiten die Nazis fähig waren.«

»Ich glaube nicht, daß dieser Vergleich jetzt angebracht ist.«

»Wahrscheinlich nicht. Ich wollte das nur verdeutlichen.«

»Was ist, wenn Ihr Bruder recht hat? Und wenn auch nur die Hälfte stimmt oder ein Viertel – oder sogar noch weniger?«

»Er hat die Namen mitgebracht, Mr. Ambassador. Das hat bis jetzt keiner geschafft, und deshalb schlage ich vor, daß Sie weiterhin und bis das Gegenteil bewiesen ist, davon ausgehen, daß sie stimmen.«

»Wenn ich das richtig verstehe, sagen Sie, daß diese Leute alle so lange schuldig sind, bis ihre Unschuld erwiesen ist.«

»Wir führen hier keine juristische Diskussion, Sir, wir sprechen von der schlimmsten Seuche, die diese Welt je erlebt hat, und da nehme ich die Schwarze Pest nicht aus. Jetzt ist keine Zeit für juristische Spitzfindigkeiten. Wir müssen diesem Unheil jetzt ein Ende machen.«

»Und was ist mit den Namen, die wir haben?« fragte Courtland leise. »Den Namen von Männern und Frauen, die so hohes Ansehen genießen, daß niemand auch nur im entferntesten auf den Verdacht kommen könnte, daß sie ein Teil dieses Wahnsinns sind. Wie sollen wir das anstellen? Wie macht man das?«

»Mit Leuten wie mir, Mr. Ambassador. Männern und Frauen, die es gelernt haben, anderen die Maske abzureißen und zur Wahrheit vorzudringen.«

»Das klingt alles andere als erfreulich, Lennox. Wessen Wahrheit?«

»*Die* Wahrheit, Courtland!«

»Wie bitte?«

»Verzeihen Sie – Mr. Courtland, oder Mr. Ambassador. Die Zeit für diplomatische – oder moralische – Feinheiten ist jetzt vorbei! Wenn es nach denen gegangen wäre, läge ich jetzt von Kugeln zerfetzt irgendwo in einer Leichenhalle. Diese Mistkerle nehmen keine Rücksicht, sie kämpfen mit harten Bandagen.«

»Ich glaube, ich habe durchaus begriffen, was Sie hinter sich haben –«

»Versuchen Sie einmal, sich in meine Lage zu versetzen, Sir. Versuchen Sie sich auszumalen, daß Ihr Bett von einem Feuerstoß aus einer Maschinenpistole in Fetzen gerissen wird und Sie sich gegen die Wand pressen und sich fragen, ob die nächste Kugel vielleicht Sie trifft. Das hier ist ein Krieg – ein Krieg im Untergrund, das räume ich ein, aber trotzdem Krieg.«

»Wo würden Sie anfangen?«

»Ich weiß, wo ich anfangen würde, aber ich möchte zuerst Harrys Namensliste hier in Frankreich vor mir liegen haben, während Moreau und ich uns um die andere Liste kümmern, die wir bereits haben.«

»Das Deuxième hat noch keine Vollmacht, gegen irgendwelche denkbaren französischen Kollaborateure vorzugehen.«

»Was?«

»Sie haben mich schon verstanden. Ich frage noch einmal. Wo würden Sie anfangen?«

»Mit dem Namen des Mannes, der das Auto gemietet hat, das unser berühmter, wenn auch ein wenig durchgedrehter Schauspieler nördlich des Pont Neuf identifiziert hat.«

»Hat Moreau Ihnen diesen Namen genannt?«

»Natürlich hat er das. Der Wagen an der Avenue Montaigne, den Bressard gerammt hat, war gestohlen. Er stammte aus Marseille. Aber den Mann mit dem Mietwagen haben wir, er wird heute nachmittag um vier an seinem Schreibtisch sitzen. Wir werden ihn zum Reden bringen, und wenn wir dazu seine Eier in einen Schraubstock klemmen müssen.«

»Sie können nicht mit Moreau arbeiten.«

»Was soll das jetzt wieder heißen? Warum nicht?«

»Weil Moreau auf Harrys Liste steht.«

7

Als Drew sein Büro verließ und über die Wendeltreppe in die Eingangshalle der Botschaft und dann durch das bronzene Eingangsportal auf die Avenue Gabriel hinausging, war er immer noch wie benommen. Er bog nach rechts und ging auf die Brasserie zu, in der er und Karin de Vries sich zum Mittagessen verabredet hatten. Er war nicht nur benommen, er war auch wütend! Courtland hatte es abgelehnt, sich näher zu der verblüffenden Aussage zu äußern, daß Claude Moreau, Chef des Deuxième Bureau, auf »Harrys Liste« stand. Er ließ die erschütternde Erklärung einfach in der Luft hängen und tat Lennox' Protest mit den Worten ab. »Sonst ist dazu nichts zu sagen. Lassen Sie sich Moreau gegenüber nichts anmerken, aber geben Sie ihm keinerlei Informationen. Rufen Sie mich morgen an und sagen Sie mir, was geschehen ist.« Dann hatte der Botschafter aufgelegt.

Moreau ein Neonazi? Das war etwa ebenso glaubwürdig, als wenn jemand behauptet hätte, De Gaulle habe im Zweiten Weltkrieg mit den Deutschen sympathisiert! Drew war nicht dumm und wußte sehr wohl um die Existenz von Maulwürfen und Doppelagenten, aber einen Mann wie Moreau ohne Überprüfung in eine solche Kategorie einzureihen, war einfach lächerlich.

»*Monsieur!*« rief ihn eine Stimme aus einem Wagen an; das Fahrzeug vom Deuxième hielt offensichtlich mit ihm Schritt. »*Entrez, s'il vous plaît!*«

»Ich gehe nur ein Stück zu Fuß«, rief Drew zurück und wich dabei ein paar Fußgängern aus, um näher an den Straßenrand zu kommen. »Wie gestern, wissen Sie noch?« fügte er in seinem rudimentären Französisch hinzu.

»Das hat mir gestern nicht gefallen und gefällt mir heute auch nicht. Bitte steigen Sie ein!« Der Wagen hielt an und Lennox öffnete etwas widerstrebend die Tür und ließ sich auf den Beifahrersitz fallen.

122

»Jetzt übertreiben Sie aber, René – oder sind Sie Marc? Ich komme da mit der Zeit ein wenig durcheinander.«

»Ich bin François, Monsieur, und ich mag nicht, wenn etwas durcheinandergerät. Ich habe meinen Auftrag.«

Plötzlich peitschte in dichter Folge eine Anzahl Schüsse, und die Kugeln prasselten gegen das dicke Sicherheitsglas der Seitenfenster und gleich darauf quer über die Windschutzscheibe, als eine schwarze Limousine an ihnen vorbeifegte und sich gleich darauf wieder in den dichten Verkehrsstrom einreihte. »Großer Gott!« sagte Drew, der vom Sitz gerutscht war und jetzt vorsichtig wieder über das Armaturenbrett spähte. »Sie haben das kommen sehen, oder nicht?«

»Nur die Möglichkeit, Monsieur«, erwiderte der Fahrer schwer atmend und in seinen Sitz gepreßt. Er hatte den Wagen angehalten, weil die Windschutzscheibe so zugerichtet war, daß man praktisch nicht mehr durch sie hindurchsehen konnte. »Ein Wagen hat sich vom Bordstein gelöst, als Sie aus der Botschaft kamen. Man gibt in dieser Gegend nicht ohne guten Grund einen Parkplatz auf, und die Männer in dem Wagen waren sichtlich verärgert, als ich ihnen den Weg abschnitt und Sie anrief.«

»Jetzt haben Sie bei mir etwas gut, François«, sagte Lennox und arbeitete sich schwerfällig wieder in die Höhe, während draußen Leute vorsichtig auf ihren Wagen zugingen. »Und was jetzt?«

»Jetzt wird gleich die Polizei auftauchen, irgend jemand ruft sie bestimmt –«

»Ich kann nicht mit der Polizei reden.«

»Ich verstehe. Wo wollten Sie hin?«

»Zu einer Brasserie im nächsten Häuserblock auf der anderen Straßenseite.«

»Die kenne ich. Gehen Sie jetzt ruhig hin. Mischen Sie sich einfach unter die Menge. Sie sollten versuchen, aufgeregt zu wirken, wie alle anderen auch. Und dann so unauffällig wie möglich zu der Brasserie gehen. Bleiben Sie dort, bis wir Sie abholen oder Sie anrufen.«

»Unter welchem Namen?«

»Sie sind Amerikaner – also vielleicht Jones. Sagen Sie dem Empfangschef, daß Sie ein Gespräch erwarten. Haben Sie eine Waffe?«

»Selbstverständlich.«

»Seien Sie vorsichtig. Es ist zwar unwahrscheinlich, aber seien Sie auf das Unwahrscheinliche vorbereitet.«

Drew öffnete die Tür, schloß sie schnell wieder, duckte sich und gab sich dann alle Mühe, ebenso verstört wie die Menschen um ihn herum zu wirken. Gleich darauf war er in der Menge untergetaucht. Er eilte auf die andere Seite der Avenue Gabriel und ging dann, sich mehrfach nach allen Seiten umsehend, wieder zu der Brasserie zurück.

Er kam viel zu früh. Das wurde ihm in dem Augenblick bewußt, als er das halbleere Restaurant betrat. Aber er durfte unter keinen Umständen zu seinem Büro oder in die Botschaft zurück, an die er jetzt, nach dem, was gerade passiert war, nicht gern zurückdachte. Aber er *mußte* sich Gedanken darüber machen, unbedingt. »Hier ist ein Tisch auf den Namen de Vries bestellt«, sagte er in englischer Sprache zu dem mit einem Smoking bekleideten Mann am Eingang.

»Ja, selbstverständlich, Sir. … Sie sind ein wenig früh, Monsieur.«

»Macht das etwas?«

»Überhaupt nicht. Kommen Sie, ich bringe Sie zu Ihrem Tisch. Madame zieht den hinteren Bereich des Lokals vor.«

»Mein Name ist Jones. Ich bekomme vielleicht einen Anruf.«

»Ich bringe Ihnen das Telefon an den Tisch –«

»An den Tisch?«

»Das Telefon ist numeriert, wir setzen Ihnen die Gebühren dann auf die Rechnung.«

»Das muß doch schrecklich lästig für Sie sein«, sagte Lennox.

»Das könnte es, aber wir sagen es nicht allen und machen auch keine Werbung damit. So viele Leute tragen heute ihre eigenen Telefone mit sich herum … Darf ich Ihnen einen Drink oder eine Flasche Wein bringen lassen?«

»Whisky. Scotch bitte.« Der Mann entfernte sich, kurz darauf wurde der Whisky gebracht, und Drew machte es sich in seiner Sitznische bequem. Er merkte, daß seine Hände zitterten und spürte, daß sein Gesicht gerötet war.

Mein Gott, wenn der Fahrer nicht so aufgepaßt hätte, wäre er jetzt tot! Das war jetzt das dritte Attentat in anderthalb Tagen, das erste vorgestern nacht, das zweite am frühen Morgen und jetzt wieder eines! Er stand auf der Abschußliste, und auf die posthumen Ehrungen, die einem zuteil wurden, wenn man in Ausübung seiner Pflicht gestorben war, legte er nicht den geringsten Wert. Für ihn gab es jetzt keinen Zweifel mehr, daß das Nazikrebsgeschwür sich in Deutschland und auch außerhalb wieder auszubreiten begann. Und wer wußte schon, wo noch? Wie gut organisiert waren diese Leute? Harrys Liste ließ das Schlimmste befürchten, und Karin de Vries hatte gesagt, daß die Bruderschaft sich Zugang zu den geheimsten Computern der Agency beschafft und sich auf die Weise Informationen über die Operation Sting besorgt hatte – das deutete ganz klar darauf hin, daß der Feind auch in Washington insgeheim präsent war. Herrgott, er hatte Villier gegenüber erwähnt, daß sich die Nazis überall ausbreiteten, aber das war mehr aus rhetorischen Gründen geschehen. Er wollte damit bloß das Interesse des Schauspielers wecken, weil ihm Villiers Vergangenheit suspekt war, die Verbindung mit Jodelle und alles, was sie mit sich brachte, und die verschwundenen Verhörakten. Als Villier seinen Argwohn bestätigte, hatte ihn das zugleich erfreut und erschreckt. Erfreut, weil er richtig getippt hatte, und erschreckt, weil sich seine schlimmsten Befürchtungen bewahrheiteten.

Der Empfangschef kam an seinen Tisch zurück und reichte ihm das schnurlose Telefon. In Washington war es gerade erst sieben Uhr morgens, und Drew Lennox brauchte den Rat des Direktors von Consular Operations, noch bevor dessen Arbeitstag begann.

»Drücken Sie einfach den Knopf, auf dem *Parlez* steht und wählen Sie, Monsieur«, sagte der Mann. »Falls Sie weitere Gespräche führen müssen, drücken Sie auf *Finis*, und dann noch einmal *Parlez* und wählen Sie dann erneut.« Er drehte sich um und ging weg. Lennox drückte den Knopf, auf dem *Parlez* stand, wählte und gleich darauf meldete sich eine schon sehr wach klingende Stimme.

»Ja?«

»Hier spricht Paris –«

»Ich habe Ihren Anruf schon erwartet«, fiel Sorenson ihm ins Wort. »Ist Harry eingetroffen? Sie können offen sprechen, die Leitung ist sicher.«

»Er kommt frühestens morgen.«

»Verdammt!«

»Sie wissen also Bescheid? Ich meine, über die Informationen, die er mitgebracht hat.«

»Ja, aber mich überrascht, daß Sie es wissen. Ob Bruder oder nicht, Harry ist nicht der Typ, der so freigebig mit Verschlußsachen umgeht. Und hier haben wir es mit einer Verschlußsache der obersten Kategorie zu tun.«

»Harry hat mir gar nichts gesagt. Das war Courtland.«

»Der Botschafter? Das darf doch nicht wahr sein. Er ist ein guter Mann. Aber er spielt nicht in dieser Liga.«

»Er mußte informiert werden. Der Bonner Botschafter hat die Geheimhaltung gebrochen. Er war ziemlich wütend, wie ich höre, weil in seiner eigenen Regierung vier Kandidaten sind.«

»Was, zum Teufel, geht hier eigentlich vor?« rief Sorenson. »Das sollte doch alles streng geheim bleiben, bis die entsprechenden Entscheidungen getroffen sind!«

»Jemand konnte nicht warten«, sagte Drew. »Die Läufer sind losgerannt, ehe der Startschuß gefallen ist.«

»Haben Sie eigentlich eine Ahnung, was Sie da sagen?«

»Oh ja, ganz bestimmt.«

»Dann erzählen Sie es mir, verdammt nochmal! Ich habe um zehn eine Besprechung mit dem Außenminister und dem DCI –«

»Seien Sie vorsichtig, was Sie sagen«, fiel Lennox ihm ins Wort.

»Was um Himmels willen soll das jetzt wieder bedeuten?«

»Die AA-Zero-Computer der Agency sind angezapft worden. Die Bruderschaft – das ist der Name, den die Neonazis sich gegeben haben – wußte genau über Harrys Operation Bescheid. Die Codebezeichnung Sting, die Ziele, selbst die geplante Dauer seines Einsatzes. Das stammt alles aus Langley.«

»Das ist doch alles ganz große Scheiße!« röhrte der Direktor. »Woher wissen Sie das alles?«

»Von einer Frau namens de Vries, deren Mann für Harry im früheren Ostberlin tätig war. Er ist von der Stasi umgebracht worden, und sie steht auf unserer Seite. Sie arbeitet jetzt in der Botschaft und sagt, sie hätte noch ein paar alte Rechnungen zu begleichen. Ich glaube ihr.«

»Sind Sie sicher?«

»Nicht zu hundert Prozent, aber ich denke schon.«

»Was meint Moreau?«

»Moreau?«

»Ja natürlich. Claude Moreau, das Deuxième.«

»Ich dachte, Sie hätten Harrys Liste.«

»Und?«

»Er steht auf der Liste. Man hat mich angewiesen, ihm nichts zu sagen.«

Am anderen Ende der Leitung war ein kurzes Stöhnen zu hören, dann war Schweigen. Ein Schweigen, in dem man die Spannung förmlich knistern hörte. Schließlich war Sorensons Stimme wieder zu hören. Sie klang unheilverheißend. »Wer hat Ihnen diese Anweisung gegeben? Courtland?«

»Das kommt vermutlich von weiter oben ... Augenblick. Sie haben doch Harrys Liste –«

»Ich habe eine Liste, die man mir geschickt hat.«

»Dann haben Sie doch Moreaus Namen. Haben Sie ihn übersehen?«

»Nein, weil er nicht auf der Liste steht.«

»Was ...?«

»Man hat mir gesagt, daß aus Gründen maximaler Sicherheit bestimmte Namen zurückgehalten würden.«

»Vor Ihnen?«

»So hat man es formuliert.«

»Das ist doch der helle Wahnsinn!«

»Ja, ich weiß.«

»Haben Sie dafür eine Erklärung – irgendeine Erklärung?«

»Ich versuche eine zu finden, das können Sie mir glauben ... Man weiß hier natürlich, daß Moreau und ich eng zusammenge-arbeitet haben –«

»Ja, Sie haben einmal Istanbul erwähnt –«

»Das war unser letzter gemeinsame Einsatzort; aber es war nicht der einzige. Wir waren ein gutes Team, und die Analytiker in Washington und Paris haben uns immer zusammenarbeiten lassen, wenn es sich einrichten ließ.«

»Würde das als Grund ausreichen, um ihn aus Ihrer Liste zu streichen?«

»Möglich«, erwiderte der Direktor von Cons-Op mit jetzt kaum noch hörbarer Stimme. »Es ließe sich begründen, wenn auch nicht sehr überzeugend. Sie müssen wissen, er hat mir in Istanbul das Leben gerettet.«

»In die Lage kommt jeder von uns irgendwann einmal, und meistens kann man auch davon ausgehen, daß irgend jemand einem diese Gefälligkeit einmal erwidert.«

»Darum ist es auch kein sehr überzeugendes Argument. Trotzdem entsteht daraus eine Bindung, die man nicht so leicht vergißt.«

»Innerhalb gewisser Grenzen und je nach den Begleitumständen.«

»Gut formuliert.«

»Jedenfalls einleuchtend ... Also, ich treffe mich heute nachmittag mit Moreau. Es gibt da einen Hinweis auf einen Mietwagen, auf den unser Schauspieler gestoßen ist, als er Geheimagent gespielt hat. Was soll ich jetzt tun?«

»Normalerweise«, begann Sorenson, »würde ich sagen, es ist einfach absurd, daß Claudes Name auf dieser Liste steht.«

»Da bin ich ganz Ihrer Meinung«, sagte Lennox.

»Andererseits hat Harry die Liste gebracht. Ungeachtet der Tatsache, daß er Ihr Bruder ist –«

»Auch das ist einleuchtend«, unterbrach Drew ihn.

»Ich kann kaum glauben, daß jemand Harry getäuscht hat und daß man ihn umgedreht hat, kommt überhaupt nicht in Frage.«

»Auch da schließe ich mich Ihrer Meinung an«, murmelte Lennox.

»Also schön, wo stehen wir dann? Wenn diese Frau, von der Sie da reden, echt ist, dann ist die Agency infiltriert worden, und es gibt ganz offenkundig jemanden beim französischen Geheimdienst oder bei unserem, der Moreaus Namen entdeckt hat und mir demzufolge nicht vertraut.«

»Das ist ebenso absurd!« sagte Drew und hob dabei die Stimme, wurde aber gleich wieder leiser, als sich an einigen Tischen Köpfe zu ihm herumdrehten.

»Ein Schock ist es jedenfalls, daran kann man nicht rütteln.«

»Ich werde Harry in London anrufen und ihn in unsere Überlegungen einweihen.«

»Wenn Sie ihn erreichen, rufen Sie mich um Himmels willen an. Wenn nicht – und es geht mir richtig gegen den Strich, das zu sagen –, dann befolgen Sie die Anweisung des Botschafters. Kooperieren Sie mit Claude, aber verraten Sie ihm nichts.«

Drew drückte den Knopf, auf dem *Finis* stand, dann den mit *Parlez* und wählte. Die Vermittlung im Gloucester Hotel in London stellte nach mehrmaligem Klingeln fest, daß Mr. Wendell Moss sich nicht in seinem Zimmer befand. Die Nachricht, die Lennox hinterließ, war kurz und knapp. »Ruf Paris an. Versuch's immer wieder.« Und dann traf Karin de Vries ein, sie rannte förmlich.

»Dem Himmel sei Dank, Sie sind hier!« stieß sie hervor, während sie sich setzte. »Alle Leute reden davon, und in der Botschaft herrscht heller Aufruhr«, fügte sie dann in einem eindringlichen Flüsterton hinzu. »Ein französisches Regierungsfahrzeug ist von Terroristen angegriffen worden, ganz in unserer Nähe, in der Gabriel!« Karin verstummte, als sie Drews ruhigen Blick bemerkte. Sie runzelte die Stirn, und dann formten ihre Lippen lautlos das Wort *Sie*. Als er nickte, fuhr sie fort: »Sie müssen Paris verlassen, Frankreich verlassen! Gehen Sie nach Washington zurück.«

»Ich gebe Ihnen mein Wort darauf – und Sie wissen das genausogut wie ich –, ich bin dort drüben nicht weniger eine Zielscheibe als hier. Vielleicht bin ich dort sogar noch leichter zu erwischen.«

»Aber die haben im Lauf von zwei Tagen dreimal versucht, Sie zu töten! Sie können nicht hierbleiben, die kennen Sie.«

»In Washington kennen sie mich noch besser. Unter Umständen bekäme ich dort sogar ein Empfangskomitee, auf das ich lieber verzichten würde. Außerdem wird Harry mich anrufen, und ich muß ihn sehen und mit ihm sprechen. Das *muß* ich einfach.«

»Haben Sie seinetwegen das Telefon hier?« Drew nickte.

Ein Kellner trat an den Tisch, und de Vries bestellte sich ein Glas Chardonnay. Der Mann mit der langen, weißen Schürze nickte und wollte schon gehen, als ihm Lennox das Telefon hinhielt.

»Nein, noch nicht«, sagte Karin und schob Drews ausgestreckten Arm zurück. Der Kellner zuckte die Achseln und ging.

»Entschuldigen Sie, aber Sie haben vielleicht ein oder zwei Probleme übersehen.«

»Das ist durchaus möglich. Wie Sie schon sagten, man hat in weniger als zwei Tagen dreimal auf mich geschossen. Nur zu Ihrer Information, meine Automatik liegt auf meinem Schoß und wenn ich mich hin und wieder im Lokal umsehe, dann deshalb, weil ich bereit bin, sie jederzeit zu benutzen. Was wollten Sie sagen?«

»Wo wird Harry Sie anrufen?«

»In meinem Büro oder im Meurice.«

»Ich behaupte, daß es ziemlich unklug von Ihnen wäre, dorthin zurückzukehren. Ich meine, beide Orte.«

»Damit könnten Sie fast recht haben.«

»Streichen Sie das ›fast‹. Ich habe recht, und Sie wissen das auch ganz genau.«

»Na gut, ich geb's ja zu«, sagte Lennox widerstrebend. »Auf den Straßen sind zuviele Leute unterwegs, und jemand könnte mit einer Waffe direkt neben mir sein, und ich würde es nicht einmal merken. Und wenn die die CIA infiltriert haben, dann ist die Botschaft im Vergleich dazu ein Kinderspiel. Abgesehen davon hat mein Boß in Washington ein Problem, neben dem meine verblassen.«

»Können Sie mir sagen, was das für ein Problem ist?«

»Leider nein.«

Karin de Vries lehnte sich auf ihrer gepolsterten Bank zurück und hob ihr Weinglas an die Lippen. »Sie vertrauen mir immer noch nicht, nicht wahr?« fragte sie leise.

»Wir reden hier von meinem Leben, Lady, und von einem Krebsgeschwür, das sich mit rasender Geschwindigkeit ausbreitet und mir eine panische Angst einjagt. Es sollte der ganzen zivilisierten Welt panische Angst einjagen.«

»Sie sagen das aus der Distanz, Drew. Ich spreche aus der Nähe.«

»Das ist Krieg!« flüsterte Lennox mit rauher Stimme und seine Augen brannten wie Feuer. »Kommen Sie mir nicht mit abstrakten Begriffen!«

»Ich habe in diesem Krieg meinen Mann verloren!« sagte Karin und beugte sich ruckartig nach vorne. »Was wollen Sie denn sonst noch von mir? Was verlangen Sie denn noch, um mir zu vertrauen?«

»Warum sind Sie denn so scharf darauf?«

»Aus dem allereinfachsten Grund, den es gibt, und das habe ich Ihnen gestern abend erklärt. Ich habe mit ansehen müssen, wie ein wunderbarer Mann von einem Haß aufgefressen wurde, den er nicht mehr unter Kontrolle bekam. Ich habe das monatelang, ja jahrelang nicht begriffen, bis ich endlich soweit war. Er hatte recht! Über Deutschland hat sich eine stinkende Wolke des Schreckens zusammengebraut, mehr im Osten als im Westen übrigens – ›ein böser Monolith im Austausch für den anderen; die lechzen förmlich nach fanatischen Führern, deren die Stimme sich überschlägt, weil sie sich nie ändern‹, so hat Freddie es ausgedrückt. Und er hatte recht!« In Karin de Vries' Augen standen jetzt die Tränen, und ihre Stimme wurde leiser. »Man hat ihn gefoltert und schließlich getötet, weil er die Wahrheit entdeckt hatte«, schloß sie mit monotoner Stimme.

Die Wahrheit entdeckt. Drew musterte die Frau, die ihm gegenübersaß und erinnerte sich daran, welches Hochgefühl ihn erfüllte, als er die Wahrheit über Villiers Vater, den alten Jodelle, herausgefunden hatte, und dann an die Angst, die seine Begeisterung verdrängt hatte, eben weil es die Wahrheit war. Die Parallelen zwischen ihm und Karins Reaktion auf diese Erkenntnisse waren nicht zu übersehen. Die Wut und der Zorn, die sie beide erfüllten, waren zu echt.

»Also gut«, sagte Lennox und legte kurz die linke Hand auf ihre beiden zu Fäusten geballten Hände. »Ich werde Ihnen alles sagen, was ich kann, ohne konkrete Namen zu nennen, und die kommen vielleicht später … je nach den Umständen.«

»Das kann ich akzeptieren.«

Drews Blick wanderte wieder einmal durch das ganze Lokal über die Tische rings um sie herum und zum Eingang. Seine rechte Hand war immer noch unter dem Tisch verborgen. »Der Schlüssel zu dem ganzen ist Villiers Vater, sein leiblicher Vater –«

»Villier, der Schauspieler? Die Berichte in den Zeitungen … Der alte Mann, der im Theater Selbstmord begangen hat?«

»Der alte Mann war Villiers Vater, ein Résistance-Kämpfer, den die Deutschen entdeckt und vor vielen Jahren in ihren Lagern in den Wahnsinn getrieben hatten.«

»Da stand etwas in den Mittagszeitungen!« sagte de Vries und griff erschreckt nach seiner linken Hand. »Er macht mit seinem Stück Schluß, beendet die Aufführungsserie von *Coriolanus*!«

»Das ist doch absurd!« erregte sich Lennox. »Stand in der Notiz ein Grund?«

»Ja, es hatte etwas mit dem alten Mann zu tun, und damit, daß das Villier sehr mitgenommen hat –«

»Das ist mehr als dumm«, fiel Lennox ihr ins Wort. »Das ist geradezu grotesk. Jetzt ist er genauso eine Zielscheibe wie ich!«

»Das verstehe ich nicht.«

»Das können Sie auch nicht. Verrückterweise hängt das alles mit meinem Bruder zusammen.«

»Mit Harry?«

»Geheimdienstakten über Jodelle – das ist Villiers Vater – sind aus den Archiven der Agency entfernt worden –«

»Ebenso wie aus den AA-Zero-Computern?« unterbrach ihn Karin.

»Ja, und genauso sicher, glauben Sie mir. In den Akten stand der Name eines französischen Generals, den die Nazis nicht nur umgedreht haben, sondern der die Ziele der Herrenrasse auch zu den seinen gemacht hatte.«

»Was kann das heute schon bedeuten? Ein General vor so vielen Jahren – er ist ohne Zweifel bereits tot.«

»Er mag tot sein oder auch nicht, das ist ohne Belang. Wichtig ist, was er in Bewegung gesetzt hat und was jetzt im Gange ist. Eine Organisation hier in Frankreich, die den Neonazis in Deutschland aus der ganzen Welt Millionenbeträge verschafft. Das ist die gleiche Geschichte, die Sie nach Paris geführt hat, Karin.«

De Vries lehnte sich zurück und nahm die Hand von der seinen. Ihre Augen hatten sich geweitet. »Was hat das alles mit Harry zu tun?« fragte sie.

»Mein Bruder hat eine Liste mit Namen mitgebracht, wieviele drinstehen, weiß ich nicht, Namen von Sympathisanten der Neonazis hier in Frankreich, England und in meinem eigenen Land.

Die Liste ist hochexplosiv, sie enthält die Namen von einflußreichen Männern und Frauen, die nie jemand verdächtigt hätte.«

»Wie ist Harry an die Namen gekommen?«

»Ich habe nicht die leiseste Ahnung, deshalb muß ich ihn sehen, muß mit ihm reden!«

»Warum? Sie klingen so beunruhigt.«

»Weil einer dieser Namen einem Mann gehört, mit dem ich zusammenarbeite, ein Mann, dem ich ohne nachzudenken, mein Leben anvertrauen würde.«

»Und dieser Mann sitzt hier in Paris?«

»Ja, ich kann es einfach nicht glauben, aber wenn Harry recht hat und ich mich heute nachmittag wie geplant mit diesem Mann treffe, könnte das fatale Folgen haben.«

»Dann schieben es doch auf. Sagen Sie ihm, es sei Ihnen etwas Wichtiges dazwischengekommen.«

»Dann wird er wissen wollen, was, und im Augenblick hat er wirklich jedes Recht, das zu erfahren. Ein Mitarbeiter von ihm hat mir vor noch nicht mal einer halben Stunde auf der Avenue Gabriel das Leben gerettet.«

»Vielleicht sollte das nur so aussehen.«

»Ja, die Möglichkeit besteht natürlich auch. Ich sehe schon, Sie sind rumgekommen, Lady.«

»Ja, das bin ich«, räumte Karin de Vries ein. »Es ist Moreau, Claude Moreau vom Deuxième Bureau, nicht wahr?«

»Wie kommen Sie darauf?«

«Weil D und R die Aufzeichnungen über jede Person bekommt, die die Botschaft betritt oder verläßt. Moreaus Name war zweimal eingetragen, vorgestern nacht, als der erste Überfall auf Sie stattgefunden hatte, und dann am Morgen darauf, als der deutsche Botschafter kam. Das war nicht zu übersehen. Einige der Kollegen meinten, sie könnten sich nicht erinnern, daß je ein Mitarbeiter des Deuxième, von seinem Chef ganz zu schweigen, in die Botschaft gekommen wäre.«

»Ich werde Ihre Vermutung selbstverständlich nicht bestätigen.«

»Das brauchen Sie nicht, und ich bin auch ganz Ihrer Ansicht. Moreau in irgendeiner Weise mit den Neonazis in Verbindung zu bringen, ist völlig absurd.«

»Aus Washington habe ich vor nicht einmal zehn Minuten genau dieselbe Formulierung gehört. Trotzdem, der Mann steht auf der Liste, die Harry mitgebracht hat. Sie kennen meinen Bruder. Können Sie sich vorstellen, daß man ihn getäuscht hat?«

»Jetzt würde ich am liebsten wieder ›absurd‹ sagen.«

»Oder umgedreht?«

»Nie im Leben!«

»Deshalb muß ich mit Harry reden ... Augenblick mal, Sie sind ja von Moreau ziemlich überzeugt. Kennen Sie ihn?«

»Ich weiß, daß die ostdeutsche Abwehr panische Angst vor ihm hatte, genauso wie später die Neonazis, weil er die Verbindung zwischen ihnen und der Stasi vor allen anderen erkannt hat, mit Ausnahme vielleicht Ihres Bruders. Freddie ist ihm einmal bei einer Einsatzbesprechung in München begegnet und kam ganz begeistert zurück. Er hielt Moreau für ein Genie.«

»Und was sollen wir jetzt machen?«

»Wir befinden uns in einer Zwickmühle«, sagte Karin. »Ich glaube, anders kann man es nicht formulieren, wenigstens solange Sie nicht mit Harry gesprochen haben, und das können Sie um Ihrer eigenen Sicherheit willen weder im Meurice noch in der Botschaft tun.«

»Das sind aber die einzigen Nummern, die er hat«, wandte Drew ein.

»Ich möchte Sie noch einmal bitten, mir zu vertrauen. Ich habe hier in Paris Freunde aus meiner Zeit in Amsterdam, Freunde, denen Sie vertrauen können. Wenn Sie wollen, gehe ich noch einen Schritt weiter und gebe dem Colonel ihre Namen.«

»Wozu? Warum?«

»Die könnten Sie verstecken, und trotzdem könnten Sie weiter hier in Paris tätig sein; sie sind weniger als eine Dreiviertelstunde von der Stadt entfernt. Und ich selbst kann mit der plausibelsten Erklärung, die es gibt, Verbindung zu Moreau aufnehmen – mit der Wahrheit, Drew.«

»Sie kennen Moreau also.«

»Nicht persönlich, nein, aber zwei Mitarbeiter des Deuxième haben mich befragt, ehe ich in die Botschaft kam. Der Name de Vries wird mir Zugang zu ihm verschaffen, glauben Sie mir.«

»Ja. Aber was für eine Wahrheit wollen Sie ihm denn sagen? Daß er selbst unter Verdacht steht?«

»Eine andere Wahrheit. Auf Sie sind drei Attentate verübt worden, und abgesehen von Ihrer ganz verständlichen Besorgnis –«

»Nennen Sie das Kind ruhig beim Namen«, fiel Lennox ihr ins Wort. »Sagen Sie ruhig Angst. Ich bin jedesmal nur knapp dem Tod entgangen und mit den Nerven ziemlich am Ende.«

»Also schön, das ist ehrlich; das wird er akzeptieren ... Abgesehen von Ihrer Angst um Ihr eigenes Leben müssen Sie sich mit Ihrem Bruder treffen, der aus London herübergeflogen kommt – Tag und Zeitpunkt unbekannt – und Sie dürfen auch sein Leben nicht aufs Spiel setzen, indem Sie sich in der Öffentlichkeit zeigen. Sie werden für ein paar Tage untertauchen und mit ihm wieder Verbindung aufnehmen, wenn die Luft rein ist. Ich habe natürlich keine Ahnung, wo Sie sind.«

»Die Geschichte hat ein großes Loch. Nämlich, weshalb gerade Sie für mich sprechen?«

»Colonel Witkowski wird bestätigen, daß mein Mann mit Ihrem Bruder zusammengearbeitet hat. Moreau nimmt an, daß Sie das wußten, und wird deshalb verstehen, daß Sie mich als Vermittlerin einsetzen.«

»Das könnte funktionieren«, sagte Drew mit leiser Stimme und sah sich wieder in dem Lokal um, das sich inzwischen gefüllt hatte. »Ich habe irgendwie das Gefühl, daß im nächsten Augenblick hier einer aufsteht und auf mich zu schießen anfängt.«

»Das ist ziemlich unwahrscheinlich«, sagte de Vries. »Wir sind hier ganz nahe bei der Botschaft, und Sie haben keine Ahnung, wie sehr es die Franzosen belastet, daß sie so wenig Kontrolle über den Terrorismus haben.«

»Das ist bei den Engländern genauso und trotzdem werden vor Harrods Leute erschossen.«

»Aber nicht oft, und die Engländer haben ihren Hauptfeind, die IRA, isoliert, der Teufel soll sie holen. Die Franzosen sind Zielscheiben für so viele andere. Ganze Arrondissements sind mit kriegführenden Parteien aus dem Ausland bevölkert. Auch in den skandinavischen Ländern werden die Proteste gewalttätiger, von den Niederlanden ganz zu schweigen – den friedlichsten

Menschen, die man sich vorstellen kann, wo die Rechten und die Linken dauernd aufeinander herumprügeln.«

»Und dann Italien, wo die Mafiakorruption in Rom die Leute entzweit, Männer sich im Parlament prügeln und dauernd Bomben hochgehen. Oder Spanien, wo die Katalonier und die Basken nicht nur Waffen tragen, sondern die Vorurteile ganzer Generationen mit sich herumschleppen. Und dann der Nahe Osten, wo die Palästinenser Juden und die Juden Palästinenser umbringen und jede Seite der anderen die Schuld gibt, während in Bosnien-Herzegowina Leute sich gegenseitig massakrieren, die früher friedlich zusammengelebt haben. Und nirgends unternimmt einer etwas dagegen. Es ist überall dasselbe, Unzufriedenheit, Argwohn, Beleidigungen … Gewalt. Es ist geradezu, als würde ein umfassender Plan in die Tat umgesetzt.«

»Das ist doch lächerlich!«

»Ja, freilich«, stimmte Lennox ihr zu und lehnte sich mit einem tiefen Seufzen zurück. »Ich habe das jetzt ein wenig übertrieben, weil Sie recht haben, das könnte nicht passieren. Aber ein großer Teil davon könnte passieren. Hier in Europa, auf dem Balkan und im Nahen Osten. Und was ist dann der nächste Schritt? Nachdem sich überall Menschen gegen Menschen erhoben haben, Religion gegen Religion, und neue Staaten sich von den alten abgespaltet haben?«

»Ich versuche Ihnen zu folgen, und ich bin nicht dumm. Wie Harry es wahrscheinlich ausdrücken würde: Wo ist die Klarheit?«

»Atomwaffen! Auf den internationalen Märkten beschafft und vielleicht mit den Millionen, über die die Bruderschaft verfügt, die neue Religion, die vielleicht am Ende Zuflucht für all die Unzufriedenen auf der ganzen Welt ist, die von ihr angezogen und von ihrer Unbesiegbarkeit überzeugt sind. In den dreißiger Jahren war es so, und eigentlich hat sich seitdem in dieser Hinsicht gar nicht soviel geändert.«

»Sie sind mir weit voraus«, sagte Karin und trank einen Schluck aus ihrem Glas. »Ich kämpfe gegen eine sich ausbreitende Seuche, wie Sie sie genannt haben, die Freddie das Leben gekostet hat. Sie sehen eine drohende Apokalypse, was ich einfach nicht akzeptieren kann. Über dieses Stadium ist unsere Zivilisation hinaus.«

»Ich kann nur hoffen, daß Sie recht haben und ich unrecht. Mein sehnlichster Wunsch ist, daran nicht mehr denken zu müssen.«

»Sie haben eine außergewöhnliche Phantasie, ganz ähnlich wie Harry, nur daß die seine ruhiger, kaltblütiger war – ist. *Sangfroid*, wie die Franzosen sagen. Für ihn ist etwas immer erst dann Realität, wenn er es ohne jede Emotion analysiert hat.«

»Erstaunlich, daß Sie das sagen; genau das ist der Punkt, in dem wir uns unterscheiden. Mein Bruder war immer so kalt und ohne Gefühle, dachte ich, bis eine Kusine von uns, ein sechzehnjähriges Mädchen, an Krebs gestorben ist. Wir waren noch Kinder, und ich fand ihn hinter unserer Garage, wie er sich die Augen ausweinte. Als ich ihn trösten wollte, schrie er mich an und sagte: ›Daß du mir ja niemanden erzählst, daß ich geweint habe, sonst belege ich dich mit einem Fluch!‹ Kindergeschwätz natürlich.«

»Und haben Sie es jemandem gesagt?«

»Selbstverständlich nicht, er ist doch mein Bruder.«

»Da ist etwas, was Sie mir nicht sagen.«

»Du lieber Gott, ist das eine Beichte?«

»Keineswegs. Ich möchte Sie nur besser kennenlernen. Das ist doch kein Verbrechen.«

»Okay. Ich habe den Burschen verehrt. Er war so schlau und so nett zu mir, hat mir bei den Schularbeiten geholfen und mich auf alle Prüfungen vorbereitet. Und dann später auf dem College hat er meine Vorlesungen mit mir ausgesucht und mir immer wieder gesagt, ich sei besser als ich denke, wenn ich mich nur konzentrieren würde. Unser Dad war immer mit irgendeiner seiner Ausgrabungen beschäftigt. Wer hat mich also auf dem College besucht und wer hat bei den Eishockeyspielen am lautesten gebrüllt – Harry natürlich.«

»Sie lieben ihn, nicht wahr?«

»Ohne ihn wäre ich nichts. Deshalb habe ich ihn richtig unter Druck gesetzt, damit er mich auch in dieses Geschäft bringt. Ihm hat das gar nicht gefallen, aber zu der Zeit wurde gerade eine neue Organisation gebildet, die sich Consular Operations nennt, und die allem Anschein nach Typen wollte, die ein bißchen Mumm in den Knochen und trotzdem Verstand hatten. Die Beschreibung paßte auf mich, und sie haben mich genommen.«

»Der Colonel hat erzählt, Sie seien in Kanada ein prima Eishockeyspieler gewesen. Er hat gesagt, Sie hätten nach New York gehen sollen.«

»Das war nur so ein kurzes Zwischenspiel, eine Hinterwäldlermannschaft, und man hat mich ganz gut bezahlt, aber Harry flog nach Manitoba und sagte, ich müßte endlich erwachsen werden. Und das habe ich dann auch getan. Waren das jetzt alle Fragen?«

»Eine noch: Darf ich bitte Ihr Telefon haben?«

Wortlos reichte Drew ihr den Apparat. Karin drückte die Tasten, wartete ein paar Augenblicke und fing dann zu reden an. »Ich bin im 6. Arrondissement, bitte prüfen.« Sie hielt die Hand über die Sprechmuschel und sah Drew an. »Ein einfacher Kontrollanruf, nichts Ungewöhnliches.« Plötzlich wanderte Karins Blick zu Boden, ihr Gesicht erstarrte, und sie stand auf und schrie: »Hinaus! Alle sofort hinaus!« Sie packte Lennox am Arm, riß ihn aus der Nische und schrie weiter: »*Alle!*« schrie sie französisch. »Verlassen Sie Ihre Tische und gehen Sie hinaus! *Les terroristes!*« Es kam zu einer chaotischen Flucht, ein paar Fenster wurden eingeschlagen, als die Gäste flohen und dabei mit Kellnern und deren Helfern kollidierten, während das verstörte Personal zuerst versuchte, Ordnung in die Flucht zu bringen und dann widerstrebend den Gästen nach draußen folgte. Dann sahen draußen auf der Avenue Gabriel alle entsetzt zu, wie der hintere Teil der Brasserie in die Luft flog. Die Explosion ließ die noch heil gebliebenen Fenster zerspringen und die Glassplitter pfiffen wie Geschosse davon. Auf der Straße herrschte das totale Chaos, als Lennox sich schützend über Karin de Vries beugte. »Was haben Sie erfahren?« schrie er sie an und steckte sich die Waffe in den Gürtel. »Wie konnten Sie das wissen?«

»Dafür ist jetzt keine Zeit! Stehen Sie auf. Folgen Sie mir!«

8

Sie rannten die Avenue Gabriel entlang, bis sie einen von der Straße weit zurückgesetzten Laden erreichten, einen Joaillier, dessen teure Schmuckstücke in der relativen Dunkelheit noch leuchtender strahlten. Karin zog ihn hinein; dann schnappten beide nach Luft, ehe Lennox fragte:

»Verdammt, Lady, was war da los? Sie sagten, Sie wollten jemand wegen einer Überprüfung anrufen, und dann fingen Sie plötzlich zu schreien an, und rings um uns brach die Hölle los! Ich möchte eine klare Antwort haben.«

»Die Überprüfung fand gar nicht statt«, erwiderte de Vries immer noch nach Atem ringend. »Da war plötzlich jemand am Telefon und schrie ›Drei dunkel gekleidete Männer, sie rennen auf der Straße von einem Haus zum anderen! Sie wollen Ihren Freund töten!‹ Ehe ich eine Frage stellen konnte, sah ich die zwei Baguettes auf dem Boden auf unseren Tisch zurollen.«

»Baguettes? Brotlaibe?«

»Kleine glänzende Stangen, Drew. Künstliches Brot. Plastiksprengstoff, zehnmal wirksamer als Handgranaten.«

»Oh mein Gott …«

»An der nächsten Ecke ist ein Taxistand. Schnell!« Sie nahmen immer noch atemlos auf dem Rücksitz eines Taxis Platz, und Karin nannte dem Fahrer eine Adresse im Marais-Viertel. »In einer Stunde kehre ich in die Botschaft zurück.«

»Sind Sie wahnsinnig?« sagte Lennox scharf, und sein Kopf fuhr ruckartig zu ihr herum. »Man hat Sie mit mir gesehen, das haben Sie selbst gesagt. Die bringen Sie um!«

»Nicht, wenn ich innerhalb vernünftiger Zeit zurückkehre und mich so verhalte, als ob ich einen schrecklichen Schock erlitten hätte – beinahe hysterisch, aber nicht völlig durchgedreht.«

»Noch einmal, Sie sind verrückt. Sie waren nicht nur mit mir zusammen, sondern Sie waren es sogar, die die Warnung ausgestoßen hat! Sie haben die Panik ausgelöst.«

»Das hätte jeder andere auch, der von der Straße hereinkommt und all die Polizisten und Streifenwagen sieht und hört, daß Terroristen gerade auf ein Auto geschossen haben. Du lieber Gott, Drew, zwei Stangen Brot – selbst, wenn sie echt wären – die zu einer Sitznische hin rollen, während ein Mann in einem schwarzen Pullover und in einer schwarzen Schildmütze nach draußen rennt und dabei einen Kellner umstößt – wirklich, was wollen Sie denn noch mehr?«

»Sie haben mir nichts von einem Mann gesagt, der hinausgerannt ist –«

»In einem dicken Pullover, und das an einem warmen Frühlingstag, das Gesicht vermummt! Und dann stößt er einen Kellner um, der ein Tablett trägt!«

»Okay, okay, das können Sie alles vielleicht erklären, aber doch nicht, daß Sie mit mir zusammen waren.«

»Ich werde das so erledigen, daß jeder Franzose, ob nun Terrorist oder nicht, das verstehen wird. Ich werde ein paar Telefonate führen und damit Tatsachen schaffen.«

»Was für Telefonate? Worüber denn, mit wem?«

»Mit Leuten in der Botschaft, zuerst natürlich mit D und R und dann mit dem Empfang und mit ein paar anderen, die als Klatschmäuler bekannt sind, darunter auch Courtlands Assistent und die Sekretärin des Ersten Attachés. Ich werde ihnen sagen, daß ich mit Ihnen in dem Restaurant war, in dem die Bombe hochgegangen ist, und daß wir entkommen und Sie verschwunden sind und ich völlig durcheinander bin.«

»Sie sagen denen einfach, daß wir zusammen waren?«

»Aus einem ganz anderen Grund, der gar nichts mit Ihrer Arbeit zu tun hat, von der ich ja nichts weiß, weil ich Sie noch nicht so lange kenne.«

»Aus welchem Grund denn?«

»Wir sind uns neulich begegnet, fühlten uns gleich zueinander hingezogen und sind ganz offensichtlich drauf und dran, eine Affäre miteinander anzufangen.«

»So etwas Nettes haben Sie die ganze Zeit, die wir uns kennen, noch nicht gesagt.«

»Nehmen Sie es bloß nicht wörtlich, Monsieur Lennox, das ist einzig und allein zur Tarnung. Ich möchte damit erreichen, daß sich das schnell herumspricht, und das wird es, da wir ja mit Sicherheit davon ausgehen können, daß die Botschaft infiltriert worden ist.«

»Und Sie glauben, die Neonazis in Paris kaufen Ihnen das ab?«

»Sie haben gar keine andere Wahl und zwar aus zwei Gründen: Wenn es eine Lüge ist, werden sie mich überwachen, weil sie annehmen, daß Sie mit mir Verbindung aufnehmen werden, und sie damit Ihre Spur wieder aufnehmen können; wenn es die Wahrheit ist, nun ja, dann bin ich nicht wert, daß sie ihre Zeit an mich verschwenden. Aber ich bin auf diese Weise jedenfalls in der Lage, Ihnen behilflich zu sein.«

»Um Freddies willen, ich verstehe schon«, sagte Drew und lächelte leicht, als der Fahrer das Marais-Viertel erreichte, »aber ich glaube trotzdem immer noch, daß Sie ein verdammt großes Risiko eingehen, Lady.«

»Erlauben Sie mir eine Bemerkung über Ihre Ausdrucksweise, bitte?«

»Mit dem größten Vergnügen.«

»Das Wort *Lady*, das Sie die ganze Zeit gebrauchen, wirkt schrecklich herablassend.«

»Das ist aber nicht so gemeint.«

»Ja, wahrscheinlich. Trotzdem, immer wenn Sie *Lady* sagen, klingt es so, als würden Sie in Wirklichkeit *Mädchen* meinen oder *Tussi*.«

»Ich bitte um Entschuldigung.« Wieder lächelte Lennox. »Ich habe meine Mutter häufig so angesprochen, und ich kann Ihnen versichern, daß ich es nie – wie haben Sie das formuliert – herablassend gemeint habe.«

»Eine Mutter kann das als eine Art Kosenamen akzeptieren, aber ich bin nicht Ihre Mutter.«

»Verdammt nein, das sind Sie nicht. Sie ist viel hübscher und keift nicht so viel.«

»Keift …?« Karin sah den Amerikaner prüfend an und entdeckte den Schalk in seinen Augen. Sie lachte und tippte ihn an den Arm. »Ich glaube, jetzt sind wir quitt. Ich nehme die Dinge manchmal auch zu ernst.«

»Schon gut. Mir ist jetzt klar, wie Sie und Harry miteinander auskommen konnten. Sie analysieren, dann prüfen Sie und dann analysieren Sie wieder. Das bewegt sich alles im Kreis, nicht wahr?«

»Nein, keineswegs. Wenn ich mich ein paarmal im Kreis gedreht habe, finde ich immer wieder einen Weg nach draußen, und der führt regelmäßig zur Wahrheit.«

»Bilden Sie sich ein, daß ich das verstehe?«

»Natürlich verstehen Sie es. Ihr Bruder hat schon recht gehabt, als er Ihnen damals in Ihrer Jugend sagte, daß Sie viel besser sind, als Sie selbst glauben ... aber das brauche ich Ihnen ja nicht zu sagen.«

»Nein, das brauchen Sie nicht. Im Augenblick interessiert mich viel mehr, wo wir hinfahren, wo ich hinfahre.«

»An einen Ort, den ihr Amerikaner als steriles Haus bezeichnet, eine Zwischenstation, wo man Sie überprüfen wird, ehe man Sie an einen sicheren Zufluchtsort weiterschickt.«

»Die Leute, die Sie im Restaurant angerufen haben, in der Brasserie?«

»Ja, aber in Ihrem Fall wird man Sie sofort weiterschicken. Ich werde Sie bestätigen.«

»Wer sind diese Leute?«

»Hauptsächlich Deutsche. Menschen, die die Neonazis noch mehr hassen als wir – sie sehen, wie diese sogenannten Erben des Dritten Reiches ihr Land in den Schmutz ziehen.«

»Sie sind hier in Paris ...?«

»Und in England, den Niederlanden, Skandinavien, auf dem Balkan – überall, wo sie glauben, daß die Bruderschaft operiert. Die Zellen sind alle sehr klein, fünfzehn bis zwanzig Leute, aber sie arbeiten mit echter deutscher Effizienz, werden insgeheim von einer Gruppe deutscher Industrieller und Finanzleute finanziert, die die Neonazis nicht nur verachten, sondern auch Angst vor dem Schaden haben, den sie dem Image ihres Landes und damit auch seiner Wirtschaft zufügen können.«

»Das klingt ja wie die Kehrseite der Bruderschaft.«

»Was, glauben Sie eigentlich, stellt dieses Land so auf die Zerreißprobe? Genau das sind sie, das *müssen* sie sein. Bonn ist Politik, das Geschäft orientiert sich an den praktischen Dingen. Die Regierung muß sich um Stimmen aus einer sehr heterogenen Wählerschaft bemühen; die Geschäftswelt muß sich in allererster Linie dagegen schützen, daß das Gespenst eines neuen Naziregimes sie von den Weltmärkten verdrängt.«

»Diese Leute, Ihre Freunde meine ich – diese ›Zellen‹ – haben sie einen Namen, ein Symbol oder so etwas?«

»Ja. Sie nennen sich die Antineos.«

»Was ist denn das für ein Name?«

»Das weiß ich auch nicht genau, aber Ihr Bruder hat gelacht, als Freddie es ihm sagte. Harry sagte, es sei eine sehr passende Bezeichnung.«

»Harry ist eine Marke«, murmelte Drew. »Okay, gehen wir zu Ihren Freunden.«

»Es sind nur noch zwei Straßen.«

Wesley Sorenson hatte seine Entscheidung getroffen. Er hatte nicht sein ganzes Berufsleben im Dienste seines Landes verbracht, um sich jetzt von einem Bürokraten, der einen falschen und beleidigenden Schluß gezogen hatte, wichtige Informationen vorenthalten zu lassen. Kurz gesagt, Wes Sorenson war wütend und sah keinen Anlaß, seine Wut zu verstecken. Er hatte sich nicht um den Posten eines Direktors der Consular Operations bemüht, sondern war von einem klugen Präsidenten ins Amt berufen worden, der die Notwendigkeit erkannt hatte, sämtliche nachrichtendienstlichen Aktivitäten zu koordinieren, um auf diese Weise sicherzustellen, daß nicht die eine oder andere Organisation die nach dem Ende des Kalten Krieg aufgestellten Zielsetzungen des State Departments zunichte machte. Die Berufung in dieses Amt hatte ihn aus einem durchaus behaglichen Ruhestand gerissen, für den er dank einer wohlhabenden Familie nicht auf seine Pension angewiesen war. Trotzdem hatte er sich diese Pension mehr als verdient und sich zugleich auch den Respekt und das Vertrauen aller nachrichtendienstlichen Organisationen erworben. Bei der Konferenz, an der er in Kürze teilnähme, würde er aus seinen Gefühlen keinen Hehl machen.

Man führte ihn in das riesige Büro, in dem der Secretary of State Adam Bollinger an seinem Schreibtisch saß. Auf einem der beiden Besuchersessel vor dem Schreibtisch saß ein kräftig gebauter Mann Anfang Sechzig, der sich jetzt zu Sorensons Begrüßung etwas zur Seite gebeugt hatte. Er hieß Knox Talbot und war Direktor der Central Intelligence, ein ehemaliger Abwehrmann, der sich seine Sporen in Vietnam verdient, und zugleich ein kluger Kopf, der sich an der Börse ein beachtliches Vermögen erworben hatte. Sorenson mochte Talbot und staunte immer wieder darüber, wie der Mann es fertigbrachte, seine brillanten Fähigkeiten mit lockerem Humor und hinter einer unschuldigen Maske zu kaschieren. Minister Bollinger andererseits war für den Direktor von Cons-Op ein Problem. Sorenson respektierte zwar den wachen politischen Verstand des Außenministers und auch den Ruf, den er sich auf der internationalen Bühne erworben hatte, war sich aber andererseits auch der erschreckenden Leere des Mannes bewußt. Es war, als wäre jedes seiner Worte und jede seiner Handlungen vorprogrammiert und ohne jede innere Überzeugung.

»Guten Morgen, Wes«, sagte Bollinger mit einem geschäftsmäßigen Lächeln. Dies war eine Besprechung mit höchst unangenehmen Konsequenzen, und deshalb war für Artigkeiten keine Zeit, und das sollten seine Untergebenen auch von Anfang an klar erkennen.

»Einen wunderschönen guten Tag, Meister der Spione«, fügte Knox Talbot mit einem breiten Lächeln hinzu. »Anscheinend brauchen wir Anfänger ein wenig Belehrung.«

»An unserer Tagesordnung ist nichts Erheiterndes, Knox«, tadelte der Secretary, und seine ausdruckslosen Augen blickten von den Papieren auf seinem Schreibtisch auf und richteten sich auf Talbot.

»Es bringt uns aber auch nicht weiter, wenn wir verkrampft an die Dinge herangehen, Adam«, erwiderte der Direktor der CIA. »Ein paar davon sind nicht allzu ernst zu nehmen.«

»Das halte ich für eine geradezu unverantwortliche Einstellung.«

»Halten Sie es, wofür Sie wollen. Ich behaupte trotzdem, daß eine Menge von dem, was wir da von Operation Sting erfahren haben, offen gestanden, wirklich nicht zu verantworten ist.«

»Setzen Sie sich zu uns, Wesley«, sagte Bollinger, als Sorenson auf den Stuhl rechts von Talbot zuging und Platz nahm. »Ich will gar nicht leugnen«, fuhr der Secretary of State dann fort, »daß die Liste, die Lennox uns gebracht hat, erschütternd ist, aber wir müssen auch ihre Herkunft in Betracht ziehen. Ich frage Sie, Knox, gibt es in der CIA einen erfahreneren Agenten für verdeckte Ermittlungen als Harry Lennox?«

»Nach meiner Kenntnis nicht«, erwiderte Talbot, »aber das schließt nicht aus, daß man ihm falsche Informationen zugespielt hat.«

»Das würde voraussetzen, daß die Führung der Neonazis ihn enttarnt hat.«

»Davon ist mir nichts bekannt«, sagte Talbot.

»Das ist aber der Fall«, sagte Sorenson ausdruckslos.

»Was?«

»Was?«

»Ich habe mit Harrys Bruder gesprochen«, sagte Sorenson. »Er ist einer meiner Leute und hat es über eine Frau in Paris erfahren, der Witwe von Lennox' Verbindungsmann in Ostberlin. Die Neonazis sind genau über Sting informiert. Codebezeichnung, Ziel, und sogar die geplante Einsatzdauer.«

»Das ist unmöglich!« rief Knox Talbot aus und seine schwarzen Augen funkelten Sorenson an. »Das ist so gründlich abgesichert, daß sich da unmöglich jemand Zugang verschafft haben kann.«

»Probieren Sie es einmal an Ihren AA-Zero-Computern.«

»Unversehrt!«

»Stimmt nicht, Knox. Sie haben da jemand in Ihrem geheimen Hühnerstall, der in Wirklichkeit ein Fuchs ist.«

»Das glaube ich Ihnen nicht.«

»Ich habe Ihnen doch gerade gesagt, was die wissen, was brauchen Sie denn sonst noch?«

»Wer sollte das denn sein?«

»Wieviele Leute haben Sie an den AA-Zeros eingesetzt?«

»Fünf, und drei Ersatzleute, und alle hat man bis zum Tag ihrer Geburt überprüft. Makellos! Herrgott noch mal, das sind unsere Spitzentechniker!«

»Einer von ihnen hat doch einen Makel, Knox. Einer muß Ihnen durch die Maschen geschlüpft sein.«

»Ich werde sie alle unter totale Überwachung stellen.«

»Sie werden noch mehr tun, Mr. Director«, sagte Adam Bollinger. »Sie werden alle Leute auf Harry Lennox' Liste unter Überwachung stellen. Herrgott im Himmel, wir haben es hier schließlich möglicherweise mit einer Verschwörung von globalen Ausmaßen zu tun.«

»Bitte, Mr. Secretary, das ist weit übertrieben. Soweit ist es noch nicht. Aber ich muß Sie fragen, Knox, wer Claude Moreaus Namen von der Liste gestrichen hat, die man mir geschickt hat?«

Talbot zuckte sichtlich verblüfft zusammen, faßte sich aber gleich wieder. »Tut mir leid, Wes«, sagte er leise, »das kam von einer verläßlichen Quelle, einem erfahrenen Beamten, der in Istanbul mit Ihnen beiden gearbeitet hat. Er sagte, Sie und Moreau stünden sich sehr nahe, Moreau habe Ihnen bei einem Einsatz an den Dardanellen das Leben gerettet. Unser Mann war nicht sicher, ob Sie objektiv sein könnten; ganz einfach. Wie haben Sie es erfahren?«

»Jemand hat eine Liste für Botschafter Courtland freigegeben –«

»Das mußten wir«, fiel Talbot ihm ins Wort. »Die Deutschen hatten sich verplappert, und Courtland steckte in der Klemme ... Moreaus Name war auf der Liste?«

»Das nur zum Thema Gründlichkeit der Agency.«

»Ein Irrtum, menschliches Versagen, was wollen Sie noch hören? Es gibt zuviele Maschinen, die zuviele Daten zu schnell ausspucken ... aber in Ihrem Fall war die Entscheidung durchaus verständlich. Wenn einem ein Mann einmal das Leben gerettet hat, setzt man sich verdammt schnell für ihn ein. Sie hätten ihn, vielleicht ganz unwissentlich, einfach durch ein paar freundliche Fragen, die Sie ihm stellen, erkennen lassen können, daß wir ihn unter die Lupe nehmen.«

»Nicht, wenn man ein Profi ist, Knox«, erklärte der Chef von Consular Operations knapp, »und ich glaube als solchen darf ich mich wohl bezeichnen.«

»Noch einmal, ich bitte um Entschuldigung. Aber weil wir schon gerade bei dem Thema sind, was halten Sie davon, daß Moreau auf der Liste steht?«

»Ich finde, das ist verrückt und absurd.«

»Das gilt genauso für zwanzig oder fünfundzwanzig weitere Leute, allein schon in diesem Land, und wenn man ihre Mitarbeiter und Kollegen in Betracht zieht, dann sind es über hundert in hohen und höchsten Positionen. Dann gibt es etwa siebzig weitere in England und Frankreich und die Zahl könnte man ebenfalls verzehnfachen. Unter ihnen befinden sich Männer und Frauen, die wir als echte Patrioten betrachten, und Leute, die wir, ganz gleich welcher politischen Richtung sie angehören, in hohen Ehren halten. Ist Harry Lennox, einer der besten Leute, die wir haben, vielleicht ein Maulwurf, bei dem nicht mehr alles richtig tickt?«

»Das ist nur schwer vorstellbar –«

»Und deshalb wird jeder Mann und jede Frau auf seiner Liste unter die Lupe genommen und überprüft und zwar bis zurück zu dem Tag, wo sie sich zum ersten Mal aus eigener Kraft bewegen oder ein Wort reden konnten«, verkündete der Secretary of State mit Nachdruck. Seine schmalen Lippen waren jetzt wie ein gerader Strich in seinem Gesicht. »Lassen Sie keinen Stein auf dem anderen und bringen Sie mir komplette Unterlagen und zwar so komplett, wie sie sich das FBI in seinen kühnsten Träumen nicht vorstellen kann.«

»Adam«, wandte Knox Talbot ein, »das ist die Zuständigkeit des FBI und nicht unsere. Das steht ganz klar und deutlich in der Siebenundvierziger Charta.«

»Zum Teufel mit der Charta. Wenn sich in den Korridoren unserer Regierung Nazis herumtreiben, dann müssen wir sie finden und dafür sorgen, daß sie enttarnt werden!«

»Mit welcher Vollmacht?« fragte Sorenson und musterte dabei das Gesicht des Secretary of State prüfend.

»Mit meiner Vollmacht, wenn Sie wollen. Ich übernehme die Verantwortung.«

»Der Kongreß könnte damit nicht einverstanden sein«, insistierte der Direktor von Cons-Op.

»Zum Teufel mit dem Kongreß. Sorgen Sie eben dafür, daß nichts herauskommt. Du lieber Gott, das ist doch das mindeste, was Sie tun können, oder? Und jetzt gehen Sie an die Arbeit, stimmen Sie sich ab und bringen Sie mir Resultate. Die Konferenz ist beendet.«

Draußen im Korridor angelangt, drehte Knox Talbot sich zu Wesley Sorenson herum. »Abgesehen davon, daß ich schleunigst herausfinden will, wer unsere AA-Zero-Computer geknackt hat, paßt mir das überhaupt nicht.«

»Eher trete ich zurück«, sagte der Chef von Cons-Op.

»So geht das nicht, Wes«, erwiderte der DCI. »Wenn Sie und ich gehen, findet er jemand anderen, den er völlig unter seiner Kontrolle hat. Ich würde sagen, wir bleiben und stimmen uns in aller Stille mit dem FBI ab.«

»Das hat Bollinger verboten.«

»Nein, er hat sich eindeutig über die Charta von 1947 hinweggesetzt, die es Ihnen und mir verbietet, im Inlandsbereich tätig zu werden. Wir haben uns seine Anweisung gründlich überlegt und sind zu dem Schluß gekommen, daß er sicherlich nicht wollte, daß wir der Verfassung zuwiderhandeln. Wahrscheinlich wird er uns später sogar dankbar sein.«

»Ist Bollinger das wert, Knox?«

»Nein, ganz sicher nicht, aber unsere Organisationen sind es. Ich habe mit dem Chef des FBI schon zusammengearbeitet. Der Mann ist vernünftig und weiß, daß es Wichtigeres als Zuständigkeiten gibt – er ist alles andere als ein Hoover. Ich werde ihm klarmachen, daß die Dinge in aller Stille, aber um so gründlicher bearbeitet werden müssen. Und, machen wir uns doch nichts vor, man kann Harry Lennox doch nicht einfach ignorieren.«

»Ich glaube immer noch, daß Moreaus Name auf der Liste ein Fehler ist, ein schrecklicher Fehler.«

»Mag sein, und vielleicht gibt es auch noch weitere Fehler, aber dafür gibt es ganz bestimmt wieder andere, die das nicht sind. Ich sage das höchst ungern, aber in dem Punkt hat Bollinger recht. Ich nehme Kontakt mit dem FBI auf und Sie sorgen dafür, daß Harry Lennox am Leben bleibt.«

»Ich sehe da noch ein Problem, Knox«, sagte Sorenson und runzelte die Stirn. »Erinnern Sie sich an die schreckliche Zeit in den fünfziger Jahren, diesen McCarthy-Unfug?«

»Ich bitte Sie«, antwortete der schwarze DCI. »Ich war damals Student auf dem College im ersten Semester, und mein Vater war Anwalt für Bürgerrechte. Die haben ihn als Kommunisten angeprangert, und wir mußten von Wilmington nach Chicago ziehen,

148

damit meine Schwestern und ich zu Fuß zur Schule gehen konnten. Ja, zum Teufel, ich erinnere mich sehr gut.«

»Sorgen Sie dafür, daß das FBI begreift, daß es dazu Parallelen geben könnte. Wir wollen nicht, daß der Ruf und die berufliche Karriere von Menschen durch unverantwortliche Anklagen vernichtet werden – oder noch schlimmer, durch Gerüchte, die nie mehr verstummen. Wir müssen diskret und professionell vorgehen.«

»Ich habe diese Zeiten erlebt, Wes, und bin ganz Ihrer Ansicht. Wir müssen von Anfang an dafür sorgen, daß die nicht zum Zuge kommen. Streng professionell und streng geheim – das ist das oberste Gebot.«

»Ich wünsche uns allen Glück«, sagte der Direktor von Consular Operations, »aber die eine Hälfte meines Gehirns, falls ich eines habe, sagt mir, daß wir in ganz gefährlichen Gewässern segeln.«

Das sterile Haus der Antineos im Marais-Viertel von Paris erwies sich als eine behagliche Wohnung über einem eleganten Modegeschäft an der Rue Delacourt; sein Personal bestand aus zwei Frauen und einem Mann, denen Karin de Vries mit eindringlichen Worten Drew Lennox vorstellte. Die grauhaarige Frau, die offenbar das Sagen hatte, besprach sich kurz mit ihren Kollegen.

»Wir werden ihn zum Maison Rouge in Carrefour schicken. Sie werden dort alles haben, was Sie benötigen, Monsieur. Karin und ihr verstorbener Mann standen immer auf unserer Seite. Viel Glück, Mr. Lennox. Die Bruderschaft muß zerstört werden.«

Der alte Backsteinbau, den sie als das Maison Rouge bezeichnet hatte, war ursprünglich einmal ein kleines Hotel für Touristen mit bescheidenen Ansprüchen gewesen und dann später in ein kleines, ebenso bescheidenes Bürogebäude umgebaut worden. Der verdreckten Mieterliste nach zu schließen, die in der Eingangshalle angeschlagen war, beherbergte es eine Anzahl höchst unterschiedlicher Gewerbe wie zum Beispiel eine Arbeitsvermittlung, eine Installationsfirma, eine Druckerei, sowie eine Vielzahl von Buchhaltern, Schreibbüros, Hausmeisterdiensten und Mietbüros, wovon es aber keine gab. In Wirklichkeit existierten nur die Arbeitsvermittlung und die Druckerei; die restlichen Firmen waren nicht im Pariser Telefonbuch aufgeführt, entweder weil sie ihr Geschäft aufgegeben oder auf bestimmte Zeit geschlossen hatten (was dann jeweils an den einzelnen Türen vermerkt war). Statt dessen enthielten die Geschäftsräume Einzel- und Doppelzimmer und eine Anzahl von Suiten, sämtlich ausgestattet mit Telefonen und Faxgeräten mit Geheimnummern, Schreibmaschinen, Fernsehgeräten und Computern. Zwei schmale Durchgänge führten links und rechts von dem Gebäude zu dessen hinterem Teil, wo eine kompliziert wirkende Fensteranordnung eine Schiebetür kaschierte, die untertags nie benutzt werden durfte.

Jeder Gast der Antineos erhielt präzise Instruktionen hinsichtlich seines Verhaltens, seiner Kleidung (wenn nötig wurde Garderobe gestellt), der Kommunikation zwischen den Bewohnern (die, sofern nicht ausdrücklich von der »Direktion« erlaubt, streng verboten war) und einen präzisen Zeitplan für das Betreten und Verlassen des Gebäudes (ebenfalls nach genauen Weisungen der Direktion). Zuwiderhandlungen würden zur sofortigen Ausweisung führen, gegen die es keine Einspruchsmöglichkeit gab. Das waren zugegebenermaßen strenge Regeln, die aber zur Sicherheit aller gedacht waren.

Lennox wurde eine kleine Suite im dritten Stock zugewiesen, deren technische Einrichtungen ihn ebenso beeindruckten, wie das, was Karin ihm als »deutsche Gründlichkeit« geschildert hatte.

Nachdem ein Angehöriger der Direktion ihn ausführlich in der Bedienung der einzelnen Geräte und Anlagen unterwiesen hatte, ging Drew ins Schlafzimmer und legte sich hin. Nach einem Blick auf seine Uhr schätzte er, daß er Karin de Vries in einer guten Stunde in der Botschaft würde anrufen können. Ihm wäre lieber gewesen, dies schon früher tun zu können; das Warten, bis er erfuhr, ob ihre Strategie Erfolg gehabt hatte, zerrte an seinen Nerven, obwohl die Geschichte, die sie sich ausgedacht hatte, exotisch, ja wenn man die Begleitumstände betrachtete, sogar geradezu komisch war. Ihre Taktik war ganz einfach: Sie war mit ihm in der Brasserie gewesen, wo die Bombe hochgegangen war; er war verschwunden und sie war in hohem Grade beunruhigt. Warum? Weil sie ihn sehr nett fand und sie »auf eine Affäre zusteuerten«. Das war eine durchaus sympathische Aussicht und kam überhaupt nicht in Frage – oder vielleicht gar nicht so sympathisch, wenn man ein wenig darüber nachdachte, überlegte Drew. Sie war eine seltsame Frau, voll Zorn und schmerzlicher Erinnerungen, was beides ihrer Attraktivität Abbruch tat. Die nationalen Umwälzungen, die den ganzen europäischen Kontinent vergifteten, hatten sie in hohem Maß geprägt, und Lennox hatte nicht die geringste Lust, sich ihren Kreisen anzuschließen. Nein, er hatte selbst schon genügend Probleme.

Warum dachte er dann so viel über sie nach? Freilich, sie hatte ihm das Leben gerettet ... aber schließlich hatte sie auch ihr eigenes Leben gerettet ... Sein Leben ... wie hatte sie es formuliert? »Vielleicht sollte das so aussehen.« Nein! Er war diese verschlungenen Pfade leid, die einen nie zur Wahrheit führten. Und was war die Wahrheit? Harrys Liste? Karins Besorgtheit? Moreau? Sorenson? ... Er war jetzt viermal nacheinander nur knapp dem Tod entgangen, und das reichte! Er mußte ausruhen und dann mußte er nachdenken, aber zuerst mußte er ausruhen. Die Ruhe war eine Waffe, die häufig mehr bewirkte als die beste Maschinenpistole, hatte ein Ausbilder vor vielen Jahren ihm einmal gesagt. Und so schloß Drew in der Erschöpfung, die die Furcht in einem erzeugt, die Augen. Der Schlaf stellte sich schnell ein, auch wenn ihn unruhige Träume quälten.

Die schrille Glocke des Telefons weckte ihn; er schoß in die Höhe, griff nach dem Hörer. »Ja?«

»Ich bin's«, sagte Karin. »Ich spreche vom Telefon des Colonel aus.«

Lennox und rieb sich mit der linken Hand den Schlaf aus den Augen. »Ist Witkowski da?«

»Ich dachte schon, daß Sie das fragen würden. Hier ist er.«

»Hallo, Drew.«

»Die Anschläge auf mich nehmen zu, Stosh.«

»Ja, scheint so«, pflichtete der alte G-2-Mann ihm bei. »Bleiben Sie im Untergrund, bis die Dinge etwas klarer sind.«

»Wie klar müssen sie denn sein? Die wollen mich ausschalten, Stanley!«

»Dann müssen wir sie überzeugen, daß das für den Augenblick nicht zu ihrem Vorteil ist. Sie müssen Zeit gewinnen.«

»Wie zum Teufel stellen wir das aber an?«

»Um die Frage zu beantworten, muß ich mehr wissen, als ich im Augenblick weiß, aber im Grunde genommen, muß man denen einfach klarmachen, daß Sie lebend wertvoller sind als tot.«

»Was müssen Sie denn wissen?«

»Alles. Sorenson ist Ihr Chef, Ihr oberster Führungsoffizier. Ich kenne Wesley, nicht besonders gut, aber wir sind miteinander bekannt. Also nehmen Sie mit ihm Verbindung auf, lassen Sie sich von ihm eine Freigabe für mich geben und bringen Sie mich auf neuesten Stand.«

»Ich brauche nicht mit ihm Verbindung aufzunehmen. Es geht hier um mein Leben, und deshalb treffe ich die Entscheidung hier an Ort und Stelle. Machen Sie sich Notizen und verbrennen Sie sie dann, Colonel.« Lennox fing ganz von vorne an, berichtete von Harrys Verschwinden in den Tauern, seiner Gefangennahme und seiner anschließenden Flucht, den verschwundenen Akten in Washington, die sich mit einem nicht identifizierten französischen General befaßten, und schließlich von Jodelle, seinem Selbstmord im Theater und seinem Sohn, Jean-Pierre Villier. An dem Punkt unterbrach Stanley Witkowski ihn.

»Der Schauspieler?«

»Genau den meine ich. Er war so verrückt, auf eigene Faust in der Maske eines Clochards loszuziehen und hat Informationen gebracht, die möglicherweise wertvoll sein könnten.«

»Dann war der alte Mann tatsächlich sein Vater?«

»Das ist mehrfach bestätigt. Er war Angehöriger der Résistance und wurde von den Deutschen gefangen und ins KZ geschickt, wo er den Verstand verlor – fast völlig.«

»Fast völlig? Was soll das bedeuten? Entweder ist man verrückt oder man ist es nicht.«

»Ein kleiner Teil von ihm war es nicht. Er wußte, wer er war … was er war … und hat beinahe fünfzig Jahre lang nie den Versuch gemacht, mit seinem Sohn Verbindung aufzunehmen.«

»Hat denn nie jemand versucht, mit ihm Verbindung aufzunehmen?«

»Man hat ihn für tot gehalten wie Tausende andere, die nie zurückgekehrt sind.«

»Aber das war er nicht«, sagte Witkowski nachdenklich, »nur geistig ein Krüppel und zweifellos auch körperlich ein Wrack.«

»Kaum zu erkennen, habe ich gehört. Trotzdem konnte er einfach nicht aufhören, Jagd auf einen General zu machen, der die Ermordung seiner Familie angeordnet hatte, und dessen Name mit den Akten verschwunden ist. Villier hat das bestätigt; er hat erfahren, daß es jemand im Loiretal war, und dort wohnen vierzig oder fünfzig pensionierte Generäle, gewöhnlich in bescheidenen Landhäusern oder in größeren Villen, die anderen gehören. Das war seine Information, das und das Kennzeichen eines Fahrzeugs, dessen Fahrer ihn aufgestöbert hatte, weil er zu viele Fragen stellte.«

»Was ich nicht ganz verstehe … Jodelle hat etwas in Erfahrung gebracht und sich dann vor seinem Sohn, der von ihm nichts ahnte, umgebracht und dabei hinausgebrüllt, daß er sein Vater sei. Warum?«

»Ich denke, weil ihm das, was er in Erfahrung gebracht hat, einfach übermächtig erschien. Bevor er sich die Gewehrmündung in den Mund gesteckt und die Schädeldecke weggeblasen hat, schrie er, er habe versagt und seinen Sohn und seine Frau im Stich gelassen. Seine Niederlage war total.«

»Ich habe in der Zeitung gelesen, daß Villier dieses Stück ›Coriolanus‹ abgebrochen hat, ohne Angabe von konkreten Gründen. Nur weil der Selbstmord des alten Mannes ihn so mitgenommen habe. Der Artikel klang ziemlich verworren; man konnte meiner Ansicht nach zwischen den Zeilen lesen, daß er über Dinge Bescheid weiß, zu denen er sich nicht äußern wollte.«

»Und das alles macht Villier im gleichen Maße zu einer Zielscheibe wie mich, und das habe ich Ihrer Angestellten, Mrs. de Vries, klarzumachen versucht.«

»Das ist verrückt! Jemand hätte Villier bremsen müssen.«

»Darüber habe ich viel nachgedacht, Stanley. Ich habe Villier einen Idioten genannt, und was er getan hat, war auch idiotisch, aber blöd ist er nicht. Ich habe nicht den geringsten Zweifel daran, daß er im Vertrauen auf seine schauspielerischen Fähigkeiten sein eigenes Leben riskieren würde, aber ich bin ebenso überzeugt, daß er niemals das Leben seiner Frau oder seiner Eltern aufs Spiel setzen würde, indem er sich in aller Öffentlichkeit den Neonazis als Zielscheibe anbietet.«

»Wollen Sie damit sagen, daß jemand ihn programmiert hat?«

»Daran will ich nicht einmal denken, weil Moreau vom Deuxième der letzte war, mit dem Villier gesprochen hat, ehe er bekanntgab, daß er mit dem Stück Schluß machen würde.«

»Das verstehe ich nicht«, sagte Witkowski zögernd. »Es gibt keinen besseren als Claude Moreau. Ich kann Ihnen da wirklich nicht folgen, Drew.«

»Und jetzt halten Sie sich fest, Colonel. Harry hat eine Liste mit Namen mitgebracht.« Lennox berichtete Witkowski über die alarmierenden Erkenntnisse, die sein Bruder als Gefangener der neu erwachten Nazibewegung gewonnen hatte.

»Das wäre nicht das erste Mal seit der Zeit der Pharaonen, daß sich der Feind massiert in die obersten Ränge einer Nation eingeschlichen hätte«, fiel Witkowski ihm schließlich ins Wort. »Wenn Harry Lennox die Liste gebracht hat, dann würde ich die Hand dafür ins Feuer legen. Er steht auf dem gleichen Niveau wie Claude Moreau: Gehirn, Instinkt, Talent und Beharrlichkeit, und das alles in einer Person. In unserer ganzen Branche gibt es keine besseren als diese beiden.«

»Moreau steht auf Harrys Liste, Stanley«, sagte Drew ruhig. Das Schweigen, das darauf folgte, war beredt. »Sie sind doch noch da, Colonel.«

»Mir wäre lieber, ich könnte jetzt nein sagen«, murmelte Witkowski. »Ich weiß einfach nicht, was ich sagen soll.«

»Wie wär's mit völliger Blödsinn?«

»Das war meine erste Reaktion, aber dann kam eine zweite gleich dahinterher und die ist genauso ausgeprägt. Der Mann heißt Harry Lennox.«

»Das weiß ich – aus all den Gründen, die Sie erwähnt haben, und dann noch ein paar Dutzend anderen. Aber selbst mein Bruder ist fähig, einen Fehler zu machen, oder irgendwelchen Fehlinformationen aufzusitzen, zumindest solange, bis er sie gründlich analysiert hat. Und deshalb muß ich mit ihm reden.«

»Mrs. de Vries hat mir gesagt, er würde in ein oder zwei Tagen hier in Paris auftauchen, und Sie hätten hinterlassen, daß er sie anrufen soll, was er jetzt natürlich nicht tun kann.«

»Was machen wir also?«

»Was ich jetzt vorschlage, würde Sorenson normalerweise genausowenig wie ich zulassen, aber sagen Sie Mrs. de Vries, wo Harry sich in London aufhält. Ich veranlasse dann alles weitere und sorge dafür, daß Sie beide zusammenkommen. Ich gebe sie Ihnen wieder.«

»Drew?« meldete sich Karins Stimme. »Ist im Maison Rouge alles in Ordnung?«

»Oh, man ist hier sehr nett zu mir. Nur habe ich bei jedem Wort, das meine Gastgeber sagen, den Eindruck, daß ein Ausrufezeichen dahinter steht.«

»Das liegt an ihrer Sprache, denken Sie sich nichts dabei. Sie haben gehört, was der Colonel gesagt hat. Wie kann ich mit Harry Verbindung aufnehmen?«

»Er wohnt im Gloucester unter dem Namen Wendell Moss.«

»Ich veranlasse alles Nötige. Bleiben Sie, wo Sie sind, und versuchen Sie ein wenig zu schlafen.«

»Wissen Sie, irgendwie wünsche ich mir jetzt, daß Sie hier bei mir wären.«

»Das sollten Sie nicht. Ich wäre eine schlimme Enttäuschung, Agent Lennox.«

9

Patient Nr. 28
Harry J. Lennox, Amerikaner, CIA-Agent. Verdeckt.
Deckname: Sting
Operation abgeschlossen: 14. Mai, 17.30 Uhr. Flucht.
Zustand: Tag Sechs, nach Prozedur.
Geschätzte verbleibende Zeit: Minimum drei Tage
                                                    Maximum sechs Tage

Dr. Gerhard Kröger blickte prüfend auf den Bildschirm des Computers in seinem neuen Büro in einem Außenviertel von Marktroda. Im Augenblick war eine neue Klinik im Frankenwald im Bau; bis zu ihrer Fertigstellung konnte er zwar seine Forschungsarbeiten fortsetzen, würde aber leider keine Experimente an Menschen durchführen können. Er würde sich nicht langweilen, die neuesten Lasertechniken und die vielen neuen Erkenntnisse in der Mikrochirurgie würden ihn beschäftigen, aber im Augenblick gab es nichts Wichtigeres als Patient Nr. 28. Der erste Bericht aus London hatte sehr ermutigend geklungen: Das Subjekt hatte auf Befragung unter computerisierten elektronischen Impulsen reagiert. Ausgezeichnet!

Harry Lennox legte in seinem Zimmer im Hotel Gloucester den Telefonhörer auf. Ein Gefühl wohliger Wärme breitete sich in ihm aus, angenehme Erinnerungen an schöne Stunden in einer Welt, die den Verstand verloren hatte. Er war ein eingefleischter Junggeselle und hatte schon vor langem erkannt, daß es viel zu spät war, sich einem anderen Menschen anzupassen, aber wenn es je eine Frau gegeben hatte, die Zweifel an diesem Entschluß in ihm wachrufen konnte, dann war das die Frau von Frederik de Vries. Karin. Freddie de Vries war in den Jahren des Kalten Krieges sein bester Mann gewesen, aber Harry hatte auch den einen Makel in ihm entdeckt, der ihn zu etwas Besonderem machte.

Einfach ausgedrückt war dieser Makel Haß – ungezähmter, leidenschaftlicher Haß. Lennox hatte ständig versucht, de Vries klarzumachen, daß er seine Emotionen in den Griff bekommen und die Dinge objektiv betrachten müßte. Er hatte ihn immer wieder gewarnt, daß der Haß in ihm eines Tages eine Explosion auslösen und zu seiner Entdeckung führen könnte. Doch das war vergebliche Liebesmüh, denn Freddie war wie ein Dämon, ließ sich einfach auf dem Wellenkamm treiben und hatte kein Verständnis für die Mächte in der Tiefe darunter, zog die glänzende Wehr eines surfenden Siegfried der Kraft eines unsichtbaren Neptun in der Tiefe vor.

Seine Frau Karin verstand ihn. Wie oft hatten sie und Harry sich allein in Amsterdam unterhalten, während Freddie ›draußen‹ die Rolle des Diamantenhändlers spielte und damit immer wieder seine Gegenspieler übertölpelte, bis sie sich ihm offenbarten. Und sein Haß war am Ende sein Untergang gewesen, weil er ihn dazu bewogen hatte, einen Mord zuviel zu begehen.

Nach Freddies Tod hatte Harry versucht, Karin zu trösten, aber es war ihm nicht gelungen. Sie wußte nur zu gut, was dazu geführt hatte und schwor, daß sie anders als ihr Mann vorgehen würde.

»Vergiß es!« hatte Harry sie angefahren. »Was du tust, wird überhaupt nichts ändern, verstehst du das nicht?«

»Nein, das verstehe ich nicht«, hatte sie erwidert. »Nichts zu unternehmen heißt zuzugeben, daß Freddie mir nichts bedeutet hätte. Kannst du das nicht verstehen, Harry?«

Darauf hatte er keine Antwort gewußt. Das einzige, was er hätte tun können und wozu es ihn gedrängt hatte, war diese Frau, die so tiefe Gefühle in ihm wachrief, in die Arme zu nehmen. Aber das war nicht die Zeit dafür gewesen und vielleicht würde es nie eine solche Zeit geben. Sie hatte mit ihrem toten Freddie gelebt, ihren toten Freddie geliebt. Harry Lennox war der Führungsoffizier ihres Mannes gewesen, aber er war nicht seinesgleichen.

Und jetzt, beinahe fünf Jahre später, war sie von Paris aus wieder in sein Leben getreten. Und, was noch bemerkenswerter war, als Schutzengel seines Bruders Drew, dem der Tod von Mörderhand drohte! Herr im Himmel ... nein, er mußte sich zusammenreißen, ganz ruhig sein, den kühlen Kopf bewahren, für den er berühmt war. Vielleicht war es der immer stärker werdende Schmerz in seinem Kopf, der seine Wut an die Oberfläche dringen ließ. Trotzdem würde er gleich morgen mit einer Diplomatenmaschine nach Paris fliegen und sich auf einem der Öffentlichkeit nicht zugänglichen Teil des De-Gaulle-Flughafens mit Karin treffen, die ihn dort in einem Wagen der Botschaft abholen würde.

Er überlegte, was er zu ihr sagen würde. Würde er so unvernünftig sein, Dinge zu sagen, die besser ungesagt blieben? Der Schmerz in seinem Kopf wollte nicht aufhören, dröhnte, pochte. Er ging ins Bad, drehte den Wasserhahn auf und nahm wieder zwei Aspirin. Als er in den Spiegel sah, fiel ihm auf, daß sich über seiner Schläfe, halb vom Haaransatz verdeckt eine Art heller Schorf gebildet hatte. Diese ganze nervliche Anspannung war also doch nicht spurlos an ihm vorübergegangen. Ein leichtes Antibiotikum oder ein paar Tage Ruhe sollten das wieder verschwinden lassen. Vielleicht half sogar der Anblick von Karin de Vries ein wenig.

Es klopfte an der Tür, wahrscheinlich ein Zimmermädchen oder der Etagenkellner. Es begann Abend zu werden und die besseren Hotels von London boten immer noch makellosen Service. Früher Abend, sinnierte er, als er ins Wohnzimmer seiner Suite ging. Wie schnell der Tag doch dahingegangen war? Dahingegangen? Vergeudet war eine bessere Formulierung, denn er hatte zehn Stunden damit verbracht, sich von seinem Tribunal verhören zu lassen. Bis zum Erbrechen hatten sie ihn über die Erkenntnisse befragt, die er aus dem Tal der Bruderschaft mitgebracht hatte, statt sie einfach zu akzeptieren und die Dinge ins Rollen zu bringen. Und was noch ärgerlicher war, jetzt waren zu dem dreiköpfigen Ausschuß noch ein paar Nachrichtendienstoffiziere aus Großbritannien, den USA und Frankreich dazugekommen, alle arrogant und mißtrauisch. War denn nicht vorstellbar, daß man ihm falsche Informationen zugespielt hatte, unrichtige Daten, die man leicht dementieren konnte, weil ja immerhin eine entfernte Möglichkeit bestand, daß Alexander Lassiter ein Doppelagent war? Natürlich war das vorstellbar, hatte er gesagt. Fehlinformationen, menschliches Versagen, Computerfehler, Wunschdenken, Phantasievorstellungen – alles war möglich! Es war ihre Aufgabe, das, was er mitgebracht hatte, zu bestätigen oder abzutun, nicht die seine.

Harry war inzwischen zur Tür gegangen und fragte jetzt: »Ja, bitte?«

»Ein neuer alter Freund, Sting«, tönte die Antwort von draußen.

Spottdrossel! dachte Lennox und erstarrte. Die Spottdrossel, von der niemand in der Agency je gehört hatte. Harry war dieser seltsame Eindringling willkommen; er war letzte Nacht zu müde, zu ausgepumpt gewesen, um klar denken zu können, als der angebliche CIA-Mann ihn aufgesucht hatte. »Augenblick«, sagte er dann etwas lauter. »Ich bin noch ganz naß vom Duschen. Ich muß mir einen Bademantel anziehen.« Lennox rannte ins Bad, spritzte sich Wasser ins Gesicht und in die Haare und eilte dann ins Schlafzimmer und zog Hosen, Schuhe, Socken und Hemd aus und schnappte sich den Hotelbademantel aus dem Schrank. Dann blieb er kurz am Nachttisch stehen, zog die oberste Schublade auf, holte die kleine Automatik heraus, die ihm die Botschaft besorgt hatte und steckte sie sich in die Tasche des Frotteebademantels. Erst dann ging er zur Tür zurück und öffnete sie. »Spottdrossel, wenn ich mich richtig erinnere«, sagte er und ließ den bleichen, graugesichtigen Mann mit der stahlgeränderten Brille ein.

»Oh, das«, sagte der Besucher lächelnd. »Das war eine harmlose Kriegslist.«

»Eine List? Was soll das heißen? Wozu?«

»Washington hat mir gesagt, Sie wären wahrscheinlich erschöpft, und deshalb beschloß ich mich zu tarnen, für den Fall, daß Sie es für nötig gehalten hätten, zu telefonieren. Washington will nicht, daß im Augenblick bekannt wird, daß ich eingeschaltet bin. Später schon, aber nicht jetzt.«

»Sie sind also nicht Spottdrossel –«

»Ich wußte, daß Sie mich reinlassen würden, wenn ich die Codebezeichnung Sting verwende«, fiel der Mann ihm ins Wort. »Darf ich mich setzen? Es dauert nur ein paar Minuten.«

»Sicher«, erwiderte Harry etwas verwirrt und deutete mit einer Handbewegung auf die Couch und ein paar Sessel. Der Besucher entschied sich für die Couch, und Lennox nahm ihm gegenüber in einem Sessel Platz, so daß ein niedriger Tisch zwischen ihnen stand. »Warum will Washington nicht, daß Ihre Beteiligung bekannt wird?«

»Sie sind wesentlich aufmerksamer als gestern abend«, sagte der Fremde wieder sehr freundlich. »Weiß der Himmel, Sie waren kaum wiederzuerkennen.«

»Bitte beantworten Sie meine Frage und weisen Sie sich aus. Warum will Washington, daß Sie ein Geist bleiben? Ich hätte eher das Gegenteil erwartet.«

»Ganz einfach, weil wir nicht wissen, wer wirklich sicher ist und wer nicht.«

Der Mann holte zuerst seine Taschenuhr heraus, legte sie auf den Tisch und brachte dann ein schwarzes Ausweisetui zum Vorschein; er ließ es geschlossen und reichte es Lennox über den Tisch.

Harry griff nach dem kleinen Etui und hatte sichtlich Schwierigkeiten es zu öffnen. »Wo ist die Schließe?« fragte er, während sein Besucher die Taschenuhr hochhob und den Drehknopf eindrückte. »Ich kann die Schließe nicht –« Lennox verstummte. Seine Augen wurden glasig, die Pupillen weiteten sich; er blinzelte kurz ein paarmal hintereinander. Dann sackte sein Gesicht herunter und seine angespannten Muskeln wurden schlaff.

»Hallo, Alex«, sagte der Besucher scharf. »Ich bin's, Ihr alter Knochenflicker, Gerhard. Wie geht es Ihnen, mein Freund?«

»Sehr gut, Doktor. Nett, mal wieder von Ihnen zu hören.«

»Unsere Telefonverbindung ist heute abend viel besser, nicht wahr?«

»Telefon? Ja, wahrscheinlich.«

»Ist heute in der Botschaft alles gut gelaufen?«

»Nein, verflucht! Diese Idioten haben mir dauernd Fragen gestellt, auf die *sie* die Antwort finden müßten, nicht ich.«

»Ja, ich verstehe. Leute, die in diesem anderen Geschäft tätig sind, das Sie betreiben – dasjenige, das wir nie erwähnen – sind immer darauf bedacht, sich um jeden Preis zu schützen, oder nicht?«

»Ja, man spürt das bei jeder Frage, die sie stellen, bei jedem Wort. Offen gestanden, es ist erbärmlich.«

»Ja, das kann ich mir denken. Also, was haben Sie jetzt vor, was haben Ihnen diese Idioten denn erlaubt?«

»Ich werde morgen früh nach Paris fliegen. Dort treffe ich mich mit meinem Bruder und dann mit noch jemanden, den ich sehr gern habe, Gerhard. Der Witwe eines Mannes, mit dem ich in Ostberlin zusammengearbeitet habe. Ich freue mich sehr darauf, sie wiederzusehen. Sie wird mich am Flughafen abholen, im Diplomatenteil, mit einem Botschaftswagen.«

»Ihr Bruder kann Sie wohl nicht abholen, Alex?«

»Nein … Augenblick! Alex' Bruder?«

»Nein, schon gut«, sagte der graugesichtige Besucher schnell. »Der Bruder, von dem Sie sprechen, wo ist er?«

»Das ist streng geheim. Man hat versucht, ihn zu töten.«

»Wer hat versucht ihn zu töten?«

»Sie wissen schon. Diese Leute … wir.«

»Morgen früh also im Diplomatenteil. Das ist doch der Flughafen Charles de Gaulle, nicht wahr?«

»Ja. Geplante Ankunftszeit ist zehn Uhr.«

»Na schön, Alex. Dann wünsche ich Ihnen eine schöne Zeit mit Ihrem Bruder und dieser Frau, die Sie abholt. Wir sprechen uns wieder.«

»Wo gehen Sie jetzt hin, wo sind Sie?«

»Man hat mich gerade aus dem OP angepiepst. Ich muß operieren.«

»Ja, natürlich. Sie rufen doch wieder an?«

»Ganz bestimmt.«

Der Besucher mit der Stahlbrille beugte sich über den niedrigen Tisch und redete mit leiser, aber fester Stimme weiter, wobei er unverwandt Lennox' ausdruckslose Augen fixierte. »Denken Sie daran, alter Freund, Sie müssen die Wünsche unseres Gastes aus Washington respektieren. Er handelt auf Befehl. Sein Name interessiert Sie nicht.«

»Aber sicher. Befehl ist Befehl, selbst wenn es ein dummer Befehl ist.«

Der Gast richtete sich auf, griff über den Tisch und nahm Harry das Ausweisetui aus der schlaffen linken Hand. Er klappte es auf, setzte sich wieder auf die Couch und hob die Taschenuhr von dem niedrigen Tisch auf. Er drückte den Einstellknopf ein und hielt ihn fest, bis er sah, wie Lennox' Augen langsam wieder lebendig wurden, sah wie er blinzelte, plötzlich seine

Umgebung wahrnahm, wobei gleichzeitig sein Gesicht wieder fest wurde und seine Kinnmuskeln sich spannten. »So«, sagte der Besucher und klappte das Ausweisetui laut zu. »Und jetzt, wo Sie wissen, daß ich authentisch bin und mein Foto gesehen haben und alles das, sollten Sie mich einfach Peter nennen.«

»Ja ... authentisch. Ich verstehe immer noch nicht ... Peter. Schön, Sie sind also ein Geist, aber warum? Wem vertraut man denn in dem Tribunal nicht? Wie kann man irgendeinen von diesen Leuten anzweifeln?«

»Vielleicht tut man das gar nicht, aber man hat ja auch noch andere geholt, nicht wahr?«

»Ein paar Spinner, ja. Die wollten die Namen gar nicht überprüfen, die ich mitgebracht habe. Sie wollten bloß eine ganze Menge davon freigeben, bevor sie unter die Lupe genommmen werden – weniger Arbeit und eine geringere Chance, jemandem mit großen Füßen auf die Zehen zu treten.«

»Was halten Sie von den Namen?«

»Was ich davon halte, ist unwichtig, Peter. Natürlich halte ich einige davon für absolut absurd, aber ich befand mich ja selbst an der Quelle, und man hat mir vertraut, bis ich geflohen bin. Ich habe ihre Sache massiv unterstützt und fest daran geglaubt. Warum sollten die mir also falsche Informationen aufhalsen?«

»Ein richtiges Rätsel, nicht wahr?«

»Was wäre in diesem Geschäft kein Rätsel? Im Augenblick muß ich Alexander Lassiter schon um meiner eigenen Zurechnungsfähigkeit willen aus meiner Psyche löschen. Ich muß wieder Harry Lennox sein; mein Auftrag ist abgeschlossen. Sollen andere jetzt weitermachen.«

»Da bin ich ganz Ihrer Meinung, Harry. Im übrigen ist meine Zeit jetzt um. Bitte erinnern Sie sich an meine Befehle. Wir sind uns heute abend nicht begegnet ... Geben Sie nicht mir die Schuld, geben Sie sie Washington.«

Der Besucher ging über den Flur zu den Fahrstühlen, nahm den ersten, der anhielt, fuhr ein Stockwerk tiefer und ging zu seiner eigenen Suite, die unmittelbar unter der Lennox' lag. Auf dem

Schreibtisch waren einige elektronische Gerätschaften angeordnet. Er ging darauf zu, drückte ein paar Knöpfe, ließ ein Band zurücklaufen und vergewisserte sich von der Qualität der Aufnahme. Dann nahm er den Telefonhörer ab und wählte Marktroda in Deutschland.

»Wolfsbau«, meldete sich eine ruhige Stimme.

»Hier Spottdrossel.«

»Bringen Sie bitte Ihr Störgerät an.«

»Ja, sofort.« Der Mann, der sich Peter nannte, löste vorsichtig einen dünnen Draht aus seiner Anlage, an dessen Spitze eine Krokodilklemme befestigt war, und wickelte ihn um die Telefonschnur, bis in der Leitung ein kurzes Störgeräusch zu hören war. »Auf meiner Seite ist alles klar. Wie sieht es bei Ihnen aus?«

»Klar. Sprechen Sie.«

»Spottdrossel, wenn ich mich richtig erinnere«, begann die Tonbandaufnahme. Der Mann, der die Suite unter der Harry Lennox' bewohnte, spielte das Band bis zum Ende ab. »Da bin ich ganz Ihrer Meinung, Harry ... Geben Sie nicht mir die Schuld, geben Sie sie Washington.«

»Und wie ist Ihre Beurteilung?« fragte Lennox' Besucher.

»Es ist gefährlich«, sagte Gerhard Kröger. »Wie die meisten Under-Cover-Agenten bewegt er sich im Unterbewußtsein von einer Identität zur anderen. Er hat es selbst gesagt: ›Ich muß Alexander Lassiter aus meiner Psyche löschen.‹ Er war zu lange Lassiter und kämpft jetzt darum, wieder er selbst zu werden. Es ist ganz und gar nicht ungewöhnlich, daß sich aus einer Doppelrolle eine doppelte Persönlichkeit entwickelt.«

»Er hat innerhalb von zwei Tagen erreicht, was Sie von ihm verlangt haben. Die Liste selbst hat bereits ausgereicht, unsere Feinde in eine Art kollektiven Schockzustand zu versetzen. Sie wollen die Information, die er ihnen gebracht hat, nicht glauben. Das verkünden sie lautstark, aber zugleich haben sie Angst davor, sie abzulehnen. Ich könnte ihn mit einem einzigen Schuß im Flur erledigen. Soll ich das tun?«

»Das würde der Namensliste Glaubwürdigkeit verleihen, aber nein, jetzt noch nicht. Sein Bruder hat sich auf die Spur dieses senilen Penners Jodelle gesetzt, und das könnte für uns katastrophal sein. So sehr es mich auch quält, die Entwicklung meines

Patienten nicht weiter verfolgen zu können, die Bewegung hat Vorrang, und ich muß das Opfer bringen. Alexander Lassiter wird uns zu dem anderen Störenfried Lennox führen. Töten Sie sie beide.«

Harry Lennox und Karin de Vries hielten einander umarmt wie Geschwister das nach langer Trennung tun. Dann nahm Karin Harry am Arm und führte ihn zu der Diplomatenlounge, wo Harry schnell abgefertigt wurde, und dann auf den Sonderparkplatz, auf dem es von uniformierten Wachmännern wimmelte. Der Wagen, in dem Karin gekommen war, war ein unauffälliger, schwarzer Renault. Sie setzte sich ans Steuer, und Harry ließ sich auf dem Beifahrersitz nieder.

»Für einen Fahrer sind wir wohl nicht wichtig genug?« fragte Lennox.

»Sagen wir besser, man hat uns keinen erlaubt«, erwiderte Karin.

»Ich freue mich so, dich zu sehen«, sagte Harry mit bewegter Stimme.

»Mir geht es genauso, Harry. Seit ich erfahren habe, daß die Bruderschaft über dich informiert ist, habe ich mir so schreckliche Sorgen gemacht –«

»Die wußten über mich Bescheid?« fiel Lennox ihr ins Wort, und seine Augen weiteten sich erstaunt. »Das kann doch nicht dein Ernst sein!«

»Doch, Harry. Ich habe Drew erklärt, wie ich daraufgekommen bin.«

»Du?«

»Ich nahm an, dein Bruder hätte es weitergegeben.«

»Herrgott, ich kann nicht mehr klar denken!« Lennox fuhr sich mit beiden Händen an den Kopf, preßte sie gegen die Schläfen und drückte seine Augen so zu, daß die kleinen Fältchen in den Augenwinkeln deutlich hervortraten.

»Du hast so viel durchgemacht, und es hat so lange gedauert. Wir bringen dich zu einem Arzt.«

»Nein. Ich bin Alexander Lassiter – ich war Alexander Lassiter, das ist alles, was die von mir wissen.«

»Ich fürchte, das stimmt nicht, Harry.« Karin musterte ihren alten Freund und war plötzlich beunruhigt. An seiner linken Schläfe zeichnete sich ein rotes Mal ab, das zu pulsieren schien. »Ich habe dir deinen Lieblingscognac mitgebracht, damit wir feiern können, Harry. Die Flasche ist im Handschuhfach. Nimm einen Schluck, das sollte dich beruhigen. Wir treffen uns mit Drew in einem alten Landgasthof am Rande von Villejuif. Die Antineos haben nicht erlaubt, daß wir uns in dem Safehouse mit ihm treffen. Beruhige dich, Harry.«

»Ja, ja, meine Liebe, weil du nämlich unrecht hast. Mein Bruder wird es dir sagen, Gerhard Kröger wird es dir sagen, daß ich Alexander Lassiter bin. Ich war Alex Lassiter!«

»Gerhard Kröger?« fragte de Vries verwirrt. »Wer ist Gerhard Kröger?«

»Ein gottverdammter Nazi ... und ein hervorragender Arzt.«

»In fünfzehn, höchstens zwanzig Minuten, werden wir den Gasthof erreicht haben, wo dein Bruder auf uns wartet. Laß uns über die Tage in Amsterdam reden, alter Freund. Erinnerst du dich, wie Freddie einmal nachts halbbetrunken nach Hause kam und unbedingt Monopoly spielen wollte?«

»Du lieber Gott, ja. Er hat eine Handvoll Diamanten auf den Tisch geworfen und gesagt, wir sollten die nehmen und nicht das alberne Spielgeld.«

»Damals haben wir beide, du und ich, Wein getrunken und fast bis zur Morgendämmerung Mozart gehört.«

»Und ob ich mich erinnere!« rief Lennox, trank einen Schluck Cognac und lachte. Aber seine Augen funkelten nicht fröhlich, wie die eines Menschen, der sich freut, sondern blickten düster und starr. »Freddie kam aus eurem Schlafzimmer und sagte, er würde Elvis Presley vorziehen. Wir haben mit Kopfkissen nach ihm geworfen.«

Die nächsten Minuten verstrichen mit harmlosem Geplauder, bis Karin de Vries den Wagen auf den mit Kies belegten Parkplatz an einem alten Gasthof lenkte. Er lag ein ganzes Stück außerhalb der Stadt, war von Feldern umgeben und wirkte isoliert und alles andere als einladend. Das Wiedersehen der beiden Brüder verlief genauso herzlich, wie das von Harry und Karin.

»Hey, Großer, wie hast du das geschafft?« rief Drew aus, als sie alle drei in einer Nische Platz genommen hatten, de Vries neben Harry.

»Weil Alexander Lassiter eine eigene Person und eine gute Tarnung war. Anders wäre das nie zu schaffen gewesen.«

»Nun, du hast es geschafft – wenigstens bis zu einem gewissen Punkt, soweit um dort hinzukommen.«

»Sprichst du von dem, was Karin dir gesagt hat?«

»Also, ja –«

»Falsch. Völlig falsch!«

»Harry, ich habe doch gesagt, daß ich mich täuschen könnte.«

»Du täuschst dich auch.«

»Okay, Harry, okay.« Drew hob beschwichtigend beide Hände. »Dann hat sie eben nicht recht, sie hat es eben gehört.«

»Unbrauchbare Quellen, nicht authentisch, nicht bestätigt.«

»Wir sind auf deiner Seite, Großer, das weißt du doch.« Der jüngere Bruder sah de Vries fragend und sichtlich beunruhigt an.

»Alexander Lassiter war echt«, sagte Harry mit Nachdruck und zuckte dann zusammen. Er rieb sich mit der linken Hand die Schläfe. »Frag Gerhard Kröger, er wird es dir sagen.«

»Wer ist –«

»Schon gut«, fiel Karin ihm ins Wort und schüttelte den Kopf, »er ist ein ausgezeichneter Arzt, das hat mir Ihr Bruder erklärt.«

»Und wie wär's, wenn du's mir auch erklären würdest, Großer? Wer ist dieser Kröger?«

»Das möchtest du wirklich gern wissen, wie?«

»Ist es denn ein Geheimnis, Harry?«

»Lassiter kann es dir sagen, ich sollte das, glaube ich, nicht.«

»Herrgott, wovon redest du eigentlich? Du bist Lassiter, Harry Lennox ist Lassiter. Laß doch den Quatsch, Harry.«

»Das tut so schrecklich weh, Herrgott, wie weh das tut. Mit mir stimmt etwas nicht.« Harry stöhnte plötzlich laut auf und sank Karin in die Arme. »Ich liebe dich, Karin. Aber das tut so weh.«

»Oh, mein Gott«, sagte Drew leise, ohne den Blick von dem Bild wenden zu können, das sich ihm auf der anderen Seite des Tisches bot.

»Wir müssen ihn zu einem Arzt bringen«, flüsterte Karin de Vries. »Das hat schon im Wagen angefangen.«

»Da haben Sie verdammt recht«, nickte Drew. »In seinem Kopf stimmt etwas nicht. Du lieber Gott!«

»Rufen Sie die Botschaft an, holen Sie eine Ambulanz. Ich bleibe so lange bei ihm.«

Der jüngere Lennox schob sich aus der Nische, als zwei Männer mit Strumpfmasken, die beide Waffen trugen, durch die Tür gerannt kamen. Ihre Absicht war nicht zu verkennen. »Runter!« schrie er und riß die Waffe aus dem Halfter, das er an der Hüfte trug, und fing zu schießen an, ehe die beiden Killer sich in der schwachen Beleuchtung orientiert hatten. Der erste ging zu Boden, und Lennox suchte hinter der Bar Deckung, als der zweite Mann in den Raum rannte wie wild um sich schoß. Dann richtete Drew sich auf und drückte schnell hintereinander ab, bis das ganze Magazin leer war. Der zweite Killer stürzte zu Boden, während die wenigen Gäste hysterisch nach draußen rannten. Jetzt kam Lennox hinter seiner Deckung hervor und beugte sich zu Karin de Vries herunter, die auf dem Boden kauerte und deren linke Hand immer noch den Arm seines Bruders umfaßt hielt; sie hatte versucht, ihn hinter sich herzuzerren. Sie lebte, ihre rechte Hand war blutig, aber sie lebte! Doch Harry war tot, sein Kopf war eine einzige schreckliche Masse aus Blut und weißem Gewebe, sein Gehirn war völlig zerfetzt. Drew, dessen Mund sich vor Entsetzen verzerrt hatte, schloß erschrocken die Augen, zwang sich aber dann, sie wieder zu öffnen, während seine Hände die Taschen seines toten Bruders durchsuchten und seine Brieftasche und alle anderen Papiere herauszogen, die zu seiner Identifizierung führen könnten. Warum? Er war nicht sicher, weshalb er das tat, wußte nur, daß er es tun mußte.

Dann zog er die heftig schluchzende Karin aus der Nische heraus, wickelte eine Stoffserviette um ihre Hand, brachte sie vom Schauplatz des schrecklichen Geschehens weg. Er würde später die notwendigen Erkundigungen anstellen. Jetzt war keine Zeit, um den Bruder zu trauern oder auch nur seine Leiche anzustarren. Er mußte Karin de Vries so schnell wie möglich zu einem Arzt schaffen und dann selbst wieder an die Arbeit gehen. Die Bruderschaft mußte vernichtet werden, das mußte sein, und wenn er sein ganzes restliches Leben darauf verwenden mußte, oder selbst wenn es sein Leben kosten sollte. Zu dieser Pflicht bekannte er sich in diesem Augenblick vor allen Göttern dieser Welt.

»Sie dürfen nicht in Ihr Büro gehen, verstehen Sie das denn nicht?« sagte Karin erregt, die auf einem fahrbaren Krankenbett im Operationssaal des Arztes saß, den die Botschaft aus der sicheren Liste ausgewählt hatte. »Das spricht sich herum, und Sie sind ein toter Mann!«

»Dann muß man mein Büro eben dorthin verlegen, wo ich gerade bin«, sagte Drew mit leiser, eindringlicher Stimme. »Ich brauche alle Hilfsmittel, die uns zur Verfügung stehen, überall, und ich werde mich nicht mit weniger zufrieden geben. Der Schlüssel zu allem ist ein Mann namens Kröger, Gerhard Kröger, und ich werde den Hundesohn finden. Das muß ich! Wer ist er? Wo ist er?«

»Er ist Arzt, das wissen wir, und er muß Deutscher sein.« Karin de Vries musterte den jüngeren Lennox-Bruder, während sie langsam ihre bandagierte rechte Hand immer wieder hob und senkte, wie der Arzt sie angewiesen hatte. »Um Gottes willen, Drew, lassen Sie es aus sich heraus.«

»Was?« fragte Lennox scharf.

»Sie versuchen, sich einzureden, das hier sei nicht geschehen, und das ist unsinnig. Sie trauern um Harry genau wie ich das tue – sicher sogar noch mehr –, aber Sie halten diese Trauer in sich fest und das zerreißt Sie. Hören Sie auf, so distanziert zu sein. Das war Harry, nicht Sie.«

»Sie haben da einmal eine Formulierung über Harry gebraucht, darüber wie er an Probleme oder Krisen heranging. Sie haben es *sang-froid* genannt und das bedeutet, wie ich es verstehe, ruhig oder leidenschaftslos. Das war Harrys größte Stärke. Wenn er irgend etwas in Angriff nahm, dann tat er das nicht nur ruhig oder kühl, sondern kalt, geradezu eiskalt. Ich war da die einzige Ausnahme; wenn er mich ansah, war da in seinem Blick immer eine Wärme, wie ich sie sonst selten zu sehen bekam … Nein, da war noch jemand, unsere Kusine, die von der ich Ihnen erzählt habe, die an Krebs gestorben ist. Sie war für ihn auch sehr wichtig, bis Sie dann kamen.«

»War denn Harry als Kind schon so?«

»Als Kind, als junger Mann und als Erwachsener. Ein absoluter Einser-Schüler. Und als Student immer an der Spitze seiner Kommilitonen. Vordiplom, Diplom und Doktor, bevor er dreiundzwanzig wurde. Er mußte immer der beste sein; er sprach fünf oder sechs Sprachen fließend. Ich sagte ja, er war schon etwas Besonderes.«

»Und Sie?«

»Nun, ich bin wahrscheinlich mehr nach meiner Mutter geraten als Harry. Beth ist groß und kräftig gebaut und war in ihrer Jugend eine verdammt gute Sportlerin. Sie war Kapitän der Sprinterinnen auf dem College, und hätte sich, wenn sie meinen Vater nicht kennengelernt hätte, vielleicht um einen Platz im Olympiateam bemüht.«

»Sie haben eine interessante Familie«, sagte Karin und musterte wieder Drews Gesicht, »und Sie erzählen mir das alles nicht nur, um meine Neugierde zu befriedigen, nicht wahr?«

»Ich möchte, daß Sie mich kennenlernen, daß Sie wissen, wo ich stehe und wo ich herkomme. Wenigstens ein Teil Ihrer Neugierde sollte befriedigt werden.«

»In Anbetracht Ihrer Verschlossenheit wundert mich das eigentlich.«

»Das ist mir klar. Ich versuche nur einiges zusammenzufügen … Vorhin in dem Gasthaus, als die Schüsse verstummt waren und die ganze schreckliche Geschichte vorbei war, spürte ich, wie ich voller Panik Harrys Taschen durchwühlte, nur ein paar Zoll von den Überresten seines Schädels und seines völlig zerfetzten Gesichts entfernt und haßte mich dabei, als würde ich etwas Verabscheuungswürdiges tun. Das Seltsame war, ich wußte nicht, warum, ich wußte bloß, daß ich es tun mußte, obwohl es ihn auch nicht wieder lebendig machen würde.«

»Sie haben Ihren Bruder im Tod so beschützt, wie Sie ihn im Leben beschützt hätten«, sagte Karin. »Daran ist nichts Seltsames. Sie haben seinen Namen geschützt –«

»Ja, das habe ich mir, glaube ich, auch eingeredet«, fiel Lennox ihr ins Wort, »aber das taugt in Wirklichkeit nichts. Bei den heutigen Errungenschaften der Pathologie ist es nur eine Frage von

Stunden, bis seine Identität bekannt wäre … sofern man nicht seine Leiche entfernte und unter Verschluß stellte.«

»Nachdem Sie sich von der Botschaft den Namen des Arztes hatten geben lassen –«

»Den hat mir der Colonel gegeben«, erklärte Drew.

»Riefen Sie zurück und baten den Arzt um ein Telefon, von dem aus Sie ungestört sprechen konnten. Es war ein ziemlich langes Gespräch.«

»Wieder mit Witkowski. Er wußte, wen er ansprechen mußte und wie man solche Dinge anstellt.«

»Was für Dinge?«

»Wie man eine Leiche entfernt und sie isoliert hält.«

»Harry?«

»Ja. Nachdem wir das Gasthaus verlassen hatten, kann niemand in Erfahrung gebracht haben, wer er ist. Und da wurde es mir klar. Irgendwann zwischen dem Zeitpunkt, wo wir dort verschwanden und meinem zweiten Gespräch mit dem Colonel. Harry hat mir diesen Befehl erteilt, er hat mir gesagt, was zu tun ist.«

»Bitte drücken Sie sich klarer aus.«

»Ich soll er werden, seine Stelle einnehmen. Ich bin Harry Lennox.«

10

Colonel Stanley Witkowski zögerte nicht, auf Beziehungen zurückzugreifen, die er noch aus den Jahren des Kalten Krieges hatte. Er erreichte den stellvertretenden Chef der Pariser Sûreté, einen ehemaligen Nachrichtendienstoffizier, der die französische Garnison in Berlin geleitet hatte und mit dem Witkowski, der damals Major beim G-2 der US Army gewesen war, sich gelegentlich über gewisse Vorschriften hinweggesetzt und Informationen ausgetauscht hatte. Das Ergebnis des Gesprächs war, daß der Colonel nicht nur die Leiche Harry Lennox', sondern auch die der beiden Attentäter unter seiner Kontrolle hatte. Alle drei wurden unter fiktiven Namen in der Leichenhalle an der Rue Fontenay untergebracht. Darüber hinaus wurde im Interesse beider Länder der ganze Vorgang mit dem Ziel, auf diese Weise weitere Informationen beschaffen zu können, zur Geheimsache erklärt.

Witkowski hatte nämlich sofort begriffen, was Drew Lennox nur zur Hälfte erkannt hatte. Wenn man die Leiche seines Bruders entfernte, würde das teilweise Konfusion erzeugen, aber im Verein mit der Nachrichtensperre machte das Verschwinden der Killer die Verwirrung total.

Der Mann mit der Stahlbrille ging nervös vor einem Fenster in einem Hotelzimmer in Orly auf und ab, wo er auf die Fünfzehn-Uhr-dreißig-Maschine nach München wartete; die ständigen Starts und Landungen erhöhten seine Gereiztheit und das gedämpfte Dröhnen der Düsenmotoren steigerte seine Unruhe noch. Er blickte immer wieder finster auf das Telefon und war wütend, daß es nicht klingelte und ihm die Nachricht übermittelte, die seine Rückkehr nach München rechtfertigen würde, weil seine Mission erfüllt war. Und daß der Einsatz scheitern konnte, war undenkbar. Er hatte mit der Pariser Sektion der Blitzkrieger Verbindung aufgenommen, den Elite-Killern der Bruderschaft. Spottdrossel war offiziell davon informiert worden, daß in den vier Jahren, seit man sie auf ihre Posten gesandt hatte, nur drei ums Leben gekommen waren, wobei zwei den Selbstmord einem Verhör vorgezogen hatten und einer in Paris in Ausübung seiner Pflicht ums Leben gekommen war.

Weshalb klingelte also das Telefon nicht? Weshalb die Verzögerung? Der Einsatz hatte mit dem Eintreffen von Harry Lennox um 10.28 Uhr auf dem De-Gaulle-Flughafen und seiner darauffolgenden Abfahrt um 11.00 Uhr begonnen. Es war jetzt bereits 13.30 Uhr! Spottdrossel konnte das Warten nicht länger ertragen; er ging an das Telefon auf seinem Nachttisch und wählte die Nummer der Blitzkrieger.

»Lagerhäuser Avignon«, meldete sich eine Frauenstimme in französischer Sprache. »An wen darf ich Ihren Anruf weiterleiten?«

»Abteilung für Tiefkühlkost, bitte. Monsieur Giroux.«

»Seine Leitung ist leider besetzt.«

»Ich werde exakt dreißig Sekunden warten, und wenn er dann noch nicht frei ist, storniere ich meinen Auftrag.«

»Ich verstehe … das wird nicht nötig sein, Monsieur. Ich kann Sie jetzt durchstellen.«

»Spottdrossel?« fragte eine Männerstimme.

»Wenigstens habe ich die richtige Formulierung gebraucht. Was zum Teufel ist hier los? Warum haben Sie nicht angerufen?«

»Weil es nichts zu melden gibt.«

»Das ist doch lächerlich! Jetzt sind es mehr als drei Stunden.«

»Wir sind genauso beunruhigt wie Sie, Sie brauchen also nicht so zu schreien. Unser letzter Kontakt liegt eine Stunde und zwölf Minuten zurück; alles war im Plan. Unsere zwei Männer folgten Lennox, der in einem von einer Frau gesteuerten Renault saß. Ihre letzten Worte lauteten: ›Alles unter Kontrolle, die Mission wird in Kürze durchgeführt werden.‹«

»Und das war alles? Vor einer Stunde?«

»Ja.«

»Sonst nichts?«

»Nein. Das war die letzte Meldung.«

»Nun, und wo sind sie jetzt?«

»Das würden wir selbst auch gerne wissen.«

»Wohin waren sie unterwegs?«

»In nördlicher Richtung aus Paris heraus, Einzelheiten wurden nicht erwähnt.«

»Warum nicht?«

»Weil das dumm wäre. Außerdem sind die beiden eine erstklassige Einheit. Sie haben noch nie versagt.«

»Ist es möglich, daß sie heute versagt haben?«

»Das ist in hohem Maß unwahrscheinlich.«

»›In hohem Maß unwahrscheinlich‹ ist alles andere als eine eindeutige Antwort. Haben Sie eigentlich eine Ahnung, wie wichtig dieser Einsatz ist?«

»Alle unsere Einsätze sind wichtig, sonst würde man uns nicht damit betrauen.«

»Was kann ich von Schnabe sagen?«

»Bitte, Spottdrossel, was können *wir* ihm an diesem Punkt sagen?« fragte der Leiter der Pariser Sektion der Blitzkrieger und legte auf.

Dreißig Minuten verstrichen, dann hielt es der Mann mit dem Decknamen Spottdrossel einfach nicht länger aus. Er wählte eine Nummer im Frankenwald.

»Das ist eine Information, die ich nicht hören will«, sagte General Ulrich von Schnabe mit eisiger Stimme. »Die Zielpersonen sollten bei erster sich bietender Gelegenheit eliminiert werden. Ich habe Dr. Krögers Anweisungen gebilligt, weil Sie selbst dem Doktor gesagt haben, daß es keine Schwierigkeiten geben würde, da Sie ja die Ankunftszeit kannten. Einzig und allein deshalb habe ich Ihnen erlaubt, mit den Blitzkriegern Verbindung aufzunehmen.«

»Was kann ich dazu sagen, Herr General? Wir hören einfach nichts, kein Wort, keinerlei Information. Gar nichts.«

»Fragen Sie bei unserem Mann in der amerikanischen Botschaft nach. Vielleicht hat er etwas gehört.«

»Das habe ich bereits, Herr General, von einem öffentlichen Telefon aus selbstverständlich. Seine letzte Information bestätigte lediglich, daß der Lennoxbruder unter dem Schutz der Antineos steht.«

»Dieser Abschaum der Menschheit, diese Judenarschkriecher. Natürlich ohne Ortsangabe.«

»Natürlich.«

»Bleiben Sie in Paris. Bleiben Sie mit unserer Einheit in Verbindung und halten Sie mich über die weitere Entwicklung auf dem laufenden.«

»Jetzt haben Sie allem Anschein nach den Verstand verloren!« erregte sich Karin de Vries. »Die haben Sie gesehen. Die kennen Sie, Sie können sich unmöglich als Harry ausgeben!«

»Sicher kann ich das, wenn sie mich nicht wieder zu Gesicht bekommen, und das werden sie nicht«, sagte Drew. »Ich werde aus dem Versteck heraus operieren, mich nie lange an einem Ort aufhalten, und mit Ihnen und dem Colonel Verbindung halten, weil ich es mir nicht leisten kann, in der Botschaft aufzutauchen. Und da wir ja wissen, daß die Botschaft infiltriert worden ist – verdammt wir wußten das bereits in dem Augenblick, als dieser Nazi sich neulich als mein Fahrer ausgab –, könnten wir im übrigen vielleicht sogar herausfinden, wer der Verräter ist.«

»Und wie sollen wir das anstellen?«

»Ich werde Sie als Harry drei- oder viermal anrufen, um Papiere aus den Akten meines toten Bruders Drew bitten und einen von Witkowskis Kurieren anfordern, daß er sich mit mir zu einer bestimmten Zeit an einem bestimmten Platz treffen soll, einem Ort, an dem viele Menschen sind. Sie geben meine Wünsche weiter und ich werde zur Stelle sein, aber so, daß keiner mich sehen kann. Wenn ein regulärer Kurier erscheint – ich kenne sie alle – und niemand ihm folgt, dann ist es gut. Dann werfe ich das, was Sie mir schicken, einfach weg. In dem Fall werde ich Sie später wieder anrufen und wieder etwas verlangen, es als dringend hinstellen, weil ich auf einer heißen Spur bin. Das ist für Sie dann der Hinweis, den Hörer aufzulegen und nichts zu sagen, nichts weiterzuleiten.«

»Und wenn sonst jemand auftaucht, dann wissen Sie, daß er ein Neonazi ist und daß mein Telefon von innerhalb der Botschaft angezapft war«, sagte Karin.

»Genau. Falls alles gut läuft, schaffe ich es vielleicht, ihn zu überrumpeln und ihn unseren Verhörspezialisten zu übergeben.«

»Und wenn mehr als einer kommt?«

»Ich sagte ja, falls. Ich habe nicht vor, mich mit einem ganzen Rudel Hakenkreuzträger anzulegen.«

»Um Ihre eigene Technik anzuwenden, ich sehe da eine große ›Lücke‹, wie Sie es genannt haben. Warum sollte Harry Lennox hier in Paris bleiben?«

»Eben weil er Harry Lennox ist, hartnäckig bis zum letzten, durch nichts von einem Ziel abzubringen, wenn er sich einmal daran festgebissen hat – alles typische Eigenschaften von Harry und dazu jetzt noch die drückende persönliche Last, daß sein jüngerer Bruder hier in Paris ermordet worden ist.«

»Ja, ein überzeugendes Motiv wäre das ohne Zweifel«, gab de Vries ihm recht. »Ihr Motiv, im Grunde genommen … Aber wie werden Sie diese Geschichte verbreiten? Ist das nicht problematisch?«

»Ein wenig knifflig ist es schon«, sagte Drew und nickte. Er runzelte die Stirn. »Ich kann mir gut vorstellen, daß der Colonel eine Idee hat. Ich werde mich mit ihm etwas später in einem Café am Montmartre treffen.«

»*Sie* werden sich mit ihm treffen? Und was ist mit mir? Ich glaube, ich bin doch auch irgendwie an dieser Sache beteiligt.«

»Man hat auf Sie geschossen, Lady. Ich kann nicht von Ihnen verlangen –«

»Dann verlangen Sie es eben nicht, Monsieur«, unterbrach ihn Karin. »Ich sage es Ihnen. Ich werde mitgehen. Sie werden mich hier nicht ausschließen.«

Die Tür des Operationsraums ging auf, und der Arzt trat ein. »Ich habe einigermaßen günstige Nachrichten für Sie, Madame«, sagte der Arzt auf Französisch mit einem verlegenen Lächeln. »Ich habe mir die Röntgenaufnahmen angesehen und glaube, daß Sie Ihre rechte Hand mit der richtigen Therapie wenigstens zu achtzig Prozent wieder werden gebrauchen können. Die Spitze Ihres Mittelfingers allerdings sind Sie los. Man kann natürlich einen dauerhaften Ersatz anbringen.«

»Vielen Dank, Doktor, das ist ein bescheidener Preis, und ich bin Ihnen sehr dankbar. Ich werde in fünf Tagen zu Ihnen kommen, wie Sie das verlangt haben.«

»Pardon, Monsieur – Ihr Name ist Le Noce?«

»Ja, für einen Franzosen ist das gut genug. Ja.«

»Sie sollen einen Monsieur S in Washington anrufen, wenn es Ihnen paßt. Sie können das Telefon hier benutzen.«

»Danke, aber im Augenblick paßt es mir nicht. Wenn er wieder anruft, sagen Sie ihm bitte, ich sei schon weg gewesen und Sie hätten mir seine Nachricht nicht mehr übermitteln können.«

»Ist das angebracht, Monsieur?«

»Er wird Ihnen dankbar sein, daß Sie ihm keine weiteren Probleme aufladen und wird Ihre Rechnung persönlich genehmigen.«

»Ich verstehe«, sagte der Arzt mit einem zufriedenen Lächeln.

»Ich nicht«, sagte Karin. Das waren ihre ersten Worte, als sie das Gebäude verließen und zum Parkplatz gingen.

»Was?«

»Ich verstehe gar nichts. Warum wollten Sie nicht mit Sorenson sprechen? Ich hätte gedacht, Sie würden seinen Rat haben wollen; Sie haben doch gesagt, daß Sie ihm vertrauen.«

»Das tue ich auch. Aber ich weiß auch, daß er im Grunde Vertrauen zu dem ganzen System hat. Schließlich hat er jahrzehntelang damit gelebt.«

»Und?«

»Und deshalb würde er mit meinem Plan nicht einverstanden sein. Er würde sagen, das sei in der Zuständigkeit der CIA, die Agency habe zu entscheiden, was jetzt geschehen soll, nicht ich. Und damit hätte er natürlich recht.«

»Aber wenn er recht hat, warum tun Sie es dann? ... Tut mir leid, Sie brauchen darauf nicht zu antworten. Das war eine dumme Frage.«

»Danke.« Lennox sah auf seine Armbanduhr. »Es ist beinahe sechs. Sie sind ganz sicher, daß Sie mich zu dem Treffen mit Witkowski begleiten wollen?«

»Selbst wenn mir meine verdammte Hand abfällt, können Sie mich nicht daran hindern.«

»Aber warum? Sie sind total erschöpft und haben Schmerzen. Ich würde Ihnen ganz bestimmt nichts verschweigen, das sollten Sie inzwischen eigentlich wissen.«

»Ja, das weiß ich.« Sie blieben am Wagen stehen, und als Drew die Tür öffnete, begegneten sich ihre Blicke. »Ich weiß, daß Sie mir nichts verschweigen werden, und dafür bin ich Ihnen dankbar. Aber vielleicht kann ich selbst etwas Sinnvolles tun, sobald ich begriffen habe, was Sie vorhaben. Wie wär's denn, wenn Sie es mir erklären würden?«

»Also schön, ich will es versuchen.« Lennox schloß die Tür für sie auf, ging um den Renault herum und setzte sich ans Steuer. Er ließ den Motor an, lenkte den Wagen in die Ausfahrt und fuhr hinaus. Er spürte, daß sie ihn dabei die ganze Zeit ansah. »Wer ist Gerhard Kröger und womit hatte er Harry in der Hand?«

»In der Hand? Wieso? Er ist offensichtlich ein Naziarzt, ein recht geschickter, wie es scheint, den Ihr Bruder im Tauerngebirge kennengelernt hat. Wahrscheinlich hat er Harry dort behandelt. Man ist sogar dem Feind dankbar, wenn er einem hilft. Ganz besonders, wenn es sich um ärztliche Hilfe handelt.«

»Aber das mit Kröger geht weit über normale Dankbarkeit hinaus«, sagte Drew, während er nach einem Verkehrsschild Ausschau hielt, das sie zum Montmartre wies. »Als ich Harry fragte, wer Kröger sei, hat er mir mit exakt folgenden Worten darauf geantwortet: ›Lassiter kann es dir sagen. Ich sollte das, glaube ich, nicht.‹ Das kann einem angst machen, Lady.«

»Ja, das kann es. Aber es stand durchaus im Einklang mit seinem Verhalten. Sein Weinen und wie er um Hilfe gerufen hat. Das war nicht der Harry, den wir beide gekannt haben, das war nicht der kühle, analytische, leidenschaftslose Mann, von dem wir gesprochen haben.«

»Da bin ich anderer Ansicht«, widersprach ihr Lennox ruhig. »Wenn Sie diese Worte von allem anderen isolieren und sie wiederholen, dann werden Sie den Harry reden hören, den wir gekannt haben, einen Harry, der nicht bereit ist, schon eine Entscheidung zu treffen, solange er nicht alles zu Ende gedacht hat. ›Lassiter kann es dir sagen. Ich sollte das, glaube ich, nicht.‹« Drew schauderte, als er den Renault auf die Hauptstraße lenkte, die zum Zentrum von Paris führte. »Gerhard Kröger ist mehr als bloß ein Arzt, den er im Tal der Bruderschaft kennengelernt hatte. Ich habe ihn vorhin als einen Hundesohn bezeichnet.

Aber vielleicht täusche ich mich. Vielleicht war er derjenige, der meinem Bruder zur Flucht verholfen hat. Wer auch immer er ist, er kann uns sagen, was mit Harry geschehen ist, als er dort war und wie er es geschafft hat, diese Liste mit Namen an sich zu bringen.«

»Sie sagen, daß Kröger ein Verbündeter sein könnte, kein Neonazi, und daß Harry in seiner Verwirrung ihn in Wirklichkeit schützen wollte?«

»Ich weiß es einfach nicht. Aber ich weiß, daß er mehr als bloß ein Arzt ist, der ihn wegen einer Erkältung behandelt hat oder der Arthritis, über die Harry sich gelegentlich beklagte. Gerhard Kröger war für meinen Bruder zu wichtig, das spüre ich; davon bin ich sogar überzeugt. Deshalb ist er der Schlüssel, und deshalb muß ich ihn finden.«

»Aber wie wollen Sie das anstellen?«

»Ich sage es noch einmal. Ich weiß es nicht. Vielleicht hat Witkowski eine Idee. Vielleicht schaffen wir, daß die Antineos uns helfen. Sie könnten ja verbreiten, daß Harry noch am Leben ist. Ich weiß es einfach nicht. Das mit den Antineos ist wahrscheinlich kein Problem. Was könnte der Colonel denn für eine Idee haben?«

»Da habe ich nicht die leiseste Ahnung, aber wenn er so ist, wie ich es in seiner Akte gelesen habe, wird es ziemlich raffiniert sein.«

The International Herald Tribune – Paris Edition
Terroristenanschlag auf Personal der US-Botschaft

Die Botschaft der Vereinigten Staaten hat bekanntgegeben, daß gestern maskierte Terroristen ein Restaurant in Villejuif überfielen, wo zwei Amerikaner zu Mittag aßen. Mr. Drew Lennox, ein Attaché an der amerikanischen Botschaft, wurde getötet. Sein Bruder, Mr. Harry Lennox, ein Verbindungsbeamter der Botschaft, überlebte das Attentat und hält sich augenblicklich auf Anweisung seiner Regierung versteckt. Die Attentäter konnten entkommen, und deshalb ist weder ihre Identität noch ihr Tatmotiv bekannt. Sie werden als zwei Männer von mittlerer Größe geschildert, die dunkle Straßenanzüge trugen. Der überlebende Mr. Lennox berichtete, daß beide Attentäter infolge der schnellen Reaktion seines Bruders ernsthaft verwundet sein dürften. Mr. Drew Lennox war bewaffnet und konnte, ehe er getötet wurde, mehrere Schüsse aus seiner Waffe abgeben. Die französischen Behörden stehen unter erheblichem Druck seitens der amerikanischen Botschaft und sind mit Ermittlungen beschäftigt. Nach uns bekanntgewordenen Mutmaßungen könnten sowohl irakische wie syrische –

»Was, um Himmels Willen, spielt sich eigentlich dort drüben ab?« brüllte Adam Bollinger Daniel Courtland an.

»Wenn ich das wüßte, würde ich es Ihnen sagen. Wollen Sie mich ablösen lassen? Das können Sie nämlich ruhig machen, wenn Sie wollen, Adam. Ihr Mistkerle habt mich da ins Feuer geschickt, und ich kann nicht genug Französisch, um Hilfe herbeizurufen. Ich bin gelernter Diplomat, Mr. Secretary, keiner von Ihren beschissenen Politclowns – wobei mir übrigens einfällt, daß von denen ohnehin keiner die Sprache spricht, die meisten können ja kaum Englisch.«

»Jetzt ist nicht die Zeit für bissige Bemerkungen, Daniel.«

»Es ist Zeit für klare Entscheidungen, Andrew! Drew Lennox, einer von den ganz wenigen Agenten mit klarem Verstand, wird nach vier vorangegangenen Attentatsversuchen getötet, und keiner weiß etwas!«

»Sein Bruder lebt«, sagte der Außenminister lahm.

»Ist ja großartig! Und wo, zum Teufel, steckt er?«

»Ich stehe laufend mit der Agency in Verbindung. Sobald ich es weiß, erfahren Sie es auch.«

»Sie sind einmalig«, spottete Courtland. »Sie glauben wohl wirklich, daß das Geheimdienstpersonal der Agency Ihnen irgend etwas sagen wird? Sie sitzen hinter Ihrem Schreibtisch, aber die müssen überleben. Zum Teufel, das hab ich am eigenen Leib erfahren, als ich in Finnland eingesetzt war und der KGB gleich nebenan saß. In einer solchen Situation sind wir Nullen, Adam. Die sagen uns, was sie uns sagen wollen.«

»Das ist aber keineswegs in Ordnung so. Wir tragen die oberste Verantwortung.«

»Das können Sie ja Drew Lennox sagen, den man umgelegt hat, weil wir ihn nicht schützen konnten. Selbst in unserer Botschaft gibt es undichte Stellen.«

»Ich kann Sie und Ihre Leute einfach nicht verstehen.«

»Dann sollten Sie besser damit anfangen, Mr. Secretary. Die Nazis sind wieder da.«

»Wes, ich hoffe, wir sprechen über Zerhacker,« sagte die vertraute Stimme am anderen Ende der Leitung.

»Drew? Mein Gott, sind Sie das?« Sorenson spürte, wie ihm alles Blut aus dem Gesicht wich. »Sie leben?«

»Ich hoffe auch, daß Sie alleine sind. Ich habe Ihre Sekretärin gefragt und die hat es bestätigt.«

»Ja, natürlich … lassen Sie mich zuerst Luft holen; das ist ja unglaublich – ich weiß nicht, was ich sagen soll, was ich denken soll. Sie sind das wirklich?«

»Als ich mir das letzte Mal den Puls gegriffen habe, war ich es noch.«

Schweigen. Die Ruhe vor dem Sturm.

»Dann glaube ich, haben Sie mir jetzt einiges zu erklären, junger Mann! Verdammt noch mal, ich habe einen Beileidsbrief an Ihre Eltern geschrieben.«

»Mutter ist hart im Nehmen, die wird schon damit klarkommen; und Dad wird, wenn er gerade da ist, wahrscheinlich überlegen, welchen von uns beiden es jetzt erwischt hat.«

»Sie klingen geradezu widerwärtig lässig –«

»Besser als andersrum, Mr. Director«, fiel Lennox ihm ins Wort. »Dafür ist jetzt keine Zeit.«

»Die Zeit für eine Erklärung werden Sie sich wohl nehmen müssen. Dann ist Harry – dann ist er derjenige, der getötet wurde?«

»Ja. Ich nehme seinen Platz ein.«

»Sie nehmen was?«

»Das habe ich Ihnen doch gerade gesagt.«

»Herrgott noch mal, warum? Das habe ich nie genehmigt, das würde ich auch nicht!«

»Das wußte ich. Deshalb habe ich Sie auch übergangen und es selbst getan. Wenn ich etwas erreiche, können Sie es ja auf Ihr Konto buchen, wenn nicht – na ja, dann ist es ja egal, oder?«

»Zum Teufel damit, auf welches Konto ich das buchen kann. Ich möchte wissen, was Sie sich eigentlich einbilden, was Sie da tun? Das ist Insubordination schlimmster Art, und das wissen Sie ganz genau!«

»Nicht ganz, Sir. Wir haben alle das Recht, vor Ort nach eigener Einschätzung zu entscheiden, das haben Sie uns eingeräumt.«

»Nur in dem Fall, wo die zuständigen Vorgesetzten in einer Krise nicht erreichbar sind. Ich bin hier, und Sie können mich erreichen, ob ich im Büro, zu Hause, auf einem Golfplatz oder in einem gottverdammten Puff stecke – falls ich damit etwas anfangen könnte! Warum haben Sie sich nicht gemeldet?«

»Das habe ich Ihnen doch gerade gesagt. Sie hätten nein gesagt, und das wäre falsch, weil Sie nicht hier sind und ich selbst nicht weiß, wie ich Ihnen das klarmachen soll, weil ich es nämlich eigentlich selbst nicht richtig begreife. Aber ich weiß jedenfalls, daß ich recht habe. Und wenn Sie mir erlauben, Sir, da ich Ihre Vergangenheit einigermaßen kenne, glaube ich, daß Sie selbst früher auch gelegentlich solche einsamen Entscheidungen getroffen haben.«

»Hören Sie auf mit dem Blödsinn, Lennox«, sagte Sorenson müde und zugleich frustriert. »Was wissen Sie, und was wollen Sie unternehmen? Warum spielen Sie Harrys Rolle?«

Widerstrebend schilderte Drew die letzten Minuten seines Bruders, den für ihn völlig uncharakteristischen Gefühlsausbruch, die Tränen, seine offenkundige Verwirrung und die Mühe, die es ihm bereitete, zwischen seiner echten Identität und der seiner Tarnung zu unterscheiden, und schließlich seine Weigerung Näheres über einen Arzt zu sagen, obwohl er seinen Namen mehrfach gegenüber Karin de Vries und dann auch ihm selbst, Drew, gegenüber gebraucht hatte. »Er hat ihn erwähnt«, erklärte Lennox, »als ob der Mann schutzbedürftig wäre.«

»Das ist das Stockholm-Syndrom, Drew. Die Geisel identifiziert sich mit dem Geiselnehmer. Seine Empfindungen sind völlig durcheinander. Harry war ganz einfach ausgebrannt; er hat dieses Leben zu lange geführt.«

»Alles das ist mir klar, Wes, auch diese abgedroschene Stockholmtheorie, die mir, wenigstens soweit es Harry betrifft, viel zu allgemein erscheint. Er hatte nichts von seiner allgemein bekannten kühlen Rationalität verloren. Dieser Dr. Gerhard Kröger, das war der Name, den er erwähnte, war für meinen Bruder irgendwie wichtig. Er weiß, was mit Harry passiert ist. Vielleicht sogar, wie er sich diese Liste mit Namen verschafft hat. Möglicherweise steht dieser Kröger auf unserer Seite und hat ihm die Liste zugespielt.«

»Ich halte alles für möglich. Im Augenblick ist diese Liste so etwas wie eine nationale Katastrophe. Das FBI hat augenblicklich alle Hände voll damit zu tun, jeden einzelnen auf dieser Liste unter die Lupe zu nehmen.«

»So weit sind die Dinge schon gediehen?«

»Um die Worte unseres Außenministers zu gebrauchen, wird ›die Nation dieser Regierung für alle Zeit dankbar sein, wenn es ihr gelingt, den Nazieinfluß in diesem Lande auszutilgen.‹ Es klingt so wie ›zum Teufel mit den Torpedos, Volldampf voraus‹.«

»Mein Gott, da kann einem ja angst werden.«

»Das sehe ich auch so, aber zugleich kann ich auch verstehen, warum es so abläuft. Harry war der beste und erfahrenste Mann, den die Agency hatte. Es ist nicht leicht, seine Erkenntnisse einfach abzutun.«

»Sagen Sie nicht war«, korrigierte ihn Drew. »Ist, Wes. Harry lebt, er muß so lange am Leben bleiben, bis ich diesen Gerhard Kröger ausräuchern kann.«

»Wenn er lebt, muß er mit der Agency Verbindung aufnehmen, Sie verdammter Narr!«

»Das kann er nicht, denn, wie ich Ihnen ja sagte, weiß er, daß es in Langley undichte Stellen gibt, und zwar ganz oben und bei den AA-Zero-Computern, und das ist praktisch unmittelbar in Direktor Talbots Umgebung.«

»Ich habe das an Knox weitergegeben. Er kann es nicht glauben.«

»Das sollte er aber, es stimmt nämlich.«

»Er befaßt sich damit, ich habe ihn überzeugt«, sagte Sorenson. »Aber Ihr Alleingang muß ein Ende haben, junger Mann. Wenn Sie so weitermachen, vertraut Ihnen niemand mehr.«

»Mein Alleingang ist in Wirklichkeit nur bedingt einer, weil ich nämlich Kontakt zu Langley habe.«

»Aber nicht über mich. Ich werde Consular Operations nicht kompromittieren, indem ich die Agency umgehe. In dieser Stadt wird genug in fremden Gewässern gefischt, und ich bewundere Knox Talbot, ich habe hohen Respekt für ihn. Ich will damit nichts zu tun haben.«

»Das wußte ich. Deshalb habe ich mir jemand anderen gesucht. Erinnern Sie sich an Witkowski, Colonel Stanley Witkowski?«

»Sicher. G-2 Berlin. Ich hatte ein paarmal mit ihm zu tun, ein äußerst fähiger Mann – stimmt, er ist jetzt in der Botschaft eingesetzt.«

»Sicherheitschef. Er verfügt über die nötigen Referenzen, um den DCI zufriedenzustellen. Harry hat in Berlin mit Witkowski zusammengearbeitet, und deshalb ist er die ideale Kontaktperson für mich, weil mein Bruder ihm vertraut hat – zum Teufel, er mußte das schließlich, der Colonel hat ihm letztlich genügend Material geliefert. Stanley wird schon einen Weg finden, Talbot inoffiziell zu erreichen und ihn zu bitten, eine gründliche Untersuchung über diesen Kröger zu veranstalten.«

»Das macht Sinn, Witkowski, ja, das macht Sinn. Was soll ich jetzt unternehmen?«

»Absolut nichts; wir dürfen nicht riskieren, daß die Neonazis uns irgendwie auf die Schliche kommen. Aber ich wäre Ihnen sehr dankbar, wenn Sie sich bereithalten würden, damit ich mir bei Ihnen Rat holen kann, wenn ich ihn brauche.«

»Ich weiß nicht, ob ich dafür tauge. Das ist schon so lange her.«

»Ich werde alles, woran Sie sich auch nur undeutlich erinnern, sehr ernst nehmen, Mr. Director … Also fangen wir an. Harry Lennox lebt und erfreut sich bester Gesundheit und macht sich jetzt auf die Suche nach einem Arzt. Ich melde mich wieder.«

Die Leitung war plötzlich tot. Wesley Sorenson hielt den Hörer wie benommen in der Hand. Was der jüngere Lennox da vorhatte, war gefährlich und ungewöhnlich zugleich, und eigentlich hätte er eingreifen und dem ein Ende machen müssen. Das wußte Sorenson, wußte auch, daß er eigentlich Knox Talbot anrufen und ihm alles sagen müßte, aber das brachte er nicht über sich. Drew hatte recht gehabt; Agent Sorenson hatte oft ohne Placet gearbeitet, weil er genau wußte, daß man seine Entscheidungen umstoßen würde, obwohl seine Vorgehensweise die einzig richtige war. Er hatte es nicht nur gewußt, sondern geradezu leidenschaftlich daran geglaubt. Als er Drew Lennox zugehört hatte, war ihm gewesen, als höre er sein eigenes jüngeres Ich. Langsam legte er den Hörer auf, und seine Lippen formten ein stummes Gebet.

Jean-Pierre und Giselle Villier stiegen vor dem Hotel L'Hermitage in Monte Carlo aus ihrer Limousine; sie waren mit einem Privatjet aus Paris hierher geflogen. Presseberichten zufolge hatte der gefeierte Schauspieler die Reise unternommen, um sich von sechs anstrengenden Monaten auf der Bühne zu erholen, die mit jener Tragödie endeten, die schließlich für ihn Anlaß gewesen war, das Stück abzusetzen. Mehr hatte man den Medien nicht gesagt, und Villier hatte auch alle Interviewwünsche abgelehnt. Nach einigen erholsamen Tagen im Casino de Paris würde das Ehepaar weiterreisen und sich dann auf einer nicht näher bezeichneten Insel im Mittelmeer aufhalten, wo Jean-Pierre sich vielleicht mit seinen Eltern treffen würde.

Was die Presse nicht wußte, war, daß zwei Mirage der Luftwaffe die Privatmaschine aus Paris an ihren Zielort eskortiert hatten. Außerdem waren einer der uniformierten Türsteher, der stellvertretende Geschäftsführer am Empfang sowie einige weitere Hotelangestellte vom Deuxième eingeschleust worden, alle von der Societé de Bain de Mer freigegeben, jener Organisation, die die Geschäfte von Monte Carlo führte und die Verbindung mit der Fürstenfamilie von Monaco aufrechterhielt. Und die kugelsichere Limousine der Villiers wurde jedesmal, wenn Monsieur und Madame Villier das Hotel für die kurze Fahrt zum Casino verließen, von bewaffneten Männern in teuren, gutgeschnittenen Anzügen begleitet, bis das luxuriöse Fahrzeug an der Treppe des exquisiten Spielcasinos eintraf, wo sie von ihren Kollegen abgelöst wurden.

Gleich nach ihrer Ankunft erschien der Chef des Deuxième Bureau, Claude Moreau, in ihrer Hotelsuite.

»Wie Sie sehen, meine Freunde, steht hier alles unter Bewachung, auch die Dächer, wo wir Scharfschützen postiert haben, und alle Fenster werden von der Straße aus dauernd mit Ferngläsern überwacht. Sie haben nichts zu befürchten.«

»Wir sind nicht Ihre ›Freunde‹, Monsieur«, sagte Giselle Villier kühl. »Und was Ihre Vorsichtsmaßnahmen angeht, so könnte ein einziger Schuß sie zunichte machen.«

»Nur wenn man einen Schuß zuläßt, und das wird nicht der Fall sein.«

»Wie steht es um das Casino selbst, wie können Sie die Menschenmenge dort unter Kontrolle halten, die mich möglicherweise erkennt?« fragte der Schauspieler.

»Die sind in Wirklichkeit Teil Ihres Schutzes, aber nur ein äußerer Teil. Wir wissen, welche Spiele Sie gern haben und werden an jedem solchen Tisch Männer und Frauen haben, die Ihnen folgen, Sie umgeben und Ihnen mit ihrem Körper Deckung geben. Kein Attentäter und ganz sicherlich kein Blitzkrieger wird versuchen, auf Sie zu schießen, so lange er kein freies Ziel hat. Das können sich solche Killer nicht leisten.«

»Und wenn Ihr Attentäter jemand an einem Spieltisch ist?« unterbrach ihn Giselle. »Wie können Sie dann meinen Mann schützen?«

»Eine äußerst scharfsinnige Frage, wie ich sie von Ihnen nicht anders erwartet habe, Madame«, erwiderte Moreau, »und ich kann nur hoffen, daß meine Antwort Sie zufriedenstellen wird. Sie werden an jedem Tisch einen Mann und eine Frau entdecken, die herumgehen und bei jedem Spieler stehenbleiben – neugierige Zuschauer, die sich noch nicht entschieden haben, ob sie sich selbst ins Getümmel des Glücksspiels stürzen wollen. Sie werden alle Metallscanner in der Hand tragen und selbst kleinkalibrige Waffen entdecken.«

»Sie sind sehr gründlich«, räumte Giselle ein.

»Das hatte ich Ihnen ja versprochen«, sagte Moreau. »Bitte vergessen Sie nicht, ich wäre schon mit einem Blitzkrieger zufrieden, der ein Attentat auf Sie versucht. Mein Ziel ist es, ihn lebend in die Hand zu bekommen. Wenn es hier trotz der ganzen Publicity nicht dazu kommt, können Sie gerne zu den Eltern Ihres Mannes fliegen.«

»Auf diese sagenhafte Insel?«

»Nein, Monsieur, die gibt es schon wirklich. Die beiden verleben herrliche Ferien auf einem Landsitz in Korsika.«

»Dann kann ich mir gewissermaßen nur wünschen«, sagte Jean-Pierre, »daß es hier passiert. Ich habe wohl nie richtig zu schätzen gewußt, wie herrlich die Freiheit sein kann.«

Es passierte auch, aber nicht auf eine Weise, die Claude Moreau vorhergesehen hatte.

11

Je weiter man sich vom Marmorportal des Casino de Paris entfernte und in die Tiefen des majestätischen Spielsaals eindrang, um so leiser wurde die Musik aus dem Salon. Es war leicht, sich die glanzvollen ersten Jahrzehnte des Jahrhunderts auszumalen, wo kunstvoll geschmückte Pferdekutschen und in späteren Jahren riesige Automobile an der Marmortreppe vorfuhren, denen gekrönte Häupter und die Reichen Europas in all ihrem Prunk entstiegen. Die Zeiten hatten sich geändert, die Klientel war jetzt bei weitem nicht mehr so exquisit, aber im Kern war die Opulenz jener Tage auch in der restaurierten Eleganz zu erkennen.

Jean-Pierre und Giselle strebten zwischen der Vielzahl von Tischen dem exklusiven Baccarat-Saal zu, an dessen Eingang normale Sterbliche zunächst ein Depot von fünfzigtausend Franc nachweisen mußten, worauf man freilich im Fall des gefeierten Schauspielers und seiner Frau verzichtete. Während sie sich ihren Weg bahnten, drehten sich Köpfe und einige Male übertönte der erregte Ruf »C'est lui!« das monotone Murmeln der Gespräche. Der Schauspieler lächelte und nickte denen, die ihm zuwinkten, freundlich, aber mit einer Zurückhaltung zu, die erkennen ließ, daß er für sich sein wollte. Sein Gefolge aus gutgekleideten Paaren flankierte Jean-Pierre und seine Frau, so daß man kaum einen Blick auf sie werfen konnte.

Als sie sich in dem weitläufigen Saal befanden, den mit dicken roten Samtkordeln versehene silberne Pfosten abgrenzten, wurde Champagner bestellt. Fröhliches Gelächter ertönte, während Jean-Pierre und Giselle Platz nahmen, beiden Stapel wertvoller Chips hingelegt wurden und ein Aufsichtsbeamter dem Schauspieler unauffällig eine Quittung zum Unterschreiben hinschob. Dann nahm das Spiel seinen Anfang, wobei Giselle wesentlich mehr Glück hatte als Jean-Pierre, der immer wieder in gespieltem Jammer aufstöhnte, wenn Fortuna ihm die kalte Schulter zeigte. Die »Freunde« in ihrer Begleitung bauten sich geschickt und lautlos um den Tisch auf, wobei jeder eine Hand so hielt, daß man sie nicht sehen konnte. Wieder Moreaus Maßnahme: Kleine, nur handtellergroße Metalldetektoren suchten die Umgebung nach Waffen ab. Offenbar waren keine zugegen, und das Spiel nahm seinen Lauf, bis der Schauspieler schließlich ausrief: *»C'est finis pour moi! Un autre table, s'il vous plait!«*

Sie gingen an einen anderen Tisch, wo wieder allen die Champagnergläser nachgefüllt wurden. Jetzt begann das Glück sich Jean-Pierre zuzuwenden. Die Stimmung stieg, was nicht zuletzt dem gekühlten Cristal Brut zuzuschreiben war, und einige Mitglieder seines Gefolges nahmen auf Stühlen Platz, die andere Spieler freigemacht hatten. Der Schauspieler zog eine *double neuf* und stieß einen Begeisterungsruf aus.

Plötzlich war an dem Tisch, den sie gerade verlassen hatten ein langgezogenes Ächzen zu hören. Alle Köpfe fuhren herum; der ganze Saal geriet in Aufruhr, als einige Männer an Jean-Pierres Tisch gleichzeitig aufsprangen und sich dem Mann zuwandten, der von seinem Sessel gefallen war und dabei die Samtkordel mitgerissen hatte.

Dann war ein anderes Geräusch zu hören, es war ein Alarmschrei, den eine elegant gekleidete Frau von sich gab, als sie sich quer über den Tisch auf eine andere Frau warf, die neben dem Schauspieler saß und gerade versuchte, ihm einen Eispickel in die Seite zu stoßen. Ein paar Blutstropfen quollen aus der Wunde, und wenn sie ihren Stoß hätte vollenden können, so wäre die Waffe ohne Zweifel Villier ins Herz gedrungen, aber Moreaus Agentin packte die Attentäterin am Handgelenk und drehte es ihr herum. Dann versetzte sie ihr einen Handkantenschlag an den Hals und warf die Frau zu Boden.

»Alles in Ordnung, Monsieur?« schrie die Agentin des Deuxième dann und blickte zu dem Schauspieler auf, während sie die Attentäterin mit ihrem Gewicht zu Boden preßte.

»Nur ein kleiner Stich, Mademoiselle – wie kann ich Ihnen danken?«

»Jean-Pierre –«

»Ganz ruhig, Liebste, mir fehlt nichts«, erwiderte der Schauspieler und griff sich an die linke Seite und nahm wieder Platz,

»aber dieser mutigen Frau verdanken wir viel. Sie hat mir das Leben gerettet!«

Plötzlich tauchte wie aus dem Nichts Claude Moreau auf. Er wirkte zugleich besorgt und doch irgendwie erlöst. »Wir haben es geschafft, Monsieur und Madame – Sie haben es geschafft. Wir haben unseren Blitzkrieger.«

»Mein Mann ist verletzt«, schnauzte Giselle Villier ihn an.

»Dafür bitte ich um Entschuldigung, Madame, aber es ist keine ernste Verletzung, und er hat damit einen ungeheuer wichtigen Beitrag geleistet.«

»Sie haben versprochen, daß ihm nichts passieren würde!«

»In meinem Geschäft sind Garantien nicht immer absolut. Aber, wenn ich das so sagen darf, er hat damit eine Tat vollbracht, für die ihm Frankreich ewig dankbar sein wird.«

»Das ist doch leeres Gewäsch!«

»Nein, das ist es nicht, Madame. Ob es Ihnen nun paßt oder nicht, diese widerwärtigen Nazis kommen wieder aus ihren Löchern, aus dem Dreck, den sie selbst geschaffen haben. Jeder Stein, den wir umdrehen, bringt uns näher an das Gewürm, das sich darunter verbirgt. Aber Sie haben jetzt das Ihre getan. Genießen Sie Ihren Urlaub auf Korsika. Sobald Sie vom Arzt kommen, erwartet Sie Ihr Flugzeug in Nizza, der Quai d'Orsay übernimmt alle Kosten.«

»Ich kann auf Ihr Geld verzichten, Monsieur«, sagte Jean-Pierre. »Ich würde gern mit dem *Coriolanus* weitermachen.«

»Du liebe Güte, warum? Sie haben doch Ihren Triumph gefeiert. Warum tun Sie sich das also an?«

»Weil ich genau wie Sie, Moreau, in dem Beruf, den ich mir ausgewählt habe, recht gut bin.«

»Darüber reden wir noch, Monsieur. Der Erfolg eines Abends sagt noch nicht, daß die Schlacht vorbei ist.«

Lawrence Roote, Senator des Staates Colorado, ein grauhaariger Mann von dreiundsechzig Jahren, legte in seinem Büro in Washington den Hörer auf. Er war zutiefst beunruhigt. Beunruhigt, verwirrt und wütend. Warum ermittelte das FBI gegen ihn, ohne daß man ihn davon informiert hatte? Was sollte diese Untersuchung und wer hatte sie veranlaßt? Und noch einmal, warum das

Ganze? Sein zugegebenermaßen beträchtliches Vermögen war auf seinen Wunsch in einen Treuhandfonds eingebracht worden, um auch den leisesten Anschein irgendwelcher Interessenkonflikte zu vermeiden; seine zweite Ehe war grundsolide, nachdem seine erste Frau auf tragische Weise bei einem Flugzeugabsturz ums Leben gekommen war; seine beiden Söhne, der eine Banker, der andere Universitätsdekan, waren angesehene Bürger ihrer jeweiligen Gemeinden, und zwar in einem Maße, daß Roote das manchmal beinahe für unerträglich hielt; er hatte in Korea seinen Militärdienst abgeleistet, ohne daß es zu irgendwelchen Zwischenfällen gekommen war, und war wegen Tapferkeit vor dem Feind mit einem Silver Star ausgezeichnet worden, und sein Alkoholkonsum beschränkte sich auf zwei oder drei Martinis vor dem Dinner. Was gab es also zu ermitteln?

Seine konservativen Ansichten waren wohlbekannt und wurden häufig von der liberalen Presse attackiert, die ihn beständig mit aus dem Zusammenhang gerissenen Zitaten ärgerte und ihn als einen fanatischen Ultrarechten erscheinen ließ, was er keineswegs war. Seine Kollegen aus beiden Flügeln des Senats kannten ihn als einen fairen Politiker, der sich die Ansichten der Opposition ohne Vorurteil anhörte. Das änderte freilich nichts an seiner festen Überzeugung, daß die Leute, wenn die Regierung zuviel für sie tat, zuwenig für sich selbst taten.

Außerdem stammte sein Reichtum nicht aus einer Erbschaft, seine Familie war bettelarm gewesen. Roote hatte die schlüpfrige Leiter zum Erfolg selbst erstiegen. Er hatte sein Studium an einem kleinen, obskuren College und der Wharton School of Finance absolviert und war dann von einigen seiner Professoren den Personalchefs großer Firmen empfohlen worden. Er hatte sich für eine junge, gewinnträchtige Firma entschieden, die ihm die Chance bot, ins Management aufzusteigen. Dann wurde die Firma von einer größeren Gesellschaft übernommen, die wiederum in einem Konglomerat aufging, dessen Aufsichtsrat Rootes Talente und seinen Wagemut erkannt hatten. Als er fünfunddreißig war, stand auf der Tafel an seiner Tür unter seinem Namen der Titel Geschäftsführer, mit vierzig war er Vorsitzender des Vorstands und ehe er fünfzig geworden war, hatten ihn seine geschickt ausgeübten Aktienoptionen und einige Firmenfusionen zum Multimillionär gemacht. An dem Punkt war er es müde geworden, immer weiter Gewinnen nachzurennen und hatte sich, beunruhigt über die Richtung, die das Land eingeschlagen hatte, für die Politik entschieden.

Wie er jetzt an seinem Schreibtisch saß und über seine Vergangenheit nachdachte, versuchte er kühl zu objektivieren und Bereiche ausfindig zu machen, wo sein Verhalten dazu geführt haben könnte, daß man seine ethischen oder moralischen Grundsätze in Zweifel zog. Ganz zu Anfang seiner Karriere hatte er einige Affären gehabt, war aber stets diskret gewesen und hatte sich nur mit Frauen aus seinen Kreisen eingelassen, die das gleiche Interesse an Diskretion gehabt hatten wie er. Er galt als harter Verhandlungspartner und pflegte sich immer durch gründliche Recherchen vorzubereiten, aber seine Integrität war nie in Zweifel gezogen worden ... was zum Teufel wollte das FBI also?

Es hatte erst vor wenigen Minuten angefangen, als seine Sekretärin sich über die Sprechanlage bei ihm gemeldet hatte. »Ja?«

»Ein Mr. Roger Brooks aus Telluride, Colorado, ist am Apparat, Sir«, sagte seine Sekretärin.

»Wer?«

»Ein Mr. Brooks. Er sagt, er sei mit Ihnen in Cedar Edge zur Schule gegangen.«

»Mein Gott, Brooksie! An den habe ich seit Jahren nicht mehr gedacht. Ich hörte, daß er irgendwo Besitzer eines Wintersporthotels ist.«

»In Telluride läuft man Ski, Senator.«

»Genau, das war's. Vielen Dank, Sie Allwissende.«

»Soll ich ihn durchstellen?«

»Aber sicher ... Hallo, Roger, wie geht's denn?«

»Prima, Larry, es ist lange her.«

»Mindestens dreißig Jahre –«

»Nun, nicht ganz so lang«, wandte Brooks ein. »Ich habe hier vor acht Jahren deinen Wahlkampf unterstützt. Bei der letzten Wahl hast du ja dann keine Unterstützung mehr gebraucht.«

»Herrgott, das tut mir leid! Natürlich, jetzt fällt es mir wieder ein. Nimm's mir nicht übel.«

»Schon gut, Larry. Du hast viel um die Ohren.«

»Und wie geht's dir?«

»Seit damals habe ich vier zusätzliche Pisten angelegt, man könnte also sagen, daß ich ganz gut zurechtkomme. Und der Sommertourismus wächst auch schneller, als wir neue Wege anlegen können. Aber die Typen aus dem Osten wollen natürlich wissen, warum wir im Wald keinen Zimmerservice anbieten.«

»Das ist gut, Rog! Das werde ich das nächste Mal sagen, wenn ich mit meinen hochgeschätzten Kollegen aus New York debattiere.«

»Larry«, sagte Roger Brooks, und sein Tonfall veränderte sich plötzlich, »ich rufe an, weil wir zusammen zur Schule gegangen sind und ich dich damals bei der Wahl unterstützt habe.«

»Ich verstehe nicht –«

»Ich auch nicht, aber ich mußte dich einfach anrufen, obwohl ich geschworen habe, daß ich es nicht tun würde. Offen gestanden, war mir der Mistkerl unsympathisch; er hat ganz leise gesprochen und die ganze Zeit betont, daß es nur zu deinem Besten sei.«

»Wer denn?«

»Irgendein Typ vom FBI. Ich habe mir seinen Ausweis zeigen lassen, und der war echt. Ich war nahe daran, ihn rauszuschmeißen, aber dann dachte ich, ich höre mir besser an, was er will, damit ich dir wenigstens Bescheid sagen kann.«

»Was wollte er denn, Roger?«

»Alles Blödsinn. Du weißt doch, daß einige Zeitungen dich so hinstellen, wie den alten Barry Goldwater aus Arizona? Den Atomfreak, der uns alle in die Hölle jagen wollte, den Unterdrücker der Unterdrückten und all den Blödsinn?«

»Ja, freilich. Er hat das alles mit Ehren überlebt, und das werde ich auch. Was wollte der FBI-Mann denn?«

»Er wollte wissen, ob ich von dir je Sympathieäußerungen für – und jetzt paß gut auf – ›faschistische Bewegungen‹ gehört hätte. Ob du vielleicht irgendwann einmal angedeutet hast, daß Nazideutschland eine gewisse Rechtfertigung für das hatte, was dann zum Krieg führte ... Ich kann dir sagen, Larry, ich war auf hundertachtzig, aber ich bin ganz ruhig geblieben und habe ihm nur gesagt, daß er völlig auf dem falschen Dampfer sei. Ich habe dann erwähnt, daß man dir in Korea einen Orden verliehen hat, und weißt du, was der Dreckskerl darauf gesagt hat?«

»Nein, das weiß ich nicht, Roger. Was hat er denn gesagt?«

»Er sagte, und dabei hat er gegrinst: ›Aber das war gegen die Kommunisten, nicht wahr?‹ Scheiße, Larry, der hat versucht, dir was anzuhängen, ohne was in der Hand zu haben.«

Roote blickte auf seinen Schreibtisch. »Und wie ging das Gespräch aus?«

»Oh, ganz beschwingt, das kann ich dir sagen. Er meinte, seine vertraulichen Informationen seien offensichtlich falsch, ganz falsch, und die Ermittlungen würden sofort abgebrochen werden.«

»Was natürlich heißt, daß sie gerade erst angefangen haben.« Lawrence Roote griff nach einem Bleistift und knickte ihn mit der linken Hand ab. »Vielen Dank, Brooksie, ich kann gar nicht sagen, wie dankbar ich dir bin.«

»Was ist da im Gange, Larry?«

»Das weiß ich nicht, ich weiß es wirklich nicht. Aber sobald ich es herausgefunden habe, rufe ich dich an.«

Franklyn Wagner, Moderator der NBC News, des Abendnachrichtenprogramms mit der größten Sehbeteiligung des ganzen Landes, saß in seiner Garderobe und war damit beschäftigt, einen großen Teil des Textes umzuschreiben, den er in fünfundvierzig Minuten vor den Kameras vortragen würde. Es klopfte an seiner Tür, und er rief locker »Herein.«

»Schönen guten Abend, Frank«, sagte Emmanuel Chernov, der Produzent der Nachrichtensendung, während er die Tür hinter sich schloß und auf einen Stuhl zusteuerte. »Haben Sie schon wieder Probleme mit Ihrem Text? Ich wiederhole mich ja ungern, aber es ist wahrscheinlich zu spät, um die Teleprompter umzuprogrammieren.«

»Ich wiederhole mich ebenfalls ungern, aber das wird nicht nötig sein. Das alles wäre überflüssig, wenn Sie endlich Leute einstellen würden, die wenigstens wissen, wie man das Wort Journalismus schreibt oder worum es dabei geht ... So, jetzt bin ich fertig. Wenn keine brandheißen Knüller dazwischenkommen, werden wir eine relativ qualifizierte Nachrichtensendung bekommen.«

»Bescheidenheit hat Ihnen auch noch keiner vorgeworfen, Frank.«

»Das behaupte ich von mir auch gar nicht. Und weil wir schon von Bescheidenheit sprechen, die eine Ihrer besonderen Tugenden ist, was wollen Sie eigentlich hier, Manny? Ich dachte, Sie hätten alle Kritik und alle Beschwerden an Ihre Geschäftsführer delegiert.«

»Das ist etwas, was darüber hinausgeht, Frank«, sagte Chernov, und sein Blick wurde plötzlich betrübt. »Ich hatte heute nachmittag Besuch, einen Mann vom FBI, den ich nicht einfach ignorieren konnte.«

»Und? Was wollte er?«

»Ihren Kopf, glaube ich.«

»Wie bitte?«

»Sie sind doch Kanadier, stimmt's?«

»Das bin ich in der Tat, und auch stolz darauf.«

»Als Sie die Universität besuchten, die … die …«

»University of British Columbia.«

»Mmhh, die meine ich. Haben Sie damals gegen den Vietnamkrieg protestiert?«

»Das war eine ›Aktion‹ der Vereinten Nationen und, ja, ich habe lautstark protestiert.«

»Sie waren Mitglied der Weltfriedensbewegung, ist das richtig?«

»Ja, das war ich. Die meisten von uns waren das, aber natürlich nicht alle.«

»Wußten Sie, daß Deutschland einer der Sponsoren dieser Bewegung war?«

»Die Jugend Deutschlands, Studentenorganisationen, ganz sicher nicht die Regierung. Bonn darf sich nicht an bewaffneten Konflikten beteiligen, das steht so in ihrer Verfassung. Du lieber Gott, wissen Sie denn überhaupt nichts?«

»Trotzdem war der deutsche Einfluß recht ausgeprägt.«

»Schuldgefühle, Manny, tiefsitzende Schuldgefühle. Auf was, zum Teufel, wollen Sie eigentlich hinaus?«

»Dieser FBI-Mann wollte wissen, ob Sie irgendwelche Verbindungen zu den neuen politischen Bewegungen in Deutschland hätten. Wagner ist schließlich ein deutscher Name.«

»Das darf doch nicht wahr sein«

Clarence »Clarr« Ogilvie, in Ruhestand befindlicher Aufsichtsratsvorsitzender von Global Electronics, lenkte seinen restaurierten Duesenberg an der Ausfahrt Greenwich, Connecticut, vom Merritt Parkway. Er war nur noch wenige Meilen von seinem Haus entfernt, seinem Anwesen, wie die Presse es sarkastisch bezeichnete. In den wohlhabenderen Tagen seiner Familie vor dem Crash von 1929 hätte man anderthalb Hektar Land mit einem Pool von normaler Größe und ohne Tennisplatz oder Stallungen kaum als Anwesen bezeichnet. Aber weil er »von Geld abstammte« war er irgendwie zur Zielscheibe des Spotts geworden, als ob er es sich ausgesucht hätte, als Sohn reicher Eltern zur Welt zu kommen, und all seine Leistungen wurden deshalb als belanglos angesehen, eben lediglich als Produkte teurer Public Relations, die er sich ja offenbar leisten konnte.

All die Jahre, die er mit zwölf und fünfzehn Stunden Arbeit am Tag damit verbracht hatte, eine kaum Gewinne abwerfende Familienfirma zu einem der erfolgreichsten Elektronikunternehmen im Land auszubauen, vergaß man dabei oder, um es weniger wohlwollend auszudrücken, übersah man bewußt. Er hatte seine Abschlußexamina am M.I.T. Ende der vierziger Jahre abgelegt, wo er mit den neuen Technologien vertraut gemacht worden war, und hatte gleich nach seinem Eintritt in das Familienunternehmen erkannt, daß es mindestens zehn Jahre Rückstand aufzuholen hatte. Er hatte daraufhin praktisch die gesamte Führungshierarchie nach Hause geschickt und allen Pensionen gewährt, von denen er hoffte, sie sich leisten zu können, und sie durch gleichgesinnte, computerorientierte junge Männer – und Frauen – ersetzt, weil er nach Talent und nicht nach Geschlecht einstellte.

Mitte der fünfziger Jahre hatten die technologischen Errungenschaften seiner langhaarigen, mit Jeans bekleideten, Hasch rauchenden Erfinder die Aufmerksamkeit des Pentagon auf sich gezogen – was nicht ohne einen Schock vor sich ging. Die verabscheuten ungepflegten »Bärte« und »Miniröcke«, die salopp die

Füße auf polierte Konferenztische legten oder sich während der Konferenz die Nägel polierten, während sie ihren Gesprächspartnern geduldig die neue Technologie erklärten, strapazierten die Geduld der messerscharf gebügelten »Uniformen« in hohem Maß. Aber ihre Produkte waren von unwiderstehlicher Qualität und trugen dazu bei, die bewaffnete Macht der Nation erheblich zu steigern, worauf die Familienfirma in globale Dimensionen hineinwuchs.

All das war gestern, dachte Clarr Ogilvie, als er über die Landstraßen auf sein Haus zufuhr. Heute war ein Tag, wie er ihn sich selbst in seinen schlimmsten Alpträumen nie hätte vorstellen können. Er war sich wohl bewußt, daß er nicht gerade der populärste Angehörige des sogenannten militärisch-industriellen Komplexes war, aber was er heute erlebt hatte, überstieg jegliche Vorstellung.

Um es kurz zu sagen, man hatte ihn als potentiellen Feind seines Landes bezeichnet, einen Eiferer, der die Ziele einer sich ausbreitenden faschistischen Bewegung in Deutschland unterstützte!

Er war nach New York gefahren, um dort seinen Anwalt und guten Freund, John Saxe, aufzusuchen, der ihm am Telefon gesagt hatte, daß ein dringender Notfall eingetreten sei.

»Hast du eine deutsche Firma namens Oberfeld mit elektronischen Geräten beliefert, die für Satellitenübertragungen eingesetzt werden können?«

»Ja, allerdings. Die F.T.C., die Jungs von der Exportkontrolle und das State Department haben die Lieferung freigegeben. Ein Endverwendungsnachweis war nicht erforderlich.«

»Wußtest du, wer Oberfeld ist, Clarr?«

»Nur, daß sie prompt ihre Rechnungen bezahlt haben. Ich sagte dir ja, die Lieferung war freigegeben.«

»Du hast dich also nie um, sagen wir einmal, ihre industrielle Basis oder ihre geschäftlichen Ziele gekümmert?«

»Uns war lediglich bekannt, daß sie ihre elektronischen Aktivitäten ausweiten wollten. Alles andere war Sache der Kontrollbehörden in Washington.«

»Das ist natürlich unsere Entschuldigung.«

»Wovon redest du eigentlich, John?«

»Es sind Nazis, Clarr, die neue Generation von Nazis.«

»Wie, zum Teufel, sollten wir das wissen, wenn Washington es nicht wußte?«

»Damit werden wir uns selbstverständlich verteidigen.«

»Gegen was verteidigen?«

»Möglicherweise werden einige Leute behaupten, du hättest gewußt, was Washington nicht wußte. Sie werden sagen, du hättest wissentlich und mit Absicht eine Bande von Nazirevolutionären mit modernsten Kommunikationsanlagen beliefert.«

»Das ist doch verrückt!«

»Das könnte aber eine ernsthafte Anklage werden, mit der wir uns auseinandersetzen müssen.«

»Um Himmels willen, warum?«

»Weil du auf einer Liste stehst, Clarr, davon hat man mich informiert. Und außerdem bist du ja nicht gerade allgemein beliebt. Offen gestanden, an deiner Stelle würde ich sehen, daß ich diesen Duesenberg loswerde.«

»Was? Das ist ein Oldtimer!«

»Es ist ein deutsches Auto.«

»Blödsinn! Die Duesenbergs sind ausschließlich in Amerika gebaut worden, zum größten Teil in Virginia!«

»Nun ja, aber der Name, du verstehst schon.«

»Nein, ich verstehe gar nichts, verdammt!«

Clarence »Clarr« Ogilvie bog in seine Einfahrt und überlegte, wie er das seiner Frau erklären konnte.

Der ältere Mann mit dem glattrasierten Schädel und der dicken Schildpattbrille, die seine Augen extrem vergrößerte, stand etwa zehn Meter von der Schlange von Passagieren entfernt, die zu dem Lufthansa-Flug 7000 nach Stuttgart eincheckten. Alle legten neben ihren Flugkarten Pässe oder Personalausweise vor, die die Angestellten hinter dem Tresen mit einem für die Passagiere unsichtbaren Bildschirm auf der linken Seite der Theke verglichen. Der Mann mit dem glattrasierten Schädel hatte diese Prozedur bereits hinter sich und trug eine Bordkarte in der Tasche. Jetzt sah er besorgt auf die Reihe der Wartenden, als eine grauhaarige Frau auf den Angestellten zuging und ihm ihre Papiere gab. Wenige Augenblicke später seufzte er hörbar erleichtert;

seine Frau verließ den Schalter. Drei Minuten später trafen sie sich an einem Zeitungsstand, wo sie beide die ausgestellten Blätter betrachteten und sich unauffällig im Flüsterton unterhielten.

»Das hätten wir hinter uns«, sagte der Mann. »Wir gehen in zwanzig Minuten an Bord. Ich werde als einer der letzten einsteigen, du unter den ersten.«

»Übertreibst du es da nicht mit der Vorsicht, Rudi? Unser Aussehen und unsere Paßbilder sind so verändert, daß man uns unmöglich erkennen kann, falls sich wirklich jemand für uns interessieren sollte.«

»Ich ziehe in solchen Dingen übertriebene Vorsicht der Nachlässigkeit vor. Man wird mich morgen im Labor vermissen – vielleicht vermißt man mich jetzt schon, falls einer meiner Kollegen mich zu erreichen versucht hat. Unsere Arbeiten an den Faseroptiken, mit denen man internationale Satellitensendungen ohne Rücksicht auf deren Frequenz abhören kann, nähern sich mit Riesenschritten der Vollendung.«

»Du weißt, daß ich von dem Zeug nichts verstehe –«

»Das ist kein Zeug, meine Liebe, sondern hochqualifizierte Forschungsarbeit. Wir arbeiten in Schichten rund um die Uhr, und es könnte jeden Augenblick ein Kollege die Ergebnisse in unseren Computern überprüfen wollen.«

»Weißt du, glattrasiert wirkt dein Kopf bei weitem nicht so attraktiv wie mit deinen weißen Locken, Rudi. Und wenn ich je meine Haare so grau werden lasse, werde ich es dir verzeihen, wenn du dir eine Freundin suchst.«

»Du siehst auch unmöglich aus, meine Liebe.«

»Dann sag mir, warum wir all den Unsinn auf uns nehmen?«

»Das habe ich dir schon hundertmal gesagt. Wegen der Bruderschaft, es gibt nichts Wichtigeres als die Bruderschaft!«

»Politik langweilt mich.«

»Wir werden uns in Stuttgart sehen. Übrigens, ich habe dir das Diamantcollier gekauft, das du bei Tiffany's gesehen hast.«

»Du bist ein Schatz. Jede Frau in München wird mich beneiden!«

»Marktroda, meine Liebe. München nur an den Wochenenden.«

»Wie langweilig!«

The Washington Post
KONGRESS ÜBER GEHEIME ERMITTLUNGEN BEUNRUHIGT
FBI-Agenten stellen Fragen

WASHINGTON D.C., Freitag – Wie aus unterrichteten Kreisen verlautet, haben Agenten des FBI im ganzen Land Erkundigungen über prominente Mitglieder des Senats und des Repräsentantenhauses und einige Mitglieder der Regierung eingezogen. Das Ziel dieser Ermittlungen ist nicht klar, und das Justizministerium ist nicht bereit, die Durchführung dieser Befragungen zu bestätigen bzw. sich zu ihrer Zielsetzung zu äußern. Es halten sich jedoch hartnäckige Gerüchte, die auch von einem höchst verärgerten Senator Lawrence Roote von Colorado bekräftigt werden, dessen Mitarbeiter einräumten, daß er sich um einen sofortigen Termin beim Generalstaatsanwalt bemüht habe. Im Anschluß an das Gespräch lehnte Roote jeglichen Kommentar ab und erklärte lediglich, daß ein Mißverständnis vorgelegen habe.

Zu weiteren Hinweisen, daß sich diese »Mißverständnisse« auch außerhalb der Hauptstadt ereignet haben, kam es gestern abend, als der populäre und angesehene Moderator der Abendnachrichten von NBC, Franklyn Wagner, sich in seiner Sendung zwei Minuten mit einem, wie er es nannte, »persönlichen Anliegen« befaßte. Seine sonst so ruhige Stimme ließ Verbitterung erkennen. Er verwahrte sich gegen »hinterhältige Attacken von verleumderischen Hyänen, die weit zurückliegende, völlig legitime politische Aktivitäten in den Dreck ziehen«. Er erinnerte an die Massenhysterie der McCarthy-Jahre, »als anständige Männer und Frauen durch haltlose Anspielungen ruiniert wurden« und beendete seine Ausführungen, indem er sagte, er sei »ein dankbarer Gast in diesem großartigen Land« – Wagner ist Kanadier – würde aber in die nächste Maschine nach Toronto steigen, falls man versuchen sollte, ihn und seine Familie »anzuprangern«.

Als er im Anschluß daran mit Fragen bombardiert wurde, lehnte er jeden weiteren Kommentar ab und sagte nur, die Anstifter wüßten genau, wer gemeint sei und »das sei genug«. NBC gab bekannt, es sei anschließend eine Flut von Anrufen eingegangen, von denen über achtzig Prozent Mr. Wagner unterstützten.

Der einzige Hinweis, den der Verfasser dieser Zeilen bisher ausfindig machen konnte, ist, daß die Ermittlungen mit jüngsten Ereignissen in Deutschland zusammenhängen, wo der rechte Flügel in letzter Zeit seinen Einfluß in der Bonner Regierung erheblich verstärken konnte.

Gerhard Kröger marschierte in seinem immer noch nicht fertiggestellten Ärztebau ungestüm vor seiner Frau Greta auf und ab. »Er lebt noch, soviel wissen wir«, sagte der Arzt erregt. »Er hat die erste Krise hinter sich, und das ist ein gutes Zeichen für mein Verfahren, aber gar nicht gut für unsere Sache.«

»Warum, Gerhard?« fragte die Krankenschwester.

»Weil wir ihn nicht ausfindig machen können!«

»Na und? Er wird doch in Kürze sterben, oder?«

»Ja, das schon, aber wenn er an einer Gehirnblutung stirbt, werden die Ärzte eine Autopsie durchführen. Und dann werden sie mein Implantat finden, und das dürfen wir unter keinen Umständen zulassen.«

»Und wie willst du das anstellen?«

»Kurz bevor es mit ihm zu Ende geht, wird ein Zeitpunkt kommen, wo er mit mir Verbindung aufnehmen muß. Er wird völlig durcheinander sein und Instruktionen haben wollen, sie verlangen.«

»Du hast meine Frage nicht beantwortet.«

»Ich weiß. Ich habe keine Antwort darauf.« Das Telefon klingelte auf dem Tisch neben der Frau. Sie nahm den Hörer ab.

»Ja? ... Ja, natürlich, Herr Doktor.« Greta hielt die Hand über den Hörer. »Das ist Hans Traupmann. Er sagt, es sei äußerst wichtig.«

»Das kann ich mir vorstellen.« Kröger nahm den Hörer von seiner Frau entgegen. »Das muß wirklich ein dringender Fall sein. Ich kann mich gar nicht erinnern, wann du mich das letzte Mal angerufen hast.«

»General von Schnabe ist vor einer Stunde in München verhaftet worden.«

»Du großer Gott, weshalb denn?«

»Subversive Aktivitäten, Anstiftung zum Aufruhr, Verbrechen gegen den Staat, all das juristische Kauderwelsch.«

»Aber wie konnte es dazu kommen?«

»Allem Anschein nach war unser Freund Harry Lennox-Lassiter nicht der einzige ausländische Agent, der sich in unser Tal eingeschlichen hat.«

»Das kann ich mir nicht vorstellen! Jeder einzelne unserer Gefolgsleute wurde allerstrengsten Untersuchungen unterzogen, und die gingen so weit, daß sogar elektronische Gehirnscans durchgeführt wurden, bei denen jede Unregelmäßigkeit, jede Lüge, ja sogar Zweifel und das geringste Zögern zum Vorschein gekommen wären. Ich habe diese Prozedur selbst entwickelt; sie ist absolut sicher.«

»Vielleicht hat jemand nach dem Verlassen des Tales einen Gesinnungswandel durchgemacht. Aber wie auch immer, von Schnabe ist verhaftet und bei einer Gegenüberstellung identifiziert worden, wobei die Person, die ihn identifiziert hat, hinter einer Spiegelwand versteckt blieb. Nach dem wenigen, was wir in Erfahrung gebracht haben, war es möglicherweise eine Frau, weil es nämlich allem Anschein nach Hinweise auf sexuellen Mißbrauch gegeben hat. Ein Polizeibeamter hat sich mit Kollegen auf einem Münchner Revier darüber lustig gemacht, wo unser Gewährsmann es gehört hat.«

»Ich habe den General wiederholt gewarnt, wenn er sich mit dem weiblichen Personal eingelassen hat. Aber seine einzige Antwort war immer wieder ›Sie verstehen das trotz Ihrer ganzen Gelehrsamkeit nicht, Kröger. Ein General ist der Inbegriff der Macht, und Macht ist der Inbegriff von Sex. Die wollen mich.‹«

»Und dabei war er gar kein General«, sagte Traupmann. »Geschweige denn Adeliger.«

»Wirklich? Ich dachte –«

»Du hast das gedacht, was du denken solltest, Gerhard«, unterbrach der Arzt aus Nürnberg. »Schnabe ist ein ausgezeichneter Fachmann für Militäroperationen, ein durch und durch ergebener Anhänger unserer Bewegung – es gibt nur wenige unter uns, die imstande gewesen wären, unser Tal zu finden, aufzubauen und zu leiten –, das waren seine ganz großen Stärken. Im ärztlichen Sinne hingegen war er, ist er, ein höchst intelligenter Psychopath, die Art von Person, die eine Bewegung wie die unsere braucht, ganz besonders im Anfangsstadium. Später werden sie natürlich ersetzt. Das war der Irrtum des Dritten Reiches; sie glaubten an ihre falschen Titel, lebten sie aus und setzten sich über die echten Generäle hinweg, die den Krieg vielleicht gewonnen hätten, wenn sie zum rechten Zeitpunkt die Invasion Englands gestartet hätten. Wir werden derartige Fehler nicht machen.«

»Und was tun wir jetzt?«

»Wir haben arrangiert, daß Schnabe heute nacht in seiner Zelle erschossen wird. Der Attentäter wird eine Schalldämpferpistole benutzen. Das ist nicht schwierig, es gibt genügend Arbeitslose, selbst in der Welt des Verbrechens. Es muß geschehen, ehe sein Verhör beginnt, ganz besonders, bevor man Amytal einsetzt.«

»Und Marktroda?«

»Gehört jetzt dir. Was uns Sorge macht, was unserem Führer in Bonn Sorge macht, ist Ihr computerisierter Roboter in Paris. Wann, um Himmels willen, wird er sterben?«

»Ein Tag noch, höchstens drei. Viel länger steht er das nicht durch.«

»Gut.«

»Entschuldige, Hans, aber es ist durchaus möglich, daß es buchstäblich zu einer Explosion in seinem Hinterkopf kommt.«

»Wo dein Implantat untergebracht ist?«

»Ja.«

»Dann müssen wir ihn finden, ehe es dazu kommt. Wenn die einen Roboter entdecken, werden sie glauben, daß es Tausende davon gibt!«

»Das habe ich meiner Frau auch gesagt.«

»Und was meint Greta dazu?«

»Sie ist ganz meiner Ansicht«, erwiderte Kröger, während seine Frau aufstand und heftig den Kopf schüttelte. »Ich muß nach Paris fliegen und mich dort mit unseren Leuten treffen. Zuerst mit den Blitzkriegern; die haben irgend etwas nicht verstanden. Und dann mit unserem Mann in der amerikanischen Botschaft; wir müssen uns Klarheit über das verschaffen, was er über die Antineos weiß. Und schließlich mit unserem Mann im Deuxième Bureau. Der fängt an zu wackeln.«

»Sei mit Moreau vorsichtig. Er ist einer von uns, aber er ist auch Franzose. Wir wissen wirklich nicht, auf welcher Seite er steht.«

12

Drew Lennox, der jetzt zu seinem Bruder Harry geworden war, wartete im Schatten des Trocadéro hinter der Statue von König Heinrich dem Unschuldigen und hielt ein Nachtsichtglas an die Augen gepreßt. Fast hundert Meter entfernt auf der anderen Seite des Platzes warfen die Statuen von Ludwig XIV. und Napoleon I. tiefe Schatten. Er befand sich an dem mit Karin de Vries verabredeten Treffpunkt, wo ausgewählte vertrauliche Papiere aus dem Büro seines »toten Bruders« an ihn geliefert werden sollten. Es war fast dreiundzwanzig Uhr, und Drew Lennox war froh, daß es eine Vollmondnacht war.

Zwei Männer stiegen aus einer schwarzen Limousine, die am Randstein zum Halten gekommen war. Sie trugen dunkle Straßenanzüge und gingen jetzt jeder mit einem Aktenkoffer in der Hand, in dem sich vermutlich die Papiere befanden, die er aus dem Schreibtisch seines »Bruders« angefordert hatte, auf den Treffpunkt zu. Sie waren Neonazis, denn von Karin de Vries war keine Codemitteilung gekommen. Ihr Telefon in der Botschaft war also angezapft.

Drew mischte sich unter die Passanten, von denen die meisten Touristen mit Kameras waren, deren Blitzlichter immer wieder aufflammten. Drew hatte die Revers seines Jacketts hochgeschlagen und sein Gesicht halb unter einer schwarzen Schildmütze verdeckt, während er sich von einer Gruppe zur nächsten voranarbeitete, bis er nur noch fünfzehn Meter vom Treffpunkt entfernt war. Er studierte die beiden Männer zwischen den zwei imposanten Statuen; sie waren ruhig und ebenso unbewegt wie die Monumente, bloß ihre Köpfe bewegten sich gelegentlich. Erschrocken stellte Lennox fest, daß er sich inmitten einer Gruppe japanischer Touristen befand, die alle viel kleiner waren als er. Aus der entgegengesetzten Richtung näherte sich jetzt eine Schar von Schaulustigen, bei denen es sich der Sprache nach zu schließen offenbar um Deutsche handelte. Aber vielleicht war das auch ein gutes Omen, dachte Drew, der die zwei falschen

Kuriere, die jetzt keine drei Meter mehr von ihm entfernt waren, nicht aus den Augen ließ. Der Augenblick zum Handeln war jetzt gekommen, aber Lennox wußte noch nicht so recht, was er tun sollte. Und dann kam es ihm plötzlich. Les rues de Montparnasse. Taschendiebe! Die Seuche des siebten Arrondissements.

Er wählte die dünnste, am wenigsten eindrucksvoll wirkende Frau in seiner Nähe aus und griff plötzlich nach ihrer Schultertasche. Sie schrie: »Ein Dieb!« Im Halbdunkel warf Drew die Tasche einem nichtsahnenden Mann zu, der neben dem ersten falschen Boten aus der Botschaft stand, und ging gleichzeitig mit erhobenen Fäusten auf ihn los und rief ein paar zusammenhanglose Worte in deutscher Sprache, ehe er sich sein nächstes Opfer suchte. Innerhalb weniger Augenblicke war es vor der Statue Napoleons zu einem kleinen Aufruhr gekommen, während alle im Halbdunkel nach dem Dieb und seiner Beute Ausschau hielten. Der erste falsche Kurier war plötzlich von Menschen umringt und versuchte vergeblich, sich ihrer zu erwehren, bis unvermittelt Lennox vor ihm stand.

»Heil Hitler«, sagte Drew mit ruhiger Stimme und in deutlichem Kontrast zu dem hysterischen Stimmengewirr und hieb dem Mann die Handkante gegen die Kehle. Als der Neonazi zusammensackte, zerrte Lennox ihn weg, zog ihn in die Finsternis hinter der Reihe von Statuen, die auf den im Scheinwerferlicht gebadeten Eiffelturm hinunterblickten.

Er mußte den Mann aus dem Trocadéro herausschaffen! Mußte ihn wegschaffen, dabei aber dem zweiten Kurier und etwaigen Helfern, die noch in der schwarzen Limousine warteten, aus dem Wege gehen. Er war gut vorbereitet zu diesem Rendevous gekommen, wie zu den anderen auch, mit Dingen, die die Antineos ihm bereitwillig zur Verfügung gestellt hatten. Eine Spraydose mit einem Mittel, das die Stimmbänder lähmte, Draht, um jemanden zu fesseln, und ein Funktelefon mit einer gesicherten Nummer. Nachdem er seinen Gefangenen gefesselt und ihn mit einem gutgezielten Faustschlag wieder bewußtlos gemacht hatte, zog er das Telefon heraus und wählte die Geheimnummer des Colonel.

»Ja«, meldete der sich ruhig.

»Witkowski, ich bin's. Ich habe einen.«

»Wo sind Sie?«

»Am Trocadéro an der Nordseite hinter der letzten Statue.«

»Und die Lage?«

»Da bin ich nicht sicher. Da ist noch ein Mann sowie ein Auto, ein schwarzer Viertürer. Ich weiß nicht, ob noch jemand im Wagen sitzt.«

»Sind viele Menschen auf dem Platz?«

»Na ja, mehr oder weniger.«

»Wie haben Sie sich Ihre Zielperson geschnappt?«

»Haben wir jetzt dafür Zeit?«

»Wenn ich vernünftig arbeiten soll, müssen wir sie uns nehmen. Also, wie?«

»Da waren etliche Touristen. Ich habe eine Handtasche gestohlen und einen kleinen Aufruhr inszeniert.«

»Das ist gut. Den wollen wir jetzt ein wenig anheizen. Ich werde die Polizei anrufen und sagen, daß wir befürchten, ein Amerikaner sei dem Raubmord zum Opfer gefallen.«

»Das waren Deutsche.«

»Das hat nichts zu sagen. In ein paar Minuten werden die Sirenen dort auftauchen. Gehen Sie zur Südseite und arbeiten Sie sich zur Straße vor. Ich komme so bald wie möglich.«

»Herrgott, Stanley, der Kerl ist irre schwer!«

»Sie sind wohl außer Form?«

»Das nicht, aber was soll ich denn sagen, wenn man mich aufhält?«

»Daß er ein betrunkener Amerikaner ist. Das hört jeder in Paris gern. Soll ich es Ihnen auf Französisch sagen – aber das bringt nichts, Sie machen das auf Ihre Art viel besser – viel glaubwürdiger. Los jetzt!«

Wie der Colonel prophezeit hatte, war das weite Areal des Trocadéro nach nicht einmal zwei Minuten von Sirenengeheul erfüllt, als fünf Streifenwagen der Pariser Polizei angebraust kamen. Die Passanten liefen auf die Straße zu, während Lennox, die bewußtlose Gestalt seines Opfers hinter sich herziehend, über den Platz zur Südseite eilte. Als die Statuen ihm Schutz boten, hievte er sich den Neonazi im Feuerwehrgriff über die Schultern und rannte in der Dunkelheit zur Straße. Dort ließ er

den Mann zu Boden sinken, kniete nieder und wartete Witkowskis Signal ab. Kurz darauf bog ein schwerer Botschaftswagen in
die Straße ein und ließ zweimal die Scheinwerfer aufblitzen.

The New York Times
STRENG GEHEIMES REGIERUNGSLABOR BERAUBT
International bekannter Wissenschaftler verschwunden.
Forschungsergebnisse im Computer gelöscht.

BALTIMORE, Samstag – In den Bergen von Rockland
wurde heute morgen von einer geheimen wissenschaftli-
chen Forschungsgruppe, die sich mit Mikrokommunika-
tion befaßt, die Polizei alarmiert. Ursprünglich, weil die
Angestellten Dr. Rudolf Metz, den international hochange-
sehenen Faseroptikspezialisten, weder telefonisch noch
über Piepser erreichen konnten. Auch in seinem Haus war
er nicht anzutreffen. Nachdem die Polizei sich einen
Durchsuchungsbefehl beschafft hatte, brach sie die Türen
auf und fand keinerlei Auffälligkeiten vor, mit Ausnahme
der Tatsache, daß die Kleiderschränke erstaunlich wenig
Kleidung enthielten. Später berichteten die Labortechniker,
daß die gesamten Forschungsergebnisse des letzten Jahres
aus den Computerdateien gelöscht worden waren, die lediglich noch sogenannte ›Frostbeulen‹ aufwiesen, was auf
einen Virus hindeutet.
   Dr. Metz, dreiundsiebzigjährig, ehemaliges Wunderkind
der deutschen Wissenschaft, ein Mann, der sich stets begeistert über seine amerikanische Staatsbürgerschaft äußerte,
und »dem himmlischen Vater« dafür dankte, war nach Aussagen von Nachbarn in Rockland ebenso wie seine vierte
Frau ein recht eigenartiger Mensch. »Sie lebten stets sehr
zurückgezogen mit Ausnahme der wenigen Anlässe, wo
seine Frau plötzlich große Parties veranstaltete, um ihren
Schmuck zu zeigen. Aber richtig gekannt hat sie eigentlich
niemand«, erklärte Bess Thurgold, die das Haus unmittelbar daneben bewohnt. »Ich fand einfach keinen Kontakt zu
ihm«, fügte Ben Marshall hinzu, ein Rechtsanwalt, der auf
der anderen Straßenseite lebt. »Er machte immer völlig

dicht, wenn ich irgendwie ein politisches Thema anschnitt, Sie wissen schon, was ich meine? Ich meine, wir sind schließlich alles Leute, die es zu etwas gebracht haben – verdammt, sonst könnten wir uns ja nicht leisten, hier zu leben – aber er äußerte nie eine Meinung. Nicht einmal über die Steuer!«

Die Spekulationen reichen im Augenblick von nervlicher Anspannung wegen Überarbeitung über Eheprobleme infolge des großen Altersunterschiedes zwischen Metz und seiner derzeitigen Frau, bis zur Entführung durch eine Terroristenorganisation, die sich sein Wissen zunutze machen könnte.

Lennox und Stanley Witkowski brachten den besinnungslosen falschen Kurier direkt in das Appartement des Colonel an der Rue Diane. Sie benutzten den Lieferanteneingang und schafften den Neonazi mit dem Frachtaufzug in Witkowskis Stockwerk und zerrten ihn in die Räume des Colonel.

»Auf diese Weise handeln wir nicht offiziell und das ist *bardzo dobrze*«, sagte Witkowski als sie den Mann auf die Couch fallen ließen.

»Was?«

»Das heißt, daß es gut ist. Harry hätte das verstanden. Er konnte Polnisch.«

»Tut mir leid.«

»Macht nichts. Sie haben Ihre Sache heute gut gemacht … so, und jetzt müssen wir zusehen, daß wir den Burschen wachkriegen und ihm dann eine Heidenangst einjagen, damit er den Mund aufmacht.«

»Und wie stellen wir das an?«

»Rauchen Sie?«

»Ich versuche gerade, damit Schluß zu machen.«

»Ich erzähl's keinem. Haben Sie einen Glimmstengel?«

»Also, ich habe immer noch welche einstecken – für den Notfall.«

»Zünden Sie sich einen an und geben Sie ihn mir.« Der Colonel fing an, den Neonazi mit kurzen schnellen Schlägen zu ohrfeigen; jetzt fingen die Augen des Mannes zu blinzeln an, als

Witkowski von Lennox die angezündete Zigarette entgegennahm. »Drüben auf meiner Bar steht eine Flasche Evian. Bringen Sie sie mir.«

»Hier ist sie.«

»Hey, Junge!« rief Witkowski und schüttete dem Gefangenen Wasser ins Gesicht, worauf seine Augen aufgingen. »Und laß deine blauen Augen offen, Freundchen, ich will sie dir nämlich rausbrennen, okay?« Der Colonel hielt die brennende Zigarette einen halben Zentimeter über das linke Auge des Neonazi.

»Ahh!« schrie der Mann, »bitte nicht!«

»Soll das heißen, daß du gar kein so zäher Bursche bist?« Die Glut der Zigarette berührte das Auge des Neonazi jetzt fast.

»Ahh, ahh!«

Der Colonel zog die Zigarette langsam zurück. »Mit dem da kannst du vielleicht wieder sehen, aber nur bei richtiger Behandlung. Bei deinem andern Auge werde ich jetzt die Netzhaut perforieren, und das sind Schmerzen, die nicht einmal ich ertragen könnte, abgesehen davon, daß du auf dem Auge blind sein wirst, blinder als eure Regierung in Bonn.« Witkowski schob die Zigarette zum rechten Auge, etwas Asche fiel hinein. »Jetzt wären wir soweit, Freundchen. Sag mir mal, wie sich das anfühlt.«

»Nein – nicht! Ich sage Ihnen, was Sie wollen, aber tun Sie das nicht!«

Augenblicke später setzte der Colonel seine Befragung fort, während der Neonazi sich einen Eisbeutel auf das linke Auge drückte. »Also, wer sind Sie, wo kommen Sie her und wen vertreten Sie?«

»Ich bin Kriegsgefangener und brauche nicht –«

Witkowski schlug dem Mann mit der linken Hand mit aller Kraft ins Gesicht. Sein Ring hinterließ auf der Wange des Mannes eine kleine Blutspur. »Ja, Krieg ist, du Drecksack, aber keiner hat ihn erklärt, und du hast überhaupt keine Rechte, bloß die, die ich mir für dich einfallen lasse. Und das verspreche ich dir, angenehm wird das nicht sein.« Der Colonel blickte zu Lennox auf. »Auf dem Schreibtisch dort drüben liegt ein altes Seitengewehr, das benutze ich als Brieföffner. Seien Sie ein guter Junge und bringen Sie es mir, ja?«

Drew ging zum Schreibtisch und brachte Witkowski die Waffe, während der den Hals des verängstigten falschen Kuriers abtastete. »Hier bitte, Doktor.«

»Komisch, daß Sie das sagen«, sagte der G-2-Veteran. »Ich habe erst letzte Nacht an meine Mutter gedacht; sie wollte immer, daß ich Arzt werde, Chirurg, um genau zu sein. Tausendmal hat sie zu mir gesagt: ›Du hast große, starke Hände, Staschu, du mußt Arzt werden und operieren; Ärzte verdienen viel Geld.‹ … Mal sehen, wie ich mich dafür eigne.« Der Colonel rammte dem Deutschen den Finger dicht über dem Brustbein in das weiche Fleisch. »Das fühlt sich wie die richtige Stelle an«, fuhr er fort und setzte die Spitze des Bajonetts auf.

»Nein!« kreischte der Neonazi und wand sich, als ein paar Blutstropfen über seinen Hals rollten. »Was wollen Sie von mir? Ich weiß überhaupt nichts. Ich tue nur, was man mir befohlen hat!«

»Und von wem bekommen Sie die Befehle?«

»Das weiß ich nicht! Ich bekomme einen Telefonanruf – ein Mann, manchmal eine Frau –, die nennen meine Codezahl, und ich muß gehorchen.«

»Das reicht nicht aus, du Schleimscheißer –«

»Er sagt die Wahrheit, Stosh«, fiel Lennox ihm ins Wort und in den Arm. »Neulich hat mir dieser Fahrer dasselbe gesagt, praktisch wortwörtlich.«

»Und wie lautete der Befehl heute nacht?« bohrte der Colonel und legte etwas mehr Druck auf sein Bajonett.

»Ihn zu töten, ja, den Verräter zu töten, aber dann sollten wir die Leiche weit wegschaffen und sie verbrennen.«

»Verbrennen?« fragte Drew.

»Ja, und den Kopf abschneiden und ihn ebenfalls verbrennen, aber an einem anderen Ort, weit weg vom Rest der Leiche.«

»Weit weg …?« Drew starrte den zitternden Neonazi aus geweiteten Augen an.

»Ich schwör's, mehr weiß ich nicht!«

»Den Teufel weißt du!« schrie der Colonel. »Ich habe Hunderte verhört wie dich, du Drecksack, und ich weiß Bescheid. Jemanden zu töten ist keine große Sache, der Rest ist ein wenig schwieriger und wesentlich gefährlicher, eine Leiche herumzuschleppen, ihr den Kopf abzuschneiden und alles zu verbrennen. Das ist selbst für euch Psychopathen ein wenig unheimlich. Was hast du uns nicht gesagt? Raus mit der Sprache, oder das ist dein letzter Atemzug!«

»Bitte nicht! Er wird bald sterben, aber er darf nicht unter den Feinden sterben! Wir müssen ihn zuerst erreichen!«

»Er wird sterben?«

»Ja, das ist nicht aufzuhalten. Drei Tage, vier Tage, mehr hat er nicht mehr. Wir sollten ihn heute erledigen, ihn vor dem Morgengrauen töten, weit entfernt, wo man ihn nicht finden kann.«

Lennox drehte sich um und ging halb benommen ans Fenster und versuchte das Rätsel zu begreifen, das der Mann ihnen präsentiert hatte. Das ergab einfach keinen Sinn.

»Ich werde diesen Drecksack der französischen Abwehr schicken, mit seiner kompletten Aussage«, sagte Witkowski.

»Wissen Sie, Stosh«, wandte Drew ein und drehte sich um und sah den Colonel an, »vielleicht sollten Sie ihn in eine Diplomatenmaschine nach Washington stecken und ihn nach Langley schicken und keinerlei Informationen an die Franzosen geben, nur den Leuten von der CIA.«

»Warum? Das ist ein französisches Problem.«

»Vielleicht ist es mehr als das, Stanley. Harrys Liste. Vielleicht sollten wir sehen, wer in der Agency diesen Mann zu beschützen versucht, oder umgekehrt, wer den Versuch macht, ihn zu töten.«

»Jetzt komme ich nicht mehr mit, junger Mann.«

»Ich komme selbst nicht mehr mit, Colonel. Ich bin jetzt Harry, und jemand erwartet von mir, daß ich sterbe.«

13

Um drei Uhr morgens waren die schmalen, schwach beleuchteten Straßen hinter dem Casino von Monte Carlo abgesehen von einigen wenigen Nachzüglern verlassen; einige davon waren betrunken, ein paar andere hochgestimmt und die meisten müde. Claude Moreau ging eine schmale Gasse zu einer Steinmauer hinunter, von der aus man den Hafen überblickte. Als er die Mauer erreichte, schweifte sein Blick über die Szene, die sich unten darbot: Ein Zufluchtsort der Reichen der Welt, der jetzt im Lichterglanz der dort vor Anker liegenden Luxusjachten und Kabinenkreuzer erstrahlte. Ihn erfüllte kein Neid; er war bloß ein Beobachter, dem jegliche Eifersucht fremd war, weil sein Beruf es gelegentlich erforderte, sich mit den Eignern dieser Luxusfahrzeuge zu befassen, ihre Lebensweise zu beobachten und häufig auch noch etwas tiefer zu bohren. Das reichte aus. Wenn man sie überhaupt in eine Schublade tun wollte, dann waren sie Verzweifelte, stets auf der Suche nach neuen Interessen, neuen Erfahrungen und neuem Nervenkitzel. Dieses beständige Suchen wurde ihre Realität, eine Suche ohne Ende, die immer wieder zu einer neuen, anderen Suche führte. Sie hatten ihren Luxus und brauchten ihn, denn der Rest war Langeweile, ein stetiges Warten auf neue Reize, die sie beschäftigen konnten. Was nun? Und was dann?

»*Allô*, Monsieur«, sagte eine Stimme aus der Dunkelheit. »Sind Sie der Freund der Bruderschaft?«

»Ihre Sache ist zum Scheitern verurteilt«, sagte Moreau ohne sich umzudrehen. »Das habe ich Ihren Leuten hundertmal gesagt, aber wenn ihr mich weiterhin so großzügig unterstützt, werde ich tun, was ihr von mir verlangt.«

»Unsere Blitzkriegerin, die Frau am Casinotisch. Sie haben sie weggebracht. Was ist geschehen?«

»Sie hat sich selbst das Leben genommen, so wie die anderen beiden vor Monaten im Gefängnis. Wir haben bei der Leibesvisitation die Zyankalikapsel übersehen.«

»Sehr gut. Sie hat Ihnen nichts verraten?«

»Wie hätte sie das tun können? Sie hat die Damentoilette nicht lebend verlassen.«

»Dann brauchen wir nichts zu befürchten?«

»Im Augenblick nicht. Ich erwarte für meine Bemühungen die übliche Überweisung nach Zürich. Morgen.«

»Das wird geschehen.«

Die Gestalt tauchte wieder in der Dunkelheit unter, und Moreau griff in seine Brusttasche und schaltete sein Tonbandgerät ab. Ungeschriebene Verträge bedeuteten nichts, solange ihre Verletzung nicht dokumentiert werden konnte.

Basil Marchand, Mitglied des Oberhauses, hieb den bronzenen Briefbeschwerer mit solcher Gewalt auf seinen Schreibtisch, daß die Glasplatte darauf zersprang, und Splitter durch den Raum flogen. Der Mann, der ihm gegenüberstand, trat einen Schritt zurück und wandte dabei kurz sein Gesicht ab.

»Wie können Sie es wagen?« schrie der ältere Herr, dessen Hände vor Wut zitterten. »Meine Vorfahren haben sich seit dem Krimkrieg wegen ihrer Tapferkeit vor dem Feind ausgezeichnet. Mein Großvater ist wegen seiner Leistungen im Burenkrieg von einem jungen Journalisten namens Churchill gerühmt worden. Wie können Sie auch nur daran denken, mir gegenüber jetzt so etwas anzudeuten.«

»Verzeihen Sie mir, Lord Marchand«, sagte der MI-5-Beamte ruhig und ohne sich aus der Fassung bringen zu lassen, »Ihre Familie hat wegen ihrer militärischen Leistungen in diesem Jahrhundert verdientermaßen Anerkennung erfahren. Aber es hat doch eine Ausnahme gegeben, nicht wahr? Ich meine damit Ihren älteren Bruder, der zu den Gründern der Cliveden-Gruppe gehörte, die eine ziemlich hohe Meinung von Adolf Hitler hatte.«

»Den haben wir aus der Familie ausgestoßen!« sagte Marchand wütend. »Verschonen Sie mich mit den verblendeten Vorstellungen eines Bruders, den ich kaum gekannt habe – und das wenige, was ich wußte, hat mir nicht gefallen. Wenn Sie ordentlich recherchiert hätten, sollten Sie wissen, daß er England 1940 verlassen hat und nie zurückgekehrt ist. Wahrscheinlich hat er sich in einem Versteck auf einer dieser Südseeinseln zu Tode getrunken.«

»Ich fürchte, das ist nicht ganz richtig«, sagte sein Besucher. »Ihr Bruder tauchte unter einem anderen Namen in Berlin auf und war während des ganzen Krieges im Propagandaministerium tätig. Er hat eine Deutsche geheiratet und hatte, wie Sie, drei Söhne –«

»Was …?« Der alte Mann sank langsam in seinen Sessel zurück. »Das hat man uns nie gesagt«, fügte er dann so leise hinzu, daß es kaum zu hören war.

»Das hätte wenig Sinn gehabt. Nach dem Krieg verschwand er mit seiner ganzen Familie vermutlich nach Südamerika, in eine dieser deutschen Enklaven in Brasilien oder Argentinien. Da er nicht offiziell auf der Liste der Kriegsverbrecher stand, wurde nicht gegen ihn ermittelt, und in Anbetracht der Verluste, die die Marchands erlitten haben –«

»Ja«, unterbrach ihn Lord Marchand mit leiser Stimme, »drei meiner Geschwister – zwei Piloten und eine Krankenschwester.«

»Genau. Aus diesem Grund hat unsere Behörde sich auch dafür entschieden, die ganze häßliche Geschichte zu begraben.«

»Das war sehr freundlich von Ihnen, äußerst freundlich. Tut mir leid, daß ich Sie so angefahren habe.«

»Lassen Sie sich darüber keine grauen Haare wachsen. Wie Sie schon sagten, was man Ihnen nie mitgeteilt hat, konnten Sie ja nicht wissen.«

»Ja, ja natürlich … aber jetzt haben Sie mir praktisch vorgeworfen – und damit der ganzen Familie –, daß wir einer neonazistischen Bewegung in Deutschland angehören. Warum?«

»Das ist eine ziemlich primitive Vorgehensweise, mit der die meisten von uns sich gar nicht wohlfühlen, aber sie ist wirksam. Ich habe Ihnen genaugenommen gar nichts vorgeworfen, Sir; wenn Sie sich erinnern, habe ich es etwa so formuliert, ›daß die Krone sehr verstimmt wäre, wenn sie erfahren müßte …‹ und so weiter. Die erste Reaktion darauf ist immer Wut und Empörung, aber es gibt echte und unechte Empörung. Wenn man schon eine Weile in diesem Geschäft tätig war, und das bin ich, fällt es nicht schwer, die beiden voneinander zu unterscheiden.«

»Ich frage noch einmal: Warum?«

»Die Namen zweier Ihrer Söhne stehen auf einer Liste, einer höchst vertraulichen Liste von Leuten, die insgeheim die Neonazis in Deutschland unterstützen.«

»Du lieber Gott, wie denn?«

»Marchands Limited ist ein Textilkonzern, ist das richtig?«

»Ja, natürlich, jeder weiß das. Wir haben Fabriken in Schottland und sind der zweitgrößte Konzern dieser Branche in Großbritannien. Seit ich in den Ruhestand getreten bin, wird das Unternehmen von zweien meiner Söhne geführt; der dritte, möge der Herrgott seiner Seele gnädig sein, ist Musiker. Was haben die beiden getan, daß man ihnen so etwas vorwirft?«

»Sie haben Geschäfte mit einer Firma namens Oberfeld getätigt, Tausende und Abertausende Ballen Stoff für identische Hemden, Blusen und Hosen in die Lagerhäuser dieser Firma in Mannheim geschickt.«

»Ja, ich habe mir die Konten angesehen, das mache ich immer noch. Oberfeld zahlt seine Rechnungen pünktlich und ist ein hervorragender Kunde. Und was weiter?«

»Oberfeld existiert gar nicht, das ist bloß eine Fassade für die Neonazibewegung. Der Name und das Lagerhaus in Mannheim sind seit sieben Tagen verschwunden, ebenso wie ihr Bruder vor fünfzig Jahren verschwunden ist.«

»Was wollen Sie damit andeuten?«

»Ich will es so vorsichtig wie möglich formulieren, Lord Marchand. Es ist möglich, daß die Söhne ihres Bruders zurückgekommen sind und ihre eigenen Söhne, ohne daß die es wußten, in eine Verschwörung hineingezogen haben, die neue Nazibewegung mit Uniformen zu beliefern.«

»Uniformen?«

»Das ist der nächste Schritt, Lord Marchand. Historisch betrachtet entspricht es dem Standard.«

Knox Talbot spielte nicht gerne den lieben Gott, weil das zu viele zu lange seinem Volk gegenüber getan hatten. Er fühlte sich in dieser Rolle einfach nicht wohl und kam sich dabei auch ein wenig scheinheilig vor. Aber er hatte keine Wahl. Die Zentralcomputer der Agency waren geplündert worden, die Geheimnisse des Erdballs waren nicht mehr sicher, darunter die verschwiegensten Operationen, die die CIA auf der ganzen Welt durchgeführt hatte. Und damit auch Harry Lennox' qualvolle dreijährige Odyssee als Alexander Lassiter ... Deckname Sting.

Er hatte unter dem Vorwand der Jobrotation über drei Dutzend Personalakten angefordert, aber nur acht verlangten seine Aufmerksamkeit. Die für die AA-Zero-Computer verantwortlichen Männer und Frauen, denn nur sie besaßen die Codes, die den Zugang zu den Geheimnissen ermöglichten, die das Leben von Deep-Cover-Agenten und Informanten beenden oder die Operationen vereiteln konnten. Jemand hatte – nein, es mußte mehr als einer gewesen sein, mindestens zwei, weil zwei unterschiedliche Codes eingegeben werden mußten, um Zugang zu den Dateien zu bekommen. Aber welche zwei, und was hatten sie wirklich in Erfahrung gebracht? Harry Lennox war entkommen, um den schrecklichen Preis des Lebens seines Bruders, aber er lebte und hielt sich in Paris versteckt. Mehr noch, er lebte nicht nur, sondern er hatte eine Liste mit Namen mitgebracht, deren Aufdeckung bereits das ganze Land in Alarmzustand versetzt hatte oder zumindest die Medien, die sich redlich Mühe gaben, wann immer möglich das Land in Alarmzustand zu versetzen. Der ermordete Drew Lennox hatte behauptet, die Nazis seien über Sting informiert, aber wann hatten sie es erfahren?

Zwei von acht total »weißen«, hundertprozentig überprüften und freigegebenen Spezialisten im empfindlichsten Computereinsatz waren Maulwürfe. Wie war das möglich? Oder war es das überhaupt? In ihren Personalakten war nichts zu finden, was auch nur den leisesten Hinweis lieferte ... und dann erinnerte sich Talbot plötzlich an Ausschnitte aus Harry Lennox' Befragung in London. Er zog eine Schublade auf und entnahm ihr die Niederschrift. Er fand die Seite.

F (MI-5): Es geht das Gerücht, die Nazis, die neuen Nazis, hätten von Anfang an gewußt, wer Sie sind.

HL: Das ist kein Gerücht, sondern darauf werden sie sich versteifen. Wie oft haben wir dasselbe gemacht, wenn wir einen Maulwurf gefunden haben, der uns ausgeraubt hat und dann zurück zu Mütterchen Rußland geflohen ist. Natürlich haben wir dann verkündet, wie schlau wir doch sind und wie nutzlos die Informationen waren, die er uns gestohlen hat – auch wenn das nicht stimmte.

F (Deuxième): Wäre nicht vorstellbar, daß man Ihnen Falschinformationen zugespielt hat?

HL: Man hat mir vertraut bis zu meiner Flucht, ich galt als Mäzen, der ihrer Sache treu und fest ergeben ist. Warum sollten sie mir falsche Informationen zuspielen? Aber, um Ihre Frage zu beantworten, ja, natürlich ist es vorstellbar. Fehlinformationen, menschliche Fehler, Computerfehler, Wunschdenken, Phantasievorstellungen – alles ist möglich. Es ist Ihre Aufgabe, meine Erkenntnisse zu bestätigen oder abzulehnen. Ich habe Ihnen das Material gebracht, Ihre Aufgabe ist es jetzt, das Material auszuwerten.

Knox Talbot studierte die Aussagen des Agenten. Man konnte durchaus sagen, daß Harry Lennox sich die Tür weit offen gelassen hatte. Alles war verrückt, wimmelte von wahrscheinlichen Bestätigungen und möglichen Widersprüchen, mit Ausnahme der Existenz des sich in Deutschland ausbreitenden Nazivirus. Der CIA-Direktor legte das Protokoll beiseite und starrte auf die acht Personalakten, die im Halbkreis auf seinem Schreibtisch ausgelegt waren. Er würde sich jede einzelne Akte noch einmal vornehmen und sich mit aller Konzentration Mühe geben, *zwischen* den Zeilen zu lesen, bis ihm die Augen tränten. Als sein Telefon klingelte, war er dankbar. Er drückte einen Knopf und die Stimme seiner Sekretärin ertönte.

»Mr. Sorenson auf Leitung drei, Sir.«

»Und wen haben Sie auf eins und zwei?«

»Zwei Journalisten vom Fernsehen. Beide möchten, daß Sie in ihren Talkshows auftreten und sich zu den Befragungen äußern, die das FBI derzeit vornimmt.«

»Ich bin zum Mittagessen, mindestens einen Monat lang.«

»Das war mir klar, Sir. Leitung drei, falls Sie nicht wollen, daß ich ihm dasselbe sage.«

»Nein, ich nehme das Gespräch … Hallo, Wes, bitte ärgern Sie mich jetzt nicht auch noch.«

»Lassen Sie uns zusammen essen gehen«, schlug Wesley Sorenson vor. »Wir müssen miteinander reden. Unter vier Augen.«

»Falls Sie es noch nicht bemerkt hatten, ich bin ein wenig auffällig, alter Junge. Es sei denn, Sie wollen in ein Restaurant in einem der dunkleren Viertel der Stadt gehen, wo Sie der Auffällige sind.«

»Dann machen wir es doch ganz anders und treffen uns im Rock Creek Park. Am Vogelhaus; dort gibt es einen Würstchenstand, den mir meine Enkelkinder gezeigt haben. Gar nicht schlecht übrigens, die haben Chili.«

»Wann?«

»Die Sache ist eilig. Schaffen Sie es in zwanzig Minuten?«

»Das werd ich wohl müssen.«

Das Geschrei von Kindern, die von Eltern und Parkwächtern nur mühsam im Zaum gehalten wurden, mischte sich in das Kreischen der Tausende von Vögeln hinter den Drahtgittern der riesigen Voliere im Zoo von Rock Creek Park. Überall wimmelte es von lärmenden Touristen, unter denen die wenigen Bewohner Washingtons kaum auffielen, die dem hektischen Getriebe der Hauptstadt entflohen waren, um in dem Park Ruhe zu finden. Wenn sie sich den Horden von Touristen gegenübersahen, ergriffen diese Einheimischen gewöhnlich schnell die Flucht und zogen die Stille lautloser Monumente diesem Lärm vor. Plötzlich stieß ein besonders unangenehmer Kondor mit einer Flügelspanne von wenigstens zweieinhalb Metern kreischend herunter und klammerte sich mit den Klauen an den Drähten des mächtigen Käfigs fest. Kinder und Erwachsene fuhren sofort zurück; die bösartig funkelnden Augen des mächtigen Vogels machten ihnen angst.

»Ein ganz schönes Biest, was?« sagte Knox Talbot, der sich hinter Wesley Sorenson gestellt hatte.

»Allerdings«, antwortete dieser, ohne sich umzudrehen. »Holen wir uns einen Hot Dog. Der Stand ist etwa fünfzig Meter links von hier, und dort gibt es auch eine Bank. Gewöhnlich sind dort eine Menge Leute, also dürfte uns niemand bemerken.«

»Von Chili bekomme ich Blähungen.«

»Versuchen Sie's mit Sauerkraut.«

»Das ist ja noch schlimmer.«

»Dann bloß Senf.«

»Haben Sie je zugesehen, wie Hot Dogs gemacht werden, Wes?«

»Sie etwa?«

»Ich glaube, mir gehört eine Firma, die welche herstellt.«

Sieben Minuten später setzten Sorenson und Talbot sich nebeneinander, ganz wie zwei Großväter, die sich ein wenig von ihren strapaziösen Enkeln erholen wollen. »Es gibt da etwas, das ich Ihnen nicht erzählen darf, Knox«, begann der Cons-Op-Direktor, »und wenn Sie es später herausbekommen, werden Sie stinksauer sein.«

»Etwa so wie Sie, als wir Moreaus Namen von Harry Lennox' Liste entfernt haben, bevor wir sie Ihnen geschickt haben?«

»Ja, so ähnlich.«

»Dann sind wir quitt. Was dürfen Sie mir denn sagen?«

»Zuerst darf ich Ihnen sagen, daß die Bitte von einem ehemaligen G-2-Spezialisten kommt, der während des Kalten Krieges in Berlin tätig war. Er heißt Witkowski, Colonel Stanley Witkowski –«

»Zur Zeit Sicherheitschef der Pariser Botschaft«, fiel Talbot ihm ins Wort.

»Sie kennen ihn?«

»Nur seinen Ruf. Der Mann ist so intelligent, daß er mit Ihnen um meinen Job hätte konkurrieren können, wenn ihm die Anerkennung zuteil geworden wäre, die er verdient. Aber das ging leider nicht, aus Gründen der nationalen Sicherheit.«

»Augenblicklich arbeitet er allem Anschein nach als Verbindungsmann für Harry Lennox, der selbst nicht das Risiko eingehen will, an Langley heranzutreten.«

»Die AA-Zero-Computer?«

»Anscheinend … Lennox wollte sich inoffiziell mit Ihnen in Verbindung setzen, kennt Sie aber nicht. Sie wissen ja, Sie sind unter der neuen Regierung DCI geworden, und da war Harry bereits seit zwei Jahren in Deep-Cover. Deshalb hat er sich an Witkowski gewandt, den er noch von früher kannte. Und da ich den Colonel aus derselben Zeit kenne, hat dieser mich angesprochen.«

»Um was geht es denn?«

»Es gibt da einen Mann, einen deutschen Arzt, der möglicherweise großen Einfluß in der Nazibewegung hat – aber vielleicht ist er auch ein Mann mit Gewissen, der sich gegen die Nazis gewandt hat. Wir müssen alles erfahren, was über ihn herauszubekommen ist. Und in dem Punkt ist Ihr Verein unbestrittener Meister.«

»Das haben mir andere auch schon gesagt«, sagte der DCI. »Wie heißt er denn?«

»Kröger, Gerhard Kröger. Aber die Sache hat einen Haken, und zwar einen ziemlich großen.«

»Was für einen?«

»Sie müssen damit in den Untergrund gehen und zwar ziemlich tief. Sein Name darf unter keinen Umständen in der Agency fallen. Können Sie das machen?«

»Ich denke schon. Als ich diesen Job übernahm, habe ich mir meine Sekretärin mitgebracht, die schon seit zwanzig Jahren für mich arbeitet. Sie ist fix und intelligent und kann beinahe meine Gedanken lesen … Kröger, Gerhard, Medizinmann, alles, was es zu wissen gibt. Sie wird selbst in die Archive gehen und alles beibringen, was dort zu finden ist.«

»Vielen Dank.«

»Gern geschehen. Ich rufe Sie an, wenn ich die Unterlagen habe. Dann können wir ja bei mir einen Schluck trinken.«

14

Gerhard Kröger trat aus der Ankunftshalle des Flughafens von Orly. Er hatte zwei Gepäckstücke bei sich, eine Arzttasche und einen mittelgroßen Nylonkoffer, die er beide als Handgepäck mit in die Maschine genommen hatte. Er bog nach links und ging einige hundert Meter, bis er in den Frachtbereich kam, wo er sich eine Weile umsah und dann seine Aufmerksamkeit auf die wenigen Fahrzeuge konzentrierte, die vor den mächtigen Schiebetüren parkten, durch die auf Handkarren Kisten und Kartons mit Frachtgut heraus- und hineingefahren wurden. Bald hatte er entdeckt, was er zu sehen gehofft hatte, einen grauen Lieferwagen mit dicker weißer Balkenschrift an der Seite. ENTREPÔTS AVIGNON, die Lagerhäuser Avignon, ein Depot, in dem über hundert Großhändler ihre Ware vor der Auslieferung an die Einzelhändler der Region Paris aufbewahrten. Und irgendwo in diesem labyrinthartigen Bau befand sich die Unterkunft der Blitzkrieger, der Elitekiller der Bruderschaft. Kröger ging auf einen, mit einem rot-weiß-gestreiften Rugby-Shirt bekleideten Mann zu, der an dem Lieferwagen lehnte.

»Ist der Malossol geliefert worden, Monsieur?« fragte er.

»Der beste Kaviar, den es im Iran gibt«, erwiderte der muskulöse Mann im Rugby-Hemd, schnippte seine Zigarette weg und starrte Kröger erwartungsvoll an.

»Ist er wirklich besser als der russische?« fuhr Gerhard fort.

»Alles ist besser als russische Ware.«

»Gut. Dann wissen Sie, wer ich bin.«

»Nein. Ich weiß nicht, wer Sie sind, Monsieur. Und ich will es auch gar nicht wissen. Steigen Sie einfach hinten ein, dann bringe ich Sie zu einem, der weiß, wer Sie sind.«

Die Fahrt zu ihrem Bestimmungsort inmitten von Kisten und Schachteln voll Fisch war für Gerhard nicht gerade angenehm, sowohl wegen des durchdringenden Fischgeruchs als auch wegen der harten Holzbank, auf der er sitzen mußte, während der Lieferwagen über von Schlaglöchern durchsetzte Straßen polterte, bis sie schließlich nach beinahe einer halben Stunde zum Stillstand kamen und eine rauhe Stimme aus einem verborgenen Lautsprecher ertönte.

»Aussteigen, Monsieur. Und bitte vergessen Sie nicht, Sie haben uns und wir haben Sie nie gesehen und Sie haben sich nie in unserem Fahrzeug befunden.« Die hinteren Türen des Lieferwagens öffneten sich mechanisch. Kröger griff nach seinem Gepäck, bückte sich, um sich nicht den Kopf am Dach anzustoßen, und arbeitete sich geduckt zum Ausgang, froh wieder frische Luft atmen zu können. Ein ziemlich junger Mann mit kurz geschorenem Haar, der einen dunklen Anzug trug, musterte ihn stumm, während der Lieferwagen mit quietschenden Reifen um die nächste Ecke bog.

»Was war denn das für ein Fahrzeug?« erregte sich Gerhard. »Wissen Sie, wer ich bin?«

»Wissen Sie, wer wir sind, Herr Kröger? Wenn ja, dann war das eine dumme Frage. Unsere Anwesenheit hier in Frankreich muß streng geheim bleiben.«

»Darüber werden wir uns später unterhalten, wenn ich mich mit Ihrem Vorgesetzten treffe. Bringen Sie mich sofort zu ihm!«

»Ich habe keinen Vorgesetzten, Herr Doktor. Ich habe Wert darauf gelegt, Sie persönlich zu empfangen.«

»Aber Sie sind – Sie sind …«

»So jung, Herr Dr. Kröger? … Nur junge Leute können das tun, was wir tun. Wir sind hervorragend durchtrainiert und verfügen über erstklassige Reflexe. Alte Männer wie Sie würden sich bereits in der ersten Ausbildungsstunde disqualifizieren.«

»Gut, das haben Sie jetzt gesagt, und ich widerspreche Ihnen nicht. Aber Sie sollten innerhalb von zwei Stunden disqualifiziert werden, weil Sie Ihre Befehle nicht erfüllen!«

»Unsere Einheit ist die beste. Darf ich Sie daran erinnern, daß meine Leute eine der Zielpersonen unter schwierigsten Begleitumständen getötet haben –«

»Aber nicht den Richtigen, Sie Schwachkopf!«

»Wir werden den anderen auch noch finden. Das ist lediglich eine Frage der Zeit.«

»Zeit haben wir aber keine! Wir müssen uns besprechen. Gehen wir in Ihr Büro.«

»Nein. Wir reden hier. Niemand betritt unsere Büros. Wir haben für Ihre Unterbringung gesorgt; das Hotel Lutetia, es war früher einmal Hauptquartier der Gestapo. Sie werden sich dort wohlfühlen, Herr Doktor.«

»Wir müssen jetzt sofort reden.«

»Dann reden Sie, Herr Kröger. Hier oder gar nicht.«

»Sie sind aufsässig, junger Mann. Ich bin jetzt in Marktroda Kommandant bis ein Nachfolger für von Schnabe benannt ist. Sie werden Ihre Befehle von mir entgegennehmen.«

»Da muß ich Ihnen leider widersprechen, Herr Dr. Kröger. Seit der Beseitigung des Generals haben wir Anweisung, unsere Befehle ausschließlich aus Bonn entgegenzunehmen, von unserem Vorgesetzten in Bonn.«

»Dieser Harry Lennox muß aufgespürt und getötet werden. Unverzüglich!«

»Das haben wir verstanden, Bonn hat daran keine Zweifel gelassen.«

»Und trotzdem stehen Sie hier herum und erklären mir ganz beiläufig, es sei ›lediglich eine Frage der Zeit‹?«

»Wenn ich schreien würde, würde das wohl auch nichts nützen. Zeit mißt man in Sekunden, Minuten, Stunden, Tagen, Wochen und –«

»Hören Sie auf! Das hier ist eine Krise und ich verlange, daß Sie dem Rechnung tragen.«

»Das tun wir alle.«

»Was haben Sie dann getan und was unternehmen Sie? Und wo, zum Teufel, sind Ihre zwei Männer? Haben Sie von ihnen etwas gehört?«

Der junge Blitzkrieger stand immer noch wie erstarrt da, aber seine Augen flackerten unsicher. Aber als er antwortete, klang seine Stimme ganz ruhig, und er sprach langsam und gemessen. »Wie ich Spottdrossel schon erklärt habe, Herr Kröger, gibt es mehrere Möglichkeiten. Sie sind entkommen, sind aber beide verwundet worden, wir wissen nicht wie schwer. Wenn ihre Lage hoffnungslos wäre, hätten sie das getan, wozu jeder von uns sich unter Eid verpflichtet hat, nämlich sich selbst mit einer Zyankalikapsel getötet.«

»Sie haben also nichts von ihnen gehört?«

»Das ist richtig. Aber wir wissen, daß sie mit dem Wagen entkommen sind.«

»Woher wissen Sie das?«

»Es stand in sämtlichen Zeitungen, und alle Nachrichtensendungen waren voll davon. Außerdem haben wir erfahren, daß eine großangelegte Suchaktion nach ihnen im Gange ist, die Polizei, die Sûreté und sogar das Deuxième Bureau sind eingeschaltet. Sie suchen überall: in Städten, Dörfern, ja sogar auf Hügeln und in den Wäldern; jeder Arzt im Umkreis von zwei Stunden um Paris wird befragt.«

»Dann schließen Sie also auf Doppelselbstmord, und doch haben Sie gesagt, es gebe mehrere Möglichkeiten. Was denn noch?«

»Die ist die wahrscheinlichste, das sehen Sie ganz richtig, aber es ist auch vorstellbar, daß sie langsam wieder zu Kräften kommen und kein Telefon in Reichweite haben. Wie Sie ja wissen, sind wir dazu ausgebildet, uns, wenn wir verwundet sind, selbst zu behandeln und dabei im Versteck zu bleiben, bis wir wieder genügend zu Kräften gekommen sind, um Verbindung aufzunehmen. Wir sind alle hinreichend medizinisch ausgebildet, um auch kleinere Knochenbrüche selbst einzurichten.«

»Das ist ja großartig. Da kann ich ja mein Diplom zurückgeben und meine Patienten zu Ihnen schicken.«

»Das ist kein Witz, Herr Kröger, das ist einfach Teil unseres Überlebenstrainings.«

»Gibt es noch andere ›Möglichkeiten‹?«

»Sie meinen, ob man sie gefangengenommen hat?«

»Ja.«

»Wenn das der Fall wäre, wüßten wir es. Unsere Informanten in der Botschaft hätten es erfahren, und die Suchaktion steht außer Zweifel. Die französische Regierung hat über hundert Personen für die Suche nach unserer Einheit abgestellt. Wir haben sie beobachtet, sie gehört.«

»Das klingt sehr überzeugend. Was also noch? Wo sind die Männer? Harry Lennox muß gefunden werden!«

»Wir glauben, daß wir ihm auf der Spur sind. Lennox steht unter dem Schutz der Antineos –«

»Das wissen wir auch!« fiel Kröger ihm ärgerlich ins Wort. »Aber es zu wissen hat gar nichts zu bedeuten, solange Sie nicht wissen, wo sie sind oder wo sie ihn versteckt halten.«

»Möglicherweise erfahren wir im Lauf der nächsten zwei Stunden, wo ihr Hauptquartier ist.«

»Was? ... Warum haben Sie das nicht schon früher gesagt?«

»Weil es mir lieber ist, Ihnen Tatsachen zu berichten, als Spekulationen anzustellen. Ich habe gesagt ›möglicherweise erfahren wir‹, bis jetzt ist das aber noch nicht der Fall.«

»Wie?«

»Der Sicherheitschef der Botschaft hat telefonischen Kontakt mit den Antineos aufgenommen; sein Telefon wird so wie das des Botschafters regelmäßig überprüft, um sicherzustellen, daß es nicht abgehört wird. Aber es gibt unter Verschluß eine Liste seiner Anrufe; unser Mann glaubt, er könne an diese Liste herankommen und sie fotokopieren. Sobald wir die Nummern haben, können wir ohne Mühe jemanden bei der Telefongesellschaft bestechen, um die jeweiligen Adressen auszugraben. Und dann ist es ein Kinderspiel.«

»Sie scheinen sich auf Ihr Handwerk zu verstehen, Herr – wie heißen Sie?«

»Ich habe keinen Namen, keiner von uns hat einen Namen. Ich bin Nummer Null Eins, Paris. Kommen Sie, ich habe ein Fahrzeug für Sie besorgt. Wir werden ständig miteinander in Verbindung bleiben.«

Am Schreibtisch seines Zimmers im Maison Rouge der Antineos griff Drew nach dem Telefon und wählte die Nummer der Botschaft. Er bat die Vermittlung, ihn mit Mrs. de Vries in Dokumente und Recherchen zu verbinden.

»Hier Harry Lennox«, sagte Drew, als Karin sich gemeldet hatte. »Können Sie reden?«

»Ja, Monsieur, es ist niemand hier. Aber zuerst habe ich Instruktionen für Sie. Der Botschafter hat mich kommen lassen und mich gebeten, sie bei Ihrem nächsten Anruf an Sie weiterzugeben.«

»Ja, sprechen Sie«, sagte Lennox, jetzt in der Rolle seines toten Bruders. Er kniff die Augen etwas zusammen und lauschte aufmerksam. Karin war im Begriff, ihm eine Botschaft zukommen zu lassen. Er griff nach einem Bleistift.

»Sie sollen heute abend um halb zehn mit unserem Kurier Nummer sechzehn an der oberen Station der Drahtseilbahn an der Sacré-Coeur Kontakt aufnehmen. Er hat Kommuniques aus Washington für Sie ... Sie verstehen, *non*?«

»Ich verstehe, ja«, antwortete Drew und wußte, daß das französische *non* anstelle des üblichen *n'est-ce pas* bedeutete, daß er die Information ignorieren sollte. Es handelte sich um eine weitere Falle Witkowskis, der davon ausging, daß Karins Telefon angezapft war. »Noch etwas?«

»Sie sollten sich um zwanzig Uhr fünfundvierzig mit dem Freund Ihres Bruders aus dem Cons-Op-Büro in London an dem Springbrunnen im Bois de Boulogne treffen, richtig?«

»Ja, das ist abgemacht.«

»Das Treffen ist abgesagt, Monsieur, wegen des Sacré-Coeur-Kontaktes.«

»Können Sie ihn erreichen und es absagen?«

»Das haben wir, *oui* – ja. Wir werden ein neues Treffen arrangieren.«

»Bitte, tun Sie das. Er kann mir einiges sagen, was ich über Drews letzte Wochen wissen möchte, besonders Einzelheiten über diese Jodelle-Geschichte ... Ist das alles?«

»Für den Augenblick ja. Haben Sie etwas?«

»Ja. Wann kann ich in die Botschaft zurückkommen?«

»Das lassen wir Sie wissen. Wir sind überzeugt, daß die Botschaft rund um die Uhr beobachtet wird.«

»Ich mag dieses Versteckspiel nicht, es ist verdammt lästig.«

»Sie könnten jederzeit nach Washington zurückkehren, das wissen Sie.«

»Nein! Drew ist hier getötet worden, und hier befinden sich auch seine Mörder. Ich werde hierbleiben, bis wir sie gefunden haben.«

»Gut. Werden Sie morgen anrufen?«

»Ja, ich brauche zusätzliche Papiere aus den Akten meines Bruders. Alles, was er über diesen Schauspieler hat.«

»Au revoir, Monsieur.«

»Bye.« Lennox legte den Hörer auf und warf dann einen Blick auf die Notizen, die er sich gemacht hatte, es waren nur wenige, weil er schnell begriffen hatte, nach welchem System Karin ihm verdeckte Instruktionen zukommen ließ. Sacré-Coeur galt nicht, wohl aber die Springbrunnen im Bois de Boulogne; das französische non eliminierte die erste Instruktion. Das doppelte oui – ja bestätigte die zweite. Das übrige war lediglich Füllmaterial, um Harry Lennox' Beschluß zu untermauern, in Paris zu bleiben. Er hatte keine Ahnung, mit wem er sich im Bois treffen sollte, würde den Betreffenden aber sicherlich erkennen, oder wenn das nicht der Fall war, darauf warten, daß jemand auf ihn zukam.

Am Ende seiner Schicht war der Informant der Bruderschaft in der Kommunikationszentrale der Botschaft auf die Avenue Gabriel hinausgegangen, hatte ein paar Augenblicke gewartet und dann mit schnellen Schritten die Straße überquert, wobei er leicht gegen einen Mann auf einem Motorrad gestoßen war. Dabei hatte die Kassette den Besitzer gewechselt, gleich darauf war das Motorrad losgefahren und hatte sich kurz darauf im Verkehrsstrom verloren. Sechsundzwanzig Minuten später, exakt um 16.37 Uhr, wurde das Band in der geheimen Zentrale der Blitzkrieger im Avignon-Lagerhaus abgeliefert.

Null Eins, Paris, hielt eine dreizehn mal achtzehn Zentimeter große Fotografie von Alexander Lassiter/Harry Lennox in der Hand und hörte sich zum dritten Mal die Tonbandaufnahme des Telefongesprächs zwischen Lennox und Karin de Vries an.

»Mir scheint, unsere Suche ist zu Ende«, sagte Null Eins und beugte sich vor, um das Kassettengerät abzuschalten. »Wer geht zur Sacré-Coeur?« fragte er dann seine um den Konferenztisch versammelten Kollegen.

Alle hoben wie ein Mann die Hand.

»Vier reichen, mehr könnte auffällig sein«, fuhr der Anführer fort. »Teilt euch auf, nehmt das Foto mit und denkt daran, daß Lennox sich zweifellos tarnen wird.«

»Was kann er denn schon tun?« fragte der Blitzkrieger, der unmittelbar neben Null Eins saß. »Sich einen Schnurrbart ankleben? Wir kennen seine Größe, seine Figur und seine Gesichtsstruktur. Am Ende wird er mit einem Kurier Verbindung aufnehmen, der dort auf ihn wartet, einem Mann oder einer Frau in der Kontaktzone, für uns nicht zu übersehen.«

»Sei nicht so optimistisch, Null Sechs«, sagte der junge Anführer. »Vergiß nicht, daß Harry Lennox ein erfahrener Deep-Cover-Agent ist. So wie wir unsere Tricks haben, hat er die seinen. Und denkt um Gottes willen daran, daß er mit einem Kopfschuß getötet werden muß, und dabei muß seine linke Schädelseite zerschmettert werden. Fragt mich nicht warum, vergeßt es nur nicht.«

»Wenn du so ernsthaft an uns zweifelst«, wollte ein älterer Blitzkrieger am unteren Ende des Tisches wissen, »warum gehst du dann nicht selbst?«

»Anweisung aus Bonn«, erwiderte Null Eins kühl. »Ich soll hierbleiben und auf Instruktionen warten, die um zehn Uhr eintreffen. Würde gerne einer von euch hierbleiben, falls wir Harry Lennox bis dahin nicht gefunden haben und die Nachricht weitergegeben werden muß?«

»*Non*.« – »Nein.« – »Natürlich nicht.« Die um den Tisch Versammelten redeten alle durcheinander.

»Aber ich werde mich um den Bois de Boulogne kümmern.«

»Warum?« fragte Null Sieben. »Das ist doch gestrichen; du hast doch die Bandaufnahme gehört.«

»Ich frage euch, würdet ihr euch nicht um den Bois de Boulogne kümmern, nur für den Fall, daß ein nachdrückliches Nein in Wirklichkeit ein positives Signal ist oder daß vielleicht die Pläne noch einmal geändert werden?«

»Das hat was für sich«, sagte Null Sieben.

»Wahrscheinlich ist es ja Zeitvergeudung«, räumte der junge Anführer ein. »Trotzdem kostet es mich höchstens fünfzehn oder zwanzig Minuten, dann fahre ich wieder hierher zurück, damit ich um zehn hier bin. Wenn ich auf dem Montmartre wäre, würde ich es nie rechtzeitig schaffen.«

Als die Einheit für Sacré-Coeur ausgewählt war, kehrte Null Eins, Paris, in sein Büro zurück und setzte sich hinter seinen Schreibtisch. Er war erleichtert, weil niemand die erfundenen Instruktionen aus Bonn in Zweifel gezogen hatte und auch keiner darauf bestanden hatte, daß er als ihr Anführer die Aktion gegen Harry Lennox leiten und jemand anderen den Anruf aus Bonn entgegennehmen lassen solle. In Wahrheit wollte er mit dem Killereinsatz nichts zu tun haben, und zwar aus dem einfachen Grunde, weil er scheitern konnte. Alle möglichen unvorhergesehenen Umstände konnten eintreten, und Null Eins, Paris, konnte sich keinen weiteren Minuspunkt leisten. Falls die Exekution Harry Lennox' gelang, konnte er sich den Erfolg auf sein Konto schreiben, weil er die Aktion dirigiert hatte. Wenn die Falle leer zuschnappte, war er nicht am Schauplatz gewesen; die Schuld kam dann anderen zu.

Null Eins, Paris, wußte nämlich, was die anderen nicht wußten, und würde als Anführer den Befehl auch ausführen müssen. Wenn ein Blitzkrieger einmal versagte, erhielt er einen strengen Verweis; beim zweiten Versagen wurde er erschossen, und ein anderer nahm die freigewordene Stelle ein. Wenn das Kommando Sacré-Coeur scheiterte, wußte er, wer eliminiert werden würde – zunächst der dreißigjährige Null Fünf; seine Abneigung gegenüber seinem jüngeren Vorgesetzten kam zu häufig an die Oberfläche … und er hatte sich zu hartnäckig der Auswahl des Teams widersetzt, das verschwunden war. »Der eine ist ein Baby, das einfach gerne tötet, und der andere ein Hitzkopf; er geht zu viele Risiken ein! Laß mich es übernehmen!« Das hatte Null Fünf vor Null Sechs gesagt, beide waren jetzt zum Montmartre unterwegs und beide würden exekutiert werden, wenn ihr Vorhaben scheiterte. Null Eins, Paris, konnte sich keinen weiteren Fehlschlag leisten. Er mußte den Aufstieg in den inneren Kreis der Bruderschaft schaffen; er mußte den Respekt der wahren Anführer der Bewegung gewinnen, den Respekt des neuen Führers selbst, und mußte ihm aus ganzem Herzen seinen Respekt erweisen. Denn er glaubte an ihre Ziele, glaubte mit ganzem Herzen daran.

Er würde jetzt in den Bois de Boulogne fahren und seine Kamera mitnehmen und dort genügend Nachtaufnahmen schießen, um zu beweisen, daß er dort gewesen war. Der Film mit aufgedrucktem Datum und Zeit würde es bestätigen. Eigentlich war es nur eine Sicherheitsmaßnahme, falls er sie je brauchen sollte, und das bezweifelte er.

Das Telefon klingelte und ließ ihn zusammenfahren. Er nahm den Hörer ab.

»Der Code stimmt«, sagte die Frau in der Vermittlung, »Malossol Kaviar ist in der Leitung.«

»Herr Doktor –«

»Sie haben nicht angerufen!« rief Gerhard Kröger. »Ich sitze jetzt seit über drei Stunden hier, und Sie haben mich nicht angerufen.«

»Nur weil wir damit beschäftigt sind, unsere Strategie zu verfeinern. Wenn meine Leute sich nicht verkalkulieren, werden wir das Ziel erreichen, Herr Kröger. Ich habe alles bis zur letzten Kleinigkeit vorbereitet.«

»Ihre Leute? Warum nicht Sie?«

»Wir haben eine gegenteilige Information erhalten, die in ihren Folgen viel gefährlicher und möglicherweise zugleich auch ergiebiger sein kann. Ich habe mich dafür entschieden, das Risiko selbst einzugehen.«

»Das ist mir völlig unverständlich!«

»Wir haben es mit zwei Abläufen zu tun, die innerhalb der nächsten Stunde konvergieren. Sagen Sie Bonn, Null Eins, Paris, habe sein gesamtes Personal eingesetzt, um beide Abläufe unter Kontrolle zu halten, könne aber nicht gleichzeitig an zwei Orten sein. Deshalb habe er sich dafür entschieden, das größere Risiko einzugehen. Das ist alles, was ich Ihnen sagen kann. Behalten Sie mich in guter Erinnerung, falls ich nicht überlebe. Ich muß jetzt gehen.«

»Ja … ja, natürlich.«

Der junge Neonazi knallte den Hörer auf die Gabel. Ganz gleich was geschah, er war abgesichert. Er würde sich ein gemächliches Abendessen im *Au Coin de la Famille* leisten und dann gemütlich zu dem Springbrunnen im Bois de Boulogne schlendern, nutzlose Aufnahmen machen, in das Avignon-Lagerhaus zurückkehren und nehmen, was kam. Entweder Lob, weil die Mission gelungen war, oder den Tod zweier Blitzkrieger, die wegen Unfähigkeit exekutiert werden würden.

Er glaubte mit ganzem Herzen daran.

Drew schlenderte um die von Scheinwerfern angestrahlten, schimmernden Fontänen der Springbrunnen im Bois de Boulogne und hielt nach einem Gesicht Ausschau, das er kannte. Er war kurz vor halb neun eingetroffen, und jetzt war es beinahe neun Uhr, und er hatte immer noch niemanden gesehen, den er kannte, und es hatte ihn auch niemand angesprochen. Lennox sah auf die Uhr; inzwischen war es 21.03 Uhr. Er würde noch einmal eine Runde um die Springbrunnen drehen und dann zum Maison Rouge zurückkehren.

»*Américain!*« Als er den Ruf hörte, fuhr er herum. Es war Karin. Sie trug eine blonde Perücke, und ihre rechte Hand war verbunden. »Gehen Sie nach links, schnell, als ob ich Sie angerempelt hätte. Da ist ein Mann rechts von Ihnen, der Fotos macht. Wir treffen uns auf dem Nordweg.«

Lennox war erleichtert, daß sie da war, und zugleich beunruhigt über das, was sie gesagt hatte. Er schlenderte locker weiter wie all die anderen abendlichen Spaziergänger auch, bis er ganz zu seiner Rechten den mit Platten belegten Weg erreichte. Dort bog er ab und ging weitere zehn bis zwölf Meter unter dem Blätterdach der Bäume weiter und blieb dann stehen. Zwei Minuten später kam Karin ... sie fielen sich in die Arme und hielten einander umarmt, nicht lange, aber lang genug.

»Tut mir leid«, sagte de Vries und schob ihn sachte von sich und strich sich dann mit der verbundenen rechten Hand ziemlich unmotiviert über ihre blonde Perücke.

»Mir nicht«, fiel Drew ihr lächelnd ins Wort. »Ich glaube, das habe ich mir jetzt schon seit ein paar Tagen gewünscht.«

»Was?«

»Sie im Arm zu halten.«

»Ich war einfach froh, Sie gesund und munter zu sehen.«

»Das bin ich auch.«

»Das ist schön.«

»Es war auch schön, Sie im Arm zu halten.« Lennox lachte leise. »Schauen Sie, Lady, das haben Sie mir in den Kopf gesetzt. Sie haben doch gesagt, Sie würden in der Botschaft den Vorwand gebrauchen, daß Sie mich attraktiv fänden, und so weiter.«

»Ja, schon, aber das war tatsächlich ein Vorwand, eine strategische Maßnahme.«

»Jetzt kommen Sie schon, ich bin schließlich nicht der Glöckner von Notre Dame, oder?«

»Nein, Sie sind ein ziemlich gutgebauter, nicht unansehnlicher Bursche, den ganz bestimmt viele Frauen recht attraktiv finden.«

»Aber Sie nicht?«

»Ich habe andere Sorgen.«

»Sie meinen, ich bin nicht Freddie, der Unvergleichliche.«

»Niemand könnte Freddie sein, nicht im guten und nicht im bösen.«

»Heißt das, ich bin immer noch im Rennen?«

»In welchem Rennen?«

»In dem Rennen um Ihre Zuneigung vielleicht, so knapp und kurz die auch bemessen sein mag.«

»Reden Sie davon, daß Sie mit mir schlafen wollen?«

»Ach was, das hat Zeit, Lady. Vergessen Sie nicht, ich bin ein Amerikaner aus New England. Das hat viel Zeit.«

»Und ein Schwindler sind Sie auch.«

»Was?«

»Und dann sind Sie auch ein brutaler Mann, der andere Männer bei Eishockeyspielen umhaut. Oh ja, das habe ich gehört. Harry hat es mir gesagt.«

»Nur wenn Sie mir im Weg waren. Nie mutwillig.«

»Und wer hat das entschieden?«

»Ich wahrscheinlich.«

»Da haben Sie's. Sie sind ein streitsüchtiges Individuum.«

»Was zum Teufel soll das jetzt wieder bedeuten?«

»Aber im Augenblick bin ich dankbar, daß Sie so sind.«

»Was?«

»Der Mann mit der Kamera auf der anderen Seite dieses Springbrunnens.«

»Was ist denn mit ihm? Viele Leute machen nachts in Paris Fotos. Toulouse-Lautrec hat hier gemalt, heute machen alle Fotos.«

»Nein, er ist ein Neonazi, das spüre ich. Das weiß ich.«

»Wieso?«

»Aus der Art und Weise, wie er steht, wie er … er ist … so aggressiv.«

»Das ist aber nicht viel.«

»Warum ist er dann hier? Wieviele Leute machen denn wirklich nachts im Bois de Boulogne Fotos?«

»Da haben Sie auch wieder recht. Wo ist er?«

»Genau gegenüber von uns – das heißt, da war er, auf dem Südweg.«

»Bleiben Sie hier.«

»Nein. Ich gehe mit.«

»Verdammt noch mal, tun Sie, was ich Ihnen sage.«

»Sie haben mir gar nichts zu befehlen!«

»Sie haben keine Waffe, und selbst wenn Sie eine hätten, könnten Sie sie nicht abfeuern. Ihre Hand ist bandagiert.«

»Ich habe eine Waffe, und wenn Sie ein wenig besser aufpassen würden, wüßten Sie, daß ich Linkshänderin bin.«

»Was?«

»Gehen wir.«

Sie rannten gemeinsam los, zwischen den Bäumen durch, bis sie den Südweg erreichten, der zu den beleuchteten Springbrunnen führte. Der Mann mit dem Fotoapparat war immer noch da; er stand kerzengerade da und fotografierte, wie es schien, willkürlich die Leute, die um den Springbrunnen herumgingen. Lennox ging lautlos auf ihn zu, und seine rechte Hand hielt dabei den Kolben der Automatik in seinem Gürtel umfaßt. »Ihnen macht's wohl Spaß, Leute zu fotografieren, die gar nicht wissen, daß man sie aufnimmt«, sagte Drew und tippte dem Mann auf die Schulter.

Der Blitzkrieger fuhr herum und starrte Drew mit hervorquellenden Augen an. »Sie!« stieß er dann mit kehliger Stimme hervor. »Aber nein, nicht derselbe! Wer sind Sie?«

»Ich will auch was von Ihnen wissen.« Lennox packte den Mann an der Kehle und schleuderte ihn gegen einen Baumstamm. »Kröger!« schrie er. »Wer ist Gerhard Kröger?«

Der Neonazi erholte sich schnell von seiner Verblüffung und versuchte Drew zwischen die Beine zu treten. Lennox machte einen Satz zurück, wich dem Tritt aus und schmetterte dem Nazi den Lauf seiner Automatik ins Gesicht. »Du Hurensohn, du hast wohl mich gesucht, oder?«

»Nein!« schrie der Neonazi mit blutüberströmtem Gesicht. »Sie sind nicht der Mann auf dem Foto!«

»Dann eben jemanden, der mir ähnelt, stimmt's? Dasselbe Gesicht irgendwie, stimmt's?«

»Sie sind verrückt!« schrie der Nazi und versuchte Drew mit einem Handkantenschlag am Hals zu treffen; Lennox bekam sein Handgelenk zu packen und drehte es ruckartig herum. »Ich habe nur fotografiert!« Der Mann fiel zwischen die Büsche.

»So, und wo das jetzt klargestellt ist«, sagte Drew atemlos, ließ sich rittlings auf dem Neonazi nieder und schmetterte ihm dann plötzlich das Knie gegen den Brustkasten, »wollen wir mal über Kröger reden!« Lennox drückte dem Nazi den Lauf seiner Automatik an die Stirn, genau zwischen die Augen. »Das werden Sie mir jetzt sagen, sonst haben Sie gleich ein Loch im Kopf!«

»Ich bin bereit zu sterben!«

»Das ist sehr nett, das werden Sie nämlich gleich. Sie haben fünf Sekunden … eins, zwei, drei … vier –«

»Nein! … Er ist hier in Paris. Er muß Sting finden!«

»Und Sie dachten, daß ich Sting sei, richtig?«

»Sie sind nicht derselbe Mann!«

»Da haben Sie verdammt recht, das bin ich nicht.« Er stand auf und packte den Mann an der Schulter. »Hinsetzen!«

Plötzlich hielt der Neonazi eine schwere Pistole in der rechten Hand, und dann peitschte hinter ihnen ein Schuß und ließ den Kopf des Deutschen zurückschnellen und das Blut aus seinem Hals spritzen. Karin de Vries hatte Lennox das Leben gerettet. Jetzt kam sie angerannt. »Ist Ihnen was passiert?« rief sie.

»Wo hatte er die Pistole her?« fragte Drew immer noch halb erstarrt.

»Da wo Sie die Ihre auch haben«, antwortete de Vries.

»Was?«

»Im Gürtel. Sie haben ihn gepackt und gesagt, er solle sich aufsetzen; und da habe ich gesehen, wie er unter sein Jackett griff.«

»Ich danke Ihnen –«

»Danken Sie mir jetzt nicht, tun Sie etwas. Gleich wird die Polizei hier sein.«

»Kommen Sie!« befahl Lennox, schob die Automatik in seinen Gürtel und zog ein Handy aus der Innentasche. »Wir verstecken uns zwischen den Bäumen – los.« Sie rannten vielleicht zwanzig Meter durch ein kleines Gehölz, bis Drew die Hand hob. »Das sollte reichen«, sagte er atemlos.

»Wo haben Sie das her?« fragte Karin und deutete auf das in Lennox' linker Hand nur silhouettenhaft sichtbare Telefon.

»Von den Antineos«, erwiderte Drew und kniff die Augen zusammen, um in dem schwachen Licht, das von der Springbrunnenbeleuchtung durch die Blätter drang, die Tastatur erkennen zu können. »Bei denen ist alles High-Tech.«

»Nicht wenn jeder die Frequenz eines Handy anpeilen kann, obwohl ich denke, daß in einem solchen Notfall –«

»Stanley?« sagte Lennox und schnitt ihr damit das Wort ab. »Herrgott, es ist schon wieder passiert! Im Bois de Boulogne, ein Neonazi war hier, er sollte mich erledigen.«

»Und?«

»Er ist tot, Stosh, Karin hat ihn erschossen, als er mir gerade den Schädel wegblasen wollte ... aber er hat gesagt, Kröger sei hier in Paris, auf der Suche nach Sting!«

»Wo sind Sie jetzt?«

»Wir sind in einem kleinen Wäldchen ein Stück abseits vom Weg, vielleicht zwanzig oder dreißig Meter von der Leiche entfernt.«

»Jetzt hören Sie gut zu«, sagte Witkowski mit schroffer Stimme. »Wenn Sie das schaffen, ohne daß die Polizei Sie dabei erwischt – verdammt – selbst wenn Sie das Risiko eingehen müssen, daß die Sie erwischen –, leeren Sie diesem Mistkerl die Taschen aus und verschwinden Sie von dort.«

»So wie ich es mit Harry gemacht hatte ...« Drews Stimme wurde zu einem gequälten Flüstern.

»Tun Sie es jetzt *für* Harry. Wenn das, was Sie über diesen Kröger sagen, ein wenig Hand und Fuß hat, dann ist diese Leiche unsere einzige Chance, an ihn ranzukommen.«

»Er hat einen Augenblick lang gedacht, ich sei Harry; er hat eine Fotografie, hat er gesagt.«

»Sie vergeuden Zeit!«

»Und wenn die Polizei kommt ...?«

»Dann reden Sie sich irgendwie raus, das können Sie doch. Und wenn das nicht klappt, dann kümmere ich mich später darum, obwohl ich mich da lieber raushalten würde. Los jetzt!«

235

»Ich ruf Sie später an.«

»Lieber früher als später.«

»Kommen Sie«, sagte Lennox und packte Karin am rechten Handgelenk über ihrem Verband und zog sie hinter sich her.

»Dorthin zurück?« rief sie verblüfft.

»Anweisung unseres Colonel. Wir müssen uns beeilen –«

»Aber die Polizei!«

»Ich weiß. Das ist ein Grund mehr, jetzt schnell zu machen … Ich hab's! Sie bleiben auf dem Weg, und wenn die Polizei kommt, dann tun Sie so, als ob Sie Angst hätten. Das erfordert gar nicht viel Talent, wenn es Ihnen ein bißchen so geht wie mir, und sagen denen, Ihr Freund hätte sich in die Büsche geschlagen, um zu pinkeln.«

»Nicht unmöglich«, räumte Karin ein, ohne langsamer zu werden, weil Lennox sie immer noch durch die Büsche zerrte. »Eher amerikanisch als französisch, aber nicht unmöglich.«

»Ich werde unseren toten Freund hinter die Büsche ziehen und ihm die Taschen ausleeren.«

Jetzt hatten sie den Weg erreicht; der Springbrunnen war praktisch verlassen, bloß ein paar besonders Neugierige waren zurückgeblieben. Drew zerrte die Leiche mit den Füßen voran ins Unterholz, durchsuchte seine Taschen und nahm alles heraus, was er darin fand. Bloß die Waffe, die beinahe seinem Leben ein Ende bereitet hätte, interessierte ihn nicht, die würde ihnen gar nichts sagen. Als er fertig war, rannte er zu Karin zurück und hörte unten die Rufe.

»*Les gendarmes, les gendarmes! De l'autre côté!*«

»*Où?*«

»*Où donc?*«

Zum Glück waren sich die zurückgebliebenen Spaziergänger bezüglich der Richtung, in der sie die Leiche vermuteten, uneinig, so daß die beiden Polizisten sich für unterschiedliche Wege entscheiden mußten. Lennox und de Vries rannten an dem Springbrunnen vorbei und den Nordweg hinauf, bis das Gelände wieder flacher wurde und sie sich in einem Sommergarten befanden, der einen kleinen künstlichen Teich mit majestätisch dahintreibenden weißen Schwänen umgab. Sie fanden eine leere Bank und ließen sich atemlos darauf nieder. Karin riß sich die blonde Perücke herunter und stopfte sie in ihre Handtasche.

»Rufen Sie jetzt bitte den Colonel an.«

»Okay.« Lennox zog das Handy wieder heraus und wählte, was ihm diesmal im Licht von Scheinwerfern weniger Mühe bereitete. »Stanley, wir haben's geschafft«, sagte er.

»Dafür hat es ein anderer nicht geschafft, Junge«, unterbrach ihn der Colonel. »Und wir haben keine Ahnung, wie es passieren konnte.«

»Wovon sprechen Sie?«

»Dieser Drecksack von Neonazi, den ich heute früh um fünf in eine Militärmaschine nach Washington gesteckt habe.«

»Was ist mit ihm?«

»Er ist heute morgen um drei Uhr dreißig Ortszeit auf dem Andrews Luftwaffenstützpunkt eingetroffen – bei völliger Dunkelheit übrigens – und ist erschossen worden, während er von einer Militäreskorte in den Wartebereich gebracht wurde.«

»Wie konnte das geschehen?«

»Ein verdammt gutes Gewehr mit einem Infrarotzielfernrohr auf einem der Dächer. Natürlich hat man nichts gefunden.«

»Wer hat denn nachgesehen?«

»Was weiß ich? Ich habe, wie vereinbart, Knox Talbots Spitzenleute informiert, daß wir einen echten Nazi hätten, als er einflog.«

»Und?«

»Jemand hat einen Killer engagiert.«

»Und wo stehen wir?«

»Nun, alles verdichtet sich, könnte man sagen. Wir wissen über die AA-Computer Bescheid, und jetzt haben wir weitere vier oder fünf stellvertretende Direktoren auf der Liste. So macht man das, mein Junge, man schließt Türen, bis nur noch ein oder zwei im Zimmer zurückbleiben.«

»Und was ist mit mir, was ist mit Paris?«

»Ein richtiges Katz-und-Maus-Spiel, nicht wahr, mein Junge? Dieser Kröger sucht Harry – Sie – genauso dringend wie Sie ihn suchen, oder nicht?«

»So scheint es, aber warum?«

»Das werden wir erst wissen, wenn wir ihn geschnappt haben.«

»Das klingt nicht sehr beruhigend –«

»Mir ist auch nicht danach, jemanden zu beruhigen, damit wir uns da ja richtig verstehen. Ich möchte, daß Sie immer hübsch hellwach sind, Tag und Nacht, jede Minute.«

»Vielen Dank, Stosh.«

»Also bei mir, in einer Stunde, und wechseln Sie dreimal das Fahrzeug.«

15

Witkowski, Drew und Karin saßen um den Küchentisch des Colonel in seiner Wohnung an der Rue Diane. Die Sachen, die Lennox aus den Taschen des toten Neonazis geholt hatte, lagen auf dem Tisch.

»Nicht schlecht«, sagte Witkowski, nachdem er sich eine Weile damit beschäftigt hatte. »Soviel kann ich Ihnen sagen«, fuhr er dann fort, »dieser Mistkerl hat nicht damit gerechnet, daß es im Bois de Boulogne irgendwelchen Ärger geben würde.«

»Warum sagen Sie das?« fragte Lennox und deutete dabei mit einer Kopfbewegung auf sein leeres Whiskyglas.

»Bedienen Sie sich selbst.« Der Colonel zog die Augenbrauen hoch und deutete auf die Ansammlung von Flaschen auf einem kleinen Beistelltisch am Eingang zum Wohnzimmer. »Tatsächlich ist es sogar recht gut. Das würden Sie auch sagen, wenn Sie sich das Zeug ansehen würden, statt sich auf den Whisky zu konzentrieren.«

»Ich habe einen Drink gehabt, Stosh! Und den habe ich mir verdammt verdient, darf ich vielleicht hinzufügen.«

»Ich weiß, mein Junge, aber Sie haben trotzdem nicht richtig hingesehen, oder?«

»Doch, das habe ich. Als ich das Zeug auf den Tisch gelegt habe. Da ist ein Streichholzbriefchen von einem Resstaurant, das sich *Au Coin de la Famille* nennt, die Quittung einer chemischen Reinigung an der Avenue Georges Cinq auf den Namen André – unwichtig; ein goldener Geldclip mit ein paar, vermutlich liebevollen Worten in Deutsch und sonst nichts; eine Kreditkartenquittung, deren Name und Nummer so offensichtlich falsch sind, daß es wahrscheinlich Tage dauern würde, um zu bestätigen, daß ich recht habe. Den Rest, das gebe ich zu, habe ich mir nicht angesehen. Aber das war, wie gesagt, das Ergebnis von ungefähr zehn Sekunden. Sonst noch etwas, Colonel?«

»Ich habe Ihnen ja gesagt, Mrs. de Vries, der Mann ist gar nicht schlecht. Ich bezweifle sogar, daß es zehn Sekunden waren – eher fünf, weil er so wild auf einen Drink war.«

»Ich bin beeindruckt«, räumte Karin ein, »aber Sie haben noch andere Dinge gefunden?«

»Bloß zwei. Einen Reparaturschein von einem Schuhmacher, ebenfalls auf den Namen André, und eine zerknüllte Eintrittskarte für einen Vergnügungspark außerhalb von Neuilly-sur-Seine – eine Gratiseintrittskarte.«

»Was schließen Sie daraus?«

»Schuhe sind etwas äußerst Persönliches, Mrs. de Vries –«

»Bitte hören Sie auf, Mrs. de Vries zu sagen. Karin reicht.«

»Also gut, Karin. Schuhe sind, wie gesagt, etwas Persönliches, und besonders maßgefertigte. Wenn jemand bei einem solchen Schuster arbeiten läßt, ist er gewöhnlich Stammkunde, wenigstens dann, wenn er schon eine Weile in Paris war. Sonst würde er zu dem gehen, wo er die Schuhe ursprünglich hat machen lassen, können Sie mir folgen?«

»Ja, allerdings. Und der Vergnügungspark?«

»Warum hat man ihm ein Gratisticket gegeben?« fragte Drew, trug sein Glas an den Tisch zurück und setzte sich wieder. »Das habe ich wirklich nicht gesehen, Stosh.«

»Ich weiß, *chlopak*, aber es war nun mal da.«

»Also nehmen wir uns morgen einen Schuhmacher und jemand in einem Vergnügungspark vor, der Gratistickets ausgibt. Herrgott, bin ich müde. Gehen wir nach Hause … Nein, Augenblick! Was war denn mit der Falle, die Sie am Montmartre gestellt haben?«

»Welche Falle?« fragte Witkowski erstaunt.

»Die Falle! Kurier Sechzehn am oberen Eingang zur Drahtseilbahn.«

»Nie gehört.« Beide Männer sahen Karin de Vries an. »Sie?«

»Ich habe das für Freddie oft getan«, sagte Karin mit einem etwas verlegenen Lächeln. »Er hat immer gesagt: ›Erfinde einfach irgendwas, je närrischer, desto besser, weil wir alle Narren sind.‹«

»Augenblick mal, Sie beide«, sagte Witkowski und schüttelte den Kopf und sah dann Drew an. »Sind Sie ganz sicher, daß Ihnen niemand hierher gefolgt ist?«

»Ja, das bin ich, weil ich nicht so dumm war, dreimal das Fahrzeug zu wechseln; statt dessen haben wir die Metro genommen und haben die Züge gewechselt, nicht dreimal, sondern fünfmal. Kapiert?«

»Oh, ich mag es, wenn Sie wütend werden. Meine heißgeliebte polnische Mutter hat immer gesagt, daß im Zorn die Wahrheit liegt. Sie fand, das sei das einzige, worauf man sich verlassen kann.«

»Na prima. Darf ich also jetzt ein Taxi rufen, damit wir beide nach Hause fahren können?«

»Nein, genau das dürfen Sie nicht, Junge. Da niemand weiß, wo Sie sind, werden Sie hierbleiben. Alle beide. Ich habe ein Gästeschlafzimmer, und da drüben steht eine sehr ordentliche Couch … ich vermute, die Couch werden Sie nehmen, junger Freund, und ich wäre Ihnen sehr dankbar, wenn Sie nicht meinen ganzen Whisky trinken würden.«

Als das Kommando Sacré-Coeur ins Hauptquartier zurückkehrte, herrschte dort stumme Verwirrung, die den Zorn der Killer nur noch steigerte.

»Keiner war da!« schimpfte der ältere Null Fünf und ließ sich in einen Sessel am Konferenztisch fallen. »Keiner, der auch nur entfernt wie ein Kontakt aussah! Man hat uns reingelegt.«

»Wo ist denn unser brillanter Führer, der große Null Eins?« fragte ein anderer die drei Blitzkrieger, die nicht am Montmartre gewesen waren. »Mag ja sein, daß er hier das Sagen hat, wenn ihm nicht gerade jemand die Windeln wechseln muß. Aber er wird trotzdem einiges zu erklären haben. Wenn man uns hereingelegt hat, dann hat man uns auch entdeckt!«

»Er ist nicht hier«, erwiderte ein anderer Neonazi, der mit auf den Tisch gestützten Ellbogen müde dasaß, mit gelangweilter Stimme.

»Was soll denn das wieder heißen?« rief Null Fünf und richtete sich auf. »Der Zehn-Uhr-Anruf aus Bonn. Er hat doch gesagt, er müsse hier sein, um den Anruf entgegenzunehmen.«

»Das war er aber nicht, und es ist auch kein Anruf gekommen«, sagte ein anderer.

»Könnte es sein, daß er auf seiner Privatleitung gekommen ist?«

»Nein, das könnte nicht sein, und das war auch nicht der Fall«, antwortete der Mann, der die Bezeichnung Null Zwo, Paris, trug. »Als er nämlich nicht auftauchte, habe ich mich von halb zehn bis Viertel vor elf in sein muffiges Büro gesetzt. Nichts.«

»Das ist doch nicht zu fassen«, sagte Null Fünf. »Wo steckt Eins, und warum ist er nicht hier? Ich nehme an, ihr habt nichts von ihm gehört.«

»Das nimmst du richtig an, aber wir wissen auch alle, daß ihr beiden nicht miteinander klarkommt.«

»Kein Widerspruch, aber das ist jetzt unwichtig«, sagte Fünf, stand auf und stützte sich mit beiden Händen auf den Tisch. »Aber das Verhalten, das er jetzt an den Tag legt, ist einfach nicht mehr hinzunehmen, und das werde ich Bonn auch wissen lassen. Unser Team wird auf eine falsche Mission geschickt und –«

»Wir haben alle das Band von der Botschaft gehört«, unterbrach ihn Null Zwei. »Wir waren uns über die Priorität einig.«

»Das waren wir in der Tat, und ich zuallererst. Aber statt diesen wichtigen Einsatz zu führen, hat sich unsere erste Null für die Nebensache, den Bois de Boulogne, entschieden, unter dem Vorwand, er könne sonst nicht rechtzeitig für den Anruf aus Bonn hier sein. Aber da war kein Anruf, und er ist nicht hier. Das erfordert eindeutig eine Erklärung.«

»Vielleicht gibt es gar keine«, sagte ein Blitzkrieger am unteren Ende des Tisches, der bisher stumm geblieben war. »Aber da war ein anderer Anruf, unser Informant aus der amerikanischen Botschaft.«

»Dem ist doch streng verboten worden, direkt mit uns in Verbindung zu treten, ganz besonders am Telefon«, erregte sich Fünf.

»Er war der Ansicht, die Information sei wichtig genug, um eine Ausnahme zu rechtfertigen.«

»Und was war es?« wollte Drei wissen.

»Es geht um diesen Colonel Witkowski.«

»Der Koordinator«, fügte Zwei leise hinzu. »Er verfügt über beeindruckende Verbindungen in Washington. Unsere – unsere Leute dort drüben wissen das.«

»Und was war los?« bohrte Fünf.

»Unser Mann hat seinen Wagen vor das Appartement des Colonel in der Rue Diane gestellt. Er ist seinem Instinkt nachgegangen, auf abgehörte Telefongespräche von Frederik de Vries' Witwe hin.«

»Und?«

»Vor über einer Stunde sind ein Mann und eine Frau in das Gebäude gerannt. Er konnte den Mann in der Dunkelheit nicht richtig erkennen, obwohl er ihm irgendwie vertraut vorkam. Die Frau kannte er. Es war die de Vries.«

»Der Mann ist Lennox«, fuhr Paris Fünf hoch. »Sie ist mit Harry Lennox zusammen; es kann kein anderer sein. Los, gehen wir!«

»Um was zu tun?« fragte der skeptische Blitzkrieger Null Zwei.

»Den Auftrag erledigen, den Eins verpatzt hat.«

»Die Umstände sind völlig anders, und wenn man bedenkt, daß der Colonel Sicherheitsbeauftragter der Botschaft ist, ist der Ort höchst gefährlich. Ich schlage vor, daß wir uns in Abwesenheit von Null Eins eine Genehmigung aus Bonn besorgen.«

»Ich schlage vor, daß wir das bleiben lassen«, fiel ihm Sechs ins Wort. »Sacré-Coeur war ein Fiasko. Wenn wir den Auftrag erledigen, ist das Fiasko damit ausgetilgt.«

»Und wenn es schiefgeht?«

»Die Antwort darauf liegt auf der Hand«, erwiderte ein anderer Blitzkrieger aus der Sacré-Coeur-Gruppe und griff mit der rechten Hand an das Schulterhalfter unter seinem Jackett, während die linke auf seinen Hemdkragen deutete, wo drei Zyankalikapseln eingenäht waren. »Mag ja sein, daß wir hier unsere Meinungsverschiedenheiten haben und nicht alle gut miteinander klarkommen, aber der Bruderschaft und dem Vierten Reich sind wir alle im gleichen Maße verpflichtet. Daran darf kein Zweifel entstehen.«

»Ich glaube auch nicht, daß daran jemand zweifelt«, sagte Zwei. »Du stimmst also Sechs zu? Wir fahren in die Rue Diane?«

»Sicher. Wäre doch idiotisch, es nicht zu tun.«

»Wir liefern Bonn drei Tote, die uns nur die Anerkennung unserer Vorgesetzten einbringen können«, fügte der verärgerte Null Fünf hinzu. »Und das ohne Null Eins, der schon genügend Mist gebaut hat. Wenn er zurückkommt, kann er sich ja vor uns und vor Bonn verantworten. Ich nehme an, daß man ihn bestenfalls zurückrufen wird.«

»Du willst wirklich diese Einheit hier leiten, nicht wahr?« fragte Zwei und blickte dabei zu der eindrucksvollen Gestalt von Fünf auf.

»Ja«, erwiderte dieser. »Ich bin der Älteste und Erfahrenste. Er ist ein verrückter Teenager, der handelt und Entscheidungen trifft, ehe er alles durchdacht hat. Man hätte mir vor drei Jahren das Kommando geben sollen, als man uns hierher geschickt hat.«

»Und warum hat man das nicht? Verrückt sind wir schließlich alle, das zählt also doch nicht, oder?«

»Was, zum Teufel, willst du damit sagen?« erregte sich einer der Männer am Tisch und richtete sich auf und funkelte Null Zwei an.

»Versteht mich nicht falsch, ich billige unsere Verrücktheit. Ich bin Sohn eines Diplomaten und in fünf verschiedenen Ländern aufgewachsen. Ich habe das, was man euch nur erzählt hat, aus erster Hand mit angesehen. Wir haben recht, völlig recht. Überall drängen die Schwachen, die geistig und rassisch Minderwertigen in die Regierungen; nur einem Blinden könnte es verborgen bleiben. Man braucht kein Sozialhistoriker zu sein, um zu begreifen, daß das geistige Niveau überall heruntergedrückt wird, keineswegs in die Höhe gezogen. Und deshalb haben wir recht ... aber ich habe Null Fünf etwas gefragt: Warum hat man Null Eins gewählt, mein Freund?«

»Das weiß ich wirklich nicht.«

»Ich will versuchen, es dir zu erklären. Jede Bewegung muß ihre Fanatiker haben, Überzeugungstäter jenseits des Wahnsinns, der sie antreibt, sich gegen unüberwindbare Barrikaden zu werfen und sich damit im ganzen Land Gehör zu verschaffen. Dann verschwinden sie wieder im Hintergrund und die wirklich überlegenen Leute ersetzen sie – oder *sollten* sie zumindest ersetzen. Der schlimmste Fehler, den das Dritte Reich gemacht hat, war, diese Überzeugungstäter, die Schlägertypen, an der Macht zu lassen, so daß diese die Kontrolle über die Partei und die Nation ausübten.«

»Du bist mir zu gebildet«, sagte Null Sechs, »aber gehört habe ich das schon, was du da sagst.«

»Natürlich hast du es gehört«, sagte Null Zwei lächelnd. »Man hat es uns ja in allen Variationen eingebleut.«

»Wir vergeuden unsere Zeit!« stellte Null Fünf fest. Er stand hoch aufgerichtet da, und seine Augen funkelten Zwei an. »Du bist ein Denker, nicht wahr? Ich habe dich noch nie soviel reden hören, ganz besonders nicht über solche Dinge. Verbirgt sich unter deinen Worten noch etwas anderes? Vielleicht glaubst du, du solltest unsere Einheit in Paris leiten.«

»Oh, nein, da täuschst du dich gründlich. Ich bin dafür nicht qualifiziert. Was ich vielleicht im Kopf habe, fehlt mir an praktischer Erfahrung, und außerdem bin ich zu jung.«

»Aber da ist noch etwas anderes –«

»Allerdings, Nummer Fünf«, unterbrach ihn Zwei und sah ihm gerade in die Augen. »Wenn unser Reich Wirklichkeit geworden ist, habe ich nicht die Absicht, wieder im Hintergrund zu verschwinden – genausowenig wie du.«

»Dann verstehen wir einander … Komm jetzt, ich will das Team für die Rue Diane zusammenstellen. Sechs Mann. Zwei bleiben hier, um irgendwelche Notmaßnahmen durchzuführen, falls die sich als erforderlich erweisen sollten.«

Die ausgewählten sechs Männer standen auf, und drei gingen in ihre Zimmer, um sich schwarze Hosen und Pullover anzuziehen, während die übrigen drei einen Stadtplan von Paris ausbreiteten und die Umgebung der Rue Diane studierten. Dann kamen die drei jetzt auch in Schwarz gekleideten Killer zurück, alle überprüften ihre Waffen und waren gerade dabei, die zusätzlichen Ausrüstungsgegenstände, die Null Fünf ihnen zeigte, an sich zu nehmen, als das Telefon klingelte.

»Die Situation ist jetzt unerträglich geworden«, brüllte Dr. Kröger. »Ich werde Sie alle wegen Unfähigkeit zur Meldung bringen.«

»Damit würden Sie sich einen Bärendienst erweisen«, sagte Null Fünf ruhig. »Wir werden den Auftrag, noch ehe die Nacht vorüber ist erledigt und den Mann getötet haben, auf den Sie so großen Wert legen, und dazu noch zwei weitere Zielpersonen. Bonn wird sehr erfreut sein, daß Sie einen wesentlichen Beitrag dazu geleistet haben.«

»Das hat man mir vor fast vier Stunden schon einmal versichert! Was ist passiert? Lassen Sie mich mit diesem ungezogenen jungen Mann reden, der behauptet, Ihr Anführer zu sein.«

»Ich wollte, ich könnte das, Herr Dr. Kröger«, erwiderte Null Fünf bedächtig. »Unglücklicherweise hat Null Eins, Paris, den Kontakt mit uns nicht aufrechterhalten. Er hat es vorgezogen, einem höchst fragwürdigen Hinweis nachzugehen, wenn Sie mir die Bemerkung erlauben, und hat sich noch nicht zurückgemeldet. Tatsächlich ist er bereits seit über zwei Stunden überfällig.«

»Ein ›fragwürdiger‹ Hinweis? Zu mir hat er gesagt, dort liege das größere Risiko. Vielleicht ist ihm etwas zugestoßen.«

»Im Bois de Boulogne? Höchst unwahrscheinlich.«

»Was ist dann, um Himmels willen, am ersten Einsatzort passiert?«

»Das war bloß eine Falle, Herr Dr. Kröger, aber mein Team, das Team von Null Fünf, ist ihr entwischt. Aber das hat uns den Hinweis auf ein drittes Ziel geliefert, das wir jetzt aufsuchen. Sie werden noch vor Sonnenaufgang den Beweis für den Tod der primären Zielperson haben, und zwar in der vorgeschriebenen Exekutionsmethode. Ich, Null Fünf, werde persönlich veranlassen, daß Ihnen die Fotos in Ihr Hotel geliefert werden.«

»Was Sie sagen, beruhigt mich; Sie klingen wenigstens vernünftiger, als dieser verdammte grüne Junge.«

»Er ist noch sehr jung, Herr Dr. Kröger, aber hervorragend in den physischen Aspekten unserer Arbeit ausgebildet.«

»Ein solches Talent nützt wenig, wenn man Stroh im Kopf hat!«

»Zu dieser Ansicht neige ich auch, aber bitte, Herr Kröger, er ist mein Vorgesetzter, also habe ich das nie gesagt, was ich gerade gesagt habe.«

»Das haben Sie auch nicht, das war ich. Sie haben mir nur zugestimmt … Wie war Ihre Nummer? Fünf?«

»Ja, richtig.«

»Bringen Sie mir die Fotos, dann wird Bonn von Ihrer Tüchtigkeit erfahren.«

»Sie sind sehr freundlich. Wir müssen jetzt gehen.«

Stanley Witkowski saß im Dunkeln und spähte durch ein Fenster auf die Straße hinunter. Sein breites Gesicht wirkte reglos und starr, wenn er ab und zu durch sein Infrarotglas blickte. Sein Interesse galt einem Auto an der äußersten rechten Ecke des Häuserblocks, keine dreißig Meter vom Eingang zu seinem Gebäude entfernt. Dem erfahrenen Geheimdienstmann war im Licht einer Straßenlaterne auf dem vorderen Sitz ein Gesicht aufgefallen. Es tauchte immer wieder auf und verschwand dann wieder im Schatten, als würde der Mann auf jemanden warten oder die gegenüberliegende Straßenseite beobachten. Der leichte Druck in der Brust des Colonel, ein Druck, den er in der Vergangenheit hundertmal und öfter verspürt hatte, war eine Warnung, die er sehr ernst nahm.

Und dann geschah es. Wieder tauchte das Gesicht aus dem Schatten, aber diesmal sah Witkowski ein Autotelefon am rechten Ohr des Mannes. Er wirkte erregt, ja zornig, und jetzt drehte er den Kopf herum und blickte direkt zu den oberen Stockwerken des Hauses herüber, zu Witkowskis Fenstern. Dann nahm er den Hörer vom Ohr und wirkte jetzt sichtlich verstimmt. Das reichte dem Colonel. Er stand auf und ging schnell zur Schlafzimmertür und dann ins Wohnzimmer, schloß die Tür hinter sich. Drew Lennox und Karin de Vries saßen auf der Couch, zu seiner Genugtuung ein gutes Stück voneinander entfernt. Witkowski hatte nichts für persönliche Beziehungen, die nur die Arbeit störten, übrig.

»Hallo, Stanley«, sagte Drew. »Sie spielen wohl die Anstandsdame? Aber Sie haben nichts zu befürchten. Wir unterhalten uns gerade über die Situation im Anschluß an den Kalten Krieg, und die Lady mag mich nicht.«

»Das habe ich nicht gesagt«, erwiderte Karin mit einem leichten Lachen. »Sie haben nichts getan, was Sie mir unsympathisch machen würde und ich bewundere Sie sogar.«

»Das soll heißen, daß sie mich gerade abgeschossen hat, Stosh.«

»Hoffentlich nur bildlich gesprochen«, sagte der Colonel eisig, und sein Tonfall ließ Drew zusammenzucken.

»Wovon reden Sie?«

»Sie haben doch gesagt, daß niemand Ihnen gefolgt ist, junger Mann.«

»So ist es auch. Ich wüßte nicht, wie das jemand hätte anstellen sollen.«

»Das weiß ich auch nicht, aber jedenfalls sitzt dort unten ein Mann in einem Auto, der mich nachdenklich macht. Er hat gerade telefoniert und sieht immer wieder hier herauf.«

Drew erhob sich schnell und ging auf Witkowskis Schlafzimmertür zu. »Schalten Sie das Licht aus, ehe Sie da hineingehen, Sie Schwachkopf«, herrschte Witkowski ihn an. »Es darf kein Licht nach draußen fallen.« Karin beugte sich vor und schaltete die einzige Stehlampe über ihr aus. »So ist's brav«, fuhr der Abwehrmann fort. »Das Infrarot-Glas liegt auf dem Fenstersims, und bleiben Sie geduckt, ein Stück hinter der Scheibe. Es ist der Wagen auf der anderen Straßenseite an der Ecke.«

»In Ordnung.« Lennox verschwand im Schlafzimmer und ließ Witkowski und de Vries allein im Halbdunkel zurück, das nur vom schwachen Widerschein der Straßenbeleuchtung erhellt war.

»Sie sind jetzt wirklich beunruhigt, nicht wahr?« fragte Karin.

»Ich bin lange genug im Geschäft, um beunruhigt zu sein«, antwortete der Colonel, der immer noch stehen geblieben war. »Und Sie auch.«

»Es könnte ein eifersüchtiger Liebhaber sein, oder ein Ehemann, der zuviel getrunken hat, um nach Hause zu fahren.«

»Es könnte auch eine gute Fee sein, die auf brave Kinder wartet.«

»Ich wollte nicht witzig sein, und Sie brauchen sich auch nicht über mich lustig zu machen.«

»Tut mir leid. Das meine ich ernst. Um zu wiederholen, was mein alter Bekannter Sorenson in Washington gesagt hat. ›Die Dinge entwickeln sich viel zu schnell und werden immer komplizierter.‹ Er hat recht. Wir glauben, wir seien vorbereitet, aber das sind wir nicht. Die Nazibewegung taucht aus dem Schlamm auf, wie Würmer auf einem Müllhaufen, die man kaum sehen kann, weil sie auch bloß wie Unrat aussehen. Wer ist also ein Nazi und wer nicht? Und wie sollen wir es herausbekommen, ohne daß wir jeden anklagen und die Unschuldigen zwingen, uns ihre Unschuld zu beweisen?«

»Was bereits zu spät wäre, sobald die Anklagen einmal auf dem Tisch liegen.«

»Sie wissen gar nicht, wie recht Sie haben, Karin. Ich habe all das bereits einmal erlebt. Wir haben Dutzende von Agenten verloren. Unsere eigenen Leute haben ihre Tarnungen auffliegen lassen, bloß um Politikern und sogenannten Journalisten in den Arsch zu kriechen, von denen keiner wußte, was wirklich gespielt wird.«

»Das muß für Sie sehr schwierig gewesen sein –«

»Die meisten haben einfach den Krempel hingeschmissen. ›Ich habe das nicht nötig, Captain‹ oder Major oder welchen Dienstgrad ich jeweils hatte. Oder ›Was zum Teufel bilden Sie sich eigentlich ein, mir mein Leben zu ruinieren?‹ oder noch schlimmer ›Jetzt verschaffen Sie mir einen sauberen Abgang, Sie Hurensohn, sonst lasse ich Ihren ganzen Verein auffliegen.‹ Ich habe bestimmt fünfzig oder sechzig ›vertrauliche Aktenvermerke‹ unterschrieben, in denen allen bestätigt wurde, daß die jeweiligen Leute hervorragende Geheimdienstagenten waren, wobei die meisten viel bessere Zeugnisse bekamen, als sie verdient haben.«

»Jedenfalls nicht nach dem, was man ihnen angetan hatte.«

»Vielleicht nicht, aber eine ganze Menge von diesen Clowns sind jetzt in der privaten Wirtschaft tätig und verdienen infolge des Nimbus, der ihre ehemalige Tätigkeit umgibt, zwanzigmal so viel wie ich. Einige von den größten Schwachköpfen, von denen mancher gerade mit Mühe seinen eigenen Namen schreiben konnte, sind heute Chefs der Sicherheitsabteilungen großer Firmen.«

»Unglaublich. Das klingt richtig verrückt.«

»Das ist es auch. Wir sind alle verrückt. Es geht nicht um das, was wir tun. Es geht um das, was wir getan haben – auf dem Papier meine ich, ganz gleich wie lächerlich es auch ist. Erpressung heißt die Maxime, von ganz oben bis ganz unten, meine Liebe.«

»Warum sind Sie denn nicht auch zurückgetreten, Colonel?«

»Warum ich nicht zurückgetreten bin?« Witkowski saß ruhig auf dem Sessel und blickte auf die Schlafzimmertür. »Lassen Sie es mich einmal so sagen. Weil ich das, was ich mache, gut kann, was gar nichts über meinen Charakter sagt – schließlich ist nichts Bewundernswertes daran, wenn man argwöhnisch und mißtrauisch ist –, aber wenn man diese Charakterzüge hegt und pflegt und sie in meiner Arbeit einsetzt, können sie von großem Nutzen sein. Der amerikanische Entertainer Will Rogers hat mal gesagt, ›Ich bin nie einem Menschen begegnet, den ich nicht gemocht habe‹. Ich könnte sagen, ich bin in meinem Beruf nie einem Menschen begegnet, den ich nicht verdächtigt habe. Vielleicht ist das meine europäische Herkunft. Ich bin in Polen geboren.«

»Und Polen, das der Welt der Kunst und der Wissenschaft mehr gegeben hat, als viele andere Länder, ist auch häufiger als die meisten Länder verraten worden«, sagte Karin de Vries.

»Das hat wohl damit zu tun. Ich denke, das ist ein Charakterzug.«

»Freddie hat Ihnen vertraut.«

»Ich wollte, ich könnte das Kompliment erwidern. Ich habe Ihrem Mann nie vertraut. Ich hatte bei ihm immer das Gefühl, daß er unter Hochdruck steht und jeden Augenblick explodieren könnte. Daß die Stasi ihn am Ende getötet hat, war unvermeidlich.«

»Er hat recht gehabt«, sagte Karin, deren Stimme jetzt lauter wurde. »Die Stasi und ihresgleichen sind jetzt der Kern der neuen Nazibewegung.«

»Seine Methoden waren falsch. Er konnte seine Wut nicht zügeln, und das hat ihn verraten und ihn schließlich das Leben gekostet. Er wollte einfach nicht auf auf mich hören.«

»Ich weiß, ich weiß. Auf mich hat er auch nicht gehört … aber als es dann soweit war, hätte das auch nichts geändert.«

Plötzlich flog Witkowskis Schlafzimmertür auf, und Drew kam ins Zimmer gestürmt. »Bingo!« rief er. »Sie haben recht gehabt, Stanley. Dieser Drecksskerl dort unten auf der Straße ist Reynolds, Alan Reynolds aus der Fernmeldeabteilung!«

»Wer?«

»Wie oft waren Sie in der F.A., Stosh?«

»Das weiß ich nicht. Vielleicht drei- oder viermal im letzten Jahr.«

»Er ist der Maulwurf. Ich habe sein Gesicht gesehen.«

»Dann wird gleich etwas passieren. Ich schlage vor, wir ergreifen Gegenmaßnahmen.«

»Was sollen wir tun?«

»Mrs. de Vries – Karin – würden Sie bitte an mein Schlafzimmerfenster gehen und uns auf dem laufenden halten, was dort unten passiert?«

»Bin schon unterwegs«, sagte Karin und eilte in den Nebenraum.

»Und was jetzt?« fragte Drew.

»Das Naheliegende«, antwortete Witkowski. »Zuerst Waffen.«

»Ich habe eine Automatik mit vollem Magazin.« Lennox zog die Waffe aus dem Gürtel.

»Ich gebe Ihnen noch eine mit einem zusätzlichen Ladestreifen.«

»Sie rechnen also mit dem schlimmsten?«

»Damit rechne ich jetzt schon seit beinahe fünf Jahren, und wenn Sie das nicht getan haben, dann wundert es mich nicht, daß man Ihre Wohnung in die Luft gejagt hat.«

»Nun, ich habe da dieses Instrument, mit dem man Leute daran hindern kann, eine Tür zu öffnen.«

»Kein Kommentar. Aber wenn diese Mistkerle zwei oder drei auf Sie ansetzen, dann würde ich gerne zwei von denen nach Washington schicken. Das wäre dann der Ausgleich für den einen, den wir dort verloren haben.« Der Colonel trat vor einen gerahmten Mondrian-Druck an der Wand und klappte ihn zur Seite, so daß eine Safetür zum Vorschein kam. Er drehte den Griff ein paarmal vor und zurück, öffnete dann die Stahltür und holte zwei Pistolen und eine Uzi heraus, die er an seinen Gürtel schnallte. Er warf Drew eine Automatik zu, die dieser auffing und dann ein Magazin, das Lennox verfehlte und das zu Boden fiel.

»Warum haben Sie nicht beides gleichzeitig geworfen?« fragte Drew irritiert und beugte sich herunter, um das Magazin aufzuheben.

»Ich wollte Ihre Reaktion testen. Nicht schlecht. Auch nicht gut, aber jedenfalls nicht schlecht.«

»Haben Sie die Flasche auch markiert?«

»Das brauchte ich nicht. Nach dem Inhalt Ihres Glases zu schließen, haben Sie in der letzten Stunde vielleicht vierzig Kubikzentimeter getrunken. Sie sind so kräftig wie ich; Sie sollten damit klarkommen.«

»Vielen Dank, Mutter. Und was zum Teufel tun wir jetzt?«

»Das meiste ist schon geschehen. Ich muß bloß noch die Außensicherung einschalten.« Witkowski ging an den Ausguß in der Küche, schraubte den verchromten Hahn in der Mitte ab, griff in die Öffnung und zog zwei Drähte heraus, die beide Plastikkappen trugen. Er zog die Kappen ab und drückte die Drähte aneinander; ein fünfmaliges lautes Piepen war zu hören. »So, das wär's«, sagte der Colonel, schraubte den Hahn wieder ein und ging ins Wohnzimmer zurück.

»Was wär's, großer Zauberer?«

»Fangen wir mit den Feuertreppen an; in diesen alten Gebäuden gibt es zwei – eine vor meinem Schlafzimmer, die andere dort drüben in der Nische, die ich ein wenig hochtrabend als meine Bibliothek bezeichne. Wir sind im zweiten Stock, das Haus hat sechs. Indem ich die Außensicherung einschalte, werden die Feuertreppen zwischen dem ersten und dem dritten Stock unter Strom gesetzt, wobei die Spannung ausreicht, um jemanden bewußtlos zu machen, aber ohne seinen Tod herbeizuführen.«

»Und was ist, wenn die bösen Buben einfach die Treppe heraufkommen, oder den Aufzug nehmen?«

»Man muß natürlich Rücksicht auf seine Nachbarn nehmen. In diesem Stockwerk gibt es noch drei weitere Wohnungen. Die meine liegt links vorne, und die Tür ist sechs Meter vom nächsten Nachbarn zur Rechten entfernt. Sie haben es wahrscheinlich nicht bemerkt, aber im Flur liegt ein dicker, recht hübscher Orientläufer, der zu meiner Tür führt.«

»Und sobald Sie Ihre Außensicherung einschalten«, sagte Lennox, »passiert etwas, wenn die bösen Buben auf den Läufer treten, stimmt's?«

»Sie haben's genau erfaßt. Dann flammen vier Hundert-Watt-Scheinwerfer auf und eine Sirene tönt, die man auch noch auf der Place de la Concorde hören kann.«

»Auf die Weise werden Sie aber keinen fangen. Die ziehen sofort Leine und verschwinden.«

»Nicht auf der Feuerleiter. Und wenn sie die Treppe nehmen, rennen sie uns direkt in die Arme.«

»Wie das?«

»Im Stockwerk unter uns wohnt ein kleiner Gauner, ein Ungar, der mit, sagen wir mal, auf fragwürdige Weise erworbenem Schmuck handelt. Er richtet keinen großen Schaden an, und ich habe mich mit ihm angefreundet. Ich brauche nur anzurufen oder an seine Tür zu klopfen, dann können wir in seine Wohnung. Wenn jemand die Treppe heruntergerannt kommt, kriegt er Kugeln in die Beine – ich hoffe, Sie sind ein guter Schütze, ich möchte nicht, daß jemand ums Leben kommt.«

»Colonel!« tönte Karin de Vries' Stimme erregt aus dem Schlafzimmer. »Gerade hat ein Lieferwagen vor dem Auto angehalten; jetzt steigen Männer aus … vier, fünf, sechs – sechs dunkel gekleidete Männer.«

»Die müssen wirklich scharf auf Sie sein, junger Freund«, sagte Witkowski, als er mit Drew ins Schlafzimmer lief, wo sie sich neben Karin ans Fenster stellten. »Zwei davon tragen Rucksäcke«, sagte Lennox.

»Einer redet jetzt mit dem Mann in dem Auto«, fügte de Vries hinzu. »Er fordert ihn offensichtlich auf, wegzufahren. Jetzt setzt er sich in Bewegung.«

»Die anderen schwärmen aus, untersuchen das Gebäude«, fuhr der Colonel fort und tippte Karin am Arm an, damit sie sich zu ihm herumdrehte. »Mein junger Freund und ich werden jetzt weggehen.« Die Augen der Frau weiteten sich erschreckt. »Keine Sorge, wir sind im Stockwerk darunter. Schließen Sie die Schlafzimmertür und riegeln sie sich ein; in der Tür ist eine Stahlplatte, für die man einen Bulldozer oder einen Rammbock mit zehn Mann braucht, um sie aufzubekommen.«

»Um Himmels willen, rufen Sie die Polizei oder wenigstens das Sicherheitspersonal der Botschaft!« forderte Drew ihn ruhig, aber mit fester Stimme auf.

»Wenn ich mich nicht sehr irre, werden meine lieben Nachbarn die Polizei verständigen, aber nicht bevor Sie und ich nicht Gelegenheit hatten, uns einen oder zwei von diesen Mistkerlen zu schnappen.«

»Und wenn unsere Sicherheitsabteilung mit eingeschaltet wäre, würden sie die verlieren«, sagte Karin. »Die müßten mit der Polizei kooperieren, die alle in Gewahrsam nehmen würde.«

»Ich bewundere Ihre Auffassungsgabe«, sagte Witkowski. »Sie werden eine laute Sirene aus dem Flur hören und dann elektrische Störgeräusche von der Feuertreppe –«

»Die ist ans Stromnetz angeschlossen. Sie haben jetzt den Strom eingeschaltet.«

»Das haben Sie gewußt?« fragte Lennox erstaunt.

»Freddie hat das in Amsterdam mit unserer Treppe genauso gemacht.«

»Das hat er von mir gelernt«, sagte der Colonel. »Kommen Sie jetzt, *chlopak*, wir haben keine Zeit mehr zu verlieren.«

Exakt fünfundachtzig Sekunden später hatte der einflußreiche Amerikaner, der sich schon früher für ihn verwendet hatte und ihm auch in Zukunft noch nützlich sein konnte, den etwas reizbaren Ungarn dazu überredet, sie einzulassen. Witkowski und Drew standen an seiner, einen Spalt geöffneten Tür. Sie mußten endlos warten. Es waren schon beinahe acht Minuten verstrichen. »Irgend etwas ist schief gelaufen«, flüsterte der Colonel. »Ich verstehe das nicht.«

»Keiner ist die Treppe raufgekommen und von der Feuertreppe war auch nichts zu hören«, sagte Lennox. »Vielleicht sind sie immer noch draußen.«

»Das ergibt auch keinen Sinn. Diese alten Bauten sind wie ein offenes Buch und stehen dicht beieinander ... Herrgott ›dicht beieinander‹ ... Die Rucksäcke!«

»Was soll das jetzt heißen?«

»Daß ich ein verdammter Esel bin, das soll es heißen. Die haben Greifhaken und Seile! Die steigen von einem Gebäude zum anderen herüber und lassen sich an der Fassade herunter. Raus! Hinauf, so schnell wie möglich. Und treten Sie um Himmels willen nicht auf den Läufer!«

Karin saß mit der Waffe in der Hand im abgedunkelten Zimmer und lauschte auf verräterische Geräusche von draußen. Inzwischen waren, seit der Colonel und Lennox gegangen waren, bereits zehn Minuten verstrichen, ohne daß etwas zu hören gewesen wäre. Sie begann, unruhig zu werden. Witkowski hatte selbst zugegeben, daß sein Argwohn gegenüber anderen fast das Ausmaß von Paranoia erreichte, und Drew war erschöpft. Konnte es sein, daß sie sich geirrt hatten? Hatte der Colonel einen eifersüchtigen Liebhaber oder einen verängstigten Ehemann für einen potentiellen Attentäter gehalten? Hatte der müde Lennox ein Gesicht gesehen, das ihn an Alan Reynolds von der Fernmeldeabteilung erinnerte, in Wirklichkeit aber zu jemand ganz anderem gehörte? Waren die Männer in dem Lieferwagen in Wirklichkeit bloß ein paar Universitätsstudenten, die von einer Campingreise zurückgekehrt waren? Sie legte die Waffe auf ein kleines Tischchen neben ihrem Sessel und streckte sich. Sie gähnte. Du lieber Gott, sie brauchte jetzt dringend Schlaf.

Und dann krachte plötzlich in einem Regen von Glasscherben und zersplitterndem Holz eine Gestalt durchs Fenster, landete auf den Füßen und ließ ein Seil los. Karin sprang auf, rannte instinktiv nach hinten und tastete mit ihrer bandagierten Hand um sich. In dem Augenblick glitt die nächste Gestalt an dem Seil durchs Fenster und landete neben dem Bett.

»Wer sind Sie?« schrie Karin in deutscher Sprache, versuchte sich zu konzentrieren und erkannte zugleich, daß ihre Waffe auf dem Tischchen lag. »Was wollen Sie hier?«

»Sie sprechen deutsch«, sagte der erste Eindringling, »Sie wissen also, was wir wollen! Warum würden Sie sonst unsere Sprache sprechen?«

»Das ist meine zweite Muttersprache.« Karin bewegte sich langsam auf das Tischchen zu.

»Wo ist er, Frau de Vries?« fragte der zweite Mann drohend, der neben dem Bett stand. »Sie kommen hier nicht raus, das wissen Sie. Unsere Kameraden werden Ihnen den Weg versperren, die kommen jetzt die Treppe hoch. Die haben nur auf unser Signal gewartet.«

»Ich weiß nicht, wovon Sie reden! Da Sie wissen, wer ich bin, wissen Sie sicher auch, daß ich mit dem Besitzer der Wohnung eine Affäre habe.«

»Das Bett ist unberührt, da hat niemand drin geschlafen –«

»Wir haben uns gestritten. Er hat zuviel getrunken, und wir haben uns gestritten.« Karin war jetzt nur mehr auf Armeslänge von ihrer Waffe entfernt, und keiner der beiden Eindringlinge hatte bisher die eigene Waffe aus dem Halfter gezogen. »Hatten Sie nie Streit mit Ihrer Frau oder Ihrer Freundin?« Sie stürzte sich auf die Waffe, packte sie und feuerte auf den ersten der Eindringlinge, während der zweite halb überrumpelt an sein Halfter griff. »Keine Bewegung, sonst sind Sie tot!« sagte Karin.

In dem Augenblick flog die mit Stahlplatten armierte Schlafzimmertür auf und krachte gegen die Wand. »Oh, mein Gott!« rief Witkowski und knipste das Licht an. »Sie hat einen lebend gestellt.«

»Ich dachte, man braucht einen Bulldozer, um hier reinzukommen«, sagte Karin, der man den Schrecken ansah.

»Nicht, wenn man Enkelkinder hat, die einen manchmal in Paris besuchen; die kommen auf die verrücktesten Ideen. Im Türrahmen gibt es einen versteckten Knopf.« Weiter kam der Colonel nicht. Ohrenbetäubendes Sirenengeheul ertönte plötzlich und gleich darauf flammte in den umliegenden Häusern Licht auf.

»Die kommen, um Ihnen den Fluchtweg zu versperren!« rief Karin.

»Dann wollen wir sie gebührend begrüßen, mein Junge«, sagte Witkowski. Er und Lennox rannten durchs Wohnzimmer an die Wohnungstür. Der Colonel öffnete sie und versteckte sich dann dahinter. Zwei Männer kamen hereingerannt, die ihre Waffen auf Dauerfeuer gestellt hatten und alles niedermähen wollten, was ihnen im Weg stand. Der Colonel und Drew setzten die Killer durch gezielte Armschüsse außer Gefecht. »Halten Sie sie in Schach!« schrie Witkowski und rannte in die Küche. Sekunden später verstummte die Sirene, und die Beleuchtung im Flur verlosch. Der Colonel kam zurück und erteilte schnell seine Anweisungen, während man draußen hören konnte, wie sich Schritte über die Treppe entfernten. »Fesseln Sie diese Hurensöhne und sperren Sie sie mit dem dritten aus dem Schlafzimmer ins Gästebad. Wir werden den *gendarmes* den Mistkerl übergeben, den Karin nach Walhalla geschickt hat.«

»Die Polizei wird wissen wollen, was hier vorgefallen ist, Stan.«

»Bis morgen – heute früh – ist das deren Problem. Ich möchte ein paar diplomatische Fäden ziehen und dieses Pack mit einer unserer Überschallmaschinen nach Washington schicken. Aber diesmal verständige ich nur Sorenson.«

Plötzlich war aus dem Schlafzimmer ein Schrei zu hören; es war Karin. Drew rannte durch die Tür und sah sie, die Waffe immer noch in der Hand, auf die reglose Gestalt starrend, die mit geweiteten Augen über dem Bett zusammengebrochen war. »Was war denn los?«

»Das weiß ich nicht. Er hat sich an den Kragen gegriffen und hineingebissen. Sekunden später ist er zusammengebrochen.«

»Zyankali.« Lennox tastete am Hals des jungen Neonazis nach einem Pulsschlag. »Deutschland über alles«, sagte er dann leise. »Ich würde gerne wissen, ob die Eltern dieses Jungen auf ihn stolz sein werden. Herrgott, hoffentlich nicht.«

16

Null Vier und Null Sieben, die von dem Empfang, der ihnen in der Rue Diane zuteil geworden war, noch völlig durcheinander waren, versuchten ihren Schock unter Kontrolle zu bekommen, als sie ihr Hauptquartier in dem Lagerhaus erreichten – aber es gelang ihnen nicht sonderlich gut. Ihre zwei zurückgebliebenen Kameraden befanden sich im Konferenzraum – einer am Tisch, der andere gerade damit beschäftigt, sich Kaffee einzugießen.

»Wir sind erledigt!« rief der impulsive Null Vier, und ließ sich keuchend in einen Sessel fallen. »Dort war die Hölle los!«

»Was ist denn passiert?« Der Blitzkrieger an der Kaffeemaschine ließ fast seine Tasse fallen.

»Es war nicht unsere Schuld«, erwiderte Null Sieben. »Es war eine Falle, und Fünf und Zwei haben durchgedreht. Sie sind schießend in die Wohnung gerannt –«

»Dann waren andere Schüsse zu hören, und gleich darauf hörten wir sie fallen«, schaltete Null Vier sich ein. Seine Augen blickten immer noch glasig. »Sie sind wahrscheinlich tot.«

»Und was ist mit den anderen, die sich mit Seilen außen am Gebäude zu den Fenstern heruntergelassen haben?«

»Das wissen wir nicht.«

»Und was nun?« fragte Null Sieben. »Irgendwelche Nachrichten von Null Eins?«

»Nichts.«

»Einer von uns muß einspringen und mit Bonn Verbindung aufnehmen«, sagte der Mann an der Kaffeemaschine.

Die anderen drei schüttelten entschieden den Kopf. »Dann werden wir hingerichtet«, sagte Null Vier ruhig, beinahe nüchtern. »Die Führung wird das fordern, und ich für meine Person bin nicht bereit, für die Fehler von anderen zu sterben. Wenn ich verantwortlich wäre, würde ich sofort Zyankali nehmen. Aber das bin ich nicht. Keiner von uns ist es!«

»Aber was können wir tun?« fragte Null Sieben.

Null Vier ging nachdenklich um den Tisch herum und blieb schließlich vor dem Blitzkrieger an der Kaffeemaschine stehen. »Du kümmerst dich doch um unsere Finanzen, nicht wahr?«

»Ja.«

»Wieviel Geld haben wir?«

»Ein paar Millionen Francs.«

»Kannst du schnell mehr besorgen?«

»Wenn wir Mittel anfordern, gibt es nie Rückfragen. Wir rufen an, und die Summe wird telegraphisch überwiesen. Wir brauchen die Anforderung erst später zu begründen, natürlich im Wissen um die Konsequenzen falscher Angaben.«

»Dieselben Konsequenzen, mit denen wir jetzt rechnen müssen, habe ich recht?«

»Im Grunde genommen, ja, der Tod.«

»Dann ruf an und verlange die höchstmögliche Summe. Du könntest ja die Andeutung fallen lassen, daß wir den Präsidenten von Frankreich oder den Vorsitzenden der Deputiertenkammer in der Tasche haben.«

»Das würde das Maximum erfordern. Die Überweisung würde sofort vorgenommen, aber wir hätten erst dann Zugriff zu den Mitteln, wenn die Algerische Bank öffnet ... es ist jetzt nach vier; die Bank öffnet um neun.«

»Das sind keine fünf Stunden«, sagte Null Sieben und sah dabei Null Vier unverwandt an. »Was denkst du jetzt?«

»Das liegt doch auf der Hand. Wenn wir hierbleiben, bedeutet das für uns alle die Hinrichtung. Ich behaupte, daß wir unserer Sache besser lebend als tot dienen können. Ganz besonders, wenn unser Tod aus der Unfähigkeit anderer resultiert; wir haben noch eine ganze Menge anzubieten ... Ich habe einen alten Onkel, der außerhalb von Buenos Aires lebt, siebzig Meilen südlich des Rio de la Plata. Er war einer der vielen, die aus dem Dritten Reich geflohen sind, als es zerstört wurde, aber die Familie hält Deutschland immer noch in Ehren. Wir haben Pässe; wir können nach Argentinien fliegen, dann gibt uns die Familie dort Unterschlupf.«

»Das ist besser als Exekution«, sagte Null Sieben.

»Nichtgerechtfertigte Exekution«, fügte der Blitzkrieger am Tisch ernst hinzu.

»Aber können wir es so einrichten, daß man uns fünf Stunden nicht erreichen kann?« fragte der für die Buchhaltung zuständige Killer.

»Ja, wenn wir die Telefonleitungen herausreißen und hier verschwinden«, erwiderte Null Vier. »Wir packen ein, was wir brauchen, verbrennen, was vernichtet werden muß, und verschwinden hier. Schnell! Stopft die Akten und die anderen Papiere in die Papierkörbe und zündet sie an.«

»Darauf freue ich mich richtig«, sagte Null Sieben erleichtert.

Die ergebenen Jünger hatten eine Lücke in ihrem geheiligten Bund entdeckt und zündeten den ersten Papierkorb an, worauf der Buchhalter ein Fenster öffnete, um den Rauch hinauszulassen.

Knox Talbot öffnete Wesley Sorenson die Tür. Es war früher Abend, und im Westen senkte sich eine orangerote Virginiasonne über die Felder von Talbots Anwesen. »Willkommen in meinem bescheidenen Heim, Wes.«

»Von wegen bescheiden«, sagte der Chef von Consular Operations, als er eintrat. »Gehört Ihnen der halbe Staat?«

»Nur ein winziges Stück, den Rest überlasse ich den Weißen.«

»Wirklich, es ist wunderschön, Knox.«

»Ich widerspreche ja nicht«, sagte Talbot und ging seinem Besucher durch ein elegant möbliertes Wohnzimmer voraus in einen verglasten Wintergarten. »Wenn Sie wollen und Zeit haben, zeige ich Ihnen die Scheune und die Stallungen. Ich habe drei Töchter, die sich alle in Pferde verliebt haben, ehe sie das andere Geschlecht entdeckten.«

»Hol's der Teufel«, rief Sorenson aus und setzte sich. »Ich habe zwei Töchter, die genau das gleiche getan haben.«

»Haben sie Sie verlassen, als sie Ehemänner fanden?«

»Ab und zu kommen sie mich besuchen.«

»Aber die Pferde haben sie Ihnen dagelassen?«

»Richtig, mein Freund. Zum Glück ist meine Frau von ihnen begeistert.«

»Meine nicht. Sie weist mich regelmäßig darauf hin, daß ihre Jugend in Harlem sie nicht gerade auf ein Anwesen mit Stallungen vorbereitet hat. Darf ich Ihnen einen Drink machen?«

»Nein, vielen Dank. Mein Arzt erlaubt mir nur zwei pro Tag, und die habe ich heute schon intus. Und anschließend fahre ich nach Hause und nehme noch einen mit meiner Frau.«

»Dann wollen wir zur Sache kommen.« Talbot griff in einen Zeitungskorb und zog einen schwarzgeränderten Aktendeckel heraus. »Zuerst die AA-Computer«, sagte er. »Ich habe nichts, absolut gar nichts gefunden. Ich will keine Zweifel an Harry Lennox und seinen Gewährsleuten äußern, aber wenn die recht haben, ist das so tief vergraben, daß man einen Archäologen brauchen würde, um es aufzuspüren.«

»Die haben recht, Knox.«

»Daran zweifle ich nicht, also habe ich, während ich meine Suche fortsetze, die ganze Einheit ausgetauscht, einfach unter dem Vorwand der Jobrotation.«

»Wie haben sie das aufgenommen?«

»Also, begeistert waren sie nicht, aber es gab auch keine konkreten Einwände, worauf ich natürlich gewartet hatte. Natürlich wird das alte Team gründlich überwacht.«

»Natürlich«, sagte Sorenson. »Und was ist mit diesem Gerhard Kröger?«

»Das ist wesentlich interessanter.« Talbot blätterte in seiner Akte. »Zunächst einmal war er allem Anschein nach ein genialer Gehirnchirurg, der sich auf die operative Entfernung schwieriger Tumore konzentriert hatte.«

»*War*?« fragte Wesley Sorenson. »Was meinen Sie damit?«

»Er ist verschwunden. Er hat mit dreiundvierzig Jahren unter dem Vorwand, er sei ausgebrannt und könne nicht mehr operieren, seinen Posten als Chef der Gehirnchirurgie im Städtischen Krankenhaus von Nürnberg aufgegeben. Er hat eine OP-Schwester namens Greta Frisch geheiratet, und das letzte, was man von ihm gehört hat, war, daß die beiden nach Schweden ausgewandert sind.«

»Und was sagen die schwedischen Behörden?«

»Das ist das Interessante daran. Nach ihren Unterlagen ist er vor vier Jahren anläßlich einer Urlaubsreise in Göteborg eingereist. Aus den Hotelakten ist ersichtlich, daß er und seine Frau zwei Tage dort verbracht haben und dann wieder abgereist sind. Und dort endet die Spur.«

»Er ist nach Deutschland zurückgekehrt«, sagte Sorenson. »In Wirklichkeit ist er vermutlich nie weggegangen. Er hat ein neues Ziel gefunden, das darüber hinausgeht, Kranke wieder gesund zu machen.«

»Was könnte das denn für ein Ziel sein, Wes?«

»Keine Ahnung. Vielleicht Gesunde krank zu machen. Ich weiß es einfach nicht.«

Drew Lennox schlug die Augen auf: Der Lärm von der Straße, der wegen des zerschlagenen Fensters im Schlafzimmer sehr störend war, hatte ihn geweckt. Witkowski hatte die gefangenen Nazis mit zwei Marineinfanteristen in einem unauffälligen Fahrzeug zum Flughafen gebracht, und jemand hatte im Zimmer des Colonel Wache halten müssen, weil ein offenes Fenster eine zu große Verlockung darstellte. Langsam schob Drew sich auf die andere Seite des Bettes und stand auf, wobei er sorgsam darauf achtete, nicht auf Glassplitter zu treten. Er griff sich Hemd und Hose von einem Stuhl, schlüpfte hinein und ging zur Tür. Als er sie öffnete, sah er Witkowski und Karin an einem Tisch im Erker auf der anderen Seite des Wohnzimmers sitzen und Kaffee trinken.

»Wie lange sind Sie schon wach?« fragte er beide, ohne daß ihn das eigentlich interessierte.

»Wir haben Sie schlafen lassen, Drew«, sagte Karin. »Sie waren letzte Nacht – ich meine heute morgen – wunderbar.«

»Sie haben sich tatsächlich verdammt gut gehalten, mein Junge. Ein ganz kalter Brocken, und das im Angesicht des Feindes.«

»Ob Sie's nun glauben oder nicht, Superman, aber für mich ist das nicht das erste Mal.«

»Kommen Sie«, sagte Karin und erhob sich. »Ich hole Ihnen Kaffee. Setzen Sie sich«, fuhr sie fort, während sie in die Küche ging. »Nehmen Sie den dritten Stuhl.«

Lennox schlurfte noch etwas benommen durchs Zimmer. »Also, wie ist es gelaufen, Stosh?« fragte er, während er sich setzte.

»Genauso wie wir es wollten, junger Mann. Heute morgen um fünf habe ich unsere beiden Kotzbrocken in eine Maschine nach D.C. gesetzt, und außer Sorenson hat keiner davon erfahren.«

»Was meinen Sie damit? Haben Sie nicht mit Wes gesprochen?«

»Nein, mit seiner Frau. Ich habe sie vor Jahren kennengelernt, und es gibt einfach niemanden, der diese Mischung aus amerikanischem und britischem Englisch nachahmen könnte. Ich habe ihr gesagt, sie soll dem Direktor mitteilen, daß um vier Uhr zehn dortiger Zeit eine Sendung unter der Codebezeichnung Peter Pan Zwei in Andrews eintreffen würde. Sie hat versprochen, es ihm sofort zu sagen, wenn er nach Hause kommt.«

»Das ist zu locker, Stanley. Sie hätten eine Rückbestätigung verlangen müssen.«

In dem Augenblick klingelte das Telefon. Der Colonel stand auf, ging quer durch das Zimmer und nahm den Hörer ab. »Ja?« Er lauschte einige Sekunden lang und legte dann wieder auf. »Das war Sorenson«, sagte er. »Sie haben einen Zug Marines auf dem Landefeld und den Dächern verteilt. Sonst noch etwas, Mr. Geheimdienstspezialist?«

»Ja«, antwortete Lennox. »Streichen wir den Schuhmacher und den Vergnügungspark?«

»Ich denke nicht«, antwortete Karin, stellte Drew seinen Kaffee hin und setzte sich wieder. »Zwei Neonazis sind tot und zwei nach Amerika unterwegs. Weitere zwei sind nach meiner Rechnung entkommen.«

»Insgesamt sechs«, sagte Drew. »Nicht gerade ein ganzer Zug«, fügte er dann hinzu und sah Witkowski dabei an.

»Nicht einmal ein halber Trupp. Wieviele mögen es insgesamt sein?«

»Lassen Sie uns das herausfinden. Ich übernehme den Vergnügungspark –«

»Drew«, fiel Karin de Vries ihm scharf ins Wort.

»Sie werden gar nichts übernehmen«, fügte der Colonel hinzu. »Mit Ihrem Kurzzeitgedächtnis ist es nicht sehr weit her, Junge. Die wollen Sie tot sehen, haben Sie das vergessen?«

»Was soll ich denn machen, einen Kanaldeckel aufmachen und mich in den Abwasserkanälen verstecken?«

»Nein, Sie werden hierbleiben. Ich schicke zwei Marines für die Bewachung der Treppen und einen Mann vom Wartungsdienst, um das Fenster zu reparieren.«

»Haben Sie was dagegen, wenn ich mich nützlich mache?«

»Keine Sorge, das dürfen Sie schon. Das hier wird unser provisorischer Stützpunkt, und Sie sind unser Kontaktmann.«

»Mit wem?«

»Das werde ich Ihnen schon jeweils sagen. Ich rufe Sie mindestens jede Stunde einmal an.«

»Und ich?« fragte Karin erwartungsvoll. »Ich kann in der Botschaft nützlich sein.«

»Das ist mir schon klar, ganz besonders in meinem Büro mit einer Wache vor der Tür. Sorenson weiß, wer Sie sind, und Knox Talbot ohne Zweifel auch. Wenn einer von den beiden mich über mein sicheres Telefon anruft, nehmen Sie die Nachricht entgegen und geben sie unserem Gedächtniskünstler hier durch. Dann bekomme ich sie von ihm. Jetzt muß ich mir nur noch einfallen lassen, wie ich Sie dort hinbringe, für den Fall, daß diese Hurensöhne den Eingang hier beobachten.«

»Vielleicht kann ich Ihnen dabei behilflich sein.« Karin beugte sich nach ihrer Handtasche, die sie neben dem Stuhl abgestellt hatte, stand auf und ging ins Schlafzimmer. »Es dauert nur einen Augenblick, aber ich muß ein wenig nachhelfen.«

»Was macht sie jetzt?« fragte Witkowski, als Karin die Tür hinter sich schloß.

»Ich glaube, ich weiß es, aber lassen Sie sich überraschen. Vielleicht ernennen Sie sie dann zu Ihrer Assistentin.«

»Da könnte ich mir Schlimmeres vorstellen. Freddie hat ihr eine ganze Menge beigebracht.«

»Was er wiederum von Ihnen gelernt hat.«

»Nur das mit der Feuerleiter, den Rest hat er sich selbst ausgedacht, und gewöhnlich war er uns ein gutes Stück voraus ... uns allen außer Harry wahrscheinlich.«

»Was passiert, wenn sie die Botschaft verläßt?«

»Das wird sie nicht. Dort gibt es eine Menge Notunterkünfte. Ich werde irgend jemanden für ein paar Tage rauswerfen, dann kann sie dort bleiben.«

»Mit einer Wache natürlich.«

Der Colonel drehte sich halb zu Lennox herum und sah ihm gerade in die Augen. »Sie mögen sie, nicht wahr?«

»Ja, und deshalb mache ich mir um sie Sorgen«, erwiderte Drew ruhig.

»Normalerweise wäre ich damit nicht einverstanden, aber in diesem Fall nehme ich meine Einwände zurück.«

»Ich habe nicht gesagt, daß sich daraus etwas entwickeln würde.«

»Nein, aber wenn, dann haben Sie mir gegenüber einen kleinen Vorsprung. Sie arbeitet in derselben Branche.«

»Wie bitte?«

»Ich war dreizehn Jahre mit einer wunderbaren Frau verheiratet, einer großartigen Frau, die am Ende zugeben mußte, daß sie mit meinem Beruf und all den Komplikationen, die damit in Verbindung stehen, einfach nicht zurechtkommt. Das war das erste und einzige Mal in meinem Leben, daß ich gebettelt habe, aber es hat mir nichts gebracht – sie hat alles durchschaut. Ich war das, was ich tat, zu sehr gewöhnt, putschte mich jeden Tag aufs Neue dafür auf. Aber sie war sehr großzügig – ich bekam unbeschränktes Besuchsrecht für die Kinder. Aber ich war natürlich gar nicht so oft da, um sie häufig besuchen zu können.«

»Das tut mir leid, Stanley, ich hatte wirklich keine Ahnung.«

»Das gehört ja auch nicht zu den Dingen, die man in den *Stars and Stripes* bringt, oder?«

»Nein, das wohl nicht. Aber Sie haben offenbar ein gutes Verhältnis zu Ihren Kindern, ich meine, wenn Ihre Enkel Sie besuchen kommen und so.«

»Ja, zum Henker, die finden, daß ich zum Schreien bin. Meine Frau hat wieder geheiratet, sehr gut sogar, und was soll ich denn mit dem Geld machen, das ich verdiene? Ich habe mehr, als ich ausgeben kann, und wenn die Kinder nach Paris kommen, naja, Sie können sich's ja vorstellen.«

Die Frau, die aus dem Schlafzimmer kam, unterbrach ihr Gespräch, eine auffällig blonde Frau mit einer dunklen Sonnenbrille, einem Rock, der ihre Oberschenkel nur zur Hälfte bedeckte, und einer Bluse, deren oberste vier Knöpfe offen waren. Sie wiegte sich provozierend in den Hüften. »Männer umschwirren mich, wie Motten das Licht« sang sie mit heiserer Stimme, als hätte sie ihr Leben lang nichts anderes getan.

»Unglaublich!« rief Witkowski verblüfft aus.

»Nicht übel«, sagte Drew und pfiff leise durch die Zähne.

»Meinen Sie, es geht so, Colonel?«

»Ganz bestimmt. Bloß daß ich jetzt aufpassen muß, wen ich Ihnen als Wache stelle. Hoffentlich finde ich ein paar Schwule.«

»Keine Sorge, großer Meister«, sagte Lennox. »In der Verpackung steckt ein Herz aus Eis.«

»Sie kann ich offensichtlich nicht täuschen, Monsieur.« Karin lachte, ließ ihren Rock wieder herunter, knöpfte sich die Bluse zu und ging auf den Tisch zu, als das Telefon klingelte. »Soll ich es annehmen?« fragte sie. »Ich kann sagen, ich bin das Hausmädchen.«

»Da wäre ich Ihnen dankbar«, antwortete Witkowski.

»*Allô? C'est la Résidence du grand colonel.*« Karin lauschte ein paar Augenblicke, legte dann die Hand über die Sprechmuschel und sah zu Witkowski hinüber. »Es ist Botschafter Courtland. Er sagt, er muß Sie sofort sprechen.«

Witkowski stand auf, ging durchs Zimmer und nahm Karin den Hörer ab. »Guten Morgen, Mr. Ambassador.«

»Jetzt hören Sie mir gut zu, Colonel! Ich weiß nicht, was gestern nacht in Ihrer Wohnung oder auf der kleinen Nebenpiste in Orly passiert ist – und ich bin auch gar nicht sicher, ob ich es wissen will –, aber wenn Sie für heute morgen irgendwelche Pläne haben, dann streichen Sie sie, und das ist ein Befehl!«

»Sie haben also von der Polizei gehört, Sir?«

»Mehr als mir lieb ist. Und noch wichtiger, ich habe auch vom deutschen Botschafter gehört, der uns in jeder Hinsicht unterstützt. Kreitz ist vor wenigen Stunden von der Deutschlandabteilung des Quai d'Orsay informiert worden, daß es in einem Büroflügel der Lagerhäuser Avignon einen Brand gegeben hat. Unter den Überresten waren Embleme des Dritten Reiches und eine Unmenge von Papieren, die man versucht hat zu verbrennen.«

»Ist dadurch das Feuer ausgebrochen?«

»Offensichtlich war ein Fenster offengeblieben, so daß die Flammen Nahrung bekamen. Dann wurde der Rauchalarm und die Sprinkleranlage ausgelöst. Fahren Sie sofort hinüber!«

»Wo ist denn dieses Lagerhaus, Sir?«

»Woher, zum Teufel, soll ich das wissen? Sie sprechen doch Französisch, fragen Sie jemanden!«

»Ich werde im Telefonbuch nachsehen. Und, Mr. Ambassador, ich würde es vorziehen, nicht meinen eigenen Wagen oder ein Taxi zu nehmen. Würden Sie bitte die Fahrbereitschaft anrufen – von Ihrer Sekretärin anrufen lassen – und sicheres Gerät zu meinem Apartment in der Rue Diane schicken. Die kennen meine Adresse.«

»›Sicheres Gerät‹? Was, zum Kuckuck, ist das denn?«

»Ein gepanzertes Fahrzeug mit einer Eskorte von Marines.«

»Du lieber Gott, ich wünschte, ich wäre in Schweden! Sehen Sie zu, daß Sie möglichst viel in Erfahrung bringen können, Colonel. Und beeilen Sie sich!«

»Sagen Sie der Fahrbereitschaft, die sollen sich beeilen.« Witkowski legte auf und wandte sich zu Lennox und Karin de Vries um. »Das wirft alles über den Haufen. Wenigstens für den Augenblick. Mit etwas Glück haben wir einen Hauptgewinn gezogen. Karin, Sie bleiben so, wie Sie sind. Sie, mein Junge, gehen an meinen Kleiderschrank und sehen nach, ob Sie eine Uniform finden, die Ihnen paßt. Wir sind etwa gleich groß. Das sollte also möglich sein.«

»Wo fahren wir hin?« wollte Drew wissen.

»Zu einer Reihe von Büros in einem Lagerhaus, das von den Neonazis angezündet wurde. Die wollten Papiere verbrennen, aber es ist nicht ganz so gelaufen, wie Sie es vorhatten. Irgendein Arschloch hat ein Fenster offengelassen.«

Das Hauptquartier der Neonazis bot ein Bild der Verwüstung. Die Wände versengt, die Vorhänge bis zu den Vorhangstangen verbrannt und das Ganze vom Sprinklersystem triefend naß. In einem mit allen möglichen Computergerätschaften angefüllten Raum, ohne Zweifel vom Chef der Einheit benutzt, stand ein großer, versperrter Stahlschrank. Als man ihn aufbrach, fand man darin ein ganzes Arsenal von Waffen, angefangen bei schweren Karabinern mit Zielfernrohren, über Schachteln voll Handgranaten, Miniaturflammenwerfern, Garrotten, verschiedenen Pistolen und einem Sammelsurium von Dolchen – einige als Regenschirme oder Spazierstöcke getarnt. Das alles paßte exakt zu Drews Schilderung einer Gruppe von Nazikillern in Paris. Das war also ihr Schlupfwinkel gewesen.

»Nehmen Sie Pinzetten«, sagte Colonel Witkowski in französischer Sprache zu den Polizeibeamten und zeigte dabei auf ein paar angekohlte Blätter auf dem Boden. »Besorgen Sie sich Glasplatten und legen Sie alles, was nicht völlig zerstört ist, dazwischen. Man kann nie wissen, was wir noch finden.«

Der uniformierte Lennox und Karin de Vries mit ihrer blonden Perücke tauchten jetzt auf. Sie bewegten sich vorsichtig zwischen den angekohlten Papierresten auf dem Boden. »Haben Sie schon was rausgekriegt?« fragte Drew.

»Nicht viel, aber das hier war ganz sicher ihr Einsatzzentrum, wer auch immer diese Leute waren.«

»Wer soll das denn sein außer den Männern, die uns gestern nacht angegriffen haben?« sagte Karin.

»Das glaube ich ja auch, aber wo sind sie hingegangen?« fragte Witkowski.

»*Monsieur l'Américain*«, rief ein anderer Beamter in Zivil und kam aus einem etwas abseits liegenden Raum gelaufen. »Schauen Sie, was ich gefunden habe. Es lag unter einem Kissen auf einem Stuhl im Wohnzimmer! Es ist ein Brief – der Anfang eines Briefs.«

»Lassen Sie sehen.« Der Colonel griff nach dem Blatt. »»Meine Liebste««, begann Witkowski und kniff die Augen zusammen. »Er ist auf deutsch geschrieben.«

»Geben Sie her«, sagte Karin de Vries ungeduldig. Dann übersetzte sie ins Englische. »»Meine Liebste, etwas Entsetzliches ist geschehen. Wir müssen alle sofort hier weg, damit unsere Sache keinen Schaden leidet und wir nicht alle wegen des Versagens anderer exekutiert werden. Niemand in Bonn darf es wissen, aber wir werden nach Südamerika fliegen, an einen Ort, wo man uns beschützen wird, bis wir zurückkehren und den Kampf wieder aufnehmen können. Ich verehre dich so ... Ich muß jetzt Schluß machen, jemand kommt im Flur. Ich werde den Brief auf dem Flug –‹ ... Hier hört es plötzlich auf.«

»Den Flughafen!« schrie Lennox. »Welchen? Welche Fluggesellschaften fliegen nach Südamerika? Wir können sie aufhalten!«

»Das können Sie vergessen«, sagte der Colonel. »Es ist jetzt zehn Uhr fünfzehn, und es gibt ein paar Dutzend Fluggesellschaften, deren Maschinen zwischen sieben und zehn abfliegen und in zwanzig oder dreißig Städten in Südamerika landen. Diese Flüge können wir jetzt nicht mehr erreichen. Aber ein Gutes hat das Ganze auch so. Unsere Killer haben Paris den

Rücken gekehrt, und ihre Kumpane in Bonn haben keine Ahnung. Solange nicht andere an ihre Stelle treten, haben wir ein wenig Luft.«

Gerhard Kröger war auf dem besten Wege, die Fassung zu verlieren. In den letzten sechs Stunden hatte er ein dutzendmal das Avignon-Lagerhaus angerufen und immer die richtigen Nummern benutzt und trotzdem jedesmal von einer Stimme in der Vermittlung erfahren, ›daß diese Nummern nicht erreichbar sind. Die Computer zeigen manuelle Abschaltung‹. Daran konnten all seine Proteste nichts ändern, das war offenkundig. Die Blitzkrieger hatten dichtgemacht. Warum? Was war passiert? Null Fünf, Paris, war so zuversichtlich gewesen: Fotos von Lennox' Leiche würden ihm am Morgen übergeben werden. Wo waren die Blitzkrieger jetzt? Wo war Paris Fünf?

Er hatte keine andere Wahl: Er mußte mit Hans Traupmann in Nürnberg Verbindung aufnehmen. Irgend jemand mußte doch eine Erklärung haben!

»Es ist sehr unklug, mich hier anzurufen«, sagte Traupmann.

»Ich hatte keine Wahl. Das kannst du mir einfach nicht antun. Bonn kann mir das nicht antun! Ich habe Anweisung, meinen Patienten um jeden Preis ausfindig zu machen. Selbst wenn ich die sogenannten unvergleichlichen Fähigkeiten unserer Leute hier in Paris einsetzen muß –«

»Was willst du denn noch mehr?« warf der Arzt in Nürnberg mit arroganter Stimme ein.

»Irgendwas, womit ich weiterkomme! Die Art und Weise, wie man mich hier behandelt hat, ist unerhört, ein Versprechen nach dem anderen und nichts dahinter. Und jetzt sind unsere Leute hier nicht mal mehr erreichbar!«

Es vergingen ein paar Sekunden, ehe Traupmann antwortete. »Wenn das stimmt, was du sagst«, erklärte er mit leiser Stimme, »dann ist das höchst beunruhigend. Ich nehme an, du bist im Hotel.«

»Ja, das ist richtig.«

»Bleib dort. Ich werde jetzt nach Hause fahren, mit einigen anderen Verbindung aufnehmen und dich dann wieder anrufen. Es kann über eine Stunde dauern.«

»Das macht nichts. Ruf mich jedenfalls zurück.«

Es vergingen beinahe zwei Stunden, ehe das Telefon im Lutetia klingelte. »Ja?« rief Kröger aufgeregt.

»Etwas höchst Ungewöhnliches ist geschehen. Was du mir gesagt hast, stimmt ... es ist katastrophal. Der eine Mann in Paris, der weiß, wo unsere Kameraden untergebracht waren, ist hingegangen, und dort hat es überall von Polizisten gewimmelt.«

»Dann sind sie tatsächlich verschwunden!«

»Noch viel schlimmer. Um vier Uhr siebenunddreißig heute morgen haben sie Verbindung mit unserer Finanzabteilung aufgenommen und mit einer plausiblen, wenn auch unerhörten Geschichte, in der es um Frauen und Strichjungen und Rauschgift und hohe französische Beamte ging, eine riesige Geldsumme angefordert – die natürlich später verifiziert werden sollte.«

»Aber es gab kein Später und auch keine Verifizierung.«

»Richtig. Das sind Feiglinge und Verräter. Wir werden sie bis ans Ende der Welt jagen.«

»Auch wenn ihr sie jagt, wird mir das nichts helfen. Mein Patient befindet sich inzwischen in der kritischen Periode. Was mache ich? Ich muß ihn finden!«

»Darüber haben wir auch gesprochen. Das ist nicht gerade die glücklichste Lösung, aber unserer Ansicht nach hast du keine andere Wahl. Nimm mit Moreau im Deuxième Bureau Verbindung auf. Er weiß über alles Bescheid, was sich in den Kreisen der französischen Abwehr zuträgt.«

»Wie erreiche ich ihn?«

»Weißt du, wie er aussieht?«

»Ich habe Fotografien von ihm gesehen, ja.«

»Es muß im Freien geschehen, keine Telefonate, keine Botschaften, ein einfaches Zusammentreffen auf der Straße oder in einem Café, irgendwo, wo niemand Verdacht schöpfen kann. Sag irgendwas Kurzes, nur ein oder zwei Sätze, und das auf eine Weise, daß nur er es hören kann. Das Wichtige ist, daß du dabei das Wort Bruderschaft gebrauchst.«

»Und was dann?«

»Er wird dich wegschicken, aber gleichzeitig wird er dir sagen, wo du dich mit ihm treffen kannst. Es wird ein Ort irgendwo in der Öffentlichkeit sein, vermutlich überfüllt und zu einer späten Stunde.«

»Du hast mir doch eingeschärft, ihm gegenüber mißtrauisch zu sein.«

»Das haben wir auch in Betracht gezogen. Aber für den Fall, daß er sich doch nicht als der Sympathisant erweist, der er zu sein behauptet, haben wir ihn in der Hand. Wir haben bis heute über zwanzig Millionen Francs auf sein Schweizer Konto überwiesen und besitzen darüber schriftliche Aufzeichnungen. Wenn diese Aufzeichnungen anonym der französischen Regierung zugespielt würden, von der Presse ganz zu schweigen, wäre das sein Untergang, und er würde auf Jahre ins Gefängnis wandern. Er könnte diese Zahlungen nicht ableugnen. Das kannst du, wenn es nötig sein sollte, einsetzen.«

»Ich werde mich sofort zum Deuxième begeben«, sagte Kröger. »Und morgen ist dann vielleicht Harry Lennox an der Reihe.«

Claude Moreau saß in seinem Arbeitszimmer im Deuxième Bureau an seinem Schreibtisch und studierte die entschlüsselte Nachricht von seinem Mann in Bonn. Sie enthielt vorwiegend Ansichten und Meinungen, wenig Fakten und war daher nur bedingt hilfreich.

In seiner gestrigen Sitzung befaßte sich der Bundestag ausführlich mit den überall in Deutschland festzustellenden Naziaktivitäten. Alle Parteien waren sich in ihrer einhelligen Ablehnung rückhaltlos einig. Allerdings berichten meine Gewährsleute, von denen einige regelmäßige Kontakte zu den Führern der linken und rechten Splittergruppen haben, daß dort ziemlicher Zynismus herrscht. Die Liberalen vertrauen den konservativen Beteuerungen nicht, und ein kleiner Kreis im konservativen Lager scheint die eigene Rhetorik nicht ganz ernst zu nehmen. Die führenden Wirtschaftskreise sind natürlich entsetzt, weil sie befürchten, die Nazibewegung werde dazu führen, daß die ausländische Märkte sich ihnen verschließen, zögern aber, die sozialistische Linke zu unterstützen, während sie andererseits nicht wissen, wem sie auf dem rechten Flügel vertrauen sollen.

Moreau lehnte sich in seinem Sessel zurück und konzentrierte sich noch einmal auf den Satz, der ihm besonders aufgefallen war. *Ein kleiner Kreis im konservativen Lager scheint die eigene Rhetorik nicht ganz ernst zu nehmen.* Wer konkret waren diese Leute? Wie waren ihre Namen? Und warum hatte sein Mann in Bonn sie nicht aufgeführt?

Er nahm den Telefonhörer ab und war mit seiner Sekretärin verbunden. »Ich brauche eine sichere Leitung.«

»Wird erledigt, Leitung drei. Sie hören ein dreimaliges Summen als Bestätigung, daß die Leitung steht«, sagte die Frauenstimme aus seinem Vorzimmer.

»Vielen Dank, Monique. Meine Frau erwartet mich in ein paar Minuten im *L'Escargot* zum Mittagessen und wird ohne Zweifel anrufen, wenn ich nicht da bin. Bitte sagen Sie ihr, daß ich mich ein wenig verspäten werde.«

Als das leise Summen auf Leitung drei zu hören war, wählte Moreau die Nummer seines Mannes in Bonn.

»Hallo«, meldete sich der Mann in Deutschland.

»Moreau hier. Ich habe Ihr Kommunique gelesen. Sie haben da einiges ausgelassen.«

»Was zum Beispiel?«

»Wer diesem ›kleinen Kreis im konservativen Lager‹ angehört, der die eigene Rhetorik nicht ernst nimmt. Sie haben keinen Namen geliefert, nicht einmal einen Hinweis darauf, wem die Leute nahestehen.«

»Natürlich. Entspricht das nicht unserer sehr persönlichen Vereinbarung? Wollen Sie wirklich, daß das ganze Deuxième Bureau es erfährt? Wenn ja, dann ist Ihre Schweizer Bank mir gegenüber viel zu großzügig.«

»Genug jetzt!« brauste Moreau auf. »Sie tun, was Sie tun, und ich tue, was ich tue, und keiner braucht zu wissen, was der andere tut. Ist das klar?«

»Ja, das muß es ja wohl sein. Also, was wollen Sie wissen?«

»Wer führt diesen kleinen Kreis an, von dem Sie da sprechen, und wer steht hinter ihm?«

»Die meisten sind bloß Opportunisten ohne große Fähigkeiten, die sich die gute alte Zeit zurückwünschen. Dann ein paar Mitläufer, die im Gleichschritt marschieren, weil sie selbst nicht fähig sind, den Takt anzugeben –«

»Und die Anführer?« fiel Moreau ihm ins Wort. »Wer sind sie?«

»Das wird Sie Geld kosten, Claude.«

»Sie wird es einiges kosten, wenn Sie mir die Namen nicht liefern, finanziell und auch sonst.«

»Das glaube ich Ihnen. Oje, man würde mich kaum vermissen. Sie sind ein harter Mann, Moreau.«

»Und äußerst fair«, konterte der Chef des Deuxième. »Sie werden gut bezahlt, offiziell und inoffiziell, wobei letzteres für Sie viel gefährlicher ist. Ich würde nicht einmal dieses Büro verlassen oder mehr als diese eine Anweisung erteilen müssen: ›Geben Sie in aller Stille geheime Informationen an unsere Freunde in Bonn weiter.‹ Ihr Tod würde wahrscheinlich nicht mal in die Zeitungen kommen.«

»Und wenn ich Ihnen gebe, was ich habe?«

»Dann wird unsere reizende, produktive Freundschaft weiter bestehen.«

»Es ist nicht viel, Claude.«

»Ich kann nur hoffen, daß das kein Vorspiel dazu ist, daß Sie irgendetwas zurückhalten.«

»Natürlich nicht. Ich bin doch nicht dumm.«

»Was Sie sagen, klingt logisch. Also, geben Sie mir diese Information über ihren ›kleinen Kreis‹.«

»Meine Informanten sagen, daß jeden Dienstagabend in dem einen oder andern Haus am Rhein eine Zusammenkunft stattfindet, gewöhnlich in einem großen Haus, einer Villa. Jedes hat eine Anlegestelle, und die Leute treffen immer mit dem Boot, nicht mit dem Auto ein.«

»Weil Boote weniger Spuren hinterlassen als Autos«, sagte Moreau.

»Scheint so. Deshalb sind diese Zusammenkünfte geheim, und die Identität der Teilnehmer wird ebenfalls geheimgehalten.«

»Aber die Häuser nicht, wie? Oder war das Ihren Informanten nicht in den Sinn gekommen?«

»Dazu wollte ich gerade kommen. Halten Sie mich doch, um Himmels willen, nicht für völlig blöd.«

»Ich bin ungeduldig. Die Namen der Besitzer bitte.«

»Das ist eine ziemlich zusammengewürfelte Gruppe, Claude. Drei sind alter Adel, deren Familien im Widerstand gegen Hitler aktiv waren und dafür bezahlen mußten; drei, möglicherweise auch vier, sind Neureiche, die ihren Besitz vor weiteren Zugriffen der Regierung schützen wollen, und zwei sind Männer der Kirche – der eine ein alter katholischer Priester, der andere ein protestantischer Pastor, der das Armutsgelübde sehr ernst nimmt. Er ist als Mieter des kleinsten Hauses am Fluß registriert.«

»Die Namen, verdammt!«

»Ich habe nur sechs –«

»Und wo sind die anderen?«

»Die drei Unbekannten haben ihre Häuser ebenfalls gemietet, und die Maklerbüros in der Schweiz wollen nicht mit Namen herausrücken. Das ist bei sehr reichen Leuten, die auf

ihre Nebeneinkünfte keine Steuern bezahlen wollen, nicht un-
üblich.«

»Dann geben Sie mir eben die sechs.«

»Maximilian von Löwenstein, ihm gehört das größte –«

»Sein Vater, der General, ist von der SS nach dem mißglückten
Attentat auf Hitler in der Wolfsschanze hingerichtet worden.
Weiter?«

»Albert Richter, ein ehemaliger Playboy, jetzt ein geläuterter,
ernstzunehmender Politiker.«

»Er ist immer noch ein Dilettant mit Immobilienbesitz in Monaco. Seine Familie wollte sich schon von ihm lossagen, falls er
sein Verhalten nicht ändert. Das ist alles nur Fassade. Und?«

»Günter Jäger, das ist der Pastor.«

»Den kenne ich nicht, wenigstens sagt mir sein Name im
Augenblick nichts. Der nächste?«

»Monsignore Heinrich Paltz, der Priester.«

»Ein alter Katholik vom rechten Flügel, der seine Vorurteile
mit scheinheiligem Geschwätz zu tarnen versucht. Und?«

»Friedrich von Schell, er ist der dritte von den Neureichen, die
wir identifiziert haben. Sein Anwesen ist mehr als –«

»Ein kluger Kopf«, unterbrach ihn Moreau, »einer, der sich nicht
so leicht von den Gewerkschaften unterkriegen läßt. Ein Preuße
aus dem neunzehnten Jahrhundert in Armani-Anzügen. Dann?«

»Ansel Schmidt, äußerst freimütig; ein Elektronikingenieur,
der mit High-Tech-Exporten Millionen verdient hat und jede
Chance nutzt, sich gegen die Regierung zu stellen.«

»Ein Schwein; er ist von einer Firma zur nächsten und weiter
gezogen und hat sich genug Betriebsgeheimnisse zusammenge-
stohlen, um seine eigene Gesellschaft zu gründen.«

»Das ist alles, was ich habe, Claude; ich würde dafür unter keinen Umständen mein Leben riskieren.«

»Und wer sind die Schweizer Maklerfirmen?«

»Die Kontaktstelle ist eine Immobiliengesellschaft hier in
Bonn. Man schickt einen Boten mit hunderttausend Mark, um
die Ernsthaftigkeit seines Interesses zu bekunden, dann geben
die das mit einem Profil des Mietinteressenten an eine Bank in
Zürich weiter. Wenn das Geld zurückkommt, hat Zürich abgelehnt. Wenn nicht, fährt jemand hin.«

»Rechnungen für Telefon und Energieversorgung? Die haben Sie sich bei unseren drei unbekannten Männern doch sicher angesehen.«

»Die werden in allen drei Fällen an persönliche Manager geschickt. Zwei in Stuttgart, einer in München, alles codiert und ohne Namen.«

»Der Bundestag hat doch sicherlich eine Adressenliste.«

»Die Privatadressen werden streng vertraulich behandelt, wie das bei Regierungen überall der Fall ist. Ich könnte es versuchen, aber das könnte gefährlich sein, falls man mich dabei erwischt. Offen gestanden kann ich Schmerzen nicht ertragen, nicht einmal den Gedanken daran.«

»Sie besitzen also keine konkreten Adressen?«

»In dem Punkt muß ich Sie wirklich enttäuschen. Ich könnte sie aus der Ferne beschreiben, vom Fluß aus, aber man hat die Hausnummern entfernt und die Tore geschlossen, und auf den Grundstücken patrouillieren ständig Männer mit Hunden. Und Briefkästen gibt es natürlich auch keine.«

»Also ist es einer von diesen dreien«, sagte Moreau leise.

»Wer?« fragte der Mann in Bonn.

»Der Anführer unseres ›kleinen Kreises‹. Postieren Sie Ihre Leute auf den Zufahrtsstraßen zu diesen Häusern, und geben Sie ihnen Anweisung, sie sollen die Fahrzeuge identifizieren, die durch die Tore fahren. Und dann vergleichen Sie sie mit denen im Bundestag.«

»Mein lieber Claude, vielleicht habe ich mich nicht klar ausgedrückt. Diese Anwesen werden bewacht, da gehen innen und außen ständig Patrouillen, und überall auf dem Gelände sind Kameras angebracht. Angenommen ich könnte solche Männer engagieren, was sehr unwahrscheinlich ist, und man würde sie erwischen, dann würde die Spur zu mir führen, und wie ich gerade schon sagte, ist allein schon die Aussicht auf Schmerz für Ihren gehorsamen Diener unerträglich.«

»Ich frage mich oft, wie Sie dahin gekommen sind, wo Sie jetzt sind.«

»Indem ich gut gelebt habe, und zwar mit den entsprechenden finanziellen Mitteln, um mir unter den Mächtigen Freunde zu schaffen. Aber, was das Allerwichtigste ist, indem ich mich nie erwischen ließ. Beantwortet das Ihre Frage?«

»Gott stehe Ihnen bei, wenn man Sie je erwischt.«

»Nein, Claude, Gott stehe Ihnen bei.«

»Darauf will ich nicht weiter eingehen.«

»Und mein Honorar?«

»Wenn meins eingeht, wird das Ihre sich anschließen.«

»Auf wessen Seite stehen Sie, alter Freund?«

»Auf der Seite von keinem und von allen, aber ganz besonders auf meiner eigenen.« Moreau legte den Hörer auf und warf einen Blick auf die Notizen, die er sich gemacht hatte. Er zog Kreise um die Namen: Albert Richter, Friedrich von Schell und Ansel Schmidt. Einer davon war höchstwahrscheinlich der Führer, den er suchte, aber jeder hatte seine Gründe und verfügte über die Mittel, um sich einen Anhängerkreis aufzubauen. Aber sie würden ihm wenigstens für den Augenblick die Munition liefern, die er benötigte. Er sah, daß das blaue Lämpchen über Leitung drei noch leuchtete; der Zerhacker war noch eingeschaltet. Er griff nach dem Hörer und wählte eine Nummer in Genf.

»*L'Université de Genève*«, sagte die Vermittlung sechshundert Kilometer von ihm entfernt.

»Professor André Benoit, bitte.«

»*Allô?*« meldete sich die Stimme des bekanntesten Politologen der Universität.

»Ich bin's, Ihr Vertrauter aus Paris. Können wir reden?«

»Augenblick.« Das Telefon blieb etwa acht Sekunden stumm. »So, jetzt geht es«, sagte Professor Benoit, der wieder an den Apparat zurückgekehrt war. »Sie rufen ohne Zweifel wegen der Probleme an, die wir in Paris hatten. Ich kann Ihnen jetzt sagen, daß ich nichts weiß. Niemand weiß etwas! Können Sie uns schlauer machen?«

»Ich weiß nicht, wovon Sie reden.«

»Wo sind Sie denn gewesen?«

»In Monte Carlo mit dem Schauspieler und seiner Frau zusammen. Ich bin erst heute morgen zurückgekehrt.«

»Dann haben Sie es also nicht gehört?« fragte der Mann in Genf erstaunt.

»Das mit den Attentaten auf diesen Amerikaner, diesen Lennox, und seine anschließende Ermordung in der Gaststätte, die ohne Zweifel von Ihrer psychopathischen K-Einheit hier in Paris arrangiert worden war? Das war unglaublich dumm.«

»Nein! Null Eins, Paris, ist verschwunden, und heute morgen hat die Polizei ein Attentat auf ein Haus in der Rue Diane gemeldet –«

»Witkowskis Wohnung?« fiel ihm Moreau ins Wort. »Davon weiß ich noch gar nichts.«

»Sie wissen noch etwas nicht, was ich schon seit einer Weile weiß. Die ganze K-Einheit ist ebenfalls verschwunden.«

»Ich wußte nie, wo sie stationiert sind –«

»Das hat keiner von uns gewußt, aber sie sind weg!«

»Ich weiß nicht, was ich sagen soll.«

»Sagen Sie gar nichts, finden Sie heraus, was passiert ist!« forderte der Mann in Genf.

»Ich fürchte, ich habe weitere schlechte Nachrichten für Sie und Bonn«, sagte der Chef des Deuxième mit stockender Stimme.

»Was denn noch?«

»Meine Agenten in Deutschland haben mir Namen geliefert, die Namen von Männern, die sich jeden Dienstagabend in verschiedenen Häusern am Rhein treffen.«

»Du liebe Güte! Was für Namen denn?«

Claude Moreau nannte sie ihm, buchstabierte teilweise. »Sagen Sie ihnen, sie sollen sehr vorsichtig sein«, riet er dann. »Sie werden alle vom Geheimdienst überwacht.«

»Abgesehen von dem Ruf, den der eine oder andere sich erworben hat, kenne ich keinen von ihnen!« rief der Professor in Genf aus. »Ich hatte keine Ahnung –«

»Das hat auch niemand von Ihnen erwartet, Herr Professor. Sie befolgen Ihre Anweisungen, genauso wie ich.«

»Ja, aber … aber …«

»Akademiker sind in praktischen Dingen nie sehr kompetent. Sorgen Sie einfach dafür, daß unsere Freunde in Bonn die Information erhalten.«

»Ja … ja, selbstverständlich, Paris. Oh mein Gott!«

Moreau legte den Hörer auf und lehnte sich in seinem Sessel zurück. Die Dinge begannen so zu laufen, wie er das wollte.

Zwar stand noch nicht alles zum Besten, aber er konnte sich nicht beklagen. Falls er das Spiel verlor, würden er und seine Frau immer noch irgendwo außerhalb Frankreichs mit allem Komfort ihren Lebensabend verbringen können. Andererseits konnte es auch sein, daß er hingerichtet wurde, von einem Erschießungskommando. *C'est la vie.*

Das Licht der Abendsonne fiel schräg durch die Fenster von Karin de Vries' Appartement an der Rue Madeleine. »Ich war heute nachmittag in meiner Wohnung«, sagte Drew, der auf einem Sessel Karin gegenübersaß, die auf der Couch Platz genommen hatte. »Ich hatte natürlich links und rechts einen Marineinfanteristen – von Witkowski zur strengsten Geheimhaltung verpflichtet, mit der Drohung sie ins Ausbildungslager zurückzuschicken, falls sie auch nur ein Sterbenswörtchen herausließen. Die beiden hatten die ganze Zeit die Hand an ihren Colts, aber es war trotzdem ein herrliches Gefühl, auf die Straße gehen zu können. Verstehen Sie das?«

»Ja, schon, aber ich mache mir Sorgen darüber, wem man eigentlich noch vertrauen kann. Was ist, wenn es noch andere gibt, von denen wir nichts wissen?«

»Zum Teufel, über einen wissen wir ja Bescheid, Reynolds aus der Fernmeldeabteilung. Man hat mir gesagt, er sei einfach verschwunden, wie eine Ratte in der Kanalisation. Wahrscheinlich lebt er jetzt irgendwo am Mittelmeer und läßt sich von den Nazis eine Pension bezahlen, falls die nicht vorgezogen haben, ihn gleich abzuknallen.«

Ein paar Augenblicke lang herrschte Schweigen. Schließlich sagte Drew: »Und wie geht's jetzt weiter, Lady?«

»Ich verstehe die Frage nicht.«

»Herrgott, ich weiß nicht, wie ich es richtig formulieren soll … ich habe nie gedacht, daß ich so etwas je denken würde, wirklich, geschweige denn, es zu jemandem sagen, der mich vielleicht davor bewahrt, getötet zu werden, eine Untergebene, die eine Wohnung besitzt, die ich mir nie leisten könnte.«

»Könnten Sie sich bitte ein wenig klarer ausdrücken?«

»Wie soll ich das? Ich dachte immer, mein Bruder wäre mein Vorbild, weil er in allem immer recht hatte und irgendwie vollkommen war. Und dann habe ich ihn gehört, kurz vor seinem Tod in diesem Gasthaus – Sie wissen schon, was ich meine – als er ausrief, daß er Sie liebt –«

»Hören Sie auf, Drew«, sagte Karin de Vries scharf. »Wollen Sie damit sagen, Sie würden Ihren Bruder auch in seiner Verblendung imitieren?«

»Nein, das will ich nicht«, sagte Lennox ruhig und mit leiser Stimme und sah ihr dabei in die Augen. »Seine Verblendung hat mit meinen Gefühlen nichts zu tun, Karin. Darüber bin ich hinweg – es hat mir ohnehin nie gut getan. Sie sind zuerst in sein Leben getreten und in meins erst Jahre später, und da liegen Welten zwischen. Ich bin nicht Harry, könnte nie Harry sein, ich bin ich, und ich habe nie jemanden wie Sie kennengelernt … Wie wäre das als Erklärung?«

»Die Erklärung ist akzeptiert, Drew. Ich muß zuerst meine Geister loswerden, und wenn ich das geschafft habe, dann wäre es schön, wenn Sie da sind und auf mich warten. Vielleicht könnte ich mich zu Ihnen hingezogen fühlen, weil Sie Eigenschaften besitzen, die ich sehr bewundere, aber im Augenblick ist eine derartige Beziehung für mich undenkbar. Zuerst muß die Vergangenheit abgeschlossen werden. Können Sie das verstehen?«

»Ob ich es jetzt verstehe oder nicht, ich werde mir jedenfalls verdammte Mühe geben, daß es dazu kommt.«

Es war Mittagszeit, und die Straßen wimmelten von Menschen, während die Angestellten aus den praktisch leeren Bürogebäuden in Scharen in die Cafés und Restaurants strömten. Für einen Pariser war das Mittagessen mehr als nur eine Mahlzeit; es war ein kleines Ereignis.

Und deshalb wurde Dr. Gerhard Kröger auch immer unruhiger, während er mit der zusammengefalteten Zeitung vor dem Gesicht auf der Straße stand und den Eingang des Deuxième Bureau zu seiner Linken beobachtete. Er konnte es sich einfach nicht leisten, Claude Moreau zu übersehen, durfte keine Stunde vergeuden. Für seinen Patienten Harry Lennox hatte der Countdown begonnen; er verfügte allerhöchstens noch über zwei Tage – achtundvierzig Stunden – und selbst das war nicht präzise. Und dann war da noch etwas, was Kröger noch mehr belastete, eine Einzelheit, die er seinen Vorgesetzten in der Bruderschaft verschwiegen hatte: Bevor das Gehirn das Implantat schließlich abstieß und praktisch explodierte, trat rings um die Operationsstelle eine schreckliche Verfärbung ein; ein Hautausschlag von Handtellergröße wurde sichtbar und würde im Falle einer Autopsie ohne Zweifel Aufmerksamkeit erregen. Und obwohl das allgemein nicht bekannt war, war es durchaus möglich, die in einem EPROM gespeicherten Daten auch dann auszulesen, wenn man nicht über die ursprünglichen Codierungsmittel verfügte.

Wenn dieses Wissen in die falschen Hände geriete, konnte das zur Zerstörung der Bruderschaft der Wacht führen. Ihre Geheimnisse wären dann nicht mehr geschützt und ihre globalen Ziele offenkundig. Mein Gott, sinnierte Kröger. Wir sind die Opfer unseres Fortschritts! Dann dachte er an die Verbreitung von Atomwaffen und begriff, wie zutreffend seine abgeschmackte Schlußfolgerung war.

Da erschien Moreau! Der breitschultrige Chef des Deuxième trat aus dem Eingangsportal des Gebäudes und bog nach rechts, eilte schnell über den Bürgersteig. Er hatte es eilig, und Kröger mußte beinahe rennen, um ihn einzuholen, weil der Franzose in die entgegengesetzte Richtung ging. Er bahnte sich mit teils in deutscher, teils in französischer Sprache gemurmelten Entschuldigungen seinen Weg durch die Menschenmenge und rückte Moreau auf diese Weise immer näher, was ihm freilich ein paar finstere Blicke von Leuten eintrug, die er etwas unsanft beiseite gestoßen hatte. Schließlich hatte er sein Ziel auf Armeslänge erreicht. »Monsieur, Monsieur!« rief er. »Sie haben etwas fallen lassen.«

»*Pardon*?« Moreau blieb stehen und drehte sich um. »Sie müssen sich täuschen, ich habe nichts fallen lassen.«

»Ich bin ganz sicher, daß Sie es waren«, fuhr Kröger in französischer Sprache fort. »Eine Brieftasche oder ein Notizbuch. Ein Mann hat es aufgehoben und ist weggerannt!«

Moreau betastete schnell seine Taschen, dann glätteten sich seine kurzzeitig besorgten Züge wieder. »Sie täuschen sich wirklich«, sagte er. »Ich vermisse nichts, aber ich bin Ihnen trotzdem dankbar. In Paris gibt es viele Taschendiebe!«

»Wie in München auch, Monsieur. Ich bitte um Entschuldigung, aber die Bruderschaft, der ich angehöre, legt großen Wert auf das christliche Gebot der Nächstenliebe.«

»Ah ja, eine christliche Bruderschaft.« Moreau starrte den Mann an, während beiderseits von ihnen Passanten vorbeieilten. »Der Pont Neuf um neun Uhr heute abend«, fügte er dann mit leiser Stimme hinzu. »An der Nordseite.«

Der Pariser Nebel ließ das Spiegelbild des Mondes im Wasser der Seine verschwimmen; ein kurzer Sommerregen stand bevor. Im Gegensatz zur Mehrzahl der Passanten auf der Brücke, die sich beeilten, um dem bevorstehenden Regenguß zu entkommen, gingen die zwei Männer auf dem nördlichen Bürgersteig langsam aufeinander zu. Sie trafen sich in der Mitte, und Moreau ergriff als erster das Wort.

»Sie haben da etwas angedeutet, das mir möglicherweise vertraut ist. Würden Sie das bitte näher erklären?«

»Dafür ist jetzt keine Zeit, Monsieur. Wir wissen beide, wer wir sind und was wir sind. Schreckliche Dinge sind geschehen.«

»Das habe ich auch gehört – übrigens erst heute morgen. Das Beunruhigende daran ist, daß mein Büro nicht informiert wurde. Ich zerbreche mir schon die ganze Zeit den Kopf, warum. Kann es sein, daß einer Ihrer Kuriere indiskret war?«

»Ganz sicher nicht! Unsere Mission, unsere allerwichtigste Mission, besteht jetzt darin, den Amerikaner Harry Lennox zu finden. Das ist noch viel wichtiger als Sie sich vielleicht vorstellen können. Wir wissen, daß die Botschaft ihn mit Hilfe der Antineos irgendwo hier in Paris versteckt hält. Wir müssen ihn finden! Der amerikanische Geheimdienst hält Sie sicherlich auf dem laufenden. Wo ist er?«

»Sie sind mir jetzt gleich ein paar Schritte voraus, Monsieur … wie heißen Sie übrigens? Ich rede nicht mit Männern, deren Namen ich nicht kenne.«

»Kröger, Dr. Gerhard Kröger, und ein Anruf in Bonn wird Ihnen meinen Rang bestätigen!«

»Wie beeindruckend. Und welchen ›Rang‹ bekleiden Sie, Herr Doktor?«

»Ich bin der Arzt, der … der Harry Lennox' Leben gerettet hat. Und jetzt muß ich ihn finden.«

»Ja, das sagten Sie schon. Es ist Ihnen doch bekannt, daß sein Bruder Drew von Ihrer idiotischen K-Einheit getötet worden ist. Oder wissen Sie das nicht?«

»Das war der falsche Bruder.«

»Ah, so ist das also. Es war aber doch die K-Einheit, Killer, die frisch von der Schulbank kamen, wenn sie je eine Schule besucht haben.«

»Ich verbitte mir Ihre Beleidigungen!« rief Kröger wütend.

»Offen gestanden, Sie gelten als nicht völlig vertrauenswürdig. Ich rate Ihnen also dringend, mich in jeder Weise zu unterstützen. Andernfalls haben Sie sich die Folgen selbst zuzuschreiben.«

»Ich werde mir ganz bestimmt Mühe geben –«

»Und wenn Sie die ganze Nacht aufbleiben müssen und mit sämtlichen Gewährsleuten sprechen, die Sie haben – Franzosen, Amerikaner, Briten – finden Sie heraus, wo man Harry Lennox versteckt hält! Ich wohne im Lutetia, Zimmer achthundert.«

»Im obersten Stockwerk. Sie müssen ein wichtiger Mann sein.«

»Ich werde nicht schlafen, bis ich von Ihnen gehört habe.«

»Das ist sehr dumm, Doktor. Als Arzt sollten Sie wissen, daß mangelnder Schlaf die Denkfähigkeit beeinträchtigt. Aber da Sie ja so überzeugend sprechen und mir auch so überzeugend drohen, kann ich Ihnen versichern, daß ich mein Möglichstes tun werde, um Sie zufriedenzustellen.«

»Sehr gut«, sagte Kröger. »Ich werde jetzt gehen. Enttäuschen Sie mich nicht; enttäuschen Sie die Bruderschaft nicht, denn Sie wissen, was dann geschehen wird.«

»Ich verstehe.«

Kröger entfernte sich schnell, und bald hatte die Dunkelheit ihn verschluckt. Claude Moreau suchte sich an der Rive Gauche ein Taxi. Er mußte jetzt gründlich nachdenken. Die Verwirrung nahm zu.

Um 7.42 Uhr Ortszeit betrat Wesley Sorenson sein Büro im Gebäude von Consular Operations, in dem nur seine Sekretärin anwesend war. »Alle Nachtberichte sind auf Ihrem Schreibtisch, Sir«, teilte sie ihm mit.

»Vielen Dank, Ginny. Und wie schon gesagt, ich hoffe, Sie schreiben Ihre Überstunden auf. Von den anderen ist keiner vor halb neun hier.«

»Sie haben auch immer Verständnis, wenn die Kinder krank sind. Warum es also übertreiben, Mr. Director? Außerdem ist es so einfacher für mich; ich kann alles vorbereiten, ehe die Truppen einfallen.«

Die sind eingefallen, und zwar in mehr als einer Hinsicht, dachte Sorenson. Er war um vier Uhr morgens am Andrews Luftwaffenstützpunkt gewesen und hatte persönlich die zwei Neonazis aus der Pariser Maschine in Empfang genommen und sie in einem Fahrzeug der Marineinfanterie zu einem sicheren Haus in Virginia gebracht. Er würde sich kurz nach Mittag dorthin bringen lassen und die Gefangenen persönlich verhören; das war etwas, worauf er sich sehr gut verstand.

»Irgendwas Dringendes?« fragte er seine Sekretärin.

»Alles ist dringend.«

»Dann hat sich ja nichts verändert.«

Sorenson ging in sein Büro, trat an seinen Schreibtisch und setzte sich. Die Aktendeckel trugen die Aufschriften: VOLKSREPUBLIK CHINA, TAIWAN, PHILIPPINEN, NAHER OSTEN, GRIECHENLAND, BALKAN ... und schließlich DEUTSCHLAND und FRANKREICH.

Er schob die anderen beiseite und klappte den Aktendeckel aus Paris auf. Was er dort vorfand, war in höchstem Maße explosiv. Ein Aktenvermerk, der sich auf die Polizeiberichte stützte, schilderte den Angriff auf Colonel Witkowskis Wohnung, ohne daß dabei erwähnt wurde, daß der Colonel zwei Gefangene mit einer Militärmaschine nach Washington geschickt hatte. Dann wurde das ausgebrannte Hauptquartier einer Neonazieinheit im Avignon-Lagerhauskomplex geschildert. Die inzwischen verschwundenen ehemaligen Insassen der Büros wurden als Killer dargestellt. Die letzte Nachricht aus Paris war eine verschlüsselte Mitteilung von Witkowski, die bei Consular Operations dechiffriert worden war; und das war die Explosion. *Gerhard Kröger in Paris. Er jagt Harry Lennox. Zielperson ist informiert.*

Gerhard Kröger, Arzt, Rätsel, Schlüssel zu vielen Dingen. Außerhalb der amerikanischen Geheimdienste wußte niemand etwas über ihn. Eigentlich war das nicht richtig, dachte Sorenson. Man sollte auch die Franzosen und die Briten informieren. Aber die CIA – und Knox Talbot war da ganz seiner Meinung – konnte ihnen nicht vertrauen.

Dann klingelte um acht Uhr morgens sein Telefon. »Ich habe Paris in der Leitung«, sagte seine Sekretärin. »Ein Mr. Moreau aus dem Deuxième Bureau.«

Ein kleiner Seufzer entrang sich Sorenson, und er wurde blaß. Moreau war ausgeschlossen worden; er war suspekt. Der Cons-Op-Direktor atmete tief durch und griff nach dem Hörer. Als er dann sprach, hatte er seine Stimme völlig unter Kontrolle.

»Hallo, Claude, schön, mal wieder von Ihnen zu hören, alter Freund.«

»Allem Anschein nach ist es für mich unschicklich, von Ihnen zu hören, Wesley, wenn ich kein Blatt vor den Mund nehmen darf.«

»Ich weiß nicht, was Sie meinen.«

»Ach, kommen Sie. In den letzten sechsunddreißig Stunden haben sich eine Menge Dinge ereignet, die uns beide betreffen. Aber zu meinem Büro ist kein Wort davon gelangt. Was soll das denn für eine Zusammenarbeit sein?«

»Ich … ich weiß nicht, Claude.«

»Natürlich wissen Sie das. Man hat mich systematisch aus der Operation ausgeblendet. Warum?«

»Die Frage kann ich nicht beantworten. Ich kontrolliere die Operation nicht. Ich hatte keine Ahnung –«

»Bitte, Wesley. Sie waren draußen im Feld ein geübter Lügner, aber Leute, die gemeinsam mit Ihnen gelogen haben, können Sie nicht täuschen. Wir beide wissen doch, wie die Dinge laufen, oder? Irgend jemand hat etwas von irgend jemand anderem gehört, und die kranke Auster wächst und produziert am Ende eine falsche Perle. Aber dafür ist später Zeit. Falls Sie noch richtig funktionieren, könnte es sein, daß ich etwas für Sie habe.«

»Und das wäre?«

»Wer ist Gerhard Kröger?«

»Was?«

»Sie haben richtig verstanden, und Sie können mir auch nicht vormachen, daß Sie diesen Namen nicht schon früher gehört haben. Er ist Arzt.«

Kröger war für das Deuxième off limits. Moreau war ausgeschaltet! Klopfte er nur auf den Busch?

»Ich bin nicht sicher, ob ich ihn schon mal gehört habe, Claude. Gerhard ... Kröger, war das der Name?«

»Jetzt werden Sie wirklich beleidigend. Aber ich will darüber hinwegsehen, weil meine Information einfach zu wichtig ist. Kröger ist in Paris, er ist mir nachgegangen und hat mich auf der Straße angesprochen. Um es kurz zu sagen, er hat mir in klaren Worten gesagt, ich müsse ihn entweder zu Harry Lennox führen oder ich wäre ein toter Mann.«

»Das kann ich nicht glauben! Warum sollte er ausgerechnet zu Ihnen kommen?«

»Dieselbe Frage habe ich ihm auch gestellt, und seine Antwort war so, wie ich es erwartet habe. Ich habe Leute in Deutschland wie in den meisten anderen Ländern auch. Vor einem Jahr habe ich um das Leben eines Mannes gefeilscht, der von einer Gruppe Skinheads in Mannheim festgehalten wurde. Ich habe ihn für etwa sechstausend Dollar freibekommen, geschenkt, würde ich sagen. Trotzdem hatten sie den Namen des Deuxième und wußten, daß ein solcher Handel nicht ohne meine Billigung abgeschlossen werden konnte.«

»Aber von Gerhard Kröger hatten Sie bisher nie gehört?«

»Erst gestern abend, das sagte ich doch gerade. Ich ging also in mein Büro zurück und habe mir die Aufzeichnungen der letzten fünf Jahre angesehen; aber da war nichts. Übrigens er wohnt im Hotel Lutetia, Zimmer achthundert, und erwartet, daß ich ihn anrufe.«

»Um Himmels willen, schnappen Sie sich den Mann.«

»Oh, der läuft uns nicht weg, Wesley. Das kann ich Ihnen versichern. Aber warum nicht eine Weile mitspielen? Er arbeitet sicher nicht solo, und wir sind schließlich hinter größeren Fischen her.«

Eine Welle der Erleichterung schlug über Sorenson zusammen. Claude Moreau war sauber! Wenn er für die Bruderschaft tätig wäre, hätte er ihm nie Gerhard Kröger angeboten, mit Hotel und Zimmernummer!

»Falls Ihnen das guttut«, sagte der Direktor von Cons-Op, »ich selbst war auch eine Weile ausgeschlossen. Wissen Sie warum? Weil wir beide einmal zusammengearbeitet haben, speziell in Istanbul, wo Sie so liebenswürdig waren, meinen Arsch zu retten.«

»Sie hätten für mich dasselbe getan.«

»Das habe ich der Agency auch ziemlich aufgebracht erklärt, und das werde ich ihnen noch einmal sagen, noch deutlicher.«

»Einen Augenblick, Wesley«, sagte Moreau langsam. »Weil wir gerade von Istanbul reden. Erinnern Sie sich daran, daß die Apparatschiks des KGB glaubten, Sie wären ein Doppelagent, praktisch ein Informant für ihre Vorgesetzten in Moskau?«

»Aber sicher. Die haben gelebt wie die Kalifen mit allen Reichtümern des Topkapi um sich herum. Sie hatten eine Höllenangst.«

»Also haben sie Sie ins Vertrauen gezogen, nicht wahr?«

»Natürlich. Sie haben mir alles Mögliche erzählt, um ihre Lebensweise zu rechtfertigen. Das meiste davon war der reinste Blödsinn, aber nicht alles.«

»Aber sie haben Sie doch in ihr Vertrauen gezogen, nicht wahr?«

»Ja.«

»Dann lassen Sie doch für den Augenblick alles beim alten. Ich stehe immer noch draußen, bin nicht vertrauenswürdig. Vielleicht kann ich einiges von unserem Freund, Herrn Dr. Kröger, erfahren.«

»Und dazu brauchen Sie vorher etwas.«

»»Alles Mögliche«, wie Sie gerade in bezug auf Istanbul gesagt haben. Es braucht nicht sehr genau zu sein, aber es sollte relativ akzeptabel sein.«

»Zum Beispiel?«

»Wo Harry Lennox ist?«

Es gab keinen Harry Lennox. Wieder kamen Sorenson Zweifel. »Das weiß nicht einmal ich«, sagte er.

»Ich meine nicht, wo er wirklich ist«, sagte Moreau, »nur wo er sein könnte. Etwas, das Kröger und seine Hintermänner glauben können.«

287

Die Zweifel wurden schwächer. »Nun, es gibt da eine Organisation, sie nennt sich die Antineos –«

»Davon wissen sie«, unterbrach ihn Moreau. »Diese Leute sind nicht auffindbar. Etwas anderes.«

»Sie wissen sicherlich auch über Witkowski und diese de Vries Bescheid –«

»Ja, natürlich«, bestätigte der Chef des Deuxième. »Geben Sie mir eine Stelle, wo die mit ein paar Recherchen erfahren könnten, wie Ihre Leute vorgehen.«

»Ich denke, das würde Marseille sein. Wir bemühen uns, das Rauschgiftembargo zu erzwingen; zu viele unserer Leute sind entweder gekauft worden oder verschwunden. Wenn jemand hinsieht, sind wir sogar ziemlich auffällig. Das ist eine Art Abschreckungsmaßnahme.«

»Das ist gut. Das werde ich verwenden.«

»Claude, ich will ehrlich sein. Ich möchte, daß Sie hier drüben wieder freigegeben werden! Es ist unerträglich, daß Sie unter Verdacht stehen.«

»Noch nicht, alter Freund. Denken Sie an Istanbul. Wir spielen dieses Spiel nicht zum ersten Mal.«

Moreau legte den Hörer auf, lehnte sich wieder in seinen Sessel zurück und blickte zur Decke. Seine Gedanken hüpften von einem Stückchen Information zum nächsten. Er befand sich jetzt in der Zielgeraden des Rennens. Die Risiken, die er einging, waren gigantisch, aber er konnte nicht aufhören. Rache, das war alles, worauf es ihm jetzt ankam.

18

Da Drew Lennox sich angeblich von dieser Welt verabschiedet hatte, war auch der zu seinem Schutz abgestellte Wagen des Deuxième Bureau abgezogen worden. Dafür hatte Witkowski angeordnet, daß die Fahrbereitschaft der Botschaft Sicherheitsmaßnahmen ergriff: Drei Mann in Acht-Stunden-Schichten und ein neutrales Fahrzeug, das rund um die Uhr für einen namentlich nicht benannten Offizier der Army und seine Begleiterin bereitzuhalten waren, im Augenblick in der Rue Madeleine. Der Colonel machte den für den Schutz des Offiziers eingeteilten Marines klar, falls sie den Offizier erkennen sollten, müsse seine Identität unter allen Umständen geheim bleiben. Sollte es irgendwelche Pannen geben, würde er persönlich dafür sorgen, daß man sie wieder nach Parris Island zurückschickte, wo sie ihre Laufbahn noch einmal von unten als Rekruten würden beginnen dürfen.

»Das brauchen Sie nicht zu sagen, Colonel«, sagte ein Marine-Sergeant. »Verzeihen Sie bitte, aber das ist beleidigend.«

»Dann bitte ich um Entschuldigung.«

»Das sollten Sie auch, Sir«, fügte ein Corporal hinzu. »Wir waren von Beijing bis Kuala Lumpur im Botschaftsdienst, und dort kommt es wirklich auf Sicherheit an, ich meine echte Sicherheit, nicht solche Kindereien wie hier in Europa.«

»Und damit hat er verdammt recht!« flüsterte ein zweiter Corporal und setzte dann etwas lauter hinzu: »Wir sind schließlich nicht die Army – Sir. Wir sind Marines.«

»Dann bitte ich wirklich um Entschuldigung, Leute. Verzeihen Sie einem alten Schlachtroß. Ich bin eben ein Fossil.«

»Wir wissen, wer Sie sind, Colonel«, sagte der Sergeant. »Sie brauchen sich keine Sorgen zu machen, Sir.«

»Ich danke Ihnen.«

Als die drei sein Büro verließen, hörte Witkowski durch die halbgeschlossene Tür noch, wie einer der Corporals bemerkte: »Der hätte ein Marine werden sollen. Zum Teufel, ich würde diesem Hurensohn bis in ein Kanonenrohr folgen.«

Stanley Witkowski fand, daß das das höchste Lob war, das er in seiner ganzen bisherigen Laufbahn erhalten hatte. Aber jetzt mußte er seine Aufmerksamkeit anderen Dingen zuwenden, von denen Drew Lennox und Karin de Vries nicht die geringsten waren. Die Antineos hatten darauf bestanden, daß Lennox für den Augenblick in der Wohnung von Karin de Vries blieb und nicht zu ihrem ›sauberen‹ Haus zurückkehrte, da ja immerhin die Möglichkeit bestand, daß er noch beobachtet wurde.

Und Karin in der Botschaft zu lassen, kam einfach nicht in Frage. Als Angehörige der Abteilung D und R auf hoher Geheimhaltungsstufe mit Wohnsitz außerhalb der Botschaft war ihre Adresse ausschließlich in der Sicherheitsabteilung registriert und durfte auch nur auf persönliche Weisung des Colonel bekanntgegeben werden. Außerdem hatte ihm die Witwe de Vries früher einmal etwas gesagt, was ihn jetzt sehr erleichterte.

»Ich bin nicht arm, Colonel. Ich habe hier in Paris drei Autos, jedes in einer anderen Garage. Ich werde bei jedem Fahrzeugwechsel auch mein Aussehen verändern.«

»Das nimmt eine große Last von mir«, sagte Witkowski. »Wenn man bedenkt, welches Wissen Sie in Ihrem Kopf mit sich herumtragen, ist das verdammt clever.«

»Das war nicht meine Idee, Sir. General Raichert, der Oberbefehlshaber der NATO, hat das in Den Haag angeordnet. Die Amerikaner haben dort dafür bezahlt, aber da waren die Gegebenheiten anders. Hier erwarte ich es nicht.«

»Sie sind offenbar wirklich nicht arm.«

»Mir ist das wichtig, was ich tue, Colonel. Das Geld ist nicht von Belang.«

Das Gespräch hatte vor mehr als vier Monaten stattgefunden, und Witkowski hatte damals keine Ahnung gehabt, wie ernst die neue Mitarbeiterin ihre Aufgabe nahm. Jetzt hatte er keine Zweifel mehr. Das Telefon klingelte und riß ihn aus seinen Gedanken.
»Ja?«

»Ich bin's, Ihr wandernder Engel, Stanley«, sagte Drew. »Irgendwelche Neuigkeiten vom roten Haus?«

»Im Augenblick gibt es im Gasthof kein Zimmer für Sie, wenigstens eine Zeitlang nicht. Die sind beunruhigt, weil zu viele Leute Sie kennen.«

»Ich trage eine Uniform, Ihre Uniform, verdammt! Übrigens, Sie haben mehr Taille und einen dickeren Hintern als ich. Aber das Jackett sitzt gut.«

»Da bin ich aber sehr erleichtert«, sagte der Colonel. »Wird Karin Sie noch ein oder zwei Tage ertragen können, bis ich ein geeignetes Quartier gefunden habe?«

»Das weiß ich nicht, fragen Sie sie selbst.« Lennox' Stimme wurde schwächer, als er den Telefonhörer weitergab. »Es ist Witkowski. Er will wissen, ob mein Mietvertrag noch läuft.«

»Hallo, Colonel«, sagte Karin. »Die Antineos machen also Schwierigkeiten.«

»Ja, und mir ist noch keine passende Alternative eingefallen. Ob Sie ihn wohl noch ein oder zwei Tage unterbringen können? Bis dahin habe ich etwas arrangiert.«

»Kein Problem. Er sagt, er hat sein Bett heute morgen schon gemacht.«

»Ja, zum Henker«, konnte man Drews Stimme im Hintergrund hören. »Ich komme mir vor wie im Pfadfinderlager.«

»Ich glaube, ich weiß, was wir da machen können, Colonel. Ihre Uniform paßt ihm recht gut, und ich könnte Sie ja an der Taille und an ein paar anderen Stellen etwas enger machen. Dann werde ich sein Aussehen ein wenig verändern –«

»Wie bitte?«

»Eine andere Haarfarbe«, antwortete sie, »ganz besonders, um die Schläfen herum, wo man es unter seiner Offiziersmütze sieht, und eine Brille mit einer schweren Fassung, Fensterglas natürlich, und schließlich ein falscher Militärausweis. Das mit dem Haar und der Brille könnte ich erledigen, wenn Sie den Ausweis besorgen. Dann könnte er sich in jedem Hotel eintragen, was ja sicherlich Sie arrangieren könnten.«

»Das liegt aber nicht im Zuständigkeitsbereich der Botschaft, Karin.«

»Nach allem, was ich bisher von Consular Operations mitbekommen habe, behaupte ich, daß es aber in dessen Zuständigkeitsbereich liegt.«

»Dagegen kann ich nichts mehr sagen, denke ich. Sie müssen wirklich wild darauf sein, ihn loszuwerden.«

»Es geht nicht um die Person, Colonel. Es geht um die Tatsache, daß er ein Mann ist, der hier ja nur als amerikanischer Armyoffizier sichtbar sein soll. Ich bezweifle, daß in dem Gebäude jemand weiß, daß ich für die Botschaft arbeite, aber wenn es jemand weiß, oder auch nur vermutet, dann bringt das Drew, mich und unsere Ziele in Gefahr.«

»In einfachen Worten, Ihre Wohnung könnte zu einem weiteren Ziel werden.«

»Weit hergeholt vielleicht, aber durchaus möglich.«

»In diesem Krieg ist alles möglich. Ich werde ein Foto brauchen.«

»Ich habe immer noch Freddies Kamera. Morgen haben Sie ein Dutzend.«

»Ich wünschte, ich wäre dabei, wenn Sie ihm das Haar färben. Ich stelle mir das zum Schreien komisch vor.«

Karin de Vries legte auf, ging an den Einbauschrank im Flur und holte einen kleinen Koffer mit zwei Zahlenschlössern heraus. Lennox saß mit einem Drink in der Hand in einem Sessel und sah ihr dabei zu. »Ich nehme an, in dem Koffer ist keine zerlegbare Automatik«, sagte er, als Karin das Gepäckstück auf den Couchtisch stellte und sich setzte.

»Du lieber Gott, nein«, sagte sie, während sie die Zahlenkombination einstellte und den Koffer öffnete. »Ich hoffe sogar, daß es Ihnen dabei hilft, nicht mit solchen Waffen in Berührung zu kommen.«

»Moment mal. Was ist in dem Koffer? Ich habe nicht viel von dem gehört, was Sie mit Stanley besprochen haben. Was geht in Ihrem hübschen Kopf vor?«

»Freddie hat diesen Koffer seinen Reisekoffer für Notfälle genannt.«

»Ich weiß nicht, ob ich das hören will. Freddie war Ihnen gegenüber gewalttätig, und das macht ihn mir unsympathisch.«

»Es hat auch bessere Zeiten gegeben, Drew.«

»Na vielen Dank. Was ist in dem Koffer?«

»Ein paar Dinge, mit denen man das Aussehen eines Menschen verändern kann, nichts besonders Dramatisches, einfach ein paar Schnurrbärte, Kinnbärte, einige Brillen ... und einige Färbemittel.«

»Und was soll das?«

»Sie können nicht hierbleiben, mein Freund«, sagte Karin und sah ihn über den aufgeklappten Deckel des Koffers hinweg an. »Jetzt seien Sie nicht gleich beleidigt, und nehmen Sie das nicht persönlich, aber die Häuser und Wohnungen hier an der Madeleine sind so, wie die teuren Wohnviertel in Amerika. Die Leute reden hier viel, und in den Cafés und den Bäckereien wird unheimlich viel geklatscht. Und es könnte an unfreundliche Ohren gelangen.«

»Das akzeptiere ich, das verstehe ich auch, aber das war nicht meine Frage.«

»Sie werden sich ein Zimmer in einem Hotel nehmen, unter einem anderen Namen, den der Colonel liefern wird, und mit leicht verändertem Aussehen.«

»Was?«

»Ich werde Ihnen jetzt das Haar und die Augenbrauen mit einer auswaschbaren Lösung färben. Rötlich-blond, denke ich.«

»Was soll das denn ? Ich bin kein Jean-Pierre Villier!«

»Der brauchen Sie auch nicht zu sein. Seien Sie einfach Sie selbst; niemand wird Sie erkennen, wenn er nicht einen halben Meter vor Ihnen steht und Sie genau betrachtet. So, wenn Sie jetzt bitte Ihre Uniformhose anziehen würden, dann stecke ich sie ab und mache sie Ihnen enger.«

»Wissen Sie, ich glaube, jetzt sind Sie völlig übergeschnappt!«

»Wissen Sie eine bessere Lösung?«

»Verdammt!« sagte Lennox und schüttete sich den Rest seines Scotch hinunter. »Nein, ich weiß auch keine.«

»Andrerseits sollten wir vielleicht zuerst Ihre Haare färben. Bitte ziehen Sie Ihr Hemd aus.«

»Und meine Hose? Dann würde ich mich wohler fühlen, mehr wie zu Hause.«

»Sie sind nicht zu Hause, Drew.«

»Ich habe schon verstanden, Lady!«

Moreau nahm den Hörer seiner Telefonanlage ab, drückte einen Knopf, der das Tonbandgerät einschaltete, und ließ sich mit Zimmer achthundert im Hotel Lutetia verbinden.

»Ja?« sagte die rauhe Stimme am anderen Ende der Leitung.

»*Monsieur, le docteur?*« fragte der Chef des Deuxième, der nicht sicher war, ob er richtig verbunden war. »Ich bin's, vom Pont Neuf, sind das Sie?«

»Natürlich. Was haben Sie erreichen können?«

»Ich habe tief gebohrt, viel tiefer als es eigentlich für mich gut ist. Ich habe die CIA provoziert, mir zu sagen, daß sie tatsächlich Harry Lennox versteckt halten.«

»Wo?«

»Vielleicht nicht hier in Paris, vielleicht in Marseille.«

»Vielleicht, vielleicht? Das nützt mir gar nichts! Können Sie sich nicht vergewissern?«

»Nein, aber Sie können das vielleicht.«

»Ich?«

»Sie haben doch Leute in Marseille, oder nicht?«

»Natürlich. Ein großer Teil unserer finanziellen Transaktionen läuft über Marseille.«

»Suchen Sie nach den ›Consulars‹, so nennt man sie nämlich.«

»Wir wissen, wer sie sind«, sagte Kröger. »Das ist dieser Zwittergeheimdienst, den die Amis aufgebaut haben, Consular Operations.«

»Schnappen Sie sich einen von ihnen und sehen Sie, was Sie aus ihm herausquetschen können.«

»Das machen wir sofort. Das sollte nicht mehr als eine Stunde dauern. Wo kann ich Sie erreichen?«

»Ich rufe Sie in einer Stunde wieder an.«

Als die Stunde verstrichen war, rief Moreau das Lutetia an. »Haben Sie etwas?« fragte er.

»Das ist seltsam!« sagte der Deutsche. »Der Mann, mit dem wir gesprochen haben, steht tief in unserer Schuld. Er hat gesagt, wir seien verrückt; es gäbe auf ihrer Liste in Marseille keinen Harry Lennox!«

»Dann ist er noch in Paris«, sagte Moreau enttäuscht. »Dann muß ich mich noch einmal darum kümmern.«

»Aber schnell, bitte!«

»Freilich«, sagte der Chef des Deuxième und legte den Hörer mit einem Lächeln auf. Er wartete genau vierzehn Minuten und rief dann das Lutetia erneut an. Jetzt war der richtige Zeitpunkt, die Nervosität des anderen hochzukitzeln.

»Ja?«

»Ich bin's wieder. Es ist gerade etwas hereingekommen.«

»Was denn, um Himmels willen?«

»Harry Lennox.«

»Was?«

»Er hat einen meiner Leute angerufen, einen Mann, mit dem er in Ostberlin zusammengearbeitet hatte und der logischerweise fand, daß er mich informieren mußte. Lennox ist allem Anschein nach ziemlich in Fahrt – das ist oft so, wenn jemand völlig isoliert ist – das geht so weit, daß er meint, es gäbe ein Leck in seiner eigenen Botschaft –«

»Das ist Lennox!« fiel ihm der Deutsche ins Wort. »Das sind die typischen Symptome.«

»Was für Symptome? Was meinen Sie damit?«

»Nichts, gar nichts. Wie Sie schon sagten, wenn Leute isoliert sind, passieren manchmal seltsame Dinge mit ihnen ... was wollte er denn?«

»Wahrscheinlich unseren Schutz, soweit wir das erkennen konnten. Mein Mann soll sich mit ihm heute nachmittag um zwei an der Metrostation am Georges Cinq treffen, am hinteren Ende des Bahnsteigs.«

»Da muß ich hin«, rief Kröger.

»Das ist nicht ratsam, und es widerspricht auch den Vorschriften des Bureau, Kontakt zwischen dem Jäger und dem Gejagten herzustellen, Monsieur, wenn die Betreffenden nicht unserer Organisation angehören.«

»Sie verstehen das nicht, ich muß dabei sein!«

»Warum? Es könnte gefährlich sein.«

»Nicht für mich, auf keinen Fall für mich.«

»Jetzt verstehe ich überhaupt nichts mehr.«

»Das brauchen Sie auch nicht! Denken Sie einfach an die Bruderschaft, der müssen Sie gehorchen, und ich werde Ihnen Ihre Anweisungen geben.«

»Dann muß ich natürlich gehorchen, Herr Doktor. Wir treffen uns am Bahnsteig um dreizehn Uhr fünfzig, nicht früher und nicht später, ist das klar?«

»Ja, das habe ich verstanden.«

Moreau legte nicht auf, sondern trennte die Verbindung mit einem Knopfdruck und wählte gleich anschließend die Nummer seines engsten Mitarbeiters. »Jacques«, sagte er ruhig, »wir haben um zwei eine sehr wichtige Begegnung, nur Sie und ich. Erwarten Sie mich um halb zwei unten, dann informiere ich Sie näher. Übrigens, nehmen Sie Ihre Automatik mit, aber laden Sie sie mit Platzpatronen.«

»Das ist ein höchst seltsamer Wunsch, Claude.«

»Es ist auch eine äußerst seltsame Begegnung«, sagte Moreau und legte auf.

»Du großer Gott, ich sehe ja wie eine Disneyfigur aus!« rief Drew nach einem Blick in den Spiegel.

»Sie übertreiben«, sagte Karin, die über ihn gebeugt am Spülbecken in der Küche stand und ihm jetzt den Spiegel wegnahm. »Sie sind es bloß nicht gewöhnt, das ist alles.«

»Das ist doch lächerlich! Ich sehe aus, als würde ich gleich eine Schwulenparade anführen.«

»Stört Sie das?«

»Nein, zum Teufel, ich habe eine Menge Freunde vom anderen Ufer. Aber ich selbst bin es nicht.«

»Das läßt sich unter der Dusche wieder abwaschen, also hören Sie auf, sich zu beklagen. So, und jetzt ziehen Sie die Uniform an, dann mache ich ein paar Fotos für Colonel Witkowski und anschließend mache ich Ihnen die Hose enger.«

»In was hat mich dieser Hurensohn da hineingeritten?«

»Im Grunde genommen rettet er Ihnen das Leben. Können Sie das akzeptieren?«

Lennox ging resigniert ins Schlafzimmer und kam zwei Minuten später als Oberst der US-Army zurück. »Die Uniform kleidet Sie«, sagte Karin lächelnd, »besonders, wenn Sie sich gerade halten.«

»Mit diesem Jackett hat man ja keine andere Wahl. Das ist so verdammt eng, daß man einfach sein Rückgrat geradestrecken muß, sonst kriegt man keine Luft. Ich würde einen lausigen Soldaten abgeben. Ich würde darauf bestehen, immer nur Arbeitsanzüge zu tragen.«

»Das würde die Dienstvorschrift nicht zulassen.«

»Ein weiterer Grund, warum ich einen lausigen Soldaten abgeben würde.«

»Tatsächlich wären Sie wahrscheinlich ein sehr guter, wenn Sie General wären.«

»Einigermaßen unwahrscheinlich.«

»Einigermaßen«, sagte Karin und wies in den Flur. »Kommen Sie jetzt in den Vorraum, ich habe alles vorbereitet. Da ist Ihre Brille.« Sie reichte ihm eine schwere Schildpattbrille.

»Vorbereitet? Brille?« Drew blickte in das kleine Foyer, in dem eine auf einem Stativ befestigte Kamera auf eine weiße Wand gerichtet war. »Fotografin sind Sie auch?«

»Keineswegs. Aber Freddie brauchte gelegentlich ein neues Foto für einen anderen Paß. Er hat mir beigebracht, wie man mit so etwas umgeht, nicht daß es sonderlich schwierig wäre. Es ist eine Polaroidkamera, die gleich Bilder im Paßbildformat liefert ... Setzen Sie die Brille auf und stellen Sie sich an die Wand. Nehmen Sie die Mütze ab; ich möchte, daß man ihr blondes Haar in seinem ganzen Glanz sehen kann.«

Ein paar Minuten später verfügte Karin über fünfzehn kleine Polaroidfotos eines blonden, bebrillten Colonel, der so finster und unbehaglich blickte, wie das Menschen auf Paßfotos zumeist tun. »Ausgezeichnet«, verkündete sie. »Und jetzt gehen wir wieder zur Couch, wo ich mein Nähzeug habe.«

»Nähzeug?«

»Die Hose, haben Sie das vergessen?«

»Oh, jetzt kommt der angenehme Teil. Soll ich sie ausziehen?«

»Nicht, wenn Sie wollen, daß sie Ihnen nachher paßt. Kommen Sie.«

Eine Viertelstunde später, nach nur zwei schmerzhaften Nadelstichen, schickte sie ihn ins Gästezimmer zurück, damit er wieder seine normale Kleidung anzog. Als er zurückkam, saß Karin an dem Erkertisch, auf dem jetzt eine Nähmaschine aufgebaut war. »Die Hose, bitte.«

»Wissen Sie, langsam bekomme ich wirklich Respekt vor Ihnen, Lady«, sagte Drew und reichte ihr das Kleidungsstück. »Wer sind Sie eigentlich wirklich?«

»Nun, sagen wir mal, ich habe schon einiges erlebt, Monsieur Lennox.«

»Ja, das höre ich jetzt nicht zum ersten Mal von Ihnen.«

»Dann glauben Sie es mir eben, Drew. Außerdem geht es Sie nichts an.«

»Da haben Sie recht. Es ist nur so, daß ich, je mehr Schichten sich von Ihrer Person ablösen, immer unsicherer werde, mit wem ich es eigentlich zu tun habe. Freddie, die NATO und Harry muß ich akzeptieren, auch die Art und Weise, wie Sie sich in Paris bewegen. Aber mein Instinkt sagt mir, daß Sie noch etwas verschweigen ... Warum lachen Sie eigentlich nicht öfter? Wenn Sie lachen, werden Sie ein ganz anderer Mensch. Sie strahlen dann förmlich von innen heraus.«

»Aber es gab doch gar nicht so viel zu lachen, oder?«

»Ach was, Sie wissen schon, was ich meine. Wenn wir uns in ein paar Jahren wieder über den Weg laufen, werden wir wahrscheinlich über den Bois de Boulogne lachen.«

»Ein Mensch hat sein Leben verloren, Drew. Ob es nun ein guter oder ein schlechter Mensch war, ich habe ihn getötet, ich habe das Leben eines sehr jungen Menschen genommen. Das war das erste Mal, daß ich jemanden getötet habe.«

»Wenn Sie es nicht getan hätten, hätte er mich getötet.«

»Das weiß ich, und das rede ich mir auch immer wieder ein. Aber warum ist all dieses Töten eigentlich notwendig? Das war Freddies Welt, nicht meine.«

»Und es sollte auch nicht Ihre sein. Aber, um Ihnen eine logische Antwort auf Ihre Frage zu geben – die Logik spielt ja für Sie eine große Rolle – wenn wir nicht da töten, wo es notwendig ist, wenn wir den Neonazis nicht Einhalt gebieten, dann werden zehntausendmal so viele Leute sterben, zehntausend, ach, zum Teufel, Millionen. Machen Sie sich nichts vor, Karin, wenn die in Europa richtig Fuß fassen, dann kippt der Rest dieser unzufriedenen Welt um wie eine Reihe Dominosteine, weil diese Mistkerle bei jedem Fanatiker Anklang finden, der sich ›die gute alte Zeit‹ zurückwünscht. Kein Verbrechen auf den Straßen, weil selbst die Zuschauer ohne Warnung niedergeschossen werden; dauernd Hinrichtungen, weil es keine Berufung gibt; keine Haftprüfung, weil es nicht notwendig ist; Schuldige und Unschuldige auf einen Haufen geworfen – erledigen wir sie doch gleich beide in einem Aufwasch, weil Gefängnisse teurer sind als Kugeln. Das ist die Zukunft, gegen die wir kämpfen.«

»Glauben Sie, ich weiß das nicht?« sagte Karin. »Da brauchen Sie mir keine Predigt zu halten! Warum glauben Sie eigentlich, daß ich, seit ich denken kann, so gelebt habe, wie ich lebe?«

»Aber einmal ganz von dem einmaligen Freddie abgesehen, da ist doch noch etwas, oder nicht?«

»Sie haben nicht das Recht, darin herumzustochern. Können wir dieses Gespräch jetzt beenden?«

»Ja, sicher, für den Augenblick. Aber ich glaube, ich habe Ihnen klargemacht, was ich für Sie empfinde, ob Sie diese Gefühle nun erwidern oder nicht, daher werde ich eines Tages auf dieses Thema zurückkommen.«

»Hören Sie auf!« sagte Karin, der langsam die Tränen übers Gesicht liefen. »Tun Sie mir das nicht an.«

Lennox eilte zu ihr und kniete vor ihrem Stuhl nieder. »Es tut mir leid, es tut mir wirklich leid. Ich wollte Ihnen nicht wehtun, das brächte ich nie übers Herz.«

»Das weiß ich«, sagte Karin und und umfaßte sein Gesicht mit ihren Händen. »Sie sind ein guter Mensch, Drew Lennox, aber stellen Sie keine Fragen mehr – die tun so weh. Sie sollten mich statt dessen … in Ihre Arme nehmen. Ich brauche jemand wie Sie.«

»Ich wünschte, Sie würden diesen Jemand streichen und einfach nur sagen ›dich‹.«

»Dann sage ich es. Ich brauche dich, Drew Lennox, nimm mich in deine Arme.«

Drew zog sie aus dem Sessel, nahm sie in die Arme und trug sie ins Schlafzimmer.

Der Rest des Vormittags war ein einziger sexueller Exzeß. Karin de Vries war zu lange ohne Mann gewesen; sie war unersättlich. Am Ende warf sie ihren rechten Arm über seine Brust. »Mein Gott«, rief sie, »war das wirklich ich?«

»Du lachst ja«, sagte Drew erschöpft. »Weißt du, wie wunderbar du klingst, wenn du lachst?«

»Es ist so ein wunderbares Gefühl, wenn man lacht.«

»Jetzt gibt es kein Zurück mehr«, sagte Drew. »Jetzt sind wir etwas, was wir vorher nicht waren. Und damit meine ich nicht nur das Bett.«

»Ja, Liebster, und ich bin gar nicht sicher, daß es klug ist.«

»Warum nicht?«

»Weil ich in der Botschaft ruhig und objektiv arbeiten muß, und ich glaube, wenn es um dich geht, kann ich nicht objektiv bleiben.«

»Habe ich das jetzt richtig verstanden? Ich meine, höre ich das, was ich hören will?«

»Ja, das hörst du, du naiver Amerikaner.«

»Und was bedeutet das?«

»Ich glaube, das bedeutet, daß ich mich in dich verliebt habe.«

»Nun, das ist ja zur Abwechslung mal eine gute Nachricht.«

Um zwölf Minuten vor zwei Uhr trafen Claude Moreau und sein engster Vertrauter im Außendienst, Jacques Bergeron, an der Station Georges Cinq der Pariser Metro ein. Sie gingen getrennt zum hinteren Ende des Bahnsteigs. Jeder hatte ein tragbares Funkgerät, das auf das andere abgestimmt war.

»Er ist groß und ziemlich schlank«, sprach der Chef des Deuxième ins Mikrophon seines Gerätes. »Und neigt dazu, sich häufig vorzubeugen, weil er gewöhnlich mit kleineren Leuten spricht –«

»Ich habe ihn!« rief der Agent aus. »Er lehnt an der Wand und wartet auf den nächsten Zug.«

»Wenn er kommt, dann tun Sie, was ich Ihnen gesagt habe.«

Die Untergrundbahn rollte in die Station und kam zum Stehen; die Türen öffneten sich und spien ein paar Dutzend Fahrgäste aus.

»Jetzt«, sagte Moreau. »Feuer.«

Bergerons Platzpatronenschüsse hallten von den Wänden der Station wider, während die Fahrgäste in panischer Angst zum Ausgang rannten. Moreau eilte zu dem erschreckten Gerhard Kröger, packte ihn am Arm und schrie »Die wollen Sie töten! Kommen Sie mit!«

»Wer will mich töten?« schrie der Arzt und rannte mit Moreau in einen von diesem vorbereiteten leeren Raum, in dem das Wartungspersonal sonst Werkzeuge verstaute.

»Das was von Ihrer idiotischen Einheit K übrig geblieben ist, Sie Narr.«

»Die sind verschwunden!«

»Träumen Sie weiter. Die müssen ein Zimmermädchen oder sonst jemanden vom Hotelpersonal bestochen und eine Wanze in Ihrem Zimmer angebracht haben.«

»Unmöglich!«

»Sie haben ja die Schüsse gehört. Sollen wir den Zug zurückholen und nachsehen, wo sie herkamen? Sie können von Glück reden, daß es hier so voll war.«

»Du mein Gott!«

»Wir müssen miteinander reden, Herr Doktor, sonst nehmen die uns beide aufs Korn.«

»Aber, was ist mit Harry Lennox? Wo war er?«

»Ich habe ihn gesehen«, sagte Jacques Bergeron, der hinter ihnen herkam, die Pistole mit den leeren Platzpatronenhülsen in der Tasche. »Als er die Schüsse hörte, ist er wieder in den Zug gestiegen.«

»Wir müssen miteinander reden«, sagte Moreau und sah Kröger dabei unverwandt an. Dann ging er auf eine große, halb offenstehende Stahltür zu. »Sonst sind wir alle erledigt.«

Der Chef des Deuxième Bureau fand den Lichtschalter und knipste ihn an. Sie befanden sich in einem mittelgroßen Raum mit unverputzten Wänden, in dem sich ein paar altmodische Weichenschalter und Kontrolleuchten sowie einige ungeöffnete Kisten mit Geräten befanden. »Warten Sie draußen, Jacques«, forderte Moreau seinen Mitarbeiter auf. »Wenn die Polizei eintrifft, was sicher in Kürze der Fall sein wird, geben Sie sich zu erkennen und sagen denen, Sie hätten sich in dem Zug befunden und wären ausgestiegen, als Sie die Schüsse hörten. Schließen Sie bitte die Tür.«

Als er sich mit dem Deutschen alleine im schwachen Lichtschein der einfachen Deckenbeleuchtung wußte, nahm Moreau auf einer der Kisten Platz. »Machen Sie es sich bequem, Doktor, wir werden eine Weile hier sein. Zumindest bis die Polizei aufgetaucht und wieder abgezogen ist.«

»Wir haben ihn verpaßt!« rief Kröger und schlug mit der Faust auf eine Kiste und setzte sich dann auf eine andere und betrachtete seine schmerzende Hand.

»Er wird wieder anrufen«, sagte Moreau. »Vielleicht nicht heute, aber ganz sicher morgen. Vergessen Sie nicht, wir haben es mit einem Verzweifelten zu tun, einem Mann, der völlig isoliert ist. Aber ich muß Sie fragen, warum ist es so wichtig, daß Sie Lennox finden?«

»Er ... er ist gefährlich.«

»Für wen? Für Sie? Für die Bruderschaft?«

»Ja ... für uns alle.«

»Warum?«

»Wieviel wissen Sie?«

»Alles natürlich. Ich bin schließlich das Deuxième Bureau.«

»Ich meine ganz konkret.«

»Also gut. Er ist aus Ihrem Bergtal entkommen, hat es irgendwie geschafft, sich seinen Weg durch den Schnee zu bahnen, bis er an eine Straße kam, und dort hat ihn ein Dorfbewohner dann mitgenommen.«

»Ein Dorfbewohner, nein, da täuschen Sie sich gründlich, Herr Moreau. Die Antineos waren es, die ihn mitgenommen haben. Seine Flucht war von innen heraus vorbereitet, von einem Verräter im Tal. Wir müssen diesen Hochverräter finden!«

»Ein Verräter ... ja, ich verstehe.« Moreau hatte im Laufe der Jahre gelernt, eine Lüge zu spüren, wenn sie ihm von einem Amateur aufgetischt wurde, der unter Druck stand. »Das ist also der Grund, weshalb Sie ihn finden müssen? Um ihn vor seiner Exekution zu verhören, um die Identität Ihres Verräters zu erfahren?«

»Sie müssen verstehen, es war eine Frau, und es muß jemand ziemlich weit oben in der Organisation sein. Sie muß eliminiert werden!«

»Ja, natürlich, das verstehe ich auch.« An Krögers Haaransatz waren jetzt kleine Schweißtröpfchen hervorgetreten, obwohl es in dem unterirdischen Raum kühl war. »Das ist also der Grund für den Einsatz Ihrer K-Einheit, der Grund, daß ein so wichtiger Mann wie Sie persönlich nach Paris kommt – um die Identität eines Verräters zu erfahren, eines Verräters in den obersten Rängen der Bruderschaft.«

»Genau.«

»Ich verstehe. Und es gibt keinen anderen Grund?«

»Nein.« Dem Deutschen lief der Schweiß über die Stirn, tropfte von seinen Brauen und rollte über seine Wangen. »Hier drinnen ist es schrecklich warm«, sagte Kröger und wischte sich mit dem rechten Handrücken über das Gesicht.

»Das habe ich gar nicht bemerkt. Ich finde es eher kühl, aber schließlich sind mir solche Ereignisse wie heute nachmittag nicht fremd. Schießereien waren von Zeit zu Zeit ein fester Bestandteil meines Lebens.«

»Ja, aber das betrifft Sie, nicht mich. Ich wette, wenn ich Sie während einer besonders widerwärtigen Operation in den Operationssaal bringen würde, würden Sie wahrscheinlich ohnmächtig werden.«

»Kein Widerspruch, das würde ich ohne Zweifel. Aber sehen Sie, Doktor, wenn ich wirklich effizient arbeiten soll, dann muß ich auch alles wissen, und ich habe irgendwie das Gefühl, daß Sie mir noch nicht alles gesagt haben.«

»Was brauchen Sie denn sonst noch?«

»Vielleicht haben Sie recht. Ich bin manchmal übereifrig. Wir gehen also folgendermaßen vor. Wenn Harry Lennox wieder anruft, werde ich Sie nicht im Lutetia anrufen, sondern selbst zusehen, daß ich ihn zu fassen bekomme. Und sobald uns das gelungen ist, behandeln wir ihn anständig, und ich rufe Sie dann ein paar Stunden später an.«

»Kommt nicht in Frage!« rief Kröger und sprang auf. Seine Hände zitterten. »Ich muß dabei sein, wenn Sie ihn finden! Ich muß alleine mit ihm sprechen, ehe irgendein Verhör stattfinden kann; unter vier Augen, weil ich dann über Dinge reden werde, die sonst niemand hören darf. Das ist von entscheidender Wichtigkeit, und ich befehle Ihnen das im Auftrag der Bruderschaft!«

»Und wenn ich das ablehne, aus welchem Grund auch immer?«

»Dann werden der Quai d'Orsay und die französische Presse etwas über Ihre Konten in der Schweiz und über zwanzig Millionen Francs erfahren, die dort eingezahlt worden sind.«

»Also, ich muß schon sagen, das klingt sehr überzeugend.«

»Das will ich hoffen.«

»Wenn Sie sagen, ›unter vier Augen‹, was meinen Sie dann damit?«

»Genau das, was ich gesagt habe. Ich habe verschiedene Spritzen und einige Narkotika bei mir, mit denen ich Harry Lennox zwingen werde, mir das zu verraten, was wir wissen müssen. Aber da darf es natürlich keine Zeugen geben.«

»Was können wir also für Sie tun?«

»Ein Automobil meiner eigenen Wahl, keines von den Ihren. Ich werde Lennox irgendwohin bringen, meine Drogen einsetzen, erfahren, was ich erfahren muß, und ihn Ihnen zurückbringen.«

»Keine Exekution?«

»Nur, wenn ich merke, daß ich verfolgt werde.«

»Ich verstehe. Anscheinend habe ich keine andere Wahl.«

»Zeit, Moreau, Zeit! Das ist äußerst wichtig. Er muß innerhalb der nächsten sechsunddreißig Stunden aufgespürt werden.«

»Was? Jetzt verstehe ich überhaupt nichts mehr. Warum sechsunddreißig Stunden? Bleibt die Erde dann in ihrer Bahn um die Sonne stehen? Bitte erklären Sie mir das.«

»Also schön, wie Sie schon vermutet haben, ist es das, was ich Ihnen nicht gesagt habe … Denken Sie daran, ich bin Arzt, manche sagen, der beste Schädelchirurg in ganz Deutschland, und ich will dem nicht widersprechen. Harry Lennox ist geistesgestört, eine Kombination aus Schizophrenie und einem manisch-depressiven Syndrom. Ich habe ihm in unserem Tal das Leben gerettet, habe operiert, um den Druck in seinem Schädel zu lindern, der ihn krank machte. Bei Durchsicht meiner Aufzeichnungen habe ich etwas Schreckliches festgestellt. Wenn er nicht binnen sechs Tagen nach seiner Flucht die richtigen Medikamente bekommt, wird er sterben! Viereinhalb von diesen sechs Tagen sind bereits um. Verstehen Sie jetzt? Wir müssen ihn befragen, ehe er den Namen des Verräters mit ins Grab nimmt.«

»Ja, jetzt verstehe ich, aber Doktor, fühlen Sie sich ganz wohl?«

»Was?«

»Sie sind so blaß geworden, und Ihr Gesicht ist über und über mit Schweiß bedeckt. Haben Sie vielleicht Schmerzen im Brustbereich? Ich kann innerhalb weniger Minuten einen Ambulanz hier haben.«

»Ich will keine Ambulanz. Ich will Harry Lennox! Und ich habe keine Brustschmerzen, keine Angina pectoris. Ich kann nur schwerfällige Bürokraten nicht leiden.«

»Ob Sie es mir nun glauben oder nicht, das verstehe ich auch. Sie sind schließlich ein gebildeter Mann, ein großer Wissenschaftler, und abgesehen von meiner Hochachtung für Ihre Sache ist es mir eine Ehre, Sie zu kennen ... Kommen Sie, wir wollen jetzt gehen. Ich verspreche Ihnen, ich werde meine ganze Kraft und meine ganze Energie einsetzen.«

Als sie die Champs-Élysées erreicht hatten, salutierten Moreau und sein Mitarbeiter, als Gerhard Kröger in ein Taxi stieg, und begaben sich dann zu ihrem Dienstwagen. »Schnell!« sagte Moreau. »Dieser Mistkerl hat so gelogen, daß sich die Balken bogen. Aber worüber hat er gelogen?«

»Was werden Sie jetzt tun, Claude?«

»Mich hinsetzen und nachdenken und dann vielleicht ein paar Telefonate führen. Eines mit Heinrich Kreitz, dem deutschen Botschafter. Er und seine Regierung werden mir jetzt ein paar Akten ausgraben müssen. Ob es ihnen nun paßt oder nicht.«

19

Drew Lennox stand mit einem Aktenkoffer in der Hand an der Rezeption des Intercontinental. Er legte eine Anforderung der amerikanischen Botschaft für eine Zimmerreservierung und einen Militärausweis auf den Tresen. Der korrekt gekleidete Hotelangestellte zog eine Karteikarte heraus und verglich die Eintragungen darauf mit Lennox' Papieren.

»Ah, oui, Colonel Webster, seien Sie herzlich willkommen. Die Botschaft hat eine Junior-Suite bestellt und, ob Sie es glauben oder nicht, wir haben auch eine für Sie gefunden. Ein Ehepaar aus Spanien ist vorzeitig abgereist.«

»Ich bin Ihnen sehr dankbar.«

»Außerdem«, fuhr der Angestellte nach einem weiteren Blick auf seine Karteikarte fort, »Sie werden möglicherweise Gäste haben, und wir sollen Sie anrufen, ehe wir denen Ihre Zimmernummer geben, n'est-ce pas?«

»Völlig richtig.«

»Ihr Gepäck, Monsieur?«

»Das habe ich beim Concierge abgestellt und ihm meinen Namen genannt.«

»Ausgezeichnet. Sie kennen sich aus, wie ich sehe.«

»Ich bin aus dienstlichen Gründen sehr viel unterwegs«, sagte Drew und unterschrieb die Anmeldung, die der Mann ihm reichte. *Anthony Webster, Col. U.S. Army, Washington D.C., U.S.A.*

»Ah, sehr interessant.« Der Angestellte drehte den Block herum und riß das von Lennox ausgefüllte Formular ab. Er blickte auf und tippte an die Klingel. »Bringen Sie *Monsieur le Colonel* in Suite 703 und informieren Sie den Concierge, daß er sein Gepäck hinaufschickt. Der Name ist Webster.«

»*Oui*«, antwortete der uniformierte Page. »Wenn Sie mir bitte folgen wollen, Monsieur. Ihr Gepäck kommt in wenigen Minuten nach.«

»Vielen Dank.«

Die Fahrt mit dem Aufzug ins siebte Stockwerk verlief beruhigend normal.

Die Suite war klein, ein Schlafzimmer und ein kleiner Wohn-raum, aber hübsch möbliert, sehr europäisch, und das Besondere daran war eine Flasche Scotch auf der kleinen Bar. Witkowski mußte sich also doch ein wenig schuldig gefühlt haben, und das war auch durchaus angemessen. Lennox war die verdammte Uniform zuwider. Seine Brust, seine Taille und sein Hintern wa-ren in den engen Stoff eingezwängt. Ihn wunderte, daß es bei den Streitkräften nicht schon wegen der Klamotten zu massiven Kündigungen kam.

Als der Page gegangen war, wartete Drew auf seinen Koffer, in dem sich Zivilkleidung befand, die Karin aus seiner Wohnung geholt hatte. Er zog den engen Uniformrock aus, schenkte sich einen Scotch ein, machte dann den Fernseher an und wechselte solange die Kanäle, bis er CNN gefunden hatte. Er setzte sich. Gerade liefen die Sportnachrichten, hauptsächlich Baseball, was ihn nicht interessierte; wenn die Eishockeysaison begann, würde sich das ändern.

Es klingelte an der Tür; ein junger Page mit seinem Koffer. Drew dankte ihm, gab ihm ein Trinkgeld und wunderte sich, als der junge Mann sagte: »Das ist für Sie, Monsieur.« Er gab ihm einen Zettel. »Das ist, wie sagt man, *confidentiel*?«

»Ja, ich verstehe schon, vielen Dank.«

Rufen Sie Zimmer 330. Gut Freund.

Karin? Das würde zu ihrem Verhalten passen, das ihn immer wieder in Erstaunen versetzte. Sie waren jetzt ein Liebespaar – und mehr als das. Zwischen ihnen gab es etwas, das niemand ih-nen nehmen konnte. Ja, das mußte sie sein!

Er nahm den Hörer ab, warf noch einmal einen Blick auf den Zettel und wählte. »Hallo. Ich hab's geschafft«, sagte er, als am anderen Ende der Hörer abgenommen wurde.

»Hey, Mann, dann bist du's wirklich!« sagte eine Männerstimme.

»Was? Wer sind Sie?«

»Jetzt komm schon, Bronco, du kennst deinen alten Zimmer-kumpel von den Manitoba Stars nicht mehr? Ich bin's, Ben Le-wis! Ich hab dich in der Lobby gesehen. Zuerst dachte ich, ich sehe doppelt. Aber ich wußte, daß du das bist! Und dann hast du die Mütze abgenommen, und ich dachte, ich spinne, bis ich dich zum Aufzug gehen sah.«

»Ich … ich weiß wirklich nicht, wovon Sie reden.«

»Jetzt mach keine Sachen, Bronc! Dein rechter Fuß. Weißt du noch, wie dir der Kerl von den Toronto Comets den Schläger auf den rechten Knöchel geknallt hat? Das war in ein paar Wochen verheilt, und du konntest wieder spielen, aber dein rechter Fuß saß von da an etwas schief, ein wenig nach links. Wenn einer dich nicht kennt, würde er das nie merken, aber ich hab's gemerkt. Ich hab sofort gewußt, daß du das bist!«

»Okay, okay, Benny, ich bin's. Aber du darfst niemand etwas sagen. Ich arbeite jetzt für die Regierung, und du mußt den Mund halten. Wie hast du mich gefunden, Ben?«

»Durch den Concierge. Ich hab gefragt, wo die den Koffer hinbringen.«

»Und die haben es dir gesagt?«

»Na klar, ich habe ihnen gesagt, daß es meiner ist.«

»Du lieber Gott, da kommen mir alte Erinnerungen. Wenn wir zusammen in einem teuren Restaurant in Montreal gegessen haben und die Rechnung zu hoch war, hast du solange gesagt, die gehört an einen anderen Tisch, bis sie dir niedrig genug war. Was machst du in Paris?«

»Ich bin jetzt im Fast-Food-Geschäft und vertrete einige von den großen Marken; die stellen gern ehemalige Sportgrößen ein. Stars mit Muskeln. Kannst du dir vorstellen, daß in meinem Lebenslauf steht, daß ich bei den Rangers ein Star war? Was wissen die schon hier drüben? Zweite Kategorie war ich, aber Muskeln hab' ich schon.«

»Die habe ich nie gehabt.«

»Nein, du nicht. Ich weiß noch, wie der *Toronto Globe* mal geschrieben hat, du bestündest bloß aus ›Sehnen und Tempo‹. Ich wollte, die hätten das über mich geschrieben.«

»Das war einmal, Ben. Aber ich muß es noch mal sagen: Du mußt vergessen, daß du mich gesehen hast! Das ist ungeheuer wichtig.«

»Aber sicher, Kumpel.« Lewis rülpste.

»Benny«, sagte Lennox mit fester Stimme, »du hast doch nicht wieder zu trinken angefangen, oder?«

»Nein«, erwiderte der internationale Vertreter für Fast Food und rülpste wieder. »Aber was soll's, Kumpel, schließlich ist das Paris.«

»Wir unterhalten uns später, Kumpel«, sagte Lennox und legte auf. Gleich darauf klingelte es wieder. »Ja?«

»Ich bin's«, sagte Karin de Vries. »Ist alles gut gelaufen?«

»Nein, verdammt. Jemand aus meiner Vergangenheit hat mich erkannt.«

»Wer?«

»Ein alter Hockeykumpel aus Kanada.«

»Problem?«

»Das glaube ich nicht, aber der Mann ist ein Trinker.«

»Dann ist er ein Problem. Wie heißt er?«

»Ben – Benjamin Lewis. Er ist in Zimmer 330.«

»Wir kümmern uns darum. Wie geht's dir, Liebling?«

»Ich wünsche mir, daß du jetzt hier wärst, so geht's mir.«

»Ich habe eine Entscheidung getroffen.«

»Was für eine Entscheidung hast du getroffen? Will ich es hören oder nicht?«

»Das hoffe ich doch. Ich liebe dich wirklich, Drew, und wie du ganz richtig gesagt hast, das Bett ist nur ein kleiner Teil davon.«

»Ich liebe dich so, daß mir die Worte fehlen, um dir zu sagen … Ich hätte nie für möglich gehalten, daß so etwas passieren könnte –«

»Ich auch nicht. Ich hoffe nur, daß wir keinen Fehler machen.«

»Was wir empfinden, kann kein Fehler sein. Wir haben in ein paar Tagen mehr durchgemacht, als die meisten Menschen in ihrem ganzen Leben. Und dabei haben wir einander gefunden.«

»Die Europäerin in mir könnte das als nicht überzeugend bezeichnen, aber ich weiß, was du empfindest, weil es mir genauso geht und ich dasselbe empfinde. Ich sehne mich nach dir.«

»Dann komm ins Hotel. Mit deiner blonden Perücke.«

»Nicht heute, mein Liebling. Der Colonel würde uns beide vor ein Kriegsgericht stellen. Morgen vielleicht.«

Keine Stunde später, während es in New York noch nicht einmal Mittag war, erhielt der Geschäftsführer des Verbandes der Fast-Food-Hersteller an der Sixth Avenue einen Anruf aus Washington. Eine halbe Stunde später bekam einer ihrer Vertreter, ein ehemaliger Star der New York Rangers, augenblicklich in Paris, die Anweisung, nach Oslo zu reisen, um dort neue Geschäftsverbindungen ausfindig zu machen. Es gab nur einen kleinen Haken. Der betreffende Herr lag betrunken im Bett, und der Concierge mußte zwei seiner Helfer einsetzen, um ihn wenigstens einigermaßen wach zu bekommen, damit er den Anruf entgegennehmen konnte, ihm dann beim Packen zu helfen und ihn schließlich in ein Taxi zum Flughafen Orly zu setzen.

Unglücklicherweise geriet Benjamin Lewis bei der ganzen Hektik in die falsche Warteschlange, verpaßte sein Flugzeug und kaufte sich ein Ticket nach Helsinki, weil ihm Oslo entfallen war, er aber wußte, daß sein Chef eine skandinavische Stadt genannt hatte, und er noch nie in Helsinki gewesen war. So kann es Menschen ergehen, wenn sie in das Getriebe einer Geheimdienstoperation geraten.

Auf halbem Wege nach Helsinki fiel Benny plötzlich Oslo wieder ein, und er fragte die Stewardeß, ob er vielleicht hinausgehen und sich ein anderes Flugzeug heranwinken dürfe. Die junge Frau, eine wunderschöne, finnische Blondine, zeigte Mitgefühl, erklärte ihm aber, daß das keine gute Idee sei. Also fragte Benny, ob sie vielleicht mit ihm in Helsinki zu Abend essen wolle. Sie lehnte dankend ab.

Wesley Sorenson verließ die Zentrale von Cons-Op und ließ sich von seinem Fahrer zu dem sicheren Haus in Fairfax, Virginia, bringen, wo die beiden Neonazis festgehalten wurden. Während der Wagen durch den Torbogen in die lange kreisförmige Auffahrt zu dem imposanten Eingangsportal der Villa rollte, die einmal einem argentinischen Diplomaten gehört hatte, versuchte der Direktor von Consular Operations sich an die Tricks seiner früheren Tätigkeit draußen im Feldeinsatz zu erinnern.

Der erste war natürlich: »Hey, Leute, mir wäre wirklich lieber, wenn ihr hier lebend rauskommt und nicht ins Gras beißen müßt, aber das wird nicht an mir liegen, ich hoffe, ihr versteht das. Wir können uns hier nicht mit Spielchen aufhalten; es gibt einen unterirdischen, schalldichten Raum, dessen Wände von früheren Exekutionen schon eine ganze Menge Schrammen abbekommen haben ...« Natürlich gab es keine solche Wand und keinen solchen Raum und normalerweise brachte man auch nur besonders fanatische Gefangene in dem schwarz verhängten Fahrstuhl nach unten zu ihrer vermeintlichen Hinrichtung. Diejenigen, die sich für die kurze Reise in die Tiefe entschieden, bekamen Injektionen von Scopolamin-Derivaten und die meisten waren, wenn sie wieder aufwachten, so dankbar, daß sie anschließend uneingeschränkt kooperierten.

Die große Zwei-Mann-Zelle sah gar nicht wie ein Gefängnis aus. Sie war sechs Meter lang und vier Meter breit, enthielt zwei Betten von normaler Größe, ein Waschbecken, eine Toilette in einer Wandnische, einen kleinen Kühlschrank sowie einen Fernseher. Insgesamt entsprach sie eher einem bescheidenen Hotelzimmer als einer Zelle im alten Alcatraz oder in Attica. Was die Gefangenen nicht wußten, aber wahrscheinlich vermuteten, war, daß in den Wänden versteckte Kameras jeden Quadratzentimeter des Raums erfaßten.

»Darf ich hereinkommen, Gentlemen?« fragte Sorenson vor der Zellentür. »Oder soll ich Deutsch sprechen, damit ich mich klar verständlich mache?«

»Wir sind mit dem Englischen gut vertraut«, erwiderte Paris Null Zwei locker. »Man hat uns gefangengenommen, was sollen wir also sagen? … Nein, Sie dürfen nicht hereinkommen?«

»Das betrachte ich als Einladung, vielen Dank.«

»Ihre Wache und seine Waffe werden draußen bleiben«, sagte der weniger liebenswürdige Paris Null Fünf.

»Das ist Vorschrift, wenn auch nicht von mir persönlich.« Sorenson wurde von seinem uniformierten Begleiter in die Zelle geführt, worauf der Mann an die gegenüberliegende Wand trat und seine Pistole aus dem Halfter zog. »Ich denke, wir sollten uns unterhalten, Gentlemen, uns ernsthaft unterhalten.«

»Worüber denn?« fragte Paris Zwei.

»Ich nehme an, die vorrangige Frage ist, ob Sie leben oder sterben«, erwiderte der Direktor von Cons-Op. »Sehen Sie, das ist nicht meine Entscheidung. Im Untergeschoß, sechs Meter unter der Erde ist ein Raum …« Sorenson beschrieb den Exekutionsraum, was Paris Fünf sichtlich unangenehm war, Null Zwei hingegen offenbar kalt ließ, da dieser den Direktor lediglich mit einem leichten Lächeln um die Lippen anstarrte.

»Glauben Sie, daß wir so loyal sind, daß wir Ihnen einen Vorwand liefern, uns zu töten?« sagte er. »Es sei denn, Sie sind ohnehin schon dazu entschlossen.«

»Das Leben eines Menschen zu nehmen ist in diesem Land eine sehr ernste Sache.«

»Wirklich?« fuhr Paris Zwei fort. »Wie kommt es dann, daß die Vereinigten Staaten, abgesehen von einigen arabischen Staaten, China und ein paar Nachfolgestaaten der Sowjetunion, das einzige Land der zivilisierten Welt sind, in dem noch die Todesstrafe vollstreckt wird?«

»Das ist der Wille der Bevölkerung – in bestimmten Staaten. Aber Ihre Situation geht weit über nationale Politik hinaus. Sie sind internationale Killer, Terroristen, die für eine politische Partei tätig sind, die es nicht wagt, den Untergrund zu verlassen, weil sie sonst sofort von der Weltöffentlichkeit gebrandmarkt würde.«

»Sind Sie da so sicher?« fragte Paris Fünf.

»Ich denke schon.«

»Sie würden Augen machen.«

»Mein Kamerad will sagen«, schaltete Zwei sich ein, »daß wir vielleicht mehr Unterstützung haben, als Sie glauben. Sehen Sie sich doch die extremen russischen Nationalisten an, unterscheiden die sich denn so sehr vom Dritten Reich? Und in Ihrem Lande die Fanatiker des rechten Flügels und ihre Gefolgsleute, die religiösen Fundamentalisten mit ihren Bücherverbrennungen – was die tun, könnte doch auch den Köpfen von Hitler oder Goebbels entsprungen sein. Nein, für die Säuberungsaktionen, die wir uns zum Ziel gesetzt haben, gibt es viel mehr Sympathien, als Sie sich vorstellen können.«

»Das will ich nicht hoffen.«

»›Hoffnung ist ein Ding mit Federn‹, wie das einer Ihrer Schriftsteller formuliert hat, nicht wahr?«

»Das glaube ich eigentlich nicht, aber Sie sind ein sehr belesener junger Mann, nicht wahr?«

»Ich habe in verschiedenen Ländern gelebt und habe – wie ich hoffe – ein wenig von ihrer Kultur in mich aufgenommen.«

»Sie erwähnten da etwas von Loyalität«, sagte Sorenson. »Sie haben mich gefragt, ob ich Sie für ›so loyal‹ hielte, daß diese Loyalität uns einen Vorwand für Ihre Hinrichtung liefern könnte.«

»Ich habe gesagt, ›uns zu töten‹«, korrigierte ihn Null Zwei. »Hinrichtung setzt eine legale Rechtfertigung voraus.«

»Für die es in Ihrem Fall mehr als ausreichende Beweise gibt. Ich will nur die drei Attentate auf Field Officer Lennox und seine anschließende Ermordung erwähnen.«

»Es ist Krieg!« rief Paris Fünf. »Im Krieg töten Soldaten andere Soldaten!«

»Mir ist nicht bekannt, daß es eine Kriegserklärung gegeben hat. Deshalb ist es Mord, schlicht und ergreifend … Aber das sind alles theoretische Erwägungen, die außerhalb meiner Zuständigkeit liegen. Ich kann nur Informationen weiterleiten. Die Entscheidung liegt bei meinen Vorgesetzten.«

»Was für Informationen?« fragte Paris Zwei.

»Was können Sie im Austausch für Ihr Leben anbieten?«

»Wo wollen Sie anfangen – falls wir über solche Informationen verfügen?«

»Wer sind Ihre Kollegen in Bonn?«

»Darauf kann ich Ihnen offen und ehrlich antworten: Wir wissen es nicht. Wir sind das Vorauskommando, die Sturmtrupps, wenn Sie so wollen, und unterhalten Kontakte zu unseren Einheiten in allen Ländern. Es werden nie Namen gebraucht, die Null bedeutet Paris – ich bin Null Zwei – für die Vereinigten Staaten steht die Drei, und dem schließt sich die eigentliche Bezeichnung an.«

»Wie halten Sie Konakt miteinander?«

»Über sichere Telefonnummern, die wir aus Bonn erhalten. Auch da werden unsere Ziffernbezeichnungen benutzt, keine Namen.«

»Was können Sie mir über dies Land sagen, das mich dazu veranlassen könnte, hinsichtlich Ihrer weiteren Behandlung Milde zu empfehlen?«

»Du lieber Gott, wo soll ich da anfangen?«

»Wo Sie wollen.«

»Also gut, dann fangen wir beim Vizepräsidenten an.«

»Was?«

»Er ist einer von uns, mit Leib und Seele. Dann wäre da der Sprecher des Repräsentantenhauses, deutsche Vorfahren natürlich, ein älterer Herr, der sich während des Zweiten Weltkriegs aus Gewissensgründen zur Opposition bekannt hatte. Es gibt natürlich noch andere, viele andere, aber ihre Namen und ihre Positionen werde ich Ihnen erst nennen, wenn ich weiß, wie wir behandelt werden.«

»Sie könnten mir hier alle möglichen Lügen auftischen.«

»Wenn Sie das glauben, müssen Sie uns erschießen.«

»Können Sie irgendwelche Beweise für diese unerhörten Anschuldigungen vorlegen?«

»Wir können Ihnen nur das sagen, was man uns gesagt hat. Aber bedenken Sie bitte, daß wir zur Elite der Bruderschaft gehören.«

»Die Bruderschaft«, sagte der Direktor von Consular Operations, ohne seinen Abscheu zu verbergen.

»Ganz richtig. Dieser Name wird um den ganzen Erdball gehen, und man wird ihn in hohen Ehren halten.«

»Nicht, wenn ich etwas dazu zu sagen habe.«

»Aber haben Sie das? Sie sind doch nicht mehr als ein kleines Rädchen in einem großen Getriebe, genau wie ich. Offen gestanden, mich langweilt die ganze Sache. Lassen wir doch der Geschichte ihren Lauf. Das geht über den Einfluß von Männern, wie Sie und ich es sind, hinaus. Und außerdem würde ich lieber leben als sterben.«

»Ich werde mit meinen Vorgesetzten sprechen«, sagte Wesley Sorenson kühl und ging an die Zellentür und winkte seinem Begleiter.

Als die beiden Männer gegangen waren, griff Paris Zwei nach einem Notizblock, schrieb in deutscher Sprache »Er kann es sich nicht leisten, uns zu exekutieren« auf das oberste Blatt und hielt die Hand darüber, damit die Kameras es nicht sehen konnten.

Monsieur l'Ambassadeur«, sagte Moreau, der sich mit Heinrich Kreitz alleine in dessen Amtszimmer in der deutschen Botschaft befand, »ich gehe davon aus, daß unser Gespräch nicht aufgezeichnet wird. Das wäre weder für Sie noch für mich von Vorteil.«

»Das Gespräch wird nicht aufgezeichnet«, erwiderte der alte Herr, der mit seiner kleinen Gestalt, dem blassen, von Falten durchzogenen Gesicht und der strengen Stahlbrille wie ein verwitterter Gnom aussah. »Ich habe die Information, die Sie verlangt haben.« Er räusperte sich. »Die Aufzeichnungen enthalten alles, was über Gerhard Krögers Kindheit und seine Familie bekannt ist, die Zeit, die er auf der Universität verbracht hat, seine Tätigkeit in verschiedenen Krankenhäusern, bis er dann schließlich in Nürnberg seine Stellung aufgegeben hat. Ich habe natürlich eine Kopie für Sie machen lassen.«

Kreitz beugte sich vor und legte den versiegelten Umschlag vor Moreau auf den Schreibtisch, den dieser, von dessen Gewicht beeindruckt, an sich nahm.

»Sie haben das alles gründlich gelesen?«

»Ja.«

»Wer waren seine Eltern?«

»Sigmund und Else Kröger, und damit sind wir schon beim ersten Punkt, der eine Verbindung mit den Neonazis unmöglich erscheinen läßt. Die Akten weisen aus, daß Sigmund Kröger in den letzten Kriegsmonaten von seiner Luftwaffeneinheit desertiert ist.«

»Das haben Tausende andere auch getan.«

»In der Wehrmacht vielleicht, aber nicht in der Luftwaffe, und nur sehr wenige höhere Offiziere. Kröger senior war ein hochdekorierter Major, von Göring persönlich ausgezeichnet. Hätte man Kröger vor Ende des Krieges zu fassen bekommen, wäre er vor ein Kriegsgericht gestellt und erschossen worden.«

»Was ist mit ihm nach dem Krieg geschehen?«

»Da wird alles etwas nebulös, wie üblich. Er war mit seiner Messerschmitt über die alliierten Linien geflogen und mit dem Fallschirm abgesprungen. Britische Soldaten hinderten die Bewohner des nahegelegenen Dorfes daran, ihn zu töten, und haben ihn als Kriegsgefangenen behandelt.«

»Und nach der Kapitulation, wurde er da nach Deutschland zurückgebracht?«

»Dazu geben die Unterlagen keine Auskunft. Er war der Sohn eines Fabrikbesitzers, der Hunderte von Menschen beschäftigte. Aber in letzter Konsequenz war er ein Deserteur und alles andere, als ein loyaler Gefolgsmann des Führers. Und das ist wohl kaum die Grundlage dafür, daß sein eigener Sohn einer wird.«

»Ja, ich verstehe. Und seine Frau, Gerhards Mutter?«

»Eine Hausfrau aus der oberen Mittelklasse, die den Krieg wahrscheinlich verabscheute. Jedenfalls wurde sie nie in den Listen der NSDAP als Mitglied geführt und hat, soweit das aktenkundig ist, nie an irgendwelchen Parteiveranstaltungen teilgenommen.«

»Nicht gerade ein ausgeprägter Nazieinfluß also.«

»Genau das will ich damit sagen.«

»Und Krögers Universitätsstudium – gab es da irgendwelche Studentengruppierungen, die sich gegen die Demokratisierung Deutschlands und seine Ablehnung des Dritten Reiches eingesetzt haben, die vielleicht den jungen Kröger beeinflußt haben könnten?«

»Ich habe jedenfalls nichts dergleichen gefunden. Seine Professoren schildern ihn im großen und ganzen als einen ziemlich zurückgezogenen Mann, den geborenen Wissenschaftler, einen Arzt, der Hervorragendes geleistet hat. Die Operationen, die er durchgeführt hat, haben Geschichte gemacht.«

»Und worauf hatte er sich spezialisiert?«

»Das Gehirn. Man sagte ihm nach, er habe ›goldene Hände und Finger wie Quecksilber‹. Das ist ein wörtliches Zitat von Hans Traupmann, einem weiteren berühmten Spezialisten auf diesem Gebiet.«

»Wer?«

»Traupmann, Hans Traupmann. Chef der Gehirnchirurgie Nürnberg.«

»Sind die beiden befreundet?«

»Abgesehen von der Tatsache, daß sie Berufskollegen sind, gibt es keine Hinweise auf eine persönliche Freundschaft.«

»Enthalten die Unterlagen irgendwelche Hinweise oder Meinungen darüber, weshalb Kröger seine Stellung aufgegeben hat und nach Schweden ausgewandert ist?«

»Abgesehen von seiner eigenen sehr emotional klingenden Erklärung, nein. Er hatte zwanzig Jahre lang höchst komplizierte, man könnte sagen, nervenaufreibende Operationen durchgeführt und erklärt, er sei ausgebrannt. Seine ›Quecksilber‹-Finger hätten ihre Sicherheit verloren und er wolle nicht das Leben von Patienten riskieren. Höchst bewunderswert.«

»Höchst nebulös«, sagte Moreau leise. »Hat sich irgend jemand an seinem gegenwärtigen Aufenthaltsort für ihn interessiert?«

»Darüber liegen, wie Sie sehen werden, nur vage Aussagen vor. Einige ehemalige Kollegen, die von ihm gehört haben, aber das liegt nicht weniger als vier Jahre zurück, haben erklärt, er habe im Norden von Göteborg eine Praxis als Allgemeinmediziner eröffnet und sich einen schwedischen Namen zugelegt.«

»Wer sind diese ›ehemaligen Kollegen‹?«

»Ihre Namen stehen in dem Bericht. Sie können sich mit Ihnen in Verbindung setzen, wenn Sie das wünschen.«

»Das wünsche ich.«

Als Moreau die deutsche Botschaft verlassen hatte, ging er geradewegs zu seinem Dienstwagen, stieg ein, nickte seinem Fahrer zu, daß er abfahren solle und griff nach dem Telefon. Er wählte eine sichere Nummer. »Jacques?«

»Ja, Claude?«

»Lassen Sie eine gründliche Untersuchung über einen Arzt namens Traupmann, Hans Traupmann, Chirurg in Nürnberg, durchführen.«

Drew Lennox hatte in seinem überreizten Zustand das Gefühl, der Abend ziehe sich endlos in die Länge, nehme überhaupt kein Ende. Er hatte vor zwei Stunden mit Karin gesprochen, als sie noch in der Botschaft gewesen war, und war mit ihr übereingekommen, sie im Interesse absoluter Sicherheit nicht in ihrem Apartment an der Madeleine anzurufen. Bei dem Gespräch hatte sie ihm eine dringende Nachricht aus Washington übermittelt. Er solle Wesley Sorenson auf seiner Geheimleitung anrufen und es so lange versuchen, bis der Cons-Op-Direktor sich meldete. Wenn er bis achtzehn Uhr Washingtoner Zeit immer noch keine Verbindung bekommen hatte, solle er Sorenson zu Hause anrufen.

Er hatte es mehrfach bis achtzehn Uhr versucht. Dann hatte er Wes zu Hause angerufen. Mrs. Sorenson hatte sich gemeldet; sie hatte die richtigen Sprüche drauf. »Mein Mann erwartet einen Anruf von unserem Antiquitätenhändler in Paris. Falls Sie das sind – Mr. Sorenson ist bis neunzehn Uhr nach unserer Zeit beschäftigt, aber wenn es Ihnen keine Umstände macht, rufen Sie doch bitte danach an. Wir haben leider die Nummer Ihrer Wohnung nicht. Er ist sehr an dem Teppich interessiert, den wir letzten Monat gesehen haben.«

»Der ist noch nicht verkauft, Madam«, hatte Drew gesagt. »Ich melde mich dann in einer Stunde wieder bei Ihnen. Das ist das Wenigste, was ich für so gute Kunden tun kann.«

Was konnte so wichtig sein, daß Sorenson es als »dringend« bezeichnete? Doch in der Enge des Hotelzimmers über etliche Möglichkeiten, die es gab, nachzubrüten, war ihm einfach unerträglich. Außerdem trug er die Uniform, die ihn kaum atmen ließ, sein Haar war lächerlich blond gefärbt, er würde die Brille tragen, die Karin ihm gegeben hatte, und im übrigen war es draußen bereits dunkel. Was könnte sicherer sein, als die Kombination von Verkleidung und Dunkelheit? Schließlich hatte er das Handy. Wenn Witkowski oder sonst jemand in der Botschaft ihn brauchte und ihn im Hotel nicht erreichen konnte, würden sie sicher diese Nummer versuchen.

Er fuhr mit dem Aufzug in die Lobby und ging am Pult des Concierge vorbei und kam sich albern vor, als die Hotelangestellten so etwas wie militärische Ehrenbezeigungen vollführten, bis er dann schließlich die Drehtür hinter sich gelassen hatte und sich auf der Rue de Castiglione befand. Herrgott, was war es doch für ein herrliches Gefühl, draußen zu sein, jenseits seiner Gefängnismauern!

Er hielt sich rechts, weg von den Straßenlaternen, atmete die schwüle Luft tief ein und merkte plötzlich, daß er einen fast militärischen Gang eingeschlagen hatte. Er schmunzelte.

Und dann geschah es. Das Telefon in der Tasche seines Uniformrocks klingelte, ein leises, eindringliches Klingeln. Das erschreckte ihn so, daß er zuerst Mühe hatte, den Knopf der Uniformjacke aufzubekommen, bloß um den verdammten Lärm schnell zum Verstummen zu bringen. Schließlich riß er das Telefon aus der Tasche, drückte den Sprechknopf und hielt sich den Apparat dann ans Ohr. »Ja, was ist los?«

»Hier Marine-Einheit W, das sind Sie, Mister! Was machen Sie vor dem Hotel?«

»Ein wenig Luft schnappen, wenn Sie nichts dagegen haben.«

»Und ob wir was dagegen haben, aber dafür ist es zu spät. Sie werden verfolgt.«

»Was?«

»Wir haben ein Foto; ganz sicher sind wir nicht, aber wir glauben, daß es Reynolds ist, Alan Reynolds aus der Fernmeldezentrale. Wir haben ihn im Feldstecher, aber die Beleuchtung ist schlecht, und er trägt einen Hut und hat das Revers hochgeklappt.«

»Wie, zum Teufel, konnte der mich entdecken? Ich trage Uniform, und mein Haar ist blond!«

»Ein Uniform kann man sich besorgen, und blondes Haar hat bei Dunkelheit nicht viel zu sagen, noch dazu, wenn der Betreffende eine Kopfbedeckung trägt … Gehen Sie weiter und lachen Sie laut, wenn Sie das Telefon wieder einstecken. Dann biegen Sie in die nächste schmale Straße nach rechts. Wir haben die Gegend studiert; wir sind dann hinter Ihnen.«

»Um Himmels willen, halten Sie ihn auf, machen Sie ihn dingfest! Wenn er mich gefunden hat, hat er höchstwahrscheinlich auch die Wohnung von Mrs. de Vries ausfindig gemacht.«

»Die hat bei uns nicht Priorität, wer auch immer sie ist. Sie haben Priorität, Mister. Lachen Sie jetzt und stecken Sie das Telefon ein.«

»Wird gemacht!« Drew lachte trotz der vielen späten Passanten auf der Rue de Castiglione laut auf, steckte das Telefon ein und bog nach wenigen Metern in die nächste Seitengasse. Er fing zu rennen an, lief auf die nächste Tür zu seiner Rechten zu und duckte sich in den Hauseingang. Die Straße selbst, eher eine Gasse, war eine jener typischen, etwas heruntergekommenen Pariser Wohnstraßen. Zwei Straßenlaternen lieferten die einzige Beleuchtung, sie standen an beiden Enden der Gasse; der Rest war in tiefe Schatten gehüllt. Lennox nahm seine Offiziersmütze ab und spähte vorsichtig um die Mauer herum. Die Gestalt, die vorsichtig die schmale Straße herunterkam, hielt eine Pistole in der Hand, und Drew stieß einen lautlosen Fluch aus. Er hatte nicht daran gedacht, eine Waffe mitzunehmen – zum Teufel, er hätte gar nicht gewußt, wo er sie in der eng anliegenden Uniform hätte hinstecken sollen!

Jetzt fing der Mann mit der Waffe zu rennen an, offenbar weil er niemanden sah. Das reichte Lennox. In dem Augenblick, als die Gestalt neben ihm auftauchte, zuckte Drews rechter Fuß vor und traf den Mann zwischen den Beinen. Dann schmetterte er Alan Reynolds gegen die gegenüberliegende Mauer und riß dem Verdutzten die Waffe aus der Hand.

»Du Hurensohn!« brüllte Drew. »Wo kommst du her? Was weißt du? Und was hat mein Bruder mit all dem zu tun?«

»Sie sind es gar nicht!« stieß der Mann hervor. »Das hab ich mir gleich gedacht. Aber die wollten nicht auf mich hören!«

»Aber ich höre jetzt zu, du Mistkerl«, sagte Lennox und drückte dem Mann die Waffe gegen die Stirn. »Rede!«

»Es gibt nichts zu reden, Lennox. Die haben meinen Bericht über Sie und diese de Vries und die Falle, die Sie uns gestellt haben.«

Plötzlich zuckte Reynolds rechte Hand in der Dunkelheit an seinen Kragen. Er drückte das Tuch zusammen und biß hinein. »Ein Volk, ein Reich, ein Führer!« würgte Alan Reynolds mit seinem letzten Atemzug heraus.

Einheit W der Marineinfanterie kam mit schußbereiten Waffen durch die dunkle Gasse gerannt. »Alles in Ordnung?« schrie der Sergeant, der die Gruppe befehligte.

»Nichts ist in Ordnung!« antwortete Drew wütend. »Ich würde gerne wissen, wie dieser Hurensohn zu dieser Position kommen konnte. Wie konnte er all die Mikroskope und Psychiater und Eierköpfe hinters Licht führen, die angeblich auf die Minute genau bestimmen können, wann ein Bewerber gezeugt worden ist? Das ist doch alles Affenscheiße! Dieser Mann war nicht bloß ein Neonazi, der auf Geld oder ein paar Orden aus war, das war ein echter Fanatiker, sonst hätte er nicht noch diese Naziparole hinausgebrüllt, als er sein Zyankali nahm. Man hätte ihn schon vor Jahren enttarnen müssen!«

»Da kann ich Ihnen nicht widersprechen«, sagte der Sergeant. »Wir haben Colonel Witkowski über Funk mitgeteilt, daß wir ihn entdeckt hatten oder das wenigstens annahmen. Wir werden die Leiche in die Botschaft schaffen, aber zuerst bringen wir Sie zum Intercontinental zurück.«

»Sie müßten einen ziemlichen Umweg machen, da bin ich zu Fuß schneller.«

»Der Colonel würde uns den Arsch aufreißen, wenn wir das zulassen.«

»Und ich reiße Ihnen den Arsch auf, wenn Sie es nicht tun. Ich bin Witkowski nicht verantwortlich, aber falls Sie sich dann wohler fühlen, er ist der Erste, den ich anrufen werde.«

Wieder in seiner Hotelsuite angekommen, nahm Lennox den Hörer auf und wählte die Nummer des Colonel. »Ich bin es«, sagte er.

»Und wenn Sie das nächste Mal meinen Leuten sagen, daß Sie tun wollen, was Ihnen paßt, weil ich Ihnen nichts zu sagen habe, dann ziehe ich Ihren Schutz ab und treibe Sie einer Killereinheit der Nazis vor die Flinte.«

»Ich glaube, das würden Sie tun.«

»Darauf können Sie Gift nehmen!« bestätigte der Colonel wütend.

»Ich hatte meine Gründe, Stanley.«

»Und was, zum Teufel, sind das für Gründe?«

»Zunächst einmal Karin. Reynolds hat den Neonazis einen Bericht geschickt, in dem steht, ich sei nicht Harry, sondern der andere Lennox, und Karin sei Teil der Falle.«

»Verdammt richtig. Hat er auch gesagt, was für eine Falle?«

»Da war das Zyankali schneller –«

»Ja, das hat mir der Sergeant schon berichtet. Und Ihre ziemlich ausgeprägte Meinung über unsere Sicherheitsmaßnahmen für neue Bewerber hat er mir auch zur Kenntnis gebracht.«

»Ich glaube, ich habe gesagt, daß sie Affenscheiße sind, und genau das sind sie auch … Holen Sie Karin aus ihrer Wohnung raus, Stanley. Wenn Reynolds mich gefunden hat, dauert es nicht mehr lange, bis die sich die Rue Madeleine vornehmen. Schaffen Sie sie da raus!«

»Irgendwelche Vorschläge?«

»Hier, das Intercontinental, mit blonder Perücke und allem Drum und Dran.«

»Das ist so ziemlich das Dümmste, was Sie sagen konnten. Wenn Reynolds Sie dort gefunden hat, wem hat er es dann sonst noch gesagt, und wer hat es ihm gesagt?«

»Irgend etwas habe ich jetzt nicht mitgekriegt.«

»Allerdings. Es gibt noch einen weiteren Maulwurf in der Botschaft, und der muß ziemlich weit oben sitzen. Ich verlege Sie jetzt ins Normandie unter dem Vorwand, Colonel Webster würde zur Beurteilung nach Washington versetzt.«

»Das klingt irgendwie negativ, nicht wahr?«

»Genaugenommen werden wir sogar durchblicken lassen, daß Sie unfähig sind. Den Franzosen macht es großen Spaß, wenn sie so etwas über Amerikaner hören.«

»Colonel Webster ist außer sich. Dann kann ich jetzt wenigstens die blonde Farbe aus meinem Haar herauswaschen und diese Uniform ablegen. Richtig?«

»Falsch«, widersprach Witkowski. »Beides behalten Sie noch eine Weile. Ihr eigener Name ist zu gefährlich, und als Webster haben Sie ordentliche Papiere. Das ist zwar durchgesickert, aber indem wir Sie weiter unter diesem Namen herumlaufen lassen, finden wir vielleicht den Maulwurf, der sich hier eingeschlichen hat. Es handelt sich nur um einen kleinen Kreis, der in Frage kommt, und wir beobachten die wenigen, die Bescheid wissen, ganz genau.«

»Wenn Reynolds das bei den richtigen Leute hat durchsickern lassen, dann können Sie schon mal meinen Sarg zimmern lassen!«

»Nicht unbedingt. Sie werden bewacht, Colonel. Übrigens, Wesley Sorenson hat versucht, Sie zu erreichen. Wir haben ihm Ihren Decknamen nicht gesagt, und er wollte ihn auch gar nicht haben, aber Sie sollen ihn jedenfalls anrufen.«

»Er steht als nächster auf meiner Liste. Rufen Sie mich im Normandie an und sorgen Sie dafür, daß Karin in Sicherheit gebracht wird. Wie wär's mit dem Normandie?«

»Sie sind alles andere als subtil, Lennox.«

Drew legte den Hörer auf und sah auf die Uhr. Es war nach Mitternacht. Er nahm den Hörer wieder ab und wählte.

»Ja?« meldete sich Sorensons Stimme.

»Hier spricht Ihr Antiquitätenhändler aus Paris.«

»Dem Himmel sei Dank! Tut mir leid, ich war beschäftigt, aber das ist eine andere Geschichte, auch eine ziemlich scheußliche Sache, wenn nicht gar eine Katastrophe.«

»Können Sie es mir sagen?«

»Im Augenblick nicht.«

»Was ist dann so dringend?«

»Moreau. Er ist sauber.«

»Schön, das zu hören. Von unserer Botschaft kann man das nicht sagen.«

»Das hatte ich schon vermutet, daher sollten Sie das besser beurteilen können. Wenn Sie also auf dem Schlauch stehen und nicht wissen, an wen Sie sich –«

»Augenblick, Wes, ich habe nichts gegen Witkowski«, fiel Lennox ihm ins Wort.

»Ich auch nicht, aber wir wissen nicht, wer ihn bespitzelt.«

»Richtig. Da muß jemand sein.«

»Dann wenden Sie sich an Moreau. Er weiß nicht, daß Sie am Leben sind, also nehmen Sie zuerst Verbindung mit mir auf, dann werde ich ihm das ganze Szenario erklären.«

»Er ist immer noch außen vor?«

»Leider ja.«

20

Gerhard Kröger mühte sich – ein Codebuch in der linken und einen Bleistift in der rechten Hand – mit dem Fax aus Bonn ab. Er setzte bedächtig die richtigen Buchstaben über den verschlüsselten Wörtern der Nachricht ein. Seine Erregung steigerte sich, je mehr er sich dem Ende näherte. Als er endlich fertig war, atmete er erleichtert auf: Ihr Informant in der amerikanischen Botschaft hatte das geschafft, was den Blitzkriegern mißlungen war. Die Auskunft des Maulwurfs war nicht einwandfrei, aber er hatte jedenfalls den überlebenden Lennox aufgespürt! Seine letzte Quelle blieb namenlos, aber er behauptete, sie sei dennoch absolut verläßlich, eine Frau, der er häufig Gefälligkeiten erwiesen hatte und die jetzt weit über ihre Mittel lebte.

Falsch lag der Informant allerdings mit seiner Überzeugung, daß nicht Harry Lennox, sondern sein Bruder Drew den Attentatsversuch überlebt hatte. Kröger wußte, daß das absolut lächerlich war; alle Beweise bestätigten das Gegenteil, Beweise aus so unterschiedlichen Richtungen, daß es sich unmöglich um Täuschungsmanöver handeln konnte. Selbst wenn man der Polizei, der Presse und der weitläufigen Suchaktion der Behörden mißtraute, waren da immer noch Moreau vom Deuxième und sein Kollege. Letzterer hatte mit eigenen Augen gesehen, wie Harry Lennox nach den Schüssen den Metrowaggon betreten hatte. Und von allen Amtsträgern im französischen Nachrichtendienst war Moreau der letzte, der es wagen würde, die Bruderschaft zu belügen.

Mein Informant, schloß die Mitteilung aus Bonn, *teilt mir mit, daß die Abteilung Dokumente und Recherchen Papiere für einen Colonel Anthony Webster fabriziert hat, einen Militärausweis und eine Botschaftsanforderung für Zimmer im Hotel Intercontinental an der Rue du Castiglione. Dieselbe Quelle erklärt darüber hinaus, sie habe kurz die Ausweiskarte gesehen. Das Foto war offensichtlich ebenfalls getürkt, ein Mann mit vertrauten Gesichtszügen, aber blondem, statt dunkelbraunem Haar, einer auffälligen Brille und mit einer Uniform bekleidet. Obwohl sie nie ein Foto von Harry Lennox gesehen hat, glaubt sie, daß es sich bei dem Mann auf dem Bild um seinen Bruder Drew, einen Agenten von Consular Operations, handle. Nach den von der Sicherheitsabteilung bestätigten Aufzeichnungen der Botschaft ist der Leichnam Drew Lennox' auf dem Luftweg zu seiner Familie in den Vereinigten Staaten übergeführt worden. Meine eigenen Recherchen, die sich auch auf die Ladepapiere amerikanischer Diplomatenmaschinen erstreckten, zeigen für das in Frage kommende Datum keine derartige Sendung auf. Deshalb handelt es sich nach meiner Beurteilung bei dem Lennox im Intercontinental nicht um Harry Lennox, sondern um seinen Bruder. Dieser Lennox hat mit der Sicherheitsabteilung der Botschaft und der Holländerin Karin de Vries eine Strategie in Gang gesetzt, um ein Mitglied oder mehrere Mitglieder unserer Bruderschaft in eine Falle zu locken. Ich hoffe, im Laufe des heutigen Abends Näheres darüber zu erfahren, und werde mich zu diesem Zweck vor Lennox' Hotel postieren und ihn, selbst wenn ich die ganze Nacht und den ganzen Tag dazu brauche, in meine Gewalt bringen und es herausfinden. Oder ich werde ihn nach der vorgeschriebenen Methode töten.*

Blödsinn, dachte Kröger, Brüder sehen sich häufig ähnlich. Weshalb sollten die Amerikaner bezüglich des toten Lennox lügen? Dafür gab es keinen Grund, aber es gab eine Menge Gründe, die dagegen sprachen! Harry Lennox' Liste war der Schlüssel für die globale Suche nach den auf der ganzen Welt neu in den Vordergrund tretenden Nazis. Die Amerikaner brauchten ihn und gaben sich gerade deshalb solche Mühe, sein Leben zu schützen, angefangen bei ihrem Bündnis mit den lästigen Antineos bis hin zur Erstellung gefälschter Militärpapiere. Harry Lennox/Alexander Lassiter betrauerte den Tod seines Bruders und wollte um jeden Preis Rache dafür nehmen. Dabei wußte er natürlich nicht, daß in etwa achtundzwanzig Stunden alles vorbei wäre, weil er dann tot sein würde. Und Gerhard Kröger mußte ihn vorher finden und dafür sorgen, daß man seinen Kopf nicht untersuchen konnte. Aber jetzt wußte er, wo er hingehen mußte, und hoffte dabei im stillen, daß ihr Informant die Exekution inzwischen bereits durchgeführt hatte – vorschriftsmäßig.

Inzwischen war es zehn Minuten nach zwei Uhr morgens geworden, und Kröger zog sich sein Jackett und einen leichten Regenmantel über; den Regenmantel alleine schon deshalb, um die großkalibrige Pistole zu verbergen, die mit sechs Black-Talon-Patronen geladen war. Ein solches Geschoß deformierte sich nach dem Eindringen ins Fleisch und hinterließ völlige Zerstörung.

»Sie werden um exakt drei Uhr abgeholt«, sagte Witkowski.

»Nicht früher?« fragte Lennox.

»Zum Henker, das sind doch bloß noch fünfundvierzig Minuten. Bis Sie runterkommen, möchte ich eine Einheit in der Lobby und ein Team auf der Straße haben, das erfordert gewisse Vorbereitungen, die entsprechende Zivilkleidung und alles das.«

»Gut, einverstanden. Was ist mit Karin?«

»Die ist außer Gefahr, wie Sie verlangt haben. Blonde Perücke und alles das, wie Sie, glaube ich, vorgeschlagen haben.«

»Wo?«

»Nicht da, wo Sie sind.«

»Sie sind richtig liebenswürdig, Stanley.«

»Und Sie klingen wie meine Mutter, möge Gott ihre Seele in Frieden ruhen lassen.«

»Warum kann ich Ihnen nicht dasselbe wünschen?«

»Weil Sie immer alles gleich haben wollen, und das werde ich nicht zulassen. Einer meiner Leute wird eine Viertelstunde, bevor Sie runterkommen, Ihr Gepäck und Ihren Aktenkoffer abholen. Wenn jemand wissen will, wo Sie hingehen, dann sagen Sie ihm einfach, Sie könnten nicht schlafen. Sie müßten sich draußen ein wenig die Beine vertreten. Wir kümmern uns dann später um das Hotel.«

»Sie glauben wirklich, daß Reynolds andere Neonazis hier in Paris verständigt hat?«

»Offen gestanden nein, weil ja sein Killerkommando nach allem, was wir hier zusammenstückeln können, weg ist – an wen hätte er sich also wenden sollen? Niemand in Deutschland hätte in so kurzer Zeit hierher kommen können, und dieser Kröger ist Arzt, kein Berufskiller. Reynolds hat auf eigene Faust gehandelt, weil er auf der Straße vor meiner Wohnung enttarnt worden war und er das irgendwie wiedergutmachen wollte. Wenn er Sie getötet hätte, wäre das ein dicker Pluspunkt für ihn gewesen. Machen Sie sich fertig.«

Lennox packte schnell seinen Koffer, was wenig Mühe kostete, da er kaum ausgepackt hatte; er hatte bloß seine Zivilhose und einen Blazer herausgeholt, die Uniform eines Attachés in der Botschaft. Jetzt fing das Warten an, die Minuten tickten träge in den Mauern seines Gefängnisses. Dann klingelte sein Telefon; er nahm an, daß es Witkowski sein würde, und hob ab. »Ja, was ist jetzt schon wieder?«

»Was soll denn sein? Ich bin's, Karin, mein Lieber.«

»Du lieber Gott, wo bist du?«

»Ich habe geschworen, es dir nicht zu sagen.«

»Blödsinn!«

»Nein, Drew, man nennt das Schutz. Der Colonel hat mir gesagt, er würde dich verlegen. Bitte, ich will nicht wissen, wohin.«

»Das wird jetzt langsam absurd.«

»Dann kennst du unseren Feind nicht. Ich möchte nur, daß du vorsichtig bist, sehr vorsichtig.«

»Hast du gehört, was heute nacht passiert ist?«

»Reynolds? Ja, Witkowski hat es mir gesagt. Deshalb rufe ich an. Ich komme nicht zu dem Colonel durch; seine Leitung ist belegt; wahrscheinlich telefoniert er dauernd mit der Botschaft, aber mir ist gerade etwas eingefallen, und ich möchte das weitergeben.«

»Wovon redest du?«

»Alan Reynolds ist häufig unter irgendwelchen Vorwänden in unsere Abteilung gekommen, gewöhnlich interessierte er sich für Fahrpläne und Verkehrsinformationen.«

»Und das ist niemand seltsam vorgekommen?« fragte Lennox.

»Eigentlich nicht. Das ist viel einfacher, als bei den Fluggesellschaften anzurufen oder im Fahrplan nachzublättern, oder was noch schlimmer ist, Landkarten zu kaufen, die mit winzigen Buchstaben in Französisch bedruckt sind. Unsere sind in lesbarem Englisch.«

»Aber du fandest es eigenartig, wie?«

»Erst nachdem mir der Colonel erzählt hatte, was heute nacht passiert ist, vorher nicht. Viele von unseren Leuten machen Wochenendausflüge in ganz Frankreich, der Schweiz, Italien und Spanien. Besonders die, die nur auf kurze Zeit in Paris stationiert sind. Nein, Drew, es war etwas anderes und das ist mir eigenartig vorgekommen.«

»Was war das?«

»Ich habe Reynolds zweimal aus der letzten Gangreihe vor der Tür der Transportabteilung herauskommen sehen. Wahrscheinlich habe ich mir damals gedacht, daß er dort einen Freund oder eine Freundin haben muß und sich zum Essen verabredet oder so.«

»Und jetzt denkst du etwas anderes?«

»Ja, aber ich könnte mich natürlich auch irren. Wir alle in D und R arbeiten mit allem möglichen vertraulichen Material, und das meiste davon verdient eigentlich die Bezeichnung vertraulich gar nicht, aber es ist allgemein bekannt, daß die Leute im letzten Gang, dem, der am weitesten vom Eingang entfernt ist, ausschließlich mit Material der obersten Geheimhaltungsstufe beschäftigt sind.«

»Wieviele Büros gibt es denn an diesem letzten Korridor?«

»Auf jeder Seite sechs.«

»Und auf welcher Seite hast du Reynolds gesehen?«

»Auf der linken. Ich erinnere mich noch ganz deutlich, daß ich nach links gesehen habe.«

»Beide Male?«

»Ja.«

»Und an welchen Tagen war das, das Datum meine ich?«

»Du lieber Gott, das weiß ich nicht mehr. Es lagen ein paar Wochen dazwischen, und das Ganze ist jetzt ein oder zwei Monate her.«

»Denk scharf nach, Karin.«

»Wenn ich es genauer wüßte, würde ich es sagen, Drew. Ich hielt es damals einfach nicht für wichtig.«

»Das ist es aber. Es *ist* wichtig.«

»Warum?«

»Weil dein Instinkt dir das Richtige sagt. Witkowski sagt, es gebe noch einen weiteren Maulwurf in der Botschaft, jemanden ganz weit oben.«

»Ich werde mir einen Kalender besorgen und mir Mühe geben, die Wochen und dann die Tage herauszufinden. Vielleicht erinnere ich mich, woran ich damals gearbeitet habe.«

»Würde es helfen, wenn du in dein Büro in der Botschaft könntest?«

»Dann hätte ich Zugang zu dem Supercomputer, der irgendwo unter unseren eigenen Kellern steht. Dort wird alles fünf Jahre lang gespeichert, weil unsere eigenen Papiere vernichtet werden.«

»Das läßt sich einrichten.«

»Ich hätte trotzdem nicht die leiseste Ahnung, wie man ihn bedient.«

»Da wird doch jemand zu finden sein, der das kann.«

»Es ist jetzt halb drei Uhr früh, Liebling.«

»Ist mir doch völlig egal, auch wenn es Neumond ist! Courtland kann jemanden herbeizitieren, der mit dem Ding umgehen kann, und wenn nicht, dann kann es Wesley Sorenson, und wenn der es nicht kann, dann eben der Präsident.«

Lennox drückte den Knopf an seinem Telefon, der die Verbindung unterbrach, wählte die Nummer der Botschaft und verlangte Botschafter Courtland zu sprechen. »Mir ist egal, wie spät es ist!« schrie er, als die Frau in der Vermittlung Einwände erhob. »Das ist eine Angelegenheit der nationalen Sicherheit.«

»Ja, hier spricht Botschafter Courtland. Was ist so wichtig, daß Sie mich um diese Stunde sprechen müssen?«

»Ist Ihr Telefon sicher, Sir?« fragte Lennox im Flüsterton.

»Ich lege das Gespräch auf den Apparat im Nebenzimmer um. Der wird dauernd überprüft, und außerdem schläft meine Frau.« Zwanzig Sekunden später war Courtlands Stimme wieder zu hören. »Also gut, wer sind Sie und was soll das alles?«

»Ich bin Drew Lennox, Sir –«

»Mein Gott, Sie sind tot! Ich verstehe nicht –«

»Das brauchen Sie nicht zu verstehen, Mr. Ambassador. Sie brauchen bloß unsere Computerspezialisten ausfindig zu machen und ihnen befehlen, daß sie schleunigst antanzen und sich bei dem Superding im Keller einfinden sollen.«

»Ich bin jetzt völlig durcheinander – Mein Gott, Sie sind doch getötet worden!«

»Manchmal geht es bei uns etwas verwirrend zu, aber bitte tun Sie, um was ich Sie gebeten habe. Und noch eine Bitte. Unterbrechen Sie Witkowskis Telefongespräch und sagen Sie ihm, er möchte mich anrufen.«

»Wo sind Sie?«

»Das weiß er. Tun Sie es schnell. Ich soll hier in einer Viertelstunde weg, aber das geht nicht, solange ich ihn nicht gesprochen habe.«

»Okay, okay, ganz wie Sie wollen … und ich bin sehr froh, daß Sie noch am Leben sind.«

»Das bin ich auch. Beeilen Sie sich jetzt, Mr. Ambassador.«

Drei Minuten später klingelte Lennox' Telefon. »Stanley?«

»Was, zum Teufel, ist denn jetzt wieder los?«

»Schaffen Sie Karin und mich so schnell wie möglich in die Botschaft.« Drew erklärte mit erregter Stimme, was Karin ihm über Alan Reynolds gesagt hatte.

»Ein paar Minuten mehr oder weniger machen da jetzt keinen Unterschied, junger Mann. Halten Sie sich an den Zeitplan, den ich aufgestellt habe, dann lasse ich Sie zur Botschaft bringen – und erwarte Sie dort.«

Lennox wartete; dann kam Witkowskis Marineinfanterist in Zivil und nahm seinen Koffer und seine Aktentasche. »Kommen Sie in vier Minuten hinunter, Sir«, sagte der Mann höflich. »Ich warte dann unten.«

Drei Minuten später ging Drew zur Tür hinaus und auf die Aufzüge zu. Er brauchte kaum auf den Aufzug zu warten, und die Lobby war mit Ausnahme einiger Nachtschwärmer, einem im großen und ganzen von Japanern und Amerikanern gestellten Kontingent, die gerade auf die Fahrstühle zustrebten, praktisch verlassen. Lennox ging durch die marmorgefliste Halle, als plötzlich von der Galerie im Zwischengeschoß ohrenbetäubende Schüsse krachten und von den Wänden widerhallten. Drew suchte hinter einer Sitzgruppe Deckung und fixierte dabei die beiden Männer hinter dem Pult des Concierge. Er sah wie Brust und Bauch des einen buchstäblich explodierten, eine monströse Detonation, die die blutigen Eingeweide des Mannes durch die Lobby fliegen ließ, während der andere die Hände hochriß, aber nicht verhindern konnte, daß sein Schädel in Stücke gerissen wurde. Wahnsinn! Dann peitschten weitere Schüsse, und gleich darauf waren Stimmen mit englischem und amerikanischem Akzent zu hören.

»Wir haben ihn!« schrie ein Mann ebenfalls im Zwischengeschoß.

»Bringt ihn in die Botschaft«, sagte eine ruhigere Stimme in der Lobby und fuhr zu den Angestellten am Empfang gewandt fort: »Das ist ein Antiterroreinsatz. Sagen Sie der Polizei, sie soll sich mit der US-Botschaft in Verbindung setzen.«

Die Angestellten standen erstarrt hinter der marmorbelegten Theke. Dann fing der Mann auf der Linken plötzlich zu weinen an, während sein Kollege langsam, als befände er sich in Trance, zum Telefon griff.

Lennox und Karin de Vries umarmten sich unter den mißbilligenden Blicken von Colonel Stanley Witkowski und Botschafter Daniel Courtland. Sie befanden sich im Büro des letzteren in der amerikanischen Botschaft.

»Können wir jetzt bitte zur Sache kommen?« fragte der Botschafter. »Dr. Gerhard Kröger wird überleben und unser zweiköpfiges Computerteam trifft in Kürze ein. Einer der beiden ist sogar bereits hier, seinen Vorgesetzten fliegen wir aus dem Urlaub in den Pyrenäen ein. Würde mir jetzt bitte jemand sagen, was hier eigentlich gespielt wird?«

»Gewisse nachrichtendienstliche Operationen liegen außerhalb Ihres Zuständigkeitsbereiches, Mr. Ambassador«, erwiderte Witkowski, »aus Gründen Ihrer eigenen Sicherheit und damit Sie wahrheitsgemäß erklären können, Sie seien nicht informiert, Sir. Sie wissen ja – ›Dementierbarkeit‹«

»Wissen Sie, ich finde das einigermaßen widerwärtig, Colonel. Seit wann eigentlich haben zivile oder militärische Nachrichtendienste oder sonstige verdeckte Aktivitäten eigentlich Vorrang über die Entscheidungen des State Department?«

»Genau aus dem Grund ist Consular Operations ins Leben gerufen worden, Sir«, antwortete Drew. »Das geschah zum Zwecke der Koordinierung zwischen Außenministerium, Regierung und Nachrichtendiensten. Damit sollten in erster Linie bürokratische Verzögerungen vermieden werden.«

»Wie ich sie vielleicht ins Spiel bringen könnte?« meinte der Botschafter mit einem schiefen Lächeln.

Lennox schüttelte den Kopf. »Mir geht es im Augenblick nur um eines – und wenn mich das meinen Job kostet, ist es mir egal. Ich will den Kerl haben, der veranlaßt hat, daß mein Bruder umgebracht wurde, und die Leute, die hinter ihm stehen. Diese Nazis sind eine Seuche, und der muß man Einhalt gebieten – nicht mit bürokratischen Debatten, sondern mit schnellen Entscheidungen.«

Botschafter Courtland beugte sich in seinem Sessel vor, er stützte seine Stirn mit beiden Händen und massierte sich dabei mit den Daumen die Schläfen. »Ich habe mein ganzes Diplomatenleben lang mit Kompromissen gelebt«, sagte er. »Vielleicht ist es Zeit, jetzt damit Schluß zu machen.« Er hob den Kopf. »Tun Sie, was Sie für erforderlich halten.«

Man brachte sie zu dem Supercomputer der Botschaft zehn Meter unter dem Kellergeschoß. Es war eine gigantische Anlage von beängstigenden Ausmaßen; eine ganze, zehn Meter breite Wand war von einer dicken Glasplatte bedeckt, hinter der sich Dutzende von Scheiben drehten, wieder stoppten und sich dann erneut in Bewegung setzten und über Satelliten hereingespielte Informationen bearbeiteten.

»Hi, ich bin Jack Rowe, die eine Hälfte der unterirdischen Genies«, sagte ein freundlich blickender, hellhaariger Mann, der höchstens dreißig sein konnte. »Mein Kollege, falls er nüchtern ist, wird in ein paar Minuten hier sein. Er ist vor einer halben Stunde in Orly gelandet.«

»Wir haben hier keine Betrunkenen erwartet«, rief Witkowski aus. »Hier geht es um ernste Dinge.«

»Alles ist hier ernst, Colonel – ja, ich weiß, wer Sie sind, wir sind informiert. Sie auch, ich meine den Typ von Cons-Op, und die Lady, die wahrscheinlich die NATO hätte führen können, wenn sie ein Mann wäre und eine Uniform anhätte. Hier gibt es keine Geheimnisse. Computer wissen alles.«

»Können wir an sie heran?« wollte Drew wissen.

»Nicht solange mein Kumpel nicht hier ist. Er hat den anderen Code.«

»Um Zeit zu gewinnen«, sagte Karin. »Können Sie die Daten aus meinem Büro mit spezifischen Daten in Einklang bringen, an die ich mich erinnere?«

»Das brauche ich nicht, das ist ein und dasselbe. Sie geben uns die Daten und dann können wir vom Bildschirm ablesen, was Sie an den betreffenden Tagen aufgezeichnet haben. Das könnten Sie, auch wenn Sie wollten, nicht verändern oder löschen.«

»Das will ich auch gar nicht.«

»Das beruhigt mich aber sehr«, sagte der junge Techniker. »Können Sie sich an die Tage erinnern, um die es Ihnen geht?«

Karin klappte ihre Handtasche auf. »Hier sind sie, Mr. Rowe.« Sie hielt dem Computerexperten ein aus ihrem Notizbuch herausgerissenes Blatt hin.

»Das hilft uns schon weiter, Mrs. de Vries. Ich werde meine Seite schon einmal programmieren, dann kann Joel, wenn er kommt, seinen Code eingeben, und dann kann das Theater beginnen.«

»Theater?«

»Naja, was es eben auf dem Bildschirm zu sehen gibt, Colonel.«

Als Rowe den Zugangscode zu dem mächtigen Computer eingab und anschließend die Daten eintippte, öffnete sich die Stahltür der unterirdischen Anlage, und ein weiterer Techniker, der ein wenig älter als sein Kollege aussah, trat ein. Er hatte seine Haare sorgfältig mit einem kleinen, blauen Band zu einem langen Pferdeschwanz im Nacken zusammengebunden.

»Hallo«, sagte er vergnügt, »ich bin Joel Greenberg, Oberarzt in dieser Klinik hier. Wie geht's denn, Jackman?«

»Ich warte auf dich, Genie Nummer Zwei.«

»Hey, die Numero Uno bin ich, hast du das vergessen?«

»Ich habe dich gerade abgelöst, ich war zuerst hier«, erwiderte Rowe, der immer noch tippte.

»Sie müssen der berühmte Colonel Witkowski sein«, sagte Greenberg und streckte dem verblüfften Sicherheitschef die Hand hin, dessen finstere Miene nicht gerade große Freude über den Anblick des schlanken Mannes in Blue Jeans und offener Buschjacke erkennen ließ, von dem Pferdeschwanz ganz zu schweigen. »Es ist mir eine Ehre, Ihre Bekanntschaft zu machen«

»Offenbar sind Sie nüchtern«, sagte der Colonel etwas schwerfällig.

»Das war ich gestern abend nicht. Sie hätten den Flamenco sehen sollen, den ich hingelegt habe! … Und Sie müssen Mrs. de

Vries sein. Dann haben die Gerüchte also nicht übertrieben, Mam. Sie sehen wirklich klasse aus. Alle Achtung.« Er machte eine Vierteldrehung. »Und Sie müssen unser Mr. Cons-Op sein, stimmt's?« Er schüttelte Drew die Hand. Dann wurde er plötzlich ernst. »Mein Beileid, Sir. Einen Bruder zu verlieren, und dann unter solchen Umständen, das ist eine schlimme Geschichte. Ich weiß nicht, was ich sonst sagen soll.«

»Sie haben das sehr nett gesagt. ... Gibt es sonst hier unten noch jemanden, der das weiß?«

»Niemand, nur Rowe und ich.«

»Ich habe Sie noch nie in der Botschaft gesehen«, sagte Witkowski. »Sonst hätte ich Sie ganz sicher nicht vergessen.«

»Wir haben einen separaten Eingang und einen eigenen winzigen Lift.«

»Das kommt mir aber ziemlich übertrieben vor.«

»Das ist es aber nicht, wenn man bedenkt, was in diesem Kasten alles steckt. Die einzigen Leute, die für diesen Job akzeptiert werden, haben einen Doktor in Informatik, sind männlichen Geschlechts und ungebunden. Das ist vielleicht sexistisch, aber so ist es eben.«

»Können wir jetzt anfangen?« fragte Karin. »Ich glaube, Ihr Partner hat die Information bereits eingegeben, die ich brauche.«

»Das wird uns nichts nützen, solange ich das nicht wiederholt habe«, sagte Greenberg und schob seinen Sessel auf die linke Seite des riesigen Computers, setzte sich und gab seinen Code ein. »Schick's mir rüber, Jackman, okay?«

»Transfer läuft«, antwortete Rowe. »Jetzt bist du dran.«

»Geht in Ordnung.« Joel Greenberg drehte seinen Sessel herum und wandte sich den drei Eindringlingen zu. »Wenn ich seine Daten wiederhole, kommen sie auf dem Drucker unter dem Schirm in der Mitte heraus.«

Karin riß die Ausdrucke, die Seite für Seite aus dem Schlitz kamen, heraus und studierte sie. Zwanzig Minuten verstrichen. Als schließlich alle Ausdrucke da waren, sah sie sie sich noch einmal an und versah einige Angaben mit Rotstiftkreisen. Schließlich sagte mit leiser eindringlicher Stimme: »Ich hab's gefunden. Die beiden Male, wo ich zur Transportabteilung zurückgegangen bin. Ich erinnere mich jetzt ganz deutlich ... können Sie jetzt die

Namen des D und R-Personals auf der linken Seite des Mittelgangs anzeigen?« Sie reichte Greenberg die Ausdrucke mit ihren Vermerken.

»Aber sicher«, erklärte der Doktor der Informatik mit dem Pferdeschwanz. »Bereit, Jack?«

»Nur zu, Numero Due.«

»Arschloch.«

Die Namen erschienen auf dem Bildschirm zehn Sekunden bevor die Ausdrucke aus dem Schlitz kamen. »Das wird Ihnen nicht gefallen, Mrs. de Vries«, sagte Rowe. »Von den sechs Tagen, die Sie angegeben haben, waren das dreimal Sie.«

»Das ist doch verrückt!«

»Ich zeige Ihnen Ihre Eingaben noch einmal, sehen Sie mal, ob Sie sich erinnern können.«

Die Formation wurde ausgedruckt. »Ja, das bin ich!« rief Karin starr auf den großen Bildschirm blickend, als die ersten Buchstaben auftauchten. »Aber ich war nicht da.«

»Der große Vogel lügt nicht, Ma'am«, sagte Greenberg. »Der wüßte nicht, wie man das anstellt.«

»Probieren Sie es mit den anderen, mit deren Inputs«, bat Lennox.

Wieder erschienen die grünen Buchstaben auf dem Bildschirm, wieder von verschiedenen Büros, und wieder waren die Daten, die Karin erkannt hatte, von zwei anderen.

»Was soll ich da jetzt noch sagen? Ich kann doch unmöglich gleichzeitig in drei Büros gewesen sein. Jemand hat Ihren Wundercomputer manipuliert.«

»Das würde eine so komplizierte Zahl von Codes und außerdem Einschiebungen und Streichungen erfordern, daß das nur jemand könnte, der mindestens so gut ist wie Joel und ich«, sagte Jack Rowe.

»Ich sage das höchst ungern, Mrs. de Vries, aber die Informationen, die wir über Sie aus Brüssel erhalten haben, sagen ganz deutlich aus, daß Sie in diesem Bereich recht gut Bescheid wissen.«

»Warum sollte ich mich selbst belasten?«

»Das dürfen Sie mich nicht fragen.«

»Nehmen Sie sich unser ganzes Spitzenpersonal vor, und mir ist völlig egal, wenn die ganze Nacht dabei draufgeht«, sagte

Drew. »Ich möchte jeden einzelnen Lebenslauf sehen, beim großen Boss angefangen.«

Die Minuten verstrichen, und ein Ausdruck nach dem anderen wurde von allen studiert. Das ging zweieinhalb Stunden lang so. »Ach du dickes Ei!« rief Greenberg und beugte sich etwas vor. »Jetzt haben wir vielleicht jemanden.«

»Wer ist es denn?« fragte Witkowski mit kalter Stimme.

»Das wird Ihnen nicht gefallen, keinem von Ihnen. Mir gefällt es auch nicht.«

»Wer ist es?«

»Lesen Sie selbst«, sagte Joel und bog den Kopf etwas zur Seite.

»Oh, mein Gott«, rief Karin aus und wandte sich dann wieder vom Bildschirm ab. »Janine Clunes!«

»Die Frau des Botschafters«, sagte der Colonel. »Janine Clunes Courtland, seine zweite Frau, um genau zu sein. Sie arbeitet unter ihrem Mädchennamen in D und R.«

»Wie hat sie sich dafür qualifiziert?« fragte Lennox.

»Das kann ich Ihnen in ein paar Sekunden zeigen«, erwiderte Rowe.

»Sparen Sie sich die Mühe«, sagte Witkowski. »Ich hab die Daten noch ziemlich gut im Kopf. Es kommt ja schließlich nicht oft vor, daß die Sicherheitsabteilung den Auftrag erhält, die Freigabeprozedur für die Frau eines Botschafters durchzuführen. Janine Clunes, Absolventin der University of Chicago, hat dort im Rechenzentrum gearbeitet, promoviert und habilitiert in Informatik, bevor sie Courtland nach seiner Scheidung vor etwa anderthalb Jahren geheiratet hat.«

»Sie ist brillant«, fügte Karin hinzu. »Und außerdem ist sie eine der nettesten Frauen in D und R. Sie wird von allen geradezu vergöttert, weil sie nie ihre Stellung ausnützt; im Gegenteil, sie deckt dauernd Kolleginnen, die zu spät kommen oder ihre Arbeit nicht rechtzeitig abliefern können. Sie bietet stets ihre Hilfe an.«

»Eine gute Seele also«, sagte Drew. »Herrgott, steht Courtland jetzt auf unserer Liste, auf Harrys Liste?«

»Das kann ich nicht glauben«, antwortete der Colonel. »Ich mag ihn zwar nicht sonderlich, aber dazu ist er uns gegenüber viel zu offen gewesen, hat sich immer wieder für uns engagiert. Ich darf Sie daran erinnern, daß wir nicht hier wären, wenn er das nicht ausdrücklich gebilligt hätte, weil wir nämlich ohne ausdrückliche Freigabe vom State Department, der CIA und dem Nationalen Sicherheitsrat hier nichts verloren hätten.«

»Ich erinnere mich, daß ich in der *Washington Post* über Courtlands Scheidung gelesen habe«, sagte Drew. »Soweit ich mich erinnere, hat er alles, was er hatte, seiner Frau und den Kindern gegeben und öffentlich erklärt, daß ein Beamter im State Department einfach zu oft versetzt wird, um ein normales Familienleben führen zu können.«

»Das kann ich verstehen«, sagte der Colonel kühl. »Aber das muß noch lange nicht bedeuten, daß seine derzeitige Frau eine Verräterin ist.«

»Was ist mit Sprachen?« sagte Lennox und sah dabei Karin an. »Die müßten doch wichtig sein.«

»Janine spricht einigermaßen Französisch und Italienisch, aber im Deutschen ist sie perfekt –« Karin hielt inne, als ihr bewußt wurde, was sie gerade gesagt hatte.

»Das paßt ja gar nicht schlecht«, überlegte Drew laut. »Und was machen wir jetzt?«

»Ich habe schon angefangen«, erwiderte Greenberg. »Ich habe gerade eine Anfrage nach Chicago geschickt und komplette Informationen über Professor Clunes angefordert. Das Zeug ist dort alles registriert, sollte also in ein oder zwei Minuten hier sein.«

»Wie können Sie da so sicher sein?« fragte Karin. »Dort ist doch schon beinahe Mitternacht.«

»Schsch!« flüsterte der Computerhippie gespielt ernsthaft. »Chicago verfügt über eine von der Regierung finanzierte Datenbasis, so wie die Erdbebengeräte, aber sagen Sie das niemanden. Die Anlage ist immer besetzt, schließlich will keiner, den der Steuerzahler bezahlt, sich dabei erwischen lassen, daß er einer Maschine wie der unseren Informationen vorenthält.«

»Da kommt es!« rief Jack Rowe, als die Information aus Chicago über den Bildschirm huschte.

Janine Clunes bekleidete drei Jahre lang eine Position als Professorin für Informatik, bis sie Daniel Courtland, den damaligen Botschafter in Finnland, heiratete. Sie genoß sowohl beim Lehrkörper als auch bei den Studenten hohes Ansehen, weil sie über die seltene Fähigkeit verfügte, Computer wie etwas Alltägliches erscheinen zu lassen. Sie war in der Campuspolitik aktiv und bekannte sich zu einer Zeit, als dies keineswegs populär war, zu ihrer konservativen Einstellung, wobei ihre gewinnende Persönlichkeit wesentlich dazu beitrug, negative Reaktionen abzumildern. Gerüchten zufolge soll sie während ihrer Tätigkeit in der Fakultät mehrere Affären gehabt haben, die sich aber nicht nachteilig auf ihre Position auswirkten. Allerdings hatte man festgestellt, daß sie sich mit Ausnahme von politischen Veranstaltungen dem gesellschaftlichen Leben der Universität fernhielt. Sie wohnte außerhalb des Campus in Evanston, Illinois, eine Autostunde von der Universität entfernt.

Nach augenblicklichen Vorstellungen kann man ihre Vorgeschichte als recht konformistisch bezeichnen. Sie war in Bayern zur Welt gekommen und noch als Kind von ihren Eltern in die Vereinigten Staaten gebracht worden, wo sie ihre Verwandten, Mr. und Mrs. Charles Schneider in Centralia im County Marion, Illinois, nach dem Tod ihrer Eltern großzogen. Ihren Zeugnissen kann man entnehmen, daß sie auf der High School eine hervorragende Schülerin war und dort auch ein Stipendium für die Universität von Chicago bekommen hat, die ihr nach Abschluß ihrer Studien und nach ihrer Promotion eine Dozentenstelle anbot. Anschließend unternahm sie häufig als unbezahlte politische Beraterin aus eigenen Mitteln Reisen nach Washington, D.C., wo sie Botschafter Courtland kennenlernte. Das wär's etwa, Paris. Beste Grüße, Chicago.

»Das wär's keineswegs«, sagte Witkowski leise, als er die grünen Lettern auf dem Bildschirm gelesen hatte. »Sie ist ein Sonnenkind.«

»Was soll das denn heißen, Stanley?«

»Ich dachte, die Sonnenkindertheorie sei widerlegt worden«, sagte Karin so leise, daß man sie kaum hören konnte.

»Für die meisten Leute«, erwiderte der Colonel. »Aber nicht für mich, ich habe all diese Gegenbeweise nie geglaubt. Schauen Sie doch, was gerade abläuft.«

»Was ist ein Sonnenkind?«

»Eine Theorie, Drew. Man war von der Prämisse ausgegangen, daß die Fanatiker des Dritten Reiches vor und nach dem Krieg ausgewählte Kinder an handverlesene ›Eltern‹ in der ganzen Welt geschickt hatten, deren Aufgabe darin bestand, diese Kinder so aufzuziehen, daß sie Positionen von Einfluß und Macht erreichen, um damit einem Vierten Reich den Weg zu bahnen.«

»Das sind doch Phantasievorstellungen. So was hätte doch niemals funktioniert.«

»Vielleicht hat es das doch«, sagte Witkowski. »Herrgott, die ganze Welt ist doch verrückt geworden!«

»Immer mit der Ruhe«, sagte Greenberg. »Da kommt noch ein Nachwort aus Chicago. Passen Sie auf.« Alle Köpfe drehten sich wieder zum Bildschirm herum, auf dem in leuchtenden grünen Lettern zu lesen stand:

Zusätzliche Information betreffend Janine Clunes. Obwohl sie sich mit Nachdruck für konservative Wertvorstellungen einsetzte, hat sie sich dem Nazimarsch durch Skokie, Illinois, heftig widersetzt. Sie trat bei der Parade unter großer Gefahr für Leib und Leben auf die Rednerbühne und erklärte, bei dieser Veranstaltung handle es sich um nackte Barbarei.

»Was sagen Sie dazu, Stanley?« fragte Drew.

»Ich werde dir sagen, was ich davon halte«, schaltete Karin sich ein. »Gibt es denn eine bessere Tarnung, als sich öffentlich gegen das auszusprechen, was man insgeheim unterstützt? Sie könnten recht haben, Colonel. Vielleicht stimmt diese Sonnenkindergeschichte doch.«

»Dann sagen Sie mir, wie ich das dem Botschafter beibringen soll? Soll ich ihm sagen, daß er mit einer Tochter des Dritten Reiches zusammenlebt, mit ihr schläft?«

»Überlassen Sie das mir, Stanley«, sagte Lennox. »Ich bin schließlich der Koordinator, oder?«

»Wem werden Sie das aufnötigen, mein Junge?«

»Einem Mann, den wir beide schätzen, Wesley Sorenson.«

Neben Rowes Computer klingelte das Telefon. Er nahm den Hörer ab. »Hier S-Zwo, was gibt's? ... Ja, Sir, sofort, Sir.« Er drehte sich zu Witkowski herum. »Sie sollen sofort in die Krankenstation kommen, Colonel. Ihr Gefangener ist aufgewacht und redet.«

21

Gerhard Kröger lag in eine Zwangsjacke geschnallt auf dem schmalen Bett an die Wand gepreßt und drückte sich gegen das Holz. Er war alleine in einem Zimmer in der Krankenstation der Botschaft, und seine verletzten Beine waren unter seinem Krankenhauspyjama verbunden. Seine Augen waren geweitet und funkelten, huschten unruhig umher, ohne an etwas haften zu bleiben. »*Mein Vater war ein Verräter*«, flüsterte er heiser. »*Mein Vater war ein Verräter ... Mit meinem Leben ist Schluß, alles ist vernichtet!*«

Zwei Männer beobachteten ihn durch einen falschen Spiegel aus dem danebenliegenden Büro – einer war der Botschaftsarzt, der andere Colonel Witkowski. »Jetzt fängt er an wirres Zeug zu reden«, sagte der Sicherheitschef.

»Ich spreche nicht Deutsch. Was sagt er denn?« erkundigte sich der Arzt.

»Er spricht von seinem Vater, daß er ein Verräter gewesen sei und daß sein Leben vorbei sei und alles vernichtet.«

»Dann ist er suizidgefährdet«, schloß der Arzt daraus. »Also bleibt er in der Zwangsjacke.«

»Unbedingt«, pflichtete ihm der Colonel bei. »Aber ich will trotzdem zu ihm gehen und versuchen, ihn zu verhören.«

»Seien Sie vorsichtig, sein Blutdruck ist so hoch, daß die Instrumente ihn kaum mehr anzeigen. Eigentlich kein Wunder, wenn man bedenkt, wer er ist – oder besser war. Wenn die Großen stürzen, gibt es immer einen Riesenknall.«

»Sie wissen, wer er ist?«

»Sicher. Praktisch jeder Mediziner kennt ihn, wenn er auf dem Gebiet der Schädelchirurgie *à jour* geblieben ist.«

»Können Sie mich da näher aufklären«, sagte Witkowski und sah den Arzt erwartungsvoll an.

»Er ist, oder besser gesagt, war ein berühmter deutscher Chirurg – ich habe seit Jahren nichts mehr von ihm gehört – und hatte sich auf Gehirnstörungen spezialisiert. Damals hieß es, er habe mehr Fehlfunktionen des Gehirns kuriert, als irgend jemand sonst. Mit dem Skalpell, nicht etwa mit Medikamenten, die ja immer alle möglichen Nebeneffekte herbeiführen.«

»Warum hat man dann dieses gottverdammte Genie nach Paris geschickt, um jemanden zu erledigen, wenn er nicht einmal mit einer Schrotflinte ein Scheunentor treffen kann?«

»Das weiß ich nicht, Colonel. Und wenn er irgend etwas darüber gesagt hat, dann hätte ich es nicht verstanden.«

»Einleuchtend, reicht mir aber nicht aus, Doktor. Lassen Sie mich bitte zu ihm.«

»Sicher, aber denken Sie daran, daß ich Sie beobachten werde. Wenn ich sehe, daß sein Zustand sich verschlechtert – wir überwachen seinen Blutdruck, seinen Herzschlag und seinen Sauerstoffverbrauch – , dann sind Sie draußen. Verstanden?«

»Wenn es um einen Killer geht, bin ich von derartigen Anordnungen nicht gerade begeistert –«

»Aber von mir werden Sie sie trotzdem annehmen, Witkowski«, fiel ihm der Arzt ziemlich unsanft ins Wort. »Meine Aufgabe ist es, ihn am Leben zu halten, vielleicht sogar zu Ihrem Vorteil. Haben wir uns verstanden?«

»Ich habe ja wohl keine andere Wahl, oder?«

»Allerdings. Ich würde empfehlen, daß Sie leise mit ihm sprechen.«

»Das brauchen Sie mir nicht zu sagen.«

Der Colonel setzte sich in einen Sessel vor dem Bett und blieb dort reglos sitzen, bis Kröger ihn bemerkte. »Guten Abend, Herr Doktor. Sprechen Sie Englisch?«

»Das wissen Sie ganz genau«, antwortete Kröger auf Englisch und kämpfte gegen die ihn beengende Zwangsjacke an. »Warum hält man mich auf so unwürdige Weise fest? Ich bin Arzt, ein bekannter Chirurg, warum behandelt man mich wie ein Tier?«

»Weil die Familien zweier Ihrer Opfer im Hotel Intercontinental Sie zweifellos als gefährliches, bösartiges Tier betrachten. Sollen wir Sie freilassen und ihnen übergeben? Ich kann Ihnen versichern, daß der Tod von ihrer Hand viel schmerzhafter wäre, als wenn wir Sie exekutieren.«

»Das war ein Irrtum, ein Fehler! Ein tragisches Mißverständnis, das nur dadurch entstand, daß Sie einen Feind der Menschheit versteckt halten!«

»Einen Feind der Menschheit …? Das ist aber ein großes Wort. Weshalb ist Harry Lennox ein Feind der Menschheit?«

»Er ist wahnsinnig, gewalttätig, schizophren. Man muß ihn von seiner Qual erlösen, oder ihn behandeln und dann in eine Anstalt einweisen. Hat Moreau Ihnen das nicht gesagt?«

»Moreau? Das Deuxième Bureau?«

»Natürlich. Ich hatte ihm alles ausführlich erklärt! Er war nicht mit Ihnen in Verbindung? Das ist wieder typisch französisch, aber die Franzosen sind mit Informationen immer sehr zugeknöpft, nicht wahr?«

»Vielleicht habe ich nur nicht aufgepaßt und seine Mitteilung übersehen.«

»Sie müssen wissen«, sagte Kröger, der immer noch gegen die Riemen ankämpfte, aber es inzwischen geschafft hatte, sich im Bett aufzusetzen, »ich habe Harry Lennox in Deutschland behandelt und sein Leben gerettet, aber Sie müssen mich unbedingt zu ihm bringen, damit ich ihm die Medikamente injizieren kann, die ich bei mir hatte. Das ist seine einzige Chance, am Leben zu bleiben und Ihnen zu nutzen!«

»Sie könnten mich in Versuchung führen«, sagte Witkowski. »Sie müssen wissen, er hat eine Liste mit Namen mitgebracht, einige hundert Namen –«

»Wer weiß, wo er sie her hat?« unterbrach ihn Gerhard Kröger. »Einige der Namen könnten stimmen, aber viele sind wahrscheinlich falsch. Deshalb müssen Sie mich unbedingt mit ihm zusammenbringen, damit wir die Wahrheit herausfinden können.«

»Mein Gott, Sie sind wirklich verzweifelt und wollen jede Chance wahrnehmen, nicht wahr?«

»Wie bitte?«

»Sie haben mich ganz genau verstanden, Doktor … Aber sprechen wir einen Augenblick über etwas anderes, okay?«

»Was denn?«

»Ihren Vater, wenn Sie nichts dagegen haben.«

»Ich spreche nie über meinen Vater, Sir«, sagte Kröger.

»Oh, ich finde, das sollten wir schon.« Der Colonel blieb beharrlich. »Sie müssen wissen, wir haben uns gründlich über Sie informiert, und haben herausgefunden, daß Ihr Vater ein Held, ein wirklicher Held war.«

»Nein, das war er nicht. Er war ein Verräter!«

»Da sind wir anderer Ansicht. Er wollte Menschenleben retten – das Leben von Deutschen, Engländern und Amerikanern. Er hat am Ende durchschaut, was für einen Riesenschwindel Hitler und seine Kumpane abgezogen hatten, und beschlossen, etwas zu unternehmen, selbst wenn er damit sein Leben riskierte. Das nenne ich einen echten Helden, Doktor.«

»Nein! Er hat sein Vaterland verraten!« Kröger wand sich in der Zwangsjacke auf dem Bett hin und her. Die Tränen liefen ihm übers Gesicht. »Ich mußte mir das auf dem Gymnasium und dann später auf der Universität die ganze Zeit von den anderen Jungen anhören, manchmal haben sie mich sogar deswegen verprügelt.«

»Und deshalb beschlossen Sie, das wiedergutzumachen, ist das richtig, Herr Kröger?«

»Sie haben kein Recht, mich so zu verhören!« schrie der Chirurg plötzlich. Er richtete sich auf und funkelte Witkowski aus geröteten Augen an. »Selbst ein Feind hat Anspruch auf seine Privatsphäre!«

»Das respektiere ich«, sagte Witkowski, der kerzengerade auf dem Stuhl saß. »Aber Sie sind da eine Ausnahme, Doktor, weil Sie zu intelligent sind, zu gebildet, um all den Blödsinn zu glauben, den man Ihnen aufgetischt hat, und den Sie jetzt anderen auftischen. Sagen Sie mir, respektieren Sie die Heiligkeit des Lebens außerhalb des Mutterleibs?«

»Selbstverständlich. Leben, das atmet, ist Leben«

»Schließt das auch Juden, Zigeuner, körperlich oder geistig Behinderte und Homosexuelle beiderlei Geschlechts ein?«

»Das sind politische Entscheidungen, die außerhalb der Zuständigkeit des ärztlichen Berufs liegen.«

»Doktor, Sie sind die Luft nicht wert, die Sie atmen. ›Politische Entscheidungen‹? Mir kommt das Kotzen.«

Wesley Sorenson starrte durch das Fenster seines Eckzimmers in Washington und registrierte abwesend den morgendlichen Verkehrsstau auf der Straße unter ihm. Die Szene erinnerte ihn an ein mit Insekten gefülltes Labyrinth, in dem alle versuchten, die nächste waagrechte Röhre zu erreichen, um sich dann in einer weiteren Röhre wiederzufinden, die wiederum zur nächsten führte und keine nach draußen. Das war gleichsam eine Visualisierung seiner Gedanken, dachte der Direktor von Consular Operations, drehte seinen Bürosessel herum und ließ den Blick zu den Notizen auf seinem Schreibtisch wandern, Notizen, die alle durch den Reißwolf gedreht und anschließend verbrannt werden würden, ehe er am Abend sein Büro verließ. Die einzelnen Informationen kamen viel zu schnell herein, verstopften die Gänge seines Bewußtseins, und jede neue schien ihm noch brisanter als die, die ihr vorangegangen war. Die beiden in Fairfax in Gewahrsam gehaltenen Deutschen hatten den Vizepräsidenten der Vereinigten Staaten und den Sprecher des Abgeordnetenhauses als Neonazis belastet und versprochen, in Kürze weitere Namen zu liefern; die CIA war in ihren oberen Etagen kompromittiert, (und wieviele weitere Behörden mochten das noch sein?); Senatoren, Kongreßabgeordnete, mächtige Männer und Frauen aus der Welt der Industrie und der Medien waren mit dem Makel des Nazitums behaftet, ohne daß es irgendwelche greifbaren Beweise gab. Zuerst hatte man die Beschuldigungen einfach abgetan, bis man einen einflußreichen Beamten im britischen Foreign Office gefaßt hatte, der allem Anschein nach die Namen weiterer einflußreicher Figuren in der Regierungshierarchie Großbritanniens preisgegeben hatte. Claude Moreau zu guter Letzt war sauber, aber die US-Botschaft in Paris nicht – großer Gott, sie war alles andere als das, wenn die neueste Information zutraf! Die Frau von Botschafter Courtland?

Sorenson war das zunächst unvorstellbar vorgekommen, und das hatte er Drew Lennox gegenüber am Telefon auch deutlich zum Ausdruck gebracht.

»Witkowski hat es auch auch nicht glauben wollen, bis er dann den Bericht aus Chicago las, und dann hat er gesagt: ›Sie ist ein Sonnenkind.‹«

»Wissen Sie, was das bedeutet, Drew?«

»Karin hat mich informiert. Das ist der reinste Wahnsinn, Wes. Und ich kann mir einfach nicht vorstellen, daß so etwas funktioniert hat.«

»Das war die Operation Lebensborn. SS-Offiziere schwängerten blonde blauäugige, nordische Frauen! Das war Heinrich Himmlers Konzept.«

»Das ist wirklich so abgelaufen?«

»Wenn man den Geheimdiensterkenntnissen glaubt, die nach dem Krieg gesammelt wurden, nicht. Man hat damals den Schluß gezogen, daß die Nazis den Plan aufgegeben hatten, weil sie sich außerstande sahen, die Transportfrage zu lösen, und auch nicht die Zeit für medizinische Auswertungen hatten.«

»Witkowski glaubt nicht, daß man den Plan aufgegeben hat.«

Schweigen. Dann sagte Sorenson: »Ich glaube es inzwischen auch nicht mehr. Rufen Sie mich in einer Stunde wieder an oder früher, je nachdem wie die Dinge sich entwickeln.«

Aber die Dinge hatten sich bereits entwickelt. Ein potentielles Sonnenkind war aufgetaucht. Ein Kind Hitlerdeutschlands, das zu einer höchst begehrenswerten, angesehenen Akademikerin herangewachsen war, die ein hohes Amt im State Department bekleidete.

Sorenson griff nach dem Telefon und tippte die geheime Nummer des FBI-Direktors ein, Steve Rosbician, von dem Knox Talbot gesagt hatte: »Der ist okay.«

»Ja?«

»Hier Sorenson von Cons-Op, störe ich gerade?«

»Nein, zum Teufel, nicht auf dieser Leitung. Was kann ich für Sie tun?«

»Ich will ganz offen sein. Ich betrete damit Ihr Terrain, aber mir bleibt keine Wahl.«

»Knox Talbot hat mir einiges von Ihnen erzählt, und das verschafft Ihnen bei mir ziemlichen Kredit, Wes – so nennt Knox Sie doch, oder? Ich bin Steve. Dann legen Sie mal los.«

»Vielen Dank, Steve. Haben Sie eine Einheit in Marion County, Illinois?«

»Ganz bestimmt. Illinois hat bei uns große Tradition. In welcher Stadt?«

»Centralia.«

»Da sind wir nahe dran. Was brauchen Sie?«

»Alles, was Sie über ein Ehepaar Charles Schneider haben. Möglicherweise sind die beiden tot und ich habe keine Adresse, aber ich habe so eine Ahnung, daß sie als ungefähr Dreißig-jährige aus Deutschland eingewandert sind.«

»Das ist aber nicht viel, um darauf eine Suche aufzubauen.«

»Das ist mir klar, aber ich könnte mir trotzdem vorstellen, daß Ihre Behörde eine Akte über sie hat.«

»Wenn wir eine haben, kriegen Sie sie. Geben Sie mir Ihre sichere Faxnummer. Sie bekommen innerhalb einer Stunde alles, was wir haben.«

Sorenson bedankte sich, gab dem FBI-Direktor die gewünschte Faxnummer und legte auf.

Achtunddreißig Minuten verstrichen, ehe ein lautes Piep aus seinem Fax kam und gleich darauf ein einzelnes Blatt Papier aus dem Schlitz fiel. Wesley Sorenson nahm es und las:

Karl und Johanna Schneider kamen am 12. Januar 1940 in die Vereinigten Staaten, Auswanderer aus Deutschland mit Verwandten in Cicero, Illinois, die sich für sie verbürgten und erklärten, der junge Karl Schneider ver-füge über eine Ausbildung, die es ihm ohne Mühe ermögliche, in der optischen Industrie Arbeit zu finden. Die beiden waren einundzwanzig bzw. neunzehn Jahre alt. Als Grund für die Auswanderung aus Deutschland gaben sie an, daß Johanna Schneiders Großvater Jude war und sie deshalb diskriminierender Behandlung ausgesetzt waren.

Im März 1946 besaß Mr. Schneider, der sich inzwischen Charles nannte, in Centralia eine kleine Fabrik für optometrische Geräte und stellte ein Gesuch an die Einwanderungsbehörde, seiner Nichte, Janine Clunitz, einem weiblichen Säugling, die Einwanderung zu erlauben, weil ihre Eltern bei einem Autounfall ums Leben gekommen waren. Das Gesuch wurde bewilligt, und die Schneiders adoptierten das Kind.

Im August 1991 starb Mrs. Schneider an Herzversagen. Mr. Schneider, heute sechsundsiebzig Jahre alt, wohnt immer noch in 121 Cyprus Street, Centralia, Illinois. Er befindet sich inzwischen im Ruhestand, geht aber immer noch zweimal wöchentlich in seine Firma.

Diese Akte stützt sich auf die lange zurückliegende Überwachung deutscher Einwanderer zu Anfang des Zweiten

Weltkriegs, sollte aber nach Ansicht des Verfassers dieser Zeilen abgeschlossen werden.

Glücklicherweise war man dieser Empfehlung nicht nachgekommen, dachte Sorenson. Wenn Charles Schneider tatsächlich ein Sonnenkind bei sich aufgenommen hatte, dann würde man bei ihm, falls die Sonnenkinder miteinander in Verbindung standen, umfangreiche Informationen beschaffen können. Und solche Verbindungen mußte es geben, das sagte einem die einfache Logik. Sorenson wies seine Sekretärin an, ihm für den Nachmittag einen Flug nach Illinois zu buchen und seiner Frau zu sagen, daß er zum Abendessen nicht nach Hause kommen werde.

Claude Moreau studierte die Akte aus Nürnberg, das dekodierte Dossier eines gewissen Dr. Hans Traupmann, Chef der Chirurgie des Nürnberger Krankenhauses.

Hans Traupmann, geboren am 21. April 1922 in Berlin als Sohn des Ärzteehepaares Drs. Erich und Marlene Traupmann, zeigte schon früh Anzeichen hoher Intelligenz. Bereits in der Grundschule ...

In dem Dossier wurden anschließend Traupmanns akademische Leistungen geschildert, ein kurzer Zeitraum, den er pflichtgemäß in der Hitlerjugend verbracht hatte, und schließlich sein Dienst nach dem Medizinstudium in Nürnberg als junger Arzt in der Sanitätstruppe, dem Ärztekorps der deutschen Wehrmacht.

Nach dem Krieg kehrte Traupmann nach Nürnberg zurück, wo er am Krankenhaus eine weitere Ausbildung erfuhr und sich auf Gehirnchirurgie spezialisierte. Im Laufe von zehn Jahren erwarb er sich mit dutzenden erfolgreicher Operationen den Ruf, einer der führenden Gehirnchirurgen des Landes, wenn nicht der freien Welt zu sein. Hinsichtlich seines Privatlebens ist nur wenig bekannt. Seine Ehe mit Elke Müller wurde nach fünf Jahren kinderlos geschieden. Seitdem bewohnt er ein elegantes Apartment im teuersten Vier-

tel Nürnbergs. Traupmann ist wohlhabend, speist häufig in den teuersten Restaurants und pflegt reichlich Trinkgeld zu geben. Seine Gäste reichen von Arztkollegen über Politiker aus Bonn bis zu verschiedenen Prominenten von Film und Fernsehen. Um den Versuch einer Zusammenfassung zu machen: er ist ein Bonvivant mit einer beruflichen Stellung, die ihm diesen extravaganten Lebensstil gestattet.

Moreau griff nach dem Telefon und drückte einen Knopf, der eine direkte Verbindung mit seinem Beauftragten in Nürnberg herstellte.

»Ja?« sagte die Stimme in Deutschland.

»Ich bin es.«

»Ich habe Ihnen alles geschickt, was mir zugänglich war.«

»Nein, das haben Sie nicht. Graben Sie alles, was Sie können, über Elke Müller aus.«

»Traupmanns geschiedene Frau? Warum? Das liegt weit zurück.«

»Weil sie der Schlüssel zu allem ist. Eine Scheidung nach ein oder zwei Jahren wäre verständlich, nach zwanzig Jahren völlig akzeptabel, aber nicht nach fünf. Da steckt irgend etwas dahinter. Tun Sie, was ich sage, und schicken Sie mir das Material, so schnell Sie können.«

»Das wird nicht leicht sein«, wandte der Agent in Nürnberg ein. »Sie lebt jetzt unter ihrem Mädchennamen in München.«

»Haben Sie die Adresse?«

»Natürlich.« Der Agent gab sie ihm.

»Dann vergessen Sie meine letzte Anweisung. Ich habe es mir anders überlegt. Verständigen Sie München, daß ich mit dem nächsten Flugzeug komme. Ich möchte selbst mit dieser Dame sprechen.«

Sorensons Flugzeug landete in dem etwa dreißig Meilen südlich von Centralia gelegenen Mount Vernon, Illinois. Mit dem falschen Führerschein und ebensolcher Kreditkarte, die ihm Consular Operations zur Verfügung gestellt hatte, mietete er einen Wagen und folgte in nördlicher Richtung der Route, die der Angestellte der Mietwagenfirma auf der Übersichtskarte markiert hatte. Cons-Op hatte ihm auch einen Stadtplan von Centralia gegeben, auf dem die Adresse, 121 Cyprus Street, ebenso deutlich markiert war, wie die Zufahrt vom Highway 51. Zwanzig Minuten später rollte Sorenson die ruhige, von Bäumen gesäumte Straße hinunter und sah sich nach Nummer 121 um. Die Szenerie, in der er sich fand, verkörperte das bürgerliche Amerika einer vergangenen Ära, mit großen Häusern und ebenso großzügigen mit geschnitztem Gitterwerk geschmückten Veranden davor, auf denen nur selten der obligatorische Schaukelstuhl fehlte. Man konnte sich gut vorstellen, wie die Besitzer der Häuser auf diesen Schaukelstühlen saßen und am Nachmittag mit ihren Nachbarn Tee tranken.

Dann sah er den Briefkasten 121. Dieses Haus war irgendwie anders, wenn auch nicht im Baustil oder der Größe, und doch war da irgend etwas, was er nicht auf den ersten Blick erkannte. Was war es? Die Fenster, dachte der Direktor von Consular Operations. Hinter den Fenstern im ersten und zweiten Stock waren die Vorhänge zugezogen. Selbst im Erdgeschoß versperrten Jalousien den Einblick durch das große Erkerfenster. Eine besonders einladende Atmosphäre strahlte dieses Haus jedenfalls nicht aus. Trotzdem parkte Wesley seinen Wagen am Bürgersteig, stieg aus, ging den Plattenweg hinauf und die Treppe hoch und klingelte.

Die Tür öffnete sich, und ein schlanker alter Mann mit schütterem weißen Haar und einer dicken Brille sah ihn an. »Ja, bitte?« sagte er mit weicher Stimme, die kaum die Spur eines Akzents erkennen ließ.

»Mein Name ist Wesley Sorenson, ich komme aus Washington, D.C., Mr. Schneider. Wir müssen miteinander reden. Entweder hier oder unter weniger angenehmen Begleitumständen.«

Die Augen des alten Mannes weiteten sich, und sein Gesicht verlor jegliche Farbe. Er setzte ein paarmal zum Sprechen an, was ihm aber sichtlich einige Mühe bereitete. Schließlich sagte er: »Ach, Sie haben so lange gebraucht, es liegt so weit zurück ... kommen Sie herein. Ich habe Sie jetzt beinahe fünfzig Jahre erwartet ... kommen Sie, kommen Sie, draußen ist es zu warm, und die Klimaanlage ist teuer ... Aber das ist jetzt alles nicht mehr wichtig.«

»Wir sind etwa im gleichen Alter, Mr. Schneider«, sagte Sorenson, als er die geräumige, im viktorianischen Stil gehaltene Vorhalle betrat, und dann Schneider in das schattige mit wuchtigen Möbeln gefüllte Wohnzimmer folgte. »Fünfzig Jahre ist für keinen von uns beiden besonders lang.«

»Darf ich Ihnen etwas zu trinken anbieten? Offen gestanden könnte ich jetzt einen Schluck gebrauchen.«

»Ein kleiner Whiskey wäre mir recht, wenn Sie welchen haben. Am liebsten einen Bourbon, aber das muß nicht sein.«

»Doch, ich habe welchen. Meine zweite Tochter ist mit einem Mann aus South Carolina verheiratet, und der zieht ihn allen anderen Getränken vor … Bitte nehmen Sie Platz, nehmen Sie Platz. Ich hole uns eben was zu trinken.«

»Vielen Dank.« Der Cons-Op-Direktor wurde sich plötzlich dessen bewußt, daß er unbewaffnet war. Er war schon so lange nicht mehr im Außeneinsatz gewesen! Am Ende holte sich der alte Mistkerl jetzt eine Kanone. Doch als Schneider zurückkam, trug er nur ein silbernes Tablett mit Gläsern und zwei Flaschen.

»Das macht alles ein wenig leichter, nicht wahr?« sagte er.

»Mich überrascht, daß Sie mich erwartet haben«, bemerkte Sorenson, als ihre Gläser vor ihnen standen. »Wie Sie schon sagten, liegt das alles so viele Jahre zurück.«

»Meine Frau und ich gehörten damals zu der fanatischen Jugend des Deutschlands jener Zeit. All die Fackelzüge, die Parolen und die Euphorie, der wahren Herrenrasse anzugehören. Das war alles sehr verführerisch, und wir ließen uns verführen. Heinrich Himmler selbst hat uns in unsere Mission eingeführt, und er hat ›langfristig‹ gedacht, wie man heute sagen würde. Ich glaube, er nahm an, daß wir den Krieg verlieren würden, aber er war der These der arischen Überlegenheit mit Leib und Seele ergeben. Nach dem Krieg taten wir das, was man uns befohlen hatte. Und selbst damals glaubten wir noch daran.«

»Also haben Sie den Antrag auf Einwanderung von Janine Clunitz, später Clunes, gestellt und sie adoptiert?«

»Ja. Sie war ein ungewöhnliches Kind, viel intelligenter als Johanna und ich. Von ihrem achten oder neunten Lebensjahr an kamen jeden Dienstagabend Männer und nahmen sie mit an einen Ort, wo sie indoktriniert wurde.«

»Und wo war das?«

»Das haben wir nie erfahren. Am Anfang gab man ihr nur Süßigkeiten und Eis und hatte ihr die Augen verbunden. Später, als sie dann älter war, sagte sie uns nur, sie würde in unserem ›glorreichen Vermächtnis‹ ausgebildet. Das waren ihre Worte, und wir wußten natürlich, was sie bedeuteten.«

»Warum sagen Sie mir das jetzt, Mr. Schneider?«

»Weil ich jetzt seit zweiundfünfzig Jahren in diesem Land lebe. Ich kann nicht sagen, daß es vollkommen wäre. Keine Nation ist das, aber es ist besser als das, wo ich herkam. Wissen Sie, wer hier auf der anderen Straßenseite wohnt?«

»Woher soll ich das wissen?«

»Die Goldfarbs, Jake und Naomi. Juden. Und sie waren Johannas und meine besten Freunde. Und ein Stück weiter unten an der Straße das erste schwarze Ehepaar, das hier ein Haus gekauft hat. Die Goldfarbs und wir haben eine Begrüßungsparty für sie ausgerichtet, und alle sind gekommen.«

»Das ist aber nicht gerade das, was das Dritte Reich von Ihnen gefordert hat.«

»Menschen ändern sich, wir alle ändern uns. Was möchten Sie von mir wissen?«

»Wie lange ist es her, daß Sie mit Deutschland in Verbindung waren?«

»Mein Gott, diese Idioten rufen immer noch an, zwei- oder dreimal im Jahr. Ich sage denen jedesmal, daß ich ein alter Mann bin und sie mich in Ruhe lassen sollen, weil ich einfach nichts mehr damit zu tun haben will. Ich muß in ihren Computern gespeichert sein oder so. Die lassen einfach nicht locker und hören nicht auf, mir zu drohen.«

»Haben Sie irgendwelche Namen?«

»Ja, einen. Der letzte Anrufer, das ist jetzt einen Monat her, war geradezu hysterisch. Er brüllte mich an, daß ein Herr Traupmann meine Exekution befehlen könnte. ›Weshalb denn?‹ habe ich ihn gefragt. ›Ich werde ohnehin bald tot sein, und dann werde ich euer Geheimnis mit ins Grab nehmen.‹«

Claude Moreaus Mann in München hatte das Haus ausfindig gemacht, in dem Elke Müller, die ehemalige Frau Traupmann, ein

Appartement bewohnte. Um Moreau Zeit zu sparen, hatte das Deuxième Bureau in der Königinstraße Madame Müller angerufen und ihr zu verstehen gegeben, daß ein hochrangiger Beauftragter der französischen Regierung eine vertrauliche Angelegenheit mit ihr besprechen wolle.

Das Appartementgebäude war großzügig und elegant und das Appartement selbst noch beeindruckender. Eine gewagte Mischung aus Barock und Jugendstil.

Elke Müller paßte zu ihrer Umgebung. Eine hochgewachsene, herrisch wirkende Frau Anfang Siebzig mit grauen Strähnen in ihrem dunklen, gepflegten Haar, einem eckigen Gesicht und scharf geschnittenen Zügen. Sie war ganz offensichtlich eine Frau, die sich nicht so leicht einschüchtern ließ; das konnte man in ihren großen, hellen Augen lesen, die beinahe feindselig, aber jedenfalls argwöhnisch blickten.

»Mein Name ist Claude Moreau, Madame, ich gehöre dem Quai d'Orsay in Paris an«, sagte der Chef des Deuxième Bureau, nachdem ihn das Dienstmädchen in einen Salon geführt hatte.

»Nehmen Sie bitte Platz und erklären Sie mir, worum es bei dieser vertraulichen Angelegenheit geht. Ich kann mir nicht vorstellen, weshalb die französische Regierung sich für mich interessieren sollte.«

»Verzeihen Sie mir, Madame, aber ich glaube, das ahnen Sie sehr wohl.«

»Werden Sie nicht impertinent, Monsieur.«

»Bitte entschuldigen Sie. Ich will nur ganz offen zu Ihnen sein.«

»Da spricht der Diplomat. Es geht um Traupmann, nicht wahr?«

»Sie waren mit ihm verheiratet –«

»Nicht sehr lange«, unterbrach ihn Elke Müller schnell und entschieden, »aber jedenfalls zu lange. Ich habe ihn vor über dreißig Jahren verlassen, aber jedesmal, wenn ich an ihn denke – was erfreulicherweise nicht allzu oft ist –, läuft es mir kalt über den Rücken.«

»Könnten Sie das freundlicherweise erläutern?«

»Wenn es unbedingt sein muß … Ich habe Hans Traupmann ziemlich spät geheiratet. Ich war einunddreißig, er dreiunddreißig und schon in so jungen Jahren ein äußerst erfolgreicher Chirurg. Er hat mich beeindruckt, und ich glaubte, unter seiner kühlen Fassade stecke ein guter Mensch. Was ihn zu mir hingezogen hatte, wurde ziemlich schnell offenkundig. Ich stamme aus einer wohlhabenden Familie aus Baden-Baden, altes Geld, und das verschaffte ihm Zugang zu den Kreisen, in die er aufgenommen werden wollte. Sie müssen wissen, seine Eltern waren Ärzte, aber keine sonderlich sympathische Menschen, und ganz sicherlich nicht sehr erfolgreich, hauptsächlich in Kliniken tätig, die den unteren Schichten –«

»Gestatten Sie bitte«, unterbrach sie Moreau, »ich würde gerne wissen, ob er seine Stellung als ihr Ehemann dazu benutzt hat, um seine gesellschaftlichen Ambitionen zu fördern?«

»Das sagte ich doch gerade.«

»Warum hat er dann die Scheidung riskiert?«

»Dazu hatte er nicht viel zu sagen. Außerdem hatte er sich in den fünf Jahren die Verbindungen geschaffen, die er brauchte, und für den Rest reichten seine eigenen Fähigkeiten. Mit Rücksicht auf meine Familie erklärte ich mich mit einer einvernehmlichen Scheidung einverstanden – wegen unüberbrückbarer gegenseitiger Abneigung, ohne daß eine der beiden Seiten der anderen irgend etwas vorwarf. Das war der größte Fehler, den ich je gemacht habe, und mein Vater hat mich vor seinem Tode auch deshalb sehr kritisiert.«

»Darf ich fragen warum?«

»Sie kennen meine Familie nicht, Monsieur. Müller ist in Deutschland kein seltener Name. Ich will es Ihnen erklären. Meine Familie hat sich gegen den Verbrecher Hitler und seine Spießgesellen gestellt. Mein Vater sagte immer, Hitlers Schmähreden seien nicht mehr als die schwülstigen Ausfälle eines Mannes, der auch die belangloseste Opposition durch Mord ausschalten wollte, so lange daraus keine Konsequenzen erwuchsen. Aber Herrn Hitler ist es zu verdanken, daß meine beiden Brüder an die russische Front geschickt wurden, wo sie den Tod fanden, wahrscheinlich sogar durch deutsche Kugeln und nicht etwa solche der Sowjets.«

»Würden Sie bitte auf Hans Traupmann zu sprechen kommen?«

»Er war ein Nazi durch und durch«, sagte Madame Müller ruhig und wandte ihr Gesicht der Nachmittagssonne zu, die durchs Fenster strömte. »Es war seltsam, beinahe unmenschlich, aber er sehnte sich nach Macht, schierer Macht jenseits der Grenzen seines Berufes. Er zitierte immer wieder die Theorien von der überlegenen arischen Herrenrasse, als wäre sie unfehlbar, obwohl er wissen mußte, daß das nicht der Fall war. Ich glaube, das war einfach die Verbitterung eines jungen Mannes, den die Elite Deutschlands ablehnte, weil er ungehobelt und alles andere als liebeswürdig war.«

»Sie wollen damit auf etwas ganz Bestimmtes hinaus, denke ich«, sagte Moreau.

»Ja, allerdings. Er fing an, in unserem Haus in Nürnberg Zusammenkünfte abzuhalten, mit Leuten, von denen ich wußte, daß sie eingefleischte Nationalsozialisten waren, fanatische Hitleranhänger. Er ließ den Keller, wo sie sich jeden Dienstag trafen, schalldicht auskleiden – ich durfte daran nicht teilnehmen. Es wurde viel getrunken, und ich konnte aus unserem Schlafzimmer trotz der Schalldämmung immer wieder ihr Geschrei und ihr ›Sieg Heil‹ und das Horst-Wessel-Lied hören. Das ging drei Jahre lang so, bis ins fünfte Jahr unserer Ehe, als ich ihn schließlich zur Rede stellte – ich weiß auch nicht, warum ich es nicht schon früher getan habe … Ich schrie ihn an, warf ihm vor, er versuche die Schrecken der Vergangenheit wieder ins Leben zu rufen. Und dann, eines Morgens, nach einer jener schrecklichen Nächte sagte er zu mir: ›Mir ist egal, was du denkst, du reiches Miststück. Wir hatten damals recht, und das haben wir jetzt auch!‹ Am nächsten Tag verließ ich ihn. Ist das jetzt ausführlich genug für Sie, Moreau?«

»Ganz sicherlich, Madame«, erwiderte der Chef des Deuxième Bureau. »Erinnern Sie sich an irgendwelche dieser Männer oder Frauen, die an den Zusammenkünften teilgenommen haben?«

»Das liegt jetzt mehr als dreißig Jahre zurück. Nein, ich erinnere mich nicht.«

»Auch nicht an einen oder zwei dieser ›eingefleischten Nazis‹?«

»Lassen Sie mich nachdenken … ja, da gab es einen Bohr, Rudolf Bohr, glaube ich, und einen ehemaligen Oberst der Wehrmacht. Er hieß von Steifel, glaube ich. Abgesehen von diesen beiden läßt mein Gedächtnis mich im Stich. Ich erinnere mich nur deshalb an sie, weil sie häufig auch zum Mittagessen oder abends kamen, wenn nicht über Politik gesprochen wurde.«

»Sie waren mir eine große Hilfe, Madame«, sagte Moreau und erhob sich. »Ich will Ihnen nicht länger zur Last fallen.«

»Halten Sie sie auf«, flüsterte Elke Müller heiser. »Die werden noch Deutschlands Verderben sein!«

»Wir werden uns Ihre Worte merken«, sagte Claude Moreau und trat in das Treppenhaus.

22

Drew lag neben Karin in dem Bett ihres Zimmers im Bristol und blickte dem Rauch seiner Zigarette nach, der sich über ihnen zur Decke kräuselte. »Und wie geht es jetzt weiter?« fragte er.

»Das liegt jetzt ganz bei Sorenson. Du hast da wenig Einfluß.«

»Und genau das paßt mir nicht. Er ist in Washington, wir sind in Paris, und dieser gottverdammte Kröger könnte genauso gut auf einem anderen Planeten sein.«

»Man könnte mit Drogen Informationen aus ihm herausholen.«

»Der Botschaftsarzt sagt, daß wir so lange nichts unternehmen dürfen, bis Krögers Zustand sich nach den Schußverletzungen einigermaßen stabilisiert hat. Der Colonel kocht vor Wut, aber er kann nichts dagegen machen. Ich kann auch nicht sagen, daß ich das gelassen sehe; mit jedem Tag, den wir verlieren, wird es schwieriger, diese Dreckskerle zu finden.«

»Bist du da so sicher? Schließlich haben die Neonazis sich jetzt seit fünfzig Jahren ihr Netz im Untergrund aufgebaut. Was für einen Unterschied macht da ein Tag?«

»Ich weiß nicht, vielleicht kostet es noch einen Harry Lennox das Leben. Sagen wir einfach, daß ich ungeduldig bin.«

»Das kann ich verstehen. Gibt es in bezug auf Janine schon irgendwelche Pläne?«

»Da weißt du genausoviel wie ich. Sorenson hat gesagt, wir sollen uns ruhig verhalten und die Antineos davon verständigen, daß wir Kröger festhalten. Wir haben beides getan und Wesleys Büro davon informiert, daß seine Anweisungen ausgeführt worden sind.«

»Glaubt er wirklich, daß die Antineos infiltriert worden sind?«

»Er hat mir gesagt, er wolle sämtliche Flanken sichern; schaden kann das keinesfalls. Wir haben Kröger, und keiner kann an ihn heran. Wenn es jemand versucht, wissen wir, daß es noch eine weitere undichte Stelle geben muß.«

»Könnte uns Janine in dem Punkt nützen?«

»Das ist Wesleys Zuständigkeit. Ich hätte keine Ahnung, wie ich das anstellen sollte.«

»Ob Courtland ihr wohl etwas von Kröger gesagt hat?«

»Irgend etwas muß er doch gesagt haben, schließlich haben wir ihn um drei Uhr früh geweckt.«

»Da hätte er alles Mögliche sagen können, nicht unbedingt die Wahrheit. Alle Botschafter werden gründlich darin geschult, was sie ihrer Familie sagen dürfen und was nicht. Das dient meist ihrem eigenen Schutz.«

»Deine Argumentation hat ein Loch, Karin. Er hat seine eigene Frau in die Sektion D und R gesetzt, und das ist eine Fundgrube geheimer Informationen.«

»Er ist noch nicht lange mit ihr verheiratet, und wenn das stimmt, was wir annehmen, war es Janines Wunsch, dort eingesetzt zu werden. Sehr schwer sollte es einer jung verheirateten Frau nicht fallen, ihren Mann zu überreden. Über die notwendige Qualifikation verfügte sie ja, weiß Gott, und sie hat ihren Wunsch vermutlich so begründet, daß sie ihren patriotischen Beitrag leisten wolle.«

»Stimmt, das muß ich dir wohl glauben. Das war vermutlich wie mit Eva und dem Apfel –«

»Du bist ein Chauvi«, fiel Karin ihm lachend ins Wort und schlug ihm auf den Schenkel.

»Ich bin gespannt, wie Wes das angehen wird«, sagte Lennox, griff nach ihrer Hand und hielt sie fest, während er seine Zigarette ausdrückte.

»Warum rufst du ihn nicht an?«

»Seine Sekretärin hat gesagt, daß er erst morgen wieder im Büro sein würde. Er ist also offenbar verreist. Er erwähnte ja, daß er noch ein anderes Problem habe, ein ziemlich kompliziertes, also kümmert er sich vielleicht gerade darum.«

»Ich würde meinen, daß Janine Courtland erste Priorität hat.«

»Das mag ja durchaus sein. Morgen werden wir es wissen – besser gesagt, heute. Die Sonne geht schon auf.«

»Laß sie aufgehen, Liebster. Wir dürfen uns ohnehin nicht in der Umgebung der Botschaft blicken lassen, also wollen wir das einfach als einen Ferientag für dich und mich betrachten.«

»Gar keine schlechte Idee«, sagte Drew und drehte sich zu ihr herum. In dem Augenblick klingelte das Telefon. »Ferien, daß ich nicht lache«, sagte er und griff nach dem Hörer. »Ja?«

»Hier ist es ein Uhr morgens«, sagte die Stimme von Wesley Sorenson. »Tut mir leid, wenn ich Sie geweckt habe, aber Witkowski hat mir die Nummer Ihres Hotels gegeben, und ich wollte Sie auf dem laufenden halten.«

»Was ist geschehen?«

»Ihre Computerfreaks haben den Nagel auf den Kopf getroffen. Alles hat gestimmt. Janine Clunitz ist ein Sonnenkind.«

»Janine was?«

»Mit richtigem Namen heißt sie Clunitz – Clunes ist eine Amerikanisierung. Sie ist bei einer Familie namens Schneider in Centralia, Illinois, aufgewachsen.«

»Ja, das haben wir gelesen. Aber wie können Sie da jetzt so sicher sein?«

»Weil ich heute nachmittag hingeflogen bin. Der alte Schneider hat es bestätigt.«

»Und was machen wir jetzt?«

»Nicht ›wir‹, ich«, erwiderte der Direktor von Consular Operations. »Das State Department bestellt Courtland mit einigen anderen Botschaftern aus den europäischen Hauptstädten zu einer Sondersitzung nach Washington. Das Thema wird erst nach ihrer Ankunft bekanntgegeben.«

»Und das Außenministerium hat dem zugestimmt?«

»Das Außenministerium weiß gar nichts davon. Das ist eine Four-Zero-Direktive, die über dieses Büro erteilt wurde, um jede Chance auszuschalten, daß sie abgefangen wird.«

»Ich hoffe nur, daß das etwas bringt.«

»Wir werden sehen. Wir holen ihn am Flughafen ab, und er wird bereits in meinem Büro sitzen, ehe Bollinger sich seine Frühstückseier bestellt hat.«

»Da hört man ja den alten Außendienstmann aus Ihnen heraus.«

»Könnte schon sein.«

»Und wie wollen Sie das Courtland beibringen?«

»Ich vertraue darauf, daß er so clever ist, wie man aus seinen Akten herauslesen kann. Ich habe das Gespräch mit Schneider – übrigens mit seiner Erlaubnis – aufgezeichnet und besitze von ihm auf die Weise eine vollständige Aussage. Ich werde das Courtland alles darlegen und hoffe, daß er daraus die richtigen Schlüsse zieht.«

»Und wenn er das nicht tut, Wes?«

»Darauf bin ich ebenfalls vorbereitet. Schneider hat sich einverstanden erklärt, nach Washington zu kommen. Er will mit seiner Vergangenheit nichts mehr zu tun haben – das sind übrigens seine Worte.«

»Gratuliere, großer Boß.«

»Vielen Dank, Drew. Ich bin selbst auch recht zufrieden … Und da ist noch etwas.«

»Was?«

»Nehmen Sie Verbindung mit Moreau auf. Ich habe vor ein paar Minuten mit ihm gesprochen, und er erwartet heute morgen Ihren Anruf.«

»Ich fühle mich nicht wohl dabei, wenn ich Witkowski übergehe, Wes.«

»Das werden Sie nicht. Er ist voll informiert. Mit ihm habe ich auch gesprochen. Ihn da rauszudrängen, wäre ausgesprochen dumm; wir brauchen seine Erfahrung.«

»Was ist denn mit Moreau?«

»Er und ich sind unterschiedliche Wege gegangen, haben aber dieselbe Information zurückgebracht. Wir haben unseren Zugang zur Bruderschaft gefunden. Es handelt sich um einen Arzt aus Nürnberg. Wir unterhalten uns später weiter, nachdem Sie mit Moreau gesprochen haben.«

Drew legte auf und wandte sich wieder Karin zu. »Jetzt hat man uns die Ferien ein wenig verkürzt, aber eine Stunde Zeit haben wir noch.«

Sie streckte ihm die Arme entgegen, wobei sie die verbundene rechte Hand etwas tiefer hielt als die linke.

Die Nacht war finster, und kaum ein Laut war zu hören, als die Motorboote in Abständen von zehn Minuten an der langen Anlegestelle am Rheinufer anlegten. Ihr Ziel war von einem schwachen roten Licht auf einem Mast gekennzeichnet, und das unregelmäßige Licht des Mondes half kaum, weil der Himmel bedeckt war. Aber die Männer am Steuer der schnellen Boote waren mit den Strömungen vertraut. Schon dreißig Meter vor dem Steg wurden die Motoren abgeschaltet, dann trug die Strömung die Boote mühelos zu den Liegeplätzen, wo zwei Männer die Taue auffingen, die man ihnen zuwarf und die Boote lautlos heranzogen, worauf die Besucher nacheinander über den mit Platten belegten Weg zu der Villa hinaufgingen.

Sie begrüßten sich auf einer weitläufigen, von Kerzen beleuchteten Veranda, wo Kaffee, Getränke und Kanapees gereicht wurden. Man plauderte ungezwungen – Golfhandicaps, Tennisturniere, Theater, nichts von Bedeutung; aber das sollte sich rasch ändern. Eine Stunde und zwanzig Minuten später war die Gruppe vollzählig, die Dienstboten wurden weggeschickt, und die eigentliche Konferenz begann. Die neuen Führer der Bruderschaft der Wacht saßen im Halbkreis um ein Rednerpult. Dr. Hans Traupmann erhob sich von seinem Sessel und ging darauf zu.

»Sieg Heil!« rief er und hob den rechten Arm zum Hitlergruß.

»Sieg Heil!« brüllten die acht anderen im Chor, sprangen auf und reckten ebenfalls die Arme in die Höhe.

»Bitte, nehmen Sie wieder Platz«, sagte Traupmann, worauf alle sich wieder hinsetzten und in aufrechter Haltung konzentriert zuhörten. Traupmann fuhr fort: »Ich habe Bedeutsames zu berichten. Auf dem ganzen Erdball zittern die Feinde des Vierten Reiches in Angst und Konfusion. Jetzt ist die Zeit für die nächste Phase gekommen, für einen Angriff, der den Feind noch tiefer in Verwirrung und Panik stürzen wird, während unsere Jünger bereit sind, sich mit Bedacht, aber Entschlossenheit überall auf einflußreiche Positionen zu begeben … Unser Vorhaben wird vielen unserer Leute draußen im Feld Opfer abverlangen, sie dem Risiko der Gefangennahme, ja sogar des Todes aussetzen, aber unser Entschluß steht unerschütterlich fest, weil die Zukunft uns gehört. Ich werde jetzt dem Mann das Wort erteilen, den wir zum Führer der Bruderschaft gewählt haben, weil er ein Mann ohne Kompromisse und mit stählernem Willen ist. Es ist mir eine Ehre, Günter Jäger zu bitten, jetzt zu Ihnen zu sprechen.«

Wieder erhob sich die kleine Gruppe wie ein Mann und wieder schossen ihre Arme in die Höhe. »Sieg Heil!« brüllten sie. »Sieg Heil, Günter Jäger!«

Ein schlanker blonder Mann, beinahe ein Meter achtzig groß, mit einem schwarzen Anzug bekleidet, zu dem er einen weißen Priesterkragen trug, erhob sich von dem Stuhl in der Mitte und ging auf das Rednerpult zu. Seine Haltung war aufrecht, sein Schritt zielbewußt und fest, sein Kopf wirkte wie der einer antiken Skulptur. Doch am eindrucksvollsten waren seine Augen – graugrün und durchdringend, kalt blickend und doch von einem inneren Feuer erfüllt, als sein Blick jetzt von einem der Männer zum nächsten wanderte.

»Die Ehre ist ganz meinerseits«, begann er ruhig und mit einem leichten Lächeln. »Sie alle wissen ja, daß meine Kirche mir die Priesterschaft entzogen hat, weil sie meine politischen Ansichten ablehnt, aber dafür habe ich eine Herde gefunden, die in Wahrheit viel größer als jede andere in der Christenheit ist. Sie sind es, die jene Herde vertreten, jene Millionen, die an unsere heilige Sache glauben.

Wie Herr Dr. Traupmann Ihnen gesagt hat, sind wir jetzt im Begriff die nächste Phase unseres Kampfes zu beginnen. Unsere Feinde werden in völlige Verwirrung gestürzt werden, weil eine unsichtbare Armee einen vernichtenden Schlag gegen die wichtigste Quelle des Lebens auf Erden führen wird ... das Wasser, meine Herren.«

Er sah die Verblüffung in den Augen seiner Zuhörer und Monsignore Heinrich Paltz, fragte: »Und wie soll das geschehen?«

»Das will ich Ihnen sagen. Unser Schlag wird sich gegen die Wasserreservoire von London, Paris und Washington richten, zunächst wenigstens. Während wir hier beisammen sind, werden Pläne ausgearbeitet, nachts Tonnen toxischer Chemikalien in diese zentralen Wasserreservoire einzubringen. Sobald sie sich verteilt haben, werden Tausende und Abertausende von Menschen sterben. Die Leichen werden sich auf den Straßen auftürmen, und man wird den jeweiligen Regierungen die Schuld dafür geben, weil der Schutz derartiger Ressourcen ja schließlich in ihrer Verantwortung liegt. Diese Maßnahme wird in London, Paris und Washington dieselbe Wirkung wie eine katastrophale Seuche haben und die Bürger in Schrecken und zugleich Hysterie versetzen. Wenn dann Politiker stürzen, werden unsere Leute ihre Plätze einnehmen, und sich anbieten, Antworten und Lösungen zu liefern. Wochen, vielleicht Monate später, sobald die Krisen mit auf ähnliche Weise dem Wasser beigemischten speziellen Antitoxinen wieder behoben sind, werden wir uns in den jeweiligen Regierungen und auch im Militär ausgebreitet haben. Wenn dann wieder relative Ruhe herrscht, wird man das unseren Jüngern zuschreiben, weil nur sie die chemischen Gegenmittel kennen und beschaffen können.«

»Und wann soll das geschehen?« fragte Maximilian von Löwenstein, Sohn eines an dem Attentat auf Hitler an der Wolfsschanze beteiligten Generals, den man als Hochverräter hingerichtet hatte, dessen Mutter jedoch eine der vielen Geliebten von Joseph Goebbels gewesen war und ihren Mann verabscheut hatte.

»Gegenwärtig werden gerade die entsprechenden taktischen Vorbereitungen getroffen. Unsere Spezialisten halten sich am jeweiligen Ort des Geschehens in Bereitschaft. Nach den letzten Schätzungen wird Operation Wasserblitz von heute an gerechnet in der vierten oder fünften Woche ablaufen, und zwar auf beiden Seiten des Atlantiks zur gleichen Zeit und im Schutz der Dunkelheit. Wir haben inzwischen festgelegt, daß das morgens um halb fünf in Paris, um halb vier in London und am vorangehenden Abend um halb elf in Washington sein wird; jeweils Ortszeit natürlich. Genauer kann ich es in diesem Augenblick noch nicht sagen.«

»Das ist genau genug, mein Führer!« rief Ansel Schmidt.

»Ich sehe da ein Problem«, sagte ein schwergewichtiger Mann, dessen kräftige Beine seinen Stuhl wie ein Spielzeug erscheinen ließen. Sein Gesicht sah aus wie ein Ballon und zeigte trotz seines Alters keinerlei Falten. »Wie Sie alle wissen, bin ich als Chemieingenieur ausgebildet. Unsere Feinde sind nicht dumm; es werden ständig Wasserproben analysiert. Man wird die Sabotage erkennen und Gegenmittel zum Einsatz bringen oder propagieren. Wie kommen wir damit zurecht?«

»Ganz einfach, mit deutschem Erfindergeist«, erwiderte Günter Jäger und lächelte. »Deutsche Chemiker haben wieder einmal eine tödliche Formel entwickelt, die lösliche Verbindungen scheinbar nicht kompatibler Elemente umfaßt, die mittels isogonischer Bombardierung vor dem Mischen kompatibel gemacht wurden.« Jäger hielt an diesem Punkt inne, zuckte mit den Achseln und fuhr dann lächelnd fort: »Ich bin für den geistlichen Stand ausgebildet und behaupte nicht, etwas von dem Thema zu verstehen, aber wir haben die besten Chemiker, von denen einige aus ihren eigenen Laboratorien rekrutiert wurden, Herr Waller.«

»Isogonische Bombardierung‹!« sagte der fette Mann, und über sein großflächiges Gesicht breitete sich langsam ein Lächeln aus. »Eine Variante der isometrischen Fusion. Die Auflösung einer auf diese Weise hergestellten Verbindung kann Tage, ja Wochen in Anspruch nehmen … Damit wäre das Problem auf höchst elegante Weise aus der Welt geschafft. Ich beglückwünsche Sie zu dieser Lösung, mein Führer.«

»Sie sind sehr freundlich, aber ich würde mich in einem Labor sofort verlaufen.«

»Labors sind für Köche. Zuerst muß die Vision da sein! Ihre bestand darin ›die wichtigste Quelle des Lebens auf Erden‹ anzugreifen. Das Wasser …«

»Mon Dieu!« rief Claude Moreau aus, als er Lennox umarmte. Sie standen an einer steinernen Mauer über der Seine, Karin de Vries mit einer blonden Perücke stand ein paar Schritte links von ihm. »Sie leben, das ist das Wichtigste. Aber was hat dieser verrückte Witkowski aus Ihnen gemacht?«

»Ich fürchte, das war meine Idee, Monsieur«, sagte Karin und ging auf die beiden Männer zu.

»Sie müssen Karin de Vries sein, Madame«, sagte Moreau und nahm seine Mütze ab.

»Die bin ich.«

»Die Fotos, die ich gesehen habe, sehen anders aus. Aber wenn diese blonde Vogelscheuche Drew Lennox ist, ist wahrscheinlich alles möglich.«

»Das ist nicht mein eigenes Haar, das ist eine Perücke, Monsieur Moreau.«

»*Certainement.* Ich muß freilich sagen, Madame, das paßt überhaupt nicht zu einem so hübschen Gesicht. Mit diesen Haaren wirkt es seltsam ausdruckslos.«

»Jetzt kann ich verstehen, weshalb man immer sagt, der Chef des Deuxième sei einer der charmantesten Männer von Paris.«

»Das ist wirklich reizend, aber bitte sagen Sie das meiner Frau nicht.«

»Darf ich daran erinnern, weshalb wir hier sind«, schaltete Drew sich ein. »Unter anderem will ich diese Hurensöhne zu fassen kriegen, die meinen Bruder auf dem Gewissen haben.«

»Das wollen wir alle, unter anderem. Ein Stück weiter oben an der Straße ist ein Café; gewöhnlich ist es überfüll, und wir werden niemandem auffallen. Ich kenne den Besitzer. Was halten Sie davon, wenn wir ganz gemächlich dorthin gehen und uns einen Tisch möglichst weit vom Eingang entfernt nehmen?«

»Eine ausgezeichnete Idee, Monsieur Moreau«, sagte Karin und griff nach Lennox' Arm.

Der Besitzer des Straßencafés begrüßte Moreau hinter einer Reihe von Blumenkästen und führte die drei neuen Gäste zu einem Tisch, der weit entfernt vom Eingang im Halbdunkel stand. Er grenzte an einen weiteren Blumenkasten und wurde von einer flackernden Kerze beleuchtet, die auf dem karierten Tischtuch stand.

»Ich dachte, Colonel Witkowski würde auch kommen«, sagte Karin.

»Ich auch«, nickte Lennox. »Weshalb ist er nicht hier? Sorenson legt großen Wert darauf, daß er seine Erfahrung mit einbringt.«

»Das war seine eigene Entscheidung«, erklärte Moreau. »Er ist groß, eine beeindruckende Gestalt, und viele in Paris kennen ihn.«

»Warum treffen wir uns dann nicht woanders?« fragte Drew. »Zum Beispiel in einem Hotelzimmer?«

»Auch das wollte der Colonel nicht. Sie müssen wissen, über einen Mittelsmann ist er hier. Vorne am Bürgersteig parkt ein Wagen der amerikanischen Botschaft. Der Fahrer bleibt am

Steuer sitzen, und seine beiden Begleiter, Marines in Zivil, sind draußen inmitten der Passanten hinter der Gartenmauer auf Posten.«

»Dann ist das hier ein Test«, sagte Karin. Das war keine Frage, sondern eine Feststellung.

»Genau. Deshalb spielt unser gemeinsamer Freund hier auch immer noch die Rolle eines Soldaten – eine höchst widersprüchliche Rolle übrigens. Witkowski will ganz sicher gehen, daß es keine weiteren undichten Stellen gibt, aber wenn doch, dann will er einen Gefangenen machen und erfahren, wo das Leck ist.«

»Echt Stanley!« sagte Lennox. »Er riskiert ja auch bloß unseren Hals.«

»Sie sind in Sicherheit«, sagte Moreau. »Ich empfinde allerhöchste Hochachtung für Ihre Marines.«

»Eine Frage noch«, meldete sich Lennox zu Wort. »Ich kann verstehen, daß Stanley nicht hier ist. Aber wie ist es mit Ihnen? Kennt man Sie nicht auch recht gut in Paris?«

»Kaum«, erwiderte Moreau. »Mein Foto ist nie in den Zeitungen oder im Fernsehen erschienen – darauf achtet das Deuxième Bureau. Ich will damit nicht behaupten, daß unsere Feinde keine Schnappschüsse von mir haben, die haben sie sogar ganz sicher. Aber meine Anwesenheit hier fällt nicht auf. Ich bin weder besonders groß, noch kleide ich mich auffällig, eigentlich bin ich ein rechter Durchschnittstyp.«

»Bei Ihren Feinden dürfte diese Bescheidenheit allerdings nicht verfangen«, sagte Drew.

»Das Risiko tragen wir schließlich alle, nicht wahr, mein Freund? Und jetzt will ich Sie auf den letzten Stand bringen. Wie Sie vielleicht wissen, wird Botschafter Courtland morgen früh mit der Concorde nach Washington fliegen –«

»Sorenson hat gesagt, er habe ihn nach Washington zitiert«, fiel Drew ihm ins Wort. »Unter dem Vorwand irgendeiner dringenden Konferenz im State Department, von der das State Department gar nichts weiß.«

»Genau. Unterdessen wird Mrs. Courtland von uns überwacht; glauben Sie mir, sie kann keinen Schritt außerhalb der Botschaft tun, von dem wir nichts wissen. Selbst in der Botschaft wird jede Telefonnummer, die sie anruft, automatisch an mein Büro übermittelt, das habe ich mit dem Colonel so verabredet –«

»Sie können nicht ihre Gespräche nicht abhören?« unterbrach ihn Lennox.

»Das wäre zu riskant, es ist nicht genug Zeit, um die Telefone neu zu programmieren. Sie ist ohne Zweifel auf der Hut und verfügt über Mittel und Wege, so etwas zu überprüfen. Und wenn sie herausbekäme, daß sie abgehört wird, wüßte sie sofort Bescheid.«

»Na schön«, sagte Lennox. »Und was ist, wenn nichts passiert?«

»Dann passiert eben nichts«, sagte Moreau. »Aber das würde mich sehr wundern. Sie sollten nicht vergessen, daß unter der Maske der charmanten Frau des Botschafters eine Fanatikerin ist. Fest von ihrer Sache überzeugt. Sie müssen das aus der richtigen Perspektive sehen: Sie ist schon so hoch gestiegen, daß ihr Ego einfach nach Befriedigung verlangt. Das ist bei allen Sonnenkindern so. Die haben ein ungewöhnliches Ego. Und ähnlich ungewöhnlich wird auch die Versuchung sein. Nach meiner Überzeugung wird sie die Chance nutzen, daß der Botschafter außer Landes ist und irgend etwas unternehmen, und das werden wir dann erfahren.«

»Ich hoffe, Sie haben recht.« Lennox runzelte die Stirn, als ein Kellner mit zwei Flaschen Wein und Gläsern auf einem Tablett an ihren Tisch trat.

»Der Patron bringt mir immer seine neuesten Erwerbungen«, erklärte Moreau, während der Kellner die Flaschen entkorkte. »Sie müssen mir sagen, wenn Sie lieber etwas anderes wollen.«

»Nein, schon gut.« Drew warf Karin einen Blick zu und dann nickten beide.

»Falls Drew recht haben sollte«, begann Karin, nachdem der Kellner wieder gegangen war, »und nichts geschieht, ist es dann möglich, daß wir Janine irgendwie dazu zwingen könnten, etwas zu unternehmen?«

»In welcher Weise?« fragte der Franzose. »À votre santé«, fügte er dann hinzu und hob sein Glas. »Auf uns alle ... Wie denn, liebe Karin?«

367

»Das weiß ich auch nicht genau. Über die Antineos vielleicht. Ich kenne sie, und sie kennen mich; sie hielten große Stücke auf meinen Mann.«

»Vergiß nicht«, sagte Lennox, ohne den Blick von ihr zu wenden, »daß Sorenson sie nicht für hundertprozentig sauber hält.«

»Das ist Unsinn.«

»Das mag sein, aber der alte Wesley verfügt über Instinkte, mit denen nur wenige Leute gesegnet sind – außer Claude hier und vielleicht Witkowski.«

»Sehr freundlich von Ihnen, Drew. Aber zurück zu den Antineos, Karin. Wie sollten wir sie dazu einsetzen, um die Frau des Botschafters zu einer Indiskretion zu veranlassen?«

»Ich weiß es auch nicht genau, aber die sind erstaunlich gut über die Neonazis informiert. Sie haben Namen, Codes und Kontakte ausfindig gemacht; ihre Archive enthalten tausend Geheimnisse, die sie uns normalerweise vorenthalten. Aber das könnte eine Ausnahme sein.«

»Warum?« fragte Drew.

»Das sehe ich auch noch nicht«, fügte Moreau hinzu. »Nach allem, was wir bisher über die Antineos in Erfahrung gebracht haben, sind sie äußerst zugeknöpft. Es handelt sich bei ihnen um eine unabhängige Geheimorganisation, die niemandem verantwortlich ist. Warum sollten sie jetzt ihre Regeln umstoßen und Fremden ihre Akten zugänglich machen?«

»Nicht ganze Akten, nur ganz spezifische Informationen, vielleicht einfach eine Kontaktmethode unter Benutzung eines Notcodes, den die Sonnenkinder kennen, falls es so etwas gibt.«

»Und warum sollten sie das tun, Lady?« sagte Lennox und beugte sich vor und tippte sanft an ihre verbundene Hand.

»Weil wir etwas haben, wovon sie nichts wissen. Wir haben hier in Paris ein echtes, höchst prominentes Sonnenkind.«

»Nicht schlecht«, flüsterte Drew und lehnte sich in seinem Stuhl zurück. »Das ist ein verlockender Köder.«

»Ja, das klingt nicht unvernünftig«, sagte der Chef des Deuxième Bureau und musterte dabei Karin. »Aber werden die Antineos nicht irgendeinen Beweis fordern?«

»Ja, das werden sie. Und ich glaube, den können Sie liefern.«

»In welcher Weise denn?«

»Du mußt entschuldigen, Liebster«, sagte Karin und sah dabei Lennox an, »aber die Antineos fühlen sich mit dem Deuxième Bureau etwas wohler als mit der Central Intelligence Agency. Sie sind eben Europäer.« Sie wandte sich wieder Moreau zu. »Eine kurze Mitteilung auf Ihrem Briefbogen – mit Datum und Zeit und Angabe der Geheimhaltungsstufe und einer Registrierung in Ihrem System –, daß ich befugt bin, eine in Gang befindliche Operation bezüglich eines hochrangigen Sonnenkindes hier in Paris zu schildern. Das sollte mit Ihrer Bestätigung ausreichen. Wenn die Antineos einverstanden sind, melden wir uns über eine sichere Leitung bei Ihnen.«

»Ja, das müßte gehen«, sagte Moreau.

»Was ist, wenn Sorenson recht hat?« wandte Drew ein. »Angenommen, ein oder zwei Neonazis haben die Antineos infiltriert? Dann ist sie erledigt und das lasse ich nicht zu.«

»Oh, bitte«, sagte Karin. »Ich kenne die drei Antineos, die wir getroffen haben, seit ich nach Paris kam, und zwei davon waren Kontaktleute von Freddie.«

»Und der dritte?«

»Um Himmels willen, Liebling, das ist ein Priester!«

Plötzlich war draußen auf der Straße jenseits der Blumenkästen Geschrei zu hören. Der Patron kam gerannt und redete hastig auf Moreau ein. »Es gibt Ärger!« rief er aus. »Sie müssen hier sofort weg, kommen Sie, folgen Sie mir!« Sie standen alle drei auf und gingen hinter dem Patron her, bis er nach wenigen Schritten einen versteckten Knopf drückte und der letzte Blumenkasten sich beiseite schob. »Schnell«, rief er. »Auf die Straße!«

»Der Wein war ausgezeichnet«, sagte Moreau, dann griffen er und Lennox nach Karins Händen, und alle drei liefen nach draußen.

Als sie die Schreie der Menge vor dem Café hörten, sahen sie, was passiert war. Karin stöhnte, Moreau schloß kurz die Augen, als empfände er Schmerzen, und Lennox stieß einen wilden Fluch aus. Das Licht einer Straßenlaterne fiel durch die Windschutzscheibe des Botschaftswagens, so daß man den Fahrer hinter den Steuer sehen konnte. Er saß in unnatürlicher Haltung da, und aus einer Wunde in seiner Stirn strömte Blut.

23

»Herrgott, die sind überall, und wir kommen nicht an sie heran!« schrie Drew und schlug mit der geballten Faust auf die Schreibtischplatte in seinem Hotelzimmer. »Wie haben die mich gefunden?«

Claude Moreau hatte stumm am Fenster gestanden und hinausgesehen. »Nicht Sie, mein Freund«, sagte er mit leiser Stimme, »nicht Colonel Webster und seine Uniform, sondern mich.«

»Sie? Haben Sie nicht vorhin gesagt, daß kaum jemand in Paris Sie kennt«, fragte Lennox ihn wütend, »daß Sie ein richtiger Durchschnittstyp wären?«

»Das hat nichts damit zu tun, daß sie mich erkannt haben. Die haben gewußt, wo ich sein würde.«

»Aber wieso, Claude?« fragte Karin de Vries, die auf ihrem Bett im Bristol saß, wo sie sich verabredet hatten. Sie hatten das Hotel getrennt betreten.

»Ihre Botschaft ist nicht der einzige Ort, zu dem sich diese *salauds* Zugang verschafft haben.« Moreau wandte sich vom Fenster ab, und in seinem Gesicht mischten sich Wut und Bedrückung. »Mein eigenes Büro ist auch kompromittiert worden.«

»Sie meinen, das sakrosankte Deuxième Bureau beherberge auch den einen oder anderen Maulwurf?«

»Bitte, Drew«, sagte Karin und schüttelte den Kopf.

»Ich habe nicht gesagt, das Bureau, Monsieur.« Der Chef des Deuxième bohrte seine Augen in die Drews und sagte dann kühl: »Ich meine mein persönliches Arbeitszimmer.«

»Jetzt verstehe ich gar nichts mehr.« Drews Stimme war leiser geworden, und sein Sarkasmus war verflogen.

»Das können Sie auch nicht, weil Sie unser System nicht kennen. Man verlangt von mir, daß jederzeit bekannt ist, wo ich mich befinde, für den Fall, daß es irgendwelche dringenden Notfälle gibt. Mit Ausnahme von Jacques, der mir bei meiner Terminplanung hilft, sage ich das nur noch einer Person, die eng mit mir zusammenarbeitet und der ich völlig vertraue. Diese Person trägt einen Piepser und ist rund um die Uhr jederzeit erreichbar.«

»Und wer ist das?« Karin beugte sich auf ihrem Bett nach vorne.

»Meine Sekretärin, Monique d'Agoste, sie ist seit über sechs Jahren für mich tätig, aber ist mehr als nur Sekretärin, sie ist meine Assistentin. Sie war die einzige, die von dem Café wußte – bis sie es jemand anderem gesagt hat.«

»Sie hatten nie irgendwelche Zweifel an ihr?« fuhr Karin fort.

»Hatten Sie Zweifel an Janine Clunes?« fragte Moreau.

»Nein, aber sie ist ja schließlich die Frau des Botschafters.«

»Und Monique ist ohne Zweifel die engste Freundin meiner Frau. Meine Frau hat sie mir sogar vorgeschlagen. Sie haben gemeinsam die Universität besucht, und Monique hat ihre Ausbildung im *Service d'Etranger* erhalten, wo sie während einer gescheiterten Ehe arbeitete. Die beiden waren die ganze Zeit wie Schulmädchen miteinander … und jetzt ist mir plötzlich alles klar.« Moreau trat an den Schreibtisch, an dem Lennox saß. Er griff nach dem Telefon und wählte. »All die Jahre«, fuhr er fort und wartete darauf, daß die Verbindung hergestellt wurde. »So liebenswürdig, so besorgt … nein, das hat nicht Ihnen gegolten, meine Freunde, das galt mir. Man hat mich entdeckt.«

»Wovon reden Sie denn?« wollte Drew wissen.

»Ich bedaure, daß ich das nicht einmal Ihnen sagen kann.« Moreau hob die Hand und sprach in Französisch in die Sprechmuschel. »Fahren Sie sofort zur Wohnung von Madame d'Agoste in St. Germain und nehmen Sie sie in Gewahrsam. Nehmen Sie eine weibliche Beamtin mit und lassen Sie die Gefangene sofort durchsuchen, ob sie irgendwelches Gift bei sich trägt … Ich beantworte jetzt keine Fragen, tun Sie, was ich sage!« Der Franzose legte den Hörer auf und ließ sich müde auf einen Sessel an der Wand sinken und brütete.

»Sie können das nicht einfach so in der Luft hängen lassen, *mon ami*«, sagte Karin de Vries nach einer Weile. »Wenn man bedenkt, was wir alles durchgemacht haben, meine ich, daß wir irgendeine Erklärung verdienen und wäre sie noch so vage.«

»Ich frage mich die ganze Zeit, wie lange sie das schon geplant hat, wieviel sie erfahren hat, was sie weitergegeben hat –«

»An wen denn, um Himmels willen?« fragte Drew.

»An Leute, die es der Bruderschaft weitergeben.«

»Jetzt kommen Sie schon, Claude«, bohrte Drew. »Raus mit der Sprache!«

»Also gut.« Moreau lehnte sich im Sessel zurück und massierte sich mit den Fingern der linken Hand die Augen. »Ich habe drei Jahre lang ein gefährliches Spiel gespielt und dabei Millionen von Francs in meine Taschen wandern lassen, die nur dann mir gehören, wenn ich versage und diese Mistkerle Erfolg haben.«

»Sie sind zum *Double* geworden?« Karin erhob sich vom Bett. »Wie Freddie?«

»Ein Doppelagent?« Auch Lennox stand auf.

»Wie Freddie«, sagte Moreau und sah dabei Karin an. »Die Gegenseite war überzeugt, daß ich ein bequemer, einflußreicher Informant sei, aber das war eine Strategie, die ich nicht in den Akten des Bureau aufzeichnen konnte.«

»Mein Gott!« rief Drew aus. »Warum haben Sie sich in eine solche Lage gebracht?«

»Das ist etwas, was ich Ihnen nicht sagen kann. Das geht nur mich etwas an.«

»Lassen Sich mich versuchen, mir einen Reim darauf zu machen«, sagte Lennox, der vor dem Fenster auf und ab ging. »Sie sagten ›Millionen‹, stimmt das?«

»Ja, das ist richtig.«

»Haben Sie etwas von dem Geld ausgegeben?«

»Eine ganze Menge, weil ich mich in Kreisen bewegt habe, für die mein Gehalt bei weitem nicht ausreichte, und dabei bin ich meinem Ziel immer näher gekommen und habe immer mehr erfahren.«

»Eine echter Alleingang also. Kein andrer durfte davon wissen.«

»Ja, das ist leider völlig richtig.«

»Und wenn die Sache schiefgeht?« fragte Karin.

»Dann werde ich mit meinen Millionen irgendwo auf der Welt meinen wohlverdienten Ruhestand genießen. Sie dürfen nicht vergessen, ich bin ein erfahrener Geheimdienstmann, und wenn ich nicht gefunden werden will, dann wird man mich auch nicht

finden. Nein, meine Freunde, ich habe mir das gründlich überlegt. Ich werde überleben, selbst wenn ich scheitere. Soviel bin
ich meiner Familie schuldig.«

»Und wenn Sie nicht scheitern?« fragte Karin.

»Dann werde ich jeden Sou, der übrig geblieben ist, dem Quai
d'Orsay übergeben und dazu eine komplette Abrechnung über
jeden Franc, den ich in meinem Soloeinsatz ausgegeben habe.«

»Dann werden Sie nicht scheitern«, sagte Lennox. »Wir werden nicht scheitern. Ich habe zwar unter anderem keine Millionen, dafür aber einen Bruder, dem eine Kugel das Gesicht
zerschmettert hat, und Karin hat einen Mann, den man zu Tode
gefoltert hat. Ich weiß nicht, worin Ihr Problem liegt, Moreau,
und Sie wollen es uns nicht sagen, aber ich muß wohl davon ausgehen, daß es für Sie ebenso wichtig ist, wie unsere Probleme es
für uns sind.«

»Davon dürfen Sie ausgehen.«

»Dann sollten wir, glaube ich, an die Arbeit gehen.«

»Womit, *mon ami*?«

»Gehen wir doch zurück zu Traupmann und Kröger und der
zweiten Mrs. Courtland«, sagte Lennox und ließ Karins Hand
los und setzte sich an den Schreibtisch. Er zog ungeduldig eine
Schublade auf und entnahm ihr ein paar Hotelbriefbogen. »Wir
müssen da eine Verbindung herstellen, unbedingt, aber wie? Ich
denke da zuerst an Ihre Sekretärin, Claude, Ihre Monique – wie
auch immer sie sonst heißen mag.«

»Durchaus möglich. Wir können uns ihre internen Telefonate
besorgen; sie werden uns zeigen, mit wem sie gesprochen hat.«

»Und die Gespräche, die sie von zu Hause aus geführt hat –«

»*Certainement*. Das kostet nur ein paar Minuten.«

»Nehmen Sie diese Aufzeichnungen und stellen Sie sie zur
Rede. Sagen Sie ihr, daß Sie sie, wenn nötig, erschießen würden –
halten Sie ihr eine Pistole an die Schläfe. Wenn Sorenson recht
hat, dann muß dieser Traupmann wissen, was hier vor sich geht,
und sie ist das Miststück –«

Er wurde vom schrillen Klingeln des Telefons unterbrochen.
Moreau nahm den Hörer ab, meldete sich und hörte zu. Die
Kinnlade fiel ihm herunter, und er wurde blaß. »Merci«, sagte er
und legte auf. »Die nächste Katastrophe«, sagte er dann und

schloß die Augen. »Monique d'Agoste ist erschlagen worden, man hat sie zu Tode geprügelt. Offensichtlich hat man so die Information über meinen Aufenthalt in dem Café aus ihr herausgepreßt ... Mein Gott, wann hört das endlich auf?«

Draußen schien die Nachmittagssonne aus einem wolkenlosen Himmel, ein perfekter Tag für einen Spaziergang auf den Boulevards oder im Jardin des Tuileries oder am Seineufer entlang, um den Booten zuzusehen, wie sie unter den Brücken dahinglitten. Paris im Sommer konnte wunderbar sein.

Für Janine Clunes-Courtland war der Tag nicht nur wunderbar, sondern auch ein Symbol des Triumphs. Sie war für einen oder zwei Tage von der Anwesenheit eines langweiligen Ehemanns befreit, der immer noch von einer anderen Frau träumte und noch häufig im Schlaf ihren Namen aussprach. Ein paar Augenblicke lang dachte sie, wie nett, wie befriedigend jetzt doch eine Affäre sein müßte, ein Liebhaber, der sie so befriedigen konnte, wie die handverlesenen Studenten in Chicago. In der deutschen Botschaft gab es einen Attaché, einen attraktiven Mann Anfang Dreißig, der recht auffällig mit ihr geflirtet hatte; sie könnte ihn anrufen, und er würde sofort gelaufen kommen, wohin auch immer sie vorschlug, das wußte sie. Aber das durfte nicht sein, so verlockend der Gedanke auch war; sie mußte ihre Freizeit unmittelbaren, weniger eigensüchtigen Interessen widmen. Sie hatte sich für die Zeit der Abwesenheit ihres Mannes in der Abteilung D und R Urlaub genommen unter dem Vorwand, es gäbe Besorgungen für den Haushalt, die sich in seiner Abwesenheit leichter erledigen ließen. Niemand hatte Einwände gehabt, und sie hatte auch Daniels Assistenten wissen lassen, daß sie auf der Suche nach neuen Stoffen für ihre Wohnung sei ... Nein, die Botschaftslimousine brauche sie nicht; es gehe hier ganz und gar um Dinge des persönlichen Geschmacks und das State Department brauche nicht für die Kosten aufzukommen.

Wie leicht ihr die Worte über die Lippen kamen. Aber warum auch nicht? Schließlich war sie seit ihrem neunten Lebensjahr auf ihre Aufgabe vorbereitet worden. Aber ein Taxi erlaubte sie dem Assistenten zu rufen.

Man hatte Janine, ehe sie Washington verließ, die Adresse und den Kontaktcode für ein Mitglied der Bruderschaft gegeben. Er war in einem Schuhsalon auf den Champs-Élysées zu finden; der Name »André« mußte zweimal in einem kurzen Gespräch erwähnt werden. Sie nannte dem Taxifahrer die Adresse, lehnte sich zurück und legte sich die Information zurecht, die sie nach Deutschland schicken würde ... die Wahrheit natürlich, aber so formuliert, daß die Führung nicht nur ihre außerordentliche Leistung bewundern, sondern auch erkennen mußte, wie klug es sein würde, sie nach Bonn kommen zu lassen. Schließlich war der Botschafterposten Amerikas in Frankreich eine der wichtigsten diplomatischen Positionen in Europa und hatte im Augenblick einen so hohen Stellenwert, daß das State Department sich für einen erfahrenen Mann entschieden hatte. Und sie war die Frau jenes erfahrenen Diplomaten. Man hatte ihr gesagt, daß der erst kürzlich geschiedene Beamte bald zum Star des State Department aufsteigen würde. Der Rest war leicht; Daniel Courtland war einsam und deprimiert und suchte die Tröstungen, die sie ihm bieten konnte.

Das Taxi hielt vor dem Schuhgeschäft, daß eigentlich eher eine Lederboutique war. Glänzende Stiefel, Sättel und verschiedene Reitutensilien füllten die geschmackvoll dekorierten Schaufenster. Janine Clunitz stieg aus und schickte das Taxi weg.

Dreißig Meter dahinter hielt der Wagen des Deuxième Bureau im Parkverbot. Der Fahrer griff nach dem Hochfrequenztelefon und wurde sofort mit Moreaus Büro verbunden. »Ja«, antwortete Moreau selbst, da er noch keine neue Sekretärin hatte und man den Tod Moniques geheimhielt.

»Madame Courtland hat gerade *La Selle et les Bottes* auf den Champs-Élysées betreten.«

»Seltsam«, wunderte sich der Chef des Deuxième, »im Dossier des Botschafters ist nichts von einem Interesse für Pferde erwähnt.«

»Das Geschäft ist auch wegen seiner Stiefel berühmt. Sehr dauerhaft und äußerst bequem, wie man mir sagt.«

»Können Sie sich Courtland in Stiefeln vorstellen?«

»Die Madame vielleicht?«

»Wenn sie solches Schuhwerk liebt, hätte ich eher erwartet, daß sie zu Charles Jourdan oder in den Ferragamo-Laden an der St-Honoré geht.«

»Wir berichten nur, was wir sehen, Monsieur. Soll ich meinen Kollegen hineinschicken, damit er ein wenig rekognoszieren kann?«

»Gute Idee. Sagen Sie ihm, er soll sich das Warenangebot ansehen und sich nach Preisen erkundigen. Wenn Madame sich Maß nehmen läßt, kann er ja wieder gehen.«

»Oui, Monsieur.«

In einer Peugeot-Limousine, die die Champs-Élysées auf und ab gefahren war und jetzt vor der Lederboutique parkte, griff ein Mann in einem Nadelstreifenanzug ebenfalls nach dem Telefon. Anstatt aber eine Nummer in Paris anzurufen, wählte er die Vorwahl für Deutschland und dann die für Bonn. Wenige Sekunden später stand die Vebindung.

»Guten Tag«, sagte die Stimme am anderen Ende der Leitung.

»Ich bin es, wieder aus Paris«, sagte der Mann im Peugeot.

»War es notwendig, den Fahrer gestern abend zu töten?«

»Ich hatte keine andere Wahl. Er hatte mich im Lagerhaus gesehen. Wenn Sie sich erinnern, Sie wollten alles wissen, was ich über das Verschwinden der Blitzkrieger in Erfahrung bringen konnte.«

»Ja, ja, das weiß ich schon. Aber warum haben Sie den Marine getötet?«

»Er hat den Colonel und die beiden anderen, den Armeeoffizier und die blonde Frau, zu dem Lagerhaus Avignon gefahren. Dabei hat er mich gesehen, und gestern abend hat er mich wiedererkannt. Er schrie mich an, ich solle stehenbleiben. Was hätte ich sonst tun sollen?«

»Nun gut, das reicht wohl als Erklärung, glaube ich.«

»Glauben Sie? Wenn die mich gefangengenommen hätten, hätten sie mich mit Drogen vollgepumpt und erfahren, weshalb ich dort war! Daß ich Moreaus Sekretärin getötet habe, um zu erfahren, wo er sich aufhielt.«

»Das wäre allerdings verheerend«, sagte die Stimme in Deutschland. »Wir müssen uns Moreau schnappen; er ist jetzt zu gefährlich für uns geworden. Es ist lediglich eine Frage der Zeit, bis Sie es geschafft haben. Stimmt das?«

»Da bin ich sehr zuversichtlich, aber das ist nicht der Grund meines Anrufs.«

»Was dann?«

»Ich bin hinter einem neutralen Fahrzeug des Deuxième Bureau hergefahren; es parkte stundenlang vor der amerikanischen Botschaft. Das ist ungewöhnlich, da geben Sie mir sicherlich recht.«

»Allerdings. Und?«

»Sie beschatten die Frau des Botschafters, Frau Courtland. Sie hat gerade ein teures Ledergeschäft betreten. Es nennt sich *La Selle et les Bottes* –«

»Mein Gott!« fiel der Mann in Bonn ihm ins Wort. »Die André-Verbindung!«

»Wie bitte –«

»Bleiben Sie in der Leitung. Ich bin gleich wieder da.«

Minuten verstrichen, in denen der Mann im Peugeot mit den Fingern der linken Hand auf das Steuerrad trommelte, während er mit der rechten das Telefon hielt. Schließlich meldete sich die Stimme aus Deutschland wieder. »Hören Sie mir jetzt gut zu«, sagte sie mit Nachdruck. »Die haben sie enttarnt.«

»Wen enttarnt?«

»Das ist jetzt nicht wichtig. Töten Sie die Frau, sobald es irgendwie möglich ist! Töten Sie sie!«

24

Daniel Rutherford Courtland, Botschafter am Quai d'Orsay, starrte stumm auf die Niederschrift, die er in der Hand hielt, las sie immer wieder, bis seine Augen weh taten. Schließlich liefen ihm die Tränen über die Wangen; er wischte sie weg und richtete sich im Sessel vor Wesley Sorensons Schreibtisch auf.

»Es tut mir außerordentlich leid, Mr. Ambassador«, sagte der Direktor von Consular Operations, »aber Sie mußten es erfahren.«

»Ich verstehe.«

»Falls Sie irgendwelche Zweifel haben, ist Karl Schneider bereit, hierher zu fliegen und unter vier Augen mit Ihnen zu sprechen.«

»Ich habe die Tonbandaufnahme Ihres Gesprächs gehört, was brauche ich mehr?«

»Darf ich vorschlagen, daß Sie mit ihm telefonieren? Eine Aufnahme kann manipuliert sein. Er steht im Telefonbuch, und Sie können sich bei der Auskunft nach der Nummer erkundigen. Ich bezweifle, daß selbst wir das Informationssystem der Telefongesellschaft so schnell ändern könnten.«

»Sie wollen, daß ich mit ihm spreche, nicht wahr?«

»Offen gestanden, ja.« Sorenson griff nach einem Telefon und stellte es vor Courtland hin. »Das ist mein persönlicher Apparat, meine private Leitung, ein ganz reguläres Telefon, das nicht mit meiner Anlage verbunden ist. Das müssen Sie mir bitte glauben. Hier ist die Vorwahl.«

»Ich glaube Ihnen.« Courtland griff nach dem Telefon, wählte die Vorwahl für Centralia, Illinois, die er auf dem Zettel fand, den Sorenson ihm hinhielt, und gab der Vermittlung den Namen und die Adresse an. Dann legte er auf, überlegte kurz und wählte erneut.

»Ja, hallo«, sagte die Stimme in Centralia.

»Mein Name ist Daniel Courtland –«

»Oh, er hat mir gesagt, daß Sie wahrscheinlich anrufen würden! Ich bin sehr nervös, das verstehen Sie doch?«

»Ja, das verstehe ich. Ich bin auch nervös. Darf ich Ihnen eine Frage stellen?«

»Aber natürlich, Sir.«

»Was ist die Lieblingsfarbe meiner Frau?«

»Rot, immer Rot. Oder heller – Rosa oder Pink.«

»Und was ist ihr Lieblingsgericht, wenn sie auswärts ißt?«

»Dieses Kalbfleischgericht – es hat einen italienischen Namen. ›Piccata‹, glaube ich.«

»Sie hat ein Shampoo, das sie immer benutzt, können Sie mir sagen, wie es heißt?«

»Mein Gott ja, ich mußte es bei uns in der Drogerie bestellen und es ihr in die Universität schicken. Eine flüssige Seife mit einer Substanz, die sich Ketoconzole nennt.«

»Vielen Dank, Mr. Schneider. Das ist für uns beide sehr schmerzhaft.«

»Für mich noch viel mehr, Sir. Sie war so ein nettes Kind und so intelligent. Ich kann einfach nicht begreifen, was auf dieser Welt geschieht.«

»Ich auch nicht, Mr. Schneider. Vielen Dank.« Courtland legte den Hörer auf und sank in seinen Sessel zurück. »Die beiden ersten Antworten hätten getürkt sein können, aber die letzte nicht.«

»Wieso?«

»Das Shampoo. Es ist nur auf Rezept erhältlich; ein vorbeugendes Mittel gegen eine Form der Dermatitis, an der sie gelegentlich leidet. Sie hat nie gewollt, daß jemand es erfährt, also muß ich es unter meinem Namen für sie kaufen – so wie Mr. Schneider das auch mußte.«

»Sind Sie überzeugt?«

»Ich wollte, ich könnte jetzt nach Paris zurückfliegen, als wäre nichts geschehen, aber das ist ja wohl nicht möglich, nicht wahr?«

»Nein, das ist es nicht.«

»Das ist alles so verrückt. Vor Janine führte ich eine gute Ehe, dachte ich. Eine großartige Frau, wunderbare Kinder, aber das State Department hat mich in der Welt herumgeschickt. Südafrika, Kuala Lumpur, Marokko, Genf, das alles als erster Attaché, und dann Finnland, mein erster Botschafterposten.«

»Man hat Sie die Ochsentour machen lassen.«

»Und mich hat es meine Familie gekostet.«

»Wie ist Janine Clunes in Ihr Leben getreten?«

»Wissen Sie, das ist eine interessante Frage. Eigentlich weiß ich es gar nicht so recht. Mir ging es nach der Scheidung so, wie es wahrscheinlich den meisten geht – ich habe allein in einem Apartment gewohnt statt in einem Haus, Frau und Kinder waren wieder in Iowa, und ich war auf mich selbst gestellt und suchte krampfhaft nach Ablenkung. Eine Art Schwebezustand wahrscheinlich. Aber das Ministerium rief immer wieder an und sagte, ich sollte auf dieser Party oder jenem Empfang erscheinen. Und dann, eines Abends, es war in der britischen Botschaft, war da diese reizende junge Dame, lebhaft und intelligent, die mir irgendwie den Eindruck vermittelte, als fühle sie sich zu mir hingezogen. Sie hielt meinen Arm, als wir von Gruppe zu Gruppe gingen, wo man nette Dinge über mich sagte. Aber das waren alles Diplomaten, die ich kannte, und ich nahm das nicht ernst. Sie aber schon, und das hat sie beeindruckt, und das wiederum war gut für mein Ego, das was mir davon noch geblieben war … den Rest können Sie sich sicherlich selbst ausmalen.«

»Das ist nicht schwer.«

»Nein, das ist es nicht. Aber was jetzt kommt, ist schwer. Was soll ich denn tun? Wahrscheinlich sollte ich wütend sein, voll Zorn über ihren Verrat. Aber ich kann nichts dergleichen empfinden. Ich fühle mich bloß leer und ausgebrannt. Ich werde natürlich zurücktreten. Es wäre ja albern, wenn ich meinen Posten behielte. Wenn man einen hohen Beamten im Auswärtigen Dienst so täuschen kann, dann sollte er zusehen, daß er von der Bildfläche verschwindet.«

»Ich glaube, Sie könnten sich selbst und Ihrem Land einen viel besseren Dienst erweisen«, sagte Sorenson.

»Wie denn? Soll ich vielleicht nach Paris zurückkehren und das alles irgendwie reparieren?«

»Nein, Sie sollten das Schwierigste tun, was man sich überhaupt vorstellen kann. Nämlich nach Paris zurückkehren, als ob wir uns nie begegnet wären, als ob dieses Gespräch nie stattgefunden hätte.«

Courtland saß wie vom Blitz getroffen da und starrte den Direktor von Consular Operations stumm an. »Einmal ganz davon abgesehen, daß das unmöglich ist«, sagte er schließlich, »ist es auch unmenschlich. Ich wäre dazu nie imstande.«

»Sie sind ein hochqualifizierter Diplomat, Mr. Ambassador. Wenn Sie das nicht wären, wären Sie nie in Paris gelandet.«

»Aber was Sie da von mir verlangen, geht weit über Diplomatie hinaus. Es geht an den Kern meines Wesens, mein innerstes Ich. Ich wäre nie imstande, meine Verachtung zu verbergen. All die Gefühle, die ich jetzt verdränge, würden in dem Augenblick, wo ich sie vor mir sehe, in mir hochkommen. Was Sie da verlangen, ist einfach unvernünftig.«

»Ich will Ihnen sagen, was unvernünftig ist, Mr. Ambassador«, unterbrach ihn Sorenson. Seine Stimme klang jetzt schroffer. »Unvernünftig ist genau das, was Sie gerade gesagt haben. Daß man nämlich einen Mann Ihrer Intelligenz und Ihrer großen Erfahrung, einen Diplomaten im Auswärtigen Dienst, der Botschaften auf der ganzen Welt kennt und stets vor Spionage jeder Art auf der Hut ist, so täuschen kann, daß er ein Sonnenkind heiratet, eine Nationalsozialistin. Und lassen Sie mich Ihnen sagen, was sogar noch unvernünftiger ist. Diese Leute haben sich jetzt zwischen dreißig und fünfzig Jahre versteckt gehalten. Jetzt ist ihre Zeit gekommen, und sie kriechen aus den Ritzen, aber wir wissen nicht, wer sie sind oder wo sie sind, nur daß es sie gibt. Sie haben eine Liste mit Hunderten von Männern und Frauen in einflußreichen Positionen hinausgeschickt, die Teil ihrer globalen Bewegung sein können oder auch nicht. Ich brauche Ihnen nicht zu sagen, was für ein Klima der Angst und Verwirrung sich im Augenblick in diesem Land ausbreitet und auch in den Ländern unserer engsten Verbündeten. Sie können das selbst sehen. Und gar nicht mehr lange, dann wird Hysterie aufkommen – und keiner wird seinem Nächsten mehr trauen.«

»Ich widerspreche all dem nicht, was Sie sagen, aber wie kann ich das ändern, wenn ich nach Paris zurückkehre, als wäre nichts geschehen?«

»Wir müssen in Erfahrung bringen, wie diese Sonnenkinder arbeiten, mit wem sie Kontakt haben, wie sie ihr Netz in der neuen Generation von Nazis aufgebaut haben. Sehen Sie, es muß eine Infrastruktur geben, eine Befehlskette, eine Hierarchie, und die gegenwärtige Mrs. Courtland, die brillante Frau des amerikanischen Botschafters in Frankreich, kann da nicht bloß ein kleines Rädchen sein.«

»Sie glauben wirklich, daß Janine Ihnen, ohne dies selbst zu wissen, helfen kann?«

»Sie ist im Augenblick unsere beste Chance – die einzige. Selbst wenn wir noch ein Sonnenkind fänden, dann würden sie ihr Rang, die Umstände und die Tatsache, daß sie ja nur einen Katzensprung von den Grenzen Deutschlands entfernt ist, zu einer Kandidatin ersten Ranges machen. Wenn sie Kontakt zur Hierarchie aufnimmt oder die zu ihr, dann kann sie uns geradewegs zu den versteckten Führern bringen, die hinter der Bewegung stehen. Wir müssen jene Führer finden und sie enttarnen. Das ist die einzige Möglichkeit, um das Krebsgeschwür herauszuschneiden … Helfen Sie uns, Daniel, bitte helfen Sie uns.«

Wieder saß Courtland schweigend da. Er verlagerte sein Gewicht im Sessel, und es sah so aus, als wüßte er nicht, was er mit seinen Händen anfangen sollte. Er war unruhig, fuhr sich mit den Fingern durch sein ergrauendes Haar und rieb sich ein paarmal das Kinn. Schließlich sagte er: »Ich habe gesehen, was diese Schweine tun, und verachte sie zutiefst … Ich kann nicht garantieren, daß ich es schaffen werde, aber ich werde es versuchen.«

Janine Clunes-Courtland trat an die elegante, lederbezogene Theke der Boutique und verlangte den Geschäftsführer zu sprechen. Kurz darauf erschien ein schmächtiger, schlanker Mann mit einem blonden Toupet, das eine dichte Haarmähne vortäuschte und ihm bis in den Nacken reichte. Er trug Reitkleidung mit Jodhpurs und Stiefeln. »Ja, Madame, wie kann ich Ihnen behilflich sein?« fragte er und blickte an ihr vorbei auf einige Kunden, von denen mehrere vor den Schaukästen standen, während andere es sich auf Sesseln bequem gemacht hatten.

»Sie haben ein hübsches Geschäft«, erwiderte die Frau des Botschafters und ihre Redeweise ließ keine Zweifel an ihrer Herkunft.

»Ah, eine Amerikanerin«, strahlte der Geschäftsführer.

»Ist das so offenkundig?«

»Oh nein, Madame, Ihr Französisch ist ausgezeichnet.«

»Mein Freund André schult mich in Ihrer Sprache, aber ich glaube manchmal, daß André zu sanft ist. Ja, er müßte strenger zu mir sein.«

»André?« fragte der schmächtige Mann und musterte Janine scharf.

»Ja, er sagte, Sie würden ihn kennen.«

»Der Name ist weit verbreitet, nicht wahr, Madame? Ein Kunde namens André hat ein paar Stiefel hier gelassen, die wir repariert haben und die vorgestern fertig wurden.«

»Ich glaube, André hat da etwas erwähnt.«

»Bitte, kommen Sie mit.« Der Geschäftsführer ging hinter der Theke nach rechts, trat durch einen grünen Samtvorhang, der eine schmale Tür bedeckte und winkte seiner neuen Kundin zu. Sie traten zusammen in ein verlassenes Büro. »Wir gehen jetzt durch den Hintereingang nach draußen, und dann wird man Sie in einen Vergnügungspark ein Stück außerhalb von Paris bringen. Fragen Sie am Südeingang an der zweiten Kasse nach einem von André zurückgelegten Gratisticket. Verstehen Sie?«

»Südeingang, zweite Kasse, Gratiskarte, André. Ja, geht in Ordnung.«

»Einen Augenblick bitte.« Der Geschäftsführer beugte sich vor und drückte den Knopf einer Sprechanlage. »Gustave, wir haben eine Lieferung für Monsieur André. Bitte gehen Sie sofort zum Wagen.«

Draußen auf einem Parkplatz in einer engen Seitengasse stieg Janine auf den Rücksitz eines Lieferwagens, während der Fahrer sich hinters Steuer setzte und den Motor anließ.

Der Geschäftsführer kehrte in das Büro zurück, griff nach der Sprechanlage und drückte diesmal einen anderen Knopf. »Ich gehe heute früher weg, Simone«, sagte er. »Im Laden ist nicht viel los, und ich bin müde. Schließen Sie um sechs ab – wir sehen uns dann morgen.« Er ging zu seinem Motorrad, das auf dem Parkplatz hinter den Geschäften stand. Er betätigte den Zündschlüssel, der Motor erwachte brausend zum Leben, und er jagte die Gasse hinunter.

In der Boutique klingelte das Telefon. Ein Angestellter an der Theke nahm den Hörer ab. »*La Selle et les Bottes*«, sagte er.

»*Monsieur Rambeau!*« sagte der Mann am anderen Ende der Leitung. »*Immédiatement!*«

»Es tut mir leid«, antwortete der Angestellte, über die Arroganz des Anrufers verstimmt. »Monsieur Rambeau ist heute schon gegangen.«

»Wo ist er?«

»Woher soll ich das wissen? Ich bin weder seine Mutter noch sein Liebhaber.«

»Das ist wichtig!« schrie der Mann.

»Nein, Sie sind nicht wichtig. Ich bin wichtig. Ich verkaufe hier Ware, Sie stören bloß, und im Laden sind Kunden. Gehen Sie zum Teufel.«

Der Angestellte legte den Hörer auf und lächelte einer jungen Frau zu, die ein offensichtlich für ihren Luxuskörper entworfenes Givenchy-Cocktailkleid trug. Sie schwebte über das Parkett und sprach im gedämpften Ton einer ausgehaltenen Mätresse.

»Ich habe eine Nachricht für André«, säuselte sie verführerisch. »André wird sie hören wollen.«

»Ich bin verzweifelt, Mademoiselle«, sagte der Angestellte, ohne den Blick von ihrem Dekolleté wenden zu können. »Aber Nachrichten für Monsieur André werden ausschließlich vom Geschäftsführer entgegengenommen, und der ist heute schon weggegangen.«

»Was soll ich dann tun?« gurrte die Schöne.

»Nun, Sie könnten die Nachricht mir geben, Mademoiselle. Ich bin ein Vertrauter von Monsieur Rambeau, dem Geschäftsführer.«

»Es ist eine äußerst vertrauliche Mitteilung.«

»Aber ich sagte Ihnen doch gerade, ich bin ein enger Vertrauter von Monsieur Rambeau. Vielleicht würden Sie mir Ihre Nachricht lieber bei einem Aperitif in dem Café nebenan übergeben.«

»Oh nein, mein Freund beobachtet mich die ganze Zeit, und die Limousine steht draußen. Sagen Sie ihm einfach, er soll Berlin anrufen.«

»Berlin?«

»Was weiß ich denn? Ich habe Ihnen die Nachricht jedenfalls gegeben.« Die junge Frau im Givenchy-Kleid tänzelte aus dem Laden.

»Berlin?« wiederholte der Angestellte halblaut. Es war verrückt. Rambeau haßte die Deutschen. Wenn sie in den Laden kamen, behandelte er sie verächtlich und ließ sie überhöhte Preise bezahlen.

Der Deuxième-Agent verließ das Ledergeschäft und eilte zu dem wartenden Wagen, in den er schnell einstieg. »Verdammt noch mal, sie war nicht da!«

»Was redest du da? Sie ist nicht herausgekommen.«

»Das denke ich mir.«

»Wo ist sie dann?«

»Woher soll ich das wissen? Wahrscheinlich in einem Arrondissement auf der anderen Seite der Stadt.«

»Sie hat mit jemanden Kontakt aufgenommen, und dann sind die beiden durch einen anderen Ausgang weggegangen.«

»Mein Gott, bist du schlau!«

»Warum bist du so sauer?«

»Weil wir beide es besser wissen müßten Solche Geschäfte haben Lieferanteneingänge; als ich vorne reinging, hättest du nach hinten fahren und dort warten sollen.«

»Wir sind keine Hellseher – ich zumindest bin keiner.«

»Nein, Hellseher sind wir nicht, aber dumm. Wie oft haben wir so was eigentlich schon gemacht? Einer von uns folgt dem Subjekt, der andere sichert.«

»Mensch«, protestierte der Fahrer. »Wir sind schließlich auf den Champs-Élysées und nicht am Montmartre, und die Frau ist die Gattin eines Botschafters und nicht ein Killer, auf den wir Jagd machen.«

»Ich hoffe nur, daß Moreau es auch so sieht. Er sagt nicht, warum, aber er scheint auf die Frau dieses Botschafters geradezu versessen zu sein.«

»Ich rufe ihn besser an.«

»Ja, mach du das bitte. Ich hab' die Nummer vergessen.«

Der Mann in dem Peugeot auf der anderen Seite des breiten Boulevards war mehr als ungeduldig. Er war zutiefst beunruhigt. Beinahe eine Stunde war verstrichen, und die Frau des Botschafters war immer noch nicht wieder aus der Boutique gekommen. Frauen waren notorisch langsam beim Einkaufen, besonders die wohlhabenden. Ihn beunruhigte, daß das Fahrzeug vom Deuxième Bureau davongejagt war. Vor etwa dreißig Minuten. Offenbar von dem zweiten Agenten veranlaßt, der zu dem Wagen gerannt war und sich dort mit seinem Kollegen besprochen hatte. Was war geschehen? Irgend etwas ganz sicher, aber was? Er war hin- und hergerissen gewesen, ob er dem Wagen des Deuxième folgen oder noch länger auf die Frau des Botschafters warten sollte. Aber dann hatte er sich an seine Befehle erinnert und sich zum Warten entschieden. »Töten Sie die Frau, sobald es irgendwie möglich ist!« Sein Kontrolloffizier in Bonn hatte den Eindruck vermittelt, einem Schlaganfall nahe zu sein; das Attentat sollte unverzüglich erfolgen. Was das bedeutete, war klar: Jede Verzögerung würde für ihn ernsthafte Konsequenzen haben.

Einen Kopfschuß aus kurzer Distanz auf den überfüllten Champs-Élysées, ein Griff nach ihrer Handtasche – eine Trophäe, die nach Bonn geschickt würde – und anschließend zwischen den nachmittäglichen Spaziergängern verschwinden – ein Zeitaufwand von höchstens zwei oder drei Sekunden. Es würde funktionieren; es hatte vor vier Jahren in Westberlin funktioniert, als er einen Beamten des britischen MI-6 erledigt hatte, der zuviele Ausflüge jenseits der Mauer gemacht hatte.

Der Mann im Peugeot schloß das Handschuhfach auf, nahm den kurzläufigen Revolver heraus und steckte ihn sich in die Jackentasche. Dann ließ er den Motor an, bog in die nächste Querstraße ein und wendete bei der ersten sich bietenden Gelegenheit. Er lenkte den Wagen an den Straßenrand, als ein gelber Ferrari dort einen Parkplatz freimachte; der Eingang zu dem exklusiven Ledergeschäft lag diagonal links von ihm, keine zehn Meter entfernt. Er stieg aus, und ging zu dem Schaufenster des Geschäfts und studierte die extravaganten Artikel, die dort auslagen, dabei stets das Kommen und Gehen an dem nur wenige Schritte entfernten Eingang im Auge behaltend.

Weitere zwanzig Minuten verstrichen, und allmählich verließ den Killer die Geduld. Plötzlich musterte ihn das freundliche Gesicht eines Angestellten durchs Fenster. Der Killer zuckte liebenswürdig die Achseln und lächelte. Sekunden später kam der junge Mann heraus und sprach ihn an.

»Ich habe bemerkt, daß Sie unsere Ware schon eine ganze Weile betrachten, Monsieur. Kann ich Ihnen vielleicht behilflich sein?«

»Offen gestanden warte ich auf jemanden, der sich schon ziemlich verspätet hat. Wir wollten uns hier treffen.«

»Vermutlich einer unserer Kunden. Warum kommen Sie nicht herein, draußen ist es heiß.«

»Vielen Dank.« Der Killer folgte dem Verkäufer durch die Tür. »Ich denke, ich werde mir Ihre Stiefel ansehen.«

»Es gibt in ganz Paris keine besseren, Monsieur. Wenn Sie Hilfe brauchen, dann rufen Sie mich bitte.«

Der Deutsche sah sich in dem Geschäft um und wollte zuerst seinen Augen nicht trauen. Dann studierte er langsam die Frauen nacheinander; es waren insgesamt sieben, die sich entweder vor Spiegeln drehten oder auf Stühlen saßen und Reitstiefel anprobierten. Sie war nicht da!

Deshalb war der Deuxième-Beamte zu dem Wagen gerannt! Die Frau des Botschafters war ihrer Überwachung entwischt! Wo war sie hingegangen? Wer hatte es ihr ermöglicht, ungesehen wegzugehen? Offensichtlich jemand im Laden.

»Monsieur?« Der Killer stand vor einer Reihe auf Hochglanz polierter Stiefel und winkte den Verkäufer heran. »Einen Augenblick, bitte.«

»Ja, gerne«, erwiderte der Angestellte mit einem Lächeln und ging auf ihn zu. »Haben Sie etwas gefunden?«

»Nicht genau, aber ich muß Ihnen eine Frage stellen. Sehen Sie, ich gehöre zum Quai d'Orsay und habe den Auftrag, eine wichtige Amerikanerin zu begleiten und sie, wenn Sie so wollen, vor den Gefahren von Paris zu beschützen. Vielleicht hat sie sich gar nicht verspätet, sondern ist schon vor meiner Ankunft hereingekommen und dann wieder weggegangen.«

»Wie sieht sie aus?«

»Mittelgroß und recht attraktiv, Anfang Vierzig vielleicht. Hellbraunes Haar, und wie man mir sagt, trägt sie ein teures Sommerkleid, weiß und pink.«

»Monsieur, Ihre Beschreibung trifft auf die Hälfte unserer Kundinnen hier zu!«

»Sagen Sie«, fragte der Killer im Nadelstreifenanzug, »könnte es sein, daß sie den Laden vielleicht durch einen Hinterausgang verlassen hat?«

»Das wäre höchst ungewöhnlich. Weshalb sollte sie das?«

»Das weiß ich nicht«, antwortete der Deutsche, dessen Tonfall seine Besorgnis nicht mehr verhehlen konnte. »Ich habe ja nur gefragt, ob es möglich ist.«

»Lassen Sie mich überlegen«, sagte der Angestellte und sah sich mit gerunzelter Stirn im Laden um. »Da war eine Frau in einem pinkfarbenen Kleid, aber ich habe sie dann später nicht mehr bemerkt, weil ich mit der Gräfin Levoisier beschäftigt war, einer reizenden, aber sehr anspruchsvollen Kundin.«

Der Killer sah sich wieder hin- und hergerissen. Sein Kontroll-offizier hatte die Lederboutique als die »André-Verbindung« bezeichnet. Wenn er mit seinen Fragen zu weit ging, dann konnte es durchaus sein, daß Bonn von seiner Unvorsichtigkeit erfuhr. Andererseits, wenn die Frau des Botschafters sich im hinteren Teil des Ladens befand oder an einen anderen Ort gebracht worden war, mußte er das wissen. Frau Courtland hatte die Botschaft ungeschützt verlassen, nicht in der üblichen Limousine mit einem bewaffneten Chauffeur. Die Umstände waren ideal, und vielleicht würde es Tage dauern, bis sie wieder so günstig waren. Tage! Und sein Auftrag duldete keinen Aufschub. »Wenn Sie erlauben«, sagte er zu dem freundlichen Verkäufer, »es handelt sich ja schließlich um offizielle Belange, und die Regierung wäre Ihnen wirklich sehr dankbar. Könnten Sie mir vielleicht sagen, ob André anwesend ist?«

»Du lieber Gott, schon wieder dieser Name! André ist heute äußerst populär, aber hier ist kein André. Aber wenn Nachrichten für ihn kommen, nimmt der Geschäftsführer, Monsieur Rambeau, sie entgegen. Aber der ist heute leider schon nach Hause gegangen.«

»Sie sagten, heute äußerst populär?«

»Oh ja. Erst vor wenigen Minuten hat mir eine bezaubernde junge Dame mit einer tollen Figur eine Nachricht für André übermittelt.«

»Was war das für eine Nachricht?«

»Sie hat gesagt, er solle Berlin anrufen.«

Der Killer starrte den Verkäufer ein paar Augenblicke lang wie vom Blitz gerührt an. Dann rannte er wortlos aus dem Laden.

25

Karin de Vries zog zu Drew ins Hotel Normandie, nachdem sie sich von Stanley Witkowski dessen knurrend gegebene Zustimmung eingeholt hatte. Es war später Nachmittag, und Drew saß am Schreibtisch und las das Protokoll der Befragung seines Bruders. Karin hatte ihm vorgeschlagen, es anzufordern; inzwischen waren immer mehr Fragen über Harry Lennox' Liste aufgekommen. »Da steht es«, sagte Drew und deutete auf eines der Blätter. »Harry hat nie behauptet, daß die Namen mit ehernen Lettern geschrieben seien … hör dir das an: ›… ich habe Ihnen das Material gebracht, Ihre Aufgabe ist es jetzt, das Material auszuwerten.‹«

»Dann hatte er selbst also auch Zweifel?« fragte Karin, die im Wohnzimmer der Suite auf der Couch Platz genommen hatte, und ließ die Zeitung sinken, die sie in der Hand hielt.

»Nein, das eigentlich nicht, aber er hat immerhin die Möglichkeit in Betracht gezogen. Als man andeutete, man hätte ihm falsche Namen untergejubelt, wurde er wütend. Da: ›Man hat mir vertraut bis zu meiner Flucht, ich galt als Mäzen, der ihrer Sache treu und fest ergeben ist. Warum sollten sie mir falsche Informationen zuspielen?‹«

»Mir gegenüber wurde er genauso wütend, als ich ihm sagte, daß die Bruderschaft über ihn informiert war.«

»Beiden hat er uns das übel genommen. Und gleich darauf, als ich ihn fragte, wer Kröger sei, hat er etwas gesagt, was ich den Rest meines Lebens nicht vergessen werde … ›Lassiter kann es dir sagen, ich sollte das, glaube ich, nicht‹. Er war zwei Menschen, in einem Augenblick er selbst, im nächsten Lassiter. Kannst du dir vorstellen, wie einen das belastet?«

»Ich weiß, Liebster, aber jetzt ist es vorbei, er hat seinen Frieden.«

»Das hoffe ich, das hoffe ich wirklich. Ich bin übrigens nicht religiös, ich mag die meisten Religionen nicht. Die Gewalttätigkeiten, die im Namen irgendeines Gottes begangen worden sind, sind etwa so göttlich wie Dschingis-Khan. Aber wenn der Tod der sprichwörtliche ewige Schlaf ist, dann bin ich es zufrieden, und Harry wohl auch.«

»Bist du als Kind nie in die Kirche gegangen?«

»Doch. Mutter ist eine echte Presbyterianerin aus Indiana, die vom Universitätsleben in New England verdorben worden ist und deshalb fand, daß Harry und ich bis zu unserem sechzehnten Lebensjahr regelmäßig in die Kirche gehen sollten. Ich habe bis zwölf durchgehalten, aber Harry hat schon mit zehn Schluß gemacht.«

»Und eure Mutter hat euch das durchgehen lassen?«

»Beth ist mit solchen Konflikten nie besonders gut zurechtgekommen.«

»Und dein Vater?«

»Der war schon eine besondere Nummer.« Drew lehnte sich im Sessel zurück und lächelte. »Eines Sonntags hatte Mum sich erkältet und deshalb Dad gebeten, uns zur Kirche zu bringen. Sie hatte vergessen, daß er noch nie dort gewesen war, und da hat er sich natürlich verfahren, und Harry und ich konnten ihm nicht helfen. Schließlich hielt er irgendwo und sagte: ›Geht da hinein. Ist ja alles dasselbe, also hört es euch einfach von einem anderen an.‹ Nur daß es natürlich nicht unsere Kirche war.«

»Naja, aber irgendeine war es immerhin.«

»Genau genommen nicht. Es war eine Synagoge.« Sie lachten beide, als das Telefon klingelte. Lennox nahm ab. »Ja?«

»Ich bin's, Moreau.«

»Irgendwas Neues über Ihre Sekretärin? Ich meine, wer sie getötet haben könnte?«

»Absolut nichts. Meine Frau ist völlig verzweifelt; sie kümmert sich um die Beerdigung. Ich werde mir nie verzeihen, daß ich sie verdächtigt habe.«

»Schlüpfen Sie aus Ihrem Büßerhemd«, sagte Drew. »Das hilft auch nichts.«

»Ich weiß. Glücklicherweise gibt es andere Dinge, die mich beschäftigen. Die Frau des Botschafters hat den ersten Schritt getan. Vor ungefähr einer Stunde fuhr sie mit dem Taxi zu einem teuren Lederwarengeschäft an den Champs-Élysées, schickte das Taxi weg und verschwand dann.«

»Ein Ledergeschäft?«

»Lederwaren für Reiter; Sättel, Stiefel – die sind ziemlich berühmt für ihre Stiefel.«

»Ein Maßschuster?«

»Ja, das könnte man sagen –«

»Moment, da war eine der Sachen, die wir in den Taschen des Neonazi fanden, der versucht hat, mich zu erschießen!« fiel Lennox ihm ins Wort. »Eine Reparaturquittung auf den Namen André.«

»Und wo ist die Quittung jetzt?«

»Witkowski hat sie.«

»Ich schicke jemand hin, um sie abzuholen.«

»Sparen Sie sich die Mühe. Stanley schickt uns einen Wagen, der Karin zum Arzt bringen soll. Ich werde ihm sagen, daß er dem Marine, der als Eskorte mitkommt, die Quittung gibt. – Augenblick!« Drews Kopf ruckte plötzlich hoch, und er kniff die Augen zusammen, als ob sein Gedächtnis dann besser funktionieren würde. »Sagten Sie, Courtlands Frau sei verschwunden …?«

»Sie ist hineingegangen und nicht mehr herausgekommen. Meine Leute denken, daß man sie weggebracht hat; sie fanden hinten am Geschäft einen Lieferanteneingang mit einem kleinen Parkplatz. Warum?«

»Das ist vielleicht ziemlich weit hergeholt, Claude, aber dieser Nazi aus dem Bois du Boulogne hatte noch etwas bei sich. Eine Gratiseintrittskarte für einen Vergnügungspark am Stadtrand.«

»Seltsam für einen solchen Mann –«

»Das dachten wir auch«, unterbrach Lennox ihn erneut. »Wir wollten uns den Park ansehen, und den Schuhladen auch, als dieses Arsenal im Lagerhaus Avignon hochging. Das hat uns abgelenkt.«

»Sie denken, daß man sie dorthin gebracht haben könnte?«

»Wie schon gesagt, es ist ziemlich weit hergeholt, aber wir sind uns beide wohl darüber einig, daß ein Gratisticket für einen Vergnügungspark eigentlich nicht so recht in die Brieftasche eines Nazikillers paßt.«

»Einen Versuch lohnt es auf alle Fälle«, sagte Moreau.

»Ich rufe Witkowski an, er wird bald den Wagen für Karin schicken. Wenn er herkommt, habe ich die Quittung und die Eintrittskarte. Sie können ja unterdessen eines von Ihren Fahrzeugen bestellen und am Seiteneingang des Hotels auf mich warten.«

»Wird gemacht. Haben Sie eine Waffe?«

»Zwei. Ich habe Stanleys Sergeant gestern Alan Reynolds Automatik nicht gegeben. Er war so sauer darüber, daß ich das Hotel verlassen hatte, daß ich schon dachte, er würde sich Handschuhe überstreifen, mich erschießen und sagen, Reynolds habe es getan.«

»Gar kein schlechter Gedanke. *A bientôt.*«

»Ja, machen Sie schnell.« Drew legte den Hörer auf und sah zu Karin hinüber, die jetzt mit düsterer Miene vor der Couch stand. »Ich rufe jetzt den Colonel an. Willst du auch mit ihm sprechen?«

»Nein, ich will mit dir gehen.«

»Jetzt komm schon, Lady, du wirst zum Arzt gehen. Du bildest dir zwar ein, du hättest mich gestern abend getäuscht, aber das hast du nicht. Du bist aufgestanden und ins Bad gegangen. Und da warst du verdammt lange. Ich habe das Licht eingeschaltet und das Blut auf deinem Kissen gesehen. Und später hab ich dann den Verband im Papierkorb gefunden. Deine Hand hat geblutet.«

»Es war nichts –«

»Das soll mir der Arzt sagen. Und wenn es wirklich nichts war, warum hast du dann den Arm am Ellbogen so abgeknickt und hältst die Hand über der Brust, gegen alle Gesetze der Schwerkraft? Willst du jemandem den Segen erteilen oder möchtest du bloß vermeiden, daß der Verband wieder blutig wird?«

»Dir entgeht auch gar nichts, du Mistkerl.«

»Es tut weh, oder?«

»Nur ab und zu. Wahrscheinlich bist du daran schuld.«

»Das ist das Netteste, was du seit einer ganzen Weile gesagt hast.« Lennox stand auf und ging zu ihr. Sie umarmten sich. »Mein Gott, bin ich froh, daß ich dich gefunden habe!«

»Ganz meinerseits, Liebster.«

»Ich wünschte, ich könnte die richtigen Worte finden und das sagen, was ich fühle. Ich habe in dem Punkt nicht viel Übung – ich glaube, das klingt jetzt ziemlich blöd.«

»Ganz und gar nicht. Du bist ein erwachsener Mann und kein Mönch. Küß mich.« Sie küßten sich lang und hingebungsvoll und spürten wie ihre Erregung anstieg. Wie nicht anders zu erwarten, klingelte das Telefon. »Nimm du ab, Officer Lennox«, sagte Karin und löste sich sanft aus seinen Armen. Sie sah ihm in die Augen. »Jemand versucht vernünftigerweise, uns zu stoppen. Es gibt Arbeit.«

Drew ging an den Schreibtisch und nahm den Hörer ab. »Ja?«

»Witkowski«, meldete sich der Colonel mit rauher Stimme. »Ich habe gerade mit Moreau gesprochen. Der Wagen ist unterwegs, um Karin abzuholen, und der Sergeant hat das, was Sie brauchen. Ich glaube, ich sollte mitkommen, aber Sorenson will, daß ich hierbleibe. Wir versuchen, uns etwas einfallen zu lassen, um Courtland die Rückkehr so leicht wie möglich zu machen.«

»Wie hat er denn die Nachricht aufgenommen?«

»Wie würden Sie es denn aufnehmen, wenn Karin sich als Neonazi erweisen würde?«

»So etwas dürfen Sie nicht mal denken.«

»Courtland war erschüttert, hat sich aber überzeugen lassen. Wesley ist ein alter Hase. Der unternimmt nichts, solange die Hintergrundinformationen nicht wirklich hieb- und stichfest sind.«

»Sie sprechen in Rätseln.«

»Es läuft jedenfalls darauf hinaus, daß der Botschafter mitmacht. Er wird seine Rolle spielen.«

»Dafür sollten Sie vielleicht besser Villier engagieren. Wenn ich mir das Wiedersehen nach der Trennung vorstelle ...«

»Daran arbeiten wir gerade. Courtland hat panische Angst davor, mit ihr allein zu sein. Also wird es ein paar Störungen und kleine Katastrophen geben. Wie geht es Ihrer Freundin?«

»Sie lügt mich dauernd an. Ihre Hand tut weh, und sie will es nicht zugeben.«

»Ein richtiger Soldat.«

»Eine richtige Idiotin.«

»Unser Wagen wird in zehn Minuten dort sein. Warten Sie, bis die Marines im Haus sind, und dann führen Sie sie hinaus.«

»Wird gemacht.«

»Waidmannsheil.«

»Waidmannsdank.«

Lennox, der eine graue Flanellhose und einen Blazer trug, setzte sich neben Moreau auf den Rücksitz des gepanzerten Deuxième-Wagens und reichte ihm die Quittung des Schuhsalons und die Eintrittskarte für den Vergnügungspark.

»Das ist mein Kollege Jacques Bergeron – sagen Sie ruhig Jacques«, sagte der Chef des Deuxième und deutete dabei auf den Mann, der vorne neben dem Fahrer saß. »Und unseren Fahrer haben Sie ja, glaube ich, schon kennengelernt«, fügte Moreau hinzu, als der den Kopf zur Seite drehte.

»*Bonjour*, Monsieur.« Es war der Fahrer, der Lennox auf der Avenue Gabriel das Leben gerettet hatte, der Mann, der nur Sekunden, bevor Kugeln gegen die Windschutzscheibe prasselten, darauf bestanden hatte, daß er einstieg.

»Ihr Name ist François«, sagte Drew, »und ich werde weder Ihren Namen noch Sie je vergessen. Ich wäre nicht mehr am Leben, wenn –«

»Ja, ja«, schnitt Moreau ihm das Wort ab. »Wir haben alle den Bericht gelesen, und François ist auch hinreichend belobigt worden. Er hat sich den Rest des Tages freigenommen, um seine Nerven zu beruhigen.«

»*C'est merde*«, sagte der Fahrer halblaut und ließ den Wagen an. »Ist es der Park, von dem wir gesprochen haben, *Monsieur le Directeur?*«

»Ja, hinter Issy-les-Moulineaux. Wie lange werden wir brauchen?«

»Sobald wir die Rue de Vaurgirard erreicht haben, nicht mehr lange. Vielleicht zwanzig Minuten. Bis dahin haben wir es mit dem Stadtverkehr zu tun.«

»Halten Sie sich nicht zu sehr mit den Verkehrsregeln auf, François. Es wäre recht günstig, wenn Sie niemanden überfahren oder anrempeln würden, aber davon abgesehen sollten Sie uns so schnell wie möglich dorthin bringen.«

Was darauf folgte, hätte jedem jener Fernsehthriller Ehre gemacht, wo häufig Autos an die Stelle von Schauspielern traten und zu brüllenden Maschinen wurden, die nichts anderes als ihre Selbstvernichtung im Sinn zu haben schienen. François wechselte nicht nur pausenlos in mörderischem Tempo zwischen den drei Fahrspuren hin und her, dabei immer wieder anderen Fahrzeugen den Weg abschneidend, sondern riß auch zweimal das Steuer herum und fuhr ein kurzes Stück über den relativ leeren Bürgersteig, so daß die Fußgänger dort auseinanderstoben.

»Man wird uns verhaften!« sagte Lennox verblüfft.

»Man könnte es versuchen«, erwiderte Moreau. »Unser Fahrzeug hat einen stärkeren Motor als jeder Polizeiwagen in Paris. Wir könnten natürlich auch die Sirene einschalten, aber das erschreckt die Leute nur und könnte tatsächlich zu Unfällen führen. Und das können wir uns nicht leisten.«

»Der Kerl ist verrückt.«

»Eine von François' besonderen Fähigkeiten ist sein besonderes Talent hinter dem Steuer.«

»Das habe ich vor zwei Tagen auf der Avenue Gabriel schon erlebt.«

»Dann beklagen Sie sich nicht.«

Zweiunddreißig Minuten später – Drew, Jacques und selbst Moreau stand der Schweiß auf der Stirn – erreichten sie den *Parc de Joie*, eine etwas armselige Kopie von Euro Disneyland, dafür aber populär, weil es sich um eine preiswerte französische Institution handelte. Die entzückten Schreie der vielen Kinder allerdings hielten jedem Vergleich mit der üppiger angelegten amerikanischen Konkurrenz stand.

»Es gibt zwei Eingänge, *Monsieur le Directeur*«, sagte der Fahrer. »Einen im Norden und einen im Süden.«

»Sie kennen sich hier aus, François?«

»Ja, Monsieur, ich habe meine beiden Töchter einige Male hierher gebracht. Das hier ist der Nordeingang.«

»Wollen wir die Freikarte benutzen und sehen, was passiert?« fragte Drew.

»Nein«, erwiderte der Chef des Deuxième, »dafür ist später immer noch Zeit, wenn wir es für sinnvoll halten. Jacques, Sie und François gehen zusammen hinein, zwei Väter, die ihre Frauen und Kinder suchen. Monsieur Lennox und ich werden getrennt durch zwei verschiedene Tore hineingehen. Wo schlagen Sie vor, daß wir uns treffen, François?«

»In der Mitte des Parks gibt es ein Karussell. Dort herrschen gewöhnlich ein riesiges Gedränge und Kindergeschrei. Wenn man noch das dauernde Quäken der Drehorgel bedenkt, ist das der ideale Treffpunkt.«

»Sie haben sich beide das Foto von Madame Courtland angesehen?«

»Sicherlich.«

»Dann trennen Sie sich drinnen und gehen herum und sehen sich nach ihr um. Monsieur Lennox und ich werden dasselbe tun. Wir treffen uns dann in einer halben Stunde am Karussell. Wenn einer von Ihnen sie sieht, nehmen Sie Ihr Walkie-talkie, und wir verlegen den Treffpunkt vor.«

»Ich habe kein Funkgerät«, beklagte sich Drew.

»Jetzt haben Sie eins«, sagte Moreau und griff in seine Tasche.

Madame Courtland war in ein kleines Gebäude am Südende des drei Hektar großen Vergnügungsparks geführt worden. Der Vorraum mit den bunten Plakaten an den Wänden Plakaten wirkte ziemlich schlampig. Zwei Schreibtische und ein langer, wackliger Beistelltisch waren mit einem Sammelsurium von Prospekten bedeckt, und drei Angestellte arbeiteten an einem Kopiergerät. Zwei davon waren grell geschminkte Frauen in Bauchtänzerinnenkostümen, und der dritte war ein junger Mann in einem seltsam zusammengestoppelten Kostüm – einer schmutzigen, orangefarbenen Strumpfhose und einer blauen Bluse –, dessen Geschlecht man nur an seinem Sechs-Tage-Bart erahnen konnte. Oben an der vorderen Wand gab es vier Fenster, die zu hoch waren, als daß man von draußen hätte hereinsehen können. Eine antik wirkende Klimaanlage klapperte in einem unregelmäßigen Rhythmus zum gleichmäßigen Dröhnen der Kopiermaschine.

Janine Clunes Courtland war geschockt. Die Lederboutique war im Vergleich mit diesem Loch ein Palast. Aber dieses stinkende Büro hatte offensichtlich einen deutlich höheren Status als die elegante Boutique an den Champs-Élysées. Der Anblick eines hochgewachsenen Mannes in mittleren Jahren, der aus einer schmalen Tür an der linken Wand auftauchte, beruhigte sie einigermaßen. Er war leger gekleidet, aber die weichen Jeans und das beigefarbene Wildlederjackett gehörten zum Besten, was die Rue Faubourg Saint-Honoré zu bieten hatte, und das Tuch, das er sich um den Hals geschlungen hatte, war eines der teuersten von Hermès. Durch eine Handbewegung forderte er sie auf, ihm zu folgen.

Sie gingen durch die schmale Tür hinaus, passierten einen ebenso schmalen finsteren Korridor, bis sie eine weitere Tür auf der rechten Seite erreichten. Der Mann tippte eine Zahlenkombination in ein grünlich schimmerndes Feld und öffnete die Tür. Wieder folgte sie ihm und betrat ein Büro, das sich von dem ersten etwa so unterschied, wie das Hotel Ritz von einer Suppenküche.

Das Mobiliar bestand aus erlesenem Holz und Leder, die vertäfelten Wände zierten impressionistische Meister, und in der verspiegelten, in die Wand eingelassenen Bar standen Kristallgläser und Karaffen. Es war der Zufluchtsort eines sehr wichtigen Mannes.

»Seien Sie mir willkommen, Frau Courtland«, sagte der Mann mit tiefer sympathischer Stimme. »Ich bin André«, fügte er dann in englischer Sprache hinzu.

»Sie wissen, wer ich bin?«

»Selbstverständlich. Wir warten schon seit vielen Wochen auf Kontaktaufnahme durch Sie. Bitte nehmen Sie Platz.«

»Vielen Dank.« Janine setzte sich vor den Schreibtisch, während der Geschäftsführer des Parks in einem Stuhl neben ihr Platz nahm.

»Der richtige Zeitpunkt hat sich bis jetzt nicht ergeben.«

»Das hatten wir angenommen. Sie haben hervorragende Arbeit geleistet, und ihre Nachrichten sind in Berlin regelmäßig eingetroffen. Wir sind Ihnen alle sehr dankbar.«

»Dann wird meine Arbeit also geschätzt?« fragte die Frau des Botschafters.

»In höchstem Maß sogar. Wie können Sie etwas anderes annehmen?«

»Das tue ich nicht. Ich finde nur, daß es nach all den Jahren Zeit ist, daß man mich nach Bonn holt und meine Leistung anerkennt. Ich befinde mich jetzt in einer Position, wo ich noch bessere Dienste leisten kann. Ich bin die Frau eines der wichtigsten Botschafter in Europa. Was auch immer unsere Feinde gegen uns planen, werde ich erfahren. Ich würde gerne von unserem Führer hören, daß das Risiko, das ich Tag für Tag eingehe, auch belohnt wird. Ist das zuviel verlangt?«

»Nein, keineswegs, Madame. Aber ich verstehe nicht ganz, warum Sie eine derartige Bestätigung brauchen.«

»Weil ich mein Vaterland noch nie gesehen habe! Können Sie das nicht verstehen? Mein ganzes Leben lang seit meiner Kindheit habe ich gelernt und mich ausbilden lassen und mich bis zur Erschöpfung für unsere Bewegung aufgerieben. Für eine Sache, die ich nie erwähnen durfte, nie einem anderen anvertrauen. Ich habe einfach Anspruch auf Anerkennung.«

André musterte die Frau, die ihm gegenübersaß. »Ja, das haben Sie, Madame Courtland. Sie mehr, als sonst jemand. Ich werde Bonn noch heute abend anrufen … Aber jetzt zu näherliegenden Dingen. Wann wird der Botschafter nach Paris zurückkehren?«

»Morgen.«

Drew wich den Horden von Eltern und deren Nachwuchs aus, in erster Linie Müttern, die hinter ihren Kindern herliefen, die wiederum anderen Kindern nachhetzten und unter großem Geschrei von Karussell zu Karussell rannten. Dabei blickte er die ganze Zeit wachsam in die Runde und studierte jede Frau, die den Eindruck erweckte, zwischen dreißig und fünfundvierzig zu sein, was beinahe auf jedes weibliche Wesen in dem Vergnügungspark zutraf. In kurzen Abständen hob er das Walkie-talkie, das er in der Hand hielt, als erwarte er, das Piepsen zu hören, das ihm verriet, daß jemand Janine Clunes Courtland gesehen hätte. Aber es kam kein Ton; und er fuhr fort, über die Kieswege zu gehen, vorbei an den überdimensionalen Figuren mit ihren grinsenden Gesichtern.

Claude Moreau hatte die etwas ruhigeren Teile des Parks gewählt und bewegte sich daher in der Umgebung der Tierkäfige und der Buden der Wahrsager und Souvenirverkäufer, wo unter Markisendächern T-Shirts und mit bunten Aufschriften versehene Mützen in großer Menge herumlagen. Immer wieder spähte der Chef des Deuxième an den aufgestapelten Waren vorbei in das im Halbdunkel liegende Innere der Stände, in der Hoffnung, vielleicht dort Männer oder eine Frau zu entdecken, die nicht dorthin gehörten. Fast zwanzig Minuten waren bereits ergebnislos verstrichen.

Moreaus vertrautester Mitarbeiter, Jacques Bergeron, war in einer Menschentraube gefangen, die auf ein Riesenrad zustrebte, das einen kurzzeitigen Stromausfall gehabt hatte, so daß eine Anzahl Fahrgäste fünfzehn Meter in der Luft gestrandet waren. Demzufolge gab es in dem Getümmel viele Eltern, die davon überzeugt waren, ihre Kinder in einen Vergnügungspark geführt zu haben, dessen Betreiber ihre Elektrizitätsrechnung nicht bezahlt hatten. Jacques stieß gegen ein kleines Kind, wurde von der Handtasche dessen Mutter ins Gesicht getroffen, geriet ins Taumeln, fiel zu Boden und bekam den einen oder andern Tritt ab. Da lag er jetzt, die Arme schützend über dem Kopf, bis der halb hysterische Haufen vorübergezogen war. Auch er hatte niemanden gesehen, der auch nur entfernt Madame Courtland ähnelte.

François schlenderte an den baufälligen Hütten und Zelten am Südeingang vorbei, wo kleine, fast unauffällige Schilder darauf hinwiesen, daß hier die Büros für Erste Hilfe, Reklamationen, das Fundbüro, die Parkverwaltung (kaum lesbar) zu finden waren. Plötzlich hörte François, wie eine korpulente Frau zu ihrer Begleiterin, einer hageren Frau mit verkniffenem Gesicht, sagte: »Was hat eigentlich so jemand hier zu suchen? Mit dem Geld, das dieses pinkfarbene Kleid gekostet hat, könnte ich meine Familie ein Jahr lang ernähren!«

François hatte keine Zweifel daran, von wem die Frau redete! Die Einheit in den Champs-Élysées hatte gemeldet, daß die Botschaftersgattin ein Sommerkleid in hellem Pink und Weiß trug, offensichtlich aus einem der besseren Modehäuser. Der Fahrer beobachtete die beiden Frauen und schlenderte unauffällig auf sie zu, während sie durch die breite Budenstraße gingen.

»Ich sag dir, was ich glaube«, sagte die dünne Frau mit dem beleidigten Gesicht. »Ich wette meinen nichtsnutzigen Ehemann, daß das eine der Besitzerinnen dieser Neppbude hier ist. Das machen die Reichen gern. Kaufen sich solche Etablissements, weil sie billig zu führen sind und die Registrierkasse Tag und Nacht klingelt.«

»Wahrscheinlich hast du recht. Schließlich war sie ja im Büro des Geschäftsführers. Verdammt soll dieses reiche Pack sein!«

François blieb ein paar Schritte zurück, machte dann kehrt und ging zu den Hütten mit den Büros. Er fand die Tafel mit der Aufschrift ›Direction‹; das Gebäude war vielleicht sechs Meter breit und durch zwei schmale Wege, die fast wie Gräben aussahen, von den Hütten, die links und rechts davon standen, getrennt. Die vorderen Fenster waren ungewöhnlich groß und darunter gab es eine irgendwie deplaziert wirkende Tür, die wesentlich dicker und schwerer als die sie umgebenden Bretter aussah. François holte sein Walkie-talkie aus der Tasche, drückte den Sendeknopf und hielt sich das Gerät ans Ohr.

Und dann hörte er ganz plötzlich ohne jede Vorwarnung zwei vertraute Stimmen, und dann eine dritte, der er schon seit Jahren zuhörte.

»*Papa, Papa!*«

»*Notre père! C'est lui!*«

»François, was machst du denn hier?«

Der Anblick seiner Frau und seiner beiden Töchter versetzte den Fahrer in eine Art Schockzustand. Er brauchte ein paar Augenblicke, bis er seine Stimme wiederfand, während er ein wenig verlegen die zwei Mädchen an sich drückte. Schließlich sagte er: »Mein Gott, Yvonne! Was machst du denn hier?«

»Du hast angerufen und gesagt, du würdest dich verspäten und wahrscheinlich zum Abendessen nicht nach Hause kommen. Also dachten wir, wir könnten uns hier ein wenig amüsieren.«

402

»Papa, fährst du mit uns Karussell? Bitte, Papa!«

»Meine kleinen Lieblinge, Papa muß arbeiten …«

»Arbeiten?« rief seine Frau aus. »Was hat denn das Deuxième hier verloren?«

»Schsch!« Der verwirrte François wandte sich kurz ab und sprach schnell in das Mikrophon seines Funkgeräts. »Subjekt ist hier nahe dem Südeingang. Kommen Sie her. Hier gibt es Komplikationen, wie Sie vielleicht gehört haben … Komm, Yvonne; ihr auch, Kinder, geht – weg mit euch!«

»Du lieber Gott, das war also kein Scherz«, sagte Yvonne, während die Familie eilig auf den Südeingang zustrebte.

»Nein, das war kein Witz, meine Liebe. Und jetzt seht um Himmels willen zu, daß ihr schnell in den Wagen steigt und nach Hause fahrt. Ich erklär euch alles später.«

»*Non, Papa!* Wir sind doch gerade erst hergekommen!«

»Das heißt ›*oui, Papa*‹, oder ihr seid auf der Sorbonne, bevor ihr das nächste Mal hierherkommt!«

Was François nicht bemerkt hatte, war ein junger Mann, der mit einer zerfetzten orangefarbenen Strumpfhose und einer nicht viel besser erhaltenen blauen Bluse bekleidet war, und den nur sein ungepflegter Bart als männliches Wesen erkennen ließ. Er stand links von der schweren Tür, rauchte eine Zigarette und beobachtete das laute und offensichtlich unerwartete Familientreffen. Besonders fiel ihm das Funkgerät auf, das der Mann in der Hand hielt, und noch mehr verblüffte ihn die Frage, die die Frau gestellt hatte. »Was hat denn das Deuxième hier verloren?« Das Deuxième?

Der junge Mann drückte seine Zigarette mit dem Absatz aus und ging hinein.

Der elegante Inhaber, der sich André nannte, brach sein Gespräch mit Frau Courtland ab, nicht ohne sich höflich bei ihr zu entschuldigen, stand auf und trat an das Telefon, das auf seinem Schreibtisch klingelte.

»Ja?« sagte er und hörte schweigend zu.

»Bereiten Sie den Wagen vor!« befahl er dann, legte den Hörer auf und wandte sich wieder an die Frau des Botschafters. »Hatten Sie eine Eskorte, als Sie hierherkamen, Madame?«

»Man hat mich von der Boutique hierher gefahren.«

»Ich meine unter dem Schutz französischer oder amerikanischer Beamter? Ist man Ihnen gefolgt?«

»Du lieber Gott, nein. Die Botschaft hat keine Ahnung, wo ich bin!«

»Offenbar gibt es doch jemanden, der das weiß. Sie müssen hier sofort weg. Kommen Sie mit. Es gibt einen Tunnel, der von hier zum Parkplatz führt; die Treppe ist dort hinten. Schnell!«

Zehn Minuten später kehrte André außer Atem in sein Büro zurück. Als er sich an seinen Schreibtisch setzte, seufzte er. Wieder klingelte das Telefon. Er nahm den Hörer ab. »Ja?«

»Sie sind höchst ineffizient organisiert!«

»Da sind wir anderer Ansicht. Was beunruhigt Sie denn?«

»Ich habe jetzt beinahe eine Stunde gebraucht, um herauszufinden, wie ich Sie erreichen kann, und auch das nur, nachdem ich die Hälfte unserer Geheimdienstleute mit Drohungen eingeschüchtert habe!«

»Ich würde sagen, das ist gut und richtig so. Ich denke, Sie sollten das anders werten.«

»Sie Idiot!«

»Werden Sie nicht beleidigend!«

»Sie werden gleich viel weniger beleidigt sein, wenn ich Ihnen den Grund nenne.«

»Dann klären Sie mich bitte auf.«

»Die Frau von Botschafter Daniel Courtland wird Sie besuchen kommen –«

»Sie war hier und ist inzwischen wieder gegangen«, fiel André ihm ins Wort. »Und ist denen entwischt, die ihr hierher gefolgt sind.«

»Ihr gefolgt?«

»Wahrscheinlich.«

»Wie?«

»Ich habe keine Ahnung, aber die haben hier eine ziemliche Schau abgezogen und dabei sogar auf höchst ungewöhnliche Weise laut das Deuxième Bureau erwähnt. Ich habe sie natürlich sofort weggeschafft, und sie wird innerhalb der nächsten halben

Stunde wieder sicher und wohlbehalten in der amerikanischen Botschaft sein.«

»Sie Schwachkopf!« schrie der Mann in Deutschland. »Sie sollte nicht zur Botschaft zurückkehren. Sie sollte beseitigt werden.«

26

Moreau, sein Assistent Jacques Bergeron und Lennox trafen binnen weniger Augenblicke bei François ein. Sie entfernten sich gemeinsam etwa fünfzig Meter vom Südeingang, bis der Chef des Deuxième die Hand hob; wo sie jetzt standen, herrschte weniger Gedränge, die schäbigen Zelte zu ihrer Rechten dienten nur den Angestellten als Toiletten und Umkleideräume. »Hier können wir reden«, sagte Moreau und sah seinen Fahrer an. »*Mon Dieu*, mein Freund, was für ein Mißgeschick! Ihre Frau und Ihre Kinder!«

»Die Kinder werden jetzt eine Woche nicht mit Ihnen reden, François«, sagte Jacques grinsend. »Das wissen Sie doch oder?«

»Wir haben Wichtigeres zu besprechen«, sagte François. »Ich habe da das Gespräch von zwei Frauen belauscht …« Er schilderte, was er gehörte hatte, und schloß mit den Worten: »Sie ist dort drüben im Büro der Direktion.«

»Jacques«, sagte Moreau, »Sie sehen sich das Gebäude gründlich an. Ich schlage vor, Sie spielen den Betrunkenen; legen Sie Jackett und Krawatte ab, wir halten sie so lange.«

»Ich bin in ein paar Minuten wieder da.« Der Agent entledigte sich seines Jacketts und seiner Krawatte, zog das Hemd ein Stück aus der Hose, so daß es ihm über den Gürtel hing, und bewegte sich schwankend wieder auf den Südeingang zu.

»Jacques macht das sehr gut«, bemerkte Moreau mit einem bewundernden Blick auf seinen Untergebenen. »Ganz besonders für einen Mann, der nie harte Getränke anrührt und nur ganz selten ein Glas Wein trinkt.«

»Vielleicht hat er das früher getan«, meinte Drew.

»Nein«, sagte der Chef des Deuxième Bureau, »es ist wegen seines Magens. Es hat irgendwas mit Übersäuerung zu tun. Das kann sehr peinlich sein, wenn wir mit den Herren von der Deputiertenkammer, die für unsere Budgets zuständig sind, zu Abend essen. Die halten ihn für einen pingeligen Bürokraten.«

»Was machen wir, wenn Courtlands Frau drinnen bleibt?« fragte Lennox.

»Da bin ich mir auch noch nicht sicher«, erwiderte Moreau.
»Einerseits wissen wir, daß sie hierher gekommen ist, und das
stützt Ihre Annahme, daß es sich um eine Kontaktaufnahme
mit der Bruderschaft handelt. Andererseits – wollen wir eigentlich, daß diese Leute erfahren, daß wir Bescheid wissen? Handeln wir klüger, wenn wir geduldig sind, diese armselige Bude
überwachen und dadurch vielleicht erfahren, wer hier ein- und
ausgeht, oder treiben wir die Sache auf die Spitze und schlagen
zu?«

»Ich bin für Zuschlagen«, sagte Drew.

»Damit alarmieren wir vielleicht die Neonazis in ganz Europa. Es gibt andere Mittel und Wege, mein Freund. Wir können
ihre Telefone anzapfen, ihre Faxgeräte, ihren Funkverkehr. Wir
würden meines Erachtens einen großen Fehler machen. Courtlands Frau kann überwacht werde, und dieser Park auch, und
zwar vierundzwanzig Stunden täglich. Wir müssen uns sehr
sorgfältig überlegen, was wir tun.«

»Wahrscheinlich haben Sie recht. Ich wünschte, es wäre anders. Ich bin einfach zu ungeduldig.«

»Ihr Bruder ist auf brutale Weise ermordet worden, Drew. An
Ihrer Stelle wäre mir wahrscheinlich genauso zumute.«

»Ich wüßte gern, was Harry jetzt tun würde.«

»Seltsam, daß Sie das sagen.« Moreau sah Lennox prüfend an
und registrierte seinen abwesenden Blick. »Was ist los?«

»Nichts, gar nichts.« Lennox blinzelte ein paarmal, bis seine
Augen wieder klar wurden. »Was wird Jacques denn Ihrer Ansicht nach entdecken?«

»Die Frau des Botschafters«, erwiderte François. »Das hoffe
ich wenigstens. Denn je früher ich nach Hause komme, um so
besser. Meine Töchter haben geweint, als sie mit Yvonne weg-
fuhren … Alors!« sagte er plötzlich und fuhr zusammen.

»Was ist denn?« fragte Moreau.

»Dieser Bursche da in dem komischen Kostüm, mit den orangefarbenen Strümpfen und dem blauen Hemd!«

»Was ist mit ihm?« fragte Drew.

»Er sucht jemanden. Er rennt die ganze Zeit hin und her – jetzt
kommt er auf mich zu, am Eingang vorbei.«

»Auseinander!« befahl der Chef des Deuxième.

Die drei Männer gingen jeder in eine andere Richtung weg, als der junge Mann in den orangefarbenen Strumpfhosen an ihnen vorbeirannte, dabei aber immer wieder stehenblieb und sich umsah. François hatte sich zwischen zwei der Zelte begeben und wandte dem Weg den Rücken zu. Moreau und Lennox traten jetzt ebenfalls in den schmalen Raum zwischen den Zelten zu François. »Der hat ganz bestimmt jemanden gesucht«, sagte Drew. »Vielleicht Sie?«

»Ich wüßte nicht, warum er mich suchen sollte«, antwortete der Fahrer und runzelte die Stirn, »aber ich habe da etwas Orangefarbenes gesehen, als ich mich von meiner Frau und den Kindern abwandte und Sie herbeirief.«

»Vielleicht ist ihm Ihr Funkgerät aufgefallen«, sagte Moreau. »Wahrscheinlich haben wir es mit einer ganz naheliegenden Erklärung zu tun. In Etablissements wie diesem hier nimmt man es mit den Steuergesetzen nicht so genau. Alles wird bar bezahlt, und die drucken sich auch ihre Eintrittskarten selbst. Wahrscheinlich dachte jemand, Sie kämen von der Finanzbehörde und wollten die Verkäufe kontrollieren. Gar nicht so ungewöhnlich; solche Ermittler sind gelegentlich auch bestechlich.«

»*Mes amis!*« Jacques tauchte jetzt wieder auf, diesmal in normaler Gangart, und nahm von François Jackett und Krawatte entgegen. »Wenn Madame Courtland in das Büro des Geschäftsführers gegangen ist, dann ist sie immer noch drin. Es gibt keinen anderen Ausgang.«

»Dann warten wir«, sagte Moreau. »Wir werden uns wieder trennen, aber in der näheren Umgebung bleiben, und einer von uns wird immer die Tür im Auge behalten. Wir wechseln uns ab, sagen wir alle zwanzig Minuten. Ich übernehme die erste Runde, und vergessen Sie nicht, lassen Sie ihre Funkgeräte eingeschaltet.«

»Ich nehme die Runde nach Ihnen«, sagte Drew und sah auf die Uhr.

»Und dann ich, Monsieur«, fügte Jacques hinzu.

»Und anschließend ich«, setzte François als letzter hinzu.

Zwei Stunden verstrichen, bis der Chef des Deuxième sie schließlich aufforderte, zu den Zelten auf der Westseite des Südeingangs zu kommen. »Jacques«, sagte Moreau. »Sind Sie ganz sicher, daß die Hütte weder seitlich noch hinten eine Tür hat?«

»Nicht einmal ein Fenster, Claude. Abgesehen von den Fenstern vorne gibt es überhaupt keine.«

»Es fängt an zu dämmern«, sagte François. »Vielleicht wartet sie, bis es dunkel geworden ist.«

»Warum sollte sie das tun?«

»Sie ist Ihrer Einheit auf den Champs-Élysées entwischt«, sagte Lennox mit gerunzelter Stirn.

»Sie kann unmöglich gewußt haben, daß sie beobachtet wurde, Monsieur«, wandte Jacques ein.

»Vielleicht hat es ihr jemand gesagt.«

»Das würde eine völlig neue Wendung bedeuten, Drew. Dafür haben wir keinerlei Hinweise.«

»Ich ziehe einfach alle Möglichkeiten in Betracht, sonst gar nichts. Möglicherweise ist sie einfach paranoid – möglicherweise, verdammt, so jemand wie sie muß das ja geradezu sein … jetzt frage ich Sie alle: Wen haben Sie aus dieser Tür rauskommen sehen? Ich habe den Spinner in den orangefarbenen Strumpfhosen gesehen; er traf sich mit jemandem in einem Clownskostüm, der auf ihn wartete.«

»Ich sah zwei auffällig geschminkte Frauen, die so aussahen, als kämen sie aus dem Harem eines verarmten Scheichs«, sagte Jacques.

»Könnte es sein, daß eine von ihnen Courtlands Frau war?« fragte Moreau.

»Ganz sicher nicht. Ich hatte denselben Gedanken, also spielte ich weiter den Betrunkenen und habe sie beide angerempelt. Es waren verkommene alte Weiber, eine roch schrecklich aus dem Mund.«

»Und Sie, François?«

»Ich habe bloß einen großen Mann mit einer dunklen Brille gesehen, etwa so groß wie unser Amerikaner, leger, aber teuer gekleidet. Ich nehme an, er ist der Besitzer; er hat nämlich noch einmal probiert, ob die Tür verschlossen war, als er schon davorstand.«

»Falls also Madame Courtland noch nicht herausgekommen ist und das Büro inzwischen abgeschlossen wurde, muß sie noch drinnen sein, oder nicht?«

»Ganz eindeutig«, erwiderte Drew. »Es könnte alle möglichen Gründe dafür geben ... Wer von Ihnen versteht sich am besten darauf, verschlossene Türen zu öffnen?«

»Das wäre Jacques Zuständigkeit.«

»Sie sind wirklich talentiert«, sagte Lennox anerkennend.

»Wenn François früher einmal Fluchtwagen gesteuert hat, dann nehme ich an, daß mein Freund Jacques Juwelendieb war, ehe er erleuchtet wurde und sich unserer Organisation anschloß«, sagte Moreau.

»*Merde, Monsieur*«, sagte Jacques grinsend. »*Monsieur le Directeur* hat eine seltsame Art, Komplimente zu machen. Aber das Bureau hat mich einen Monat auf eine Schule für Schlosser geschickt. Wenn man die richtigen Werkzeuge hat, kann man jedes Schloß knacken, weil, mit Ausnahme der allermodernsten, alle nach den gleichen Konstruktionsprinzipien gebaut sind.«

»Diese runtergekommene Bude wirkt eher wie eine Feldlatrine. Da gibt es bestimmt weit und breit keinen Computer. Machen Sie sich an die Arbeit, Jacques. Wir warten einstweilen drüben auf der anderen Seite.« Der Agent mit der Schlosserausbildung ging schnell zu der Hütte zurück, während die anderen sich in der zunehmenden Dunkelheit auf der linken Seite des Weges hielten. Doch es dauerte nur wenige Augenblicke, bis die Hölle losbrach, verschiedene Sirenen und Klingeln machten einen ohrenbetäubenden Lärm und hallten durch den Park. Wachen in verschiedener Kleidung, einige in Uniform, andere in allen möglichen Phantasiekostümen – Clowns, halbnackte Degenschlucker, Zwerge und Neger in Tigerfellen –, strömten wie eine Mongolenhorde auf die Hütte zu. Jacques ergriff die Flucht, was die andern ebenfalls zum Anlaß nahmen, das Weite zu suchen! Sie rannten so schnell sie konnten zum Wagen.

»Was ist denn passiert?« fragte Lennox, als sie in dem Deuxième-Fahrzeug saßen und davonbrausten.

»Die Zuhaltungen machten gar keine Schwierigkeiten«, antwortete Jacques immer noch außer Atem, »aber dahinter war offensichtlich ein elektronischer Scanner angebracht, der das Gewicht und die Dichte des Instruments ausmaß, das die Zuhaltungen verschoben hat.«

»Was, zum Teufel, soll das wieder bedeuten?«

»In den den neuesten Autos finden Sie das jeden Tag, Monsieur. Der kleine schwarze Chip im Zündschlüssel; ohne den Sie den Motor nicht anlassen können. Bei den teuersten Fahrzeugen gehen Sirenen los, wenn Sie es versuchen.«

»Soviel zum Thema Feldlatrine, Claude.«

»Was kann ich da sagen? Ich habe mich eben getäuscht, aber wir haben auch etwas erfahren, nicht wahr? *Le Parc de Joie* ist tatsächlich ein wichtiger Stützpunkt der Bruderschaft, genau wie wir angenommen haben.«

»Aber die wissen jetzt, daß er als solcher identifiziert ist.«

»Ganz und gar nicht, Drew. Für solche Notfälle haben wir in Zusammenarbeit mit der Polizei und der Sûreté unsere Vorkehrungen getroffen.«

»Welche denn?«

»Es gibt jede Woche Dutzende von Straftätern, manche Ersttäter, die im Grunde genommen anständige Menschen sind. Jean Valjean in ›Les Miserables‹ ist das perfekte Beispiel dafür.«

»Herrgott, wenn Sie bloß nicht soviel reden würden. Was soll das jetzt wieder heißen?«

»Wir haben ganze Listen solcher Straftäter, die Strafen zwischen, sagen wir, sechs Monaten und einem Jahr verbüßen. Wenn sie die Schuld für eine weitere Straftat auf sich nehmen – zum Beispiel den Versuch, in einen Vergnügungspark einzubrechen – reduziert man das Strafmaß, in manchen Fällen wird sogar die Strafregistereintragung gelöscht.«

»Soll ich mich darum kümmern?« fragte Jacques vom vorderen Sitz aus und griff nach dem Autotelefon.

»Bitte, tun Sie das.« Während der Beamte wählte und zu sprechen begann, erklärte Moreau: »Innerhalb der nächsten fünfzehn bis zwanzig Minuten wird die Polizei die Sicherheitsabteilung des Parks anrufen und sie informieren, daß man ein Fahrzeug angehalten hat, das sich mit hoher Geschwindigkeit aus der Gegend des Parks entfernte, und zwei bereits wegen Einbruchs vorbestrafte Männer festgenommen hat. Alles klar?«

»Ich denke schon. Dann fragt die Polizei, ob tatsächlich ein Einbruch stattgefunden hat, und wenn ja, was entwendet worden ist und ob es jemanden gibt, der die Täter identifizieren könnte?«

»Exakt. Und dann werden sie natürlich hinzufügen, daß sie gerne bereit ist, sie zu dem Revier zu fahren, wo die Gefangenen festgehalten werden, und sie anschließend auch wieder zurückzubringen.«

»Eine Einladung, die unverzüglich abgelehnt wird«, fügte Lennox hinzu und nickte.

»Nicht immer, *mon ami*«, widersprach Moreau. »Deshalb brauchen wir unsere falschen Schuldigen. Manchmal wird die Einladung tatsächlich angenommen, weil unsere Gesprächspartner hinsichtlich ihrer eigenen Lage etwas unruhig sind. Aber sie äußern unweigerlich immer dieselbe Bitte – eine Forderung sogar.«

»Lassen Sie mich raten«, sagte Drew. »Sie gehen nur unter der Bedingung zu der Gegenüberstellung, daß zwar sie die Verdächtigen, diese aber keineswegs sie sehen dürfen.«

»Claude«, unterbrach Jacques und drehte sich auf seinem Sitz nach hinten. »Das wird Ihnen Spaß machen. Unsere Täter sind zwei schlecht bezahlte Buchhalter, die versucht haben, eine Fleischwarenkette zu berauben, die schlechtes Fleisch zu überhöhten Preisen verkauft hat.«

»Genau die richtige Prämisse: Man soll von Dieben stehlen.«

»Bedauerlicherweise haben die Diebe über Nacht ihre Sicherheitssystem geändert, und man hat unsere Buchhalter mit einer Videokamera beim Öffnen eines Safes gefilmt. Die *gendarmes* sind uns gerne behilflich.«

»Wann können sie übernehmen?«

»Jetzt sofort.«

»Bien. Dann setzen Sie Monsieur Lennox im Normandie und mich im Büro ab.«

»Was werden Sie in Ihrem Büro machen?« fragte Drew.

»Mir noch einmal durch den Kopf gehen lassen, was heute nachmittag und heute abend abgelaufen ist und mir ein paar Berichte ansehen. Ich halte Sie auf dem laufenden. Übrigens, *mon ami*, Sie müssen sich um die bezaubernde Karin kümmern. Sie war beim Arzt. Ihre Wunde. Erinnern Sie sich?«

»Das hatte ich völlig vergessen!«

»Dann kann ich Ihnen nur raten, daß Sie ihr das nicht sagen.«

»Da täuschen Sie sich, Moreau. Sie würde das verstehen.«

Karin ging mit einem Hotelbademantel bekleidet vor dem großen dreiflügeligen Fenster auf und ab, als Lennox die Tür öffnete. »Mein Gott, du warst ja eine Ewigkeit weg!« rief sie und warf sich ihm in die Arme. »Dir ist doch hoffentlich nichts passiert?«

»Hey, Lady, das war ein Vergnügungspark und nicht die Schlacht von Bastogne. Natürlich ist mir nichts passiert; wir haben die ganze Zeit nicht einmal an unsere Waffen gedacht.«

»Und das hat beinahe vier Stunden in Anspruch genommen? Was war los?«

Er erstattete seinen Bericht und fragte dann: »Und was ist mit dir? Was hat der Arzt gesagt?«

»Da schau!« Karin zeigte ihm stolz ihre Hand mit einem Verband, der höchstens noch halb so groß wie der vorherige war. »Er wird mir eine etwa zwei Zentimeter lange Prothese machen, das ist nicht mal ein Zoll. Mit einem Fingernagel, man kann sie über den Finger schieben, so daß sie praktisch unsichtbar ist.«

»Großartig, aber tut es nicht weh? Letzte Nacht hast du doch ziemlich geblutet.«

»Der Arzt hat gesagt, daß ich mich offenbar irgendwo festgeklammert haben muß. Hast du Kratzwunden am Rücken, Liebster?«

Drew grinste und zog sie in die Arme. Ihre Lippen fanden sich, bis Karin sich schließlich von ihm löste.

»Ich muß mit dir reden«, sagte sie.

»Worüber denn? Ich hab dir alles erzählt.«

»Über deine Sicherheit. Das Maison Rouge hat angerufen –«

»Woher wußten die denn, wo sie dich finden konnten? Hier im Normandie?«

»Die wissen häufig Bescheid, ehe wir selbst etwas erfahren.«

»Dann versorgt sie jemand mit Informationen, die sie nichts angehen!«

»Da hast du wahrscheinlich recht, aber wir wissen ja schließlich, auf welcher Seite die Antineos stehen.«

»Nicht unbedingt. Sorenson ist da nicht so sicher. Weshalb haben sie angerufen?«

»Ihre Informanten in Bonn und Berlin sagen, daß zwei Teams ausgebildeter Blitzkrieger nach Paris unterwegs sind, um den Lennox-Bruder, der das Attentat in dem Restaurant in Villejuif überlebt hat, zu finden und zu beseitigen. Den Mann, von dem sie glauben, daß er Harry Lennox ist.«

»Das ist doch nichts Neues.«

»Sie sagen, daß acht bis zwölf Killer unterwegs sind. Nicht einer oder zwei oder drei, die haben gleich eine ganze Armee auf dich angesetzt.«

Lennox blieb ein paar Augenblicke lang stumm, ehe er darauf antwortete: »Eigentlich doch recht eindrucksvoll, was? Ich meine, ich hatte mir nie träumen lassen, daß ich so populär bin, und dabei bin ich nicht mal der, den sie haben wollen.«

»Da kann ich dir schlecht widersprechen.«

»Aber warum? Das ist doch die Frage, oder? Warum sind sie so scharf auf Harry?«

»Könnte es etwas mit Dr. Kröger zu tun haben?«

»Der pfeift auf dem letzten Loch. Er setzt eine Lüge auf die andere und vergißt die Lügen, die er uns vorher aufgetischt hat.«

»Das wußte ich gar nicht. In welcher Hinsicht?«

»Er hat Moreau, den er für einen seiner Verbündeten hält, gesagt, daß er Harry finden müsse, um die Identität der Verräterin im Tal der Bruderschaft ausfindig zu machen –«

»Welche Verräterin?« fiel Karin ihm ins Wort.

»Das wissen wir nicht, und Harry wußte es auch nicht. Als er in London war und wir telefoniert haben, erwähnte etwas von einer Krankenschwester, die angeblich die Antineos davon informiert hatte, daß er herauskommen würde, aber der Lkw-Fahrer, der ihn abholte, wußte nichts Näheres.«

»Wenn das Krögers Lüge war, dann war es vielleicht gar keine.«

»Nur daß er Witkowski etwas völlig anderes erzählt hat. Er bestand mit allem Nachdruck darauf, daß er Harry finden müsse, ehe die Wirkung des Medikaments, mit dem man Harry behandelt hatte, nachläßt, weil Harry dann sterben würde. Stanley hat ihm das keine Sekunde lang geglaubt und wollte ihm deshalb Amytal spritzen, um damit die Wahrheit aus ihm herauszubekommen.«

»Was der Botschaftsarzt aber nicht erlaubt hat«, sagte Karin leise. »Jetzt verstehe ich, weshalb Witkowski so wütend war.«

»Und deshalb wird dieser Heilige von einem Arzt unter Druck geraten, und wenn ich Sorenson dazu bringen muß, daß er den Präsidenten selbst erpreßt.«

»Wirklich? Ist er denn … erpreßbar?«

»Das ist jeder, und Präsidenten ganz besonders.«

»Könnten wir bitte das Thema wechseln?«

»Welches Thema denn?« Lennox ging an den Schreibtisch und griff zum Telefon. »Ich will doch bloß einen Arzt unter Druck setzen, der lieber das Leben eines erwiesenen Mörders verlängert, als zu verhindern, daß anständige Leute auf unserer Seite getötet werden.«

»Wie zum Beispiel du, Drew.«

»Ja, wahrscheinlich.« Lennox nahm den Hörer ab.

»Laß das jetzt und hör mir zu!« fuhr Karin ihn an. »Leg den Hörer auf.«

»Okay, okay.« Drew legte den Hörer wieder auf und drehte sich langsam zu ihr herum. »Was ist denn?«

»Ich werde jetzt ganz brutal offen zu dir sein, Liebster – weil du der Mann bist, den ich liebe.«

»Tu dir keinen Zwang an.«

»Du bist intelligent, auf deine Art sogar brillant. Das habe ich miterlebt, habe dich beobachtet und dich dabei bewundert, wie schnell zu Entscheidungen treffen kannst und wie durchtrainiert du bist – in all diesen Punkten bist du ganz sicherlich meinem Mann und Harry überlegen. Aber du bist nun einmal nicht Freddie, und du bist auch nicht Harry, und die haben beide jeden Morgen, an dem sie aufgewacht sind, und jeden Abend, wenn sie sich nach draußen begeben haben, mit dem Gespenst des Todes gelebt. Das ist eine Welt, die du nicht kennst, Drew, eine schreckliche, grausame, komplizierte Welt, in der du nicht aufgewachsen bist – du hast sie kennengelernt, ja das schon, aber du bist kein Veteran dieses Alptraums.«

»Komm bitte zur Sache, ich möchte telefonieren.«

»Bitte, ich flehe dich an, du mußt alles, was du weißt, und alles, was du vermutest, den Leuten sagen, die in jener Welt zu Hause sind … Moreau, Witkowski, deinem Vorgesetzten Sorenson. Sie werden den Tod deines Bruders rächen; sie verfügen über die notwendigen Möglichkeiten dafür.«

»Und ich nicht?«

»Mein Gott, hinter dir ist ein ganzes Killerkommando her! Leute mit Ressourcen und Verbindungen, von denen wir nichts wissen. Sie werden mit Namen programmiert sein und über unbeschränkte Mittel verfügen, um die Träger dieser Namen zu bestechen, und es braucht schließlich nur einen, um dich zu verraten. Deshalb haben die Antineos mich angerufen. Sie sind der Meinung, daß deine Lage hoffnungslos ist, wenn du nicht verschwindest.«

»Dann sind wir wieder bei Frage eins angelangt, nicht wahr? Warum der ganze Aufwand für Harry Lennox? Warum?«

»Laß andere das herausfinden, Liebster. Wir beide, du und ich, sollten aus diesem schrecklichen Spiel aussteigen.«

»Du und ich …?«

»Du hast richtig gehört.«

»Damit machst du mich zum glücklichsten Mann auf der Erde, aber es geht so nicht, Karin. Mag ja sein, daß ich nicht dieselbe Erfahrung wie diese anderen habe, dafür habe ich aber etwas, was ihnen fehlt. Wut und Zorn, meine ich – und im Verein mit den anderen Fähigkeiten, die ich vielleicht besitze, macht mich das zum Führer des Rudels. Es tut mir leid, es tut mir wirklich leid, aber ich sehe keinen anderen Weg.«

»Ich appelliere an deinen Überlebensinstinkt – es geht um unser Überleben –, nicht an deinen Mut, denn dafür braucht es keinen weiteren Beweis.«

»Mut hat damit überhaupt nichts zu tun! Ich habe nie behauptet, tapfer zu sein, ich mag Tapferkeit nicht, die führt nur zum Tod von Schwachköpfen, ich spreche von einem Mann, der mein Bruder war, einem Mann, ohne den ich vorzeitig von der High School oder mindestens dem College abgegangen wäre, einem Mann, ohne den ich jetzt ein ausgebrannter Eishockeyspieler mit kaputten Gesicht, gebrochenen Beinen und keinem müden

Dollar auf dem Konto wäre. Jean-Pierre Villier hat mir gesagt, er sei bei einem Vater, den er nie kannte, in tiefer Schuld gestanden. Ich schulde Harry noch mehr, denn ich habe ihn gekannt.«

»Ich verstehe.« Karin sagte es ganz leise und sah Drew dann tief in die Augen. »Dann werden wir das gemeinsam durchstehen.«

»Hey, zum Teufel, das verlange ich nicht von dir!«

»Anders will ich es aber nicht. Ich bitte dich nur um eines, Drew. Laß nicht zu, daß deine Wut dich umbringt. Ich glaube, ich könnte es nicht ertragen, wenn ich den zweiten Mann, den ich je geliebt habe, genauso verliere wie den ersten.«

»Darauf kannst du dich verlassen. Dafür steht nämlich viel zu viel auf dem Spiel. So, darf ich jetzt telefonieren? In Washington ist jetzt gerade Mittag, und ich würde Sorenson gern noch erwischen, ehe er essen geht.«

»Du könntest ihm das Mittagessen verderben.«

»Das werde ich sogar ganz bestimmt. Er ist mit dem, was ich tue, nicht einverstanden. Aber er hat mich trotzdem aus einem verdammt guten Grund nicht verpfiffen.«

»Und warum?«

»Weil er selbst genau dasselbe tun würde.«

Wesley Sorenson war wütend und verärgert zugleich. Der Vizepräsident, den er persönlich von der gegen ihn erhobenen Anschuldigung unterrichtet hatte, hatte ihm eine Liste von hundertelf Senatoren und Kongreßabgeordneten beider Parteien gefaxt, die empört reagieren würden, wenn man ihren ehemaligen Kollegen als Nazi brandmarken würde, und die sich verbindlich bereit erklärten, für ihn auszusagen. Dazu kam eine weitere Liste potentieller Gegner, angefangen bei gescheiterten, aber immer noch mächtigen Fundamentalistenführern bis hin zu fanatischen Angehörigen von Extremistengruppen, denen jedes Mittel recht war, um nur ihre Popularität zu erhalten. Am Ende des Fax hatte der Vizepräsident handschriftlich seine Wertung hinzugefügt.

Die oben genannten Spinner sind bereit, willens und geradezu scharf darauf, jeden zu vernichten, der es auch nur andeutungsweise wagt, anderer Meinung zu sein. Ich habe die Anwälte. Wes,

wir können diese Arschlöcher fertigmachen! Bringen wir das
Ganze in den Senat und lassen diese Hexenjäger hochgehen.

Aber Sorenson war nicht bereit, so massiv an die Öffentlichkeit zu gehen. Dabei war viel zu gewinnen, aber auch eine ganze Menge zu verlieren. An der Existenz der Sonnenkinder gab es keinen Zweifel mehr, es war nur noch nicht klar, wo sie sich im einzelnen befanden und in welche Positionen sie aufgestiegen waren. Für die Gejagten würde es ein Kinderspiel sein, einfach zum Schein die Seiten zu wechseln. Er würde den Vizepräsidenten anrufen und versuchen, ihm seine Lage zu erklären. In diesem Augenblick klingelte sein Telefon, die rote Leitung, die direkt in sein Büro führte.

»Ja?«

»Ich bin's, Boß, Ihr wildgewordener Agent.«

»Ich wünschte, der wäre ich nicht – Ihr Boß, meine ich.«

»Bleiben Sie es noch eine Weile, wir machen Fortschritte.«

»Wie denn?«

»Bonn und Berlin haben zwei Kommandos ausgeschickt, um mich zu finden – um Harry zu finden, meine ich natürlich – und mich zu liquidieren.«

»Und das nennen Sie Fortschritt?«

»Ein Schritt führt immer zum nächsten, nicht wahr?«

»Wenn ich Sie wäre, und glauben Sie mir, ich spreche aus Erfahrung, würde ich machen, daß ich schleunigst aus Paris verschwände.«

»Hätten Sie das getan, Wes?«

»Wahrscheinlich nicht, aber was ich getan hätte, tut ja nichts zur Sache. Das sind jetzt ganz andere Zeiten, Lennox, zu unserer Zeit war das leichter. Wir wußten, wer unsere Feinde waren, Sie wissen es nicht.«

»Dann helfen Sie mir dabei, es herauszufinden. Sagen Sie diesem Weichei von einem Botschaftsarzt, er soll Kröger mit Amytal vollpumpen, damit wir vielleicht etwas erfahren.«

»Er hat gesagt, daß das sein Tod sein könnte.«

»Dann töten wir diesen Hurensohn eben. Wir brauchen das, was er weiß! Warum ziehen die denn alle Register, um Harry zu töten?«

»Der hippokratische Eid –«

»Zum Teufel damit, ich muß auch an mein Leben denken! Ich bin ganz sicher nicht für die Todesstrafe, weil sie beispielsweise nicht fair verhängt werden kann – wann ist das letzte Mal ein reicher Weißer auf den elektrischen Stuhl geschickt worden? – aber wenn ich je eine Ausnahme von meinem Prinzip machen würde, dann bei Kröger. Ich habe selbst gesehen, wie dieser Mistkerl zwei unschuldige Hotelangestellte einfach deshalb weggeputzt hat, weil sie ihm im Weg standen! Und außerdem hat unser Hippokrates in der Botschaft nicht gesagt, daß die Spritzen ihn sicher töten würden, er hat nur gesagt, das könnten sie. Das ist eine wesentlich bessere Chance, als Kröger diesen beiden Männern im Hotel gegeben hat.«

»Sie entwickeln beachtliche rhetorische Fähigkeiten … Nehmen wir mal an, ich würde Sie unterstützen und das Außenministerium dazu bringen, ebenfalls mitzumachen, was, glauben Sie, könnten Sie dann von Kröger erfahren?«

»Herrgott, das weiß ich nicht. Aber es wäre doch immerhin möglich, daß dabei eine Erklärung für diese Versessenheit herauskäme, mit der die Neonazis Harry aus dem Weg schaffen wollen.«

»Ich gebe ja zu, daß das auch mir ein Rätsel ist.«

»Es ist mehr als das, Wes. Das ist der Schlüssel zu mehr, als wir ahnen.«

»Harrys Liste mit eingeschlossen vielleicht?«

»Könnte sein. Ich habe das Protokoll seiner Anhörung in London gelesen. Für mich gibt es keinen Zweifel, daß er die Liste für authentisch hielt, aber er hat eingeräumt, daß die Liste auch Fehlinformationen enthalten könnte.«

»Irrtümer, aber nicht einfach Dreck«, sagte Sorenson leise. »Ja, ich erinnere mich, das habe ich auch gelesen. Wenn ich mich richtig erinnere, wurde er wütend, als die Andeutung fiel, daß man ihn vielleicht getäuscht hat, und sagte, es sei Aufgabe der Schlauköpfe in der Abwehr, das Material endgültig auszuwerten.«

»Darauf läuft es hinaus.«

»Und Sie denken, Kröger könnte da ein paar Lücken füllen?«

»Lassen Sie es mich einmal so sagen – mir fällt sonst keiner ein. Kröger war Harrys Arzt und seltsamerweise – wahrscheinlich, weil Kröger ihn anständig behandelt hat – hatte er irgendwie besonderen Einfluß auf meinen Bruder. Jedenfalls hat Harry ihn nicht gehaßt.«

»Ihr Bruder war viel zu professionell eingestellt, um Haß aufkommen zu lassen, geschweige denn zuzulassen, daß er sein Urteilsvermögen beeinträchtigte.«

»Das ist mir klar, und ich gebe ja zu, daß das ein ganz schmaler Grat ist, aber ich habe das Gefühl, daß Harry Respekt für ihn empfand – Respekt ist vielleicht der falsche Ausdruck –, aber da gab es jedenfalls eindeutig eine gewisse Zuneigung – ich kann es nicht erklären, weil ich es nicht verstehe.«

»Vielleicht haben Sie es gerade ausgesprochen. Der Arzt hat ihn anständig behandelt, er hat dem Gefangenen gegenüber eine gewisse Zuwendung an den Tag gelegt.«

»Das wäre dann wohl wieder das Stockholm-Syndrom? Bitte ersparen Sie mir das, die Theorie hat zu viele Löcher, ganz besonders, wenn es um Harry geht.«

»Sie haben ihn, weiß Gott, besser als sonst jemand gekannt … also schön, Drew, ich werde die Anweisung erteilen und Adam Bollinger im Außenministerium nicht einmal damit belästigen. Er hat uns bereits Carte blanche gegeben, wenn auch aus den falschen Motiven heraus.«

»Motiven? Nicht Gründen?«

»Logische Überlegungen kommen bei Bollinger immer erst an zweiter Stelle. Motive haben da Vorrang. Also, bleiben Sie gesund, bleiben Sie am Leben und seien Sie verdammt vorsichtig.«

Gerhard Kröger wurde im Krankenrevier der Botschaft, bei dem es sich in Wirklichkeit um eine moderne Klinik mit sechs Räumen und den neuesten medizinischen Geräten handelte, auf den Tisch geschnallt. Ein durchsichtiger Schlauch, in dem sich der Inhalt von zwei Plastikbehältern über seinem Kopf mischte, wurde an seinem linken Arm befestigt und die Nadel in seine Vene geschoben. Man hatte ihn vor der Prozedur mit Sedativa behandelt, so daß er ein völlig passiver Patient war, dem in seinem belämmerten Zustand egal war, was ihm bevorstand.

»Wenn er stirbt«, sagte der Botschaftsarzt, ohne dabei den Blick vom Monitor des EKG-Gerätes zu wenden, »dann geht das auf euer Konto. Ich bin hier, um Leben zu retten, nicht um Menschen zu exekutieren.«

»Sagen Sie das den Familien der Männer, die er getötet hat, ohne auch nur zu wissen, wer sie waren«, erwiderte Drew.

Stanley schob Lennox mit dem Ellbogen beiseite. »Sagen Sie mir Bescheid, wenn er ins Koma fällt«, befahl er dem Arzt.

Drew trat einen Schritt zurück und stellte sich neben Karin, die fasziniert und abgestoßen zugleich zusah.

»Er erreicht jetzt den Zustand der geringsten Widerstandskraft«, sagte der Arzt. »Jetzt«, fügte er streng hinzu. »Und Befehl oder nicht, ich schalte den Tropf in zwei Minuten ab! Herrgott, eine Minute später ist er tot! ... Ich brauche diesen Job nicht, Leute, ich kann der Regierung in drei oder vier Jahren zurückzahlen, was sie für meine Ausbildung ausgegeben hat, aber das hier kann alles Gold in Fort Knox nicht aus meinem Gewissen löschen.«

»Dann gehen Sie zur Seite, junger Mann, und lassen Sie mich arbeiten.« Witkowski beugte sich über Kröger und redete leise auf ihn ein, stellte zuerst die üblichen Fragen über seine Identität und seine Stellung in der Neonazibewegung, die knapp und klar mit monotoner Stimme beantwortet wurden. Dann wurde die Stimme des Colonel lauter; nahm allmählich einen drohenden Tonfall an, bis sie von den Wänden widerhallte. »Jetzt sind wir am Kern, Doktor! Warum wollen Sie, daß Harry Lennox getötet wird?«

Kröger wand sich auf dem Tisch und versuchte, die Gurte zu zerreißen, dann hustete er und spuckte aus. Der Botschaftsarzt packte Witkowski am Arm; aber der Colonel schüttelte ihn heftig ab. »Sie haben noch dreißig Sekunden«, sagte der Arzt und packte den Colonel erneut am Arm.

»Die Pfoten weg! ... Hören Sie zu, Kröger! Mir ist scheißegal, ob Sie leben oder sterben! Raus mit der Sprache! Warum müssen Sie Harry Lennox töten? Raus mit der Sprache!«

»Sein Gehirn!« kreischte Gerhard Kröger und schlug mit solcher Kraft um sich, daß einer der Lederriemen dabei riß. »Sein Gehirn!« wiederholte der Nazi und sackte dann in sich zusammen.

»Das ist alles, was Sie kriegen, Witkowski«, sagte der Arzt mit fester Stimme und schaltete die intravenöse Injektion ab. »Sein

Puls ist jetzt auf hundertvierzig. Noch fünf Punkte, und er ist erledigt.«

»Ich will Ihnen was sagen, Medizinmann«, sagte der G-2-Veteran, »wissen Sie, wie der Puls der zwei Hotelangestellten ist, die dieser Drecksack umgelegt hat? Der ist auf Null, Herr Doktor, und ich glaube nicht, daß das sehr nett ist.«

Sie saßen zu dritt in einem Straßencafé an der Rue de Varenne, Drew immer noch in Zivil, neben ihm Karin, die unter dem Tisch seine Hand hielt. Witkowski schüttelte immer wieder den Kopf, er war offensichtlich verwirrt. »Was, zum Teufel, hat dieser Hurensohn gemeint, als er sagte ›sein Gehirn‹?«

»Ich denke dabei unwillkürlich an Gehirnwäsche«, sagte Lennox widerstrebend, »aber das kann ich nicht recht glauben.«

»Ich auch nicht«, sagte Karin. »Ich weiß, wie wichtig es für Harry war, die Kontrolle über sich zu haben, wenn ich so sagen darf, und ich kann mir einfach nicht vorstellen, daß er so etwas hinter sich hatte. Er hätte sich dagegen wehren können, das bringt man Agenten seines Ranges bei.«

»Was machen wir also?« fragte der Colonel.

»Eine Autopsie?« schlug Karin vor.

»Was könnten wir dabei erfahren? Daß man ihn vergiftet hat?« antwortete Witkowski. »Davon können wir ausgehen, oder von so etwas ähnlichem. Außerdem benötigt man für eine Autopsie eine gerichtliche Genehmigung, und die muß beim Gesundheitsministerium mit den entsprechenden ärztlichen Dokumenten registriert werden. Das wäre zu riskant. Wir dürfen nicht vergessen, daß Harry jetzt nicht Harry ist.«

»Dann stehen wir wieder ganz am Anfang«, sagte Drew. »Und ich weiß nicht mal, wo der Anfang ist.«

In der Leichenhalle an der Rue Fontenay ging der Wärter, der regelmäßig die Leichen in ihren gekühlten, provisorischen Grabkammern zu überprüfen hatte, an der Reihe entlang, zog jede Leiche heraus, um sich zu vergewissern, daß sie korrekt identifiziert und nicht wegen Überfüllung an einen falschen Platz geraten war. Er erreichte Nummer einhunderteins, einen besonderen

Fall, was ihm ein rotes Kreuz auf seiner Liste signalisierte, das besagte, die Leiche dürfe unter keinen Umständen entfernt werden. Er zog die Schublade auf.

Was er sah, ließ ihn erschrocken zusammenfahren: Der Schädel der beinahe gesichtslosen Leiche wies ein großes gähnendes Loch auf, als ob eine Explosion stattgefunden hätte, und die Haut- und Gewebefragmente waren über den ganzen Schädel verteilt. Es sah aus wie eine aufgebrochene Pflaume, und die Flüssigkeit wirkte grau und infiziert. Der Mann schob schnell die Lade wieder zu. Er hatte unwillkürlich die Luft angehalten, um den Verwesungsgeruch nicht einatmen zu müssen. Sollte ein anderer die Leiche finden.

27

Claude Moreau erließ um acht Uhr dreißig eine unwiderrufliche Anordnung. Lennox und de Vries standen wieder unter dem Schutz des Deuxième Bureau. Die amerikanischen Sicherheitskräfte durften Vorschläge hinsichtlich ihres Schutzes machen, aber die letzte Entscheidung lag einzig und allein bei den Franzosen. Es sei denn, die beiden entschieden sich dafür, das Areal ihrer Botschaft nicht zu verlassen, die gemäß internationaler Vereinbarung amerikanisches Territorium war und daher nicht der Zuständigkeit des Deuxième unterstand. Als Drew lautstark protestierte, antwortete Moreau darauf kurz und bündig.

»Ich kann nicht zulassen, daß die Bürger von Paris ihr Leben riskieren, weil sie in das Kreuzfeuer der Leute geraten, die Sie töten wollen«, sagte der Franzose zu Drew und Karin, denen er in ihrer Suite im Hotel Normandie gegenübersaß.

»Das ist doch ausgemachter Blödsinn!« sagte Lennox und schenkte sich mit solchem Schwung Kaffee nach, daß die Hälfte davon auf den Teppich spritzte. »Niemand wird auf den Straßen einen Krieg anfangen. Das ist das allerletzte, was die tun würden.«

»Vielleicht, vielleicht auch nicht. Aber was ist, warum ziehen Sie beide nicht einfach in die Botschaft, dann löst sich die Frage von selbst? Ich hätte keinerlei Einwände, und die Bürger von Paris wären außer Gefahr.«

»Sie wissen ganz genau, daß ich das nicht kann. Ich muß mich bewegen können!« Drew stand wütend auf, und man konnte jetzt sehen, daß sein Hotelbademantel viel zu klein für ihn war.

»Dann bewegen Sie sich mit meinen Leuten, oder Sie bleiben von der Straße. Das ist mein letztes Wort, *mon ami* ... oh, und noch etwas. Sie werden sich, was immer Sie unternehmen und wo immer Sie hingehen, von mir genehmigen lassen.«

»Sie reden nicht nur zuviel, Sie sind auch unmöglich!«

»Weil wir gerade von Unmöglichem sprechen«, fuhr der Chef des Deuxième fort, »Botschafter Courtland wird heute nachmittag um siebzehn Uhr mit der Concorde eintreffen. Seine Frau wird ihn am Flughafen abholen. Für mein Gefühl ist das Theaterstück, das er da hinlegen muß, so schwierig, daß selbst der beste Schauspieler daran scheitern könnte.«

»Wenn Courtland es nicht schafft, dann soll er eben aussteigen«, sagte Drew und ging mit seiner Tasse zur Couch zurück.

Moreau runzelte die Stirn über Lennox' schroffen Tonfall. »Vielleicht haben Sie recht, *mon ami*. Aber wie auch immer, bis heute abend werden wir es ja wissen, *n'est-ce pas?* … So, und was den restlichen Tag angeht, so möchte ich, daß Sie sich mit den Schutzvorkehrungen des Bureaus vertraut machen. Die unterscheiden sich grundsätzlich von dem, was mein Freund Witkowski treibt, aber dem Colonel stehen natürlich auch nicht die gleichen Mittel wie uns zur Verfügung.«

»Übrigens«, sagte Drew, »haben Sie das alles mit Witkowski abgeklärt? Ist er mit Ihren Anweisungen einverstanden?«

»Er ist nicht nur einverstanden, sondern er ist erleichtert. Ich denke, Sie sollten wissen, daß er Sie beide sehr mag – die reizende Karin vielleicht ein wenig mehr –, und ihm ist natürlich wohl bewußt, daß mir ganz andere Möglichkeiten zur Verfügung stehen als ihm. Außerdem haben er und Wesley Sorenson alle Hände voll damit zu tun, das Wiedersehen des Botschafters und seiner Frau vorzubereiten, eine höchst delikate Situation, die dauernde Überwachung erfordert. Was kann ich sonst noch sagen?«

»Nein, Sie haben alles gesagt«, sagte Lennox ohne große Begeisterung. »Was sollen wir jetzt tun?«

»Zunächst einmal sollen Sie unsere Schutzmannschaft kennenlernen und sich mit den Männern vertraut machen. Sie sprechen alle fließend Englisch, und die Leitung hat übrigens Ihr Lebensretter aus der Avenue Gabriel –«

»François, der Fluchtfahrer?«

»Wer sonst? Die anderen werden Tag und Nacht um Sie herum sein. Im Hotelkorridor werden sich immer zwei Mann aufhalten, wenn Sie dort sind. Und dann interessieren Sie vielleicht die verschiedenen Überwachungsmaßnahmen für den *Parc de Joie* und Madame Courtland, die wir vorgesehen haben. Alles steht jetzt bereit.«

»Dann ziehe ich mich jetzt an«, sagte Drew, stand wieder auf und ging mit der Kaffeetasse in der Hand zur Schlafzimmertür.

»Vergiß nicht, dich zu rasieren, Liebling. Deine dunklen Stoppeln passen gar nicht zu deinem Haar.«

»Das ist auch so eine Sache«, murmelte Lennox. »Ich möchte mir dieses Zeug so schnell wie möglich auswaschen«, sagte er dann etwas lauter, trat ins Schlafzimmer und zog die Tür hinter sich zu.

»*Bien*«, sagte Moreau und fuhr dann in französischer Sprache fort: »Jetzt können wir uns unterhalten, Madame.«

»Ja, ich wußte schon, daß das kommen würde. Vor ein paar Augenblicken haben Sie mich ja so fixiert, daß ich schon Angst hatte, Sie wollten mich durchbohren.«

»Wollen wir Deutsch sprechen?«

»Das ist nicht nötig. Da drinnen kann er nichts hören und wenn wir schnell französisch sprechen, kommt er ohnehin nicht mit. Womit wollen wir anfangen?«

»Mit dem Naheliegenden«, erwiderte der Chef des Deuxième locker. »Wann wollen Sie ihm Bescheid sagen? Wollen Sie das überhaupt?«

»Ich verstehe«, sagte Karin gedehnt. »Und weil wir schon dabei sind, ich könnte Sie ja dasselbe fragen, oder?«

»Sie meinen damit mein eigenes kleines Geheimnis, wie? Der Grund, weshalb ich solche Risiken eingehe, um diese fanatischen Deutschen, wo immer ich sie finden kann, zu vernichten.«

»Ja, allerdings.«

»Also gut. Sie können meiner Familie ja keinen Schaden zufügen, indem Sie es herumerzählen, warum also nicht? ... Ich hatte eine Schwester, sie hieß Marie, war ein ganzes Stück jünger als ich, und als unser Vater starb, wurde ich für sie so etwas wie ein Ersatzvater. Ich habe sie vergöttert. Sie war so lebendig, diese blühende Unschuld der Jugend, und dazu kam noch, daß sie Tänzerin war – nicht gerade eine Primaballerina, aber jedenfalls sehr talentiert. Die Stasi hat dieses reizende Kind auf dem Höhepunkt des Kalten Krieges zerstört, einzig und allein um sich an mir zu rächen. Sie haben sie entführt und sie drogenabhängig gemacht, sie zur Prostitution gezwungen, damit sie sich ihre Sucht leisten konnte. Sie ist mit sechsundzwanzig in Ostberlin auf der

Straße zusammengebrochen und gestorben; damals bettelte sie bereits um Geld oder Lebensmittel, weil sie ihren Körper nicht mehr verkaufen konnte ... das ist mein Geheimnis, Karin. Nicht besonders hübsch, wie?«

»Schrecklich«, sagte Karin de Vries. »Und Sie konnten gar nichts unternehmen, ihr nicht helfen?«

»Ich wußte es nicht. Unsere Mutter war gestorben und ich war dreizehn Monate lang im Mittelmeersektor untergetaucht. Als ich nach Paris zurückkehrte, fand ich in der Post, die man mir aufgehoben hatte, vier Fotos aus den Archiven der Ostberliner Polizei, die mir die Stasi hatte zukommen lassen. Sie zeigten die sterblichen Überreste meiner kleinen Schwester.«

»Claude, Sie Armer, was für eine grauenhafte Geschichte!«

»Aber Sie haben doch eine ähnlich qualvolle Geschichte zu erzählen, meine Liebe, nicht wahr?«

»Wie haben Sie das herausgefunden?«

»Das erkläre ich Ihnen später. Zuerst muß ich meine Frage wiederholen: Wann werden Sie es unserem amerikanischen Freund sagen? Oder haben Sie das nicht vor?«

»Das kann ich im Augenblick nicht –«

»Dann benutzen Sie ihn also bloß«, fiel Moreau ihr ins Wort.

»Ja«, rief Karin aus. »So hat es angefangen, aber dann ist alles ganz anders gekommen. Sie können von mir denken, was Sie wollen, aber ich liebe ihn – jetzt liebe ich ihn. Für mich ist das ein viel größerer Schock als für irgend jemanden sonst. Er hat so viele Eigenschaften von Freddie – zu viele sogar, und das macht mir angst. Er ist warm und interessiert und zornig; ein guter Mann, der sich bemüht, sein Ziel zu finden. Er ist ebenso verloren, wie wir alle, aber er ist fest entschlossen, Antworten zu finden. Freddie war zu Anfang ganz genauso. Ehe er anfing, sich zu verändern und schließlich zu einem Besessenen wurde.«

»Wir haben beide vor ein paar Augenblicken gehört, wie Drew über Courtland sprach. Die Kälte, die dabei von ihm ausging, hat mich erschreckt. Ist das dieselbe Kälte wie bei Freddie?«

»Nein, keineswegs. Drew wird in solchen Augenblicken zu seinem Bruder, dessen Rolle er spielt. Er muß Harry sein.«

»Dann sollten Sie ihm die Wahrheit sagen.«

»Was ist die Wahrheit?«

»Ihr Mann lebt, Frederik de Vries lebt, aber niemand weiß, wo er ist oder wer er ist.«

Die Schutzmannschaft des Deuxième bestand aus François, dem verhinderten Rennfahrer, und zwei Leibwächtern, deren Namen für Lennox so schwer auszusprechen waren, daß er sie »Monsieur Frick« und »Monsieur Frack« taufte.

»Reden Ihre Töchter wieder mit Ihnen, François?« fragte Drew vom Rücksitz aus, wo er und Monsieur Frack Karin in die Mitte genommen hatten.

»Kein Wort«, erwiderte François. »Meine Frau hat ihnen Vorhaltungen gemacht und ihnen erklärt, daß sie ihrem Vater Respekt erweisen müssen.«

»Hat es was genützt?«

»Überhaupt nichts. Sie sind in ihr Zimmer gegangen, haben die Tür zugemacht und ein Schild ›Zutritt verboten‹ davorgehängt.«

»Sollte ich da auch informiert werden?« fragte Karin.

»Nur den naheliegenden Schluß ziehen, daß Töchter zu ihren Vätern manchmal recht grausam sein können«, antwortete Lennox.

»Ich glaube, ich lasse es dabei bewenden.«

Zwanzig Minuten später trafen sie am Deuxième Bureau ein, einem unauffälligen Bau mit einer Tiefgarage, zu der sie erst nach gründlicher Inspektion durch bewaffnete Wachposten Zutritt erhielten. Frick und Frack brachten Drew und Karin in einer mit Stahlwänden versehenen Aufzugkabine nach oben. Als sie im fünften Geschoß eintrafen, brachte man sie zu Moreaus Büro, das eher wie ein großes Wohnzimmer aussah, und in dem die Jalousien halb zugezogen waren. Ein ganzes Arsenal von Computern und anderen High-Tech-Geräten störte freilich den behaglichen Eindruck, den das Mobiliar sonst verbreitet hätte.

»Und mit all dem Zeug können Sie umgehen?« fragte Drew mit einer weit ausholenden Handbewegung.

»Was ich nicht weiß, weiß meine neue Sekretärin, und was sie nicht weiß, schafft mein Kollege Jacques. Und wenn wir echte Probleme bekommen, dann werde ich einfach meine neue Freundin, Madame de Vries, rufen.«

»*Mon Dieu*«, rief Karin aus, »das ist ja traumhaft! Da schauen Sie, ständiger Kontakt mit einem Dutzend Satelliten. Und da, Telekommunikation mit jedem noch so fernen Winkel der Welt, wo entsprechende Empfänger stehen.«

»Ich habe ein wenig Probleme mit diesem Apparat«, sagte Moreau. »Vielleicht können Sie mir helfen.«

»Die Frequenzen wechseln beständig, im Abstand von Minisekunden«, sagte de Vries. »Die Amerikaner sind damit beschäftigt.«

»Das waren sie, aber ein Computerfachmann namens Rudolf Metz hat ihnen einige Probleme bereitet, als er plötzlich aus den Vereinigten Staaten verschwand und in Deutschland untertauchte. Er hat einen Virus in das System eingeschleust; die sind immer noch damit beschäftigt, ihn zu beseitigen.«

»Wer diese Technik beherrscht, hat Zugang zu allen Geheimnissen der Welt«, sagte Karin.

»Dann wollen wir nur hoffen, daß die Bruderschaft nicht ohne die Hardware auskommt, die Metz zurücklassen mußte«, sagte der Chef des Deuxième Bureau. »Aber das sind müßige Spekulationen. Wir haben hier andere Dinge, die wir Ihnen zeigen wollen, oder besser gesagt, die Sie sich anhören sollten. Wie versprochen, haben wir uns mit Witkowskis Hilfe in der Botschaft den Zugriff zum privaten Telefon des Botschafters verschafft, einem Telefon, das alle Kanäle absucht und nur auf solchen funktioniert, die mutmaßlich nicht abgehört werden können. *Le Parc de Joie* war wesentlich einfacher; wir haben einfach ihre Leitungen unter dem Vorwand eines Brandes bei der Telefongesellschaft gestört. Darüber wurde in den Zeitungen und im Fernsehen berichtet, was der Telefongesellschaft Tausende von Reklamationen eingetragen hat, aber keiner hat unsere List durchschaut … Tatsächlich haben wir auch einen Brand gelegt, mehr Rauch als Flammen, aber es hat funktioniert.«

»Haben wir etwas erfahren?« fragte Lennox.

»Hören Sie selbst«, erwiderte Moreau und trat an eine Telefonkonsole an der linken Wand. »Dieses Band enthält eine Aufzeichnung des gesicherten Telefons im Privatbüro des Botschafters im Obergeschoß. Wir haben einiges gelöscht, so daß Sie nur relevante Informationen zu hören bekommen. Wen interessieren schon harmlose Höflichkeitsfloskeln?«

»Sind Sie da so sicher, daß sie harmlos sind?«

»Lieber Drew, Sie dürfen sich jederzeit die gesamte Aufzeichnung anhören, wenn Sie wollen; sie ist digital markiert.«

»Entschuldigung, bitte fahren Sie fort.«

»Madame Courtland hat gerade die Lederboutique auf den Champs-Élysées erreicht.« Man hörte zunächst ein gedämpftes Rauschen, und dann die Stimme der Frau des Botschafters.

»Ich muß mit André im Parc de Joie *sprechen. Das ist ein dringender Notfall!«*

»Und wer spricht?«

»Jemand, der den Code André kennt und gestern in Ihrem eigenen Fahrzeug in den Vergnügungspark gebracht wurde.«

»Davon hat man mir berichtet. Bleiben Sie in der Leitung. Ich melde mich gleich wieder.« Schweigen. *»Sie sollen heute mittag um ein Uhr im Louvre sein. In der Halle mit antiken ägyptischen Exponaten im Obergeschoß. Sie werden einander erkennen, und er wird Sie auffordern, ihm zu folgen. Falls Sie aus irgendeinem Grund aufgehalten werden: Er ist unter dem Namen Louis, Graf von Strasbourg, bekannt. Sie sind alte Bekannte. Ist das klar?«*

»Ja.«

»Wiedersehen.«

»Die nächste Aufzeichnung ist ein Gespräch zwischen dem Geschäftsführer der Boutique und André im *Parc de Joie*«, sagte Moreau. »Tatsächlich ist er der Graf von Strasbourg.«

»Ein echter Graf?« fragte Lennox.

»Echter als die meisten. Er ist der überlebende männliche Erbe einer alten, vornehmen Familie in Elsaß-Lothringen, die nach dem Krieg schwere Zeiten erlebt hat; die Familie hat sich nämlich entzweit, müssen Sie wissen.«

»Ein Graf als Besitzer eines Vergnügungsparks?« wunderte sich Drew. »Was für ein sozialer Abstieg. Worüber hat sich die Familie entzweit?«

»Im Krieg hat die eine Seite der Familie für Deutschland und die andere für Frankreich gekämpft.«

»Dann ist wohl die Hälfte dieses Louis' auf die Seite der Nazis übergegangen«, sagte Lennox.

»Nein, keineswegs«, erwiderte Moreau. »Er war noch ein Kind, aber seine ›Hälfte‹, wie Sie es formuliert haben, hat wacker für Frankreich gekämpft. Unglücklicherweise hat der deutsche Zweig das Vermögen auf Banken in der Schweiz und Nordafrika geschafft und dem nobleren Teil der Familie nichts übriggelassen.«

»Und trotzdem arbeitet er für die Neonazis?« staunte Karin.

»Offensichtlich.«

»Das verstehe ich nicht«, sagte Drew. »Wie kommt er dazu?«

»Der Teil der Familie, der das Geld beiseite geschafft hatte, hat sich an ihn herangemacht«, antwortete Karin und sah dabei Moreau an.

»Damit er einen fünfrangigen und völlig verdreckten Vergnügungspark führt?«

»Mit der Aussicht auf wesentlich mehr«, fügte der Chef des Deuxième hinzu. »Er führt ein Doppelleben – in den Salons von Paris ist er ein völlig anderer Mensch als im *Parc de Joie*.«

»Ich hätte gedacht, daß man ihn dort auslacht«, sagte Lennox, »wenn man ihn überhaupt in diese Salons läßt.«

»Weil er einen Jahrmarkt führt?«

»Nun ja, allerdings.«

»Da irren Sie sich gründlich, *mon ami*. Wir Franzosen bewundern Pragmatik, ganz besonders die etwas erniedrigende Pragmatik der entthronten Reichen, die Mittel und Wege gefunden haben, wieder zu Vermögen zu kommen. Sie machen das in Amerika genauso, sogar noch offenkundiger. Da verliert ein millionenschwerer Unternehmer seine Firmen oder seine Hotels oder seine sonstigen Unternehmungen – eben alles. Und dann kommt er wieder zu Vermögen und ihr macht einen Helden aus ihm. Wir sind gar nicht so verschieden, Drew. Und wer weiß, was dieser Graf hofft, von den Nazis zu bekommen?«

»Hören wir uns das Band an.«

»Das dürfen Sie natürlich, aber es bestätigt nur die Anweisung von Strasbourg, daß Madame Courtland heute mittag um dreizehn Uhr zum Louvre kommen soll.«

Washington, D.C. Es war kurz nach fünf Uhr morgens, aber Wesley Sorenson konnte keinen Schlaf finden. Langsam und lautlos stieg er aus dem Bett neben dem seiner Frau und ging mit leisen Schritten in sein Ankleidezimmer.

»Was machst du denn, Wes?« fragte seine Frau schläfrig. »Du warst doch erst vor einer halben Stunde im Bad.«

»Du hast mich gehört?«

»Die ganze Nacht durch. Was ist denn? Irgend etwas mit deiner Gesundheit, wovon du mir nichts gesagt hast?«

»Nein, mit meiner Gesundheit hat es gar nichts zu tun.«

»Dann soll ich also nicht fragen, wie?«

»Irgend etwas ist nicht in Ordnung, Kate, etwas, das ich noch nicht erkenne.«

»Das ist schwer zu glauben.«

»Warum? Das ist doch die Geschichte meines Lebens – die Suche nach fehlenden Stücken.«

»Und jetzt willst du im Dunkeln danach suchen, Liebster?«

»In Paris ist es jetzt später Vormittag, gar nicht dunkel. Schlaf wieder ein.«

»Das mache ich. Das wird angenehmer sein.«

Sorenson tauchte den Kopf in das mit kaltem Wasser gefüllte Waschbecken – eine Angewohnheit aus seiner Zeit als Agent im Außendienst – schlüpfte in seinen Morgenmantel und ging ins Erdgeschoß in die Küche. Er drückte den Knopf an der automatischen Kaffeemaschine, die ihre Haushälterin noch gestern abend nach dem Abendessen programmiert hatte, wartete, bis eine Tasse fast gefüllt war und trottete damit in sein Arbeitszimmer hinter dem Wohnzimmer. Er setzte sich an seinen zweieinhalb Meter langen Schreibtisch, trank den Kaffee in kleinen Schlucken und zog ein Päckchen seiner »absolut verbotenen« Zigaretten aus einer unteren Schublade – eine weitere Angewohnheit von damals. Er inhalierte den beruhigenden Rauch dankbar, griff nach dem Telefon auf seiner technisch-komplizierten Konsole und wählte dann die Nummer Moreaus in Paris.

»Ich bin's Claude, Wes«, sagte Sorenson, nachdem er das knappe *Oui?* gehört hatte.

»Heute ist anscheinend mein amerikanischer Vormittag, Wesley. Ihr widerborstiger Drew Lennox ist gerade mit der

432

reizenden, wenn auch rätselhaften Karin de Vries weggegangen.«

»Rätselhaft?«

»Ich bin da noch nicht ganz sicher, aber sobald ich es weiß,
sage ich es Ihnen auch. Aber wir machen Fortschritte. Unser
Sonnenkind, Janine Clunitz, verhält sich einigermaßen vorher-
sehbar.« Moreau schilderte die Ereignisse des Vormittags. »Sie
soll sich heute mittags im Louvre mit Strasbourg treffen. Wir
werden sie überwachen.«

»Die Strasbourgs aus dem Elsaß haben ja damals einigermaßen Furore gemacht, wenn ich mich richtig erinnere.«

»Ja, allerdings, und der Graf bleibt der Familientradition treu,
aber im Augenblick ist mir Ihr Botschafter wichtiger. Sein Zeitplan ist doch unverändert, oder?«

»Ja, und wenn wir Glück haben, dann behält er auch die Nerven und dreht diesem Miststück nicht den Hals um, wenn sie
ihm vor die Augen tritt.«

»Wir sind hier auf ihn vorbereitet, das kann ich Ihnen versichern ... aber jetzt erzählen Sie mir doch, was auf Ihrer Seite des
großen Teichs alles so abläuft, *mon ami*.«

»Der scheußlichste Schlamassel, den Sie sich vorstellen können. Sie wissen doch, diese zwei Nazikiller –«

»Ich nehme an, Sie sprechen von den beiden, die Witkowski
zum Luftwaffenstützpunkt Andrews geschickt hat.«

»Genau die. Die haben hier soviel Müll ausgespuckt, daß die
ganze Regierung darüber stolpern könnte, wenn das alles an die
Öffentlichkeit käme.«

»Könnten Sie ein wenig deutlicher werden?«

»Diese Mistkerle behaupten, sie hätten eindeutiges Beweisma-
terial, wonach der Vizepräsident und der Sprecher des Repräsentantenhauses mit der Neonazibewegung in Deutschland liiert
sind.«

»Das ist doch absolut lächerlich. Wo sind diese sogenannten
Beweise?«

»Die beiden wollen uns einreden, sie brauchten bloß einen Telefonhörer abnehmen und in Berlin anrufen, und die Dokumente würden sofort übermittelt werden, vermutlich per Fax.«

»Das ist ein Bluff, Wesley, das ist Ihnen doch klar.«

»Sicherlich, aber ein Bluff, bei dem sie uns ganz schön mit gefälschten Dokumenten einheizen könnten. Der Vizepräsident ist wütend. Er möchte eine Anhörung im Senat und ist sogar so weit gegangen, daß er einen ganzen Haufen wütender Senatoren und Kongreßabgeordneter beider Parteien zusammengetrommelt hat, um diese Behauptungen zu widerlegen.«

»Ich weiß nicht, ob das ratsam ist«, sagte Moreau, »wenn man das augenblickliche politische Klima bei Ihnen bedenkt und diese Hexenjagd, die ausgebrochen ist.«

»Genau das muß ich ihm klarmachen. Ich brauche bloß daran zu denken, was unsere Medien mit getürkten ›amtlichen Beweisen‹ anstellen würden. Briefbögen der Regierung, ganz besonders solche der Nachrichtendienste, und speziell Briefbögen der deutschen Nachrichtendienste lassen sich spielend leicht fälschen. Du großer Gott, können Sie sich vorstellen, was hier los wäre, wenn die auf den Bildschirmen im ganzen Land erscheinen würden?«

»Man würde die Beschuldigten in Grund und Boden verdammen, ehe sie ein Wort zu ihrer Verteidigung sagen könnten«, pflichtete ihm der Chef des Deuxiéme Bureau bei. »Augenblick mal, Wesley –« Moreau dachte nach. »Damit es dazu kommt, würden die beiden Killer doch die Unterstützung der Neonaziführung brauchen, oder nicht?«

»Doch. Und?«

»Das ist unmöglich! Die Pariser Einheit der Blitzkrieger ist in Ungnade! Man hält sie für Verräter, sie würden keinerlei Unterstützung von oben bekommen, weil sie für die Nazibewegung viel zu gefährlich sind. Man hat sie fallengelassen ... Gibt es drüben sonst noch jemanden, der etwas über Ihre beiden Gefangenen weiß?«

»Na ja, wir sind hier ziemlich knapp an Personal, deshalb habe ich sie von den Marines und von ein paar von Knox Talbots Männern in Andrews abholen lassen. Jetzt halte ich sie in einem sicheren Haus der CIA in Virginia unter Verschluß.«

»Einem sicheren Haus der CIA? Wo die CIA doch infiltriert worden ist?«

»Ich hatte keine große Wahl, Claude. Wir selbst besitzen so etwas nicht.«

434

»Das verstehe ich. Trotzdem sind diese beiden Männer für die Neonazis eine ausgesprochene Belastung.«

»Das sagten Sie bereits. Und?«

»Sie sollten sich um diese Gefangenen kümmern, Wesley. Aber lassen Sie es vorher niemanden wissen.«

»Warum?«

»Das weiß ich nicht genau. Nennen wir es Instinkt.«

»Ich bin schon unterwegs«, sagte Sorenson, legte auf und rief die Fahrbereitschaft an. »Ich brauche in einer halben Stunde ein Fahrzeug bei mir zu Hause.«

Sechsunddreißig Minuten später, nachdem er geduscht und sich rasiert hatte, wies der Direktor von Consular Operations seinen Fahrer an, ihn zu dem sicheren Haus in Virginia zu bringen. Der Fahrer griff automatisch nach dem Hörer des Hochfrequenzfunktelefons, um dem Einsatzleiter der CIA ihren Zielort anzugeben.

»Das können Sie sich sparen«, sagte Sorenson vom Rücksitz aus. »Für ein Empfangskomitee ist es zu früh.«

»Aber das ist so üblich, Sir.«

»Haben Sie doch ein Herz, junger Mann, wo doch die Sonne noch nicht einmal richtig aufgegangen ist.«

»Ja, Sir.« Der Fahrer legte den Hörer des Autotelefons wieder auf die Gabel. Sein Gesichtsausdruck ließ erkennen, daß er den Alten eigentlich für einen recht netten Kerl hielt, wenn man bedachte, daß er so ein hohes Tier war. Eine halbe Stunde später erreichten sie die gewundene Landstraße, die durch den Wald zu dem Betonwachhäuschen des mit einem Elektrozaun gesicherten Geländes führte. Das Tor blieb geschlossen, als eine Stimme vor dem linken Hinterfenster der Limousine aus einem Lautsprechergitter unter einem dicken kugelsicheren Fenster drang.

»Bitte, identifizieren Sie sich und sagen Sie, was Sie wollen.«

»Wesley Sorenson, Direktor von Consular Operations«, antwortete Wes, der die Scheibe heruntergelassen hatte. »Und was ich will, hat Sicherheitsstufe Maximum.«

»Ich erkenne Sie, Sir«, sagte die undeutlich hinter dem dunklen Fenster sichtbare Gestalt, »aber Sie stehen nicht auf der Liste für heute morgen.«

»Wenn Sie Ihre Einträge für Dauerzugang überprüfen, werden Sie dort meinen Namen finden.«

»Einen Augenblick, Sir ... Entschuldigen Sie, Mr. Director«, fuhr die körperlose Stimme fort, »ich hätte nachsehen sollen, aber die Leute mit Dauerzugang kommen gewöhnlich später.«

»Keine Ursache«, sagte Sorenson, »ich hätte vielleicht den DCI anrufen sollen, aber für ihn ist es auch noch ein wenig früh.«

»Ja, Sir.« Das schwere Stahltor schwang auf. Nach einem knappen halben Kilometer erreichten sie eine kreisförmige Zufahrt, die an der Marmortreppe der Residenz des ehemaligen argentinischen Botschafters endete. Die Limousine kam zum Stehen, als das große Eingangsportal sich öffnete und ein kräftig gebauter Major der Army in mittleren Jahren heraustrat. Die Schulterklappen seiner mit zahlreichen Orden bedeckten Uniformjacke ließen erkennen, daß er einem Rangerbataillon angehörte. Er kam schnell die Treppe herunter und öffnete Sorenson die Tür.

»Major James Duncan, diensthabender Wachoffizier, Mr. Director«, sagte er freundlich. »Guten Morgen, Sir.«

»Guten Morgen, Major«, sagte der Chef von Cons-Op und stieg aus dem Wagen. »Tut mir leid, daß ich nicht vorher angerufen habe, um Ihnen zu sagen, daß ich so früh kommen würde.«

»Das sind wir gewöhnt, Mr. Sorenson.«

»Der Mann am Tor nicht.«

»Das verstehe ich nicht. Die hatten heute früh um drei eine viel größere Überraschung.«

»So?« Die Antenne des erfahrenen Geheimdienstmannes empfing negative Signale. »Ein unangemeldeter Besucher?« fragte er, während sie die Treppe hinaufgingen.

»Nein, eigentlich nicht. Sein Name war gegen Mitternacht auf die Dauerliste gesetzt worden. Das ist eine ziemlich lange Liste, und es paßte ihm nicht, daß er warten mußte. Aber was soll's, ich wäre wahrscheinlich auch gereizt, wenn ich den ganzen Tag gearbeitet hätte und man mich dann in der Nacht aus dem Schlaf reißt und hierher zitiert. Ich meine, das ist ja schließlich kein Dschungeleinsatz in Vietnam.«

»Nein, aber Notfälle gibt es schließlich immer, oder?« sagte Sorenson, ohne weiter zu bohren.

»Um die Zeit eigentlich nicht«, sagte Major Duncan und führte den Direktor von Cons-Op an den Sicherheitsschalter, hinter dem eine müde aussehende Frau in Offiziersuniform saß. »Wie können wir Ihnen behilflich sein, Sir? Wenn Sie das bitte Lieutenant Russell sagen wollen, dann ruft sie Ihnen jemanden, der Sie hinbringt.«

»Ich möchte die beiden Gefangenen sehen, die in Sektion E in Isolierzellen untergebracht sind.« Die beiden Uniformierten warfen sich Blicke zu, denen das geschulte Auge ihre Verblüffung entnehmen konnte. »Habe ich etwas Falsches gesagt?«

»Nein, Direktor Sorenson«, erwiderte Lieutenant Russell und ihre von dunklen Ringen umgebenen Augen blickten auf den Bildschirm ihres Computerterminals, während sie die Tastatur betätigte. »Reiner Zufall, Sir.«

»Was wollen Sie damit sagen?«

»Deputy Director Connally mußte heute morgen um drei auch zu den beiden«, antwortete Major James Duncan.

»Hat er gesagt warum?«

»Etwa das gleiche, was Sie am Tor auch gesagt haben, Sir. Die Besprechung hatte Sicherheitsstufe Maximum, deshalb mußte unser Wachmann nach dem Öffnen der Zelle vor der Tür von Sektion E warten.«

Jetzt war die Botschaft angekommen. »Major, bringen Sie mich sofort hin. Außer mir war niemand zum Verhör dieser Männer freigegeben!«

»Entschuldigen Sie bitte, Sir«, schaltete sich Lieutenant Russell ein. »Deputy Director Connally hatte eine einwandfreie Freigabe. Die Anweisung trug die Unterschrift von Direktor Talbot.«

»Holen Sie mir Talbot ans Telefon! Wenn Sie seine Privatnummer nicht haben, gebe ich Sie Ihnen.«

»Hello?« Meldete sich ein schlaftrunkener Knox Talbot.

»Knox, ich bin's, Wesley –«

»Verdammt noch mal, wer hat jetzt wen in die Luft gejagt? Wissen Sie, wie spät es ist?«

»Kennen Sie einen Deputy Director Connally?«

»Nein, weil es so jemanden nicht gibt.«

»Und was ist mit einer Anweisung mit Ihrer Unterschrift, mit der ihm die Freigabe erteilt wurde, die Neonazis zu verhören?«

»Eine solche Anweisung gab es nicht, also kann ich sie auch nicht unterschrieben haben. Wo sind Sie?«

»Wo, zum Teufel, glauben Sie wohl?«

»Hier in Virginia?«

»Ich hoffe nur, daß mein nächster Anruf weniger beunruhigend ist, denn wenn nicht, dann steht Ihnen ein ernsthafter Hausputz bevor.«

»Die AA-Computer?«

»Ich denke da an etwas weniger Kompliziertes, etwas sehr Menschliches.« Sorenson knallte den Hörer auf die Gabel. »Gehen wir, Major!«

Die beiden Blitzkrieger lagen in ihren Betten. Als die Zellentüren sich öffneten, bewegte sich keiner von beiden. Der Direktor von Consular Operations trat vor sie hin und zog die Decken zurück. Beide Männer waren tot. In ihren Augen stand noch der Schock des plötzliches Todes, aus ihrem geschlossenen Mund tropfte noch Blut. Sie waren durch den Kopf geschossen worden.

28

Die Artefakte des antiken Ägypten, die von spektakulärer Größe ebenso wie jene von filigraner Zerbrechlichkeit, gehören zu den faszinierendsten Exponaten des Louvre. Die versteckte Beleuchtung verleiht ihnen Glanzlichter und unheimliche Schatten, als hätte man vergangenen Jahrtausenden für den Beobachter der Gegenwart neues Leben verliehen. Und doch birgt jenes Leben auch die ständige Erinnerung an die Sterblichkeit; diese Männer und Frauen lebten, atmeten, liebten sich und brachten Kinder hervor, für die sie sorgen mußten – gewöhnlich unterstützt von der Großzügigkeit des Nils. Und dann starben sie, Herrscher wie Sklaven, und hinterließen ein Vermächtnis, das zugleich majestätisch und düster war; weder besonders gut, noch besonders böse. Sie *waren* einfach.

Auf dieser ehrwürdigen Bühne standen die beiden Agenten des Deuxième Bureau und warteten auf das Zusammentreffen von Louis, Graf von Strasbourg, und Janine Courtland, Frau des amerikanischen Botschafters. Ihre Ausrüstung bestand aus einem miniaturisierten Acht-Millimeter-Camcorder mit einem Spezialmikrophon, das imstande war, selbst auf sechs Meter Entfernung ein leise geführtes Gespräch aufzunehmen, sowie ein in der Brusttasche zu tragendes Tonbandgerät für die geringere Distanz. Der Agent mit dem Camcorder, den Ohrhörer im Ohr, bezog zwischen zwei riesigen Sarkophagen Stellung, wobei er den Videorecorder in Hüfthöhe hielt und sich darüberbeugte und ihn damit verdeckte, und machte den Eindruck eines Wissenschaftlers, der eine uralte Inschrift zu entziffern versuchte. Sein Kollege schlenderte zwischen den spärlichen Besuchern im Saal herum, spärlich, weil es Sommer war und um die Mittagszeit. Die beiden Männer standen untereinander mit winzigen, am Revers getragenen Funkgeräten in Verbindung.

Janine Courtland traf zuerst ein. Sie sah sich nervös im Ausstellungssaal um und kniff die Augen zusammen, um sich in dem gedämpften Licht zu orientieren. Als sie niemanden vorfand, schlenderte sie ziellos zwischen den Ausstellungsobjekten herum. Schließlich betrat André den Saal, wieder sportlich elegant gekleidet und mit einem blauen Paisleytuch um den Hals. Er entdeckte die Frau des Botschafters, sah sich gemächlich im Saal um und ging dann auf sie zu. Der erste Agent des Deuxième Bureau richtete seinen Videorecorder auf die beiden, schaltete das Mikrophon ein und betätigte den praktisch lautlosen Aufnahmemechanismus. Er lauschte, während er die beiden durch den Sucher beobachtete, und deckte dabei die Kamera mit dem linken Arm halb ab.

»Sie täuschen sich sehr, Monsieur André«, begann Janine Clunitz-Courtland mit leiser Stimme. »Ich habe mit dem Sicherheitschef der Botschaft ein beiläufiges und überzeugendes Gespräch geführt. Er war entsetzt, als ich andeutete, daß er mich hatte beschatten lassen.«

»Was sollte er auch anders sagen?« fragte Strasbourg kühl.

»Ich habe zu lange und zu häufig gelogen – praktisch mein ganzes Leben lang –, um einen Lügner nicht auf Anhieb zu erkennen. Ich sagte ihm, ich sei in einen Laden gegangen, und dort habe mich einer der Verkäufer angesprochen und gesagt, meine Leibwächter würden draußen auf mich warten, und ob er sie vielleicht hereinbitten solle, weil es doch so heiß sei.«

»Wohl formuliert, Ihre Geschichte, Madame, das muß ich Ihnen zugestehen«, sagte der Mann namens André etwas freundlicher. »Sie sind alle wirklich hervorragend ausgebildet.«

»Das müssen Sie mir zugestehen? Das gestehe ich mir selbst zu, vielen Dank.«

»Hat Ihr Sicherheitschef angedeutet, wer Ihre ›Leibwächter‹ waren?«

»Ich habe unauffällig das Gespräch darauf gebracht. Ich fragte ihn, ob es möglich sei, daß die Franzosen vielleicht jemanden hinter mir hergeschickt hätten. Seine Antwort klang aufrichtig und entsprach wahrscheinlich den Tatsachen. Er erwiderte, es sei durchaus vorstellbar, daß die Pariser Behörden, falls sie die weithin bekannte attraktive Frau des mächtigsten ausländischen Botschafters in Paris alleine beim Einkaufen entdeckten, auf den Gedanken kommen könnten, ihr von sich aus eine Leibwache beizustellen.«

»Ja, ich kann mir gut vorstellen, daß das logisch ist. Es sei denn, Ihr Sicherheitschef ist genausogut ausgebildet wie Sie.«

»Unsinn! Jetzt hören Sie mir zu. Mein Mann trifft in ein paar Stunden mit der Concorde ein, und wir werden ein oder zwei Tage miteinander Wiedersehen feiern, aber ich bestehe trotzdem darauf, nach Deutschland zu reisen, um unsere Vorgesetzten kennenzulernen. Ich habe einen Plan. Nach den amtlichen Unterlagen habe ich eine Großtante in Stuttgart; sie ist beinahe neunzig, und ich würde sie gerne besuchen, ehe es zu spät ist –«

»Ein perfektes Szenario«, fiel Strasbourg ihr ins Wort und forderte Janine auf, ihm in einen dunklen Winkel des Saales zu folgen. »Der Botschafter kann unmöglich etwas dagegen haben. Ja, das ist gut. Wir werden das folgendermaßen machen, und Bonn wird ganz sicher zustimmen.«

Der Beamte des Deuxième spähte durch seinen Sucher und drehte die Kamera etwas zur Seite, um den beiden in die dunkle Ecke zu folgen. Plötzlich stockte ihm der Atem, als er voller Entsetzen sah, wie der Graf in die Tasche seines Jacketts griff und langsam eine Spritze herauszog, deren Nadel eine Plastikhülle trug. Er sah, wie Strasbourg die Hülle entfernte, so daß die Nadel jetzt frei lag.

»Halten Sie ihn auf!« flüsterte der Agent heiser in sein Mikrophon. »Schnell, schalten Sie sich ein! Mein Gott, er wird sie töten. Er hat eine Spritze dabei!«

»*Monsieur le Comte*!« rief der zweite Deuxième-Beamte, bahnte sich seinen Weg durch die wenigen Besucher und überraschte Straßbourg ebenso wie die Frau des Botschafters. »Ich wollte meinen Augen nicht trauen, aber Sie sind es tatsächlich, Monsieur! Als kleiner Junge vor Jahren habe ich oft in den Obstgärten Ihrer Familie gespielt. Wie schön, Sie wiederzusehen! Ich bin jetzt Rechtsanwalt in Paris.«

»Ja, ja, natürlich«, sagte Strasbourg wütend, ließ die Spritze zu Boden fallen und zertrat sie. »Ein Rechtsanwalt, wie schön … Tut mir leid, aber das ist jetzt ein sehr ungünstiger Augenblick. Ich melde mich bei Ihnen.« Mit diesen Worten machte sich Louis, Graf von Strasbourg, eilends aus dem Staub.

»Entschuldigen Sie bitte die Störung, Madame!« sagte der Agent, und sein Nachsicht heischender Blick vermittelte den

Eindruck, daß ihm plötzlich bewußt geworden war, hier das geheime Rendezvous zweier Liebender gestört zu haben.

»Keine Ursache«, stammelte Janine Courtland und ging schnell davon.«

Kurz nach siebzehn Uhr kehrten Lennox und Karin de Vries zum zweiten Mal vom Deuxième Bureau zurück. Moreau hatte sie rufen lassen, nachdem die Bänder aus dem Louvre kopiert und für eine gründliche Analyse vorbereitet waren. Ihre Leibwächter, Monsieur Frick und Monsieur Frack, folgten ihnen jeder in einem eigenen Aufzug im Abstand von fünf Minuten, um sicherzustellen, daß niemand in der Halle sich für ihre Schützlinge interessierte.

»Was ist mit euch beiden los?« fragte Drew, als sie über den Flur zu ihrer Suite im Normandie-Hotel ging.

»Wovon redest du?«

»Mit dir und Moreau. Heute morgen wart ihr wie alte Freunde, und dann habt ihr den Rest des Tages kaum ein Wort miteinander gesprochen.«

»Das ist mir nicht aufgefallen. Wenn es so schien, ist es sicherlich meine Schuld. Ich war ganz auf das konzentriert, was ich zu sehen bekam. Die Louvre-Operation war brillant, nicht wahr?«

»Ja, das haben sie sehr clever durchgezogen, ganz besonders, wie sie Strasbourg in die Parade gefahren sind. Aber das Deuxième ist ja auch nicht gerade von gestern.«

Lennox ging auf die Tür ihrer Suite zu, hob beide Hände, um sie zum Stehenbleiben zu veranlassen, und holte ein Streichholzbriefchen aus der Tasche.

»Ich dachte, du wolltest weniger rauchen. Kannst du jetzt nicht mal warten, bis wir drinnen sind?«

»Ich will auch weniger rauchen, aber was ich jetzt tue, hat nichts mit Zigaretten zu tun.«

Drew riß ein Streichholz an und bewegte es vor dem Schloß hin und her. Ein winziges Aufflammen war zu sehen und verlosch gleich wieder. »Alles klar«, sagte Lennox und schob den Schlüssel ins Schloß. »Keine ungebetenen Gäste.«

»Wie bitte?«

»Das war ein echtes Haar von dir, nicht aus deiner Perücke.«

»*Wie bitte?*«

»Ich habe es im Bett gefunden.«

»Würde es dir etwas ausmachen –«

»Ganz simpel und narrensicher.« Lennox machte die Tür auf und ließ Karin den Vortritt; dann folgte er ihr und schloß die Tür wieder. »Das hat Harry mir beigebracht«, fuhr er fort. »Ein Haar, ganz besonders dunkles Haar, ist für das bloße Auge praktisch unsichtbar. Man schiebt eines so ins Schloß, daß ein Stück nach außen hängt. Und wenn jemand die Tür öffnet, ist das Haar weg. Deines war noch dort, wo ich es gelassen hatte; deshalb ist niemand hier gewesen, seit wir hier weggegangen sind.«

»Ich bin beeindruckt.«

»Von Harry. Das war ich auch.« Drew schlüpfte aus seinem Jackett, warf es auf einen Sessel und wandte sich Karin zu. »Okay, Lady, also, was läuft da?«

»Ehrlich, ich verstehe nicht, was du willst.«

»Zwischen Claude und dir ist irgendwas vorgefallen, und ich möchte wissen, was. Du bist nur ein einziges Mal mit ihm allein gewesen, und zwar als er heute früh das erste Mal hier war und ich dann ins Schlafzimmer ging, um mich umzuziehen.«

»Oh, das meinst du«, sagte Karin. »Ich nehme an, ich bin da einen Schritt zu weit gegangen.«

»Zu weit gegangen …?«

»Ja. Ich hab ihm gesagt, daß er kein Recht hat, einen amerikanischen Geheimdienstmann in seiner Bewegungsfreiheit so zu beschränken. Er sagte, er habe das Recht, alles zu tun, was er für richtig hält, solange es nicht um den Botschaftsbereich geht. Und da hab ich ihn gefragt, wie es ihm wohl gefallen würde, wenn man dem Deuxième oder dem Service d'Etranger sagen würde, daß sie sich nicht frei in Washington bewegen könnten, und dann hat er gesagt –«

»Schon gut, schon gut«, fiel Lennox ihr ins Wort. »Ich hab schon kapiert.«

»Du lieber Gott, Drew, das hab ich für dich getan.«

»Okay, das akzeptiere ich ja. Ich habe ja selbst gesehen, wie wütend er war, als ich ihm sagte, er solle uns gefälligst in Ruhe lassen. Die Franzosen sind wirklich sauer, wenn man an ihrer Allmacht zweifelt.«

»Ich glaube, das gilt für die meisten Leute mit Verantwortung. Ob sie nun Franzosen, Deutsche, Engländer oder Amerikaner sind. Die mögen es alle nicht, wenn man ihre Autorität in Frage stellt.«

»Und was ist mit Belgiern – oder sollte ich sagen, Flamen? Ich kann das nie auseinanderhalten.«

»Nein, wir sind dafür zu zivilisiert. Wir sind Vernunftgründen zugänglich«, erwiderte Karin und lächelte. Dann lachten beide, und die kleine Auseinandersetzung war beigelegt. »Ich werde mich morgen früh bei Claude entschuldigen und ihm erklären, daß ich einfach überreagiert habe … Sag mal, Drew, glaubst du wirklich, daß Strasbourg vorhatte, Janine mit dieser Injektion zu töten?«

»Sicher. Ihre Tarnung ist geplatzt – also haben die Neonazis keine Wahl. Und das macht Moreaus Aufgabe nur noch schwieriger. Jetzt muß er nicht nur weiterhin jeden ihrer Schritte überwachen, sondern muß darüber hinaus darauf vorbereitet sein, daß man sie zu töten versucht. Was plagt dich denn? Vor einer Stunde warst du doch unserer Meinung.«

»Ich weiß nicht. Das ist alles so verwirrend. Tut mir leid, ich bin einfach erschöpft.«

»Willst du mir damit etwas andeuten? Soll ich beim Zimmerservice fragen, ob die einen Liebestrank haben?«

»Ich sagte erschöpft, nicht von Sinnen.« Sie fielen sich in die Arme und küßten sich lange und hingebungsvoll. Das Telefon klingelte.

»Jetzt glaube ich bald wirklich, daß das Telefon unser natürlicher Feind ist«, sagte Karin.

»Ich reiß es aus der Wand.«

»Nein, das wirst du nicht. Du wirst dich melden.«

»Die Lady ist von der Inquisition ausgebildet worden.« Lennox trat an den Schreibtisch und nahm den Hörer auf. »Ja?«

»Ich bin's«, sagte Moreau. »Hat Wesley Sie angerufen?«

»Nein, sollte er das?«

»Es kann nicht mehr lange dauern, aber im Augenblick ist er sehr beschäftigt, und unser Freund Witkowski ist kurz davor, nach Washington zu fliegen und das CIA-Hauptquartier in die Luft zu jagen.«

»Naja, Stanley war bei G-2 und hat nie sehr viel von der Firma gehalten. Was ist denn passiert?«

»Man hat die beiden Blitzkrieger, die der Colonel unter strengster Geheimhaltung nach Washington geschickt hat, tot in dem sicheren Haus vorgefunden. Erschossen.«

»Du große Scheiße! In einem sicheren Haus?«

»Wesley hat es auch nicht glauben können. Die führen jetzt allen Leuten in diesem Haus in Virginia Fotos von jedem einzelnen Mitarbeiter in jeder Abteilung der CIA vor.«

»Das wird nichts bringen. Ich habe im Augenblick blondes Haar und eine Brille, und keiner kennt mich. Sagen Sie denen, Sie sollen nach jemandem suchen, der auf dem College Theater gespielt hat.«

»Sagen Sie das Wesley. Ich habe schon genug um die Ohren. Botschafter Courtland wird in einer halben Stunde eintreffen, und ich muß dafür sorgen, daß seine Frau am Leben bleibt.«

»Wo liegt das Problem? Sie sitzt doch in einem gepanzerten Botschaftsfahrzeug.«

»Genau wie Sie, als man Sie neulich abends beinahe umgebracht hätte. *Au revoir.*« Er legte auf.

»Was ist?« fragte Karin.

»Die beiden Neonazis, die Stanley nach Washington geschickt hat, sind in einem sicheren Haus erschossen worden – einem sicheren Haus, zum Teufel!«

»Du hast das ja gestern abend gesagt«, sagte Karin leise. »Sie sind überall, aber wir können sie nicht sehen … Was veranlaßt die Menschen dazu, ihnen zu gehorchen? Die Morde, der Verrat. Das ist alles so völlig verrückt. Warum?«

Es klopfte an ihrer Tür. »Wer, zum Teufel, ist das jetzt wieder?« sagte Lennox und ging durchs Zimmer. »Ja, was ist?

»Das Deuxième«, erwiderte die Stimme von Monsieur Frack.

»Oh, schon gut.« Drew öffnete die Tür und sah sich plötzlich einer Pistole gegenüber, die auf seinen Kopf gerichtet war. Seine Hand zuckte hoch, gleichzeitig trat er mit dem rechten Fuß zu und traf den Agenten zwischen den Beinen. Der Mann fiel nach hinten in den Flur; Drew stürzte sich auf ihn und riß ihm die Waffe weg, während Monsieur Frick durch den Korridor gerannt kam.

»Halt, Monsieur!« schrie er. »Bitte, hören Sie auf! Das war nur eine Übung.«

»Was?« schrie Lennox, der gerade mit der Pistole ausholte, um nach dem Angreifer zu schlagen, der beide Hände mit qualvoller Miene auf seinen Unterleib drückte.

»Monsieur, wenn Sie bitte zuhören würden«, stieß Frack hervor. »Sie dürfen nie die Tür öffnen, wenn Sie nicht sicher sind, daß es einer von uns ist!«

»Sie haben doch gesagt ›Deuxième‹!« sagte Drew und erhob sich. »Wieviele Deuxièmes gibt es denn hier oben?«

»Das ist es ja gerade, Monsieur«, sagte Frick mit einem mitleidigen Blick auf seinen sich immer noch am Boden windenden Kollegen. »*Monsieur le Directeur* hat Ihnen eine Liste mit Codes gegeben, die alle zwei Stunden gewechselt werden. Sie hätten den Code für diese Zeitspanne verlangen müssen.«

»Codes? Was für Codes?«

»Du hast dir das überhaupt nicht angesehen«, erklärte Karin, die mit einem Blatt Papier in der Hand neben ihn getreten war. »Du hast es mir gegeben und gesagt, du würdest es später lesen.«

»Oh …?«

»Sie dürfen nie annehmen, daß es einer von uns ist, wenn wir nicht identifiziert worden sind!« rief der Mann auf dem Boden, dem das Erscheinen Karins peinlich war, und nahm kurz die Hände von der schmerzenden Stelle, aber nur kurz.

»Um Himmels willen, kommt rein, alle miteinander«, sagte Karin. »Das Mindeste, was du jetzt tun kannst, Monsieur Lennox, ist unseren Freunden einen Drink anzubieten.«

»Sicher«, sagte Drew und half dem Mann, dem er so zugesetzt hatte, auf die Beine. In dem Augenblick tauchten auf dem Flur zwei Hotelgäste auf und kamen den Korridor herunter. Als Lennox sie sah, fügte er hinzu: »Armer Kerl! Sein letzter Drink muß ihm nicht bekommen sein.«

Als sie im Zimmer waren und die Tür hinter sich geschlossen hatten, sank der verletzte Agent auf die Couch. »Sie sind *très rapide*, Monsieur Le Noce«, sagte er, als er langsam seine Stimme wiedergefunden hatte, »und sehr, sehr stark.«

»Wenn wir auf dem Eis gewesen wären, dann wären Sie jetzt Hackfleisch«, sagte Drew atemlos und ließ sich neben seinem Opfer auf die Couch sinken.

»Eis …?«

»Das ist schwer zu übersetzen«, erwiderte Karin, die an den Barschrank getreten waren. »Er meint, ob Sie Eis in Ihrem Whisky nehmen?«

»*Oui, merci.* Aber mehr Whisky als Eis, *s'il vous plait.*«

»*Naturellement.*«

Botschafter Daniel Courtland wurde gemäß der Anordnung der französischen Regierung bereits, ehe die Concorde den Flugsteig erreicht hatte, über eine Rampe aus der vorderen Kabine eskortiert. Begleitet vom betäubenden Dröhnen der Turbinen wurde er von zwei Marines zu der Limousine der Botschaft auf der Landepiste geführt. Er nahm seine ganze Konzentration zusammen, weil ihm bewußt war, daß die nun folgenden Minuten die schwierigsten seines ganzen Lebens sein würden. Von einem erbitterten Feind umarmt zu werden, einem Feind, der seit frühester Kindheit darauf getrimmt worden war, jemanden wie ihn zu täuschen, war beinahe noch schlimmer, als der Verlust der Frau, die er liebte.

Die Tür der Limousine wurde geöffnet, und er fiel in die Arme seines schlimmsten Feindes. »Auch wenn es nur drei Tage waren, du hast mir so gefehlt!« rief Janine Clunitz Courtland.

»Und du mir auch, meine Liebe. Aber ich werde es wiedergutmachen.« Sie küßten sich gierig, und Courtland konnte das Gift in ihrem Mund schmecken.»Bitte, mein Liebling. Wir können doch nicht … die beiden Marines dort vorne!«

»Ich kann. Ich könnte dir die Hosen runterreißen und herrliche Sachen mit dir anstellen.«

»Später, Liebste, später. Vergiß nicht, ich bin schließlich Botschafter.«

»Und ich bin eine der weltweit besten Informatikerinnen, und ich sage, zum Teufel mit beidem!« Dr. Janine Courtland griff nach dem schlaffen Glied ihres Mannes.

Die Limousine raste die Avenue Gabriel hinunter zum Vordereingang der Botschaft; das war der schnellste Weg zu den

Aufzügen, die sie in ihre privaten Wohnräume tragen würden. Der schwere Wagen hielt an, und zwei weitere Marines traten vor, um dem Botschafter und seiner Frau behilflich zu sein.

Plötzlich rasten scheinbar aus dem Nichts drei unauffällige Fahrzeuge ohne Nummernschilder heran und umringten die Limousine, als Courtland und seine Frau gerade ausstiegen. Türen flogen auf, und mehrere Gestalten in schwarzen Strumpfmasken sprangen heraus, ihre Maschinenpistolen ratterten ohne Unterbrechung. Fast im gleichen Augenblick fielen aus zwei Wagen, die offenbar dem Botschaftsfahrzeug gefolgt waren, Schüsse. Die Passanten auf der Avenue Gabriel suchten Deckung. Vier maskierte Terroristen und ein Marine brachen zusammen; Botschafter Courtland ging zu Boden, von einem Schuß ins rechte Bein und einem andern in die Schulter getroffen. Und das Sonnenkind Janine Clunitz war tot, ihr Schädel war zerschmettert, und aus ihrer Brust floß Blut. Einige der maskierten Killer – wer wußte schon, wieviele es waren? – rasten davon, um hinter der nächsten Straßenecke ihre Masken abzuwerfen und sich unerkannt unter die abendlichen Passanten zu mischen.

»*Merde, merde, merde!*« schrie Claude Moreau und rannte hinter einem der Deuxième-Fahrzeuge hervor, die den Amerikanern nachgefahren waren. »Wir haben alles getan und nichts erreicht! Schaffen Sie die Leichen weg und sagen Sie zu niemandem etwas. Das ist eine Schande! ... Kümmern Sie sich um den Botschafter. Er lebt. Schnell!«

Einer der ersten Amerikaner, die aus dem Botschaftsgebäude geeilt kamen, war Stanley Witkowski. Er rannte auf Moreau zu, packte ihn an den Schultern, während ringsum das Heulen der Polizeisirenen immer lauter wurde, und schrie: »Jetzt hören Sie mir zu, Frenchie! Sie werden genau das tun und sagen, was ich Ihnen jetzt vorschreibe, sonst erkläre ich Ihnen und dem Deuxième den Krieg! Ist das klar?«

»Stanley«, sagte der Chef des Deuxième bedrückt, »ich bin jämmerlich gescheitert. Tun Sie, was Sie wollen.«

»Nein, Sie sind nicht gescheitert, Sie Idiot, weil es einfach nicht möglich war, das hier unter Kontrolle zu halten! Diese verdammten Killer waren bereit, hier und heute zu sterben, und vier von ihnen haben das auch geschafft! Gegen Fanatiker wie die ist jeder machtlos, weil denen ihr Leben scheißegal ist. Ihre fanatische Besessenheit können wir nicht übertrumpfen, aber im Denken können wir sie schlagen. Und Sie wissen das besser als sonst einer!«

»Was wollen Sie damit sagen, Colonel?«

»Kommen Sie mit mir rein, und ich reiße Ihnen den verklemmten Arsch auf, wenn Sie nicht das tun, was ich will.«

»Darf ich fragen, in welchem Bereich?«

»Sicher dürfen Sie das. Sie werden jetzt lügen, wie Sie noch nie gelogen haben, werden Ihre Regierung, die Presse und jeden Hurensohn, der Ihnen zuhören will, nach Strich und Faden belügen.«

»Ich soll mir also mein Grab noch tiefer schaufeln?«

»Nein, ich biete Ihnen die einzige Chance, da wieder rauszukommen.«

29

Doktor Hans Traupmann steuerte sein kleines Motorboot an den bescheidenen Landesteg des Häuschens am Fluß. Er hatte die Scheinwerfer ausgeschaltet, weil der helle Sommermond am Himmel stand und sich in den Wellen spiegelte. Günter Jäger war, wie seine wenigen Freunde im Bundestag wußten, ein sparsamer Mensch. Es ging das Gerücht, daß er für das umgebaute Bootshaus am Rheinufer nur eine minimale Miete zahlte. Das Anwesen, das früher einmal hier gestanden hatte, war in Erwartung einer in naher Zukunft zu errichtenden Villa abgerissen worden. Doch was hier in Wahrheit entstehen würde, war mehr als nur eine Villa, geplant war vielmehr eine großartige Festung mit den modernsten Einrichtungen der Technik, um die Sicherheit des neuen Führers zu garantieren. Und jener Tag würde bald kommen, dann nämlich, wenn die Bruderschaft einmal den Bundestag kontrollierte. An die Stelle der Berchtesgadener Berge würden die Fluten des Rheins treten, denn Günter Jäger zog den ständig in Bewegung befindlichen Fluß den schneebedeckten Alpen vor.

Traupmann hatte sich um eine Privataudienz für diese Nacht bemüht, weil sich draußen im Lande Dinge ereigneten, von denen Jäger möglicherweise nichts wußte. Seine Helfer waren in höchstem Maße loyal, aber keiner war gerne Überbringer beunruhigender Nachrichten. Traupmann hingegen wußte, daß er sich damit nicht in Gefahr begab, denn schließlich war er es gewesen, der den packenden Redner aus seiner über ihn aufgebrachten Kirche herausgepflückt und ihn in die vordersten Ränge der Bruderschaft geschoben hatte. Wenn es jemanden gab, der ihn wieder von seinem Sockel stoßen konnte, dann war das nur noch ein Mann – Traupmann.

Er hatte jetzt sein Boot vertäut und kletterte etwas schwerfällig auf den Steg, wo ihn ein kräftig gebauter Wachmann begrüßte, der jetzt hinter einem Baumstamm hervortrat. »Kommen Sie, Herr Doktor«, rief der Mann. »Der Führer erwartet Sie.«

»Im Haus, nehme ich an?«

»Nein, Herr Doktor. Im Garten. Bitte folgen Sie mir.«

»Im Garten? Die Gemüsebeete sind jetzt ein Garten?«

»Ich habe selbst eine Unmenge Blumen gepflanzt, und unsere Leute haben das Ufer gesäubert, und wo früher nur Unkraut und Abfälle waren, Natursteinplatten gelegt.«

»Sie haben nicht übertrieben«, sagte Traupmann, als sie sich einer kleinen Lichtung am Ufer näherten, wo an Ästen zwei Laternen hingen, deren Dochte gerade von einem weiteren Bediensteten angezündet wurden. Auf der kleinen Steinterrasse standen ein paar Gartenmöbel, drei Liegestühle und ein weißer schmiedeeiserner Tisch. Eine friedliche Zuflucht für private Meditation oder vertrauliche Zusammenkünfte. Günter Jäger, der neue Führer, saß auf einem der Stühle, und der flackernde Schein der Laternen ließ sein blondes Haar glänzen. Als er seinen alten Freund sah, stand er auf und streckte ihm beide Arme entgegen. »Schön, daß du gekommen bist, Hans. Darf ich dir irgend etwas anbieten, etwas zu trinken vielleicht?«

»Nein, vielen Dank. Ich möchte, so schnell es geht, nach Nürnberg zurück.«

»Was gibt es so Dringendes, mein Alter?«

»Was weißt du über die jüngsten Vorgänge in Paris?«

»Alles, will ich doch hoffen.«

»Gerhard Kröger?«

»Von den Amerikanern bei diesem schrecklichen Durcheinander im Hotel Intercontinental erschossen. Ich weine ihm nicht nach. Er hätte nie nach Paris reisen dürfen.«

»Er hatte das Gefühl, er müßte dort eine Mission erfüllen.«

»Was für eine Mission?«

»Harry Lennox zu töten, den CIA-Mann, der sich in das Tal eingeschlichen hatte und der von Kröger entdeckt wurde.«

»Wir werden ihn schon finden, aber das ist doch nicht wichtig«, sagte Jäger. »Das Tal existiert schließlich nicht mehr.«

»Aber du bist überzeugt, daß Gerhard Kröger tot ist.«

»So stand es in dem Bericht, den unsere Botschaft an den Nachrichtendienst in Bonn geschickt hat. In jenen Kreisen ist das allgemein bekannt, aber sie machen kein Aufhebens davon, weil sie nicht auf uns aufmerksam machen wollen.«

451

»Ein Bericht, der, wenn ich mich nicht irre, von der amerikanischen Botschaft ausging.«

»Vermutlich. Die wußten, daß Kröger einer von uns war – das war ja auch nicht zu übersehen. Dieses blöde Schwein hat um sich herumgeballert, weil er sich eingebildet hat, er könnte diesen Lennox töten. Aber die Amerikaner haben nichts erfahren. Er ist auf dem Weg zu ihrer Botschaft gestorben.«

»Ich verstehe«, sagte Hans Traupmann. Er machte es sich auf dem Liegestuhl bequem. »Und unser Sonnenkind, Janine Clunitz, die Frau des amerikanischen Botschafters?«

»Wir brauchen kaum unsere Spezialisten dazu, um das zu erfahren, Hans. Es stand ja in allen europäischen und amerikanischen Zeitungen und auch sonst überall und ist von Augenzeugen bestätigt. Sie ist mit knapper Not einem Attentat israelischer Extremisten entkommen, die Courtland töten wollten, als Rache für eine ›proarabische Politik‹ des State Department, wie sie es nannten. Er wurde verwundet, und Janine Clunitz hat bedauerlicherweise überlebt. Man hat mir versichert, daß sie in ein oder zwei Tagen tot sein wird.«

»Dann noch etwas, Günter, dieser Lennox –«

»Was ist mit ihm?« fiel Jäger ihm ins Wort.

»Er ist noch am Leben. Er ist besser, als wir dachten.«

»Er ist nur ein Mensch, Hans. Fleisch und Blut, mit einem Herzmuskel, den man mit einer Kugel oder einem Messer anhalten kann. Ich habe zwei Einheiten Blitzkrieger nach Paris geschickt, um das zu erledigen. Sie werden nicht versagen.«

»Und die Frau, mit der er zusammenlebt?«

»Diese de Vries-Hure?« fragte der neue Führer. »Sie muß mit ihm getötet werden. Ist das alles, weshalb du mich sprechen wolltest, Hans?«

»Nein, Günter«, sagte Traupmann und stand auf und ging zwischen den Schattenpartien und dem Lichtschein der beiden Laternen auf und ab. »Ich bin hergekommen, um dir die Wahrheit zu sagen, so wie ich sie nach den Berichten meiner Gewährsleute aus meiner Sicht wahrnehme.«

»Deiner eigenen Gewährsleute?«

»Das sind keine anderen, als die deinen, das kann ich dir versichern, aber ich bin ein alter Chirurg und weiß, daß Patienten häufig gewisse Symptome nicht wahrhaben wollen und meine Diagnosen fürchten, wenn sie aufrichtig und ehrlich sind. Mit der Zeit lernt man es, Falschheiten zu erkennen, wenn sie nur der Selbsttäuschung dienen.«

»Bitte drück dich deutlicher aus.«

»Das werde ich und ich werde das, was ich sage, mit meinen eigenen Erkundungen belegen … Gerhard Kröger ist nicht tot. Ich vermute, daß er noch am Leben ist und in der amerikanischen Botschaft gefangengehalten wird.«

»Was?« Jäger schoß in seinem Stuhl nach vorne.

»Ich habe einen unserer Leute, selbstverständlich mit amtlichen französischen Ausweispapieren, ins Intercontinental geschickt, um die überlebenden Angestellten zu verhören. Sie sprechen alle Englisch und haben übereinstimmend ausgesagt, sie hätten deutlich gehört, wie zwei der Agenten auf dem Balkon gerufen hätten, daß der ›Verrückte‹ einen Schuß ins Bein bekommen habe, aber noch am Leben sei. Sie haben ihn weggebracht und in eine Ambulanz gelegt. Ich wiederhole, er lebt.«

»Mein Gott!«

»Dann habe ich veranlaßt, daß unsere Leute die sogenannten Zeugen für das Attentat auf die amerikanische Botschaft untersuchten, bei dem der Botschafter ernsthaft verletzt wurde und das seine Frau angeblich überlebt hat. Diese Zeugen konnten die anschließenden Berichte im Fernsehen und in den Zeitungen nicht verstehen. Sie erklärten gegenüber unseren Leuten, der Oberkörper der Frau und ihr Gesicht seien blutüberströmt gewesen … ›Wie kann sie überlebt haben?‹ haben sie gefragt.«

»Dann haben unsere Leute also ihren Auftrag erfüllt. Sie ist tot.«

»Warum wird das dann vertuscht? Warum, frage ich dich?«

»Da steckt garantiert dieser gottverdammte Lennox dahinter!« rief Jäger aus. Seine eiskalten Augen funkelten haßerfüllt. »Er versucht uns zu täuschen, uns in eine Falle zu locken.«

»Du kennst ihn?«

»Selbstverständlich nicht. Aber ich kenne Männer seines Schlages. Sie sind alle von Huren verdorben.«

»Kennst du sie?«

»Du lieber Gott, nein. Aber seit der Zeit der Pharaonen haben die Huren immer die Moral der Armeen verdorben. Sie ziehen hinter den Soldaten her und saugen ihnen die Kraft aus den Gliedern, und das Ganze für ein paar Augenblicke jämmerlicher Lust! Huren!«

»Das mag ja alles ganz richtig sein, Günter, und ich will dir auch gar nicht widersprechen, aber für das, was ich sagen will, ist es irrelevant.«

»Was willst du mir denn sagen, Hans? Du sagst mir, daß die Dinge nicht so sind, wie man sie mir berichtet hat, und ich erwidere darauf, daß du vielleicht recht hast, daß unsere Feinde versuchen, uns Fallen zu stellen, so wie wir es mit ihnen auch machen. Daran ist nichts neu – nur daß wir diejenigen sind, die siegen werden.« Jäger hielt kurz inne und stand auf. Er blickte über eine mit Blüten bedeckte, niedrige Hecke auf die beruhigenden Fluten des Flusses hinab. »Was beunruhigt dich eigentlich so?«

»Dinge, die dir vielleicht nicht bekannt sind –«

»Was beispielsweise?«

»In Paris hat man zwei Blitzkrieger lebend gefangen und sie nach Washington geflogen.«

»Das hat man mir nicht gemeldet«, sagte Jäger und seine Stimme wurde plötzlich kalt.

»Es stimmt, aber inzwischen ist es nicht mehr wichtig. Sie sind von unserem dritten Mann in der CIA in einem sicheren Haus in Virginia erschossen worden.«

»Der Mann ist ein Idiot, ein kleiner Beamter! Wir zahlen ihm zwanzigtausend Dollar im Jahr, damit er uns sagt, welche Recherchen die anderen Behörden anstellen.«

»Jetzt will er zweihunderttausend dafür, daß er eine Anweisung durchgeführt hat, von der er glaubt, daß man sie ihm erteilt hätte, wenn er weiter oben auf der Leiter gestanden hätte.«

»Laß ihn umbringen!«

»Das ist keine gute Idee, Günter. Nicht solange wir nicht erfahren haben, mit wem er möglicherweise über uns gesprochen hat. Wie du schon sagtest, er ist ein Idiot; aber er ist auch ein Aufschneider.«

»Dieses Schwein!« brüllte Jäger und wandte das Gesicht aus dem Lichtschein der Laternen, so daß es plötzlich tiefe Schatten aufwies.

»Ein Schwein vielleicht, aber er hat uns einen wichtigen Dienst erwiesen«, sagte Traupmann. »Wir werden noch eine Weile mit ihm leben müssen, ihn vielleicht sogar befördern. Die Zeit wird kommen, wo wir ihm andere Karten zuspielen können, und dann wird er ein dankbarer Sklave werden.«

»Ach, Hans, wenn ich dich nicht hätte! Dein Verstand ist so scharf wie dein chirurgisches Skalpell. Wenn mein Vorgänger mehr Männer wie dich um sich gehabt hätte, hätte er den Krieg nicht verloren.«

»Dann kann ich nur hoffen, daß du mir in diesem Sinne jetzt zuhören wirst, Günter.« Traupmann ging auf der plattenbelegten Terrasse ein paar Schritte auf den anderen zu, bis er ihm im flackernden Licht der Laternen von Angesicht zu Angesicht gegenüberstand.

»Wann habe ich nicht auf dich gehört, mein alter Freund? Du bist mein Albert Speer, nur daß du nicht den präzisen analytischen Verstand eines Architekten, sondern den präzisen analytischen Verstand eines Chirurgen hast. Hitler hat den Fehler gemacht, am Ende Speer für Leute wie Goering und Bormann aufzugeben. Einen solchen Fehler werde ich nie machen. Was ist, Hans?«

»Du hattest recht, als du sagtest, wir wären dabei, den Nervenkrieg gegen unsere Feinde zu gewinnen. Du hattest auch recht, als du sagtest, unsere Sonnenkinder hätten in bestimmten Regionen, ganz besonders in den Vereinigten Staaten, Bewundernswertes geleistet und Unruhe und Unfrieden geschaffen.«

»Ich bin von meiner eigenen Lagebeurteilung beeindruckt«, sagte Jäger lächelnd.

»Das ist genau der Punkt, Günter. Es ist nur eine Beurteilung, die auf derzeitigen Informationen beruht … aber du solltest bedenken, daß die Lage sich ändern kann und zwar schnell. Der jetzige Augenblick könnte der Gipfelpunkt unseres strategischen Erfolges sein.«

»Weshalb der Gipfelpunkt?«

»Weil man soviele Gegenmaßnahmen eingeleitet und uns so viele Fallen gestellt hat, daß wir sie gar nicht alle erkennen können. Möglicherweise befinden wir uns nie wieder in einer so vorteilhaften Position.«

»Du willst also sagen ›Befiehl jetzt die Invasion Englands, mein Führer, warte nicht‹«, sagte Jäger.

»Ich meine natürlich Wasserblitz«, sagte Traupmann. »Die Operation muß beschleunigt werden. Unsere Leute haben sechs Messerschmitt ME 323 Gigant Lastensegler geborgen, die gerade überholt werden. Wir müssen so bald wie möglich zuschlagen und damit eine richtige Panik auslösen. Die Wasserreservoire von Washington, London und Paris müssen vergiftet werden, und zwar so schnell wie möglich, sobald unser fliegendes Personal seine Ausbildung abgeschlossen hat. Sobald die Regierungen dort gelähmt sind, sind unsere Leute überall darauf vorbereitet, einflußreiche Positionen zu übernehmen, Positionen der Macht.«

Die Frau wurde vor den Augen der Passanten auf der Avenue Gabriel auf einer Bahre aus der amerikanischen Botschaft getragen. Ihr Körper war mit einem Laken und einer leichten Baumwolldecke bedeckt; ihr langes, dunkles Haar war über dem kleinen, weißen Kissen ausgebreitet, während ihr Gesicht unter einer Sauerstoffmaske verborgen war. Mit Hilfe einiger Attachés der Botschaft, die sich unter die Menge gemischt hatten und mit leiser Stimme die Fragen der Passanten beantworteten, breiteten sich die Gerüchte schnell aus.

»Das ist die Frau des Botschafters«, sagte eine Frau gerade. »Ich habe es von einem Amerikaner gehört. Das arme Ding. Sie ist gestern abend bei dieser schrecklichen Schießerei verletzt worden.«

»Es wird immer schlimmer«, sagte ein schlanker Mann mit Brille. »Man sollte die Guillotine wieder einführen.«

»Wo bringt man sie hin?« fragte eine andere Frau.

»Zum Hertford-Krankenhaus in der Levallois-Perret.«

»Tatsächlich? Die sollen dort die modernsten medizinischen Einrichtungen haben.«

»Wer hat das gesagt?« schaltete sich ein wütender Franzose ein.

»Dieser junge Mann dort drüben – wo ist er denn? Also jetzt ist er weg, aber ich habe es deutlich von ihm gehört.«

»Ist sie schwer verletzt?« fragte ein Mädchen im Teenageralter, deren rechte Hand den Arm eines jungen Studenten mit einer Umhängetasche voller Bücher festhielt.

»Ich hörte, wie einer der Amerikaner sagte, es sei äußerst schmerzhaft, aber sie sei außer Lebensgefahr«, antwortete eine andere Französin, die Sekretärin eines jungen Abteilungsleiters, die einen dicken braunen Umschlag unter dem Arm trug. »Die Lunge ist punktiert, deshalb hat sie Atemschwierigkeiten. Sie trug eine Sauerstoffmaske. Es ist eine Schande.«

»Eine Schande ist es, daß die Amerikaner sich überall vordrängeln müssen«, sagte der Student. »Die gnädige Frau hat Atemprobleme, und jemand von uns, der vielleicht ernsthaft krank ist, wird einfach beiseite geschoben, um ihr Leben angenehmer zu machen.«

»Antoine!«

»Ein undankbarer Hund sind Sie!« rief ein älterer Mann mit einem kleinen *Croix de Guerre* am Rockaufschlag. »Ich habe mit den Amerikanern gekämpft und bin mit ihnen in Paris einmarschiert. Sie haben unsere Stadt gerettet!«

»Ganz alleine, alter Mann? Das glaube ich nicht … komm, Mignon, verschwinden wir hier.«

»Antoine, wirklich! Dieses radikale Gehabe ist nicht nur passé, es ist auch langweilig.«

»Kleiner *Fuck-up*«, sagte der Veteran mit dem *Croix de Guerre* zu jedem, der es hören wollte. »*Fuck-up*, das hab ich von den Amerikanern gelernt.«

Im Obergeschoß der Botschaft saß Claude Moreau verzweifelt in sich zusammengesunken auf einem Sessel vor dem Schreibtisch von Stanley Witkowski. »Nur ein Glück, daß ich kein Geld brauche«, sagte er niedergeschlagen, »aber ich werde das, was ich habe, nie in Paris oder auch nur in Frankreich ausgeben können.«

»Was reden Sie da?« fragte Stanley und zündete sich mit zufriedener Miene eine kubanische Zigarre an.

»Wenn Sie das nicht wissen, Colonel, dann sollten Sie vielleicht mal zu einem Gehirnklempner gehen und sich untersuchen lassen.«

»Warum? Ich hab noch alle Tassen im Schrank und finde auch, daß ich meine Arbeit recht ordentlich verrichte.«

»Um Himmels willen, Stanley, begreifen Sie doch. Ich habe mein eigenes Bureau, einen hastig einberufenen Ausschuß der Deputiertenkammer, die Presse, und den Präsidenten selbst belogen! Ich habe praktisch beschworen, daß Madame Courtland überlebt hat, daß sie nicht gestorben ist, daß sie in Ihrer Klinik ausgezeichnete Behandlung erfahren hat!«

»Nun ja, Sie haben doch nicht unter Eid gestanden, Claude.«

»*Merde!* Sie sind verrückt!«

»Von wegen. Ich hatte die Leiche zugedeckt und ins Haus gebracht, und zwar ins Kellergeschoß, ehe irgend jemand feststellen konnte, daß das Miststück tot ist.«

»Und Sie glauben, das wird funktionieren, Stanley?«

»Bis jetzt hat es das jedenfalls … Hören Sie, Claude, ich versuche ja auch nur Verwirrung zu stiften. Der Lennox, hinter dem die Neonazis her sind, ist der, den sie getötet haben, aber das wissen sie nicht. Also machen sie Jagd auf den anderen, und wir liegen auf der Lauer. Die Botschaftersschnalle ist für sie nicht weniger wichtig. Vielleicht sogar noch wichtiger, weil sie sich bestimmt zusammengereimt haben, daß wir über dieses Weib Bescheid wissen. Schließlich hatte der Graf von Strasbourg ja nicht vor, ihr eine Tetanusimpfung zu verpassen. Mit ein wenig Glück wird sich die kleine Farce, die wir da draußen aufgeführt haben, im Verein mit Ihren kleinen Mogeleien rentieren.«

»Kleine Mogeleien?« fiel Moreau ihm halb erstickt ins Wort. »Haben Sie denn eigentlich eine Ahnung, was ich getan habe? Ich habe den Präsidenten der Republik belogen. Man wird mir nie wieder vertrauen!«

»Verdammt, Sie müssen das von einer höheren Warte aus sehen. Sie haben es schließlich zu seinem eigenen Nutzen getan. Sie hatten Grund zu der Annahme, daß sein Büro abgehört wird.«

»Lächerlich. Das Deuxième ist dafür verantwortlich, daß das nicht der Fall ist!«

»Ja, ich schätze, das wird wohl nicht gehen«, räumte Witkowski ein. »Wie wäre es, wenn Sie sagen, sie überprüften gerade seine engsten Mitarbeiter?«

»Das haben wir erst vor ein paar Monaten mit aller Gründlichkeit getan. Aber was Sie da sagen, daß ich das Ganze von einer höheren Warte aus sehen sollte, hat vielleicht was für sich.«

»Zum Nutzen Ihres Präsidenten«, sagte der Colonel und zog lange und genüßlich an seiner Zigarre.

»Ja, genau. Für etwas, was er nicht weiß, kann man ihn auch nicht verantwortlich machen. Und wir haben es hier schließlich mit Psychopathen zu tun, mit fanatischen Attentätern.«

»Ich sehe zwar den Zusammenhang nicht, Claude, aber das ist schon mal ein Anfang. Übrigens vielen Dank für das zusätzliche Personal im Krankenhaus. Mit Ausnahme von zwei Sergeants und einem Captain sprechen meine Marines nicht gerade fließend Französisch.«

»Ihr Captain war Austauschstudent und einer der Sergeanten hat französische Eltern; er konnte Französisch, ehe er Englisch gelernt hat. Was das Französisch Ihres anderen Sergeant angeht, so besteht es hauptsächlich aus Unflätigkeiten.«

»Sehr gut! Die Neonazis sind unflätig, also ist er perfekt.«

»Wie geht es unserer Stenographin, der wiedergeborenen Madame Courtland?«

»Da mache ich mir keine Sorgen. An die braucht sich bloß so ein Hurensohn von Neonazi ranzumachen, und das wird ganz bestimmt einer, dann nageln wir ihn an die Wand.«

»Ich hab's Ihnen schon einmal gesagt, Stanley, ich habe so meine Zweifel, daß da jemand kommen wird. Die Neonazis sind alles andere als blöd. Die werden ahnen, daß wir ihnen eine Falle stellen.«

»Da hab ich auch dran gedacht, aber ich verlasse mich einfach auf die menschliche Natur. Wenn der Einsatz hoch genug ist – und ein lebendes Sonnenkind in unserer Gewalt ist weiß Gott ein hoher Einsatz –, greift man auch zu etwas riskanteren Mitteln. Diese Mistkerle können es sich gar nicht leisten, das nicht zu tun.«

»Ich hoffe, Sie haben recht, Stanley ... wie nimmt denn unser streitsüchtiger Kollege Drew Lennox das Ganze auf?«

»Recht gut. Wir haben bei ein paar Leuten in der Botschaft durchsickern lassen, wer Colonel Webster wirklich ist, übrigens auch den Antineos gegenüber, die es allem Anschein nach ohnehin schon wußten. Sie sollten das auch tun. Außerdem bringen wir die de Vries hier in die Botschaft und lassen ihr Quartier rund um die Uhr von Marines bewachen.«

»Es wundert mich, daß sie dem so ohne weiteres zugestimmt hat«, sagte Moreau. »Diese Frau kennt alle Tricks, aber ich glaube wirklich, daß der Mann ihr etwas bedeutet. Wenn man bedenkt, was sie alles durchgemacht hat, kann man sich gut vorstellen, daß sie ihn, so wie die Dinge liegen, nicht allein lassen würde.«

»Sie weiß es noch gar nicht«, erklärte Witkowski. »Wir bringen sie heute abend her.«

Es war früher Abend, und der Tag neigte sich dem Ende zu. Karin de Vries saß in einem Sessel am Fenster, das weiche, stumpfe Licht einer Stehlampe brachte ihr langes dunkles Haar zum Leuchten und warf sanfte Schatten über ihr hübsches Gesicht. »Hast du eigentlich eine Ahnung, was du machst?« fragte sie mit einem finsteren Blick auf Lennox, der im Hemd dasaß und seinen Uniformrock über die Lehne des Schreibtischsessels gehängt hatte.

»Aber sicher«, antwortete er. »Ich bin ein Köder.«

»Du bist ein toter Mann, Herrgott noch mal!«

»Blödsinn. Mir kann im Grunde gar nichts passieren. Sonst würde ich das nie tun.«

»Warum? Weil der Colonel es gesagt hat? ... Verstehst du denn nicht, Drew, daß du, wenn es einmal heißt ›Auftrag erledigt‹, lediglich ein Faktor X oder Y bist, jederzeit austauschbar? Witkowski mag ja dein Freund sein, aber mach dir bloß nichts vor. Er ist ein Profi. Sein Auftrag kommt zuerst! Warum glaubst du wohl, daß er darauf besteht, daß du diese verdammte Uniform trägst?«

»Hey, das weiß ich doch. Zumindest habe ich begriffen, daß das mit in die Gleichung gehört. Aber die schicken mir jetzt eine schußsichere Weste und ein größeres Jackett oder wie man das nennt; es ist also nicht so, daß die mich nackt rausschicken.«

»Attentäter zielen nicht auf den Körper, mein Lieber. Die zielen mit Zielfernrohren auf den Kopf.«

»Ich vergesse immer wieder, wie gut du dich auskennst.«

»Ja, glücklicherweise, und deshalb will ich auch, daß du unserem gemeinsamen Freund Stanley sagst, daß er sich zum Teufel scheren soll!«

»Das kann ich nicht.«

»Warum nicht? Er soll einen Lockvogel auf die Straße schicken. Aber doch nicht dich.«

»Jemand anderen? Vielleicht jemanden mit einem Bruder, der Farmer in Idaho ist oder Automobilmechaniker in Jersey City? … Ich … damit könnte ich nicht leben.«

»Und ich kann nicht ohne dich leben«, rief Karin und warf sich in seine Arme. »Ich hätte nie, nie, gedacht, daß ich das zu irgend jemandem auf der ganzen Welt sagen würde, aber es ist so, Drew. Weiß der Himmel warum, aber es ist ganz so, als wärst du eine Fortsetzung des jungen Mannes, den ich vor Jahren geheiratet habe, ohne all das Abstoßende und den Haß. Du darfst mich nicht verachten, weil ich das sage, mein Liebling, ich muß einfach.«

»Ich könnte dich nie verachten«, sagte Drew leise und drückte sie an sich. »Wir brauchen einander, jeder aus einem anderen Grund, und die Gründe brauchen wir nicht lange zu analysieren.« Er sah ihr liebevoll in die Augen. »Was meinst du, wenn wir einmal alt sind und auf unseren Schaukelstühlen sitzen und übers Wasser blicken?«

»Oder auf die Berge. Ich liebe Berge.«

»Also darüber müssen wir noch reden.« Es klopfte an der Tür. »Ach, zum Teufel«, sagte Drew und ließ sie los, »wo ist dieses Blatt mit den Codewörtern?«

»Das habe ich im Flur an die Wand geklebt. Du kannst es nicht übersehen.«

»Ja, ich hab's. Wie spät ist es.«

»Kurz vor halb acht. Die Schicht wechselt um acht.«

»Wer ist da?«

»*Bonney rabitte*«, sagte die Stimme Fracks hinter der Tür.

»Das ist kindisch«, sagte Lennox und machte die Tür auf.

»Es ist Zeit, Monsieur.«

»Ja, ich weiß. Warten Sie einen Augenblick, ja?«

»*Certainement*«, sagte Frack, während Drew die Tür schloß und sich Karin zuwandte.

»Du wirst jetzt hier weggehen, meine Liebe.«

»Wie bitte?«

»Du hast richtig gehört. Du wirst in die Botschaft verlegt.«

»Was? ... Warum?«

»Du bist Angestellte der amerikanischen Botschaft und man hat entschieden, daß deine Arbeit mit Verschlußsachen Grund genug ist, um dich aus dem Gefahrenbereich zu entfernen.«

»Was redest du da?«

»Ich muß solo gehen, Karin.«

»Das werde ich nicht zulassen! Du brauchst mich!«

»Tut mir leid. Du wirst entweder friedlich mitgehen oder Monsieur Frick und Frack werden dir eine Spritze verpassen und dich auf ihre Art mitnehmen.«

»Wie konntest du das tun, Drew?«

»Ganz einfach. Ich möchte, daß wir einmal auf diesen Schaukelstühlen in Colorado sitzen und uns die Berge ansehen. Was hältst du davon?«

»Du Mistkerl!«

»Ich habe nie behauptet, daß ich vollkommen wäre. Es reicht, wenn ich für dich vollkommen bin.«

Die Agenten des Deuxième Bureau führten Karin zum Aufzug und versicherten ihr, daß ihre Habseligkeiten aus dem Hotel abgeholt und binnen einer Stunde zur Botschaft gebracht werden würden. Sie fügte sich widerstrebend in die Gegebenheiten. Dann öffnete sich die Aufzugtür, und sie traten in die Lobby hinaus. Im gleichen Augenblick traten zwei weitere Mitarbeiter des Deuxième vor, die vier Agenten nickten einander zu und Monsieur Frick und Frack machten kehrt und gingen mit schnellen Schritten wieder zu den Fahrstühlen.

»Bleiben Sie bitte zwischen uns, Madame«, sagte ein untersetzt gebauter, bärtiger Mann und bezog rechts von Karin de Vries Position. »Der Wagen wartet draußen links vom Eingang, gleich außerhalb des Vordachs.«

»Ich hoffe, Sie sind sich darüber im klaren, daß das gegen meinen Willen geschieht.«

»Direktor Moreau weiht uns nicht in jeden Auftrag ein, Madame«, sagte der zweite, glattrasierte Deuxième-Beamte. »Wir sollen lediglich dafür sorgen, daß Sie von hier zur amerikanischen Botschaft kommen.«

»Ich hätte ein Taxi nehmen können.«

»Ich will Ihnen ja nicht zu nahe treten, Madame«, sagte der bärtige Agent und lächelte, »aber ich bin froh, daß man Ihnen das nicht gestattet hat. Meine Frau und ich sollten mit ihren Eltern zu Abend essen. Können Sie mir glauben, daß die beiden nach vierzehn Jahren und drei Enkelkindern immer noch daran zweifeln, daß ich der richtige Mann für ihre Tochter bin?«

»Und was sagt ihre Tochter dazu?«

»Ah, sie erwartet gerade wieder ein Kind, Madame.«

»Ich glaube, das sagt genug, Monsieur.« Karin lächelte schwach, als sie auf die Glastür zugingen. Draußen bogen sie schnell nach links, wo die beiden Agenten des Deuxième Bureau sie etwa zehn Meter weit zwischen den Passanten auf der Rue de l'Echelle zu dem gepanzerten Fahrzeug dirigierten, das vor einem Parkverbotsschild bereitstand. Der bärtige Agent hielt Karin lächelnd die Tür auf.

In diesem Augenblick war ein klatschendes Geräusch zu hören; die linke Schläfe des Agenten explodierte, und das Blut schoß ihm aus der Stelle, wo die Kugel seinen Kopf wieder verlassen hatte. Im gleichen Augenblick stürzte der zweite Begleiter nach hinten, die Augen geweitet, den Mund weit aufgerissen. Ein heiseres Gurgeln drang aus seiner Kehle, als ein Messer mit langer Klinge aus seinem Rücken gezogen wurde. Beide Männer sackten aufs Pflaster; Karin setzte zu einem Schrei an, aber eine kräftige Hand preßte sich über ihren Mund, und zwei andere stießen sie gewaltsam in das Auto; der Mann, der sie angegriffen hatte, folgte ihr und preßte sie auf den Rücksitz. Wenige Sekunden später öffnete sich die Tür auf der gegenüberliegenden Seite, und ein atemloser zweiter Killer mit einem blutigen Messer in der rechten Hand sprang herein.

»Los, schnell!« schrie er.

Der Wagen machte einen Satz und hatte sich wenige Augenblicke später in den Verkehrsstrom eingereiht. Erst jetzt nahm der erste Killer seine spinnenartige Hand von Karins Gesicht und sagte etwas. »Schreien hilft Ihnen gar nichts«, sagte er, »aber wenn Sie es versuchen, haben Sie später Narben im Gesicht.«

»Willkommen, Frau de Vries«, sagte der Fahrer und drehte halb den Kopf herum und schob gleichzeitig eine zusammengekrümmte Leiche auf dem Sitz nach rechts. »Anscheinend sind Sie fest entschlossen, Ihrem Mann Gesellschaft zu leisten. Und das werden Sie ganz sicher, wenn Sie uns Schwierigkeiten machen.«

»Sie haben diese beiden Männer getötet«, flüsterte Karin immer noch benommen.

»Wir sind die Retter des neuen Deutschlands«, sagte der Fahrer. »Wir tun, was getan werden muß.«

»Wie haben Sie mich gefunden?«

»Ganz einfach. Sie haben Feinde, wo Sie glauben Freunde zu haben.«

»Die Amerikaner?«

»Die auch, ja. Und die Briten und die Franzosen.«

»Was haben Sie mit mir vor?«

»Das hängt ganz von Ihnen ab. Sie können sich entweder Ihrem Ehemann Frederik de Vries anschließen oder uns. Wir wissen, daß Sie käuflich sind.«

»Ich will einfach meinen Mann finden, das wissen Sie auch.«

»Sie reden Unsinn, Frau de Vries.«

Dann trat Schweigen ein.

30

Die laute Musik aus dem Radio übertönte die Verkehrs-
geräusche, die zum Fenster hereindrangen, während Lennox die kugelsichere Weste anprobierte und dann den weiter ge-
machten Uniformrock darüberzog. Sein Blick wanderte immer
wieder zum Telefon auf dem Schreibtisch hinüber – weshalb
hatte Karin noch nicht angerufen? Sie hatte gesagt, sie würde
sich sofort melden, sobald sie ihr neues Quartier in der Botschaft bezogen hatte. Jetzt war es schon zwei Stunden her, daß
sie das Hotel verlassen hatte, und ihr Gepäck war kurz darauf
abgeholt worden. Lennox schüttelte, ohne sich dessen bewußt
zu werden, den Kopf und schmunzelte dann bei der Vorstellung
ihres Zusammentreffens mit Witkowski: Ohne Zweifel würde
sie den Colonel beschimpfen, ja ihn sogar anschreien, weil er die
Entscheidung getroffen hatte, ihn allein operieren zu lassen.
Der arme Stosh war trotz seines vierschrötigen Wesens ganz
sicherlich nicht auf eine Breitseite der künftigen Frau Lennox
vorbereitet.

Drew trat an den Spiegel im Flur und betrachtete sich darin.
Der Brustschutz ließ ihn wuchtiger erscheinen als er war und
erinnerte ihn an seine Tage auf dem Eis in einem grün-weißen
Dress in Kanada, eine Zeit, wo ein Bodycheck eine Sache
auf Leben und Tod gewesen war – wie schrecklich lächerlich
einem doch so etwas im Nachhinein vorkam … Jetzt reicht's!
sagte er sich und ging zum Telefon zurück. Er nahm den
Hörer ab und wollte gerade zu wählen beginnen, als es an der
Tür klopfte. Er knallte den Hörer auf die Gabel, ging zur Tür,
warf einen Blick auf das Blatt mit den Codes und sagte: »Wer
ist da?«

»Witkowski«, antwortete die Stimme auf der anderen Seite.

»Wie lautet Ihr Code?«

»Zum Teufel damit, ich bin's.«

»Sie müssen jetzt ›Braver König Wenzeslaus‹ sagen, Sie Arschloch!«

»Machen Sie die Tür auf, ehe ich das Schloß wegschieße.«

»Das müssen Sie sein, Sie Kretin, weil Sie wahrscheinlich gar nicht wissen, daß Kugeln von einem Messingschloß abprallen und einem ein Loch in den Bauch reißen können.«

»Nicht, wenn ich auf den Rand schieße, Sie Quatschkopf. Aufmachen!«

Die ernsten, regelrecht bedrückten Mienen Witkowskis und Moreaus wollte überhaupt nicht zu dem forcierten Wortgefecht passen. »Wir müssen miteinander reden«, sagte der Chef des Deuxième Bureau, als er und der Colonel eintraten. »Etwas Schreckliches ist vorgefallen.«

»Karin!« explodierte Drew. »Sie hat noch nicht angerufen – und das wollte sie schon vor einer Stunde! Wo ist sie?«

»Das wissen wir nicht genau, aber die Fakten sind beunruhigend«, antwortete Moreau.

»Was für Fakten?«

»Zwei von Claudes Männern sind vor dem Hotel getötet worden«, erwiderte Witkowski. »Der eine hat eine Kugel durch den Kopf bekommen, der andere ist erstochen worden. Der Wagen des Bureau ist weg, und der Fahrer dürfte ebenfalls tot sein.«

»Man hat sie entführt«, sagte Moreau leise und sah Drew dabei in die Augen.

»Die werden sie umbringen!« schrie Lennox, fuhr herum und schlug mit der Faust gegen die Wand.

»Ich muß zugeben, daß die Möglichkeit besteht«, erwiderte der Chef des Deuxième, »aber ich beklage den Tod meiner Kollegen. Was Karin angeht, so haben wir keine Beweise dafür, daß sie dasselbe Schicksal erlitten hat. Und nach meiner Beurteilung ist sie noch sehr lebendig.«

»Wie können Sie das sagen?« fragte Drew.

»Weil sie als Geisel wesentlich wertvoller ist als tot. Die wollen den Mann, der als Harry Lennox bekannt ist, und das sind Sie.«

»Und?«

»Und deshalb werden sie sie dazu benutzen, um Harry Lennox aus seinem Versteck zu locken.«

»Was tun wir also?«

»Wir warten, *chlopak*«, sagte Colonel Witkowski, der unbewegt zugehört hatte, mit leiser Stimme. »Wie wir beide wissen, ist das der härteste Teil unseres Jobs. Wenn sie Karin hätten töten wollen, um ein weiteres Exempel zu statuieren, hätten sie ihre Leiche bei den beiden anderen liegen lassen. Das haben sie nicht. Also warten wir.«

»Also gut, also gut!« rief Drew und hielt sich mit einer Hand an der Schreibtischkante fest. »Aber wenn das so laufen soll, dann will ich jetzt die Namen von jedem haben, von jedem einzelnen, dem man gesagt hat, wer ich bin und wo ich mich aufhalte. Die undichten Stellen, ich möchte wissen, wem Sie es gesagt haben!«

»Was sollte das nützen, *mon ami*? Solche Lecks sind wie Steine, die man in einen Teich wirft; sie ziehen ihre Kreise über die ganze Wasserfläche.«

»Weil ich sie haben muß, deshalb!«

»Also schön, ich werde Ihnen die Namen der Leute geben, die wir informiert haben, und Stanley wird die aus der Botschaft liefern müssen.«

»Schreiben Sie«, befahl Lennox und holte ein paar Hotelbriefbögen aus der Schublade. »Alles, was Sie haben.«

»Wir haben ihnen zweihundertsechsunddreißig Namen mit den entsprechenden Fotos zugespielt«, sagte Knox Talbot, der Direktor der CIA, am Telefon zu Wesley Sorenson.

»Schon irgendwelche Reaktionen?«

»Nichts Konkretes, aber ein paar Möglichkeiten. Wir haben insoweit Glück, als sieben Leute in dem sicheren Haus den sogenannten Deputy Director Connally tatsächlich gesehen haben, und zugleich das Pech, daß nur vier von ihnen nahe genug an ihn herankamen, um ihn beschreiben zu können.«

»Und wie sieht es mit den Verdächtigen aus?« fragte der Direktor von Consular Operations.

»Nicht sehr ergiebig. Hol's der Teufel, einer der Zeugen hat sogar Ihr Foto unter acht anderen herausgepickt.«

»Wenn sie alle in meinem Alter waren, sagt uns das etwas.«

»Das waren sie nicht. Wir haben keinen Zweifel daran gelassen, daß der Mistkerl ganz bestimmt sein Aussehen drastisch verändert hat, wahrscheinlich eine Perücke, Kontaktlinsen mit anderer Augenfarbe, all die üblichen Tricks.«

»Mit einer Ausnahme, Knox. Auf die Weise kann man sich älter machen, aber nicht jünger, nicht ohne grotesk zu wirken.«

»Das ist das Eigenartige daran, Wes. Bis auf einen Mann und eine Frau haben sie alle ziemlich genau dasselbe gesagt. Daß dieser Connally nämlich so durchschnittlich aussah, daß man ihn kaum aus einer Menge herauspicken kann – um es mit meinen Worten zu sagen.«

»Und seine Kleidung?«

»Streng nach der alten Agency-Richtlinien. Dunkler Anzug, weißes Hemd, gestreifte Krawatte, braune Schnürschuhe. Oh, und ein heller Regenmantel, die kurze Art ohne Gürtel. Die Frau von der Sicherheitstheke sagte, der Mantel habe so ausgesehen wie der ihres Freundes, London Fog heißt das Modell.«

»Gesicht?«

»Wiederum ausdruckslos, durchschnittlich, kein Schnurrbart, kein Kinnbart, nur blaße Haut und keine auffälligen Gesichtszüge, aber eine ziemlich dicke Brille hat er getragen, zu dick würde ich sagen.«

»Wieviele mögliche Kandidaten haben wir?«

»Wenn man einmal diejenigen streicht, die auf keinen Fall in Frage kommen, wie zum Beispiel Sie, vierundzwanzig.«

»Und wieviele sind es ohne Streichungen?«

»Einundfünfzig.«

»Kann ich sie sehen?«

»Die vierundzwanzig sind schon zu Ihnen unterwegs. Die anderen siebenundzwanzig schicke ich nach. Oder soll ich Ihr Bild entfernen? Ich meine, Sie arbeiten ja nicht mal hier.«

»Warum haben Sie es dazugetan?«

»Mein perverser Humor, nehme ich an. Wie ich häufig unserem erlauchten Kollegen Adam Bollinger sage, hilft es einem gelegentlich, die Dinge aus der richtigen Perspektive zu sehen, wenn man kräftig lacht.«

»Das gebe ich ja zu, mein Freund. Mir ist nur im Augenblick gar nicht nach Lachen zumute. Haben Sie das Neueste aus Paris gehört?«

»Nicht, wenn es in den letzten vierundzwanzig Stunden passiert ist.«

»Dann hören Sie es jetzt. Karin de Vries ist verschwunden. Die Neonazis haben sie entführt.«

»Oh, mein Gott!«

»Der ist offensichtlich nicht zur Stelle, wenn man Ihn braucht.«

»Was sagt Witkowski?«

»Er macht sich wegen Lennox Sorgen. Er hat gesagt, Drew mache zwar den Eindruck, sich im Griff zu haben. Er ist aber überzeugt, daß er uns damit etwas vorspielt.«

»Wieso?«

»Weil er darauf bestanden hat zu erfahren, wem gegenüber man seine Identität preisgegeben hat.«

»Das ist doch ein ganz vernünftiger Wunsch, würde ich sagen. Schließlich ist er der Köder.«

»Sie hören nicht richtig zu, Knox. Ich habe gesagt ›darauf bestanden‹, und Stanley hat keinen Zweifel daran gelassen, daß Lennox das geradezu ultimativ gefordert hat.«

»Ich kann immer noch nicht erkennen, wieso das darauf hindeuten sollte, daß er nicht mehr weiß, was er tut.«

»Wir beide sind schon zu lange verheiratet, um uns noch daran zu erinnern. Er ist verliebt, alter Junge. Das kam vielleicht ein wenig spät, aber wahrscheinlich zum ersten Mal. Man hat ihm seine Lady weggenommen, und Lennox hat eine Spitzenausbildung durchgemacht. Er ist die reinste Kampfmaschine. In seinem Alter hält man sich häufig für unbesiegbar. Er will sie wiederhaben.«

»Ich verstehe, Wes. Was können wir tun?«

»Zuerst muß er etwas tun, das uns den Vorwand liefert, ihn aus dem Verkehr zu ziehen.«

»Aus dem Verkehr …?«

»Wenn wir ihn schon nicht in eine Gummizelle sperren, dann müssen wir ihn wenigstens aus Paris entfernen. Er nützt niemandem, wenn der Köder zum Jäger wird.«

»Ich war der Ansicht, er würde beobachtet, stehe dauernd unter Bewachung?«

»Das hat man mit seinem Bruder Harry auch gemacht, und er ist aus dem Tal der Bruderschaft entkommen. Sie sollten die Talente der Lennox-Brüder nicht unterschätzen. Andererseits sind Witkowski und Moreau auch nicht gerade heurige Hasen.«

»Ich weiß nicht, was das in diesem Zusammenhang bedeuten soll, aber ich nehme an, es soll mich beruhigen.«

»Das hoffe ich sehr«, sagte Sorenson.

Drew studierte im grellen Licht der Schreibtischlampe die Namen. Witkowskis Liste mit möglichen undichten Stellen enthielt sieben Namen, darunter auch die Antineos, und auf Moreaus Liste standen neun, drei davon Deputiertevom Quai d'Orsay, die Moreau für Faschisten hielt. Auf Stanleys Liste standen einige Attachés, denen das Verbreiten von Gerüchten zur zweiten Natur geworden war und die mehr Zeit damit verbrachten, sich bei einflußreichen französischen Geschäftsleuten einzuschmeicheln, als sich um ihre Arbeit zu kümmern; zwei Sekretärinnen, deren häufige Abwesenheit auf Alkoholprobleme deutete, und ein Pater Manfred Neumann vom Maison Rouge der Antineos. Neben den Deputierten vom Quai d'Orsay enthielt Moreaus Liste noch die üblichen bezahlten Spitzel, deren oberste Loyalität ohne Rücksicht auf Ideologie und Moral dem Geld galt.

Lennox ging daran, die Listen zusammenzustutzen und strich zunächst Moreaus Informanten – er hätte nicht gewußt, wie er mit ihnen Verbindung aufnehmen sollte – sowie zwei der Deputierten; den dritten hatte er schon bei diplomatischen Veranstaltungen gesehen. Er würde den Mann anrufen und gut zuhören, was er zu sagen hatte. Witkowskis Liste war einfacher, weil er vier der Leute flüchtig aus der Botschaft kannte. Die übrigen zwei, beides Frauen, beide vermutlich Alkoholikerinnen, konnte er, wie die Dinge standen, einfach anrufen, er brauchte dazu bloß ihre Telefonnummer.

»Stanley, ich bin so froh, daß Sie noch arbeiten. Sie haben nämlich bei Ihren sieben Kandidaten etwas vergessen.«

»Was soll das jetzt wieder heißen?« ereiferte sich Witkowski. »Das sind die Leute, denen wir Ihren Namen genannt haben.«

»Wir? Wer sonst noch?«

»Meine Sekretärin, die von der alten G-2 mitgekommen ist, ein ehemaliger Sergeant, die ich zum Leutnant befördert habe, ehe sie den Militärdienst quittiert hat.«

»Sie? Eine Frau?«

»Ja. Ihr Mann war Berufssoldat und ist nach dreißig Dienstjahren pensioniert worden; er war damals erst dreiundfünzig. Die Kinder haben sämtliche Militärcamps auf der Welt kennengelernt.«

»Was macht er jetzt?«

»Er spielt Golf, besucht Museen und nimmt immer noch Französischunterricht. Er kommt mit dem Kauderwelsch einfach nicht klar.«

»Dann brauche ich ihre Telefonnummer nicht, aber die anderen will ich alle haben. Und ihre Adressen auch, auch die vom Maison Rouge der Antineos.«

»Ich kann mir schon denken, was Sie wollen. Ich schalte eben meinen Computer ein.«

Claude Moreau machte etwas größere Schwierigkeiten. Er war zu Hause und debattierte gerade mit einem seiner Söhne über Politik. »Diese Jugend von heute, die hat wirklich keine Ahnung!«

»Die habe ich auch nicht, aber ich brauche Telefonnummern, falls Sie nicht wollen, daß ich Ihre Bewacher in Tiefschlaf versetze.«

»*Mon Dieu,* Stanley hat recht. Sie sind wirklich unmöglich! Also schön, ich gebe Ihnen jetzt eine Nummer im Bureau. Rufen Sie dort in fünf Minuten an, dann bekommen Sie die Nummern, die Sie wollen.«

»Ich will sie nicht, Claude. Ich brauche sie.«

Elf Minuten später hatte Lennox die Telefonnummern für jeden Namen auf beiden Listen. Er fing an zu telefonieren, wobei er in jedem Fall praktisch dasselbe sagte.

»*Hier spricht Colonel Webster. Ich nehme an, Sie kennen meine wahre Identität. Was mich beunruhigt ist, daß andere sie erfahren haben, und wir haben festgestellt, daß die undichte Stelle bei Ihnen liegt. Was haben Sie dazu zu sagen – solange Sie noch etwas sagen können?«*

Die Antworten, die er bekam, waren alles Variationen desselben Themas. Heftige Beteuerungen bis zu dem Punkt, daß man ihm anbot, sämtliche Telefongespräche überprüfen zu lassen, zu Hause wie im Büro; einige erboten sich sogar, Lügendetektortests an sich durchführen zu lassen. Am Ende blieb nur der Antineo im Maison Rouge übrig.

»Pater Neumann, bitte.«

»Der hält gerade die Vesper und darf nicht gestört werden.«

»Stören Sie ihn, es handelt sich um eine äußerst dringende Angelegenheit, von der Ihre Geheimhaltung abhängt.«

»Mein Gott, ich weiß nicht, was ich tun soll. Der Pater ist ein sehr gläubiger Priester. Können Sie nicht in, sagen wir, zwanzig Minuten noch einmal anrufen?«

»Bis dahin könnte das rote Haus schon in die Luft gegangen sein.«

»Oh! Ich hole ihn.«

Als Pater Manfred Neumann schließlich ans Telefon kam, war er wütend. »Was soll der Unsinn! Sie reißen mich mitten aus meiner Andacht und holen mich von meinen Gläubigen weg.«

»Mein derzeitiger Name ist Colonel Webster, aber Sie wissen, wer ich bin, Hochwürden.«

»Natürlich weiß ich das! So wie viele andere auch.«

»Wirklich? Das ist aber jetzt ein Schock für mich. Ich dachte, das sei streng geheim.«

»Nun, ich nehme an, daß andere auch informiert sind. Also, was soll das von wegen einer Bombe hier?«

»Vielleicht bin ich der Bomber, wenn Sie meine Fragen nicht zufriedenstellend beantworten. Ich war selbst dort, Sie erinnern sich, und im Augenblick bin ich ziemlich verzweifelt.«

»Wie können Sie so etwas tun? Die Antineos haben für Sie gesorgt, wir haben Ihnen in der Stunde der Not Zuflucht gewährt.«

»Und dann habt ihr euch geweigert, mich wieder aufzunehmen, als ich immer noch in Not war.«

»Das war eine kollektive Entscheidung, die auf unseren eigenen Sicherheitsbedürfnissen basierte.«

»Das reicht mir nicht, Hochwürden. Wir kämpfen doch gegen dieselben Leute, oder nicht?«

»Kommen Sie mir nicht damit, Herr Lennox. Ich bin ein Mann Gottes und verabscheue Gewalt, aber es gibt hier andere, die darüber anders denken.«

»Ist das eine Drohung, *mon père*?«

»Nehmen Sie es, wie Sie wollen, mein Sohn. Wir wissen, wer Sie sind.«

»Ich bin gleich zu Ihnen unterwegs, und dann gnade Ihnen Gott, wenn Sie mir nicht sagen, mit wem Sie über mich gesprochen haben«, sagte Lennox. »Und zwar jetzt sofort!«

»Der Herr im Himmel ist mein Zeuge, nur mit unserer Informantin in der Botschaft ... und mit noch einem.«

»Zuerst die Informantin. Wer ist das?«

»Eine Sekretärin namens Cranston, die Christi Hilfe benötigt.«

»Woher kennen Sie sie?«

»Wir sprechen miteinander, wir begegnen uns, und das Fleisch ist schwach, mein Sohn. Ich bin nicht vollkommen, möge Gott mir verzeihen.«

»Und wer noch? Wer ist der andere?«

»Das ist so vertraulich, daß es ein Sakrileg wäre, dieses Vertrauen zu brechen.«

»Das wäre es auch, wenn ich das Maison Rouge hochgehen lasse, mit einem hübschen Feuerwerk.«

»Das würden Sie nie tun.«

»Warten Sie's ab. Ich bin ein Four-Zero-Mann von Consular Operations und beherrsche ein paar Tricks, an die die Blitzkrieger noch nie gedacht haben. Raus mit der Sprache!«

»Ein Priester, ein ehemaliger Priester. Er ist jetzt ein alter Mann, aber als junger Gelehrter war er ein hochtalentierter Dechiffrierspezialist für die Abteilung der französischen Abwehr, aus der später das Deuxième Bureau wurde. Die Geheimdienste schätzen ihn immer noch sehr und vertrauen sich ihm häufig an, wenn sie seine Hilfe brauchen. Sein Name ist Lavolette, Antoine Lavolette.«

Lennox legte den Hörer auf und hätte am liebsten sofort Moreau angerufen und ihm einige gezielte Fragen bezüglich Pater Antoine Lavolette, Dechiffrierspezialist im Ruhestand, gestellt. Dann überlegte er es sich anders; der Chef des Deuxième war geradezu davon besessen, alles unter Kontrolle zu haben. Besonders, wenn es um einen gewissen Drew Lennox ging. Moreau würde sich ohne Zweifel einschalten, den pensionierten Priester selbst anrufen und damit die Initiative an sich reißen. Nein, so ging das nicht. Man mußte diesen Lavolette stellen, er durfte nicht zum Nachdenken kommen und mußte gezwungen werden, das, was er wußte, preiszugeben. Dasselbe galt für Phyllis Cranston, Sekretärin eines Attachés, der auf Witkowskis Liste stand, was vermutlich der Grund war, daß sie trotz ihrer Verfehlungen ihren Job behalten durfte.

Doch zuerst mußte er aus dem Hotel raus. Jede Minute, die er hier verbrachte, war eine Minute, die ihm bei der Suche nach Karin fehlte.

Karin hatte gesagt, sein blondes Haar sei das Produkt einer einfachen Bleichspülung, verbunden mit einer »Tönung«, was immer das war. Aber sie hatte ihm versichert, daß er seine normale Haarfarbe mit einem kräftigen Shampoo und einer Tube eines Mittels, das graues Haar dunkler machte, wieder ungefähr hinkriegen würde. Sie hatte die Zaubertube in den Medizinschrank gelegt, und er hatte sie in eine Schublade im Schlafzimmer praktiziert, damit sie sie nicht so leicht wegschaffen konnte. Und da war sie immer noch.

Eine halbe Stunde später stand Lennox nackt in einem von Dampf erfüllten Badezimmer und bespritzte den beschlagenen Spiegel mit kaltem Wasser. Sein Haar hatte jetzt eine seltsam dunkelbraune Farbe mit dunkelroten Flecken, aber es war jedenfalls nicht mehr blond.

Jetzt galt es sich um die Messieurs Frick und Frack zu kümmern, oder besser gesagt, um deren augenblickliche Ablösung. Die nächste Schicht hatte bereits begonnen. Er kannte jeden ihrer Bewacher, aber Frick und Frack kannte er besser als die anderen und bezweifelte deshalb, daß die beiden etwas über die peinliche Episode mit dem versäumten Codewort ausgeplaudert hatten. Ein einzelner Amerikaner entwaffnete einen Beamten des Deuxième und versetzte ihm einen Tritt in den Unterleib? *Mon Dieu, ta gueule!*

Drew holte seine andere Uniform aus dem Kleiderschrank und den Schubladen seiner Kommode. Es handelte sich praktisch um die vorgeschriebene Kleidung eines männlichen Botschaftsattachés: Graue Flanellhosen, dunkler Blazer, weißes Hemd und konservative Krawatte – vorzugsweise Regimentsstreifen oder gedämpfte Paisleymuster. Er war angenehm überrascht, daß die angeblich kugelsichere Weste unter das Jackett paßte und ihn nicht zu sehr in seiner Bewegungsfreiheit behinderte. Er öffnete die Tür seines Zimmers und trat in den Korridor hinaus, blieb stehen und wartete auf das Naheliegende. Es stellte sich sofort mit dem Auftauchen des Leibwächters am Fahrstuhl ein, während sein Kollege gleichzeitig am anderen Ende des Flurs aus den Schatten hervortrat.

»*S'il vous plait*«, begann er in seinem hilflosesten Französisch, »*voulez-vous venir ici* –«

»*En anglais, monsieur!*« rief der Mann vom Fahrstuhl. »Wir verstehen Sie.«

»Oh, vielen Dank, da bin ich Ihnen sehr dankbar. Wenn einer von Ihnen mir bitte behilflich sein würde, ich erhielt gerade eine Telefonmitteilung und habe mir die Worte so gut es ging aufgeschrieben. Es ist, glaube ich, eine Adresse, aber der Mann sprach kein Englisch.«

»Mach du das, Pierre«, sagte der Wachmann am anderen Ende auf Französisch. »Ich bleibe hier.«

»Also gut«, erwiderte der Mann und ging auf Lennox zu. »Bringen die einem in Amerika außer Englisch gar keine Sprache bei?« Er betrat die Suite, und Drew folgte ihm und schloß die Tür hinter sich. »Wo ist die Mitteilung, Monsieur?«

»Drüben auf dem Schreibtisch«, sagte Lennox, der hinter dem Franzosen herging. »Das Papier dort in der Mitte, ich hab es rumgedreht, damit Sie es lesen können.«

Der Wachmann nahm das Blatt Papier mit den in Lautschrift notierten Worten darauf. Als er das tat, hob Lennox beide Arme, die Hände nach unten gerichtet, zwei Hämmer, die gegen die Schulterblätter des Mannes krachten und ihn sofort bewußtlos machten. Es war ein betäubender Schlag, schmerzhaft, aber nicht gefährlich. Drew zerrte den leblosen Körper ins Schlafzimmer, wo er das Bett vorher bereits abgezogen und die Laken in schmale Streifen gerissen hatte. Neunzig Sekunden später war der Wachmann mit dem Gesicht nach unten auf der Matratze gefesselt, Arme und Beine an der Bettstelle festgebunden, und hatte einen schmalen Stoffstreifen vor dem Mund, der ihm das Atmen erlaubte.

Lennox hob ein paar Streifen des zerrissenen Lakens auf, rannte aus dem Schlafzimmer und zog die Tür hinter sich zu. Er ließ die Stofffetzen auf einen Stuhl fallen, öffnete die Tür zum Korridor, ging hinaus und sagte mit ruhiger Stimme zu dem zweiten Wachmann, den er an seinem Posten neben dem Fahrstuhl kaum sehen konnte. »Ihr Freund Pierre sagt, er müsse sofort mit Ihnen sprechen, ehe er diesen Kerl anruft, wie hieß er doch gleich? Montreaux oder Moneau?«

»Moreau?«

»Yeah, so hieß der Kerl. Er sagt, was ich da hingeschrieben habe, sei *unglaublisch*.«

»Gehen Sie mir aus dem Weg!« schrie der zweite Wachmann und rannte in die Suite. »Wo …?« Eine Aikidohandkantenschlag gegen den Hals unterbrach ihn mitten im Satz, gleich darauf stießen zwei Finger gegen seinen Solarplexus, was ihm den Atem raubte und ihn bewußtlos machte, aber wiederum ohne bleibenden Schaden anzurichten. Drew zog ihn zur Couch hinüber und vollführte die gleiche Aktion, die er bereits mit dem ersten Wachmann durchgezogen hatte, nur mit den notwendigen Variationen: Dieser Mann lag bäuchlings auf den Kissen, Arme und Beine ausgestreckt und an den Sofafüßen festgebunden mit einem Knebel im Mund, aber den Kopf etwas zur Seite gelegt, damit er Luft bekam. Zuletzt riß Lennox die Telefone in beiden Zimmern aus den Wandfassungen. Jetzt konnte die Jagd beginnen.

31

Er ging die Treppe von Phyllis Cranstons Appartementgebäude in der Rue Pavée hinauf und klingelte in der Eingangshalle. Niemand meldete sich, also klingelte er weiter und
dachte, sie sei möglicherweise so betrunken, daß sie das Klingeln
nicht hörte. Er wollte gerade aufgeben, als eine ältere, korpulente
Frau zur Tür herauskam, sah, welchen Klingelknopf er drückte,
und ihn auf Französisch ansprach.

»Suchen Sie den Schmetterling?«

»Ich bin nicht sicher, ob ich Sie richtig verstanden habe.«

»*Ah, Américain*. Ihr Französisch ist schrecklich«, fügte sie
dann in Englisch hinzu. »Ich war richtig traurig, als man Ihre
Flugplätze in Frankreich aufgelöst hat.«

»Sie kennen Miss Cranston?«

»Wer hier im Haus kennt sie nicht? Sie ist ein süßes Ding und
war einmal sehr hübsch, so wie ich auch. Warum sollte ich Ihnen
mehr sagen?«

»Weil ich mit ihr sprechen muß, es ist sehr dringend.«

»Weil Sie ›scharf auf sie‹ sind, wie ihr Amerikaner das nennt?
Lassen Sie sich von mir sagen, Monsieur, sie mag zwar die
Krankheit haben, aber sie ist keine Hure!«

»Ich suche auch keine Hure, Madame. Ich bin auf der Suche
nach jemandem, der mir eine Information geben kann, die ich
dringend benötige, und diese Person ist Phyllis Cranston.«

»Hmm.« Die alte Frau dachte nach und musterte Drew dabei.
»Sie wollen sie doch nicht etwa wegen ihrer Krankheit ausnüt-
zen? Für den Fall sollten Sie nämlich wissen, daß ihre Freunde in
diesem Haus sie beschützen. Ich sagte schon, sie ist wirklich sehr
nett und liebenswürdig und hilft Leuten, die Hilfe brauchen.
Butterfly ist sehr großzügig mit ihrem amerikanischen Geld und
verlangt es nie zurück. Wenn sie frei hat, paßt sie auf Kinder auf,
damit ihre Mütter arbeiten können. Sie werden ihr nichts zuleide
tun, nicht hier.«

»Ich will ihr nichts zuleide tun, und ich suche auch keine
Mutter Teresa. Ich sagte Ihnen schon, ich will mit ihr spre-

chen, weil sie möglicherweise eine Information besitzt, die ich brauche.«

»Lassen Sie ja die Kirche aus dem Spiel, Monsieur. Ich bin katholisch, aber wir haben diesem dreckigen Priester gesagt, daß er sie in Ruhe lassen soll!«

Volltreffer, dachte Lennox.

»Ein Priester?«

»Er hat sie ausgenutzt und tut das immer noch!«

»In welcher Hinsicht?«

»Er kommt spät abends, und die Absolution, die er sucht, findet er zwischen seinen Beinen.«

»Und sie empfängt ihn?«

»Sie hat das Gefühl, keine andere Wahl zu haben. Er ist ihr Beichtvater.«

»Verdammt! Hören Sie, ich muß sie finden. Ich habe mit diesem Priester gesprochen, und er hat mir ihren Namen genannt. Er hat ihr gegenüber vielleicht Dinge erwähnt hat, über die er besser geschwiegen hätte.«

»Na und?«

»Sie hat diese Information vielleicht in aller Unschuld an andere weitergegeben. Mehr kann ich Ihnen nicht sagen. Wenn sie nicht hier ist, wo ist sie dann?«

»Ich wollte Ihnen gerade sagen, daß sie zum *Les Trois Couronnes* gehen sollen, das ist ein Café in dieser Straße, aber es ist schon nach Mitternacht. Ich nehme an, daß ihr Nachbar, Monsieur Du Bois, ihr gerade die Treppe hinaufhilft. Ihre Krankheit besteht nämlich darin, daß sie zuviel Wein trinkt. Es gibt Dinge, die sie vergessen will, Monsieur. Und dabei hilft ihr der Wein.«

»Würden Sie mich zu ihrer Wohnung begleiten, damit Sie selbst sehen können, Sie und auch Monsieur Du Bois, daß ich ihr nichts zuleide tun will? Daß ich ihr nur ein paar Fragen stellen möchte?«

»Sie werden nicht allein mit ihr sein, das kann ich Ihnen versichern. Am Ende sind Sie ein verkleideter Priester.«

Phyllis Cranston war eine kleine Frau von fünfundvierzig oder fünfzig Jahren mit einer kräftigen, sogar sportlichen Figur. Obwohl sie etwas unsicher auf den Beinen war, stand sie doch fest, beinahe trotzig da, als wolle sie gleichzeitig zugeben und leugnen, daß sie betrunken war.

»Also, wer macht jetzt Kaffee?« fragte sie mit einem ausgeprägten amerikanischen Akzent aus dem Mittleren Westen und ließ sich in einen Sessel fallen. Ihr Begleiter, Monsieur Du Bois, stand neben ihr.

»Der steht schon auf dem Ofen, Butterfly, mach dir keine Sorge«, sagte die alte Frau aus dem Eingangsflur.

»Wer ist denn dieser Fiesling?« fragte Cranston und deutete auf Lennox.

»Ein Amerikaner, *mon chou*. Er kennt diesen dreckigen Priester, dem wir gesagt haben, daß er dich in Ruhe lassen soll.«

»Dieses Schwein erteilt alten Weibern wie mir die Absolution, weil wir die einzigen Frauen sind, an die er noch rankommt. Ist dieser Mistkerl da auch einer von denen? Ist er hergekommen, weil er 'ne Nummer schieben will?«

»Ich bin ganz bestimmt kein Priester, das sollten Sie mir eigentlich ansehen«, sagte Drew ruhig und mit leiser Stimme. »Und was meine sexuelle Befriedigung angeht, so bin ich in der Beziehung in festen Händen bei einer Lady, mit der ich mein restliches Leben zusammenbleiben möchte, mit oder ohne kirchlichen Segen.«

»Mann, Sie klingen ja richtig spießig! Wo kommen Sie denn her, Baby?«

»Ursprünglich aus Connecticut. Und Sie? Indiana oder Ohio oder vielleicht aus dem Norden von Missouri?«

»Hey, gar nicht übel, Macho-boy, ich bin ein St.-Louis-Mädchen und dort in einer Pfarrgemeinde geboren und aufgewachsen – stinklangweilig, was?«

»Dazu kann ich nichts sagen.«

»Und woher wußten Sie dann, daß ich aus diesem Teil der guten alten USA komme?«

»Ihr Akzent, ich habe gelernt, solche Dinge zu bemerken.«

»Ehrlich? … Hey, vielen Dank für den Kaffee, Eloise.« Die Botschaftssekretärin nahm den Becher mit Kaffee und trank ein paar Schlucke und schüttelte nach jedem den Kopf. »Wahrscheinlich glauben Sie, daß ich ganz schön unter die Räder gekommen bin, wie?« fuhr sie dann fort und sah Lennox an. Dann richtete sie sich plötzlich auf und starrte ihn an. »Moment mal, ich kenne Sie! Sie sind der Mann von Cons-Op!«

»Das stimmt, Phyllis.«

»Was, zum Teufel, machen Sie hier?«

»Pater Manfred Neumann hat mir Ihren Namen genannt.«

»Dieser Drecksack! Damit Sie mich feuern können?«

»Ich sehe keinen Anlaß, Sie zu feuern, Phyllis –«

»Warum sind Sie dann hier?«

»Wegen Pater Neumann. Er hat Ihnen doch gesagt, was es mit einem gewissen Colonel Webster auf sich hat? Daß er in Wirklichkeit ein Beamter der amerikanischen Spionageabwehr ist, der mit einer neuen Identität und einem neuen Aussehen untergetaucht ist. Das hat er Ihnen doch gesagt, oder?«

»Ach, du lieber Gott, der hat soviel Scheiße im Kopf, daß er jedes Klo damit verstopft. Die ganze Zeit quatscht er, ganz besonders, wenn er richtig in Fahrt ist, daß ich denke, er reißt mir den Hintern auf. Als ob er der liebe Gott wäre und Geheimnisse verzapft, die bloß der Herrgott kennt, und dann, wenn er kommt – 'ne richtige Explosion –, dann packt er mich ganz fest und sagt, der Herrgott wird mich verdammen und ewig ins Höllenfeuer schicken, wenn ich je wiederhole, was er gesagt hat.«

»Warum sagen Sie es dann jetzt mir?«

»Warum?« Phyllis Cranston nahm einen langen Schluck aus ihrem Becher. »Weil meine Freunde hier im Haus mir erklärt haben, daß ich blöd bin. Ich bin eine anständige Frau, Mister – und ich habe ein Problem, das sich auf diese paar Straßen hier beschränkt. Gehn Sie also zur Hölle.«

»Und was ist das für ein Problem, abgesehen von dem, was jeder sehen kann, Phyllis?«

»Die Frage werde ich Ihnen beantworten, *Monsieur Américain*«, sagte die alte Frau. »Dieses Kind französischer Eltern hat bei der großen Überschwemmung im Mittleren Westen in Amerika im Jahre 1991 ihren Mann und ihre drei Kinder verloren. Der Fluß hat ihr Haus mitgerissen und alles zerstört. Nur sie alleine hat überlebt und sich an einen Felsblock festgeklammert, bis man sie gerettet hat. Warum glauben Sie wohl, daß sie sich hier um die Kinder kümmert, wann immer sie Gelegenheit dazu hat?«

»Ich muß ihr noch eine Frage stellen, wirklich die einzige Frage, auf die es ankommt.«

»Und was wollen Sie wissen, Mr. Lennox – so heißen Sie doch, nicht wahr?« sagte Phyllis Cranston und richtete sich auf, jetzt sichtlich eher erschöpft als betrunken.

»Nachdem Neumann Ihnen gesagt hat, wer ich bin – wem haben Sie es dann gesagt?«

»Ich versuche mich zu erinnern ... Ja, da war ich ziemlich verkatert und habe es Bobby Durbane in der Fernmeldezentrale gesagt und dann noch einer Stenotypistin vom Schreibdienst, die ich kaum kenne, nicht mal ihren Namen weiß ich.«

»Vielen Dank«, sagte Lennox. »Und gute Nacht, Phyllis.«

Drew war verwirrt, als er die Stufen zur Rue Pavée hinunterging. Er hatte keine Ahnung, wer die Stenotypistin aus dem Schreibbüro der Botschaft sein könnte. Robert Durbane hingegen war ein Schock. Bobby Durbane, der graue Fuchs der Fernmeldezentrale, der noch vor wenigen Tagen Drew in seinen geheimnisvollen Rastern in den Bann gezogen und Botschaftsfahrzeuge ausgeschickt hatte, um ihn vor einem Attentat der Neonazis zu schützen? Es entzog sich jedem Verständnis. Durbane war ein Stiller im Lande, ein Asket, ein Intellektueller, der über seinen Kreuzworträtseln brütete und seinen Leuten gegenüber so großzügig war, daß er häufig die ungeliebte Schicht von Mitternacht bis zur Morgendämmerung übernahm.

Oder gab es vielleicht noch einen anderen Robert Durbane, einen viel geheimnisvolleren? Einen Mann, der bewußt die einsamen Stunden vor der Morgendämmerung auswählte, um seine eigenen Nachrichten durch den Äther schicken zu können? Und warum waren die gepanzerten Botschaftsfahrzeuge mit ihrer ganzen Feuerkraft erst knapp eine Minute nach der Nazilimousine erschienen, nachdem diese bereits das Feuer eröffnet und einen Neonazi namens C-Zwölf getötet hatten?

Hatte Bobby Durbane das ganze Blutbad überhaupt erst möglich gemacht, indem er die Nazis vorher verständigt hatte? Diese Fragen wollten beantwortet werden; gleichzeitig mußte er aber auch die unbekannte Stenotypistin ausfindig machen. Doch beides hatte Zeit bis zum nächsten Tag; jetzt war die Zeit für Pater Neumanns Berater Antoine Lavolette gekommen, Priester im Ruhestand und ehemaliger Chiffreur für den Geheimdienst.

Die Adresse war leicht im Telefonbuch zu finden. Zwei Straßen weiter fand Lennox ein freies Taxi. Es war kurz vor eins, die richtige Zeit, entschied er, den alten Priester zur Rede zu stellen.

Das Haus am Quai de Grenelle war ein ansehnlicher weißer Steinbau mit frisch gestrichenen grünen Balken, der an ein Mondrian-Gemälde erinnerte. Der Eigentümer mußte auch ein Mann von einigem Ansehen sein oder zumindest ein ansehnliches Einkommen beziehen, denn die ganze Umgebung strahlte ähnlichen Wohlstand wie die Avenue Montaigne aus; das war keine Gegend für einigermaßen wohlhabende Leute, sondern für reiche. Der ehemalige Priester hatte es also in der materiellen Welt offenbar weit gebracht.

Drew ging die kurze Treppe zu der grünlackierten Tür hinauf, deren Messingbeschläge im Schein der Straßenlaternen glänzten. Er klingelte und wartete; es war jetzt sechsundzwanzig Minuten nach eins. Um ein Uhr neunundzwanzig wurde die Tür von einer Frau in einem Bademantel geöffnet; sie war etwa Ende Dreißig und wirkte etwas verstört, ihr braunes Haar war vom Schlaf zerdrückt.

»Mein Gott, was wollen Sie um diese Uhrzeit?« fragte sie. »Im Haus schlafen alle!«

»*Vous parlez anglais?*« fragte Lennox und hielt ihr seinen schwarzgeränderten Botschaftsausweis hin.

»*Un peu*«, erwiderte die Frau, bei der es sich vermutlich um die Haushälterin handelte, nervös.

»Ich muß unbedingt Monsieur Lavolette sprechen. Es ist äußerst wichtig und hat nicht bis morgen Zeit.«

»Warten Sie hier, ich hole meinen Mann.«

»Ist das Monsieur Lavolette?«

»Nein, er ist der Chauffeur des *patron* ... unter anderem. Er spricht außerdem besser *anglais*. Draußen!«

Die Tür knallte ins Schloß, und Drew sah sich gezwungen, auf der schmalen Eingangsveranda zu warten. Wenigstens schaltete die Frau die zwei Kutschenlaternen ein, die den Eingang flankierten. Augenblicke später öffnete sich die Tür wieder, und ein hochgewachsener, breitschultriger Mann, ebenfalls im Bademantel, trat heraus. Abgesehen von seiner beeindruckenden Statur und den Muskelpaketen an Brust und Oberkörper fiel Lennox die Ausbuchtung in der rechten Tasche seines Bademantels auf; von oben konnte man deutlich den schwarzen Stahl einer Automatic erkennen.

»Was wollen Sie vom *patron*, Monsieur?« fragte der Mann mit überraschend sanft klingender Stimme.

»Regierungsgeschäfte«, antwortete Drew und zog noch einmal seinen Ausweis heraus. »Ich kann das nur mit Monsieur Lavolette persönlich besprechen.« Der Chauffeur nahm den Ausweis und studierte ihn im Licht der Flurlampen.

»Die amerikanische Regierung?«

»Ich bin im Nachrichtendienst tätig und arbeite mit dem Deuxième zusammen.«

»Ahh, das Deuxième Bureau, der Service d'Etranger, des Geheimcorps der Sûreté und jetzt die Amerikaner. Wann werden sie eigentlich endlich den *patron* in Ruhe lassen?«

»Er ist ein Mann von großer Erfahrung und Weisheit, und es gibt immer dringende Angelegenheiten.«

»Er ist aber auch ein alter Mann, der seinen Schlaf braucht, besonders seit seine Frau gestorben ist. Er sitzt stundenlang in der Kapelle und spricht mit ihr und Gott.«

»Trotzdem, ich muß ihn sehen. Es wird ihm auch sicherlich recht sein; einer seiner Freunde könnte schreckliche Schwierigkeiten bekommen. Es geht da um einen Vorgang, der die Regierungen Frankreichs und der Vereinigten Staaten betrifft.«

»Das ist typisch für Sie und Ihresgleichen. Ihr schreit immer gleich ›Katastrophe‹ und wenn man dann eure Bedingungen erfüllt hat, sitzt ihr wochen-, ja monatelang auf den Informationen.«

»Woher wissen Sie das?«

»Weil ich jahrelang für euch gearbeitet habe, und mehr sage ich dazu nicht. Und jetzt sagen Sie mir, warum ich Ihnen glauben sollte?«

»Verdammt noch mal, weil ich hier bin! Um halb zwei Uhr morgens.«

»Warum nicht um halb neun oder um halb zehn? Damit der *patron* schlafen kann?« Die Frage klang ganz unschuldig, in keiner Weise drohend.

»Jetzt kommen Sie schon, Mann, lassen wir doch das sinnlose Geschwätz! Ist Ihnen schon in den Sinn gekommen, daß ich auch lieber zu Hause wäre bei meiner Frau und meinen drei Kindern?«

Ein lautes Surren übertönte seine Lüge. Der breitschultrige Mann drehte sich instinktiv herum, und die Tür öffnete sich einen Spalt weiter und gab damit den Blick auf das Foyer und einen langen Flur frei. Am Ende des Flurs konnte man eine Gittertür aus poliertem Messing sehen, und Sekunden später schwebte eine Liftkabine herunter und kam hinter der Tür zum Stillstand. »Hugo!« rief die brüchige Stimme der weißhaarigen Gestalt in der Aufzugkabine. »Was ist los, Hugo? Ich habe es klingeln hören und dann Leute, die Englisch miteinander reden.«

»Es wäre besser, wenn Sie Ihre Tür geschlossen hielten, *patron*. Dann würden Sie nicht geweckt werden.«

»Jetzt helfen Sie mir aus diesem verdammten Ding heraus, ich habe ja ohnehin nicht richtig geschlafen.«

»Aber Anna hat gesagt, Sie haben zu wenig gegessen und dann zwei Stunden in der Kapelle gebetet.«

»Alles für einen guten Zweck, mein Sohn«, sagte Antoine Lavolette. Er ließ sich aus dem Aufzugsessel helfen und trat dann vorsichtig in den Flur. In seinem rotkarierten Bademantel wirkte er mit seinen ein Meter achtzig dürr wie eine Bohnenstange. Sein Gesicht trug die feingemeißelten Züge eines Heiligen – eine scharfgeschnittene Raubvogelnase, strenge Augenbrauen und weit geöffnete Augen. Der alte Mann blieb vor Lennox stehen, der jetzt im Flur stand. »So, so, wen haben wir denn jetzt hier? Sie sind also der nächtliche Eindringling?«

»Der bin ich, Sir. Ich heiße Lennox und gehöre der amerikanischen Botschaft an, ich bin Beamter bei den United States Consular Operations. Ihr Chauffeur hält immer noch meinen Ausweis in der Hand.«

»Um Himmels willen, geben Sie ihm das Ding zurück, Hugo«, sagte der ehemalige Priester. Man konnte ihm ansehen, daß er irgendwie beunruhigt war, denn sein Kopf zitterte. Er wandte sich Drew zu. »Und jetzt sagen Sie mir, warum Sie hier sind?«

»Pater Manfred Neumann.«

»Ich verstehe«, sagte Lavolette. »Führ uns in die Bibliothek, Hugo, laß dir Monsieur Lennox' Waffe geben und behalte sie, bis wir fertig sind.«

»*Oui, patron.*« Der Chauffeur hielt Lennox seinen Ausweis hin und forderte mit einer Handbewegung Drews Pistole ein. Sein Blick war dabei auf die leichte Ausbuchtung an der linken Seite seines Jacketts gerichtet. Also griff Lennox langsam in die Tasche und zog seine Automatik heraus. »*Merci, monsieur*«, sagte der Chauffeur, nahm die Waffe in Empfang und reichte Drew sein Ausweisetui. Dann griff er nach dem Ellbogen seines *patron* und führte sie durch einen Torbogen in einen von Büchern gesäumten Raum, in dem ein paar schwere Ledersessel und Marmortische standen.

»Machen Sie es sich bequem, Monsieur Lennox«, sagte Lavolette. Er nahm auf einem der Stühle Platz und bedeutete Drew, sich ihm gegenüberzusetzen. »Möchten Sie etwas trinken? Ich nehme, glaube ich, einen Cognac.«

»Dann nehme ich auch einen.«

»Aus derselben Flasche natürlich«, sagte der ehemalige Priester und lächelte. »Zwei Courvoisier, Hugo.«

»Eine gute Wahl«, sagte Lennox und sah sich in der eleganten Bibliothek um. »Ein wunderschöner Raum«, fügte er dann hinzu.

»Ich lese gerne und viel, und deshalb entspricht er meinen Bedürfnissen«, sagte Lavolette. »Wenn Sie einmal so alt wie ich sein werden, Monsieur Lennox, werden Sie feststellen, daß Worte viel dauerhafter sind, als die flüchtigen Bilder im Fernsehen.«

»Mag sein. Ich habe nie darüber nachgedacht.«

»Nein, dazu hatten Sie wahrscheinlich keine Zeit. In Ihrem Alter hatte ich die auch nicht.« Die Cognacschwenker kamen, jeder exakt einen Zoll hoch gefüllt. »Vielen Dank, Hugo«, fuhr Lavolette fort, »und wenn Sie jetzt die Türen schließen und draußen im Foyer warten würden, wäre ich Ihnen sehr dankbar.«

»*Oui, patron*«, sagte der Chauffeur und zog beim Hinausgehen die schweren Doppeltüren zu.

»Also, Drew Lennox, was wissen Sie alles über mich?« fragte Lavolette mit scharfer Stimme.

»Daß Sie Ihr Priesteramt aufgegeben haben, um zu heiraten, und daß Sie in ganz jungen Jahren ein Chiffreur für die französische Abwehr waren. Darüber hinaus praktisch nichts. Nur noch, daß Sie Manfred Neumann kennen. Er hat mir gesagt, daß Sie ihm bei seinem Problem helfen würden.«

»Dem kann nur ein ausgebildeter Psychiater helfen, und ich habe ihn mehrfach geradezu angefleht, einen aufzusuchen.«

»Er sagt, Sie würden ihm religiösen Rat geben, weil Sie dasselbe Problem hatten.«

»Das ist Bullenscheiße, wie ihr Amerikaner sagt. Ich habe mich in eine Frau verliebt und bin ihr vierzig Jahre lang treu geblieben. Neumann drängt es, mit vielen Frauen Unzucht zu treiben. Ich habe ihn mehrfach gebeten, sich helfen zu lassen, ehe er sich selbst zerstört … Und Sie sind um diese Stunde hierher gekommen, um mir das zu sagen?«

»Sie wissen, daß dem nicht so ist. Sie wissen, weshalb ich hier bin, weil ich nämlich Ihren Gesichtsausdruck gesehen habe, als ich Ihnen sagte, wer ich bin. Sie haben versucht, sich Ihre Reaktion nicht anmerken zu lassen, aber es war, als ob Ihnen jemand einen Hieb in den Magen versetzt hätte. Neumann hat Ihnen von mir erzählt, und Sie haben es jemand anderem gesagt. Wem?«

»Das verstehen Sie nicht, keiner von euch wird das je verstehen«, stieß Lavolette hervor.

»Was verstehen?«

»Die haben uns alle in ihrer Gewalt, mit einer Schlinge um den Hals, und nicht nur um *unseren* Hals. Das wäre noch zu ertragen – aber auch andere, viele, viele andere.«

»Neumann hat Ihnen gesagt, wer Colonel Webster ist, nicht wahr? Daß sich dahinter ein Mann namens Lennox verbirgt!«

»Nicht freiwillig. Ich habe es aus ihm herausgequetscht, weil ich die Situation kannte. Das mußte ich.«

»Warum?«

»Bitte, ich bin ein alter Mann und habe nicht mehr viel Zeit. Machen Sie mein Leben nicht noch komplizierter, als es schon ist.«

»Lassen Sie sich von mir sagen, Pater, Ihr Gorilla dort draußen mag vielleicht meine Waffe haben, aber meine Hände sind genauso gut wie jede Pistole. Was, zum Teufel, haben Sie getan?«

»Hören Sie mir zu, mein Sohn.« Lavolette leerte sein Cognacglas in zwei Schlucken, und sein Kopf fing wieder zu zittern an. »Meine Frau war Deutsche. Ich habe sie kennengelernt, als der Heilige Stuhl mir nach dem Krieg eine Gemeinde in Mannheim zuwies. Sie war verheiratet und hatte zwei Kinder und einen Mann, der sie mißhandelte, einen ehemaligen Offizier der Wehrmacht, der Chef einer Versicherungsgesellschaft war. Wir haben uns ineinander verliebt, die ganz große Liebe, und ich habe die Kirche verlassen, damit wir den Rest unseres Lebens zusammen sein konnten. Sie ließ sich vor einem Schweizer Gericht von ihrem Mann scheiden, aber er hat nach deutschem Recht die Kinder behalten ... Sie wuchsen heran und haben selbst Kinder, und dann fingen deren Kinder wieder an, Kinder zu haben. Insgesamt tragen in den beiden Familien sechzehn das Blut meiner lieben Frau in ihren Adern, und sie hat sie alle genauso geliebt, wie ich sie lieben sollte.«

»Dann ist sie also mit ihnen in Verbindung geblieben?«

»Oh ja. Wir waren nach Frankreich gezogen, wo ich meine Geschäfte begann, wobei mir meine ehemaligen Kollegen sehr behilflich waren. Im Laufe der Jahre sind die Kinder häufig zu uns zu Besuch gekommen, sowohl hier in Paris, als auch im Sommer in unser Haus in Nizza. Sie sind mir genauso lieb geworden, wie meine eigenen.«

»Mich überrascht, daß ihr Vater überhaupt erlaubt, daß sie ihre Mutter besuchen«, sagte Drew.

»Ich glaube, das war ihm egal, mit Ausnahme der Kosten, und die habe ich gerne getragen. Er hat wieder geheiratet und hatte mit seiner zweiten Frau drei weitere Kinder. Die beiden ersten Kinder, die meiner Frau, waren ihm eher eine Last, glaube ich, weil sie ihn an einen unangenehmen Priester erinnerten, der sein Gelübde gebrochen und das Leben eines deutschen Geschäftsmannes in Unordnung gebracht hatte. Das Leben eines Offiziers der Wehrmacht ... fangen Sie jetzt an, zu begreifen?«

»Mein Gott«, flüsterte Lennox. »Ein Tauschgeschäft. Er ist immer noch ein Nazi.«

»Genau, nur daß er heute keinen Faktor mehr darstellt, weil er nämlich vor einigen Jahren gestorben ist. Aber er hat ein Vermächtnis hinterlassen, das die Bewegung mit Freuden akzeptiert hat.«

»Seine eigenen Kinder und deren Kinder, das perfekte Werkzeug, um einen ehemaligen Priester zu erpressen, der einmal hohes Ansehen genoß und immer noch das Vertrauen der französischen Abwehr genießt. Ein Tauschgeschäft.«

»Ihr Leben, Mr. Lennox, gegen das Leben von sechzehn unschuldigen Männern, Frauen und Kindern, Figuren in einem tödlichen Spiel, von dem sie gar nichts wissen. Was hätten Sie an meiner Stelle getan?«

»Wahrscheinlich das, was Sie getan haben«, räumte Drew ein. »Aber jetzt sagen Sie mir, was haben Sie getan? Mit wem haben Sie Kontakt aufgenommen?«

»Sie könnten alle getötet werden, das verstehen Sie doch.«

»Nicht, wenn man es richtig anstellt, und ich werde mein Bestes tun, um es richtig anzustellen. Niemand weiß, daß ich hierher gekommen bin, das spricht für uns. Sagen Sie es mir!«

»Es gibt da einen Mann. Ich sage das höchst ungern, aber er ist ebenfalls Priester, allerdings nicht aus meiner Kirche. Ein protestantischer Pfarrer, noch ziemlich jung, Ende Dreißig oder Anfang Vierzig würde ich sagen. Er ist ihr Anführer hier in Paris, der Hauptkontakt zur Nazihierarchie in Bonn und Berlin. Er heißt Wilhelm König und ist in Neuilly-sur-Seine tätig, wo die einzige protestantische Kirche im ganzen Bezirk steht.«

»Haben Sie ihn persönlich kennengelernt?«

»Nein. Wenn Papiere überbracht werden müssen, schicke ich ein Gemeindemitglied unserer christlichen Allianz. Ich habe ein paar von Ihnen befragt und mir sein ungefähres Alter und sein Aussehen beschreiben lassen.«

»Wie sieht er aus?«

»Er ist recht klein und ausgesprochen athletisch gebaut, muskulös. Er hat im Kellergeschoß seiner Kirche einen Fitneßraum mit verschiedenen Trainingsmaschinen, Hanteln und dergleichen und empfängt die Boten dort. Er sitzt dann immer auf einem seiner Trainingsfahrräder, offenbar, um über seine geringe Größe hinwegzutäuschen.«

»Das nehmen Sie an.«

»Ich war für die französische Abwehr tätig, Monsieur, aber um das in Erfahrung zu bringen, hätte ich meine Ausbildung nicht gebraucht. Ich habe einmal einen Zwölfjährigen zu ihm geschickt, um ihm ein Päckchen zu bringen, und König war so aufgeregt, daß er von seinem Apparat stieg, und der Junge hat dann zu mir gesagt: ›Ich glaube, er ist kleiner als ich, Hochwürden, aber, mein Gott, er besteht aus lauter Muskeln.‹«

»Dann sollte er nicht schwer auszumachen sein«, sagte Lennox, leerte sein Glas und stand auf. »Hat König einen Codenamen?«

»Ja, und den kennen höchstens fünf Leute in ganz Frankreich. Er lautet Herakles, ein Sohn des Zeus in der griechischen Mythologie.«

»Vielen Dank, Monsieur Lavolette. Ich werde mir alle Mühe geben, die Familie Ihrer Frau in Deutschland zu schützen.«

»Gehen Sie mit Gott, mein Sohn. Hugo wird Ihnen Ihre Waffe zurückgeben und Sie hinausbringen.«

»Ich hätte noch einen letzten Wunsch.«

»Und der wäre?«

»Ein Stück Schnur oder Draht, drei Meter sollten genügen.«

»Wofür?«

»Das weiß ich noch nicht genau. Ich glaube bloß, daß ich es dabeihaben sollte.«

»Ihr Leute vom Außendienst wart schon immer recht verschlossen. Hugo wird Ihnen geben, was Sie brauchen. Er soll in der Kammer nachsehen.«

Drew erreichte die protestantische Pfarrei in Neuilly-sur-Seine um zehn Minuten nach drei Uhr. Er schickte das Taxi weg und ging auf die Kirche zu, die ein kurzer Säulengang mit einem Pfarrhaus verband. Beide Gebäude lagen in völliger Dunkelheit, aber der klare Nachthimmel, den ein heller Pariser Mond erleuchtete, ließ die Konturen der beiden Gebäude deutlich hervortreten. Lennox verbrachte beinahe zwanzig Minuten damit, sich mit dem Areal vertraut zu machen und jedes Fenster und jede Tür im Erdgeschoß zu studieren. Er konzentrierte sich dabei besonders auf den Wohnbereich des Pfarrhauses, wo der Naziführer lebte. In die Kirche einzubrechen, wäre ein Leichtes gewesen. Ganz anders sah es hingegen um das Pfarrgebäude aus: Man konnte dort überall an den Fenstern Sensoren und Metallstreifen erkennen. Wenn er den Alarm auslöste, würde das dem Nazi vielleicht einen Schock versetzen, ihn aber zugleich warnen, und das konnte nicht in Drews Interesse liegen. Da er Adresse und Telefonnummer der Pfarrei besaß, zog er das Handy, das Witkowski ihm gegeben hatte, und sein Notizbuch heraus, überlegte sich, was er sagen wollte und wählte dann die Nummer.

»*Allô, allô!*« sagte eine hohe Männerstimme beim zweiten Klingeln.

»Ich werde Englisch sprechen, weil ich ein Sonnenkind bin und in Amerika aufgewachsen –«

»Was?«

»Ich bin wegen einer Konferenz in Berlin herübergeflogen und habe Anweisung erhalten vor meiner Rückkehr nach New York mit Herakles Kontakt aufzunehmen. Mein Flug hat sich wetterbedingt verspätet, sonst hätte ich Sie schon vor einigen Stunden angerufen, und meine Maschine in die Staaten fliegt in drei Stunden. Wir müssen uns treffen. Jetzt.«

»Berlin ... Herakles ...? Wer sind Sie?«

»Ich wiederhole mich nicht gerne. Ich bin ein Sonnenkind, der Führer der Sonnenkinder in Amerika, und ich habe Informationen, die Sie erhalten sollen.«

»Wo sind Sie?«

»Zehn Meter von Ihrer Haustür entfernt.«

»Mein Gott! Davon habe ich nichts gehört!«

»Dafür war keine Zeit; es war nicht möglich, die üblichen Kanäle zu benutzen, weil Sie kompromittiert sind.«

»Das kann ich nicht glauben!«

»Glauben Sie es, oder ich rufe jetzt sofort Berlin oder sogar Bonn an, und dann wird man ohne Zweifel neue Anweisungen ausgeben und Herakles von seinem Posten entfernen. Kommen Sie jetzt innerhalb von dreißig Sekunden zu mir herunter, oder ich rufe Berlin an.«

»Nein! Warten Sie! Ich komme!«

Ehe eine Minute vergangen war, flammten die Lichter im oberen Stockwerk auf und gleich darauf auch die im Erdgeschoß. Dann ging die Haustür auf, und Pastor Wilhelm König trat in Pyjamas und mit einem blauen Schal um den Hals vor die Tür. Drew musterte ihn aus dem Halbdunkel. Er war tatsächlich sehr klein, hatte aber breite Schultern und dicke Beine, etwa einer Bulldogge zu vergleichen. Und so wie bei einer Bulldogge zeigte sein breites, verkniffenes Gesicht auch einen Ausdruck des Trotzes, als wolle er jeden Augenblick angreifen.

Lennox trat aus dem Dunkel in den Lichtschein des Eingangs. »Bitte, kommen Sie her, Herakles. Wir werden uns im Freien unterhalten.«

»Warum kommen Sie nicht herein? Es ist kühl; drinnen ist es viel bequemer.«

»Ich habe Anweisung, mit Ihnen nicht im Pfarrgebäude zu sprechen; der Grund dafür liegt auf der Hand.«

»Daß ich unser Gespräch aufzeichnen würde und mich selbst belasten?« rief König und trat ins Freie. »Sind Sie verrückt?«

»Man könnte auch einen anderen, vernünftigeren Schluß ziehen.«

»Nämlich?«

»Daß die Franzosen das Haus verwanzt haben.«

»Unmöglich! Wir haben Anlagen, die dauernd im Einsatz sind und jede derartige Schaltung sofort aufdecken würden.«

»Jeden Tag werden neue Techniken erfunden, Herakles. Kommen Sie, machen wir unseren Vorgesetzten in Berlin doch die Freude. Wir beide haben auch gar keine andere Wahl.«

»Also gut.« König setzte dazu an, die eine Stufe vom Eingangspodest herunterzukommen, aber Drew hielt ihn auf.

»Was ist denn?«

»Schalten Sie das Licht aus und schließen Sie die Tür. Wenn zufällig ein Streifenwagen der Polizei vorbeikommt, wollen wir doch nicht, daß er anhält, oder?«

»Da haben Sie recht.«

»Ist sonst noch jemand im Haus?«

»Mein Assistent, er hat seine Zimmer im Dachgeschoß, und meine zwei Hunde, die in der Küche bleiben, bis ich sie rufe.«

»Können Sie das Licht im Obergeschoß von unten ausschalten?«

»Die im Flur schon, aber nicht im Schlafzimmer.«

»Dann schalten Sie sie auch ab.«

»Sie sind übermäßig vorsichtig.«

»Eine Folge meiner Ausbildung.«

Der Geistliche ging hinein; Sekunden später verlosch die Hauptbeleuchtung oben und im Erdgeschoß, und dann war plötzlich zu hören, wie König rief: »Donner, Blitz! Bei Fuß!« Als der Neoanführer wieder in der jetzt dunklen Haustür erschien, waren im Mondlicht links und rechts zwei großköpfige, breite Silhouetten auf vier leicht gekrümmten Beinen zu erkennen. Die Hunde des Geistlichen konnten ihre Ähnlichkeit mit ihrem Herrn nicht verleugnen; es waren Pitbulls. »Das sind meine Freunde, Donner und Blitz; die Kinder in meiner Gemeinde mögen die Namen.« König trat auf den Rasen, seine beiden Wachhunde dicht neben sich. »Und bitte keine Bemerkungen über die Ähnlichkeit mancher Besitzer mit ihren Hunden oder umgekehrt. Das höre ich nämlich die ganze Zeit.«

»Das wundert mich aber. Sie sind doch etwas größer.«

»Äußerst witzig, Sonnenkind«, sagte der Nazi und blickte zu Drew auf. Dann warf er sich seinen breiten blauen Schal über die Schulter, so daß seine linke Hand verdeckt war. Es gehörte nicht viel Phantasie dazu, sich vorzustellen, was König darunter versteckt hielt. »Was sind das für wichtige Informationen aus Berlin? Ich werde sie mir natürlich bestätigen lassen.«

»Aber nicht von diesem Haus aus«, widersprach Lennox fest. »Gehen Sie ein Stück die Straße hinunter oder noch besser in ein anderes Viertel und telefonieren Sie, soviel Sie wollen, aber nicht von hier aus. Sie stecken schon tief genug im Schlamassel, machen Sie es also nicht noch schlimmer. Das ist ein gut gemeinter Rat.«

»Die meinen das also tatsächlich ernst? Die glauben, daß ich trotz aller Vorsichtsmaßnahmen kompromittiert bin?«

»Ja, allerdings, Herakles.«

»Und worauf gründen sie diese Ansicht?«

»Zuallererst wollen Sie wissen, ob Sie die Frau haben.«

»De Vries?«

»Ich glaube, so lautete der Name; aber ich bin nicht sicher; die Verbindung war sehr schlecht. Ich soll Berlin in einer Stunde anrufen.«

»Woher wissen die überhaupt etwas von ihr? Wir haben unseren Bericht noch gar nicht abgegeben? Wir warten noch auf Ergebnisse.«

»Ich nehme an, die haben Maulwürfe bei der französischen Abwehr, der Sûreté und solchen Organisationen … hören Sie, König, ich will gar nichts wissen, was nichts mit mir zu tun hat, ich habe in den Staaten schon genug Probleme. Beantworten Sie einfach meine Fragen, dann gebe ich das an unsere Vorgesetzten weiter. Haben Sie also diese Frau, wie auch immer sie heißt?«

»Natürlich haben wir sie.«

»Sie haben sie nicht getötet.« Das war eine Feststellung, keine Frage.

»Bis jetzt noch nicht. In ein paar Stunden werden wir das tun, wenn sie keine Ergebnisse liefert. Dann legen wir ihre Leiche vor die Tür der amerikanischen Botschaft.«

»Wo wird sie im Augenblick festgehalten?«

»Was interessiert das Berlin?« Der Neonazi kniff die Augen zusammen und musterte Drew mißtrauisch. »Derartige taktische Informationen wollten die bisher nie haben.«

»Woher, zum Teufel, soll ich das wissen?« Als seine Stimme sich erhob, knurrten die Pitbulls. »Ich wiederhole ganz einfach, was man mir aufgetragen hat!« Lennox spürte, wie ihm

Schweißtropfen von der Stirn rannen. Verdammt noch mal, reiß dich zusammen! Nur noch ein paar Augenblicke.

»Also schön. Warum nicht?« sagte der zweibeinige Pitbull. »Sie ist in einer Wohnung in der Rue Lacoste Nummer 23.«

»Was ist das für eine Wohnung?«

»Das hat die Einheit mir nicht gesagt. Sie war zu vermieten und hat nicht einmal ein Telefon.«

Schritt eins, dachte Drew. Schritt zwei bestand darin, diese gottverdammten Hunde loszuwerden und sich König dann alleine vorzunehmen. »Mir scheint, mehr kann Berlin nicht wissen wollen«, sagte er.

»So, und was haben Sie mir jetzt mitzuteilen?« fragte König.

»Das sind eher Befehle als eine Mitteilung«, sagte Lennox. »Sie sollen für den Augenblick alle Aktivitäten einstellen und keinerlei Instruktionen entgegennehmen oder erteilen. Berlin wird sich rechtzeitig mit Ihnen in Verbindung setzen und Sie anweisen, Ihre Tätigkeit wieder aufzunehmen. Für den Fall, daß Sie sich diese Anweisungen bestätigen lassen wollen, sollen Sie das auf möglichst niedrigem Niveau tun, vorzugsweise über Spanien oder Portugal.«

»Das ist doch völlig verrückt!« stieß der kleinwüchsige Geistliche hervor, und seine beiden Hunde knurrten gleichzeitig. »Aus!« schrie er und brachte die Hunde damit zum Verstummen. »Ich bin der sicherste Mann in ganz Frankreich!«

»Die haben gesagt, ich soll Ihnen sagen, ein gewisser André hätte das auch gedacht, und jetzt ist er erledigt.«

»André?«

»Sie haben richtig gehört. Und ich weiß nicht, wer das ist oder was das bedeuten soll.«

»Du lieber Gott. André!« Die Stimme des Nazi konnte die plötzliche Angst nicht verbergen, die in ihm aufstieg. »Seine Tarnung war doch perfekt!«

»Anscheinend doch nicht. Berlin hat da etwas erwähnt, daß er nach Straßburg zurückgekehrt sei.«

»Straßburg? Dann wissen Sie also Bescheid?«

»Nein, ich weiß gar nichts, und ich will auch nichts wissen, ich will bloß so schnell wie möglich nach Heathrow und dort zu meiner Maschine nach Chicago.«

»Was soll ich tun?«

»Das habe ich Ihnen schon einmal gesagt, Herakles. Sie können morgen früh Ihre Verbindungsleute in Spanien oder Portugal anrufen – aber nicht von einem Telefon in Ihrem Haus aus –, sich meine Anweisungen bestätigen lassen und dann tun, was Berlin verlangt hat. Kann ich mich noch klarer ausdrücken?«

»Das ist alles so verwirrend –«

»Ach was, verwirrend – was soll's!« sagte Lennox und griff nach Königs Ellbogen, was sofort ein Knurren der Pitbulls auslöste. »Kommen Sie, sagen Sie Ihren Hunden, sie sollen ins Haus gehen, dann komme ich mit. Ein Drink ist das Mindeste, was Sie mir jetzt schuldig sind.«

»Oh, selbstverständlich … Rein«, befahl König, worauf die zwei Pitbulls durch die offene Tür ins Haus rannten. »So, mein Herr, jetzt kommen Sie.«

»Noch nicht«, sagte Drew, schlug die Tür zu, riß den Neonazi zur Seite und riß ihm den blauen Schal von den Schultern, so daß plötzlich die kleine Automatic in seiner linken Hand sichtbar wurde. Ehe König reagieren konnte, hatte Lennox die Waffe gepackt und sie ruckartig herumgedreht; König stieß einen erschreckten Laut aus, und seine Finger lockerten sich, so daß ihm die Waffe entglitt. Drew fing sie auf und warf sie ins Gras.

Was dann folgte, war ein Kampf auf Leben und Tod zwischen zwei menschlichen Tieren, jedes von einem Ziel besessen – das des einen ideologisch, das des anderen in hohem Maße persönlich. König war eine fauchende Raubkatze mit tödlichen Klauen; Lennox ein knurrender Wolf mit entblößten Zähnen. Am Ende trug die überlegene Größe und Kraft des Wolfes den Sieg davon. König lag auf dem Boden, sein linker Arm war gebrochen, der andere verstaucht, und die Muskeln beider Beine teilweise gelähmt. Lennox, die Hände aufgeschürft und blutend, hatte soviele Schläge einstecken müssen, daß er nahe daran war, sich zu übergeben. Jetzt stand er über dem Nazi gebeugt und spuckte ihm ins Gesicht.

Dann kniete er nieder, holte das Stück Seil, das Hugo ihm gegeben hatte, aus dem Gürtel und machte sich daran, den Naziführer zu fesseln und anschließend seine Arme und Beine hinten zusammenzubinden, so daß die Fessel sich jedesmal, wenn er gegen sie ankämpfte, noch enger spannte. Schließlich riß Lennox den blauen Schal so in Streifen, wie er die Laken im Hotel Normandie zerrissen hatte, und knebelte sein Opfer. Dann sah er auf die Uhr, zerrte König ins Gebüsch, versetzte ihm einen Schlag, der ihn bewußtlos machte, riß sein Handy heraus und wählte die Nummer von Stanley Witkowski.

32

»Sie gottverdammter Hurensohn!« brüllte der Colonel. »Moreau hat gesagt, wenn er Sie in die Finger bekommt, reißt er Ihnen persönlich den Kopf ab, und ich muß sagen, ich kann's ihm nicht verübeln!«

»Dann haben seine beiden Männer sich inzwischen also befreien können?«

»Was haben Sie sich eigentlich dabei gedacht? Und was denken Sie sich jetzt?«

»Wenn Sie sich eine Sekunde lang beruhigen, sage ich es Ihnen …«

»Ich mich beruhigen? Oh, da habe ich einiges zu tun. Courtland wird heute morgen in den Quai d'Orsay bestellt, um sich für Sie eine Tracht Prügel abzuholen; Sie werden zur *persona non grata* erklärt und des Landes verwiesen; eine ausländische Regierung legt gegen mich formellen Protest ein, und da sagen Sie mir, ich soll mich beruhigen?«

»Und hinter all dem steckt Moreau?«

»Jedenfalls nicht der Weihnachtsmann.«

»Dann kommen wir auch damit klar.«

»Hören Sie mir eigentlich zu? Sie haben zwei Agenten außer Gefecht gesetzt, sie gefesselt und geknebelt in Ihr Zimmer gesperrt, Ihnen jede Möglichkeit genommen, mit ihrer Dienststelle in Verbindung zu treten, und damit eine größere französische nachrichtendienstliche Operation gestört!«

»Ja, aber Stanley, ich habe Fortschritte gemacht und zwar Fortschritte von der Art, wie Moreau sie verzweifelt braucht.«

»Was …?«

»Schicken Sie eine Einheit Marines zu einer protestantischen Kirche in Neuilly-sur-Seine.« Lennox gab Witkowski die Adresse und berichtete ihm von dem gefesselten König im Gebüsch. »Er ist der Oberhäuptling der Neonazibewegung in Paris, er steht, glaube ich, noch über diesem Strasbourg, zumindest ist seine Tarnung besser.«

»Wie haben Sie ihn gefunden?«

»Dafür ist jetzt keine Zeit. Rufen Sie Moreau an und lassen Sie die Marines König zum Deuxième Bureau schaffen. Bestellen Sie Claude von mir, daß ich mich für die ganze Geschichte verbürge.«

»Der wird mehr haben wollen, als einen protestantischen Geistlichen mit einer Menge blauer Flecken.«

»Kriegt er auch«, sagte Drew vergnügt. »Und jetzt sehen Sie zu, daß die Sache in Schwung kommt, das sollte Sie nicht mehr als zwei oder drei Minuten kosten. Und anschließend möchte ich mich mit Ihnen treffen –«

»Mit mir treffen? Ich habe große Lust, Ihnen den Arsch aufzureißen!«

»Sparen Sie sich Ihre Wut noch ein wenig auf, Stanley. Ich weiß, wo sie Karin festhalten.«

»Was?«

»Rue Lacoste, Nummer 23, Wohnung unbekannt, aber erst vor kurzem gemietet.«

»Und das haben Sie aus dem Pater rausgequetscht?«

»Keine Zeit, Stosh! Sie müssen alleine kommen, nur wir zwei dürfen uns treffen. Wenn die auch nur ahnen, daß da etwas im Gang ist, oder um diese Uhrzeit einen fremden Wagen auf der Straße sehen, bringen sie sie um. Das haben sie in ein oder zwei Stunden ohnehin vor, falls sie mich nicht vorher erreichen und fertigmachen können.«

»Wir treffen uns hundert Meter östlich von dem Gebäude zwischen zwei Straßenlaternen an der dunkelsten Stelle, einer Ladenfassade oder in einer Seitengasse.«

»Vielen Dank, Stanley, ich weiß das zu schätzen.«

»Danken Sie mir nicht zu früh. Noch haben wir Karin nicht da raus.«

Karin de Vries saß auf einem Stuhl mit gerader Rückenlehne, die Hände hinter sich zusammengebunden. Vor ihr saß ein schlanker, breitschultriger Neonazi rittlings auf einem hölzernen Küchenstuhl, stützte die Arme auf die Rückenlehne und hielt locker eine Pistole mit einem Schalldämpfer in der rechten Hand.

»Warum glauben Sie, daß Ihr Mann noch lebt, Frau de Vries?« fragte der Nazi in deutscher Sprache. »Falls das tatsächlich stimmen sollte, weshalb sollten wir etwas über ihn wissen? Wirklich, meine Gnädigste, er ist von der Stasi exekutiert worden. Das ist doch allgemein bekannt.«

»Allgemein bekannt mag es ja sein, aber es ist eine Lüge. Wenn man mit einem Mann acht Jahre lang zusammenlebt, kennt man seine Stimme, wenn man sie hört, auch wenn sie noch so verzerrt ist.«

»Faszinierend. Sie haben seine Stimme gehört?«

»Zweimal.«

»Nach den Stasiakten ist das unmöglich. Sie belegen seinen Tod sogar mit recht anschaulichen Einzelheiten, wie ich vielleicht hinzufügen darf.«

»Das ist ja genau das Problem«, sagte Karin mit eisiger Stimme. »Da waren zu viele Einzelheiten.«

»Jetzt verstehe ich überhaupt nichts mehr.«

»Selbst die bösartigsten Gestapoleute haben die Folterung und die Hinrichtung von Gefangenen nicht detailliert geschildert. Das lag nicht in ihrem Interesse.«

»Das war vor meiner Zeit.«

»Vor meiner auch, aber es gibt Aufzeichnungen. Vielleicht sollten sie die lesen.«

»Auf Ihre Belehrungen kann ich verzichten, Madame ... diese Stimmen, wie haben Sie sie gehört?«

»Wie denn wohl? Am Telefon natürlich.«

»Am Telefon? Er hat Sie angerufen?«

»Er hat seinen Namen nicht genannt, aber die Beschimpfungen, die er ausstieß, waren mir aus dem letzten Jahr unserer Ehe wohlvertraut, ehe ihn die Stasi angeblich hingerichtet hat.«

»Sie haben die Identität dieser Person am Telefon doch sicherlich angezweifelt, oder nicht?«

»Das hat ihn nur noch wütender gemacht. Mein Mann ist sehr krank.«

»Warum sagen Sie, daß Ihr Mann krank ist, oder warum sagen Sie es mir?«

»Weil ich glaube, daß er einer von Ihnen ist.«

»Einer von uns?« fragte der Deutsche ungläubig. »Freddie de V., der Amsterdamer Provokateur, der erbitterte Feind der

499

Bewegung? Sie müssen entschuldigen, Frau de Vries, aber jetzt haben Sie Ihren Verstand verloren! Wie sollte es zu so etwas kommen?«

»Er hat sich in den Haß verliebt, und Sie und Ihresgleichen sind der personifizierte Haß.«

»Ich kann Ihnen nicht mehr folgen.«

»Ich kann mir selbst nicht mehr folgen, weil ich keine Psychologin bin. Aber ich weiß, daß ich recht habe. Sein Haß hat sein Ziel verloren, aber ohne ihn konnte er nicht leben. Sie haben irgendwas mit ihm gemacht – ich habe meine eigene Theorie, was das war, aber natürlich keine Beweise. Sie haben seinem Haß eine neue Richtung gegeben und ihn gegen alles gewandt, woran er glaubte –«

»Jetzt habe ich genug von diesem Unsinn gehört. Sie sind wirklich verrückt!«

»Nein. Ich bin völlig normal. Ich glaube sogar zu wissen, wie Sie es gemacht haben.«

»Wie wir was gemacht haben?«

»Wie Sie ihn dazu gebracht haben, daß er sich gegen seine Freunde, also Ihre Feinde, wandte.«

»Und wie haben wir dieses Wunder bewirkt?«

»Sie haben ihn in ein Abhängigkeitsverhältnis gebracht, abhängig von Ihnen. In den letzten Monaten wurden seine Stimmungsschwankungen immer extremer … er war die meiste Zeit unterwegs, so wie ich auch, aber wenn wir zusammen waren, war er ein anderer Mensch, eine Minute deprimiert und in der nächsten gewalttätig. Es gab Tage, wo er wie ein Kind war, wie ein kleiner Junge, der sich so nach seinem Spielzeug sehnte, daß er einfach wegrannte, wenn er es nicht bekam, und stundenlang wegblieb. Dann kam er zerknirscht zurück und bat mich, ihm seine Ausbrüche zu verzeihen.«

»Madame«, rief der Neonazi, »ich habe nicht die leiseste Ahnung, wovon Sie reden!«

»Ich spreche von Drogen. Ich glaube, Sie versorgen Frederik mit Rauschgift, und deshalb ist er von Ihnen abhängig. Ohne Zweifel halten Sie ihn irgendwo an einem geheimen Ort in den Bergen gefangen, pflegen seine Sucht und quetschen ihm Informationen ab.«

»Mein Gott, Sie müssen zuviele Spionagethriller gelesen haben.«

»Unsere Welt – die Ihre und vor nicht allzu langer Zeit auch die meine – basiert zum größten Teil auf Hypothesen, die jedem Thriller Ehre machen würden.«

»Genug jetzt! Das ist mir alles viel zu akademisch und zu weit hergeholt ... aber eine Frage, Frau de Vries. Gehen wir einmal von einer Hypothese aus, die Sie gerade aufgestellt haben. Nehmen wir an, Sie haben recht, und wir haben Ihren Mann tatsächlich in unserer Gewalt, und zwar unter Umständen, wie Sie sie gerade geschildert haben. Warum wollen Sie ihn finden?«

»Sie könnten sagen, weil ich meine krankhafte Neugierde befriedigen möchte. Was veranlaßt einen Menschen dazu, ein anderer Mensch zu werden, als der, den man gekannt hat? Wie kann er dieses Leben ertragen? ... Oder Sie könnten auch sagen, daß ich ihn, wenn es in meiner Macht stünde, am liebsten tot sehen würde.«

»Das ist ein großes Wort«, sagte der Neonazi und lehnte sich in seinem Sessel zurück und hielt sich die Pistole spöttisch an die Schläfe. »*Peng!* Das würden Sie tun, wenn Sie könnten?«

»Wahrscheinlich.«

»Aber natürlich! Sie haben einen anderen gefunden, nicht wahr? Einen Mann vom amerikanischen Geheimdienst, einen äußerst tüchtigen Agenten der CIA namens Harry Lennox.«

Karin erstarrte; ihr Gesichtsausdruck wurde undurchdringlich. »Das ist ohne Bedeutung, er ist ohne Bedeutung.«

»Da sind wir anderer Ansicht, Madame. Sie sind ein Liebespaar, das haben wir in Erfahrung gebracht.«

»Sie können in Erfahrungen bringen, was Sie wollen, das ändert nichts an der Wirklichkeit. Warum interessieren Sie sich für ... Harry Lennox?«

»Das wissen Sie genausogut wie ich.« Der Neonazi grinste, stemmte dann beide Absätze auf den Boden und kippte auf seinem Küchenstuhl vor und zurück wie ein Reiter. »Er weiß zuviel über uns. Er hat unser ehemaliges Hauptquartier in den Tauern infiltriert und dort Dinge gesehen und erfahren, die er nie hätte sehen dürfen. Aber es ist jetzt nur noch eine Frage von ein oder zwei Stunden, dann wird er aufhören, unseren Vorgesetzten lästig zu sein. Wir werden die uns erteilten Befehle erfüllen, inklusive eines Fangschusses in die linke Schädelhälfte. Das hat nichts mit Hypothesen und nichts mit Thrillern zu tun. Wir leben in der echten Welt, in der Wirklichkeit, nicht in einer Scheinwelt wie Sie. Und Sie können nichts tun, um uns aufzuhalten.«

»Warum ein Schuß in die linke Schädelhälfte?« fragte Karin de Vries.

»Darüber haben wir uns auch den Kopf zerbrochen, weil man uns den Grund dafür nämlich nicht genannt hat. Aber man muß ja schließlich nicht jeden –« Der Neonazi unterbrach sich mitten im Satz. Aus einem der Nebenzimmer war ein kurzes Störgeräusch zu hören, gleich darauf sagte eine Männerstimme halblaut etwas in deutscher Sprache. Dann verstummte die Stimme wieder, und gleich darauf erschien ein junger Mann in der Tür, jünger als der, der Karin verhörte, aber ebenso schlank und muskulös. »Das war ein Funkgespräch aus Berlin«, sagte er. »Die Behörden in Paris tappen im Dunkeln, sie haben nichts ausfindig machen können, wir sollen deshalb planmäßig weitermachen.«

»Das war ein völlig überflüssiges Gespräch. Wie sollten sie irgend etwas finden?«

»Nun, es gab immerhin die Leichen vor dem Hotel Normandie –«

»Und ein Fahrzeug des Deuxième auf dem Grund der Seine, na und?«

»Sie haben gesagt, wir sollen unbedingt darauf achten, daß alles – nun du weißt schon, was ich meine – das Château de Vincennes, nördlich des Bois.«

»Ja, ich weiß, was du meinst, und auch, was Berlin meint. Sonst noch was?«

»In einer Stunde wird es hell werden.«

»Helmut ist auf seinem Posten?«

»Ja, und er weiß, daß er dort bleiben soll.«

»Sag ihm, er soll in zwanzig Minuten anrufen.«

»Dann wird es aber immer noch dunkel sein.«

»Das ist mir klar. Es ist aber doch besser, wenn wir an Ort und Stelle erkunden können, oder?«

»Du hast wie immer recht.«

»Das weiß ich auch. Geh jetzt.« Der zweite Neonazi verschwand, und der Mann wandte sich wieder Karin zu. »Ich muß Ihnen jetzt leider den Mund zukleben, Frau de Vries, und zwar recht gründlich. Dann werde ich Ihre Fesseln lösen, und Sie werden uns begleiten.«

Das Treffen zwischen Lennox und Witkowski fand etwa achtzig Meter östlich von Rue Lacoste 23 in einer schmalen, finsteren Seitengasse statt. »Guter Platz«, sagte Drew.

»Sonst gab es keinen. Übrigens, die Wohnung, die wir suchen, ist im fünften Stock an der Westecke.«

»Wie haben Sie das rausgekriegt?«

»Dafür müssen Sie Moreau danken. Der will Ihnen zwar immer noch den Kopf abreißen, hat aber Ihr Paket erhalten.«

»König?«

»Richtig. Das Komische ist, die Sûreté hatte den Priester in ihren Akten.«

»Als Neonazi?«

»Nein, wegen seiner besonderen Neigung für Chorknaben. Es liegen bereits fünf anonyme Anzeigen vor.«

»Und was ist mit der Wohnung?«

»Claude hatte den Besitzer des Gebäudes feststellen lassen, der Rest war ein Kinderspiel. Schließlich will sich keiner mit einer Behörde anlegen, die einem die Steuer und das Gesundheitsamt auf den Hals hetzen kann.«

»Stanley, Sie sind ein Genie.«

»Nein, das bin ich nicht. Moreau ist eines. Und der Deal, den ich mit ihm geschlossen habe, sieht vor, daß Sie sich bei seinen Männern entschuldigen, ihnen teure Geschenke kaufen und sie zu einem sehr, sehr teuren Abendessen im Tour d'Argent einladen. Mit Familie.«

»Das kostet mich zwei Monatsgehälter!«

»Ich habe in Ihrem Namen angenommen … So, und jetzt wollen wir uns einmal überlegen, wie wir das hier ohne Verstärkung anpacken.«

»Zuerst gehen wir hinein und dann die Treppe hinauf«, erwiderte Lennox. »Sehr leise und vorsichtig.«

»Die haben mit Sicherheit im Treppenhaus Wachen aufgestellt. Wir nehmen besser den Aufzug. Wir werden so tun, als wären wir betrunken und irgendwas wie ›Auprès de Ma Blonde‹ singen, laut, aber nicht zu laut.«

»Nicht übel, Stosh.«

»Vielen Dank. Ich war schließlich schon in diesem Gewerbe tätig, als Sie noch die Windeln naß gemacht haben. Wir fahren mit dem Aufzug ins sechste oder siebte Stockwerk und gehen dann nach unten. Aber leise und vorsichtig müssen wir sein, da widerspreche ich Ihnen nicht.«

»Vielen Dank für Ihr Kompliment. Ich werde es in meine Bewerbungsunterlagen heften.«

»Wenn Sie das hier lebend überstehen, könnten Sie die schneller brauchen, als Sie vielleicht denken. Ich kann mir gut vorstellen, daß Wesley Sorenson Sie jetzt am liebsten in die Äußere Mongolei versetzen würde. Aber los jetzt. Halten Sie sich dicht an den Hauswänden; vom fünften Stock aus kann man Sie da nicht sehen.«

Lennox und Witkowski arbeiteten sich, immer wieder in Hauseingängen Deckung nehmend, die Rue Lacoste hinauf, bis sie Nummer 23 erreicht hatten. Der Eingang war ebenerdig; sie traten in den Hausflur, versuchten die Tür zum Vorraum zu öffnen, die aber versperrt war. Der Colonel zog seine Brieftasche heraus, entnahm ihr eine Kreditkarte, vor der die Tür nach zehn Sekunden kapitulierte. »Voila«, sagte er und ließ Lennox den Vortritt.

Der Fahrstuhl war links von ihnen; auf der Tafel über der Tür konnte man erkennen, daß die Kabine sich im vierten Stockwerk befand. Lennox drückte den Knopf; die Maschinerie erwachte ächzend zum Leben. Als die Tür sich öffnete, leuchtete ein Licht an der Tafel im Inneren der Fahrstuhlkabine auf und zeigte an, daß jemand im fünften Stock Aufzug fahren wollte.

»Wir haben Vorfahrt«, sagte Stanley. »Drücken Sie die zwei.«

»Das sind die Neonazis«, flüsterte Drew. »Das müssen sie sein!«

»Um die Zeit – ja, wahrscheinlich haben Sie recht«, sagte der Colonel. »Also steigen wir aus, gehen zu Fuß wieder die Treppe runter, verstecken uns im hinteren Teil des Flurs und sehen, ob auf unseren Instinkt Verlaß ist.«

Sie rannten die Treppe hinunter, kauerten sich am hintersten Ende des gefliesten Foyers und sahen zu, wie die Lifttür sich öffnete und Karin de Vries, in Begleitung von drei Männern in Zivilkleidung herauskam, das Gesicht mit Heftpflaster verklebt.

»Halt!« schrie Witkowski und sprang mit einem Satz aus seinem Versteck, Lennox neben sich, beide die Waffen schußbereit. Der hinterste Neonazi fuhr herum und griff an sein Schulterhalfter. Der Colonel gab einen Schuß aus seiner schallgedämpften Waffe ab; der Mann drehte sich um seine Achse, griff sich an den Arm und stürzte zu Boden. »Das war leichter, als ich gedacht hatte, *chlopak*«, sagte Witkowski, »diese Superarier sind gar nicht so schlau, wie sie immer denken.«

»Nein!« schrie der Mann, der offenbar der Anführer der drei war. Er packte Karin, zog sie schützend vor sich und riß dann seine Pistole heraus. »Eine Bewegung, und die Frau stirbt!« schrie er und hielt Karin die Waffe an den Kopf.

»Wenn Sie ihr auch nur ein Haar krümmen«, sagte Drew, »dann werden Sie wünschen, Ihre Mutter wäre noch Jungfrau.«

»Halt's Maul, du Arschloch!« Der Anführer der Neonazis zerrte Karin gegen ihren Widerstand zur Tür. »Und laßt die Waffen fallen!« schrie er.

»Lassen Sie sie fallen, Stanley«, sagte Drew.

»Natürlich«, sagte der Colonel. Ihre Waffen fielen klappernd zu Boden.

Und dann hallte plötzlich eine zornige Frauenstimme in französischer Sprache aus dem Treppenhaus. »Was ist das für ein Lärm?« rief eine ältere Frau im Nachthemd und kam die Treppe herunter. »Wie soll ein Mensch dabei schlafen!«

Die plötzliche Unterbrechung gab Karin eine Chance, sich loszureißen, während Witkowski im gleichen Augenblick seine zweite Automatic unter seinem Regenmantel hervorzog. Als Karin sich duckte, gab er zwei Schüsse ab, von denen einer den Neonazi in die Stirn, der andere an der Kehle traf.

»*Mon Dieu!*« schrie die Frau im Treppenhaus und rannte wieder nach oben.

Lennox war mit einem Satz bei Karin, die sich von dem Heftpflaster befreit hatte, und drückte sie fest an sich. »Schon gut, Liebster, schon gut!« sagte sie, als sie die Tränen über sein Gesicht strömen sah. »Mein armer Liebling«, fuhr sie fort. »Jetzt ist es vorbei, Drew.«

»Nichts ist vorbei!« schrie der Colonel, der die beiden Neonazis, die noch am Leben waren, mit seiner Waffe in Schach hielt. Der Nazi, den er verwundet hatte, war gerade im Begriff wieder aufzustehen. »Hier«, sagte Stanley, hob die beiden Pistolen auf, die er und Lennox fallengelassen hatten, und gab eine davon Karin. »Halten Sie den Burschen in Schach, der noch gehen kann, ich übernehme diesen zweiten Mistkerl. Sie, *chlopak*, sollten jetzt Ihr Handy nehmen und Durbane in der Botschaft anrufen! Sorgen Sie dafür, daß man uns hier abholt.«

»Das geht nicht, Stosh.«

»Warum nicht?«

»Weil er einer von denen sein könnte.«

In Washington war es Mitternacht; Wesley Sorenson studierte das Material, das Knox Talbot ihm aus dem CIA-Archiv geschickt hatte. Seit Stunden studierte er jetzt die Dossiers, alle einundfünfzig, suchte nach jener einen bedeutsamen Information, die einen Verdächtigen von all den anderen abheben würde. Claude Moreaus hektischer Anruf aus Paris, in dem er sich über Lennox' empörendes Verhalten beklagt hatte, hatte ihn kurz aus seiner Konzentration gerissen.

»Vielleicht ist er irgend etwas auf der Spur, Claude«, versuchte Wesley ihn zu beschwichtigen.

»Dann hätte er es uns sagen und nicht auf eigene Faust handeln sollen. Ich dulde so etwas nicht!«

»Geben Sie ihm Zeit –«

»Unter gar keinen Umständen! Er wird aus Paris verschwinden, aus Frankreich!«

»Ich will sehen, was ich machen kann.«

»Die Würfel sind gefallen, *mon ami*.«

Später, nach einem Gespräch mit dem ebenso wütenden Witkowski, hatte Moreau um fünf Uhr morgens nach Pariser Zeit zurückgerufen. Die Wolken am Horizont begannen sich zu verflüchtigen. Drew hatte einen Führer der Neonazis in Gestalt eines protestantischen Priesters geliefert.

»Ich muß zugeben, irgendwie rechtfertigt er seine Existenz doch«, hatte der Franzose gesagt.

»Dann wollen Sie ihm also noch eine Chance geben?«

»Ja, aber an der kurzen Leine, Wesley.«

Der Cons-Op-Chef wandte sich wieder den ausgewählten Personen aus den CIA-Listen zu und fuhr fort, nicht in Frage kommende Namen zu eliminieren, wie das vorher auch Knox schon getan hatte. Er ließ sich dabei von den Prinzipien Motiv und Gelegenheit lenken und suchte außerdem nach etwas, was er als »neutrales Gesicht« bezeichnete, also Physiognomien ohne charakteristische Besonderheiten, wie sie von Karikaturisten gern betont werden. Von den drei Männern, die schließlich übrig blieben, bekleidete keiner eine besonders einflußreiche Position und war auch sonst nicht irgendwie prominent. Jeder hatte jedoch Zugang zu Ermittlern, und schließlich konnte man von jedem sagen, daß er deutlich über seine erkennbaren Verhältnisse lebte.

Peter Mason Payne. Rekrutierungsbeauftragter. Verheiratet, zwei Kinder; Bewohner eines 400 000-Dollar-Hauses in Vienna, Virginia, dem er erst kürzlich ein Schwimmbecken hinzugefügt hatte, Kosten schätzungsweise 60 000 Dollar. Automobile: Cadillac Brougham und Range Rover.

Bruce N. M. I. Withers. Sachbearbeiter in der Materialwirtschaft, geschieden, eine Tochter, eingeschränkte Besuchsrechte. Ex-Frau wohnhaft an der Ostküste Marylands, Wert des Hauses: 600 000 Dollar, angeblich von ihren Eltern gekauft. Wohnung des Subjekts: Eigentumswohnung in Fairfax. Automobil: Jaguar XJ6.

Roland Vasquez-Ramirez. Ermittler der Klasse C und Koordinator, wovon es, die zwei darüberliegenden Hierarchiestufen eingeschlossen, vier gab. Verheiratet, keine Kinder. Wohnhaft in teurer Apartmentanlage in Arlington. Ehefrau: Anwältin im Justizministerium auf unterster Stufe. Besuchen häufig teure

Restaurants, tragen Maßkleidung. Automobile: Porsche und Lexus.

Das waren die wesentlichen Fakten, überwiegend vermutlich ohne Relevanz, bis man die speziellen Beziehungen zwischen den Dienststellen näher unter die Lupe nahm. Peter Mason Payne hatte den Auftrag, nach speziellen Vorgaben Mitarbeiter zu rekrutieren. Er mußte deshalb notgedrungen die verschiedenen Abteilungen befragen und hatte so ganz legitim das Recht, ja sogar die Aufgabe, sich nach konkreten Beispielen für Aufgabenstellungen zu erkundigen, um sich ein klareres Bild zu verschaffen. Bruce Withers Aufgabe bestand darin, Beschaffungsausgaben für Büroeinrichtung, darunter auch komplexe elektronische Anlagen, zu bewilligen. Er mußte daher gewisse Maschinen selbst in Augenschein nehmen, sie teilweise sogar bedienen, um dann einen Vorgesetzten dazu zu veranlassen, umfangreiche Bestellungen vorzunehmen. Roland Vasquez-Ramirez koordinierte den Informationsfluß zwischen drei Ebenen von Rechercheuren. Zwar wurde in diesem Bereich unter außergewöhnlich einengenden Sicherheitsvorschriften mit verschlossenen Umschlägen und dergleichen gearbeitet, und jemand, der diese Vorschriften verletzte, würde nicht nur seinen Job verlieren, sondern wahrscheinlich auch unter Anklage gestellt werden. Dennoch würden jene Einschränkungen, die häufig im Interesse der Zweckmäßigkeit verletzt wurden, einen Staatsfeind nicht abhalten können, das in weniger unschuldiger Weise zu tun.

Auf alle drei paßte das Profil des Maulwurfs, den er suchte. Sie hatten das Motiv, sich ihren teuren Lebensstil leisten zu wollen, Gelegenheit, weil ihre Positionen ihnen Zugang verschafften … es fehlte jetzt nur noch jenes andere Motiv. Was trieb einen Menschen dazu, wirklich zum Verräter zu werden? Zu einem Nazi, der zwei gefangene Nazis tötete. Und dann dachte er plötzlich, er hätte es vielleicht gefunden, aber eben nur vielleicht. Jeder Kandidat war im Grunde genommen ein Bote, ein Mittelsmann zwischen Vorgesetzten; keiner verfügte selbst über echte Autorität. Payne studierte Lebensläufe von Bewerbern, und die Leute, die er weiterempfahl, verdienten bald wesentlich mehr Geld als er selbst. Withers konnte lediglich teure Beschaffungsvorhaben empfehlen, Beschaffungen, die diejenigen, die sie anforderten, noch effizienter machten – und wie viele von ihnen bekamen irgendwelche Provisionen oder geheime Schmiergelder, während er gar nichts bekam? Und Vasquez-Ramirez war wirklich ein Bote, er trug verschlossene Umschläge A, B und C zusammen, Geheimnisse, die andere auswerten mußten, während er außen vor blieb. Und jeder von den dreien übte seine Tätigkeit bereits eine Anzahl von Jahren aus, eine Tätigkeit, in der ein Vorgesetzter ohne weiteres seine Entscheidungen widerrufen konnte und der Betreffende selbst kaum eine Chance zum Aufstieg hatte. In solchen Menschen stauten sich häufig Groll und Ressentiments.

Doch jetzt war keine Zeit für weitere intellektuelle Erwägungen oder Analysen. Entweder hatte er recht, überlegte Sorenson, oder er hatte Unrecht, und das bedeutete, daß er wieder ganz von vorne würde anfangen müssen. Manchmal, das hatte er Drew Lennox im Frühstadium seiner Ausbildung beigebracht, war ein Frontalangriff die beste Lösung, ganz besonders, wenn dieser völlig unerwartet kam. Er fragte sich, ob wohl Drew auch so gehandelt hatte, als er den Priester in die Falle gelockt hatte. Er griff nach dem Telefon.

»Peter Mason Payne, bitte!«

»Am Apparat. Wer spricht?«

»Kearns in der Agency«, antwortete Sorenson und benutzte damit den Namen eines relativ bekannten Deputy Directors. »Wir sind uns nie begegnet, Pete, und es tut mir leid, Sie um diese Zeit belästigen zu müssen –«

»Kein Problem, Mr. Kearns. Ich sitze alleine in meinem Arbeitszimmer vor dem Fernseher. Meine Frau hat sich schlafen gelegt; sie sagt, das Programm sei mies, und damit hatte sie recht.«

»Dann macht es Ihnen nichts aus, wenn ich Sie ein paar Minuten störe?«

»Überhaupt nicht. Was kann ich für Sie tun, Sir?«

»Es ist ein wenig delikat, Pete, aber ich rufe Sie an, weil man Ihnen morgen möglicherweise ein paar Fragen stellen wird und Sie sich vielleicht schon vorher die Antworten überlegen wollen.«

»Was für Fragen? Was für Antworten?«

Peter Mason Payne war möglicherweise nicht der Killer-maulwurf, dachte Wesley, aber ein reines Gewissen hatte er ganz bestimmt nicht, das verriet sein Tonfall eindeutig. »Wir hatten ernsthafte Rekrutierungsprobleme, deshalb halten wir Bewertungskonferenzen ab, das geht jetzt praktisch rund um die Uhr so. Einige der von Ihnen Empfohlenen waren deutlich unterqualifiziert, und das hat die Company eine Menge Zeit ge-kostet.«

»Dann liegt es entweder an den Bewerbungsunterlagen, oder man hat die Bewerber auf die Interviews vorbereitet, Mr. Kearns. Ich habe nie jemanden weiterempfohlen, von dem ich nicht überzeugt war, daß er den Anforderungen gewachsen wäre, und nie für eine Empfehlung Geld unter dem Tisch ge-nommen!«

»Ich verstehe.« *Das war es also,* dachte Sorenson. *Der Mann hatte sich zu schnell verteidigt, er hatte nicht mal die leiseste An-spielung in dieser Richtung gemacht.* »Aber das habe ich doch auch nicht angedeutet, oder, Peter?«

»Nein, aber ich kenne die Gerüchte – wohlhabende Familien, die ihre Söhne und Töchter ein paar Jahre in der Agency haben wollen, weil sich das gut macht, wenn sie sich später nach ande-ren Jobs umsehen … Ich sage ja nicht, daß es nicht möglich wäre, daß ein paar durchgerutscht sind. Wie gesagt, infolge falscher In-formationen in den Bewerbungsunterlagen oder eingeübter Antworten auf Fragen im Bewerbungsgespräch. Aber wenn Sie hinter so etwas her sind, müssen Sie sich einen anderen suchen. Vielleicht können die Ihnen solche Informationen liefern. Ich habe so etwas nie getan!«

Dem Himmel sei Dank, daß Sie nie im Außendienst waren, Mr. Payne, dachte Sorenson. *Sie würden keine zehn Sekun-den durchstehen.* Aber Peter Payne hatte ihm gerade eine Vor-lage für die abschließende Frage geliefert. »Dann versucht viel-leicht einer der anderen, Sie reinzureiten. Sie müssen wissen, die Eltern eines unserer unterqualifizierten Bewerber sagen nämlich, sie hätten sich vorgestern abend mit einem Rekru-tierungsbeauftragten getroffen, um ihre letzte Zahlung zu leisten.«

»Herrgott, doch nicht ich!«

»Wo waren Sie denn da, Pete?«

»Das ist ganz einfach.« Die Erleichterung in Paynes Stimme tat beinahe weh. »Meine Frau und ich waren bei Congressman Ehrlich in unserer Straße zu einem späten Grillabend eingeladen – spät, weil der Kongreß noch getagt hat. Wir waren bis halb drei dort und, offen gestanden, Mr. Kearns, am Ende wollte sich keiner von uns mehr ans Steuer setzen.«

Kandidat gestrichen.

»Mr. Bruce Withers, bitte?«

»Sonst wohnt hier keiner, Kumpel. Wer sind Sie?«

Sorenson gab sich erneut als Deputy Director Kearns aus und ging diesmal auf erhebliche Budgetüberschreitungen im Verwaltungsbereich los.

»Die moderne Technik ist teuer, Mr. Director. Daran kann ich nichts ändern, und das ist auch nicht meine Entscheidung.«

»Aber Sie sind doch für Empfehlungen zuständig, oder nicht?«

»Jemand muß ja die Ausschreibungsunterlagen erstellen und das ist meine Zuständigkeit.«

»Nehmen wir einmal an, da soll ein leistungsfähigerer Computer im Bereich von hunderttausend Dollar ausgeschrieben werden. Ihr Wort hat dann doch einiges Gewicht, oder?«

»Wahrscheinlich. Ich mache ja schließlich meine Hausaufgaben.«

»Und es könnte doch Fälle geben, wo die Auswahl einer bestimmten Firma Ihnen einen Vorteil bringen könnte, oder nicht?«

»Diese Fragestellung gefällt mir nicht. Wollen Sie mir etwas anhängen?«

»Neulich nachts, in den frühen Morgenstunden, um es genau zu sagen, hat eine Firma in Seattle an Lobbyisten hier in Washington eine größere Summe bezahlt. Wir möchten wissen, ob das Sie waren.«

»Das ist ausgemachter Blödsinn«, rief Withers. »Entschuldigen Sie, Mr. Director, aber ich bin jetzt zutiefst gekränkt. Ich sitze jetzt seit sieben Jahren auf diesem lausigen Posten, weil ich mehr von High-Tech verstehe als alle anderen, und befinde mich in einer richtigen Sackgasse! Die können mich nicht ersetzen, also werde ich nicht befördert und –«

»Ich will Sie nicht beleidigen, Bruce. Ich möchte bloß wissen, wo Sie vorgestern nacht um drei Uhr waren.«

»Sie haben kein Recht, mich so was zu fragen.«

»Ich denke doch. Um die Zeit ist der Betrag nämlich übergeben worden.«

»Hören Sie, Mr. Kearns, ich bin ein geschiedener Mann und muß mir meinen Zeitvertreib suchen, wo ich kann, wenn Sie verstehen, was ich damit sagen will.«

»Ich glaube schon. Wo waren Sie?«

»Bei einer verheirateten Frau, deren Mann auf Auslandsreise ist. Ihr Mann ist General.«

»Wird sie Ihre Aussage bestätigen?«

»Ich kann Ihnen ihren Namen nicht nennen.«

»Den werden wir herausfinden, das wissen Sie.«

»Ja, das werden Sie wahrscheinlich ... also schön, sie war heute abend hier bei mir und ist gerade weggefahren. Der General ist auf Inspektionstour im Fernen Osten und ruft sie gegen ein Uhr an – weil er ja seinen Dienstplan nicht wegen einer einsamen Ehefrau durcheinanderbringen kann. Und das ist typisch für die ganze Ehe.«

»Wirklich rührend, Bruce. Wie heißt sie?«

»Sie braucht zwanzig bis fünfundzwanzig Minuten, um nach Hause zu kommen.«

»Den Namen bitte?«

»Anita Griswald, die Frau von General Andrew Griswald.«

»›Mad Andy‹ Griswald? Der Schrecken von Songchow? Er ist schon ziemlich alt, oder?«

»Für die Army ganz entschieden. Anita ist seine vierte Frau. Sie ist wesentlich jünger, und das Pentagon wartet schon darauf, ihn nächstes Jahr in Pension zu schicken.«

»Warum hat sie ihn denn geheiratet?«

»Weil sie pleite war und drei Kinder ernähren mußte. Sind Sie jetzt mit Ihren Fragen fertig, Mr. Director?«

Kandidat noch offen.

»Mr. Vasquez-Ramirez, bitte?«

»Einen Augenblick«, sagte eine weibliche Stimme mit leichtem spanischem Akzent. »Mein Mann spricht gerade auf der anderen Leitung, aber er wird gleich fertig sein. Wer möchte ihn sprechen?«

»Deputy Director Kearns, Central Intelligence Agency, Frau Rechtsanwältin.«

»Sie wissen, daß ich Anwältin bin? ... Oh, ja natürlich wissen Sie das.«

»Ich bitte um Entschuldigung, daß ich so spät anrufe, aber es ist dringend.«

»Das muß es wohl sein. Mein Mann arbeitet oft bis spät in die Nacht hinein für Sie. Ich wünschte, Sie würden ihn auch dementsprechend bezahlen, falls Sie mir die Bemerkung nicht übelnehmen. Bitte warten Sie einen Augenblick.«

Stille. *Es gab keine Aufzeichnungen darüber, daß Vasquez-Ramirez viele Überstunden machte.* Fünfundvierzig Sekunden später meldete sich »Rollie« Ramirez. »Mr. Kearns, was ist so dringend?«

»Undichte Stellen in Ihrer Abteilung, Mr. Vasquez-Ramirez.«

»Sind Sie erkältet, Mr. Kearns? Ihre Stimme klingt irgendwie verändert.«

»Eine Grippe, Ramirez, ich bekomme kaum Luft.«

»Dann sollten Sie Rum mit heißem Tee und Zitrone trinken ... Aber von was für undichten Stellen sprechen Sie, und wie kann ich Ihnen behilflich sein?«

»Die Spur führt zu Ihrer Abteilung.«

»In der wir insgesamt zu viert sind«, unterbrach ihn Ramirez. »Warum rufen Sie mich an?«

»Ich werde die anderen auch anrufen; Sie stehen nur als erster auf der Liste.«

»Weil ich eine etwas dunklere Haut als die anderen habe?«

»Ach, sparen Sie sich doch den Unsinn.«

»Nein, das ist kein Unsinn, das ist die Wahrheit. Ihr nehmt euch immer als erstes den Spick vor.«

»Jetzt beleidigen Sie uns beide, mich und sich. Vor zwei Tagen hat sich jemand Geld damit verdient, eine ganze Menge Geld sogar, daß er Informationen der obersten Geheimhaltungsstufe aus Ihrer Abteilung weitergegeben hat, und wir haben die Leute, die dafür bezahlt haben. Im Augenblick ist nur die Frage, wer das Geld bekommen hat! Also sparen Sie sich den Scheiß von wegen Rassismus. Ich bin auf der Suche nach einem Leck, nicht nach einem Spick!«

»Dann lassen Sie sich etwas von mir sagen, *Americano*. Meine Leute bezahlen nicht für Informationen, sie bekommen sie gratis. Ja, es hat Zeiten gegeben, wo ich mit dem Bügeleisen verschlossene Umschläge geöffnet habe, aber nur, wenn ›Karibik‹ draufstand. Und warum ich das getan habe? Das kann ich Ihnen erklären. Ich war als achtzehnjähriger Soldat in der Schweinebucht und habe fünf Jahre in Castros dreckigen Gefängnissen verbracht, bis man mich gegen Arzneimittel ausgetauscht hat. Diese grandiosen *Estados Unidos* reden und reden, tun aber nichts, um mein *Cuba* zu befreien.«

»Wie sind Sie in die Agency gekommen?«

»Auf dem einfachsten Weg, den es gibt, *Amigo*. Es hat sechs Jahre gedauert, aber ich bin Wissenschaftler geworden mit drei Diplomen, weit überqualifiziert für das, was ihr mit angeboten habt, aber ich habe den Job angenommen, weil ich wirklich geglaubt habe, daß man meine Qualifikation erkennen und mich in einer Position einsetzen würde, wo ich etwas bewegen kann. Das habt ihr nie getan, weil ich der Spick war, und in der Agency bloß Weiße und Schwarze vorankommen können.«

»Ich glaube, Sie sind unfair.«

»Glauben Sie, was Ihnen Spaß macht. Ich werde dieses Haus jetzt in zwanzig Sekunden verlassen, und ihr werdet mich nie finden.«

»Bitte, tun Sie das nicht! Sie sind nicht derjenige, den ich suche. Ich suche Nazis, nicht Sie!«

»Was, zum Teufel, soll das jetzt wieder bedeuten?«

»Das ist viel zu kompliziert«, sagte Sorenson ruhig. »Bleiben Sie in Ihrem Job und tun Sie weiter das, was Sie jetzt tun. Ich werde Ihnen keinen Ärger bereiten und werde dafür sorgen, daß diejenigen, die es wissen sollten, von Ihren besonderen Qualifikationen erfahren.«

»Warum soll ich mich darauf verlassen?«

»Weil ich nicht der bin, für den ich mich ausgegeben habe. Ich gehöre nicht zur Company. Ich bin Direktor einer ande-

ren Behörde, die häufig auf oberster Ebene mit der CIA kooperiert.«

»Es wird immer komplizierter«, sagte Vasquez-Ramirez.
»Wird das je ein Ende haben?«

»Wahrscheinlich nie«, erwiderte Sorenson. »Ganz sicher so
lange nicht, bis die Leute einander vertrauen – und das werden
sie nie.«

Möglicher Kandidat.

33

Plötzlich wurde Sorenson sich dessen bewußt, daß er immer dann am besten gefahren war, wenn er seinem ersten Instinkt vertraut hatte. Peter Mason Payne kam nicht in Frage, Roland Vasquez-Ramirez allenfalls am Rande, aber Bruce Withers machte ihm zu schaffen, Withers, der Mann mit der schnellen Zunge und dem nur allzu glaubwürdigen Szenario. Withers würde es ein leichtes sein, die Frau des Generals über Autotelefon zu erreichen, falls sie wirklich den Abend mit ihm verbracht hatte, oder auch zu Hause ... *Sie wird zwanzig bis fünfundzwanzig Minuten brauchen.* Mehr als genug Zeit, um der einsamen Generalsfrau detaillierte Instruktionen zu erteilen. Er würde sich seine Antwort anderswo suchen müssen: an der Ostküste Marylands vielleicht, bei der Ex-Frau von Bruce N.M.I. Withers.

Wieder griff Sorenson nach den Unterlagen, die ihm verrieten, daß Withers' Ex-Frau wieder ihren Mädchennamen angenommen hatte: McGraw.

»Ja ... hello«, flüsterte die schläfrige Stimme am anderen Ende der Leitung.

»Bitte entschuldigen Sie, Ms. McGraw, daß ich Sie zu so später Stunde anrufe, aber es handelt sich um einen echten Notfall.«

»Wer sind Sie?«

»Deputy Director Kearns von der Central Intelligence Agency. Es geht um Ihren früheren Ehemann, Bruce Withers.«

»Wen hat er denn diesmal übers Ohr gehauen?« fragte die Ex-Mrs. Withers schlaftrunken.

»Möglicherweise die Regierung der Vereinigten Staaten, Ms. McGraw.«

»Vielen Dank für das Ms. – das hab ich mir verdient. Natürlich hat er die Regierung übers Ohr gehauen. Warum sollte es denn anders sein? Er hat immer seine CIA-Plakette gezeigt, nie viel gesagt, dabei aber den Eindruck erweckt, daß James Bond gegen ihn ein grüner Junge wäre, und die ganze Zeit den Leuten in die Taschen gegriffen.«

»Er hat sich also aus seiner Stellung bei der Agency unrechtmäßige Vorteile verschafft?«

»Bitte, Mr. Dingsbums, meine Familie hat gute Verbindungen in Washington. Als wir herausgefunden haben, daß keine Sekretärin eines Rüstungslieferanten vor ihm sicher war, hat mein Vater gesagt, wir sollten machen, daß wir ihn loswerden. Und das haben wir dann auch getan.«

»Er hat immer noch das Besuchsrecht bei Ihrer Tochter.«

»Unter strengster Aufsicht, das kann ich Ihnen versichern.«

»Weil Sie Angst haben, daß er ihr etwas antun könnte?«

»Du lieber Gott, nein. Kimberley ist wahrscheinlich der einzige Mensch auf dieser Welt, mit dem dieser Mistkerl klarkommt.«

»Warum sagen Sie das?«

»Weil er vor Kindern keine Angst hat. Wenn sie ihn umarmt, dann wird dieses Schreckliche in ihm ausgelöscht.«

»Was meinen Sie damit, Ms. McGraw?«

»Weil er der intoleranteste Mensch ist, den man sich vorstellen kann! Er verabscheut soviele Leute, daß ich es Ihnen gar nicht sagen kann. Schwarze, oder wie er sagt, diese lausigen Nigger, und Spicks und Itaker und Schlitzaugen – Judenbastarde, einfach jeden, der nicht rein weiß und christlich ist, und er selbst ist alles andere als christlich. Er möchte am liebsten, daß sie alle ausradiert werden. Das ist sein Credo.«

Kandidat akzeptiert.

In Paris war es vier Uhr nachmittags, wie die Uhr auf dem Kaminsims in Daniel Courtlands Privaträumen in der amerikanischen Botschaft gerade mit weichem nachhallendem Glockenklang gemeldet hatte. Der Botschafter saß in einem blauen Oxford-Hemd, unter dem man den Verband an der Brust und der linken Schulter sehen konnte, an einem antiken Tisch, der ihm als Schreibtisch diente, und telefonierte. Ihm gegenüber saßen Drew Lennox und Karin de Vries in brokatbezogenen Sesseln und sprachen leise miteinander.

»Was macht die Hand?« fragte Drew.

»Der geht's gut, bloß meine Füße tun noch weh«, antwortete Karin lächelnd.

»Ich hab dir doch gesagt, du sollst die Schuhe ausziehen.«

»Dann wären jetzt meine beiden Fußsohlen wund, mein Lieber. Hast du vergessen, wie weit wir von der Rue Lacoste gegangen sind, bis du schließlich Claude erreicht hast und der uns ein Fahrzeug schicken konnte? Fast vierzig Minuten, denke ich.«

»Ich konnte doch nicht Durbane anrufen. Wir wissen selbst jetzt noch nicht, wo er steht, und Moreau war mit unserem Nazipriester beschäftigt.«

»Wir haben drei verschiedene Polizeifahrzeuge gesehen. Ich bin sicher, daß uns einer von denen mitgenommen hätte.«

»Nein, da hat Witkowski schon recht gehabt. Wir waren zu fünft, das hätte zwei von diesen kleinen Streifenwagen bedeutet oder einen Kombi. Und dann hätten wir sie überreden müssen, uns zur Botschaft zu bringen und nicht zu einem Polizeirevier, und sie hätten sich bestimmt geweigert, wo doch einer von den Neonazis verwundet war. Selbst Claude war froh, daß wir auf ihn gewartet hatten. ›Es sind schon zu viele Köche in der Küche‹, hat er gesagt. Auf die Weise gibt es jetzt bei der Sûreté keinen offiziellen Bericht.«

»Und das Deuxième Bureau hat niemanden im Château de Vincennes gefunden?«

»Niemanden mit einer Waffe, und die haben den ganzen Park abgesucht.«

»Das überrascht mich wirklich«, sagte Karin und runzelte die Stirn. »Ich war sicher, daß sie uns dort umbringen wollten.«

»Ja, du bist sicher, und ich kann es bestätigen, König selbst hat es gesagt. Er hat den Ablauf genauso vorhergesagt.«

»Ist dir eigentlich klar, daß wir hier über unser eigenes Leben reden?«

»Ich bemühe mich, das Ganze distanziert zu sehen.«

»Das machst du ganz toll.«

Es klingelte an der Tür. Lennox stand auf und sah zu Courtland hinüber, der immer noch telefonierte und ihm zunickte. Drew ging zur Tür, öffnete sie und ließ Stanley Witkowski ein. »Irgendwelche Fortschritte?« fragte Drew.

»Wir glauben schon«, erwiderte der Colonel. »Ich warte, bis der Botschafter zu Ende telefoniert hat. Er muß das hören. Haben Sie beide sich ein wenig ausruhen können?«

»Ich ja, Stanley«, antwortete Karin, die sitzengeblieben war. »Botschafter Courtland war so liebenswürdig, uns seine Gästezimmer zur Verfügung zu stellen. Ich bin sofort eingeschlafen, aber mein Freund hier konnte nicht aufhören zu telefonieren.«

»Mit wem haben Sie denn gesprochen, *chlopak*?«

»Die meiste Zeit mit Sorenson. Er ist ebenfalls weitergekommen.«

»Irgend etwas Neues über den Killer in Virginia?«

»Den hat er am Arsch. Dieser Hurensohn kann jetzt nicht mal mehr zum Klo gehen, ohne abgehört zu werden.«

Daniel Courtland legte den Hörer auf und drehte sich schwerfällig in seinem Sessel herum. Als er Witkowski begrüßte, zuckte er vor Schmerz zusammen. »Hello, Colonel. Was war im Krankenhaus los?«

»Das ist jetzt Sache von MI-5, Sir. Ein Lungenfacharzt aus dem Royal College, Woodward heißt er, ist aufgetaucht. Er behauptet, das Foreign Office hätte ihn herübergeschickt, damit er Mrs. Courtland untersucht – auf Ihren Wunsch hin. Das wird jetzt gerade überprüft.«

»Ich habe keinen derartigen Wunsch geäußert«, sagte der Botschafter. »Ich kenne weder einen Dr. Woodward, noch ein Royal College.«

»Das ist uns bekannt«, sagte Witkowski. »Unsere frankoamerikanische Einheit im Krankenhaus hat ihn aufhalten können, kurz bevor er der falschen Mrs. Courtland eine Strychnin-Injektion verpassen konnte.«

»Eine tapfere Frau. Wie heißt sie?«

»Moskowitz, Sir. Aus New York. Ihr verstorbener Mann war ein französischer Rabbiner. Sie hat sich freiwillig gemeldet.«

»Dann müssen wir sie auf freiwilliger Basis entschädigen. Vielleicht ein Monat Urlaub, alle Kosten auf unsere Rechnung.«

»Ich werde das Angebot weiterleiten, Sir … und wie fühlen Sie sich?«

»Recht gut. Bloß ein paar Hautabschürfungen, nichts Ernsthaftes. Ich hatte Glück.«

»Sie waren auch nicht das Ziel, Mr. Ambassador.«

»Ja, das ist mir bewußt«, sagte Courtland leise. »Wie wär's, wenn wir uns gegenseitig auf den neuesten Stand bringen würden, okay? Ich nehme an, Sie haben Sicherheitsvorkehrungen getroffen.«

»Praktisch ein ganzer Zug Marines, Sir. Wenn sie jemand auch nur niesen hören, haben sie den Finger am Abzug.«

»Gut. Dann wollen wir uns alle setzen und rekapitulieren. Sie zuerst, Stanley. Wo stehen wir?«

»Fangen wir mit dem Krankenhaus an«, begann Witkowski und ließ sich neben Karin in einen Sessel sinken. »Das wäre beinahe schiefgegangen, aber dieser britische Lungenfacharzt, dieser Woodward, war vom Quai d'Orsay tatsächlich als einer von Mrs. Courtlands Ärzten freigegeben worden, nur daß die Freigabe zu spät kam. Da war er schon eingetroffen.«

»Für die Neonazis kommt mir das eigentlich recht schlampig vor«, sagte Courtland.

»Paris ist London eine Stunde voraus«, sagte Lennox und setzte sich wieder. »Das wird häufig übersehen. Aber Sie haben natürlich recht, es war schlampig. Wer im Quai d'Orsay hat Woodward die Freigabe für das Krankenhaus eigentlich gegeben?«

»Das ist leider eine Sackgasse. Die Freigabe stammt aus dem Büro eines gewissen Anatol Blanchot, Mitglied der Deputiertenkammer. Moreau hat das herausgefunden.«

»Und?«

»Nichts. Dieser Blanchot hat nie von einem Dr. Woodward gehört, und es gibt auch keinerlei Aufzeichnungen über ein Telefonat, das aus seinem Büro mit dem Hardford-Hospital geführt wurde. Das einzige Mal, daß Blanchot je mit London telefoniert hat, war vor einem Jahr von seinem Apparat zu Hause aus, um bei Ladbrokes eine Wette für die irische Lotterie zu plazieren.«

»Dann haben sich die Neonazis einfach einen Namen herausgepickt.«

»So sieht es aus.«

»Verdammte Scheiße!«

»Amen, *chlopak*.«

»Ich dachte, Sie hätten gesagt, es gäbe Fortschritte.«

»Die gibt es auch, aber nicht im Zusammenhang mit Woodward.«

»Wo dann?« wollte Courtland wissen.

»Ich meine das Paket von Agent Lennox, das in den frühen Morgenstunden ins Deuxième geliefert wurde, Sir.«

»Der protestantische Pfarrer?« fragte Karin.

»König ist ein Singvogel, ohne es zu wissen«, sagte Witkowski.

»Und was für ein Lied singt er?« Drew beugte sich in seinem Sessel nach vorne.

»Eine Arie, sie heißt ›Der Meistersinger Traupmann‹. Wir haben sie schon einmal gehört.«

»Der Chirurg aus Nürnberg?« fragte Lennox. »Der Nazibonze, den Sorenson ausgegraben hat, bei –« Er hielt inne und sah den Botschafter an.

»Ja, Drew«, sagte Courtland ruhig, »beim Vormund meiner Frau in Centralia, Illinois ... Ich habe selbst mit Mr. Schneider gesprochen. Er ist heute ein alter Mann mit vielen schmerzlichen Erinnerungen, und ich bin überzeugt, daß er die Wahrheit sagt.«

»Was Traupmann angeht, ganz sicher«, sagte der Colonel. »Moreau hat Traupmanns ehemalige Frau vor wenigen Tagen in München aufgesucht. Sie hat alles bestätigt.«

»Das ist mir ebenfalls bekannt.« Der Botschafter nickte langsam. »Traupmann hatte wesentlichen Anteil an der Durchführung der Operation Sonnenkinder.«

»Was hat Claude von dem protestantischen Geistlichen über Traupmann erfahren?« fragte Karin.

»Im Grunde genommen, daß König und andere seinesgleichen in den oberen Rängen der Bewegung vor ihm Angst haben, und sich alle bemühen, ihm bei jeder Gelegenheit gefällig zu sein. Moreau wußte schon vorher, daß Traupmann eine wichtige Rolle spielt, aber jetzt glaubt er, daß seine Bedeutung noch viel höher einzustufen ist. Er ist der Ansicht, daß Traupmann besonderen Einfluß auf die neue Nazibewegung hat, daß er sie alle im Griff hat.«

»Wir wissen, daß es einen neuen Führer gibt«, sagte Witkowski, »wir haben nur nicht die leiseste Ahnung, wer er ist.«

»Aber wenn dieser neue Hitler –«

»An dem Punkt muß ich Sie aufhalten, Karin«, unterbrach sie Daniel Courtland und stand plötzlich unter Schmerzen aus seinem Sessel hinter dem Schreibtisch auf.

»Es tut mir leid, Mr. Ambassador –«

»Nein, nein, meine Liebe, ich muß mich entschuldigen, aber ich habe Anweisung von meiner Regierung.«

»Was soll das, zum Teufel?«

»Ruhig Blut, Drew. Ganz ruhig«, befahl Courtland. »Es wird Sie vielleicht interessieren, daß ich mit Wesley Sorenson telefoniert habe, der für den Augenblick die Vollmacht für gewisse verdeckte Aktivitäten bekommen hat. Ich habe Anweisung, mich an weiteren Gesprächen über dieses Thema nicht zu beteiligen und solche Gespräche auch nicht mit anzuhören. Aber Sie, Agent Lennox, sollen ihn, sobald ich den Raum verlassen habe, über dieses Telefon anrufen und hören, was er zu sagen hat … Wenn Sie mich jetzt entschuldigen wollen, ich werde mich in die Bibliothek begeben, wo es eine gut bestückte Bar gibt. Falls Sie später das Bedürfnis zu einer harmlosen Plauderei mit mir haben, sind Sie mir herzlich willkommen.« Der Botschafter hinkte zur Tür, ging hinaus und schloß sie hinter sich.

Drew sprang ans Telefon. Er saß noch nicht ganz richtig, als er bereits anfing, Knöpfe zu drücken. »Wes, ich bin's. Was soll das Theater?«

»Hat Botschafter Daniel Rutherford Courtland das Zimmer verlassen?«

»Yeah, klar, was gibt's?«

»Für den Fall, daß dieses Gespräch bekannt werden sollte, übernehme ich, Wesley Theodore Sorenson, Direktor von Consular Operations, die volle Verantwortung für diese Maßnahme. Ich beziehe mich dabei auf Artikel 73 der Statuten für geheimdienstliche Aktivitäten in bezug auf einseitige individuelle Entscheidungen im Einsatz –«

»Hey, verdammt noch mal, das ist doch mein Text!«

»Mund halten!«

»Was soll das, Wes?«

»Stellen Sie sich ein Team zusammen, fliegen Sie nach Nürnberg und schnappen Sie sich Dr. Hans Traupmann. Kidnappen Sie den Mistkerl und bringen Sie ihn nach Paris.«

34

Robert Durbane saß an dem Schreibtisch in seinem Büro neben der abgesicherten Fernmeldezentrale. Er machte sich Sorgen. Es war mehr als ein bloßes Gefühl, denn Gefühle waren abstrakt und konnten sich auf alles mögliche gründen, angefangen bei Magenverstimmungen bis zu einem morgendlichen Streit mit der Ehefrau. Sein Magen bereitete jedoch keinerlei Probleme, und die Frau, mit der er jetzt vierundzwanzig Jahre lang verheiratet war, war immer noch seine beste Freundin. Ihr letzter Streit hatte sich um die Heirat ihrer Tochter mit einem Rockmusiker gedreht. Sie war dafür gewesen; er dagegen. Er hatte verloren. Die Ehe war nicht nur erfolgreich, sondern sein langhaariger Schwiegersohn »landete« etwas, das sich ein »Hit« nannte, und verdiente mehr Geld, wenn er einen Monat in Las Vegas auftrat, als Bobby Durbane in einem halben Jahrhundert verdienen würde. Und ganz besonders nagte es an dem Schwiegervater, daß der Mann seiner Tochter ein netter junger Mann war, der nichts Kräftigeres als Weißwein trank, kein Rauschgift anrührte, einen Magister in mittelalterlicher Literatur besaß und Kreuzworträtsel schneller lösen konnte als Bobby. Die Welt war einfach total unlogisch.

Warum fühlte er sich also unbehaglich? Wahrscheinlich hatte es damit angefangen, daß Colonel Witkowski einen Computerausdruck aller im Verlauf der letzten sieben Tage aus der Fernmeldezentrale geführten Telefon- und Funkgespräche angefordert hatte. Und dann kam da noch das subtile und doch recht auffällige Verhalten von Drew Lennox hinzu, ein Mann, den er als persönlichen Freund betrachtete. Drew ging ihm aus dem Weg, und das paßte nicht zu dem Cons-Op-Agenten. Durbane hatte zwei Nachrichten für Lennox hinterlassen, eine in seiner Wohnung in der Rue du Bac, die im Augenblick wieder hergerichtet wurde, und eine in der Botschaft. Drew hatte sich auf keine der beiden hin bei ihm gemeldet, und Bobby wußte, daß Drew in der Botschaft war, den ganzen Tag dort gewesen war, sich in den Privaträumen des Botschafters im Obergeschoß aufhielt. Durbane hatte gehört, daß schreckliche Dinge passiert waren, daß Courtlands Frau bei dem Attentat vorgestern abend so schwer verwundet worden war, daß sie aller Wahrscheinlichkeit nach nicht überleben würde. Aber trotzdem war es einfach nicht Lennox' Art, auf Nachrichten seines Freundes, »des Eierkopfs«, nicht zu reagieren, der diese »abscheulichen Kreuzworträtsel« ausfüllte. Ganz besonders, wenn man in Betracht zog, daß Bobby ihm vor ein paar Tagen das Leben gerettet hatte. Irgend etwas stimmte nicht; irgend etwas war vorgefallen, das Durbane nicht begriff, und es gab nur eine Möglichkeit, das herauszufinden. Er griff nach seinem Telefon, einem Apparat, der unabhängig von allen Einschränkungen Zugang zu allen anderen in der Botschaft hatte, und tippte die Nummer für Courtlands Privatwohnung ein.

»Ja?«

»Mr. Ambassador, hier ist Robert Durbane in der Fernmeldezentrale.«

»Hello ... Bobby«, sagte Courtland zögernd. »Wie geht es Ihnen?«

»Ich glaube, ich sollte Ihnen diese Frage stellen, Sir.« *Irgend etwas stimmte nicht. Der gewöhnlich durch nichts aus dem Konzept zu bringende Diplomat wirkte irgendwie unecht.* »Ich meine natürlich Ihre Frau. Ich höre, man hat sie in ein Krankenhaus gebracht.«

»Dort geschieht alles menschenmögliche, und mehr kann ich nicht verlangen. Sehr liebenswürdig, daß Sie sich erkundigen. Ist sonst noch etwas?«

»Ja, Sir. Ich weiß, daß niemand wissen sollte, daß Drew Lennox am Leben ist, aber ich arbeite eng mit Colonel Witkowski zusammen, deshalb weiß ich auch, daß Drew oben bei Ihnen ist, und ich würde ihn sehr gern sprechen.«

»Oh ... jetzt haben Sie mich wirklich überrascht, Mr. Durbane. Warten Sie bitte.«

Ein Klicken in der Leitung, dann Stille, eine entnervende Stille, als würde irgendwo eine Entscheidung getroffen. Endlich war Drews Stimme zu hören: »Hello, Bobby?«

»Ich habe ein paarmal bei dir angerufen. Aber du hast nicht zurückgerufen.«

»Ich hab' auch nicht geschrieben. Davon abgesehen, daß man auf mich geschossen und Kleinholz aus meiner Wohnung gemacht hat, bin ich auch sonst ganz schön durcheinandergeraten. Und dann gab es noch eine ganze Anzahl weniger angenehmer Dinge.«

»Das kann ich mir vorstellen. Aber ich glaube trotzdem, daß wir miteinander reden sollten.«

»Wirklich? Worüber?«

»Das würde ich auch gerne wissen.«

»Ist das jetzt ein Kreuzworträtsel? Davon verstehe ich nicht viel, das weißt du ja.«

»Ich weiß jedenfalls, daß ich mit dir reden möchte, und das nicht am Telefon. Geht das?«

»Augenblick.« Wieder Stille, aber nicht so lang wie zuvor. »Also schön«, sagte Lennox dann, als er wieder an die Leitung kam. »Es gibt da einen Aufzug, von dem ich bisher gar nichts wußte, der in deinem Stockwerk hält. Ich werde in Begleitung von drei bewaffneten Marines hinunterkommen, und du sollst den Korridor räumen. Wir sind in fünf Minuten da.«

»Soweit ist es gekommen?« fragte Durbane leise. »Ich? Ich bin plötzlich eine Gefahrenquelle?«

»Wir unterhalten uns, Bobby.«

Sieben Minuten später, nachdem die Marines Durbanes Büro gründlich durchsucht und keine Waffen gefunden hatten, saß Drew ihm auf dem einzigen Stuhl vor seinem Schreibtisch gegenüber.

»Was, zum Teufel, soll das alles?« sagte der Chef der Fernmeldezentrale. »Was in Gottes Namen habe ich getan, daß diese Gestapomethoden nötig sind.«

»Da hast du vielleicht das richtige Wort gebraucht, Bobby. Gestapo wie im Naziwörterbuch.«

»Was willst du damit sagen?«

»Kennst du eine gewisse Phyllis Cranston?«

»Sicher. Sie ist die Sekretärin von diesem …, wie heißt er doch gleich, dem dritten oder vierten Attaché im Büro des Geschäftsträgers. Und?«

»Hat sie dir gesagt, um wen es sich bei einem gewissen Colonel Webster handelt und wo er wohnt?«

»Ja, das hat sie, aber das wäre gar nicht nötig gewesen.«

»Was willst du damit sagen?«

»Wer, glaubst du wohl, hat die Verbindungen zwischen der Botschaft und dem dauernd unterwegs befindlichen Colonel Webster hergestellt? Zwei oder waren es drei Hotelwechsel? Du warst so viel unterwegs, und Mrs. de Vries auch, daß selbst Witkowski die Übersicht verloren hat.«

»Dann ist alles unter Verschluß gehalten worden?«

»Ich glaube, es war die Rede von ›oberste Geheimhaltungsstufe‹. Warum, glaubst du wohl, habe ich die Cranston so zusammengestaucht?«

»Das wußte ich nicht.«

»Ich wollte wissen, woher sie es wußte. Ich habe ihr sogar gedroht, sie auffliegen zu lassen, und das ist mir gar nicht leicht gefallen, weil meine Mutter selbst Alkoholikerin war. Das ist eine schlimme Krankheit.«

»Was hat sie dir gesagt?«

»Sie hat beinahe einen Nervenzusammenbruch bekommen und geheult und irgendwelchen religiösen Blödsinn verzapft. Sie hatte am Abend zuvor ziemlich gebechert und war ganz schön fertig.«

»Du mußt sie ja recht gut kennen.«

»Meine Frau und ich waren bei einem dieser Botschaftsempfänge, und Martha – das ist meine Frau – hat gesehen, wie Phyllis an der Bar rumhing und sich vollaufen ließ. Ich dachte mir, wie kann man sonst diese langweiligen Empfänge überhaupt überstehen, wenn man sich nicht ein wenig bedudelt, verdammt, ich hab's selbst oft genug getan. Aber Martha wußte besser Bescheid; sie hatte schließlich die letzten Jahre meiner Mutter miterlebt. Sie hat mir gesagt, ich solle versuchen, Phyllis zu helfen, und hat was von ›mangelndem Selbstwertgefühl‹ und solchem Zeug erzählt. Also habe ich es versucht, es aber ganz offensichtlich nicht geschafft.«

»Dann hast du nie sonst jemandem gesagt, wer ich bin oder in welchem Hotel ich mich gerade aufhielt?«

»Du lieber Gott, nein. Selbst als dieser Arsch, bei dem Phyllis arbeitet, wegen deiner Mitarbeiter und so herumgeschnüffelt hat, hab ich ihm gesagt, daß ich nicht die leiseste Ahnung hätte, wer deine Aufgaben übernehmen würde. Ich war sehr froh, daß Phyllis offenbar kapiert hatte, daß sie den Mund halten soll.«

»Warum hat er denn herumgeschnüffelt?«

»Was er gesagt hat, klang durchaus plausibel«, erwiderte Durbane. »Schließlich weiß ja jeder, daß Consular Operations nicht gerade für den Speisezettel der Botschaft zuständig ist. Er sagte, ein französischer Immobilienmakler sei an ihn herangetreten und hätte ihm einen heißen Anlagetip gegeben. Er dachte, deine Leute könnten vielleicht ein paar Erkundigungen über den Burschen einziehen. Wie gesagt, das klang mir durchaus plausibel, Drew. Cranston sagt, er würde viel häufiger mit Pariser Geschäftsleuten essen gehen, als mit Leuten, die uns hier was nützen können.«

»Warum ist er nicht zu Witkowski gegangen?«

»Um das zu erfahren, brauchte ich ihn gar nicht zu fragen. Das ist schließlich keine Frage der Sicherheit, und er darf den rechten Arm der Botschaftspersonal natürlich nicht für private Finanztransaktionen einspannen.«

»Und was bin ich, ein kleiner Zeh?«

»Nein, du bist mehr so das umherschweifende Auge, das die Operationen im Innendienst einer größeren diplomatischen Niederlassung überwacht, was als Beratung der Belegschaft in Verhaltensfragen interpretiert werden könnte, was finanzielle und andere Dinge betrifft. Das legt wenigstens deine offizielle Dienstbeschreibung nahe.«

»Die sollte jemand umschreiben«, sagte Lennox.

»Warum denn? Sie ist doch köstlich obskur.«

Drew lehnte sich in seinem Sessel zurück, blickte zur Decke und seufzte hörbar. »Ich muß mich bei dir entschuldigen, Bobby, ehrlich. Als ich von Phyllis Cranston hörte, daß du eine der beiden Personen warst, der sie meine Identität und meinen Aufenthaltsort verraten habe, hab' ich daraus den falschen Schluß gezogen. Ich dachte, da gäbe es einen Zusammenhang mit neulich nachts, als die Neonazis mich zusammen mit diesem Hurensohn … wie nannte er sich gleich? … C-Zwölf fast umgebracht hätten. Das Timing schien mir – also, sagen wir mal, ein wenig auffällig.«

»Das war es auch«, nickte Durbane, »und es gab auch einen guten Grund dafür, daß die Nazis vor uns dorthin kamen –«

»Und welchen?«

»C-Zwölf. Wir haben es am nächsten Morgen herausgefunden und es in den Bericht aufgenommen. Dein deutscher Fahrer hat seinen meilenweit entfernten Freunden die Frequenz deiner Funkanlage durchgegeben und den Schalter auf Senden gestellt. Die haben von dem Augenblick an, wo du die Botschaft verlassen hast, alles mitgehört, was du gesagt hast. Als du bei mir Verstärkung angefordert hast, haben sie sofort gehandelt.«

»Herrgott, so einfach war das, und ich bin nie auf die Idee gekommen, einen Blick auf das Radio zu werfen.«

»Da hättest du einen kleinen roten Punkt gesehen, der anzeigt, daß das Gerät auf Sendung geschaltet ist.«

»Scheiße!«

»Jetzt mach dir, um Himmels willen, keine Vorwürfe. Du hattest einen schrecklichen Abend hinter dir; es war früher Morgen, und du warst erschöpft.«

»Ich sage dir das ungern, Bobby, aber das ist keine Entschuldigung. Wenn man an den Punkt kommt, muß man alles Adrenalin mobilisieren, was man hat, weil man dann nämlich am stärksten gefährdet ist ... Seltsam, nicht wahr? Die Neonazis haben sich an Phyllis Cranston rangemacht.«

»Was soll daran seltsam sein? Sie ist labil, und das ist immer die beste Chance, jemanden unter Kontrolle zu bekommen.«

»Und ihr Boß?«

»Da sehe ich jetzt keinen Zusammenhang.«

»Den gibt es aber, mein Freund, und ob es den gibt.«

»Wenn du damit recht hast«, sagte Durbane und starrte Lennox an, »dann ist es eine Art Zange. Konzentriere dich auf zwei; eine Alkoholikerin und ihren ehrgeizigen, habgierigen Vorgesetzten. Einer von den beiden wird zusammenbrechen, ohne daß du etwas zu unternehmen brauchst.«

»Also die eine ist dank dir, Bobby, nicht zusammengebrochen. Jetzt wollen wir uns den andern vornehmen. Sag Phyllis' Boß, du hättest mit einem meiner Leute gesprochen, und der hätte sich bereit erklärt, bei ein paar Bankleuten Erkundigungen einzuziehen, wenn er dir den Namen dieses Maklers nennt.«

»Ich verstehe nicht –«

»Wenn er dir keinen Namen gibt, wissen wir, daß er das nicht kann. Wenn er einen nennt, wissen wir, wer hinter ihm steht.«

»Das kann ich sofort erledigen«, sagte Durbane, griff nach dem Telefon und wählte die Nummer des Attachés. »Phyllis, ich bin's, Bobby. Lassen Sie mich mit diesem Idioten in Nadelstreifen reden. Und Phyl, mit Ihnen hat das nichts zu tun ... Hello, Bancroft, ich bin's, Durbane, in der Fernmeldezentrale. Ich habe gerade mit Lennox' erstem Ermittler gesprochen, und der hat zwar 'ne Menge um die Ohren, meint aber, er könnte ein paar Banker in Ihrer Sache ansprechen. Wie heißt dieser Immobilienmakler, der Ihnen das Angebot gemacht hat? ... Ah ja, ich verstehe. Ja, das werde ich ihm sagen. Ich ruf Sie dann wieder an.« Durbane legte auf und schrieb etwas auf einen Block. »Der Mann heißt Vaultherin, Picon Vaultherin, seine Firma trägt denselben Namen. Bancroft hat gesagt, ich soll deinem Büro sagen, sein Konsortium hätte Exklusivrechte auf ungefähr zwanzig Quadratmeilen erstklassiges Bauland im Loiretal.«

»Das ist aber interessant«, sagte Drew und blickte mit zusammengekniffenen Augen auf die Wand.

»Es geht schon seit Jahren die Rede, daß viele von diesen alten Châteaus langsam am Zerfallen sind, und niemand kann sich leisten, sie wieder herzurichten. Und es heißt auch, die Bodenspekulanten seien so scharf darauf, Land aufzukaufen und dort Villen zu bauen, daß ihnen der Schaum vor dem Mund steht. Ich könnte da selbst ein paar Dollar investieren, oder zumindest meinen Schwiegersohn dazu veranlassen, daß er sich das alles einmal ansieht.«

»Deinen Schwiegersohn?« fragte Lennox und wandte sich wieder Durbane zu.

»Schon gut, das ist mir eigentlich peinlich. Du würdest doch nicht wissen, wer er ist, genausowenig wie ich, wenn er nicht mit meiner Tochter verheiratet wäre.«

»Dann habe ich nichts gesagt.«

»Ja, bitte. Was willst du jetzt in bezug auf diesen Vaultherin unternehmen?«

»Ich werde das Witkowski übergeben, und der wird es an Moreau im Deuxième Bureau weitergeben. Wir werden Vaultherins Vergangenheit unter die Lupe nehmen ... und uns diese Exklusivrechte im Loiretal näher ansehen.«

»Was hat das eine mit dem anderen zu tun?«

»Keine Ahnung, ich möchte mich einfach näher damit befassen. Möglicherweise hat jemand einen Fehler gemacht ... Und vergiß nicht, Bobby, ich bin nie hiergewesen. Das könnte ich gar nicht, ich bin nämlich tot.«

Es war halb zehn Uhr abends. Die Botschaftsküche hatte Karin und Drew in den privaten Gemächern des Botschafters ein hervorragendes Abendessen serviert. Die Stewards hatten den Tisch im Speisezimmer mit exquisitem Kristall und Kerzen gedeckt und zwei Flaschen vorzüglichen Weins – eine Flasche roten Pommard auf Zimmertemperatur (für das *bifteck*, das Lennox sich dick und blutig bestellt hatte) sowie einen gekühlten Chardonnay (zu Karin de Vries' Seezungenfilet Almondine). Daniel Courtland hatte ihnen allerdings auf Anweisung seiner Regierung nicht Gesellschaft geleistet, weil vereinbart worden war, daß Colonel Stanley Witkowski erscheinen und mit ihnen das weitere strategische Vorgehen diskutieren sollte, von dem der Botschafter nichts wissen durfte. Dementierbarkeit wurde wieder mal großgeschrieben.

»Wie komme ich bloß auf die Idee, daß das meine Henkersmahlzeit ist?« sagte Drew, als er den letzten Bissen Steak verzehrt und einen Schluck aus seinem dritten Glas Pommard genommen hatte.

»Wenn du weiter so ißt, wird es das auch sein«, erwiderte Karin. »Du hast jetzt soviel Cholesterin vertilgt, daß es die Arterien eines Dinosauriers verstopfen könnte.«

»Wer weiß das heute schon? Die ändern ja immer wieder ihre Meinung. Margarine ist gut, Butter ist ungesund ... Butter ist besser, Margarine ist schädlich. Ich warte jetzt bloß auf die nächste Analyse, die mir sagt, daß Rauchen ein Mittel gegen Krebs ist.«

»Vielfalt und Mäßigung sind die Antwort, Liebster.«

»Ich mag Fisch nicht. Beth konnte Fisch nie richtig zubereiten. Er hat immer nach Fisch gerochen.«

»Harry hat Fisch sehr gemocht. Er hat mir erzählt, daß eure Mutter ihn köstlich zubereitet hat, mit ein wenig Dill.«

»Harry und Mom hatten sich gegen Dad und mich verschworen. Er und ich sind dann immer aus dem Haus gegangen und haben uns einen Hamburger gekauft.«

»Drew«, sagte Karin ernst, »hast du eigentlich schon mit deinen Eltern gesprochen und ihnen die Wahrheit über dich und Harry gesagt?«

»Bis jetzt noch nicht, dafür ist die Zeit noch nicht reif.«

»Das ist schrecklich grausam. Du bist das einzige Kind, das ihnen geblieben ist, und du warst bei ihm, als er getötet wurde. Du darfst nicht einfach so tun, als gäbe es sie nicht; sie müssen schrecklich leiden.«

»Beth könnte ich ja vertrauen, aber nicht meinem Vater. Man kann sagen, daß er mit seiner Meinung nicht zurückhält und nicht viel von den Behörden hält. Er hat sich sein Leben lang mit Universitätsverwaltungen und den Vorschriften aller möglichen Länder hinsichtlich archäologischer Forschungsarbeiten herumgeschlagen. Er würde bestimmt wissen wollen, wen man verantwortlich machen kann, und das könnte ich ihm nicht sagen.«

»In dem Punkt scheint er seinen zwei Söhnen gar nicht so unähnlich zu sein.«

»Mag ja sein. Deshalb sage ich ja, daß das nicht der richtige Zeitpunkt ist.«

Es klingelte an der Tür. Im gleichen Augenblick kam ein Steward aus der Küche. »Wir erwarten Colonel Witkowski«, sagte Lennox. »Bitte lassen Sie ihn herein.«

»Ja, Sir.«

Augenblicke später trat der Sicherheitschef der Botschaft ein und warf einen mißbilligenden Blick auf die Tafel. »Was, zum Teufel, soll das?« fragte er schroff. »Ihr beiden habt wohl plötzlich die Diplomatenlaufbahn eingeschlagen?«

»Ich persönlich vertrete das Königreich Oz«, erwiderte Drew und grinste. »Wenn Ihnen das Kerzenlicht zu hell ist, könnten ja unsere Sklaven ein paar Kerzen ausblasen.«

»Achten Sie nicht auf ihn, Stanley«, sagte Karin, »er hat drei Glas Wein getrunken. Wenn Sie gerne etwas hätten, können wir es Ihnen sicher bestellen.«

»Nein, vielen Dank.« Witkowski setzte sich. »Ich hab mir ein verdammt gutes Steak ins Büro schicken lassen, während ich auf Moreaus Anruf wartete.«

»Zuviel Cholesterin«, sagte Lennox. »Haben Sie davon noch nicht gehört?«

»In letzter Zeit nicht, aber von Moreau habe ich gehört.«

»Und?« fragte Drew plötzlich wieder ernst.

»Dieser Vaultherin ist auf den ersten Blick relativ sauber, aber es gibt doch einige Fragezeichen. Er hat mit Neubauprojekten in der Umgebung von Paris ein Vermögen verdient und dabei eine ganze Menge Investoren ebenfalls sehr reich gemacht.«

»Na und? Das haben andere auch getan.«

»Aber nicht Leute mit seiner Vergangenheit. Er ist ein junger, arroganter Geschäftemacher.«

»Ich frage noch einmal – was ist daran außergewöhnlich?«

»Sein Großvater war Mitglied der Milice –«

»Der was ...?«

»Das war die Polizei des Vichy-Regimes während der Kriegszeit«, antwortete Karin, »das Pendant zur Résistance, das die Nazis aufgebaut haben. Ohne sie hätten die Deutschen nie die Kontrolle über das besetzte Land ausüben können.«

»Und worauf wollen Sie hinaus, Stanley?«

»Vaultherin arbeitet hauptsächlich mit Investoren aus Deutschland. Sie kaufen alles auf, was ihnen unter die Finger kommt.«

»Und was ist mit dem Loiretal?«

»Das gehört ihnen praktisch, zumindest große Partien entlang des Flußufers.«

»Haben Sie eine Liste der Anwesen?«

»Ja, die habe ich«, sagte der Colonel und holte ein zusammengefaltetes Blatt Papier aus der Innentasche und hielt es Drew hin. »Ich weiß nicht recht, was man daraus entnehmen kann, die meisten Anwesen sind seit Generationen in Familienbesitz. Die anderen sind entweder von den Behörden beschlagnahmt, weil niemand die Steuern bezahlt hat, und inzwischen unter Denkmalschutz gestellt worden, oder irgendwelche Filmstars und andere Prominenz haben sie in letzter Zeit gekauft und dann von ihren Steuerberatern gehört, was Sanierung und Unterhalt kosten. Die meisten davon stehen jetzt zum Verkauf.«

»Stehen irgendwelche Generäle auf der Liste?«

»Sie werden fünfzehn oder zwanzig namentlich aufgeführt finden, aber das ist nur der Fall, weil sie ihre Grundstücke gekauft haben und Steuern bezahlen. Dann gibt es noch wenigstens ein Dutzend andere, Generäle und Admirale, denen der Staat wegen ihrer wertvollen Dienste für die Französische Republik ›lebenlanges Wohnrecht‹ eingeräumt hat.«

»Ist ja verrückt.«

»Das tun wir auch, *chlopak*. Wir haben ein paar Tausend Spitzenmilitärs, die nach der Pensionierung in teuren Häusern im Umkreis von Militärstützpunkten wohnen. Das ist nicht ungewöhnlich, und wenn Sie einmal ein wenig darüber nachdenken, nicht einmal unfair. Diese Leute verdienen während ihrer aktiven Dienstzeit einen Bruchteil dessen, was sie in der freien Wirtschaft verdienen könnten, und wenn sie nicht irgendwie Schlagzeilen gemacht haben und deshalb von großen Firmen in ihre Aufsichtsräte berufen werden, könnten sie es sich niemals leisten, in Scarsdale, New York, zu wohnen.«

»So habe ich mir das noch nie überlegt.«

»Das sollten Sie aber versuchen, Agent Lennox. Ich werde meine fünfunddreißig Jahre in achtzehn Monaten abgeschlossen haben und kann zwar meinen Kindern und Enkeln ein herrliches Leben hier in Paris bieten – wenn Sie aber glauben, eines meiner Kinder könnte zu mir kommen und fünfzigtausend Mäuse für eine Operation borgen, dann haben Sie sich getäuscht. Sicher, ich würde es irgendwie schaffen, aber ich wäre dann finanziell ruiniert.«

»Okay, ich habe schon verstanden«, sagte Lennox und betrachtete die Liste. »Sagen Sie, Stosh, diese Erwerbungen unter Denkmalschutz, von denen Sie da sprechen, warum stehen da keine Namen dahinter?«

»Vorschrift des Quai d'Orsay. Genauso wie in unserem Land. Es gibt genügend Verrückte, die auf ehemalige Kommandierende sauer sind. Erinnern Sie sich an den Vietnamkämpfer, der versucht hat Westmoreland zu töten, indem er durch ein Fenster in sein Haus schoß?«

»Kommen wir an diese Namen heran?«

»Moreau schafft das vermutlich.«

»Dann bitten Sie ihn, daß er es tut.«

»Ich werde ihn gleich morgen früh anrufen ... So, könnten wir jetzt über unseren Einsatz sprechen, den man uns aufgetragen hat, nämlich die Entführung von Dr. Hans Traupmann in Nürnberg?«

»Fünf Mann, keinen mehr«, sagte Drew und legte Witkowskis Liste auf den Tisch. »Jeder fließend Deutsch sprechend und jeder mit Rangerausbildung, keiner der Männer verheiratet oder mit Kindern.«

»Ich bin Ihnen zuvorgekommen. Ich habe zwei bei der NATO ausgegraben. Das macht mit Ihnen und mir insgesamt vier, und dann gibt es noch einen Kandidaten aus Marseille, der vermutlich in Frage kommt.«

»Halt!« rief Karin. »Ich bin der fünfte Mann – viel besser noch, weil ich eine Frau bin.«

»Du mußt träumen, Lady. Ich wette, daß Traupmann so schwer bewacht ist, als ob er den Hope-Diamanten um den Hals tragen würde.«

»Moreau versucht darüber etwas in Erfahrung zu bringen«, sagte der Colonel. »Er würde den Einsatz liebend gern selbst übernehmen, aber der Quai d'Orsay und die französische Abwehr würden ihn in die Luft sprengen, wenn er das versuchte. Aber das heißt noch lange nicht, daß er uns nicht Unterstützung geben kann. Er rechnet damit, binnen vierundzwanzig Stunden einen Bericht über Traupmanns Gewohnheiten und seine Sicherheitsvorkehrungen zu erhalten.«

»Ich gehe mit, Drew«, erklärte Karin de Vries ruhig. »Du hast keine Möglichkeit, mich daran zu hindern, versuch es also gar nicht erst.«

»Um Himmels willen, warum?«

»Aus sämtlichen Gründen, die du bereits kennst, und einem, den du nicht kennst.«

»Was ...?«

»Was hast du bezüglich Harrys und deiner Eltern gesagt? Das werde ich dir sagen, wenn der richtige Zeitpunkt gekommen ist.«

»Was soll das für eine Antwort sein?«

»Für den Augenblick die einzige, die du kriegen wirst.«

»Und du meinst, darauf lasse ich mich ein?«

»Das wirst du wohl müssen, das ist mein Geschenk für dich. Wenn du ablehnst, werde ich dich verlassen, so weh mir das auch täte, und dann wirst du mich nie wieder sehen.«

»Soviel bedeutet es dir? Dieser Grund, den ich nicht kenne, bedeutet dir soviel?«

»Ja.«

»Karin, manchmal machst du mich wahnsinnig!«

»Das will ich ganz bestimmt nicht, Liebster, aber es gibt Dinge, die wir einfach akzeptieren müssen. Und für dich ist das eines dieser Dinge.«

»Wenn ich bloß wüßte, wie ich es dir klarmachen soll, daß ich von diesem Blödsinn nichts halte!« sagte Lennox und schluckte. Dann starrte er sie finster an. »Aber mir fällt nichts ein.«

»Hören Sie mir zu, *chlopak*«, fiel Witkowski ihm ins Wort und sah die beiden an. »Ich bin von der Idee auch nicht gerade erbaut, aber sie hat auch ihr Gutes. Eine Frau verfügt manchmal auf ihre Art über Mittel und Wege, wo Männer nicht mehr weiterkommen.«

»Worauf, zum Teufel, wollen Sie damit hinaus?«

»Offensichtlich nicht auf das, was Sie sich gedacht haben. Aber da sie sich schon einmal entschieden hat, könnte sie uns immerhin nützlich sein.«

»So etwas Gefühlloses und Kaltes habe ich aus Ihrem Mund noch nie gehört, Colonel! Der Einsatz ist alles, der Mensch nichts?«

»Das ist sehr extrem formuliert. Die Wahrheit liegt in der Mitte.«

»Sie könnte getötet werden!«

»Das könnten wir alle. Ich glaube, sie hat darauf das gleiche Recht wie Sie. Sie haben Ihren Bruder verloren und sie ihren Mann. Wer sind Sie schon, um hier König Salomon zu spielen?«

In Washington war es zwanzig Minuten vor fünf Uhr, jene hektischen Minuten, bevor der Stoßverkehr einsetzte und in denen Sekretärinnen, Angestellte und Stenotypistinnen ihre Chefs mit sanfter Gewalt bedrängen, ihre letzten Anweisungen für den Tag zu geben, damit das Personal die Garagen, Parkplätze und Bushaltestellen vor der dichten Menschenmenge erreichen kann. Wesley Sorenson hatte sein Büro bereits mit seiner Limousine verlassen, war aber nicht nach Hause unterwegs; seine Frau wußte mit Notfällen umzugehen, die falschen herauszufiltern und ihm diejenigen, die sie für echt hielt, über Autotelefon weiterzuleiten. In beinahe fünfundvierzig Jahren stand ihr Instinkt für diese Dinge dem seinen kaum nach, was er sehr zu schätzen wußte.

Anstatt nach Hause zu fahren, war der Direktor von Consular Operations zu einem Treffen mit Knox Talbot in Langley, Virginia, unterwegs. Der Chef der CIA hatte ihn vor einer Stunde angerufen; möglicherweise war inzwischen bereits die Falle über Bruce Withers zugeschnappt. Talbot hatte angeordnet, daß Withers' Telefonleitung angezapft wurde, und um vierzehn Uhr dreizehn war für ihn ein Anruf von einer Frau, die sich nur als Suzy meldete, hereingekommen. Knox hatte Wesley die Aufzeichnung über ihre abgesicherte Leitung vorgespielt.

»Hallo, Schatz, ich bin's, Suzy. Tut mir leid, daß ich dich im Büro stören muß, Süßer. Aber ich habe Sidney getroffen, und er sagt, daß er diese alte Karre für dich hat.«

»Den silbernen Aston-Martin DB-4?«

»Falls das der ist, auf den du scharf bist, er hat ihn jedenfalls aufgetrieben.«

»Hey, ich kann ihn geradezu riechen! Das ist das ›Goldfinger‹-Auto.«

»Er will ihn nicht in seinen Laden bringen. Du sollst dich mit ihm gegen halb sechs in Woodbridge in deiner Kneipe treffen.«

»Sie und ich und ein paar jüngere Männer aus der Abteilung werden ihm folgen, Wes«, hatte Talbot gesagt.

»Ja, sicher, Knox, aber warum? Der Mann ist ein Faschist, ein Dieb, und so etwas wie ein späterblühter Yuppie, aber es ist

537

schließlich kein Verbrechen, wenn er sich einen schicken englischen Oldtimer kauft.«

»Es sei denn, dieser Oldtimer ist die Bezahlung für einen Doppelmord. Und das könnte hinkommen, weil der Wagen nämlich mehr als hunderttausend Dollar kostet.«

»Wie kann man nur soviel Geld für ein altes Auto ausgeben?«

»Autofreaks können das locker – sofern sie haben. Wir treffen uns auf dem Südparkplatz. Dort steht Withers Jaguar.«

Die Limousine rollte in die Anlage von Langley und der Fahrer steuerte zielsicher auf den südlichen Parkplatz zu. Ein Mann in einem dunklen Anzug hielt sie an und zeigte ihnen eine Plakette. Sorenson ließ sein Fenster herunter. »Ja, was ist?«

»Ich habe Ihren Wagen erkannt, Sir. Wenn Sie bitte aussteigen würden und mir folgen, bringe ich Sie zum DCI. Er möchte die Fahrzeuge wechseln und auf ein Auto umsteigen, das nicht ganz so auffällig wie eine Limousine ist.«

»Das ist vernünftig.«

Wesley nahm auf dem Rücksitz eines unauffälligen Buick neben Knox Talbot Platz. »Lassen Sie sich nicht von Äußerlichkeiten täuschen«, sagte der DCI. »Diese Kiste hier hat einen Motor, mit dem man wahrscheinlich beim Rennen in Indianapolis ganz weit vorne liegen würde.«

»Ich will's Ihnen ja gern glauben – aber habe ich denn eine Wahl?«

»Nein. Außerdem gibt es außer den beiden Gentlemen vorne noch einen zweiten Wagen hinter uns mit vier weiteren Gentlemen, die bis an die Zähne bewaffnet sind.«

»Wird das die Invasion in der Normandie?«

»Ich habe die meine in Korea erlebt, also weiß ich nicht sonderlich viel über Frühgeschichte. Ich weiß nur, daß wir bei diesen Mistkerln mit allem rechnen müssen.«

»Da bin ich ganz Ihrer Ansicht –«

»Da ist er«, unterbrach ihn der Fahrer. »Er geht auf den Jag zu.«

»Langsam, Mann«, sagte Talbot. »Lassen Sie sich einfach im Verkehr treiben, aber verlieren Sie ihn nicht aus den Augen.«

»Keine Sorge, Mr. Director. Ich brenne darauf, diesem Drecksack eins zu verpassen.«

»Warum das denn, junger Mann?«

»Weil er sich an meine Verlobte rangemacht hat. Sie arbeitet im Schreibbüro. Er hat sie in einer Ecke erwischt und versucht, sie zu begrapschen.«

»Verstehe«, sagte Talbot und beugte sich zu Sorenson hinüber und flüsterte ihm ins Ohr: »Ich liebe es, wenn die Motivation stimmt, Sie nicht auch?«

Nach knapp einer Stunde Fahrt bog der Jaguar in den Parkplatz eines schäbigen Motels am Rande von Woodbridge. Am äußersten linken Ende einer Reihe von Hütten stand ein scheunenähnliches Gebäude mit einer roten Neonschrift, die COCKTAILS, TV, ZIMMER FREI verkündete. »Das Waldorf Astoria fürs schnelle Nachmittagsgeschäft, ohne Zweifel«, bemerkte Wesley, als Bruce Withers aus seinem Wagen stieg und in die Bar ging. »Ich schlage vor, Sie biegen ab und parken ein Stück rechts von der Tür«, fuhr er zum Fahrer gewandt fort, »neben diesem flachen silberfarbenen Käfer dort.«

»Das ist der Aston DB-4«, sagte Talbot, »das ›Goldfinger‹-Auto.«

»Ja, jetzt erinnere ich mich an den Film – er war gut.« Sorenson wandte sich wieder nach vorne, als der Fahrer neben den britischen Sportwagen rollte. »Wie wär's, wenn einer von Ihnen beiden reingehen und sich mal umsehen würde?«

»Ja, Sir«, erwiderte der CIA-Mann, der rechts vorne saß, »sobald unsere Verstärkung eingetroffen ist … da, jetzt parkt er.«

»Darf ich den Vorschlag machen, daß Sie die Krawatte lockern oder sie ganz abnehmen. Ich kann mir nicht vorstellen, daß man in dieser Kneipe häufig Männer in Straßenanzügen zu sehen bekommt – vielleicht in den Hütten, aber nicht dort.«

Der Mann auf dem Beifahrersitz drehte sich um. Er hatte die Krawatte bereits abgenommen und den Hemdkragen aufgeknöpft. »Und mein Jackett auch«, sagte er und zog es aus. »Heute ist ein heißer Tag.« Er stieg aus, und plötzlich veränderte sich seine ganze Haltung, als er lässig auf die Tür unter der Neonschrift zuging.

Das Publikum in der schwach beleuchteten Bar stellte eine bunte Mischung dar: ein paar Fernfahrer, Männer von einem Bautrupp, zwei oder drei Collegetypen, ein weißhaariger Mann mit einem faltigen, fleckigen Gesicht, das früher einmal aristokratisch gewirkt haben mochte, und einer Kombination, unter deren Fadenscheinigkeit immer noch die ursprüngliche Qualität zu erkennen war, und vier schon etwas ältliche Damen vom horizontalen Gewerbe, offensichtlich Einheimische. Bruce Withers war von dem vierschrötig wirkenden Barkeeper begrüßt worden.

»Tag, Mr. W.«, sagte der Barkeeper. »Wollen Sie eine Hütte?«

»Heute nicht, Hank, ich treffe mich hier mit jemandem. Ich sehe ihn nicht –«

»Hat aber niemand nach Ihnen gefragt. Vielleicht verspätet er sich.«

»Nein, er ist hier; sein Wagen steht draußen.«

»Wahrscheinlich ist er auf dem Klo. Setzen Sie sich in eine Nische. Wenn er dann kommt, schicke ich ihn zu Ihnen.«

»Danke, und eine doppelte Portion vom Üblichen. Ich habe Grund zum Feiern.«

»Kommt sofort.«

Withers setzte sich in eine Nische am hinteren Ende der Bar. Sein überdimensionaler Martini wurde gebracht, und er nippte daran, wobei die Versuchung groß war, an das Fenster vorne zu gehen und noch einmal einen Blick auf den Aston Martin zu werfen. Er konnte es gar nicht erwarten, damit über die Straßen zu fegen, konnte es nicht erwarten, bei Anita Griswald damit anzugeben – und am allerwenigsten konnte er es erwarten, daß seine Tochter Kimberley ihn zu sehen bekam! In so etwas Aufregendem konnten seine aufgeblasenen Ex-Schwiegereltern oder dieses Miststück von einer Ex-Frau sie nicht herumchauffieren! Ein breitschultriger Mann in einem karierten Hemd, der plötzlich vor der Nische auftauchte und dann ihm gegenüber Platz nahm, riß ihn aus seinen Träumen. »Guten Tag, Mr. Withers. Sie haben sicher den DB-4 gesehen. Hübsches Auto, nicht wahr?«

»Wer zum Teufel sind Sie? Jedenfalls nicht Sidney, der ist nur halb so groß wie Sie.«

»Sidney hatte keine Zeit, also habe ich das übernommen.«

»Wir kennen einander nicht. Wie haben Sie mich erkannt?«

»Eine Fotografie.«

»Eine was?«

»Das ist unwichtig.«

»Ich bin jetzt schon seit wenigstens fünf Minuten hier. Warum haben Sie gewartet?«

»Ich hab mich bloß umgesehen«, sagte der Fremde und blickte immer wieder zur Eingangstür hinüber.

»Nach was umgesehen?«

»Eigentlich ist es nichts. Um ehrlich zu sein, ich bringe wichtige Nachrichten und beträchtlichen Reichtum.«

»Oh?«

»Ich habe vier Inhaberobligationen, jede im Wert von fünfzigtausend Dollar, in der Tasche, insgesamt also zweihunderttausend Dollar. Und dann eine Einladung nach Deutschland, selbstverständlich unter Übernahme aller Kosten. Soweit uns bekannt ist, haben Sie Ihren Sommerurlaub noch nicht genommen; vielleicht könnten Sie ihn jetzt planen.«

»Mein Gott, ich bin sprachlos! Das ist ja großartig. Dann ist das wohl eine Anerkennung für den Beitrag, den ich leisten konnte, das wußte ich doch! Ich habe ein verdammt großes Risiko auf mich genommen, das wissen Sie doch alle, oder?«

»Der Beweis dafür ist, daß ich hier bin, oder nicht?«

»Ich kann es gar nicht erwarten, nach Berlin zu kommen, weil Sie nämlich recht haben, weil wir recht haben! Dieses Land hier geht vor die Hunde. Wir werden fünfzig Jahre brauchen –«

»Still!« flüsterte der Fremde plötzlich schroff und sah wieder zur Tür. »Der Mann, der nach Ihnen reingekommen ist, der im weißen Hemd.«

»Der ist mir nicht aufgefallen. Was ist mit ihm?«

»Er hat ein paar Schluck Bier getrunken, zwei Dollar hingelegt, und ist gerade wieder rausgegangen.«

»Und?«

»Warten Sie hier, ich bin gleich wieder zurück.« Der Mann schob sich aus der Nische, ging schnell um die Bar herum zu dem schmutzigen Fenster und spähte nach draußen. Dann drehte er sich um und kehrte zu der Nische zurück. Er blickte jetzt finster, seine Augen hatten sich verengt. »Sie Idiot, man ist Ihnen gefolgt!« sagte er, als er sich setzte.

»Wovon reden Sie?«

»Das haben Sie doch gehört, Sie Schwachkopf! Da draußen sind drei Männer, die mit dem im weißen Hemd reden, und Sie können's mir glauben, das sind keine Gäste dieser Spelunke. Die sehen aus wie FBI-Leute oder von der CIA.«

»Du lieber Gott! Ein Deputy Director namens Kearns hat mich gestern abend angerufen und ein paar blöde Fragen gestellt, aber das habe ich hingekriegt.«

»Kearns von der CIA?«

»Ja, dort arbeite ich schließlich, haben Sie das vergessen?«

»Nein, ganz bestimmt nicht.« Der Fremde beugte sich über den Tisch, hatte die linke Hand auf der Tischplatte liegen, die rechte darunter. »Sie haben sich zu einer Belastung für die Leute entwickelt, die von mir erwarten, daß ich meine Arbeit tue, Mr. Withers.«

»Geben Sie mir einfach das Geld, dann verschwinde ich hier durch die Hintertür.«

»Und was werden Sie dann tun?«

»In einer leeren Hütte warten, bis die weg sind, und dann einer von den Nutten Geld geben, damit sie gegebenenfalls beschwört, daß sie mit mir zusammen war, und dann nach Hause fahren. Das geht glatt, wäre nicht das erste Mal. Rufen Sie mich später wegen des Aston Martin an. Kommen Sie schon!«

»Das glaube ich nicht.« An der Bar ertönte brüllendes Gelächter, gleichzeitig konnte man unter dem Tisch viermal nacheinander ein Geräusch hören, wie wenn jemand ausspuckt. Bruce Withers sackte auf der Bank zurück, und sein Oberkörper blieb an der Rückenlehne hängen. Seine Augen waren weit aufgerissen und aus seinem Mundwinkel tropfte Blut. Der Fremde im karierten Hemd schob sich aus der Nische, ging ohne Eile auf den Lieferanteneingang im hinteren Teil des Lokals zu und schob sich die Pistole mit dem Schalldämpfer in den Gürtel. Er öffnete die Tür und verschwand.

Neun Minuten verstrichen, bis plötzlich aus dem Inneren der Hotelbar laute Schreie ertönten. Eine auffällig geschminkte Frau rannte zur Tür hinaus und kreischte: »Um Himmels willen! Da drinnen ist einer erschossen worden!«

Die CIA-Agenten mit ihrem Direktor und Wesley Sorenson rannten hinein. Alle Anwesenden erhielten Anweisung in der Bar zu bleiben und keine Telefonate zu führen. Dann traten Knox Talbot und Sorenson mit bedrückter Miene wieder ins Freie, wo inzwischen die Sonne unterging. Der Aston Martin DB-4 war verschwunden.

35

Das Subjekt, Dr. Hans Traupmann (Bild des Wohnhauses siehe oben), wird rund um die Uhr von Leibwächtern beschützt, Drei-Mann-Einheiten in Acht-Stunden-Schichten, die schwer bewaffnet sind, selbst wenn sie den Chirurgen in den OP begleiten, wo sie auch während Operationen anwesend sind. Wenn Traupmann ein Restaurant besucht oder Theater, Konzerte oder irgendwelche Veranstaltungen, wird seine Bewachung häufig verdoppelt und diese flankiert ihn im Parkett oder an umliegenden Tischen und hält sich häufig in sehr professioneller Weise in seiner Umgebung auf. Beim Einsatz in Traupmanns Haus kontrollieren die Leibwächter ständig die Aufzüge und Korridore und auch die Umgebung seines luxuriösen Appartementhauses. Dazu kommen noch mehrere Alarmanlagen. Wenn Traupmann eine öffentliche Toilette aufsucht, gehen zwei Leibwächter mit, während der dritte vor der Tür bleibt und andere höflich davon abhält, den Raum zu betreten, bis Traupmann wieder erscheint. Als Fahrzeug dient ihm eine gepanzerte Mercedes-Limousine mit kugelsicheren Scheiben. Größere Reisen unternimmt er gewöhnlich mit seiner privaten Düsenmaschine, die in einem alarmgesicherten Hangar auf einem Flugplatz im Süden von Nürnberg steht; Kameras registrieren alle Aktivitäten auf dem und um das Hangargelände.

Von diesen Sicherheitsvorkehrungen weicht Traupmann lediglich ab, wenn er nach Bonn fliegt und mit seinem Motorboot auf dem Rhein mutmaßlich geheime Sitzungen der Neonazibewegung aufsucht. (Siehe vorangegangenen Bericht.) Wie es scheint, ist es keinem der Mitglieder gestattet, einen Kapitän oder eine Mannschaft zu beschäftigen. Das erklärt die geringe Größe und gute Manövrierfähigkeit des Fahrzeuges. Es handelt sich dabei um ein kleines Boot mit einem 125-PS-Motor, das mit aufblasbaren Pontons an der Backbord- und an der Steuer-

bordseite ausgestattet ist. Ferner gibt es Sicherheitsvor-
kehrungen in Form von im Kreis beweglichen Kameras,
die Bild- und Tonaufnahmen zu seinen Leibwächtern im
Bootshafen übertragen, wo ein Hubschrauber für einen
sofortigen Notstart bereitsteht. (Daraus lassen sich fol-
gende unbestätigte Schlüsse ziehen: Ein Radargerät über-
trägt Flußkoordinaten und das Boot ist mit Gasdüsen an
den Bordwänden ausgestattet, um etwaige Enterangriffe
abzuwehren. Der Steuermann ist mit einer einfachen
Maske geschützt. Letztere Erkenntnis geht auf eine Beob-
achtung zurück.)

Viel Glück, Claude. Sie schulden mir einen Gefallen. Ich
mußte mir im Bootshafen von Bonn schnell die Ausrede ein-
fallen lassen, daß ich beabsichtige, mir eine amerikanische
Chris-Craft zu kaufen. Zum Glück habe ich den Leuten
den Namen eines spanischen Abwehragenten, eines ausge-
sprochenen Schweins, angegeben, der hier tätig ist und mir
Geld schuldet.

Drew Lennox schmunzelte über den letzten Absatz, legte
Moreaus Bericht auf den antiken Tisch, der ihm als Schreibtisch
diente, und sah zu Witkowski und Karin hinüber, die auf der
Couch saßen. »Gibt es irgend etwas, woran dieser Mistkerl nicht
gedacht hat?« fragte er.

»Das ist ziemlich wasserdicht«, erwiderte der Colonel.

»Keine Ahnung«, sagte Karin de Vries. »Ich habe den Bericht
ja nicht gelesen.«

»Dann lies ihn jetzt.« Drew stand auf, gab Karin den Bericht
und setzte sich dann auf einen der Brokatsessel gegenüber der
Couch. Während sie zu lesen begann, fuhr Lennox fort: »Verdammt will ich sein, wenn ich weiß, wo man da anfangen soll«,
sagte er. »Dieser Drecksack ist wirklich gründlich geschützt, bis
hin zur Herrentoilette.«

»Auf dem Papier sieht es tatsächlich schlimm aus, aber vielleicht finden wir aus der Nähe irgendeine Lücke.«

»Das wollen wir hoffen. Wenn man das so liest, scheint es mir
wesentlich einfacher, ihn zu erledigen als ihn zu entführen.«

»So ist es immer.«

»Ablenkungsmanöver«, sagte Karin und blickte von Moreaus Bericht auf. »Das ist das einzige, was mir spontan einfällt. Man muß irgendwie die Aufmerksamkeit seiner Leibwächter ablenken.«

»Ja, das ist zwingend notwendig«, sagte Witkowski. »Übrigens, die zwei Männer von der NATO warten unten in meinem Büro. Sie sind mit der Drei-Uhr-Maschine aus Brüssel gekommen, mit neuen Pässen und Papieren, aus denen hervorgeht, daß sie Vertreter einer Flugzeugfirma sind.«

»Eine gute Tarnung«, sagte Lennox. »Von solchen Vertretern wimmelt es in Europa geradezu.«

»Es hat einige Mühe gekostet, alles vorzubereiten. Der ganze Vormittag und ein Teil des Nachmittags, um die beiden richtig authentisch erscheinen zu lassen. Sie stehen tatsächlich auf der Gehaltsliste dieser Firma.«

»War das alles notwendig?« wollte Karin wissen.

»Das war es in der Tat, junge Lady. Ein Hinweis auf die richtigen Namen der beiden würde erkennen lassen, daß es sich um Offiziere von den Special Forces handelt, die bei der Operation Wüstensturm hinter den feindlichen Linien gekämpft haben. Jeder von den beiden kann mit dem Messer genauso gut umgehen wie mit den Händen. Ganz zu schweigen von Garotten und Handfeuerwaffen.«

»Das heißt, es sind Killer.«

»Nur, wenn es notwendig ist, Karin. Offen gestanden, es sind zwei nette junge Männer, sogar ein wenig schüchtern, aber man hat sie dazu ausgebildet, in bestimmten Situationen richtig zu reagieren.«

»Mit anderen Worten, sie schlagen einem den Schädel ein, wenn man ihnen dumm kommt«, erklärte Lennox. »Sie sind mit den beiden einverstanden, Stosh?«

»Unbedingt.«

»Und beide sprechen fließend Französisch und Deutsch?« fragte Karin de Vries.

»Hundertprozentig. Der erste heißt Captain Christian Dietz, zweiunddreißig Jahre alt, Absolvent der Denison University und Offizier in der Army. Eltern und Großeltern waren Deutsche. Die letzteren gehörten während des Dritten Reichs der deutschen Untergrundbewegung an. Sein Vater und seine Mutter wurden als Kinder in die USA geschickt.«

»Und der zweite?« fragte Drew.

»Ein Lieutenant namens Anthony, Gerald Anthony. Er ist ein wenig interessanter als sein Kollege«, sagte der Colonel. »Er hat einen Magister in französischer und deutscher Literatur und hat an einem kleinen College in Pennsylvania unterrichtet, während er an seiner Doktorarbeit arbeitete; und dann hat er auf einmal begriffen, wie er das formulierte, daß er mit der Campus-Politik nicht klarkam. Ich hatte mir gedacht, ich lasse die beiden raufkommen«, fuhr Witkowski dann fort. »Auf die Weise lernen wir einander in einer etwas privateren Atmosphäre kennen.«

»Gute Idee, Stanley«, sagte Karin. »Ich lasse die Küche ein paar Hors d'œuvres zubereiten und Kaffee, vielleicht Drinks.«

»Nein«, widersprach Drew. »Keine Hors d'œuvres, keinen Kaffee und ganz bestimmt keine Drinks. Hier geht es um eine kalte paramilitärische Operation, und dabei wollen wir es auch belassen.«

»Ist das nicht ein wenig zu kalt?«

»Er hat recht, junge Lady. Obwohl ich eigentlich nicht damit gerechnet hatte, daß er das sagen würde. Ich habe mich getäuscht, aber die Zeit für solche Aufmerksamkeiten kommt jedenfalls später.«

Karin warf ihm einen fragenden Blick zu.

»Die beiden sind immer noch unter Beobachtung«, erklärte Lennox. »Wir haben noch nicht endgültig entschieden, ob sie für ihren Job geeignet sind – wie verhalten sie sich, was haben sie zu bieten? Zwei Special Forces-Offiziere, die hinter den feindlichen Linien operiert haben, sollten Gelegenheit bekommen, sich darzustellen.«

»Ich wußte nicht, daß wir so viel Auswahlmöglichkeiten haben.«

»Die haben wir nicht, aber das wissen die beiden nicht. Lassen Sie sie heraufkommen, Stanley.«

Captain Christian Dietz hätte, abgesehen davon, daß er etwas klein geraten war, ein Plakat der Hitlerjugend zieren können. Blond, blauäugig und mit einer Figur, um die ihn jeder Olym-

547

piateilnehmer beneidet hätte, sah man ihm den erfahrenen Einzelkämpfer auf den ersten Blick an. Lieutenant Gerald Anthony andererseits war ebenso muskulös, aber wesentlich größer und dunkelhaarig, ein gertenschlanker Mann, bei dem man unwillkürlich an eine Bullenpeitsche denken mußte, bereit, jeden Augenblick einen tödlichen Schlag zu führen. Doch in den Gesichtern der beiden, war keine Spur von Bösartigkeit zu erkennen. Ihre Augen blickten geradezu freundlich. Und um den Kontrast noch zu steigern, waren sie, wie Witkowski schon erwähnt hatte, im Grunde genommen schüchterne Männer, die nur zögernd von ihren Leistungen in der Vergangenheit oder den Belobigungen, die sie dafür erhalten hatten, berichteten.

»Wir waren einfach zur richtigen Zeit am richtigen Ort«, sagte Dietz, ohne das näher zu erklären.

»Man hatte uns hervorragend vorbereitet«, fügte Anthony hinzu. »Ohne die nachrichtendienstlichen Erkenntnisse hätten die Iraker uns am Spieß geröstet, das heißt, wenn sie je gelernt hätten, wie man in der Wüste Feuer macht.«

»Dann haben Sie also im Team gearbeitet?« fragte Drew.

»Unser Radiocode lautete Alpha-Delta.«

»Sie haben den Traupmann-Bericht gelesen«, fuhr Lennox fort. »Irgendwelche Vorschläge?«

»Ein Restaurant«, sagte Lieutenant Anthony.

»Der Fluß«, sagte Captain Dietz gleichzeitig. »Ich sage, wir warten in Nürnberg, folgen ihm nach Bonn und nutzen dort den Fluß.«

»Warum ein Restaurant?« fragte Karin zu Anthony gewandt.

»Dort kann man ohne Mühe ein Ablenkungsmanöver inszenieren –«

»Das habe ich auch gesagt«, fiel sie ihm ins Wort.

» … indem man irgendwo ein Feuer anzündet«, fuhr der Lieutenant fort, »oder indem man die Leibwächter identifiziert und entweder gewaltsam oder mit Hilfe von Beruhigungsmitteln, die man ihnen ins Essen oder in die Getränke tut, bewegungsunfähig macht. Ein Feuer scheint mir wirksamer. All die flambierten Gerichte – es sollte ein Kinderspiel sein, eine Sauce auszutauschen und schon ist das ganze Lokal von Flammen erfüllt, die zwar nur von kurzer Dauer sind, aber alle hinreichend ablenken, während wir das Subjekt in unsere Gewalt bekommen.«

»Und der Fluß?« warf Witkowski ein.

»Man könnte die Gasdüsen an den Bootswänden abdichten – das wäre nicht das erste Mal, daß wir das tun. Saddam Husseins Streifen waren alle so ausgerüstet. Dann putzt man die Kameras mit Hochgeschwindigkeitsmunition weg, das wirkt wie ein Versagen des elektrischen Systems. Das Ganze muß als Unterwassereinsatz ablaufen, außerhalb der Kamerareichweite und bevor das Boot sich dem Ufer nähert. Dann steigt man an Bord und verschwindet.«

»Noch einmal zurück zu dem Restaurantvorschlag«, sagte Lennox. »Lieutenant, warum glauben Sie, daß die Aktion besser in einem Restaurant in Nürnberg stattfinden sollte als auf dem Fluß bei Bonn?«

»Zuallererst spart das Zeit, und im übrigen kann auf dem Fluß zuviel schiefgehen. Schlechte Sicht, eine übersehene Gasdüse oder eine Kamera, die wir verfehlen – auch nur eine. Der Helikopter ist mit starken Scheinwerfern ausgestattet, und das Motorboot ist leicht zu identifizieren. So wie ich die Situation verstanden habe, würde der Feind lieber in Kauf nehmen, daß das Subjekt getötet wird – mit einer Maschinengewehrgarbe oder einer Bombe –, als daß er lebend in unsere Hände fällt.«

»Ein wichtiger Punkt«, sagte der Colonel. »Und Sie, Captain, warum glauben Sie, daß ein Restaurant keine so gute Wahl ist?«

»Ebenfalls weil zuviel schiefgehen kann, Sir«, sagte Dietz. »Eine in Panik geratene Menschenmenge behindert gute Leibwächter überhaupt nicht. Sobald das Feuer ausbricht, werden die das Subjekt umringen – und die Leibwächter, die nicht an den unmittelbar benachbarten Tischen sitzen, können Sie unmöglich unter Schlafmittel setzen, selbst wenn Sie sie identifizieren können.«

»Sie teilen also die Meinung Ihres Kollegen nicht«, sagte Karin.

»Das ist nicht das erste Mal, Ma'am. Gewöhnlich einigen wir uns irgendwie.«

»Aber Sie sind sein Vorgesetzter«, sagte Witkowski.

»Wir achten nicht sehr auf den Dienstrang«, sagte der Lieutenant. »Jedenfalls nicht im Einsatz. Noch ein oder zwei Monate, dann bin ich auch Captain, und dann werden wir uns die Rechnung beim Mittagessen oder beim Abendessen teilen müssen. Ich werde dann nicht mehr darauf bestehen können, daß er alleine bezahlt.«

»Ich habe eine außerordentlich gute Idee«, sagte Lennox. »Die Sonne steht verdammt nahe bei der Rahnock, was auch immer das sein mag. Trinken wir einen Schluck.«

»Aber du hattest doch gesagt –«

»Vergessen Sie, was ich gesagt habe, General de Vries.«

Die fünf Mitglieder von Operation N-2 flogen mit drei verschiedenen Flügen nach Nürnberg, Drew mit Lieutenant Anthony, Karin mit Captain Dietz und Witkowski allein. Claude Moreau hatte das Nötige arrangiert: Lennox und de Vries hatten nebeneinanderliegende Zimmer im selben Hotel; Witkowski, Anthony und Dietz waren in verschiedenen Hotels über die Stadt verteilt. Als Treffpunkt war der nächste Vormittag in der Städtischen Bibliothek von Nürnberg verabredet, zwischen den Regalen mit den Bänden, die sich mit der Geschichte der ehemaligen Reichsstadt befaßten. Man führte sie als drei Doktoranden und ihren Professor von der Columbia University in New York mit ihrer deutschen Reiseführerin in ein Konferenzzimmer. Papiere wurden nicht benötigt, da Moreaus Agenten bereits gute Vorarbeit geleistet hatten.

»Ich hatte keine Ahnung, wie schön das hier ist!« rief Gerald Anthony, der einzige echte Doktorand unter ihnen aus. »Ich bin früh aufgestanden und habe einen kleinen Spaziergang gemacht. Man kommt sich vor wie im Mittelalter – die Mauern aus dem elften Jahrhundert, die alte Burg und das Kartäuserkloster. Bei Nürnberg sind mir bisher immer bloß die Kriegsverbrecherprozesse eingefallen, und dann vielleicht noch Brauereien und Spielwarenfabriken.«

»Wie können Sie deutsche Kunstgeschichte studiert und sich nicht mit dem Geburtsort von Hans Sachs und Albrecht Dürer befaßt haben?« fragte Karin, als alle um den wuchtigen, runden Tisch saßen.

»Nun ja, Sachs war in erster Linie Sänger und Dichter, und Dürer war Kupferstecher und Maler. Ich habe mich auf die deutsche Literatur konzentriert und den schlimmen Einfluß, der häufig –«

»Darf ich euch beide vielleicht in die rauhe Wirklichkeit zurückholen?« fiel Lennox ihm ins Wort, und Witkowski schmunzelte. »Auf unserer Tagesordnung stehen im Augenblick andere Dinge.«

»Entschuldigung, Drew«, sagte Karin. »Wer fängt an?«

»Ich bin auch früh aufgestanden«, erwiderte Captain Dietz. »Aber, da ich nicht ganz so ästhetisch gestimmt bin, habe ich mir Traupmanns Haus angesehen. Der Bericht des Deuxième ist komplett. Seine Gorillas streifen wie ein Wolfsrudel um den Bau. Sie gehen hinein, kommen wieder heraus, umkreisen das Gebäude und kommen zurück; einer verschwindet, ein anderer taucht auf. Dort einzudringen und lebend wieder herauszukommen, scheint mir unmöglich.«

»Wir haben auch nie ernsthaft in Betracht gezogen, die Aktion in seinem Apartment durchzuführen«, sagte der Colonel. »Die Männer des Deuxième hier in Nürnberg sind unsere Beobachter. Sie werden uns telefonisch informieren, wenn er sein Haus verläßt. In Kürze sollte einer von ihnen hier sein. Sie haben Ihre Zeit verschwendet, Captain.«

»Nicht unbedingt, Sir. Einer der Posten ist ein starker Trinker; ein großer, breitschultriger Kerl, dem man es nicht ansieht, aber jedesmal, wenn er sich unbeobachtet glaubt, nimmt er einen Schluck aus der Flasche. Ein anderer muß einen Ausschlag zwischen den Beinen und am Bauch haben – er kratzt sich dauernd, wenn keiner hinsieht.«

»Und was bedeutet das für uns?« fragte de Vries.

»Einiges, Ma'am. Jetzt, wo wir diese Information besitzen, könnten wir so Stellung beziehen, daß wir einen oder beide gefangennehmen, und sobald wir sie in unserer Gewalt haben, können wir das, was wir bisher in Erfahrung gebracht haben, dazu benutzen, um zusätzliche Informationen von ihnen zu bekommen.«

»Ist das eine Taktik, die Sie damals bei der Operation Wüstensturm eingesetzt haben?« Witkowski war sichtlich beeindruckt.

»Dort war es hauptsächlich das Essen, Colonel. Eine ganze Menge von diesen Irakern hatten tagelang nichts mehr zwischen die Zähne bekommen.«

»Ich möchte wissen, wie er seine Limousine besteigt oder verläßt«, sagte Drew. »Er muß das Haus verlassen und in den Wagen steigen und im Krankenhaus muß er aus dem Wagen steigen und das Gebäude betreten. Ob das nun auf der Straße oder in einer Tiefgarage ist, er ist jedenfalls, wenn auch nur kurze Zeit, sichtbar. Das könnte eine Chance für uns sein.«

»Die Zeitspanne ist aber so kurz, daß das auch nachteilig für uns sein könnte«, gab Lieutenant Anthony zu bedenken. »Wenn wir darauf gekommen sind, dann haben seine Leibwächter das mit Sicherheit auch bedacht.«

»Wir haben Luftdruckpistolen, Schalldämpfer und dazu das Überraschungselement«, sagte Lennox. »Das hat sich häufig als vorteilhaft erwiesen.«

»Vorsicht!« warnte Witkowski. »Ein falscher Schritt und unsere Chance ist dahin. Wenn die auch nur einen leisen Hauch von dem verspüren, was wir hier vorhaben, dann verfrachten die unseren Freund Traupmann sofort in einen Bunker im Schwarzwald. Ich sage, wir haben einen Schuß und der muß treffen. Wir werden also abwarten, studieren und ganz sicherstellen, daß es unser bester Schuß ist.«

»Genau dieses Warten ist es, das mich unruhig macht, Stosh.«

»Mich macht die Aussicht auf ein Scheitern wesentlich unruhiger«, sagte der Colonel. Plötzlich war aus Witkowskis Tasche ein leises Trillern zu hören. Er griff hinein und holte ein kleines Handy heraus, das ihm der deutsche Zweig des Deuxième zur Verfügung gestellt hatte. »Ja?«

»Tut mir leid, daß ich mich zum Frühstück verspäte«, sagte eine Stimme mit starkem französischem Akzent in englischer Sprache. »Ich bin nur ein kurzes Stück vom Café entfernt und sollte in ein paar Minuten da sein.«

Der Colonel wandte sich seinen Kollegen am Tisch zu. »Einer von Moreaus Männern wird gleich hier sein. Karin, würden Sie ihn, bitte, draußen am Empfang abholen und hierherbringen?«

»Aber keineswegs. Wie heißt er, und was ist seine Tarnung?«

»Ahrendt, Privatdozent an der Universität Nürnberg.«

»Ich gehe schon.« De Vries stand auf, ging an die Tür und verließ den Raum.

»Beachtlich, die Lady«, sagte der junge Ranger, Lieutenant Anthony. »Ich meine, sie versteht wirklich etwas von Geschichte und Kunst –«

»Das wissen wir«, sagte Lennox trocken.

Der Mann, mit dem Karin zurückkehrte, wirkte wie ein durchschnittlicher deutscher Bankangestellter, mittelgroß, gut gebügelte Konfektionskleidung der mittlerern Preiskategorie. Alles an ihm war Mittelmaß, und das bedeutete, daß er ein hervorragender Agent des Deuxième Bureau war.

»Namen sind nicht erforderlich, Gentlemen«, sagte er mit einem freundlichen Lächeln. »Selbst falsche Namen – die machen einen so konfus, nicht wahr? Aber sagen Sie einfach Karl zu mir, das ist ein geläufiger Name und macht es einfacher.«

»Setzen Sie sich, Karl«, sagte Drew und deutete auf einen leeren Sessel. »Ich brauche wohl nicht zu sagen, wie sehr wir Ihre Hilfe zu schätzen wissen.«

»Ich kann nur hoffen, daß sie Ihnen auch nützen wird.«

»Sie klingen nicht gerade sehr zuversichtlich.«

»Sie haben sich da eine äußerst schwierige Aufgabe vorgenommen.«

»Wir haben auch äußerst kompetente Unterstützung«, sagte Witkowski. »Können Sie dem Bericht etwas hinzufügen?«

»Ja, einiges. Zunächst einmal möchte ich berichten, was wir, seit der Bericht nach Paris geschickt wurde, noch in Erfahrung bringen konnten. Traupmann erledigt den größten Teil seiner privaten Geschäfte über das Büro des äußerst wohlhabenden Aufsichtsratsvorsitzenden des Krankenhauses, eines Mannes mit weitreichenden politischen und gesellschaftlichen Verbindungen – Traupmann braucht das offenbar für sein Ego, weil es den Eindruck erweckt, als sei der Vorsitzende für ihn tätig.«

»Eigentlich ein wenig seltsam, wenn man bedenkt, wer Traupmann ist«, sagte Gerald Anthony, der Gelehrte.

»Eigentlich gar nicht, Gerry«, widersprach Christian Dietz. »Es ist so, als wenn der Verteidigungsminister ein Flugzeug über das Oval Office bestellen würde. Er mag ein wichtiger Mann sein, aber es gibt keinen größeren als den Präsidenten. Tatsächlich ist das sehr deutsch.«

»Ganz richtig.« Der Mann, der sich Karl nannte, nickte. »Und da diese Anweisungen schriftlich festgehalten werden, um irgendwelche Irrtümer zu vermeiden – auch sehr deutsch – haben wir einen Angestellten des Krankenhauses dazu gebracht, Traupmanns Anweisungen an uns weiterzuleiten.«

»War das nicht gefährlich?«

»Nein, weil ihn eine Uniform überzeugt hat, daß es sich um eine polizeiliche Maßnahme handelte.«

»Ihr versteht euer Handwerk wirklich«, sagte Dietz.

»Hoffentlich, sonst sind wir tot«, sagte Karl. »Jedenfalls hat Traupmann für heute abend halb neun einen Tisch auf der Terrasse des Gartenhof-Restaurants bestellt.«

»Da können wir's ja versuchen«, sagte Lieutenant Anthony erfreut.

»Andererseits hat unser Mann auf dem Flugplatz uns mitgeteilt, daß Traupmann Anweisung gegeben hat, sein Flugzeug für morgen nachmittag siebzehn Uhr für einen Flug nach Bonn vorzubereiten.«

»Ein Neonazi-Treffen am Rhein«, sagte Dietz. »Das Wasser ist die beste Lösung für uns, das weiß ich.«

»Ruhig Blut, Chris«, konterte der Lieutenant. »Am Strand im Norden von Kuwait haben wir Mist gebaut, hast du das vergessen?«

»Wir haben nicht Mist gebaut, das waren diese SEAL-Cowboys. Die waren so aufgeputscht, daß ihnen der Motor abgestorben ist … jedenfalls haben wir dann ihre Ärsche gerettet, indem wir –«

»Schnee von gestern«, fiel Lieutenant Anthony ihm ins Wort. »Sie haben die Orden bekommen und haben sie auch verdient. Zwei von den Jungs mußten ins Gras beißen, ich hoffe, daran erinnerst du dich auch.«

»Das hätte nicht passieren dürfen«, sagte Dietz leise.

»Ist es aber«, fügte Anthony noch leiser hinzu.

»Wir haben also zwei Chancen«, erklärte Lennox mit fester Stimme. »Heute abend im Restaurant und morgen auf dem Rhein. Was meinen Sie, Karl?«

»Beide sind in gleicher Weise gefährlich. Ich wünsche Ihnen Glück, meine Freunde.«

Auf einem flachen Uferlandstrich zwischen dem Potomac und dem Dalecarlia-Reservoir standen zwei ME 323 Lastensegler – die man im demontierten Zustand über den Atlantik gebracht hatte – bereit. Das riesige von ergiebigen unterirdischen Wasseradern gespeiste Wasserreservoir befand sich am Ende des Mac-Arthur-Boulevard und lieferte das Wasser für ganz Arlington, Falls Church, Georgetown und den District of Columbia einschließlich der Ghettos und dem Weißen Haus selbst. Zum festgelegten Zeitpunkt, der mit einer Genauigkeit von sechzig Sekunden bestimmt war, würden zwei Thunderbird Jets herabstoßen, kurz die Motoren abstellen, dann mit Haken die zwei Fangdrähte aufnehmen und die Lastensegler in die Höhe ziehen. In Anbetracht der hohen Materialbelastung würden zur Vermeidung übermäßiger Scherkräfte zusätzliche unter den Tragflächen der Gleiter befestigte abwerfbare Raketenaggregate eingesetzt werden, die in dem Augenblick einsetzen würden, wo die Haken einschnappten. Das Manöver war auf dem neuen Gelände der Bruderschaft im Frankenwald gründlich erprobt worden und konnte, wenn es richtig durchgeführt wurde, nicht scheitern. Und hier würde es richtig durchgeführt werden, und die gesamte Hauptstadt der Vereinigten Staaten würde paralysiert sein. Stunde Null: zweiundsiebzig Stunden.

Etwa vierzig Kilometer nördlich von Paris in Beauvais befinden sich die Wasserwerke, die große Teile der Stadt, darunter auch die Arrondissements mit den Regierungsgebäuden, versorgen – den gesamten Quai d'Orsay, den Präsidentenpalast, die Militärkasernen und eine Vielzahl weniger wichtiger Abteilungen und Behörden. Etwa zwanzig Kilometer östlich der Wasserwerke erstreckt sich flaches Ackerland, und dazwischen verstreut gibt es drei private Flugplätze, die vorwiegend den Reichen dienen, denen die Flughäfen in Orly und Roissy zu unbequem sind. Auf dem am weitesten östlich befindlichen Flugplatz stehen zwei große, frisch gestrichene Lastensegler. Die Erklärung, die Neugierigen für sie geboten wird, ist angemessen exotisch: Sie ge-

hören der saudischen Königsfamilie, die sie für Vergnügungs-
flüge über der Wüste gekauft hatten, und da sie in Frankreich gebaut und bezahlt worden waren interessierte sich niemand sonderlich für sie. Mehrere Jets – niemand wußte wieviele – würden
in Kürze eintreffen, um sie auf ihre Reise nach Riad zu schlep-
pen. Dem Kontrollturm hatte man mitgeteilt, daß sie in etwa
siebzig Stunden abfliegen würden. *Peu d'importance?*

Auf einem verlassenen Flugplatz im Norden von Lakenheath inmitten der Wiesen der Grafschaft Kent waren zwei weitere riesige Messerschmitt ME 323 Lastensegler instandgesetzt worden.
Jetzt brauchten bloß noch die Düsenmaschinen zu landen mit
Motoren, die auf zehntausend Meter Höhe gedrosselt wurden, um nur ein Minimum an Geräusch zu erzeugen, dann
würde Operation Wasserblitz binnen zweiundsiebzig Stunden
beginnen.

Die Terrasse des Gartenhof-Restaurants stammte aus einer vergangenen, eleganteren Ära, wo noch gepflegte, von Streich-
quartetten begleitete Diners an der Tagesordnung gewesen und
alle Gerichte mit weißen Handschuhen serviert worden waren. Das Problem war, daß es sich, wie der Name schon andeutete, tatsächlich um einen Garten handelte, eine Außenterrasse
mit zahlreichen Blumenkästen und Blick auf die alten Straßen
von Nürnberg, in Sichtweite des berühmten Albrecht-Dürer-
Hauses.

Gerald Anthony, Lieutenant, Special Forces, Teilnehmer an
der Operation Wüstensturm, war außer sich. Er hatte sie alle für
die Mission vorbereitet, für seine Spezialität, ein plötzlich aus-
brechendes Feuer, von dem alle abgelenkt werden würden, ganz
besonders die Leibwächter in der Nähe von Traupmanns Tisch,
die durch das ausbrechende Chaos kurzzeitig außer Gefecht gesetzt und somit für ihren Auftraggeber nutzlos sein würden.
Aber die warme Brise, die zwischen den Gebäuden wehte,
wollte nicht aufhören und machte den Plan zu gefährlich: Nur
die Glaskugeln, die die Kerzen umgaben, verhinderten, daß sie
ausgelöscht wurden. Eine Flamme von wenigen Augenblicken
Dauer würde ausreichen, um sich Traupmanns zu bemächtigen,

aber die Gefahr, daß die Flammen sich ausbreiteten, und möglicherweise Unschuldige auf der vollbesetzten Terrasse verletzten, war zu groß. Und, was ebenso wichtig war, die Panik, die durch eine sich rasch ausbreitende Feuersbrunst entstehen konnte, würde möglicherweise sogar gegen sie arbeiten und den einzigen Ausgang des Lokals mit hysterischen Gästen verstopfen. Wenn nur ein Leibwächter genügend schnell reagierte und die Waffe zog, konnte ihnen ein einziger Schuß einen Strich durch die Rechnung machen.

Die Mitglieder der N-2-Einheit studierten Hans Traupmann und seine Gäste verstohlen. Traupmann war ein mittelgroßer, schlanker Mann, der zu übertriebener Gestik und Mimik neigte, was seinen alternden Gesichtszügen gelegentlich etwas Groteskes verlieh. Man konnte spüren, daß er Zustimmung, ja Beifall suchte und obwohl er keineswegs attraktiv war, war doch zu spüren, wie er die Szene dominierte – ein wohlhabender Gastgeber, dessen Gäste an seinen Lippen hingen.

Lennox, der sein Aussehen mit einer Hornbrille, aufgeklebten buschigen Augenbrauen und einem Schnurrbart verändert hatte, sah zu Karin hinüber, die mit ihrem blassen Gesicht ohne jegliches Make-up und einem strengen, beinahe feindselig wirkenden Knoten, zu dem sie ihr Haar zusammengerafft hatte, im schwachen Kerzenlicht nicht wiederzuerkennen war. Sie erwiderte seinen Blick nicht, sondern schien von etwas oder jemandem an Traupmann Tisch wie gebannt.

Lieutenant Anthony blickte über den Tisch auf Drew und Colonel Witkowski. Er schüttelte widerstrebend und kaum merklich den Kopf. Plötzlich sagte Karin de Vries in deutscher Sprache: »Ich glaube, ich sehe da eine alte Bekannte, die gerade ihre Nase pudern geht; das werde ich jetzt auch tun.« Sie stand auf und ging hinter einer anderen Frau her über die Terrasse.

»Was hat sie gesagt?« fragte Drew.

»Die Damentoilette«, erwiderte Dietz.

»Die Frau, hinter der sie hergeht, ist anscheinend Traupmanns Begleiterin«, erklärte Witkowski.

»Ist sie verrückt?« flüsterte Lennox erregt. »Was bildet die sich ein?«

»Das werden wir dann wissen, wenn sie zurückkommt.«

»Das gefällt mir nicht!«

»Sie haben keine Wahl«, sagte der Colonel.

Zwölf Minuten später kehrte Karin an den Tisch zurück. »Meine neue junge Freundin haßt den ›stinkenden Widerling‹«, sagte sie mit leiser Stimme. »Sie ist sechsundzwanzig Jahre alt, und Traupmann führt sie aus, um mit ihr anzugeben, gibt ihr Geld und zwingt sie zu Perversitäten, wenn sie in sein Appartement zurückkehren.«

»Wie hast du das alles erfahren?« fragte Drew.

»Es stand in ihren Augen … schließlich habe ich einmal in Amsterdam gelebt. Hast du das vergessen? Sie ist kokainsüchtig und brauchte dringend eine Dosis, um den Abend zu überstehen. Ich habe sie dabei erwischt, wie sie eine nahm – ebenfalls von Herrn Dr. Traupmann zur Verfügung gestellt.«

»Bringt uns das irgendwie weiter?« fragte Drew.

»Nur, wenn wir uns Zugang zu seinem Appartement verschaffen können«, antwortete Karin. »Und das würde uns einen riesigen Vorteil verschaffen.«

»In welcher Hinsicht?« fragte Witkowski.

»Er macht Videoaufnahmen von seinen sexuellen Begegnungen.«

»Widerwärtig!« erregte sich Lieutenant Anthony.

»Noch widerwärtiger als Sie denken«, sagte Karin. »Sie hat mir gesagt, daß er eine ganze Bibliothek hat, von A bis Z alles, auch mit kleinen Mädchen und kleinen Jungen. Er behauptet, er brauche das, um richtig in Fahrt zu kommen.«

»Das könnte eine mächtige Waffe sein«, gab der Colonel zu.

»Ich glaube, wir schaffen es«, sagte Dietz.

»Ich dachte, du hättest gesagt, daß es nicht geht«, flüsterte Anthony.

»Ich darf es mir doch anders überlegen, oder?«

»Aber sicher, bloß, daß deine erste Einschätzung gewöhnlich die richtige ist, Chris. Und wie hast du es dir gedacht?«

»Mrs. de Vries, da Sie das von den Videoaufnahmen erfahren haben, darf ich wohl annehmen, daß Sie auch ein paar vorsichtige Erkundigungen über das Appartement selbst angestellt haben. Habe ich recht?«

»Natürlich. Die drei Leibwächter wechseln sich in ihrem Dienst ab, damit jeder sich ein wenig ausruhen kann. Einer bleibt an einem Tisch vor der Tür, wo ihm eine Sprechanlage zur Verfügung steht, während die beiden anderen, so wie Sie das vorhin beschrieben haben, Captain, ständig in den Korridoren, der Lobby des Gebäudes und auch davor unterwegs sind.«

»Was ist mit den Fahrstühlen?« fragte Witkowski.

»Die sind eigentlich nicht wichtig. Traupmann hat das Penthouse, also das ganze obere Stockwerk, und um da hineinzukommen, hat meine verstörte junge Freundin gesagt, muß man entweder einen Code eingeben, das ist die normale Vorgehensweise, oder man wird vom Sicherheitsdienst des Gebäudes durchgelassen, nachdem der sich vergewissert hat, daß man erwartet wird.«

»Das wären also zwei Barrieren«, sagte Drew. »Traupmanns Leibwächter und eine Wache im Gebäude.«

»Ich würde eher sagen drei«, stellte Karin fest. »Der Leibwächter vor der Tür des Penthouse muß eine Ziffernfolge eintippen, damit die Tür sich öffnet, wenn er die falschen Ziffern eingibt, ist der Teufel los. Sirenen, Glocken und so.«

»Mannomann«, sagte Drew. »Falls wir es also irgendwie schaffen, an den Leibwächtern und der Gebäudesicherheit vorbeizukommen, scheitern wir an der Tür des Penthouses, wo man uns vermutlich niederschießt. Nicht gerade ein sehr ermutigendes Szenario.«

»Räumen Sie ein, daß wir die beiden ersten Hindernisse wahrscheinlich überwinden können?« fragte Witkowski.

»Ich schon«, erwiderte Dietz. »Den Säufer und den Mann mit dem Juckreiz könnten Gerry und ich erledigen. Und an dem Wachmann am Eingang würden vermutlich zwei sehr amtlich aussehende Typen mit sehr amtlichen Ausweisen vorbeikommen.« Sein Blick wanderte zu Lennox und Witkowski. »Falls die Betreffenden mit dieser Art Übung wirklich vertraut sind, die der Lieutenant und ich im Irak zweimal absolviert haben«, fügte der Captain hinzu.

»Nehmen wir an, wir schaffen das«, sagte Drew, der immer gereizter wurde, »wie sollen wir dann mit der Schließanlage am Penthouse klarkommen?«

»Da weiß ich auch nicht weiter, Sir.«

»Aber vielleicht ich«, sagte Karin und erhob sich. »Wenn alles klappt, bin ich vielleicht eine Weile weg.« Mit diesen Worten ging Karin zum Eingang und schritt draußen an der Wand entlang an den überfüllten Tischen vorbei zur Damentoilette.

Fünf Minuten später hatte die junge Blondine neben Dr. Hans Traupmann einen Niesreiz, der allem Anschein nach nicht mehr aufhören wollte. Mitfühlende Bemerkungen am Tisch schrieben ihn dem kühlen Wind und dem starken Pollenflug zu. Sie verließ den Tisch.

Achtzehn Minuten später kehrte Karin de Vries zu ihren amerikanischen Gelehrten zurück. »Hier sind ihre Bedingungen«, sagte sie. »Und sie wird sich nicht mit weniger abspeisen lassen.«

»Sie haben sich mit dem Mädchen in der Damentoilette getroffen.« Witkowskis Tonfall ließ erkennen, daß das keine Frage, sondern eine Feststellung war.

»Wir hatten uns darauf geeinigt, daß sie mir, wenn ich den Tisch verlassen und zum Eingang gehen sollte, unter irgendeinem Vorwand drei oder vier Minuten darauf folgen würde.«

»Wie lauten die Bedingungen, und was leistet sie dafür?« fragte Lennox.

»Die zweite Frage beantworte ich zuerst«, sagte Karin. »Sobald sie mit Traupmann in der Wohnung ist, sollen wir ihr eine Stunde Zeit geben, dann schaltet sie den Alarm aus und öffnet das Türschloß.«

»Sie könnte unsere erste weibliche Präsidentin werden«, schlug Captain Dietz vor.

»Sie verlangt wesentlich weniger. Sie will, und ich bin darin mit ihr einig, ein Dauervisum für die Vereinigten Staaten und genügend Geld für eine Entziehungskur und ausreichende Mittel, um drei Jahre lang einigermaßen bequem leben zu können. Sie hat Angst davor, hier in Deutschland zu bleiben, glaubt aber, daß sie innerhalb von drei Jahren ihr Englisch genügend aufpoliert hat und dann auch Arbeit finden kann.«

»Einverstanden, wir können sogar noch ein wenig drauflegen«, sagte Drew. »Sie hätte wesentlich mehr fordern können.«

»Ehrlich gesagt, kann es durchaus sein, daß sie das noch nachholen wird, Liebster. Das Mädchen ist ein Überlebenstyp, keine

Heilige, und süchtig ist sie auch. Das ist die Realität, in der sie lebt.«

»Das Problem wird dann jemand anders zu lösen haben«, sagte der Colonel.

»Traupmann hat gerade die Rechnung verlangt«, sagte Lieutenant Anthony.

»Dann werde ich als Ihre deutsche Fremdenführerin das in ein paar Minuten auch tun.« De Vries beugte sich nach unten, als wolle sie ihre Handtasche oder eine heruntergefallene Serviette aufheben. Drei Tische entfernt tat die Blondine dasselbe und hob ein goldenes Feuerzeug auf, das ihr heruntergefallen war. Ihr Blicke begegneten sich; Karin blinzelte zweimal, Traupmanns Tischgefährtin einmal.

Der Ablauf für die nächsten Stunden stand fest.

36

Der Appartementkomplex – das Wort Haus wurde dem Gebäude in keiner Weise gerecht – war eines jener kalten Bauwerke aus Stahl und getöntem Glas, die in einem die Sehnsucht nach steinernen Mauern, Türmchen, Bögen und Strebebogen wachwerden ließen. Es war nicht so sehr das Werk eines Architekten als das Produkt eines Computers, das seine Ästhetik in vergeudetem Raum und ausgereizten Toleranzen ausdrückte. Doch imposant war es ohne Zweifel, die Fenster an der Vorderseite waren buchstäblich zwei Stockwerke hoch, die Eingangshalle war ganz mit weißem Marmor ausgelegt, in dessen Mitte ein riesiges Wasserbecken mit einem in Kaskaden herabfließenden Brunnen von Unterwasserscheinwerfern beleuchtet war. Um diesen atriumähnlichen Innenhof bauten sich die von einer anderthalb Meter hohen Brüstung aus gefleckterem Granit gesäumten Stockwerke auf, die den Blick auf den Prunk im Erdgeschoß gestattete. Der Gesamteindruck war nicht so sehr Schönheit denn ein Triumph der Ingenieurskunst.

Auf der linken Seite der weißen Marmorhalle konnte man das Glasfenster des Sicherheitsbüros sehen und hinter dem Glas einen uniformierten Wachmann, dessen Aufgabe es war, Besucher einzulassen, die sich an der Sprechanlage gemeldet hatten, nachdem er sich überzeugt hatte, daß ihr Besuch den Bewohnern genehm war. Außerdem hatte dieser Pförtner auf seinem Pult die Alarmknöpfe für Feuer und Polizei; letztere, die etwa einen knappen Kilometer entfernt war, konnte in höchstens sechzig Sekunden zur Stelle sein. Der Komplex war elf Stockwerke hoch, wobei das Penthouse das gesamte oberste Stockwerk einnahm.

Das Äußere des Gebäudes stand durchaus im Einklang mit dem hohen Niveau der ganzen Anlage. Eine kreisförmige Zufahrt führte von einer hohen Hecke zur nächsten, dazwischen gab es gepflegte Sträucher, Blumenbeete, fünf Goldfischteiche und mit Naturstein belegte Wege für diejenigen, die sich gerne in der Natur ergingen. Im hinteren Teil der Anlage mit Blick auf den mittelalterlichen Grabenwall lag ein großer Swimmingpool mit Umkleidekabinen und einer Bar für die Sommermonate. Wenn man all dies in Betracht zog, mußte man zugeben, daß Dr. Hans Traupmann recht gut lebte.

»Das ist, als wollte man ohne Passierschein in Fort Leavenworth einbrechen«, flüsterte Lennox hinter einem gepflegten Strauch vor dem Eingang. Neben ihm stand Captain Christian Dietz, der das Areal schon vorher erforscht hatte. »Jeder Zugang hinten am Pool ist elektronisch abgesichert – man braucht bloß einen der Gitterzäune zu berühren, und schon heulen die Sirenen. Ich kenne diese Anlagen. Die haben Wärmesensoren.«

»Das ist mir bekannt, Sir«, sagte der Ranger. »Deshalb habe ich Ihnen ja gesagt, daß die einzige Möglichkeit für uns darin besteht, die beiden Leibwächter, die außerhalb des Apartments unterwegs sind, zu erledigen, irgendwie am Sicherheitspult vorbeizukommen und in den elften Stock zu fahren.«

»Können Sie und Anthony die Posten wirklich aus dem Weg räumen?«

»Das ist nicht das Problem … Sir. Gerry übernimmt den Großen mit der Flasche und ich den anderen. So wie ich das Problem sehe, ist die Frage, ob Sie und der Colonel mit dem Wachdienst klarkommen.«

»Witkowski hat mit ein paar Agenten vom Deuxième telefoniert. Er sagt, alles sei unter Kontrolle.«

»Wie denn?«

»Die haben ihm zwei oder drei Namen bei der Polizei genannt. Die werden den Sicherheitsdienst anrufen und uns den Weg freimachen. Strengste Geheimhaltung und der ganze Hokuspokus.«

»Das Deuxième arbeitet mit der Nürnberger Polizei?«

»Vielleicht, aber das hatte ich nicht gesagt. Ich sagte Namen, nicht Leute. Ich nehme an, daß es wichtige Namen sein werden, ob es nun richtige Leute sind oder nicht … verdammt noch mal, Chris, es ist schon nach Mitternacht, wer wird das nachprüfen? Als die Alliierten die Normandie stürmten, hat niemand es gewagt, Hitlers Adjutanten zu wecken, geschweige denn, ihn selbst.«

»Spricht der Colonel wirklich so gut Deutsch? Ich habe ihn kaum reden hören.«

»Fließend.«

»Er muß auch selbstbewußt wirken –«

»Und daran zweifeln Sie? Witkowski spricht nicht, er bellt.«

»Da sehen Sie – er hat gerade hinter dem Busch dort rechts ein Streichholz angerissen, irgend etwas ist dort im Gange.«

»Er und der Lieutenant sind näher. Können Sie sehen, was es ist?«

»Nein«, erwiderte Captain Dietz und spähte durch das Blattwerk. »Das ist der große Kraut mit der Schnapsflasche. Gerry läuft jetzt nach rechts; er wird ihn im Schatten etwa in der Mitte zwischen hier und dem Plattenweg packen.«

»Seid ihr immer so zuversichtlich?«

»Warum nicht? Wir sind doch für solche Jobs ausgebildet worden.«

»Was passiert, wenn unser Whiskyknabe nicht zurückkommt? Wird der andere Leibwächter auf ihn warten?«

»Das sind Deutsche, bei denen läuft alles nach der Uhr. Abweichungen vom Plan sind nicht akzeptabel. Wenn ein Soldat seine Pflicht nicht erfüllt, hat das keinen Einfluß auf den nächsten. Der marschiert weiter oder bleibt auf seinem Posten. Da, sehen Sie! Gerry hat ihn erwischt.«

»Was?«

»Sie haben nicht hingesehen. Gerry hat ein Streichholz angerissen und ist nach links gelaufen. Auftrag erfüllt ... jetzt krieche ich nach vorn, und Sie gehen zu dem Colonel an der Flanke, Sir.«

»Ja, ich weiß –«

»Es wird eine Weile dauern, es könnten gut zwanzig Minuten werden, aber seien Sie geduldig. Es wird geschehen.«

»Ihr Wort in Gottes Ohr.«

»Yeah, Gerry hat gesagt, daß Sie wahrscheinlich etwas von der Art sagen würden. Bis später, Mr. Cons-Op.« Der Special Forces-Captain schlich auf den überdachten Eingang des Wohnkomplexes zu, während Drew zwischen den Blumenbeeten zu der Hecke kroch, wo Stanley Witkowski flach ausgestreckt auf dem Boden lag.

»Diese Hurensöhne sind großartig!« verkündete der Colonel, der ein Infrarotglas in der Hand hielt. »Die müssen Eiswasser in den Adern haben!«

»Nun, für die ist das ein Job, für den man sie ausgebildet hat und den erledigen sie gut«, sagte Drew und preßte sich an den Boden.

»Ihr Wort in Gottes Ohr, *chlopak*«, brach es aus Witkowski heraus. »So, und jetzt ist der andere dran … verdammt noch mal, die sind richtig klasse!«

»Ich glaube nicht, daß es unser Ziel ist, den Gegner zu töten, Stanley. Gefangene wären besser.«

»Ich bin mit beidem zufrieden. Ich will bloß da rein.«

»Und werden wir das schaffen?«

»Die Vorbereitungen sind getroffen, aber ob wir es schaffen, werden wir erst wissen, wenn wir es versucht haben. Wenn es ein Problem gibt, schießen wir uns den Weg frei.«

»Der Wachmann wird sofort die Polizei verständigen, wenn er eine Waffe sieht.«

»Der Bau hat elf Stockwerke, wo sollen die anfangen?«

»Das ist richtig. Also los!«

»Nein, jetzt noch nicht. Wir müssen noch auf den zweiten Wachmann warten.«

Sechs Minuten verstrichen, bis Witkowski sagte: »Da kommt er, pünktlich auf die Sekunde. Dem Himmel sei Dank für den deutschen Drill!« Dreißig Sekunden später wurde ein Streichholz angerissen und gleich darauf nach links weggeworfen. »Erledigt«, sagte der Colonel. »Kommen Sie jetzt, nehmen Sie Haltung an. Denken Sie dran, Sie sind ein Beamter der Nürnberger Polizei. Bleiben Sie hübsch hinter mir und machen Sie ja den Mund nicht auf.«

»Was könnte ich denn sagen? ›O Tannenbaum, o Tannenbaum‹?«

»Los geht's.« Die beiden Männer rannten über die kreisförmige Zufahrt und blieben stehen, als sie das breite Vordach über den dicken Glastüren des Eingangsportals erreicht hatten. Sie verschnauften und gingen dann auf die in die Wand eingelassene Sprechanlage zu, die sie mit dem Sicherheitspult im Gebäude verband.

»Guten Abend«, sagte der Colonel jetzt in deutscher Sprache, »wir sind von der Kriminalpolizei und sollen die externen Sicherheitsanlagen an der Wohnung von Dr. Traupmann überprüfen.«

»Ah ja, Ihre beiden Vorgesetzten haben vor einer Stunde angerufen, aber wie ich den Herren schon sagte, Herr Dr. Traupmann hat heute abend Gäste –«

»Und unsere Vorgesetzten haben Ihnen ohne Zweifel gesagt, daß wir den Herrn Doktor nicht stören werden«, fiel Witkowski ihm schroff ins Wort. »Wir haben ausdrückliche Anweisung vom Kommandanten weder ihn noch seine Leibwächter in irgendeiner Weise zu stören, und ich für meine Person nehme diese Anordnung sehr ernst. Die externe Anlage befindet sich in einem Abstellraum vor Dr. Traupmanns Tür. Er wird nicht einmal merken, daß wir hier gewesen sind – so wünscht es der Polizeichef. Aber ich bin sicher, daß er Ihnen das auch erklärt hat.«

»Was ist denn eigentlich passiert? Mit den … Geräten?«

»Vermutlich irgendeine Panne, vielleicht hat jemand Möbel herumgeschoben oder Kartons in den Lagerraum gestellt und dabei einen Draht abgerissen. Wir werden es erst sagen können, wenn wir die Schaltung überprüft haben und das wollen wir auch tun … offen gestanden, mich müßte man ja mit der Nase draufstoßen, aber mein Kollege ist der Fachmann.«

»Ich wußte noch nicht mal, daß es vor der Wohnung von Dr. Traupmann solche Geräte gibt«, sagte der Wachmann.

»Es gibt eine ganze Menge, wovon Sie nichts wissen, mein Freund. Ich kann Ihnen nur sagen, der Doktor hat Direktleitungen zu allen hohen Polizeibeamten und in der Regierung genauso. Selbst nach Bonn.«

»Ich wußte, daß er ein bedeutender Chirurg ist, aber ich hatte keine Ahnung –«

»Lassen Sie mich einfach sagen, daß er unseren Vorgesetzten gegenüber äußerst großzügig ist, und damit meine ich Ihre Vorgesetzten ebenso wie meine«, fiel Witkowski ihm erneut, aber diesmal mit freundlicher Stimme ins Wort. »Also, wollen wir doch bloß nichts tun, was ihn verstimmen könnte. Wir vergeuden Zeit. Bitte, lassen Sie uns ein.«

»Sicher, aber Sie müssen sich vorher ins Register eintragen.«

»Und deshalb unsere Jobs verlieren? Und Sie den Ihren auch?«

»Dann vergessen Sie's eben. Ich werde dem Lift den Code für das elfte Stockwerk eingeben. Das ist das Penthouse. Brauchen Sie den Schlüssel für die Abstellkammer?«

»Nein, vielen Dank, Traupmann hat unserem Kommandanten einen gegeben, und der hat ihn an uns weitergegeben.«

»Na dann kommen Sie mal rein.«

»Wir werden Ihnen natürlich unsere Ausweise zeigen, aber ich bitte Sie noch einmal dringend, vergessen Sie, daß Sie uns je gesehen haben.«

»Natürlich. Das hier ist ein guter Job, und ich will auf keinen Fall die Polizei im Nacken sitzen haben.«

Der Fahrstuhl war gleich um die Ecke, so daß man ihn vom Penthouseeingang des Chirurgen im elften Stockwerk aus nicht sehen konnte. Lennox und der Colonel schoben sich Zentimeter für Zentimeter an der Wand entlang; Drew spähte um eine mit Marmor vertäfelte Betonwand. Der Wachmann am Pult war in Hemdsärmeln und las in einem Taschenbuch, während seine Finger im Takt zur Musik aus einem kleinen Batterieradio schnippten. Er war wenigstens fünfzehn Meter von ihnen entfernt, und die imposante Konsole vor ihm erlaubte ihm direkten Zugang zu verschiedenen Empfängern, die den Abbruch von Operation N-2 veranlassen konnten.

Lennox sah auf die Uhr und flüsterte Witkowski ins Ohr: »Das ist keine angenehme Situation, Stosh.«

»Das habe ich auch nicht erwartet, *chlopak*«, sagte der alte Geheimdienstfuchs und griff in seine Jackentasche und holte fünf Murmeln heraus. »Karin hat recht gehabt, wissen Sie. Ablenkung ist alles.«

»Die Stunde, nach der Traupmanns Freundin die Alarmanlage außer Gefecht setzen wollte, ist bereits vorbei. Ich kann mir vorstellen, daß die da drinnen ganz schön schwitzt.«

»Das weiß ich auch. Nehmen Sie die Luftpistole und zielen Sie auf seinen Hals. Schießen Sie so lange, bis Sie ihn an der Kehle getroffen haben.«

»Was?«

»Er wird aufstehen und hierherkommen, glauben Sie mir.«

»Was werden Sie machen?«

»Passen Sie auf.« Witkowski ließ eine Murmel auf den Marmorboden rollen, man konnte sie klappern hören, bis sie die gegenüberliegende Wand erreicht hatte und liegenblieb. Dann warf er eine andere in die entgegengesetzte Richtung, die nach einer

Weile ebenfalls liegenblieb. »Was macht er jetzt?« flüsterte er zu Drew gewandt.

»Genauso wie Sie gesagt haben. Er steht auf und kommt auf uns zu.«

»Je näher er kommt, desto besser können Sie zielen.« Der Colonel warf zwei Murmeln den Korridor rechts hinunter; sie klapperten, Marmor auf Marmor; der Leibwächter rannte vor, die Waffe schußbereit in der Hand. Er bog um die Ecke und Lennox feuerte drei mit einem Betäubungsmittel präparierte Bolzen auf ihn ab; der erste verfehlte sein Ziel, prallte von der Wand ab, während der zweite und der dritte den Neonazi an der rechten Halsseite trafen. Der Mann stöhnte auf, griff sich an die Kehle und stieß dann einen langgezogenen Schrei aus, während er langsam zusammensackte.

»Ziehen Sie die beiden Bolzen raus und suchen Sie den dritten, und dann wollen wir ihn zu seinem Pult zurückschaffen«, sagte Witkowski. »Die Wirkung läßt in einer halben Stunde nach.« Sie schleppten den Neonazi zum Schreibtisch und setzten ihn auf den Sessel, so daß sein Oberkörper nach vorne sackte. Drew ging zur Penthousetür, atmete tief durch, schickte ein Stoßgebet zum Himmel und öffnete sie. Kein Alarm ertönte. Dunkelheit und Stille hüllten ihn ein, bis eine schwache Frauenstimme zu reden begann – unglücklicherweise auf Deutsch.

»Schnell. Beeilen Sie sich!«

»Langsam!« sagte Lennox, aber das hätte er sich sparen können, weil der Colonel neben ihm stand. »Was sagt sie? Können wir Licht anmachen?«

»Ja«, erwiderte die Frau. »Ich spreche ein wenig Englisch, nicht gut.« Damit schaltete sie die Flurbeleuchtung ein. Das blonde Mädchen war komplett bekleidet und hielt Handtasche und eine Reisetasche in der Hand. Witkowski trat vor. »Wir gehen jetzt, ja?«

»Wir wollen nichts überhasten, Fräulein«, sagte der Colonel in deutscher Sprache. »Zuerst kommt der geschäftliche Teil.«

»Aber das hat man mir doch versprochen!« rief sie. »Ein Visum, einen Paß – und Schutz in Amerika.«

»Das sollen Sie alles kriegen, Miss, aber bevor wir Traupmann hier wegschleppen, wo sind die Bänder?«

»Ich habe fünfzehn hier in meiner Tasche. Und Traupmann aus dem Appartement zu schaffen, ist unmöglich. Der Dienstboteneingang ist alarmgesichert und von acht Uhr abends bis acht Uhr morgens abgeschlossen. Einen anderen Weg gibt es nicht, und alles wird von Fernsehkameras aufgezeichnet.«

Nachdem der Colonel das alles Drew übersetzt hatte, antwortete dieser: »Vielleicht können wir Traupmann am Sicherheitspult vorbeischaffen. Was soll's, seine Leibwächter sind weg.« Witkowski übersetzte wieder. Diesmal für die junge Frau.

»Das ist verrückt und könnte unser aller Tod sein!« konterte sie erregt. »Sie verstehen nicht, wie dieses Haus geschützt ist. Die Inhaber sind die reichsten Leute von Nürnberg und wegen der vielen Entführungen, die es in letzter Zeit in Deutschland gegeben hat, muß ein Bewohner selbst den Empfang verständigen, daß er das Haus verlassen möchte.«

»Also werde ich zum Hörer greifen und Traupmann sein, na und? Wo ist er übrigens?«

»Er liegt im Schlafzimmer und schläft – er ist ein alter Mann und schnell erschöpft von dem vielen Wein und dem anderen. Aber Sie verstehen wirklich nicht. Die reichen Leute in ganz Europa sind nur noch mit Leibwächtern und in kugelsicheren Automobilen unterwegs. Sie mögen ja geschafft haben, hier hereinzukommen, und dazu gratuliere ich Ihnen auch, aber wenn Sie sich einbilden, daß Sie das Gebäude mit Traupmann verlassen können, dann sind Sie verrückt.«

»Wir werden ihm ein Schlafmittel verpassen, so wie wir es mit dem Wachmann vor der Tür getan haben.«

»Das ist genauso unsinnig. Seine Limousine muß aus der Garage gerufen werden, ehe er das Gebäude verläßt, und nur seine Leibwächter haben die Kombination für den Schlüsselsafe –«

»Schlüsselsafe?«

»Dort werden die Schlüssel verwahrt, damit keiner den Wagen stehlen oder daran herumhantieren kann – Sie verstehen das wirklich nicht.«

Der Colonel wandte sich zu Drew und erklärte: »Jetzt haben wir die Scheiße!« sagte er. »Der Bericht des Deuxième war nicht vollständig. Was sagen Sie dazu, daß die gepanzerten Fahrzeuge vor dem Eingang bereitstehen müssen und in der Garage Kombinationssafes für die Schlüssel stehen?«

»Das ganze Land ist paranoid!«

»Nein«, sagte Traupmanns blonde Gespielin. »Das habe ich jetzt verstanden. Nicht ganz Deutschland – nur Teile davon, wo die Reichen leben. Sie haben Angst.«

»Vor den Nazis? Hat man vor denen Angst, Lady?«

»Vor diesem Abschaum? Die unterstützt kein anständiger Mensch.«

»Was zum Teufel glauben Sie wohl, daß Traupmann ist?«

»Ein alter Lüstling, ein seniler alter Mann –«

»Ein gottverdammter Nazi ist er!«

Es war, als hätte jemand der jungen Frau ins Gesicht geschlagen. Sie zuckte zusammen und schüttelte den Kopf. »Davon … davon weiß ich nichts. Seine Freunde … in der Medizin … sie haben großen Respekt vor ihm. Darunter sind viele sehr prominent.«

»Das ist seine Tarnung«, sagte Witkowski in deutscher Sprache. »Er ist einer der Anführer der Bewegung, und deshalb wollen wir ihn haben.«

»Noch mehr kann ich nicht tun! Es tut mir leid, aber das geht nicht. Sie haben die Videoaufzeichnungen, das ist alles, was ich Ihnen versprochen habe. Und jetzt müssen Sie dafür sorgen, daß ich Deutschland verlassen kann, denn wenn das stimmt, was Sie sagen, dann werden diese Nazischweine Jagd auf mich machen.«

»Wir stehen zu unserem Versprechen, Miss.« Der Colonel drehte sich zu Lennox herum und sagte wieder in englischer Sprache: »Wir verschwinden hier, *chlopak*. Wir können diesen Mistkerl hier nicht herausholen, ohne die ganze Operation zu gefährden. Wir werden mit einem Flugzeug des Deuxième Bureau nach Bonn fliegen und dort auf diesen Hurensohn warten.«

»Glauben Sie, daß er immer noch morgen nach Bonn gehen wird?« fragte Drew.

»Ich glaube nicht, daß er da eine Wahl hat. Außerdem baue ich darauf, daß Traupmanns Leibwächter, die ja alle betäubt worden sind, in zwanzig oder dreißig Minuten aufwachen. Die haben dann ohne Zweifel die Hosen voll und werden sofort im Penthouse nachsehen.«

»Wo sie Traupmann friedlich schlafend vorfinden«, sagte Lennox. »Aber was ist mit den Videobändern, Stosh?«

Witkowski sah die junge Frau an und wiederholte die Frage in deutscher Sprache. Sie klappte ihre Handtasche auf und holte einen Schlüssel heraus. »Das hier ist einer der beiden Schlüssel für das Schließfach, wo die restlichen Bänder verwahrt sind«, antwortete sie. »Der andere liegt in der Deutschen Bank.«

»Wird er den Schlüssel vermissen?«

»Ich glaube nicht, daß er überhaupt an ihn denkt. Er verwahrt ihn in einer Schublade seiner Kommode bei seiner Unterwäsche.«

»Dann wollen wir jetzt machen, daß wir hier verschwinden, *mon colonel*«, sagte Lennox. »Jetzt bekommt Captain Dietz doch noch eine Chance für einen Einsatz auf dem Rhein.«

Grellweiße Scheinwerfer erhellten die Anlegestellen in dem kleinen Bootshafen in Bonn. Sobald das kleine Motorboot in wenigen Minuten seine Taue gelöst hatte, würden alle mit einer Ausnahme ausgeschaltet werden. Einen knappen Kilometer entfernt wippte in der Dunkelheit mit ausgeschaltetem Motor ein anderes Boot mit dunkelgrün gestrichenem Rumpf und ebensolchen Aufbauten in der schwachen Strömung leicht auf und ab. Seine Insassen trugen alle Neoprenanzüge und hatten Sauerstoffflaschen auf den Rücken geschnallt. Ingesamt waren es sechs Personen, der sechste, ein Captain, war Agent des Deuxième Bureau. Von den fünf Personen, die jetzt gleich tauchen würden, hatte nur Karin de Vries lautstark argumentieren müssen, um sich anschließen zu dürfen.

»Ich habe wahrscheinlich mehr Erfahrung mit Unterwassereinsätzen und den entsprechenden Geräten als Sie, Agent Lennox.«

»Das bezweifle ich«, hatte Drew geantwortet. »Ich bin im Scripps Institute in San Diego ausgebildet worden, und eine bessere Ausbildung gibt es auf der ganzen Welt nicht.«

»Und ich habe mit Frederik im Schwarzen Meer trainiert, vier Wochen Vorbereitung. Wahrscheinlich wird Stanley sich erinnern.«

»Allerdings, junge Frau«, hatte Witkowski gesagt. »Schließlich haben wir die ganze Geschichte finanziert ... Freddie de V.

hat ein paar hundert Unterwasseraufnahmen von den Sowjet-schiffen in und um Sewastopol mitgebracht. Tonnage, Wasser-verdrängung, alles, was dazugehört.«

»Mindestens ein Drittel dieser Fotos stammen von mir«, fügte Karin trotzig hinzu.

»Na schön«, hatte Lennox eingeräumt, »aber wenn wir lebend hier rauskommen, wirst du wohl oder übel lernen müssen, daß du in der Familie nicht die Hosen anhast.«

»Und du kommst in meine nicht rein, bis du deine Einstellung geändert hast ... War das gerade ein Heiratsantrag?«

»Ich habe dir früher auch schon welche gemacht – nicht in aller Form, aber unmißverständlich – hast du das nicht mitge-kriegt?«

»Schluß jetzt, ihr beiden«, befahl Witkowski. »Hier kommt Dietz.«

Der Captain kauerte sich vor ihnen aufs Deck. »Ich habe un-seren Plan mit dem Skipper besprochen, und er hat keine Schwachpunkte gefunden. Jetzt will ich das Ganze noch einmal mit Ihnen durchgehen.«

Captain Christian Dietz' Plan sah ein geschicktes Täu-schungsmanöver vor. Hinter dem dunkelgrünen Motorboot hing an einem Tau ein schwarzes PVC-Schlauchboot mit einer zweihundertfünfzig-PS-Maschine, mit der es vierzig Knoten in der Stunde machen konnte. Außerdem lag am Bug eine einge-rollte schwarze Plane bereit, mit der man das ganze Schlauch-boot völlig abdecken konnte. Der Plan war die Einfachheit selbst – wenn alles funktionierte.

Sobald Traupmanns Motorboot etwa eine Meile von der An-legestelle entfernt war, würde es von der N-2-Einheit unter Was-ser angegriffen werden, die seine Gasdüsen mit Pfropfen aus Flüssigstahl verschließen würden, die binnen Sekunden aushär-teten. Dann sollten die Fernsehkameras mit Schüssen aus Spezi-alpistolen mit Schalldämpfern ausgeschaltet werden, und anschlie-ßend würde die Einheit Traupmanns Boot entern, alle anderen Fernmeldeeinrichtungen funktionsunfähig machen, den Doktor betäuben und ihn auf das Schlauchboot bringen, wo der Mann vom Deuxième Bureau die schwarze Plane ausrollen würde. Anschließend würde Traupmanns Boot mit Autopilot stromaufwärts geschickt werden, während die Einheit auf ihr dunkelgrün getarntes Motorboot zurückkehren und in der Nähe von Traupmanns Ziel an Land gehen sollte.

Die beiden ersten Stufen der Operation liefen planmäßig ab. Unter der Führung von Lieutenant Anthony und Captain Dietz tauchten Lennox, Witkowski und Karin neben dem rasch dahinfahrenden Boot auf, klammerten sich an den Spanten fest und trieben die Stahlkappen auf die durch rote Kreise markierten kleinen kreisförmigen Gasdüsen. Das Boot verlangsamte seine Fahrt und trieb auf das Ufer zu. Die fünf kletterten an Bord, wo Traupmann sie verblüfft anstarrte.

»Was ist los?« schrie er und griff nach seinem Funkgerät. Lennox riß sofort die Leitung heraus, während Karin auf den Nazi zuging, ihm das Jackett aufriß und die Nadel einer Injektionsspritze in seine Brust trieb. »Ich lasse Sie erschießen …!« waren Traupmanns letzte Worte, ehe er umkippte.

»Schnell, ins Schlauchboot mit ihm!« rief Witkowski, als das schwarze PVC-Boot längsseits ging. Sie hievten die leblose Gestalt des Nazis über die Bordwand. »So, und jetzt schleunigst weg hier!«

»Ich lasse das Boot Kurs Nord-Nordwest nehmen«, erklärte Christian Dietz. »Das ist rheinaufwärts. Wir haben die Karten studiert.«

»Traupmann hat auf dieses gelbe Licht dort drüben links am Ufer zugesteuert«, sagte Karin.

»Denkst du jetzt dasselbe wie ich?« sagte Drew.

»Das hoffe ich, weil ich mich nämlich nicht davon abhalten lasse.«

»Dann wollen wir jetzt zu unserem eigenen Boot schwimmen, falls wir es sehen können.«

»Ich habe es gleich dort drüben verankert, Mr. Cons-Op«, sagte Anthony. »Höchstens hundert Meter entfernt. Sobald wir alle an Bord sind, steuere ich es ans Ufer in ein Gebüsch.«

»Ab durch die Mitte!« rief Captain Dietz, der gerade von dem Schlauchboot zurückkam, wo er sich vergewissert hatte, daß Traupmann sicher unter der schwarzen Plane verstaut und zum gegenüberliegenden Rheinufer unterwegs war. »Wir müssen diesen Kahn hier flußaufwärts schicken.«

Dieser Vorschlag kam keinen Augenblick zu früh, denn binnen weniger Minuten senkte sich ein Hubschrauber auf Traupmanns leeres Boot hinunter, das gerade die Flußmitte erreicht hatte, und eröffnete aus einem Maschinengewehr das Feuer, umkreiste das Boot zweimal und brachte es schließlich mit einem Schuß aus seiner Bordkanone zur Explosion. Im Nu war es versunken.

»Die spielen mit harten Bandagen«, sagte Lennox zu Karin, als die beiden mit ihren drei Kollegen am Rheinufer saßen.

»Ich schlage vor, wir gehen zu der Anlegestelle zurück und sehen mal, wer sonst noch kommt, und wie hart die Bandagen wirklich sind«, sagte Witkowski.

37

Sie schnallten die Atemgeräte ab, ließen aber die schwarzen Taucheranzüge an. Diverse Waffen und winzige Walkie-talkies aus Captain Dietz' wasserdichter Tasche wurden verteilt. Dann kroch die Kommandoeinheit am Flußufer vorsichtig zu der Anlegestelle mit der gelben Beleuchtung. Langsam tauchten in Zehn-Minuten-Abständen aus verschiedenen Richtungen Boote auf und machten an den einzelnen Anlegestellen fest, bis fast alle besetzt waren. Dann ging das gelbe Licht aus.

»Ich glaube, jetzt sind alle anderen da«, flüsterte Lennox Witkowski zu. Karin kauerte links neben dem Colonel, die beiden Ranger rechts von Drew.

»Gerry und ich sehen uns mal um«, sagte Dietz, »wir lassen unsere Funkgeräte eingeschaltet, damit Sie über unsere Fortschritte im Bilde sind.« Er und der Lieutenant bewegten sich auf Knien und Ellenbogen davon.

Die folgenden Minuten ähnelten dem Soundtrack eines gespenstischen Film noir, dessen Bilder um so eindringlicher waren, als sie nur in ihrer Phantasie existierten. Karin und Witkowski teilten sich ein Funkgerät, Drew hielt sich seines dicht ans Ohr. Was sie zu hören bekamen, ließ sie immer wieder zusammenzucken, den Colonel weniger als Drew und Karin. Als die beiden Ranger durch das dichte Unterholz am Flußufer krochen, war das Rascheln von Blättern zu hören, dann Schritte und plötzlich halberstickte Schreie und gleich darauf Röcheln und gurgelndes Stöhnen. Dann wieder Schritte, schnell, leiser werdend, Grunzlaute, spuckende Geräusche, bei denen es sich um Schüsse aus Schalldämpferpistolen handeln mußte. Wieder Laufen, Knacken von Zweigen, lauter jetzt, näherkommend. Dann wieder Stille – totale, beängstigende Stille –, plötzlich von Störgeräuschen unterbrochen, und dann wieder Schritte, aber auf harter Oberfläche. Karin, Drew und Witkowski sahen einander mit geweiteten Augen an, befürchteten das Schlimmste. Dann Stimmen, alle in deutscher Sprache, bettelnd, flehend – auf

Deutsch! Das Klirren von Glas auf Metall, ein Stöhnen schließlich ein Schrei auf Englisch.

»Mein Gott, bringt mich nicht um!«

»Heilige Madonna!« platzte es aus Witkowski heraus. »Man hat sie erwischt. Sie bleiben hier. Ich muß ihnen helfen!«

»Halt, Stanley«, befahl Drew und packte den Colonel mit der eisernen Hand des ehemaligen Eishockeyprofis an der Schulter. »Sie bleiben, wo Sie sind!«

»Den Teufel werd ich tun! Diese Jungs sind in Schwierigkeiten!«

»Wenn das der Fall ist, dann werden auch Sie das Leben verlieren, und darauf haben wir uns doch alle eingestellt, oder haben Sie das nicht gesagt?«

»Das ist etwas anderes! Ich habe hier eine geladene Automatic und zweihundert Schuß Munition.«

»Mir ist genauso zumute wie Ihnen, Stosh, aber dazu sind wir nicht hier, oder?«

»Sie verdammter Hurensohn«, sagte der Colonel leise und ließ sich zu Boden sinken. »Sie hätten wirklich das Zeug zu einem Offizier.«

»Aber in keiner Armee, von der ich je gehört habe.«

»Also schön, *chlopak*, was tun wir dann?«

»Wir warten – das ist auch so was, was Sie mal gesagt haben – Warten ist das Schlimmste.«

»Das ist es auch.«

Aber so schlimm war es gar nicht, denn kurz darauf war im Radio leise die Stimme von Captain Christian Dietz zu hören. »Beach Two an Beach One. Wir mußten vier Mann auf Streife töten, zwei andere, die keinen Widerstand geleistet haben, haben wir gefesselt und geknebelt. Dann haben wir die Sicherheitszentrale in einem Kellerraum unter dem Kutscherhäuschen sechzig oder siebzig Meter östlich des Hauses eingenommen. Von den drei Männern, die wir hier vorgefunden haben, ist einer tot, er wollte Alarm schlagen. Ein zweiter ist gefesselt und hat ebenfalls Heftpflaster auf dem Mund, und der Dritte – ein braver alter Redneck, der ein deutsches Mädchen geheiratet hat, während er bei der Army Dienst tat – weint immer noch vor Erleichterung und singt ›God Bless America‹.«

»Ihr seid phantastisch!« rief Drew. »Was geht in dem großen Haus vor sich? Konnten Sie etwas sehen?«

»Nur ein kurzer Blick durchs Fenster, als wir die Streifen außen im Gelände erledigt haben. Zwischen zwanzig und dreißig Männer und ein blondhaariger Priester am Rednerpult, der aber keine Predigt gehalten hat, sondern dauernd mit dem Höllenfeuer droht. So wie es aussieht, ist das hier der Obermacker.«

»Ein Priester?«

»Naja, er trägt einen dunklen Anzug und hat einen weißen Kragen um den Hals. Was könnte das sonst bedeuten?«

»In Paris war ein Priester – wie groß ist er?«

»Nicht ganz so groß wie Sie, aber auch nicht viel kleiner. Ich würde sagen, ein Meter achtundsiebzig oder einsachtzig.«

»Oh, mein Gott!« rief Karin de Vries erschrocken aus.

»Was?«

»Ein Priester ... mit blondem Haar!« Sie hielt zitternd die Hand über das Radio und flüsterte Lennox und Witkowski zu: »Wir müssen da hinüber, an eines der Fenster.«

»Was ist?« fragte Drew verständnislos, während der Colonel Karin anstarrte. »Was ist denn los?«

»Tu, was ich sage!«

»Tun Sie's«, sagte Witkowski und sah dabei immer noch Karin an.

»Beach One an Beach Two, wie sieht's an der Villa aus?«

»Ich glaube nicht, daß wir einen übersehen haben, aber garantieren kann ich es nicht. Schließlich könnte einer ja in den Büschen pinkeln gegangen sein –«

»Dann würde er, wenn er wieder rauskommt, ein paar Leichen vorfinden, was?«

»Das könnte ihn aber auch dazu veranlaßt haben, hier schleunigst zu verschwinden und mit irgendwelchen Neonazis in Bonn Verbindung aufzunehmen.«

»Ich glaube, dazu seid ihr beiden viel zu gut«, sagte Drew. »Wir rücken vor.«

»Ruhig Blut, Cons-Op. Warten Sie, bis wir zwischen dem Haus und dem Fluß Stellung bezogen haben. Ich sage Ihnen Bescheid, wenn Sie rauskommen sollen.«

»Das akzeptiere ich gern. Sie sind schließlich die Experten.«

»Allerdings … Sir«, sagte die Stimme von Lieutenant Anthony. »Und bitte sorgen Sie dafür, daß Mrs. de Vries auf der Flußseite bleibt, falls es zu einem Schußwechsel kommen sollte.«

»Natürlich.« Lennox deckte die Hand über das Radio und sagte über Witkowskis Kopf hinweg zu Karin: »Weißt du, allmählich fängt der Junge an, mir auf die Nerven zu gehen.«

»Er ist in Ordnung«, sagte Witkowski.

»Er ist noch nicht trocken hinter den Ohren.«

»Bitte, die Fenster!« drängte Karin.

»Sobald die uns Bescheid sagen, junge Lady.« Der Colonel packte die zitternde Hand Karins und hielt sie zwischen seinen Händen fest. »Ganz ruhig, Mädchen«, flüsterte er. »Immer die Dinge im Griff behalten, nicht vergessen.«

»Sie wissen …?«

»Ich weiß gar nichts. Bloß ein paar Fragen aus der Vergangenheit, auf die ich nie Antworten bekommen habe.«

»Beach One«, war Dietz ruhige Stimme aus dem Funksprechgerät zu vernehmen, »die Luft ist jetzt rein, aber bleiben Sie geduckt, vielleicht gibt es in Hüfthöhe noch ein paar Infrarotlichtschranken. Seien Sie vorsichtig, bis Sie an der oberen Terrasse sind.«

»Ich dachte, Sie hätten die Anlage lahmgelegt«, sagte Witkowski.

»Die Kameras und die Zäune, Colonel. Das könnte alles sein, aber die Lichtschranken sind vielleicht unabhängig vom Rest unterirdisch verdrahtet.«

»Verstanden, Captain, wir halten uns geduckt.«

Die drei setzten sich mit Lennox an der Spitze in Bewegung. Den größten Teil der Strecke legten sie dicht am Rheinufer zurück, immer wieder bis zu den Knöcheln im Wasser. Der Schlamm klebte an ihren Taucheranzügen, und sie hielten ihre Waffen über dem Kopf. Dann hatten sie schließlich die Uferböschung des Anwesens erreicht. Sie nickten einander zu und arbeiteten sich dann vorsichtig geduckt durch das Gras zu der ersten unteren Terrasse hinauf, von der aus man den Landesteg überblicken konnte. Ein Stück weiter oben konnte man nach einer gepflegten Rasenfläche eine zweite Terrasse erkennen, hinter der der rückwärtige Flügel der Villa begann. Nach den Glastüren und den schwachbeleuchteten Kristallüstern zu schließen, deren Licht durch die Fenster fiel, befand sich dahinter eine Art Bankettalle.

»Dieses Haus habe ich schon mal gesehen!« flüsterte Drew.

»Sie sind hier gewesen?« fragte Witkowski.

»Nein. Bilder, Fotografien.«

»Wo?«

»In einer von diesen Architekturzeitschriften, ich erinnere mich nicht mehr genau, aber diese stufenförmigen Terrassen und diese Glastüren ... Karin! Was machst du da?«

»Ich muß da hineinsehen.« Karin richtete sich wie in Trance auf und ging mit hölzernen Schritten, fast wie ein Roboter, über den Rasen auf die breite Front mit den Glastüren zu. »Ich muß!«

»Halten Sie sie auf!« sagte der Colonel. »Du heilige Madonna, halten Sie sie auf!«

Lennox machte einen Satz, packte Karin an der Hüfte und riß sie zu Boden, wälzte sich mit ihr nach rechts aus dem Lichtschein. »Was ist denn plötzlich los mit dir? Willst du, daß die dich abknallen?«

»Ich muß da hineinschauen! Du kannst mich nicht aufhalten.«

»Na schön, na schön. Du hast ja recht, wir sind ja ganz deiner Meinung, aber wir wollen es doch ein wenig geschickter anstellen.«

Plötzlich kauerten die beiden Ranger links und rechts neben ihnen. »Das war nicht besonders klug, Mrs. de Vries«, sagte Captain Dietz ärgerlich. »Sie wissen schließlich nicht, ob da nicht jemand hinter einer dieser Glastüren steht, und wir haben heute ziemlich helles Mondlicht.«

»Es tut mir leid, wirklich leid, aber das ist wichtig für mich. Sehr wichtig. Sie haben da einen Priester erwähnt, einen blonden Priester. Ich muß ihn sehen!«

»Oh, mein ... Gott!« flüsterte Drew und starrte dabei Karin an, sah die Panik in ihren Augen, ihr Zittern. »Das war es, was du mir nicht sagen wolltest –«

»Ruhig Blut, *chlopak*!« fiel der Colonel ihm ins Wort und packte Lennox am Arm.

»Sie«, sagte Drew und drehte sich um und sah dem alten G-2-Veteranen durchdringend in die Augen. »Sie wissen, was das zu bedeuten hat, nicht wahr, Stosh?«

»Kann sein, kann auch nicht sein. Aber darum geht es jetzt nicht. Bleiben Sie bei ihr, mein Junge, sie braucht jetzt alle Unterstützung, die Sie ihr geben können.«

»Folgen Sie uns«, sagte Lieutenant Anthony. »Wir schlagen einen Bogen nach rechts und arbeiten uns dann von der Ecke her zur ersten Tür vor. Wir haben uns schon ein wenig mit dem Schloß befaßt und die Tür einen Spalt geöffnet, damit man hören kann, was hinter diesem Vorhang abläuft.«

Eine halbe Minute später drängten sich die fünf am Rand der oberen Terrasse an die Gebäudeecke. Witkowski tippte Lennox auf die Schulter. »Gehen Sie mit ihr«, flüsterte er. »Sehen Sie zu, daß Sie die Hände frei haben und passen Sie gut auf. Und seien Sie auf alles vorbereitet.«

Drew schob Karin sachte vor sich her, hielt dabei ihre Schultern, bis sie die erste Schiebetür erreicht hatten. Sie spähte um den Vorhang im Inneren herum und sah den Mann am Rednerpodium, wo ein Scheinwerfer ihn anstrahlte, hörte, wie der blonde Priester die Versammelten zu immer hektischeren Beifallsrufen aufputschte. Sie riß den Mund auf, ihre Augen weiteten sich, und sie setzte zu einem Schrei an. Lennox drückte ihr die Hand über den Mund, während drinnen Sieg-Heil-Rufe den Saal füllten und riß sie herum.

»Er ist es!« stieß Karin halberstickt hervor. »Es ist Frederik!«

»Schaffen Sie sie zurück zum Boot«, schrie der Colonel beinahe. »Wir erledigen hier den Rest.«

»Was gibt's da zu erledigen? Töten Sie diesen Hurensohn!«

»Jetzt verhalten Sie sich nicht wie ein Offizier, Junge. Es gibt immer eine Nachhut.«

»Und das ist unser Job, Colonel«, sagte Captain Christian Dietz und zeigte auf seinen Lieutenant, der eine kleine Videokamera in der Hand hielt und das wilde Treiben im Saal aufnahm.

»Schaffen Sie sie hier weg!« wiederholte Witkowski.

Die Fahrt den Fluß abwärts verlief größtenteils schweigend. Eine Weile stand Karin alleine am Bug und starrte auf das vom Mondlicht beschienene gegenüberliegende Ufer. In der Mitte des Flusses drehte sie sich um und warf Lennox einen flehenden Blick zu, worauf dieser aufstand und auf sie zuging.

»Kann ich dir helfen?« fragte er leise.

»Das hast du schon, aber kannst du mir verzeihen?«

»Um Himmels willen, was?«

»Weil ich durchgedreht habe. Das hätte unser aller Tod sein können. Stanley hat mich davor gewarnt, die Selbstbeherrschung zu verlieren.«

»Du hattest schließlich allen Grund … Das war also dein Geheimnis, daß dein Mann noch lebt und –«

»Nein, nein«, unterbrach ihn Karin. »Oder ich sollte vielleicht sagen, ja, aber nicht so, nicht, was wir heute gesehen haben. Ich war sicher, daß er noch lebt, und ich glaubte auch, daß er sich der Nazibewegung angeschlossen hatte – aus freien Stücken oder nicht – aber so etwas hätte ich nie geglaubt!«

»Was hast du denn gedacht?«

»Alles mögliche. Ich habe ihn vor dem Fall von Ostberlin verlassen und ihm gesagt, zwischen uns sei Schluß, falls er es nicht schaffte, sein Leben wieder in Ordnung zu bringen. Sein Trinken war nie ein Problem, weil er unter Alkoholeinfluß viel liebenswürdiger war. Aber dann hat er sich völlig verändert und wurde gewalttätig, es war schrecklich, er hat mich geschlagen, mich gegen die Wand gestoßen. Er wollte das nicht zugeben, aber er war dem Rauschgift verfallen, und dabei stand das im totalen Widerspruch zu allem, an das er glaubte.«

»Was willst du damit sagen?«

»Er glaubte an sich, hat sich selbst gemocht. Daß er sporadisch trank, geschah zu seinem Vergnügen, war keine Sucht. Wenn es das gewesen wäre, hätte dein Bruder ihn nie ertragen können – aus persönlichen und beruflichen Gründen.«

»Da gebe ich dir recht«, sagte Drew. »Harry trank gerne Wein und auch einmal einen guten Cognac, aber mit Leuten, die sich sinnlos betranken, konnte er nichts anfangen. Das geht mir übrigens genauso.«

»Genau das meine ich; Freddie war nämlich in der Hinsicht dir und Harry ganz ähnlich. Es war ihm ein Greuel, Dinge zu sich zu nehmen, die seine Persönlichkeit veränderten. Und doch hat er sich, wie ich schon sagte, auf drastische Weise verändert. Er wurde mir zum Rätsel, in einer Minute ein Monstrum, in der nächsten wieder völlig zerknirscht. Und dann eines Abends in Amsterdam, ich hatte mich zu der Überzeugung durchgerungen, daß Harry recht hatte, daß Frederik tot war, bekam ich einen obszönen Anruf. Da waren zuerst die üblichen sexuellen Beleidigungen und Forderungen, und ich wollte gerade auflegen, als ich eine ganz bestimmte Folge von Worten hörte, die mich verblüffte. Die hatte ich schon einmal gehört – von Freddie! Ich schrie ›Mein Gott, bist du das, Freddie?‹ ... Ich höre noch jetzt den qualvollen Schrei, den die Stimme ausstieß, und da wußte ich, daß ich recht gehabt hatte, und Harry unrecht.«

»Was wir heute zu sehen bekamen, war eine Variation dieses Monstrums«, sagte Drew. »Ich würde gerne wissen, ob er immer noch unter Drogeneinfluß steht.«

»Da hab ich keine Ahnung. Vielleicht sollte sich ein Psychiater das Band ansehen, das Lieutenant Anthony aufgenommen hat.«

»Ich kann es gar nicht erwarten, es selbst zu sehen ... Karin, was weiß Witkowski?«

»Ich habe keine Ahnung. Er hat nur gesagt, es gäbe da unbeantwortete Fragen aus der Vergangenheit. Ich weiß nicht, was er damit gemeint hat.«

»Dann wollen wir ihn fragen.« Lennox drehte sich um und sagte zu dem Colonel, der mit Dietz und Anthony auf dem Dollbord saß. »Stan, könnten Sie einen Augenblick herkommen?«

»Aber klar.« Der Colonel stand auf und trat zu Drew und Karin.

»Stosh, Sie wußten über das, was heute nacht geschah, mehr, als Sie uns gesagt haben, nicht wahr?«

»Nein, gewußt habe ich nichts, ich habe nur mit der Möglichkeit gerechnet. Eine von Freddies Lieblingsmasken war die eines Priesters, und er war, wenn er sich das Haar nicht gefärbt hatte, weiß Gott, blonder als Marylin Monroe. Als der Captain von einem blonden Priester von etwa einem Meter achtzig sprach, stand ich neben Ihnen, Karin, und habe gesehen, wie bei Ihnen der Groschen fiel. Und dann erinnerte ich mich plötzlich.«

»Das ist keine Antwort auf die Frage, wie Sie auf die Idee kamen, dieser Priester dort oben könnte ihr Mann sein«, sagte Lennox.

»Also, da müssen wir jetzt ein paar Jahre in die Vergangenheit zurückgehen. Als G-2 hörte, daß die Stasi Frederik de Vries getötet hätte, gab es da ein paar Dinge, die nicht recht zusammenpassen wollten. Zum Beispiel, weshalb sie seine Vernehmungen und seinen Tod so detailliert aufgezeichnet haben. Das war nicht normal, ganz und gar nicht normal. Gewöhnlich wurden solche Dinge nicht aufgezeichnet.«

»Das ist mir zunächst auch aufgefallen«, sagte Karin. »Harry übrigens auch, aber er schrieb das der Mentalität von Stasifanatikern zu, die bereits wußten, daß sie ihre Macht verlieren würden, daß sie alles verlieren würden. Ich konnte mich dem nicht anschließen, weil Freddie so häufig über die Stasi gesprochen hatte und dabei zwar auch ihre Brutalität erwähnte, aber auch, wie unsicher sie im Grunde genommen waren. Und unsichere Männer schreiben sich nicht selbst ihr Todesurteil.«

»Wie hat mein Bruder denn reagiert, als du ihm das sagtest?«

»Das habe ich nie. Weißt du, Harry war nicht nur Frederiks Führungsoffizier, er hat ihn auch sehr gern gemocht. Ich brachte es einfach nicht übers Herz, ihm von unseren Problemen zu erzählen. Es hätte ja keinen Sinn gehabt. Freddie war doch tot – so stand es in den Akten.«

»Da waren auch noch ein paar andere Dinge«, sagte der Colonel bedächtig, »Dinge, die Sie nicht wissen konnten, Karin. Die Informationen, die de Vries von seinen letzten drei Einsätzen mitbrachte, waren offenkundig falsch. Um die Zeit hatten wir selbst schon ein paar Stasileute umgedreht, Männer, die wußten, daß sie bald arbeitslos wären und daß man ihnen den Prozeß machen würde, und die deshalb gern mit uns kooperiert haben. Einige von ihnen haben uns Beweise gebracht, die im Gegensatz zu de Vries' Angaben standen.«

»Warum haben Sie ihn dann nicht zur Rede gestellt?« fragte Drew. »Ich meine, ihn einfach in die Mangel genommen?«

»Das war damals alles recht wirr«, erwiderte Witkowski und schüttelte den Kopf. »Konnte es sein, daß man ihn getäuscht hatte, ausgetrickst? Oder war er einfach ausgebrannt? Er hatte in der Vergangenheit Großartiges geleistet – konnte es also sein, daß das einfach Pannen waren, infolge von Überarbeitung? Wir konnten uns einfach keinen Reim darauf machen.«

»Sie erwähnten ›ein paar andere Dinge‹, Stanley«, sagte Karin. »Was war das alles?«

»Eigentlich war es nur eine Sache, aber die ist von zwei unserer Doppelagenten bestätigt worden, die einander nicht kannten, und das haben wir wiederum verifiziert. Die Stasi war wie eine riesige Krake mit hundert Augen und tausend Tentakeln … in gewisser Weise hat sie das Land beherrscht … Ihr Mann ist zweimal nach München geflogen, wo er sich mit General Ulrich von Schnabe traf, von dem später festgestellt wurde, daß er einer der Anführer der Neonazibewegung war. Er ist im Gefängnis von einem seiner eigenen Leute ermordet worden, ehe er verhört werden konnte.«

»Also wurde die Saat gepflanzt, und eine giftige Blume namens Günter Jäger ist aufgegangen«, sagte Karin und schüttelte immer wieder ungläubig den Kopf. »Ich frage mich nur, wie konnte es dazu kommen? Wie im Namen aller Heiligen?«

»Vielleicht verrät uns das Videoband etwas.« Lennox schob den Colonel sanft beiseite und legte ihr den Arm um die Schultern. Dann wandte er sich wieder Witkowski zu. »Jetzt nehmen Sie Ihr komisches Handy und rufen Sie Moreaus Leute hier in Bonn an. Die sollen uns eine Dreiersuite im Hotel Königshof besorgen, und, warten Sie, zwei Videorecorder, damit wir uns das Band ansehen und gleichzeitig Kopien ziehen können.«

»Zu Befehl, Herr Cons-Op!« sagte der Colonel mit einem zufriedenen Lächeln. »Jetzt klingen Sie wie ein richtiger Befehlshaber, *chlopak*.«

»Aber wie konnte das geschehen?« rief Karin de Vries plötzlich aus, und ihr vom Schmerz verzerrtes Gesicht blickte zu den über den Himmel ziehenden nächtlichen Wolken auf. »Wie konnte ein Mensch sich in einen völlig anderen verwandeln?«

»Das werden wir herausfinden«, sagte Drew und drückte sie an sich.

Die Worte in deutscher Sprache, teils im Flüsterton, teils hinausgebrüllt, erzeugten ihren eigenen Rhythmus, eine betäubende und zugleich elektrisierende Geräuschkulisse, eine Mischung aus Predigt und Drohung. Die Bilder auf dem Bildschirm waren in gleicher Weise hypnotisch, obwohl die kleine Kamera sich häufig bewegt hatte, und gelegentlich ein Vorhang den Blick versperrte. Der blonde Priester sprach zu einer Gruppe von sechsunddreißig Männern, von denen einige, ihrer Kleidung nach zu schließen, keine Deutschen waren, aber alle waren teuer gekleidet, manche weniger formell in Segelkleidung und Jogginganzügen von Dior, manche in Straßenanzügen. Sie saßen meist gebannt da und nur gelegentlich, wenn der feurige Priester zu ausfällig wurde, wandte sich der eine oder andere Blick von ihm ab. Aber jedesmal, wenn ein gebrülltes *Sieg Heil!* ertönte, sprangen alle wie ein Mann auf. Der hitzige Priester mit dem goldblonden Haar und den durchdringenden Augen war in der Tat eine Persönlichkeit von hypnotischer Macht.

Ehe Lieutenant Anthony das Videoband eingelegt hatte, war er in der großen Suite des Hotels vor die vier anderen getreten und hatte eine kurze Erklärung abgegeben: »Die Kamera verfügt über einen Zoom und ein hochwertiges Mikrophon. Sie werden also alles hören, und ich habe mir auch große Mühe gegeben, Nahaufnahmen aller Anwesenden auf Band zu bekommen, um sie identifizieren zu können. Da Mr. Lennox nicht Deutsch spricht, haben Chris und ich uns alle Mühe gegeben, das, was dieser Günter Jäger gesagt hat, zu übersetzen – die Übersetzung ist nicht perfekt, aber klar genug.«

»Das war sehr aufmerksam von Ihnen, Gerry«, sagte Drew, der zwischen Witkowski und Karin saß.

»Das war nicht nur aufmerksam, das war verdammt wichtig«, unterbrach ihn Captain Dietz, der vor dem Fernseher kniete und die Videokassette einschob. »Ich bin immer noch völlig durcheinander«, fügte er dann etwas rätselhaft hinzu. »Okay, es geht los.« Plötzlich erschienen Bilder auf dem Fensehschirm, und Geräusche waren zu hören. Lennox las den englischen Text.

»*Freunde, Soldaten, ihr wahren Helden des Vierten Reichs!*« begann der Mann, der sich Günter Jäger nannte. »*Ich komme nun zum wichtigsten Punkt meiner Ausführungen. Eine Welle der Vernichtung wird über den Hauptstädten unserer Feinde zusammenschlagen. Die Stunde Null ist festgelegt worden, und zwar in weniger als vierzig Stunden von jetzt an gerechnet. Alles, wofür wir gearbeitet, wofür wir Opfer gebracht und uns abgemüht haben, wird jetzt Früchte tragen. Das Ende ist noch nicht in Sicht, aber das Ende des Anfangs schwebt über uns! Es wird das Omega, die Endlösung einer internationalen Lähmung sein! Wie Sie, die Sie über Meere und Grenzen hierher gekommen sind, alle wissen, befinden sich unsere Feinde in einem Zustand des Chaos, viele klagen so viele andere an, Teil unserer großen Sache zu sein. An der Oberfläche verfluchen sie uns, aber im stillen spenden uns Millionen Beifall, weil sie das wollen, was wir ihnen bieten können! Wir wollen die Hallen der Macht befreien von den perfiden Juden, die alles für sich selbst wollen, wollen das abscheuliche Israel vernichten, die wertlosen kreischenden Schwarzen deportieren, die Sozialisten zerquetschen, die uns immer mehr Steuern abpressen und unsere Steuergelder dann dazu benützen, unproduktives Pack zu fördern – mit einem Wort, wir wollen neue Strukturen! Die Welt muß von den Römern lernen, bevor sie träge wurden und zuließen, daß das Blut der Sklaven ihre Adern infizierte. Wir müssen stark sein und unduldsam gegenüber den Wertlosen! Einen verwachsenen Hund tötet man, warum also nicht das Produkt wertloser Eltern? ... Und jetzt zu unserer Flutwelle – die meisten von Ihnen kennen ihren Namen, aber einige nicht. Die Codebezeichnung lautet Wasserblitz und genau das ist es. Ein Blitz schlägt ein und tötet, und dasselbe wird das Wasser tun, das davon getroffen wird. In weniger als vierzig Stunden werden die Wasserreservoire von London, Paris und Washington mit einem Mittel von so ungewöhnlicher Toxizität vergiftet werden, daß Hunderttausende daran sterben werden. Die Regierungen werden gelähmt sein, weil es Tage, ja vielleicht Wochen dauern wird, ehe die Toxine analysiert werden können, und dann noch*

einmal Wochen, ehe Gegenmaßnahmen ergriffen werden kön-
nen. Bis dahin –«

»Ich habe genug gehört!« sagte Lennox. »Schaltet das gottverdammte Ding ab und macht sofort Kopien. Ich weiß nicht, wie
man das macht, aber schafft dieses Band auf schnellstem Wege
nach London, Paris und Washington! Und faxen Sie die Übersetzung an die Nummer, die ich Ihnen durchgeben werde. Ich
werde jetzt mit allen möglichen Leuten telefonieren, mit jedem,
der mir einfällt. Herrgott, nur noch achtunddreißig Stunden!«

38

Wesley Sorenson hielt den Telefonhörer ans Ohr gepreßt, aus dem Lennox' Stimme tönte; an seinem weißen Haaransatz standen winzige Schweißperlen. »Die ›Wasserreserven‹, die Reservoire«, sagte er mit kaum hörbarer Stimme und von Angst erfüllt. »Dafür ist das Pioniercorps der Armee zuständig.«

»Dafür ist jedermann im Pentagon, in Langley, beim FBI und die Polizei in ganz Washington zuständig, Wes!«

»Die Reservoire sind eingezäunt, sie werden bewacht –«

»Sie müssen alle Patrouillen verdoppeln, verdreifachen oder vervierfachen«, beharrte Drew. »Dieser Verrückte hätte das nicht verkündet, wenn er nicht überzeugt wäre, sein Versprechen wahrmachen zu können, nicht vor diesen Zuhörern. Ich wette, daß da mehr Geld versammelt war, als halb Europa aufbringen kann. Die hungern nach Macht, geifern förmlich danach, und ich werde das Gefühl nicht los, daß er über unbeschränkte Mittel verfügt. Herrgott, weniger als vierzig Stunden!«

»Wie kommen Sie damit voran, die Leute zu identifizieren, die in dieser Villa versammelt waren?«

»Woher soll ich das wissen? Sie sind mein erster Anruf. Wir übertragen die Videoaufnahmen – der deutsche Bundeskanzler hat uns die Studios der Regierung zur Verfügung gestellt – an die Abwehrstellen in Frankreich, Großbritannien und den USA. Was uns betrifft, sollen alle Fragen und Verlautbarungen an Sie gerichtet werden.«

»Es darf keinerlei öffentliche Verlautbarungen geben! Das Klima hier und im ganzen Lande ist ohnehin schon völlig vergiftet. Das könnte noch schlimmer werden als damals in der McCarthy-Zeit. In einigen Städten hat es bereits Unruhen gegeben, und in Trenton, Ohio, hat sich eine Menge zusammengerottet und einen Marsch auf die Hauptstadt veranstaltet. Die Leute geraten hier außer Rand und Band und schreien Nazi, wenn irgendein Politiker, Gewerkschaftsführer oder Vorstand einer größeren Firma erwähnt wird, der auch nur entfernt mit den Untersuchungen in Verbindung steht. Und das ist erst der Anfang.«

»Augenblick mal«, tönte Lennox' Stimme in seinem Ohr, »Augenblick! Harry hat doch hunderte dieser Namen aus dem Geheimlager der Bruderschaft in den Tauern geliefert, nicht wahr?«

»Ja, natürlich.«

»Und nach den Protokollen von MI-6 hat mein Bruder eindeutig verlangt, daß nicht nur diese Leute überprüft werden sollten, sondern alle in ihrer Umgebung.«

»Natürlich, das ist die übliche Vorgehensweise.«

»Und dann, nachdem diese Namen in Umlauf gebracht worden waren, kam von der Spitze der Nazibewegung die Anweisung, Harry zu töten, stimmt das?«

»Ja. So muß es gewesen sein.«

»Warum? … Warum, Wes? Die haben mich gejagt, wie ein halbverhungertes Rudel Wölfe, das hinter einem einzelnen Schaf her ist.«

»Das habe ich auch nie verstanden.«

»Vielleicht dämmert es mir jetzt langsam. Es tut mir weh, das auszusprechen. Aber nehmen Sie einmal an, daß man Harry tatsächlich falsche Namen zugespielt hat. Absichtlich, um damit genau das Klima zu erzeugen, das Sie gerade geschildert haben.«

»So wie ich Ihren Bruder gekannt habe, glaube ich nicht, daß er auf so etwas hereingefallen wäre.«

»Und wenn er keine andere Wahl hatte?«

»Er hat doch schließlich nicht seinen Verstand verloren. Natürlich hatte er die Wahl.«

»Einmal angenommen, daß es doch so war – daß er den Verstand verloren hat, meine ich. Gerhard Kröger ist Gehirnchirurg und hat in Paris sein Leben riskiert, um Harry zu töten. In einem Szenario sollte er – also ich – enthauptet werden; in einem anderen sollte ein Fangschuß angesetzt werden, bei dem sein Kopf zerplatzt wäre … die linke Seite seines Schädels.«

»Ich würde sagen, da ist eine Autopsie angezeigt«, sagte der Direktor von Consular Operations und fügte dann hinzu,

»wenn sich das machen läßt. Im Augenblick sollten wir alle Kräfte einsetzen, um zu verhindern, daß Tausende von Menschen in Paris, London und Washington sterben.«

»Jäger hat es ganz klar ausgesprochen, Wes. Die Reservoire sollen vergiftet werden.«

»Ich bin kein Experte für Wasserwerke, aber ein wenig weiß ich doch darüber. Du lieber Gott, schließlich haben wir alle einmal über derartige taktische Sabotagemaßnahmen nachgedacht und den Gedanken dann wieder fallenlassen.«

»Warum?«

»Weil es einfach nicht durchführbar ist. Um eine nennenswerte Wirkung in Großstädten zu erzielen, würde man einen Konvoi von Schwerlastern benötigen, und so etwas ließe sich wohl schwerlich geheimhalten. Dann kommt noch dazu, daß der Zugang zu den Reservoiren bewacht wird – so daß also eine so große Zahl von Fahrzeugen praktisch ausscheidet. Diese Zäune sind wie Gefängnisbarrikaden, alle mit Alarmanlagen ausgestattet; wenn sich da wirklich jemand Zugang verschaffen würde, würde man das in den jeweiligen Sicherheitszentralen sofort bemerken und Alarm auslösen.«

»Ich würde sagen, Sie sind ja doch Fachmann, Mr. Director.«

»Unsinn, das weiß praktisch jeder Pfadfinder und ganz sicher jeder technische Angestellte im Regierungsdienst.«

»Damit haben Sie Sabotage vom Boden aus ausgeschlossen, aber was ist mit einem Angriff aus der Luft?«

»Genauso unmöglich. Man müßte dazu wenigstens zwei Geschwader tieffliegender Frachtflugzeuge einsetzen und die Giftstoffe punktgenau an den Schleuseneingängen der Wassertürme einbringen. Dabei würde es aller Wahrscheinlichkeit nach zu ein paar Zusammenstößen in der Luft kommen, und selbst, wenn das nicht der Fall wäre, würde das Motorengeräusch auffallen, ganz zu schweigen davon, daß die Flugzeuge natürlich von der Radarüberwachung erfaßt würden.«

»Mannomann, Sie haben also wirklich derartige Sabotagemaßnahmen in Erwägung gezogen, was?«

»Sie wissen genausogut wie ich, daß in unserem Gewerbe immer alle Alternativen bis zur letzten Konsequenz durchgespielt werden.«

»Hier geht es nicht um Alternativen und nicht um Sandka-
stenspiele, Wes. Dieser Mistkerl hat das bitter ernst gemeint. Der
hat sich einen Weg ausgedacht. Und er wird das durchführen,
was er angekündigt hat.«

»Dann sollten wir uns alle besser an die Arbeit machen, nicht
wahr? Ich werde mit MI-5 und dem Quai d'Orsay in Verbindung bleiben. Sie konzentrieren sich auf die Identität der Leute
in dieser Versammlung. Stimmen Sie sich mit Claude, MI-6 und
der deutschen Abwehr ab. Bis morgen früh muß jeder einzelne
dieser Fanatiker hinter Schloß und Riegel sitzen. Und konzentrieren Sie sich zuerst auf diejenigen, die keine deutschen Staats-
bürger sind; verhindern Sie, daß sie das Land verlassen.«

Die nächsten einundzwanzig Stunden liefen die Regierungs-
computer von vier Ländern auf Hochtouren. Aus dem Videoband herausvergrößerte Fotos wurden über Bildfunk an die
Nachrichtendienste Deutschlands, Frankreichs, Englands und
der Vereinigten Staaten übermittelt. Von den sechsunddreißig
Männern, die Sieg Heil! gebrüllt hatten, waren siebzehn Deutsche, sieben Amerikaner, vier Briten und fünf Franzosen; drei
waren nicht zu identifizieren und hatten vermutlich das Land
bereits auf dem Luftwege verlassen. Alle übrigen wurden unter
strengster Geheimhaltung verhaftet und in Isolierzellen festgehalten. Keinerlei Erklärungen wurden abgegeben, keine Telefongespräche erlaubt. In den Fällen, wo es sich um Prominente
handelte, ließ man den Familien im Namen ihrer jeweiligen Firmen oder Organisationen die Nachricht zukommen, die Betreffenden hätten plötzlich Dienstreisen antreten oder an längeren
Konferenzen teilnehmen müssen.

Nur Günter Jäger, der sich mit seinen Mitarbeitern in seinem
bescheidenen Haus am Rheinufer aufhielt, erfuhr nichts von
den Ereignissen der letzten einundzwanzig Stunden. Darauf
hatten sich die vier Geheimdienste geeinigt, da keiner der fest-
genommenen Neonazis irgendwelche Einzelheiten über die
Operation Wasserblitz liefern konnte. Ihre Versuche, in der
Hoffnung auf bessere Behandlung und Milde »auszupacken«,
waren so fadenscheinig, daß ihnen bald keiner mehr glaubte.
Selbst Hans Traupmann, der einen hysterischen Anfall bekom-

men hatte, als man ihm die Videoaufzeichnungen seiner sexuellen Experimente gezeigt hatte, hatte nichts an Bedeutung zu bieten.

»Glauben Sie denn, daß ich Ihnen etwas verschweigen würde? Mein Gott, ich bin Chirurg, ich weiß, wann eine Operation mißlungen ist. Wir sind erledigt!«

Nur Günter Jäger kannte die Antwort, und alle Verhaltenswissenschaftler, die die Bandaufzeichnung studiert hatten, waren sich darüber einig, daß er sich eher selbst töten als es ihnen sagen würde.

»Sein Krankheitsbild zeigt typisch manisch-depressive Züge und Anzeichen einer kontrollierten Paranoia, und das bedeutet, daß er ständig sozusagen am Abgrund steht. Ein Stoß könnte ausreichen, ihn völlig in den Wahnsinn zu stürzen.«

Karin de Vries pflichtete dem bei.

Deshalb wurden sämtliche Kommunikationskanäle des neuen Führers überwacht: Telefon, Radiofrequenzen, Lieferungen – ja selbst an Brieftauben dachte man. Agenten mit den modernsten elektronischen Lauschgeräten saßen in den Büschen, den Bäumen und in den Überresten des ehemaligen Herrensitzes, und ihre elektronischen »Ohren« erfaßten jeden Winkel des Bootshauses am Fluß und des umliegenden Geländes. Alle warteten darauf, daß Jäger mit irgend jemandem Kontakt aufnahm und ihnen damit einen Hinweis auf die Operation Wasserblitz lieferte. Doch die Stunden schleppten sich dahin, ohne daß etwas geschah.

In London, Paris und Washington befanden sich die Wasserwerke praktisch im Ausnahmezustand. Ganze Kompanien bewaffneter Soldaten patrouillierten über das Gelände; die zu den Reservoiren führenden Straßen wurden blockiert und der Verkehr großräumig umgeleitet. In den Wassertürmen von Washington besetzten Wachleute des Pioniercorps der Armee die Einsatz- und Sicherheitseinrichtungen; man hatte dazu eigens die erfahrensten Leute aus dem ganzen Land eingeflogen.

»Kein Hurensohn von Nazi wird hier durchkommen«, sagte der Brigadegeneral, der den Befehl über das Reservoir von Dalecarlia hatte. »In London und Paris ist es genauso. Wir haben alle

Möglichkeiten durchgespielt. Dabei glaube ich allerdings, daß die Franzosen am Durchdrehen sind. Die haben in Hundert-Meter-Abständen Panzerfäuste und Flammenwerfer-Einheiten postiert, und dabei trinken die nicht einmal Wasser.«

Da es keine Hinweise darauf gab, daß auch Bonn von der Operation Wasserblitz betroffen sein würde, stellte die Regierung ihre sämtlichen Hilfsmittel den Alliierten zur Verfügung, jetzt ihren Alliierten, denn niemand auf der ganzen Welt verabscheute die neuerwachte Nazibewegung mehr als die deutsche Regierung. Dennoch hatten ihre Mitglieder nicht viel aus der Geschichte gelernt oder ihre Wiederholung nicht für möglich gehalten. Während der dunkelsten Stunden der Nacht vor Wasserblitz waren nämlich Lkws angeblich mit Lieferungen für den Küchenbereich langsam und unauffällig auf die Parkplätze des Bundestages gerollt; in Wirklichkeit beförderten sie Tanks mit hochexplosivem Benzin und Pumpanlagen, die einen ganzen Fußballplatz hätten besprühen können. Es handelte sich dabei um ein Symbol, dem Günter Jäger nicht widerstehen konnte, ein persönliches Symbol, von dem nur seine ergebensten Jünger wußten, die den Auftrag durchführen sollten. Sie würden den Bundestag in Brand stecken, ihn bis auf die Grundmauern niederbrennen.

»*Reichstagsbrand Nummer zwei*«, schrieb er in sein privates Tagebuch.

»Es geschieht überhaupt nichts!« rief Karin in ihrer Suite im Hotel Königshof aus. In Bonn war es ein Uhr morgens. Witkowski und die beiden Ranger schliefen in den anderen Räumen, erschöpft von den zwei Tagen, die sie ununterbrochen im Einsatz gewesen waren. »Wir kommen nicht voran!«

»Wir haben uns alle darauf geeinigt«, sagte Lennox, dessen Augenlider wie Blei waren, »wenn bis sechs Uhr früh nichts geschehen ist, flechten wir ihn aufs Rad.«

»Dazu wird es nicht kommen, Drew. Freddie ist nie in einen Einsatz gegangen, ohne eine Möglichkeit für sich geschaffen zu haben, Selbstmord zu begehen, falls er in Gefangenschaft geriet. Er hat zu mir immer gesagt, das sei keineswegs heldenhaft, sondern lediglich seine Angst vor der Folter. Er wußte genau, daß er, falls man ihn enttarnte, am Ende exekutiert werden würde. Warum also nicht dem Schmerz aus dem Wege gehen ... das war einer der Gründe, weshalb ich die Stasigeschichte nie geglaubt habe.«

»Du meinst, die Zyankalikapsel im Kragenfutter und all den Blödsinn?«

»Das ist die Realität, du hast es doch selbst gesehen! Dein Bruder Harry hatte auch eine solche Pille bei sich!«

»Er hätte sie aber nie benutzt.« Lennox fiel der Kopf auf die Brust, und dann sank er langsam auf der Couch nach hinten.

»Hunderte, Tausende von Leben stehen auf dem Spiel, Drew! Du hast es selbst gesagt – er hat Mittel und Wege dafür gefunden!« Aber Lennox hörte das bereits nicht mehr. Er war eingeschlafen. »Es gibt eine andere Möglichkeit, ihn aufzuhalten«, sagte Karin de Vries im Flüsterton, während sie in ihr Schlafzimmer eilte, eine Decke vom Bett riß und damit Lennox zudeckte. Dann ging sie ins Schlafzimmer zurück und griff nach dem Telefon.

Das Telefon klingelte und riß Drew aus dem Schlaf. Er fiel von der Couch, tastete nach dem Apparat und erhob sich dann schwerfällig. Das Klingeln verstummte und eine halbe Minute später kam Witkowski fast völlig bekleidet aus dem Schlafzimmer geschossen. »Verdammt noch mal, sie hat es getan!« schrie der Colonel.

»Was getan ...?« fragte Lennox, der sich wieder auf die Couch gesetzt hatte und benommen den Kopf schüttelte.

»Sie geht jetzt selbst auf de Vries los.«

»Was?«

»Karin hat unsere Codes benutzt und es damit geschafft, den Sicherungsring um Jäger zu passieren.«

»Wann war das?«

»Vor ein paar Minuten. Der Wachoffizier wollte wissen, ob er sie unter ihrem Code oder unter ihrem Namen eintragen sollte.«

»Wir müssen hier raus! ... Wo ist meine Waffe? Sie lag hier auf dem Tisch. Mein Gott, sie hat sie mitgenommen!«

»Ziehen Sie eine Jacke und einen Regenmantel an«, sagte der Colonel. »Seit einer Stunde regnet es.«

»Ein Wagen vom deutschen Geheimdienst ist unterwegs«, verkündete Captain Dietz, der gefolgt von seinem Lieutenant aus dem dritten Schlafzimmer hinzueilte. Beide waren vollständig angezogen, und ihre Automatics steckten in den Halftern. »Ich habe den Hörer abgenommen und mitgehört«, erklärte er. »Wir müssen uns beeilen, es dauert mindestens zehn Minuten, bis wir da sind.«

»Rufen Sie den Sicherheitschef an und geben Sie denen Anweisung, daß sie Karin aufhalten oder ihr folgen sollen«, sagte Lieutenant Anthony.

»Nein«, widersprach Witkowski barsch. »Jäger ist wie ein tollwütiger Hund. Wenn er glaubt, daß man ihn in die Ecke getrieben hat, dreht er durch und tötet alle in seiner Umgebung. Sie haben doch gehört, was die Psychiater gesagt haben. Was auch immer diese Verrückte vorhat, es ist besser für sie, wenn sie es alleine tut, bis wir hinkommen.«

»Und wenn wir hinkommen«, sagte Drew entschlossen mit leiser Stimme und riß ein Jackett und einen Regenmantel von einer Stuhllehne, »dann werden wir da hineingehen. Jeder von Ihnen hat eine zweite Waffe. Geben Sie mir eine davon.«

Nachdem Karin de Vries sich als Mitglied der N-2-Einheit zu erkennen gegeben, und der deutsche Agent, der das Überwachungsteam leitete, ihren Namen und ihren Code überprüft hatte, gab man ihr einen kurzen Lagebericht und detaillierte Instruktionen.

»Im Gelände sind neun meiner Männer strategisch verteilt«, sagte der Beamte, der im strömenden Regen hinter einer halbzerfallenen Mauer des alten Anwesens kauerte. »Jeder ist getarnt und im Gebüsch versteckt, einige sind sogar auf Bäume geklettert. Der Regen ist zwar äußerst unangenehm, bringt uns aber einige Vorteile. Günter Jägers zwei Patrouillen entfernen sich allerhöchstens fünfundzwanzig Meter von dem Bootshaus. Sie sagen, Sie müssen die Tür erreichen, ohne gesehen zu werden, und in unserer Situation ist es unerläßlich, daß man Sie nicht sieht – also passen Sie auf. Folgen Sie diesem alten Plattenweg, bis Sie die Überreste eines ausgebrannten Gartenhäuschens erreichen, wo man für Jäger einer Krocketplatz gebaut hat. Auf der gegenüberliegenden Seite steht eine weit ausladende Fichte; einer meiner Männer sitzt in etwa fünf Meter Höhe auf diesem Baum und beobachtet die Bootshütte. Er hat eine Taschenlampe, die er mit der Hand abdecken wird: zwei Lichtblitze bedeuten, daß ein Wachmann unterwegs ist, drei, daß alles klar ist. Wenn Sie die Lampe dreimal aufblitzen sehen, dann laufen Sie quer über den Krocketplatz bis sie einen weiteren Plattenweg erreichen, der in einem leichten Bogen nach links führt. Dann gehen Sie ein Stück und bleiben nach etwa vierzig Schritten stehen, wo die Krümmung am ausgeprägtesten ist. Sehen Sie nach rechts; dort ist ein weiterer meiner Männer im Gebüsch, wieder mit Taschenlampe. Er kann direkt auf eine Seitentür sehen, die am Ende des Weges liegt, Sie können sie also nicht verpassen.«

»Eine Seitentür?« hatte Karin ihn gefragt und sich unter ihrem schwarzen Segeltuchhut den Regen aus dem Gesicht gewischt.

»Jägers Wohnung«, antwortete der deutsche Geheimdienstmann. »Schlafzimmer, Bad, Büro und ein Anbau an der Nordmauer mit einer kleinen Hauskapelle mit eigenem Altar. Es heißt, daß er dort Stunden in Meditation verbringt. Die Seitentür ist sein privater Eingang, sie liegt dicht am Ufer; allen anderen ist streng verboten, sie zu benutzen. Die Haupteingangstür befindet sich am äußersten linken Ende, dort, wo ursprünglich der Eingang zu dem alten Bootshaus war, das ist die Tür, die die Wachen und auch etwaige Besucher benutzen.«

»Mit anderen Worten, im Grunde genommen ist er völlig von den restlichen Mitgliedern des Haushalts isoliert, wenn er sich in seiner Wohnung befindet.«

»Eindeutig. Direktor Moreau hat sich dafür besonders interessiert, als ich ihm das schilderte. Er hat mich angerufen, nachdem Sie mit ihm gesprochen hatten. Und dann haben wir uns gemeinsam überlegt, wie Sie mit dem geringsten Risiko operieren können.«

»Was hat er Ihnen denn gesagt, wenn ich fragen darf?«

»Daß Sie Günter Jäger vor Jahren gekannt haben und eine hervorragend ausgebildete Strategin seien, die vielleicht das erreichen würde, was andere nicht geschafft haben. Ich habe, wie übrigens die meisten höheren Beamten in unserem Beruf, den höchsten Respekt vor Moreaus fachmännischem Urteil. Er erwähnte auch, Sie wären bewaffnet und durchaus imstande, sich selbst zu schützen.«

»Ich hoffe, daß er recht hat«, sagte Karin leise.

»Oh?« Der deutsche Geheimdienstmann starrte Karin an. »Ihre Vorgesetzten sind natürlich mit Ihrem Vorgehen einverstanden?«

»Selbstverständlich. Hätte Moreau Sie sonst meinetwegen angerufen, wenn er mein Vorgehen nicht billigen würde?«

»Nein, das hätte er nicht ... Ihr Regenmantel wird bald völlig durchnäßt sein. Ich kann Ihnen keinen neuen anbieten, aber ich habe einen zusätzlichen Regenschirm. Den können Sie gerne nehmen.«

»Vielen Dank, sehr liebenswürdig. Stehen Sie mit Ihren Leuten über Funk in Verbindung?«

»Ja, das ist richtig, aber ich kann Ihnen leider kein Gerät mitgeben. Das Risiko ist zu groß.«

»Ich verstehe. Sagen Sie denen einfach, daß ich unterwegs bin.«

»Viel Glück, und seien Sie sehr, sehr vorsichtig, Madame. Vergessen Sie nicht, wir können Sie zur Tür bringen, aber sonst können wir nichts für Sie tun.«

»Ja, ich weiß Bescheid.« Karin spannte ihren Schirm auf und trat in den sintflutartigen Regen hinaus. Immer wieder gezwungen, sich den Regen aus dem Gesicht zu wischen, erreichte sie die ausgebrannten Überreste des früher einmal eleganten Gartenhäuschens, das an eine Kriegsfotografie erinnerte, die die Lektion illustrierte, der Krieg sei ein großer Gleichmacher, der die Reichen wie die Armen treffe. Dahinter, wie als gewollter Kontrast zu dieser Lektion, lag ein perfekt gepflegter Krocketplatz mit manikürtem Rasen, intakten Toren und frisch lackierten Zielpfosten.

Sie blickte auf, spähte unter der Krempe ihres Regenhuts hervor und studierte die beiderseits von weniger imposanten Bäumen gesäumte mächtige Fichte. Plötzlich sah sie die zwei kaum sichtbaren Lichtblitze. Zwei waren es! Es war also eine Wache unterwegs. Karin ließ sich ins Gras sinken und spähte in die Finsternis, wartete auf das nächste Signal, das nicht lange auf sich warten ließ: ein dreimaliges Aufblitzen der Lampe und dann noch einmal dasselbe Signal. Freie Bahn.

Sie rannte über den Krocketplatz, wo ihre flachen Schuhe im matschigen, feuchten Gras einsanken, bis sie schließlich wieder harten Stein spürte: Sie hatte den zweiten Plattenweg erreicht. Sie rannte ohne zu zögern weiter, zählte dabei in Gedanken die vierzig Schritte ab, von denen man ihr gesagt hatte, bemerkte die scharfe Biegung zu spät und fiel kopfüber in die feuchten Büsche. Es war stockfinster. Mit einiger Mühe rappelte sie sich auf, griff nach ihrem Regenschirm, der bei dem Sturz zerbrochen war und blickte kniend nach rechts. Doch da war nichts, nur Finsternis und endloser Regen. Trotzdem wagte sie nicht, sich zu bewegen, bis endlich das Signal kam: drei Lichtblitze. Karin ging langsam bis ans Ende des Steinwegs; jetzt hatte sie den Rand des Gehölzes erreicht und sah das Versteck ihres vormaligen Ehemannes und jetzigen Führers des Vierten Reichs. An der linken Seite des Gebäudes brannten ein paar Lichter, sonst herrschte völlige Dunkelheit.

Das ehemalige Bootshaus war viel länger, als sie es sich vorgestellt hatte, wenn auch nicht unbedingt größer, weil es nämlich nur einstöckig war. Der deutsche Geheimdienstbeamte hatte gesagt, daß es auf der rechten Seite einen Anbau habe, in dem der Mann, der sich jetzt Günter Jäger nannte, sein Domizil aufgeschlagen hatte. Auch an der rechten Seite war an dem Gebäude einiges verändert, dachte sie, als sie das hellere, neuere Holz sah, vielleicht sechs oder acht Meter lang. Wenn man die Breite des Bauwerks auf der Flußseite bedachte, dann würde das für zwei, drei oder sogar vier zusätzliche Räume für Angestellte ausreichen. In einem Punkt hatte der Beamte recht gehabt: Die Eingangstür lag ganz links, am Ende der mit Kies bedeckten Zufahrt, asymmetrisch, als handle es sich um einen provisorischen Eingang, aber abseits von Jägers Wohnung. Und unmittelbar vor ihr, mit dem kurzen Landungssteg und dem Fluß dahinter, führte unter einem kleinen Vordach mit einer schwachen roten Laterne eine Tür zu Günter Jägers Gemächern. Karin atmete ein paarmal tief durch, in der Hoffnung damit ihr wie wild schlagendes Herz unter Kontrolle zu bekommen, zog dann Drew

Lennox' Automatik aus der Tasche ihres Regenmantels und ging quer über den Rasen auf die rot beleuchtete Tür zu. Einer von ihnen beiden würde dieses Zusammentreffen nicht überleben. Es würde das Ende ihrer zerrütteten Ehe sein. Aber Wasserblitz hatte Vorrang, Günter Jägers Plan zur Paralysierung von London, Paris und Washington mußte durchkreuzt werden. Frederik de Vries, der ehemals brillante *agent provocateur,* hatte einen Weg gefunden, das Unmögliche zu bewerkstelligen. Daran gab es für sie keinen Zweifel!

Jetzt stand Karin auf der kleinen Eingangsterrasse mit dem unheimlichen roten Licht; sie ging die eine Stufe hinauf, hielt sich an einer der beiden Säulen fest, die das Vordach stützten, auf das stetig der Regen herunterprasselte. Plötzlich stockte ihr der Atem – die Tür stand offen, nur ein Spalt von ein paar Zentimetern, dahinter gähnte schwarze Dunkelheit. Sie ging darauf zu, Lennox' Automatik in der linken Hand, und schob die Tür auf. Wieder umgab sie nur Dunkelheit und, abgesehen vom gleichmäßigen Prasseln des Regens, völlige Stille. Sie trat ein.

»Ich wußte, daß du kommen würdest, meine Liebe«, hallte die Stimme der unsichtbaren Gestalt von unsichtbaren Wänden wider. »Mach bitte die Tür zu.«

»Frederik!«

»Aha, jetzt heißt es also nicht mehr Freddie. Frederik hast du mich nur dann genannt, wenn du böse auf mich warst, Karin. Bist du jetzt böse auf mich?«

»Was hast du getan? Wo bist du?«

»Es ist besser, wenn wir im Dunkeln reden, wenigstens eine Weile.«

»Du hast gewußt, daß ich hierherkommen würde ...?«

»Die Tür stand offen, seit ihr, du und dein Lover, nach Bonn geflogen seid.«

»Dann ist dir bewußt, daß die wissen, wer du bist –«

»Das ist völlig belanglos«, fiel de Vries/Jäger ihr schroff ins Wort. »Nichts kann uns jetzt mehr aufhalten.«

»Du wirst damit nicht durchkommen.«

»Selbstverständlich werde ich das. Das ist alles bereits arrangiert.«

»Wie denn? Die wissen, wer du bist, und werden dich nicht entkommen lassen!«

»Weil die dort draußen auf beinahe zwei Hektar Unterholz und Ruinen mit ihren Abhörgeräte darauf warten, daß ich mit anderen hier in Deutschland und England, Frankreich und Amerika Verbindung aufnehme? Damit sie andere unter Anklage stellen können, andere verhaften, weil ich mit ihnen gesprochen habe? Ich sage dir, meine Liebe, die Versuchung die Präsidenten von Frankreich und den Vereinigten Staaten und die Königin von England anzurufen, war beinahe unwiderstehlich. Kannst du dir vorstellen, was das für Verwirrung in den Nachrichtendiensten gestiftet hätte?«

»Warum hast du es nicht getan?«

»Weil das Erhabene dann ins Lächerliche umgeschlagen wäre, und uns ist das hier todernst.«

»Warum, Frederik, warum? Was ist aus dem Mann geworden, der die Nazis über alles gehaßt und verabscheut hat?«

»Das stimmt nicht ganz«, sagte der neue Führer knapp. »Zuerst habe ich die Kommunisten verabscheut, weil sie dumm waren. Sie haben überall ihre Macht verspielt, indem sie versuchten nach der marxistischen Doktrin von der Gleichheit zu leben, wo es doch eine solche Gleichheit nicht gibt. Sie haben ungebildeten Bauern und primitiven, häßlichen Flegeln Macht in die Hand gegeben. An ihnen war nichts, das man großartig nennen konnte.«

»So hast du früher nie gesprochen.«

»Selbstverständlich habe ich das! Du hast nur nicht richtig zugehört … aber auch das ist nicht mehr wichtig, weil ich meine Berufung gefunden habe. Ich habe ein Vakuum entdeckt und es ausgefüllt, zugegebenermaßen mit Hilfe eines Chirurgen von großem Weitblick und einer beeindruckenden Persönlichkeit, der erkannt hat, daß ich der Mann war, den sie brauchten.«

»Hans Traupmann«, sagte Karin in der Finsternis und ärgerte sich gleich darauf, daß sie den Namen ausgesprochen hatte.

»Er weilt nicht länger unter uns, das haben wir dir und deinen tölpelhaften Kollegen zu verdanken. Dachtet ihr wirklich, ihr könntet sein Boot kapern und mit ihm entkommen? Alle vier Kameras nacheinander ausgefallen, eine plötzliche Störung im

Funkgerät und das Boot selbst auf einem Kurs rheinaufwärts? Ehrlich, wie kann man so stümperhaft vorgehen! Traupmann hat sein Leben für unsere Sache geopfert. Er hätte es nicht anders gewollt, denn unsere Sache ist alles.«

Günter Jäger wußte vieles, aber alles wußte er nicht, überlegte Karin de Vries. Er glaubte, daß Traupmann auf seinem Boot gestorben war. »Welche Sache, Frederik? Die Sache der Nazis? Dieser Ungeheuer, die deine Großeltern exekutiert und deinen Vater und deine Mutter gezwungen haben, als Ausgestoßene zu leben, bis sie diesem Leben schließlich selbst ein Ende machten?«

»Ich habe vieles gelernt, seit du mich im Stich gelassen hast, meine Liebe.«

»Ich habe dich im Stich gelassen ...?«

»Ich habe mir mein Leben durch Diamanten erkauft, alle Diamanten, die mir in Amsterdam geblieben waren. Aber wer hätte mich nach dem Fall der Mauer engagieren sollen? Wer braucht schon einen Spion, wenn es keinen Kalten Krieg mehr gibt? Wie sollte ich weiter meinen Lebensstil aufrechterhalten? Mit unbeschränktem Spesenkonto, teuren Hotels, Limousinen? Erinnerst du dich an das Schwarze Meer und Sewastopol? Mein Gott, wir hatten unsern Spaß, und ich habe zweihunderttausend Dollar für die Operation gestohlen!«

»Ich sprach von der ›Sache‹, Frederik, was ist mit dieser Sache?«

»Ich glaube inzwischen mit Leib und Seele daran. Anfangs haben andere meine Reden geschrieben, jetzt schreibe ich sie alle selbst, ich komponiere sie alle, weil sie wie kurze heroische Opern sind, weil sie all die, die mich hören und sehen, von ihren Stühlen hochreißen. Und dann schreien sie mir mein Lob entgegen, ehren mich, beten mich an, so wie ich sie verzaubere!«

»Wie hat das angefangen ... Freddie?«

»Freddie – das klingt schon besser. Möchtest du das wirklich wissen?«

»Habe ich mich nicht immer für deine Einsätze interessiert? Erinnerst du dich daran, wie wir manchmal gelacht haben?«

»Ja, in dem Punkt warst du in Ordnung, da warst du nicht das verhurte Miststück, das du die meiste Zeit warst.«

»Was …?« Karin senkte sofort die Stimme wieder. »Es tut mir leid, Freddie, wirklich leid. Du bist nach Ostberlin gegangen, das ist das letzte, was wir von dir gehört haben. Bis wir dann lasen, daß man dich exekutiert hätte.«

»Den Bericht habe ich selbst geschrieben. Ziemlich sensationell, findest du nicht?«

»Jedenfalls war er sehr detailliert.«

»Gutes Schreiben ist wie gutes Reden, und gutes Reden wie gutes Schreiben. Man muß Bilder schaffen, die diejenigen in ihren Bann ziehen, die lesen oder zuhören. Am besten mit Feuer und Blitz.«

»Ostberlin …?«

»Ja, dort hat es angefangen. Gewisse Stasileute hatten Verbindungen nach München, speziell mit einem provisorischen General der Nazibewegung. Sie erkannten meine Fähigkeiten und, mein Gott, warum auch nicht? Ich hatte sie nur zu oft zum Narren gehalten! Nachdem die offiziellen Anführer, mit denen ich verhandelte, meine Diamanten aus Amsterdam abgeholt und mich freigelassen hatten, kamen einige von ihnen zu mir und sagten, sie hätten vielleicht Arbeit für mich. Die DDR lag in den letzten Zügen, und die ganze Sowjetunion sollte bald dazukommen – jeder wußte das. Sie flogen mich nach München, wo ich mich mit diesem General traf, diesem von Schnabe. Im Grunde genommen war er ein Menschenschinder, ein Bürokrat, ihm fehlte das Feuer eines echten Führers, aber er besaß ein Konzept, das er allmählich umsetzte. Und das am Ende das Gesicht Deutschlands verändern könnte.«

»Das Gesicht Deutschlands verändern?« wiederholte Karin ungläubig. »Wie könnte ein obskurer, unbekannter General einer verachteten Radikalenbewegung zu so etwas fähig sein?«

»Durch Infiltration des Bundestages, und Infiltration war etwas, wovon ich eine ganze Menge verstehe.«

»Das beantwortet meine Frage nicht … Freddie.«

»Freddie – das gefällt mir. Wir hatten ein paar Jahre lang eine schöne Zeit, meine Liebe.« Günter Jägers Stimme schien immer noch von überall und nirgends aus der Dunkelheit zu kommen, wobei das Prasseln des Regens gegen die mit Vorhängen verhängten Fenster die Orientierung noch schwerer machte.

»Aber ich will deine Frage beantworten: Um den Bundestag zu infiltrieren, müssen einfach die richtigen Leute gewählt werden. Der General hat mit Hilfe von Hans Traupmann das ganze Land nach talentierten, unzufriedenen Männern abgesucht, sie in Bezirken untergebracht, wo die Wirtschaft darniederlag, und ihnen ›Lösungen‹ zugespielt, und ihre Wahlkampagnen in einem Maße materiell unterstützt, wovon ihre Gegner nur träumen konnten. Kannst du dir vorstellen, daß wir in diesem Augenblick über hundert unserer Leute im Bundestag sitzen haben?«

»Und du bist einer jener Männer?«

»Ich war der Ungewöhnlichste von allen! Man hat mir einen neuen Namen verschafft, einen neuen Lebenslauf, ein völlig neues Leben. Ich wurde zu Günter Jäger, einem Pfarrer aus einem kleinen Dorf, den die Kirche nach Straßlach außerhalb von München versetzt hat. Ich trat aus der Kirche aus, kämpfte für die Leute, die ich die entrechtete Mittelklasse nannte, die braven Bürger, die das Rückgrat der Nation bilden, und trug einen, wie man sagt, erdrutschartigen Sieg davon. Hans Traupmann hat mich während meiner Wahlkampagne beobachtet und seine Entscheidung getroffen. Ich war der Mann, den die Bewegung brauchte. Es ist phantastisch! Sie haben mich zu ihrem Führer gemacht, zum Führer des Vierten Reichs!«

»Aber du hast diese Leute mal als deine Feinde betrachtet.«

»Das tue ich aber nicht mehr. Sie haben recht. Die Welt hat sich verändert und zwar zum Schlechteren hin. Selbst die Kommunisten mit ihrer eisernen Faust waren besser als das, was wir jetzt haben. Du brauchst nur die Disziplin eines starken Staates wegzunehmen, dann bleibt nur das Pack übrig, das sich gegenseitig beschimpft und abschlachtet, nicht besser als wilde Tiere im Dschungel. Nun, wir werden diese Tiere beseitigen und den Staat neu aufbauen und nur die Reinsten auswählen und belohnen, damit sie dem Staat dienen können. Die Morgenröte einer großen neuen Zeit ist angebrochen, Karin, und sobald das alle begriffen haben, wird die Wahrheit ihrer Kraft und die Kraft ihrer Wahrheit die ganze Welt erfassen.«

»Die Welt wird sich an die Brutalität der Nazis erinnern, Freddie.«

»Eine Weile vielleicht, aber das wird vorübergehen, sobald die Welt erkannt hat, was ein gesäuberter Staat unter einer starken Führung bewirken kann. Die Demokratien ergehen sich die ganze Zeit in Lobpreisungen über die Gerechtigkeit der Wahlurne, aber das ist ein schlimmer Irrtum! Der Kampf um die Wählergunst wird in der Gosse geführt, weil dort die Mehrzahl der Stimmen zu holen ist. Die Amerikaner verstehen ja nicht einmal ihre eigene Verfassung, so wie sie vor zweihundert Jahren geschaffen wurde. Ursprünglich hatten nur Männer mit Grundbesitz das Wahlrecht, also solche, die ihren Erfolg und damit ihre Überlegenheit unter Beweis gestellt hatten. Das war die übereinstimmende Ansicht der verfassunggebenden Versammlung, wußtest du das?«

»Ja, es war eine Agrargesellschaft, aber es überrascht mich, daß du das weißt. Geschichte gehörte doch nie zu deinen Stärken.«

»All das hat sich geändert. Wenn du die Regale sehen könntest ... sie sind voll Bücher, und jeden Tag werden neue hereingebracht. Ich lese fünf oder sechs in der Woche.«

»Laß sie mich sehen, laß mich dich sehen. Du hast mir gefehlt, Freddie.«

»Bald, meine Liebe, bald. Die Dunkelheit hat ihre Vorzüge, weil ich dich so sehe, wie ich es vorziehe, mich an dich zu erinnern. Die reizende, lebhafte Frau, die so stolz auf ihren Mann war, die Frau, die mir NATO-Geheimnisse brachte, von denen einige mir bestimmt das Leben gerettet haben.«

»Du standest auf der Seite der NATO, wie hätte ich da anders handeln können?«

»Jetzt stehe ich auf einer Seite, die größer und bedeutender ist. Würdest du mir jetzt helfen?«

»Das kommt darauf an. Ich kann nicht leugnen, daß du äußerst überzeugend klingst. Jetzt, wo ich alles das aus deinem Mund gehört habe, bin ich sehr beeindruckt. Du warst immer ein außergewöhnlicher Mann. Das haben selbst die gesagt, die dein Verhalten nicht gebilligt haben –«

»Wie zum Beispiel mein Freund, mein ehemaliger Freund, Harry Lennox, der jetzt dein Liebhaber ist!«

»Du irrst, Freddie. Harry Lennox ist nicht mein Liebhaber.«

»Du lügst! Er ist die ganze Zeit um dich herumscharwenzelt, hat gewartet, daß du auftauchen würdest, und mich immer wieder gefragt, wann du kommst.«

»Ich wiederhole, was ich gerade gesagt habe, und wir haben zu lange zusammengelebt, als daß du nicht wüßtest, wann ich die Wahrheit sage. Das ist schließlich dein Beruf, und du hast mich hundertmal für dich lügen hören …. Harry Lennox ist nicht mein Liebhaber. Muß ich es noch einmal wiederholen?«

»Nein.« Das eine Wort hallte von den unsichtbaren Wänden wider. »Wer ist es dann?«

»Jemand, der Harrys Namen angenommen hat.«

»Warum?«

»Weil du willst, daß dein Freund Harry umgebracht wird, und Harry nicht umgebracht werden möchte. Wie konntest du, Frederik? Harry hat dich geliebt wie einen jüngeren Bruder.«

»Ich habe das nicht veranlaßt«, sagte die körperlose Stimme Günter Jägers leise. »Harry hatte sich in unser Hauptquartier in den Tauern eingeschlichen. Er war Teil eines Experiments. Ich hatte keine andere Wahl, als seiner Beseitigung zuzustimmen.«

»Was für ein Experiment?«

»Irgendeine medizinische Sache, die ich nie richtig verstanden hatte. Traupmann war ganz verzückt davon, und ich konnte mich nicht gegen ihn stellen. Er war schließlich mein Mentor, der Mann, dem ich es zu verdanken habe, daß ich heute da bin, wo ich bin.«

»Und wo bist du, Freddie? Die Realisierung dessen, was ihr da vorhabt, wird zu ungeheuren Opfern von Menschenleben führen –«

»Am Anfang ja, aber das wird schnell vorüber sein, schnell vergessen werden, und die Welt wird dann ein viel besserer Ort sein. Es wird keine großen Kriege mehr geben, keine nuklearen Konfrontationen – unser Fortschritt wird sich allmählich, aber sicher vollziehen, denn vieles befindet sich bereits in Wartestellung. In wenigen Monaten werden sich Regierungen verändern, werden neue Gesetze geschaffen werden, die den Stärksten, den Reinsten nützen, und binnen weniger Jahre wird der nutzlose Müll, der Abschaum der Gesellschaft, der uns jetzt das Mark aus den Knochen saugt, davongespült werden.«

»Mir brauchst du keine Rede zu halten, Freddie.«

»Aber das ist alles wahr! Kannst du das nicht sehen?«

»Ich kann nicht einmal dich sehen. Bitte, mach das Licht an.«

»Da gibt es ein kleines Problem.«

»Warum? Hast du dich in fünf Jahren so verändert?«

»Nein, aber ich trage eine Brille und du nicht.«

»Die trage ich nur, wenn meine Augen müde sind, das weißt du.«

»Ja, aber meine Brille ist anders. Ich kann im Dunkeln sehen, und ich sehe die Waffe, die du in der Hand hältst. Laß die Waffe auf den Boden fallen!« Karin kam der Aufforderung nach, und de Vries schaltete das Licht ein, eine Art Scheinwerfer, der einen kleinen Altar anstrahlte und das goldene Kruzifix auf purpurnem Tuch aufblitzen ließ. Der neue Führer saß mit einem weißen, am Kragen offenen Seidenhemd bekleidet auf einem Gebetsschemel zur Rechten des Altars. Sein goldblondes Haar glänzte, und sein scharfgeschnittenes, gutaussehendes Gesicht zeigte sich von seiner besten Seite. »Wie sehe ich aus nach fünf Jahren, meine Liebe?«

»So gut wie eh und je, aber das weißt du.«

»Das ist ein Teil von mir, den ich nicht verleugnen kann und den Adolf Hitler nie besaß. Besonders Frauen lassen sich von meinem Aussehen beeindrucken.«

»Ich glaube gern, daß andere davon beeindruckt sind. Ich war es ... und bin es immer noch.«

»Wann kam euch der Verdacht, daß Günter Jäger der neue Anführer der Neonazis ist?«

»Als eines der Sonnenkinder im Verhör zusammenbrach. Wahrscheinlich unter Drogeneinfluß, nehme ich wenigstens an.«

»Das kann nicht sein, ich habe mich nie einem von ihnen offenbart!«

»Anscheinend doch, ob es dir nun bewußt war oder nicht. Du sagtest doch, du hättest Zusammenkünfte abgehalten, Reden –«

»Daran durfte nur der innerste Kreis teilnehmen! Die restlichen Reden waren Aufzeichnungen.«

»Dann hat dich jemand verraten ... Freddie. Ich hörte etwas von einem katholischen Priester, der zur Beichte ging und das Gewissen seines Beichtvaters strapaziert hat.«

»Mein Gott, dieser senile Idiot Paltz. Ich habe immer wieder gesagt, man solle ihn ausschließen, aber nein, Traupmann behauptete immer, er habe viele Anhänger in der Arbeiterklasse. Ich werde ihn erschießen lassen.«

Karin atmete innerlich auf. Paltz gehörte zu denen, die man auf dem Videoband identifiziert hatte. Sie wartete, bis Freddie sich wieder beruhigt hatte.

»Freddie, dieser Paltz, wer immer er ist, dieser Priester hat gesagt, London, Paris und Washington würde etwas Schreckliches widerfahren. Katastrophen von solchem Ausmaß, daß Hunderttausende dabei getötet werden. Stimmt das … Freddie?«

Das Schweigen Jägers war suggestiv und wurde vom Prasseln des Regens noch verstärkt. Schließlich sprach er, und seine Stimme klang angespannt und schroff, wie die zum Zerreißen gespannten Saiten eines Cellos.

»Deshalb bist du also hier, du Schlampe. Die haben dich hierher geschickt, um zu erfahren, worum es sich bei unserer Schockwelle handelt.«

»Ich bin aus freien Stücken gekommen. Die wissen nicht, daß ich hier bin.«

»Das ist möglich, du warst schließlich nie eine gute Lügnerin. Aber was für eine reizende Ironie. Ich sagte vorher schon, daß nichts uns aufhalten könnte, und das entspricht auch der Wahrheit. Du mußt wissen, wie alle großen Führer delegiere ich Verantwortung, besonders in den Bereichen, wo mir die Erfahrung fehlt. Man legt mir Pläne und Strategien in groben Zügen vor, insbesondere die letzten Ergebnisse, aber nicht die technischen Details, nicht einmal die Namen derjenigen, die damit befaßt sind. Und wenn ich die wirklich haben wollte, wüßte ich nicht, wen ich ansprechen müßte.«

»Frederik, es gibt eine Videoaufzeichnung von eurer Zusammenkunft gestern nacht. Alle dort Anwesenden sind verhaftet worden und befinden sich jetzt in Isolierhaft! Es ist vorbei, Freddie! Um Himmels willen, du mußt Wasserblitz abblasen!«

»Wasser … blitz? Mein Gott, du sagst die Wahrheit. Ich höre das an deiner Stimme, sehe es dir an den Augen an.« Günter Jäger erhob sich von dem Betschemel. Sein Gesicht und sein Körper erinnerten jetzt an eine Siegfriedsgestalt im Lichtkegel eines

Bühnenscheinwerfers. »Trotzdem, du Miststück, das ändert überhaupt nichts, weil niemand Wasserblitz aufhalten kann. In weniger als einer Stunde werde ich mich an Bord einer Düsenmaschine befinden und in ein Land fliegen, das meiner Arbeit Beifall spendet, unserer Arbeit, und werde zusehen, wie meine Jünger in der ganzen westlichen Welt Machtpositionen einnehmen.«

»Damit wirst du nie durchkommen!«

»Jetzt bist du naiv, liebe Frau«, sagte Jäger und trat vor den Altar und drückte einen Knopf unter dem goldenen Kruzifix. Ein Stück im Fußboden tat sich auf und gab den Blick auf die schäumenden Wellen des Rheins darunter frei. »Dort unten wartet ein Zwei-Mann-U-Boot, ein Geschenk einer Werft, deren Vorstandsvorsitzender einer der unseren ist. Es wird mich nach Königswinter bringen, wo mein Flugzeug auf mich wartet. Und dann wird eine neue Epoche beginnen.«

»Und ich?«

»Hast du eine Ahnung, wie lange es her ist, seit ich zuletzt eine Frau gehabt habe?« sagte Jäger leise im Schein der Altarbeleuchtung. »Wieviele Jahre ich die Kutte strenger mönchischer Disziplin getragen habe, weil ich ein Vorbild sein mußte?«

»Das muß für dich unerträglich gewesen sein«, sagte Karin, deren Blick durch den halbdunklen Raum schweifte. »Aber kommen wir doch zu mir zurück, Frederik. Was geschieht mit mir? Wirst du mich töten?«

»Das würde ich lieber nicht, denn du bist immer noch meine Frau, vor dem Gesetz und im Angesicht Gottes. Mein Unterseeboot hat Platz für zwei. Du könntest meine Gefährtin sein, so ähnlich wie Fräulein Eva Braun das für Adolf Hitler war.«

»Eva Braun hat mit ihrem Führer Selbstmord begangen, eine Zyankalikapsel und ein Pistolenschuß. Das reizt mich nicht.«

»Dann willst du mir also den Gefallen nicht tun, liebe Frau?«

»Ich will dir den Gefallen nicht tun.«

»Du kannst es auch anders haben«, sagte Günter Jäger mit kaum hörbarer Stimme, knöpfte sein weißes Seidenhemd auf, zog es aus und begann an seiner Gürtelschnalle zu hantieren.

Karin machte plötzlich eine Drehung nach links und warf sich auf Lennox' Automatik, die sie fallengelassen hatte. Jäger sprang vor und trat mit dem rechten Fuß zu. Seine Schuhspitze traf sie mit solcher Wucht in den Leib, daß sie vor Schmerz aufstöhnend zusammensackte.

»Jetzt wirst du mir zu Gefallen sein, Weib«, sagte der neue Führer, stieg aus seiner Hose und faltete sie sorgfältig, Bügelfalte auf Bügelfalte, zusammen und legte sie über den Gebetsschemel.

39

»Wann ist sie reingegangen?« fragte Lennox. Er mußte fast schreien, um sich im strömenden Regen Gehör zu verschaffen.

»Vor ungefähr zwanzig Minuten«, antwortete der deutsche Beamte und steuerte das Fahrzeug mit abgeschalteten Scheinwerfern rückwärts aus dem Gelände.

»Herrgott, so lang ist sie jetzt schon dort drinnen? Und Sie haben sie ohne Mikrophon da reingelassen, ohne irgendeine Möglichkeit, Sie zu erreichen?«

»Das war ihr klar. Ich habe ihr eindeutig gesagt, daß ich ihr kein Funkgerät mitgeben kann, und sie hat wörtlich darauf geantwortet ›ich verstehe‹.«

»Und Sie glauben nicht, daß Sie uns vorher hätten fragen sollen?« herrschte Witkowski den Deutschen an.

»Lieber Gott, nein!« verteidigte sich der Beamte verärgert. »Direktor Moreau vom Deuxième hat persönlich mit mir gesprochen, und wir haben uns gemeinsam überlegt, wie wir sie mit dem geringsten Risiko an den Patrouillen vorbeibekommen.«

»Moreau? Ich bringe diesen Hurensohn um?« erregte sich Lennox.

»Ich glaube, jetzt wird es Zeit für mich und den Dünnen Mann«, schaltete Captain Christian Dietz sich ein, der nur ein paar Schritte entfernt mit Lieutenant Anthony im Regen stand. »Wir nehmen uns jetzt das große Anwesen flußabwärts vor und erledigen die Wachen.« Der Captain trat vor. »Sagen Sie«, fragte er den Beamten, »wieviel Mann gehen hier Wache, und gibt es einen bestimmten Rhythmus?«

»Es sind nur drei Wachen«, antwortete der Deutsche. »Aber es gibt ein Problem. Wenn der eine Mann zu der Tür links von der Zufahrt zurückkehrt, kommt ein anderer kurz darauf heraus, aber erst nachdem der jeweilige Mann auf Patrouille zurückgekehrt ist. Und ich muß Ihnen sagen, wir haben zwei identifiziert, und es sind pathologische Killer, die immer ein ganzes Waffenarsenal mit sich rumtragen.«

»Verstehe. Eine Staffel also.«

»Exakt.«

»Wir müssen uns also etwas einfallen lassen, um die anderen herauszulocken.«

»Ja, aber wie?«

»Überlassen Sie das ruhig uns. Wir schaffen das schon.«

»Diesmal komme ich mit!« erklärte Drew entschieden. »Und kommen Sie mir bloß nicht wieder mit Einwänden.«

»Alles klar, Boß«, sagte der Lieutenant, »tun Sie uns nur einen Gefallen, Sir.«

»Was denn?«

»Kommen Sie nicht auf die Idee, Errol Flynn zu spielen, wie in diesen alten Filmen. So läuft das nämlich nicht.«

»Was Sie nicht sagen, Junior.«

»Geben Sie uns eine genaue Ortsbeschreibung«, sagte Witkowski wieder zu dem deutschen Geheimdienstmann gewandt.

»Sie folgen dem Plattenweg zu einem ausgebrannten Gartenhäuschen …«

Zehn Sekunden später schoben sich die vier hinter der halbzerstörten Mauer hervor, die beiden Ranger vorne, Drew mit dem Funkgerät dahinter. Sie erreichten den Krocketplatz und warteten auf das Lichtsignal aus dem Baum. Es kam: drei kurze Lichtimpulse, die im strömenden Regen kaum zu sehen waren.

»Weiter«, sagte Lennox, »die Luft ist rein!«

»Nein!« flüsterte Dietz und hinderte Drew am Weitergehen. »Wir wollen die Streife.«

»Karin ist dort drinnen!« flüsterte Drew gepreßt.

»Auf ein paar Sekunden wird es nicht ankommen«, sagte Lieutenant Anthony. »Bleiben Sie hier«, fügte er hinzu und lief dann mit seinem Captain quer über den Krocketplatz in die Finsternis. Kein Signal, nichts. Und dann kam es, zwei Lichtblitze: ein Mann auf Patrouille. Plötzlich war aus der Ferne ein Schrei zu hören, der in ein Gurgeln überging, dann herrschte wieder Stille, dann noch ein Schrei und gleich darauf ein dritter. Im Baum blitzte es dreimal kurz auf; das Areal war gesäubert. Lennox und Witkowski rannten quer über den Krocketplatz den Plattenweg hinunter, wobei die Taschenlampe des Colonel ihren Weg beleuchtete. Sie kamen an die scharfe Linksbiegung und rannten bis ans Ende des Weges über dem alten Bootshaus. Ein Stück links von ihnen hatten die beiden Ranger offenbar Schwierigkeiten, zwei Männer kampfunfähig zu machen, die aus dem Haus gerannt waren.

»Helfen Sie Ihnen«, befahl Drew und sah zu dem überdachten Eingang mit dem roten Licht, den der deutsche Abwehrbeamte ihnen geschildert hatte. »Das hier ist meine Sache.«

»*Chlopak* ...!«

»Schnell jetzt, Stosh, die brauchen Hilfe. Das hier erledige ich!« Lennox ging die kleine Böschung hinunter; er hielt eine Automatik in der Hand. Er stieg die eine Treppenstufe zur Tür hinauf, stand jetzt im rötlichen Lichtschein und hörte trotz des prasselnden Regens die Schreie von drinnen. Karins Schreie! Er warf sich gegen die Tür, spürte, wie die Türfüllung zersplitterte und die Türangeln herausflogen, so daß die ganze Tür auf den grellbeleuchteten Altar mit seinem schimmernden goldenen Kruzifix flog. Der blonde Führer, nur noch mit einer Unterhose bekleidet, preßte die schreiende, um sich schlagende und sich wehrende Karin, die sich ihm mit aller Kraft zu entwinden versuchte, auf den Boden. Drew jagte einen Schuß in die Decke. Jäger fuhr erschrocken zusammen, ließ seine Frau los und starrte Lennox benommen an.

»Aufstehen, du Nazischwein!« sagte Lennox mit eisiger, haßerfüllter Stimme.

»Sie sind nicht Harry!« sagte Jäger plötzlich und erhob sich langsam wie in Trance. »Sie sehen ihm ein wenig ähnlich ... aber Sie sind nicht Harry.«

»Das wundert mich, daß Sie das bei dieser schwachen Beleuchtung erkennen können.« Drew trat aus dem Lichtkegel. »Bei dir alles in Ordnung?« fragte er Karin.

»Bloß ein paar blaue Flecken.«

»Ich will ihn töten«, sagte Drew ruhig. »Und wenn man bedenkt, was er alles auf dem Kerbholz hat, muß ich ihn sogar töten.« Er hob seine Automatik und richtete sie auf Jägers Kopf.

»Nein!« rief Karin. »Das darfst du nicht, das dürfen *wir* nicht! ... Wasserblitz, Drew. Er behauptet, wir können das nicht mehr aufhalten, er kennt die Einzelheiten nicht, aber er hat sein ganzes Leben lang gelogen.«

»Drew …?« sagte Günter Jäger mit einem bösartigen, irgendwie erleichtert wirkenden Lächeln. »Drew Lennox, Harrys tölpelhafter jüngerer Bruder. Hans Traupmann hat sich also getäuscht, der Blitzkrieger hat Harry getötet, und dann ist sein Bruder an seine Stelle getreten. Mein Gott, wir haben Jagd auf den falschen Mann gemacht! Harry Lennox ist doch tot, und keiner ist dahintergekommen.«

»Was heißt das, dahintergekommen?« fragte Drew. »Vergessen Sie ja nicht, ich habe die Waffe in der Hand und bei meiner Wut könnte es leicht passieren, daß ich Ihnen den Kopf wegblase. Ich wiederhole: Wohinter ist keiner gekommen?«

»Fragen Sie Dr. Traupmann. Oh, das habe ich vergessen, der weilt ja nicht mehr unter uns. Und selbst die Polizei, auch die, die auf unserer Seite sind, können nicht jede Frequenz überwachen, und sie kennen auch unsere Codes für den Notfall nicht. Wie sagen die Engländer? *Sorry, old boy, can't help you*.«

»Er hat gesagt, Harry sei Teil eines Experiments gewesen«, sagte Karin schnell, als Lennox wieder die Waffe hob, »ein medizinisches Experiment.«

»Zu dem Schluß sind Sorenson und ich auch gekommen. Aber das werden wir feststellen; Harrys Leiche liegt immer noch in einer Leichenhalle … okay, Sie Schönling, jetzt gehen Sie langsam zur Tür hinaus.«

»Meine Kleider«, protestierte Jäger, »sie werden mir doch erlauben, mich anzuziehen? Draußen schüttet es.«

»Würden Sie mir glauben, wenn ich Ihnen jetzt sagte, daß mir ziemlich egal ist, ob Sie naß werden? Außerdem weiß ich ja nicht, was in Ihrer Kleidung steckt, zum Beispiel im Kragen. Meine Freundin wird sie mit hinausnehmen.«

»Freundin? Sie wollten wohl sagen Ihre Hure?« schrie der neue Führer.

»Du verdammter Scheißkerl!« Als Lennox' Hand mit der Automatik zum Schlag ausholte, fuhr plötzlich der linke Arm des Nazis in die Höhe und stoppte den Schlag. Gleichzeitig krachte seine rechte Faust mit solcher Gewalt gegen Drews Brust, daß dieser das Gleichgewicht verlor. Jäger stürzte sich auf die Automatik, riß sie Drew weg und richtete sich auf, gab zwei Schüsse ab, als Lennox sich zuerst nach rechts und dann links wälzte, so daß seine Füße die Beine des neuen Führers zu beiden Seiten blockierten. Dann schmetterte er den Fuß mit aller Gewalt gegen das Knie des Nazis. Jäger stieß einen Schmerzensschrei aus, taumelte nach hinten und gab zwei weitere Schüsse ab, die sich in die Wände bohrten, Karin warf sich mit einem Satz auf Drews Automatik, die sie vorher auf Jägers Befehl fallengelassen hatte. Dann richtete sie sich auf und schrie: »Halt, Frederik! Ich bring dich um!«

»Das bringst du nicht fertig!« brüllte Günter Jäger, der Lennox' Schläge abwehrte und gleichzeitig immer wieder versuchte, seine Pistole auf Drews Brust zu richten, während der sein Handgelenk neben der quadratischen Öffnung im Boden festpreßte. »Du bewunderst mich! Alle bewundern mich. Sie vergöttern mich!« Der Nazi riß den rechten Arm nach hinten, so weit, daß Drew ihn nicht erreichen konnte. Er drehte die Hand nach links, dann nach rechts; sie war jetzt frei, er konnte schießen.

Karin feuerte.

Die Ranger rannten durch die offene Tür, Witkowski dicht hinter ihnen. Sie blieben abrupt stehen und starrten auf das Schauspiel, das sich im Licht des Scheinwerfers darbot, der immer noch den hier völlig deplazierten Altar anstrahlte. Ein paar Sekunden lang war das einzige Geräusch das Prasseln des Regens draußen und der schwere Atem der fünf Mitglieder der N-2-Einheit.

»Wahrscheinlich mußten Sie das tun, *chlopak*«, sagte der Colonel schließlich und starrte Jägers Leiche und seine zerschmetterte Stirn an.

»Das war nicht er, das war ich!« rief Karin.

»Es war meine Schuld, Stanley«, korrigierte sie Lennox und starrte den alten G-2-Spezialisten an. Beide wußten, daß der Tod Günter Jägers ungeahnte Folgen haben konnte. »Ich habe die Kontrolle über mich verloren, und er hat seinen Vorteil ausgenutzt. Er war gerade dabei, mich mit meiner eigenen Waffe zu töten.«

»Ihrer eigenen Waffe?«

»Ich wollte damit nach ihm schlagen. Das hätte ich nicht tun dürfen, das weiß ich auch.«

»Es war überhaupt nicht seine Schuld, Stanley!« rief Karin aus. »Selbst, wenn die Umstände anders gewesen wären, hätte ich ihn erschossen! Er hat versucht, mich zu vergewaltigen – und das wäre ihm gelungen, wenn Drew nicht aufgetaucht wäre, und anschließend hätte er mich umgebracht. Das hat er gesagt.«

»Dann wird es so in unserem Bericht stehen«, sagte der Colonel. »Manchmal klappt nicht alles so, wie es soll, und ich hätte auch keine große Lust, zu Agent Lennox' Beerdigung zu gehen. Haben Sie etwas erfahren, Karin?«

»Hauptsächlich wie er das geworden ist, was er ist – sein Deal mit der Stasi, seine neue Identität, seine Entdeckung durch Hans Traupmann. Was Wasserblitz betrifft, so hat er behauptet, das könne niemand mehr aufhalten, nicht einmal er, weil er die technischen Einzelheiten überhaupt nicht kennt. Aber andererseits war er immer schon ein meisterhafter Lügner.«

»Was ist mit den deutschen Beamten draußen?« fragte Christian Dietz. »Die könnten uns vielleicht behilflich sein.«

»Das glaube ich nicht, Captain«, sagte Karin schnell. »Es besteht die Möglichkeit, daß die Neonazis auch die deutschen Behörden infiltriert haben. Ich schlage vor, wir suchen selbst.«

»Das wird eine lange Nacht«, fügte Lieutenant Anthony hinzu. »Fangen wir an.«

»Sie knöpfen sich den Rest des Hauses vor, wir konzentrieren uns auf den Wohnbereich«, befahl der Colonel. »Es gibt drei Räume und ein Bad hier, ein Büro, ein Schlafzimmer und dieses unheilige Heiligtum. Also kommt auf jeden von uns ein Raum.«

»Und wonach suchen wir, Sir?« wollte Gerald Anthony wissen.

»Alles, was irgendeinen Bezug zu Wasserblitz haben könnte – und sonst alles mit Nummern oder Namen … und dann sollte einer von Ihnen sich nach einer Decke umsehen und die Leiche damit zudecken.«

Sie überließen nichts dem Zufall, und als der Morgen über dem östlichen Rheinufer dämmerte, war eine größere Anzahl Kartons aus einem Lagerraum mit Material gefüllt und wurde in die Kapelle gebracht. Der größte Teil ihres Inhalts war vermutlich wertlos, aber dafür gab es Experten mit viel mehr Erfahrung, als irgend jemand in der N-2-Einheit hatte, mit Ausnahme vielleicht von Karin de Vries.

»*Flugzeug … gebaut* – sonst steht hier nichts, der Rest ist abgerissen«, sagte Karin, die einen in der Handschrift ihres Mannes beschriebenen Fetzen Papier in der Hand hielt.

»Irgendeine Verbindung mit Wasserblitz?« fragte Witkowski, der damit beschäftigt war, die anderen Schachteln zu verkleben.

»Nein, ich wüßte nicht, was.«

»Warum dann Zeit darauf vergeuden?«

»Weil er das sichtlich in erregtem Zustand geschrieben hat. Das l und das b ähneln sich, der Rest ist undeutlich, aber er hat fest aufgedrückt. Ich kenne seine Schrift; er hat mir oft Listen hingelegt, Dinge, die ich kaufen oder sonstwie beschaffen sollte, ehe er eine Mission antrat. Er war dann immer in Hochstimmung.«

»Für mich ergibt das keinen Sinn«, sagte Drew, der neben der offenen Falltür stand, von der eine Leiter zu dem im Rhein verankerten Miniatur-U-Boot führte. »Da gibt es keine Verbindung zu Wasserblitz. Sorenson, der sich auf dem Gebiet ziemlich gut auskennt, hat gesagt, Flugzeuge kämen nicht in Frage.«

»Damit hatte er recht«, sagte der Colonel und klebte den letzten von drei Kartons zu. »Ein solcher Versuch wäre von vornherein zum Scheitern verurteilt.«

»Wes hat mir gegenüber erwähnt, daß man schon Reservoire und andere Wasserquellen für Sabotage in Erwägung gezogen hat. Ich wußte das nicht.«

»Weil es bisher nie vorgekommen ist, außer im Wüstenkrieg, wo man Oasen vergiftet hat. Zunächst einmal sind da humanitäre Erwägungen – die Sieger müssen nach Beendigung der Feindseligkeiten mit den Besiegten leben. Und außerdem sind die logistischen Hindernisse beinahe unüberwindlich.«

»Die haben eine Möglichkeit gefunden, Stanley. Davon bin ich überzeugt.«

»Was können wir denn noch tun, was wir nicht schon getan haben?« fragte Karin. »Uns bleiben kaum noch zwanzig Stunden.«

»Wir schaffen dieses Zeug nach London und holen uns jeden Analytiker vom MI-5, MI-6 und dem Secret Service. Die sollen alles unters Mikroskop nehmen, und je mehr Leute sie ansetzen, um so besser.«

»Wir können es in einer Dreiviertelstunde dort haben«, sagte Witkowski, holte sein Telefon heraus und fing zu wählen an.

»Ich will auf schnellstem Wege zurück nach Paris und mich dort mit den Leuten treffen, die für die Bewachung der Reservoire zuständig sind, wo auch immer die sein mögen.«

»Wäre es nicht besser, vorher herauszufinden, wo die sind und in der Nähe zu landen?« fragte Karin. »Claude kann das erledigen.«

»Wenn er das nächste Zusammentreffen mit mir überlebt!« sagte Drew. »Er hat dich hier hereingelassen. Du hast ihn angerufen, und er hat dich reingelassen, ohne uns Bescheid zu sagen! Was hast du dir eigentlich dabei gedacht?«

»Frederik war trotz all seiner Fehler früher einmal seinen Eltern und Großeltern sehr zugetan. Wenn ich es geschafft hätte, diese Erinnerungen in ihm zu entfachen, dann hätte es sein können, daß er, wenn auch auf kurze Zeit, wieder der alte geworden wäre.«

»Sie hat recht, *chlopak*«, sagte der Colonel leise und steckte sein Telefon wieder ein. »Die Möglichkeit bestand. Aber Nachkarten bringt's jetzt nicht. Die Zeit wird knapp. In Paris ist alles klar. Moreau hat dafür gesorgt, daß am Flughafen Bonn zwei Düsenmaschinen bereitstehen, eine für London, die andere zu einem Ort in Frankreich, der unterwegs festgelegt werden soll.«

Captain Dietz und Lieutenant Anthony kamen herein. »Außer Töpfen und Pfannen und Möbeln ist jetzt nichts mehr da«, sagte der Captain. »Falls es irgendeine Spur auf Papier gibt, dann ist die in einem dieser Kartons.«

»Wohin jetzt, Boß?« fragte der Lieutenant.

Lennox sah Witkowski an. »Ich weiß, das wird Ihnen jetzt nicht passen, Stanley, aber ich möchte, daß Sie diese Kartons persönlich nach London bringen. Die Leute dort sind die besten, die es gibt, und keiner kann besser mit der Peitsche knallen als Sie. Die sollen mit Hochdruck arbeiten, ohne Pause, und sehen, ob sie irgendeine Spur finden. Karin und unsere beiden neuen Freunde werden mit mir nach Frankreich fliegen.«

»Sie haben recht, *chlopak*, es gefällt mir nicht, aber Sie haben die Logik auf Ihrer Seite, das will ich nicht leugnen. Aber, Drew, ich werde Hilfe brauchen. Mein Kaliber reicht da nicht aus.«

»Wie wär's mit Sorenson oder Talbot oder dem Präsidenten der Vereinigten Staaten?«

»Gegen den letztgenannten hätte ich nichts einzuwenden. Schaffen Sie das?«

»Verdammt will ich sein, wenn ich es nicht schaffe – Sorenson schafft das. Rufen Sie die Deutschen an und sorgen Sie dafür, daß in fünf Minuten ein Wagen hier ist.«

»Der ist gar nicht weggefahren, er wartet noch unten an der Straße. Kommt, Jungs, jeder von uns nimmt sich einen von diesen Kartons hier.«

Während die beiden Ranger sich nach den Kartons bückten, entdeckte Lieutenant Gerald Anthony einen zerknüllten Papierfetzen auf dem Boden neben dem Altar. Er griff instinktiv danach und strich ihn glatt. Es standen nur ein paar Worte in Deutsch darauf, aber er stopfte ihn sich trotzdem in die Tasche.

Die Düsenmaschine nach London näherte sich der Küste von England. Witkowski hatte während des ganzen Fluges telefoniert, zuerst mit Wesley Sorenson, dann mit Knox Talbot, dem Direktor der Central Intelligence Agency, Claude Moreau vom Deuxième und schließlich, zu seiner großen Überraschung, mit dem Präsidenten.

»Witkowski«, sagte der Oberbefehlshaber, »Sie haben jetzt das Kommando über die Operation in London. Der Premierminister hat dem uneingeschränkt zugestimmt. Wenn Sie sagen ›Spring‹, werden die fragen ›Wie hoch?‹«

»Ja, Sir. Das ist es, was ich hören wollte. Für einen Armycolonel kann es ein wenig peinlich sein, Zivilisten von hohem Rang Befehle zu erteilen. Die mögen das gewöhnlich nicht.«

»Das wird hier nicht der Fall sein, Sie werden nur Dankbarkeit erleben, glauben Sie mir. Übrigens, die Zentrale im Weißen Haus hat Anweisung, Sie jederzeit zu mir durchzustellen, wenn Sie anrufen, und ich wäre Ihnen dankbar, wenn Sie mir in Abständen von einer Stunde Bericht erstatten würden, falls sich das einrichten läßt.«

»Ich werde mich bemühen, Sir.«

»Viel Glück, Colonel. Ein paar hunderttausend Menschen verlassen sich jetzt auf Sie, auch wenn sie das jetzt noch nicht wissen.«

»Das ist mir bewußt. Ich werde mein Bestes tun, Sir.«

»Außerdem haben unsere Fachleute gesagt, daß man im Reservoir auf jeden möglichen Angriff vorbereitet ist. Die glauben nicht, daß so etwas wie Wasserblitz tatsächlich passieren kann.«

»Da kann ich nur hoffen, daß die Fachleute recht haben, Mr. President.«

»Ja, das kann ich denen nur raten, Colonel.«

Zwanzig Minuten nach dem Start erhielt Lennox einen Anruf von Claude Moreau. »Sie werden auf einem Privatflughafen im Distrikt Beauvais landen; das ist zwölf Meilen vom Hauptreservoir von Paris entfernt. Mein Stellvertreter, Jacques Bergeron, wird Sie erwarten. Ich hoffe, Sie erinnern sich an ihn.«

»Ja, das tue ich. Und?«

»Er wird Sie zum Wasserturm und dem mit seiner Verteidigung beauftragten Militärbefehlshaber bringen. Man wird alle Ihre Fragen beantworten und Ihnen die Sicherheitsmaßnahmen erklären.«

»Und was machen *Sie*?«

»Ich koordiniere eine ganze Armee von Agenten, Soldaten und Polizisten, die jeden Quadratmeter im Umkreis von fünfzehn Kilometern um die Wasserwerke absuchen. Wir wissen nicht, was Sie suchen, aber einige unserer Analytiker haben vorgeschlagen, nach Abschußrampen oder Raketen zu suchen.«

»Keine schlechte Idee –«

»Andere sagen, daß es verrückt ist. Startrampen mit der erforderlichen Zielgenauigkeit seien ein paar Tonnen schwer und bräuchten so viel elektrische Energie, daß man damit eine Kleinstadt beleuchten kann. Außerdem müssen sie die Rampen ja irgendwo plazieren, und wir haben jeden Zentimeter von Satelliten aus fotografiert.«

»Unterirdische Abschußrampen?«

»Genau davor haben wir Angst. Aber wir haben über zweitausend ›Beauftragte‹ ausgeschickt, die fragen sollen, ob jemand ungewöhnliche Bauarbeiten gesichtet hat. Haben Sie eine Ahnung, wie viel Beton für eine einzige Abschußrampe benötigt wird? Oder wieviel Kilometer Kabel?«

»Sie sind jedenfalls beschäftigt, das muß man Ihnen lassen.«

»Nicht genug, *mon ami.* Ich weiß, Sie sind überzeugt, daß diese Schweine irgendeine Methode ausgetüftelt haben, und ich schließe mich Ihnen an. Ich habe das unangenehme Gefühl, daß wir irgend etwas übersehen haben, das ziemlich offenkundig ist, aber ich komme einfach nicht drauf.«

»Wie wäre es mit etwas ganz Einfachem, wie zum Beispiel Panzerfäuste mit Kanistern?«

»Das war eine der ersten Möglichkeiten, die wir in Betracht gezogen haben, aber der Einsatz solcher Waffen würde Hunderte von Leuten erfordern und alle mit freiem Schußfeld. In den Wäldern rings um das Wasser kann man keine zwanzig Schritte gehen, ohne auf einen Soldaten zu stoßen. Ein Dutzend solcher Raketenwerfer, geschweige denn hunderte, würden sofort entdeckt werden.«

»Könnte das Ganze ein großer Schwindel sein?« fragte Drew.

»Wer sollte denn davon getäuscht werden? Wir haben doch beide das Videoband gesehen. Führer Günter Jäger sprach nicht etwa zu uns, er hat uns nicht gedroht, er hat seiner eingeschworenen Gemeinde gepredigt, und darunter waren einige der einflußreichsten Männer Europas und Amerikas. Nein, mon ami, der Mann hat wirklich geglaubt, das schaffen zu können. Und deshalb müssen wir uns weiter den Kopf zerbrechen. Vielleicht finden die Analytiker in London etwas. Übrigens, Sie hatten recht, dieses Material an die Briten zu schicken.«

»Es überrascht mich, das aus Ihrem Mund zu hören.«

»Das sollte es eigentlich nicht. Dort sind nicht nur ausgezeichnete Profis am Werk, sondern darüber hinaus war England nie ein besetztes Land. Ich räume ja ein, daß die Mehrzahl der Leute, die sich jetzt mit diesem Material befassen, wahrscheinlich während des Zweiten Weltkriegs noch gar nicht gelebt haben, aber der Makel, einmal von feindlichen Truppen besetzt gewesen zu sein, setzt sich auf Generationen in der nationalen Psyche fest. Wir Franzosen sind nie imstande, völlig objektiv zu sein.«

»Da sprechen Sie ein großes Wort gelassen aus.«

»Einfach weil ich glaube, daß es so ist.«

Sie landeten um sechs Uhr siebenundvierzig morgens auf dem kleinen Privatflughafen von Beauvais, der im hellen Licht der Morgensonne dalag. Die N-2-Einheit ging von Bord und wurde sofort in das Abfertigungsgebäude des Flughafens gebracht, wo für sie Drillichzeug bereitlag, das sie schnell überstreiften. Karin wurde als letzte fertig. Als sie in dem hellblauen Overall aus der Damentoilette kam, sagte Drew: »Du siehst viel besser aus als du solltest. Jetzt stopf dir nur noch dein Haar unter die Mütze.«

»Das wird aber unbequem.«

»Das ist eine Kugel auch, und wenn jemand von den Geheimdienstleuten auf Jägers Grundstück zu seiner Anhängerschar zählte, dann hat man bestimmt einen Preis auf deinen Kopf ausgesetzt. Komm jetzt. Wir haben nur noch knapp siebzehn Stunden. Wie lange brauchen wir, bis wir zu dem – wie nennen Sie das, Jacques?«

»Der Wasserturmkomplex im Reservoir«, erwiderte der Mann vom Deuxième, während sie zu dem bereitstehenden Wagen hinausgingen. »Von hier aus sind es achtzehn Kilometer; es wird also nur zehn Minuten dauern. François ist unser Fahrer, Sie erinnern sich doch an François, oder?«

»Aus dem Vergnügungspark? Ihr Fluchtfahrer?«

»Genau der«, antwortete Bergeron. »Der Direktor hat ein paar hundert Luftaufnahmen mitgeschickt, die Sie sich ansehen sollen, ob Sie vielleicht irgend etwas finden, was uns entgangen ist.«

»Höchst unwahrscheinlich. Ich habe auf dem College meinen Pilotenschein gemacht und bin etwa dreißig Stunden solo geflogen, hätte aber ohne Funkgerät nie zum Flughafen zurückgefunden. Für mich sah von oben immer alles gleich aus.«

»Das kann ich Ihnen nachfühlen. Ich war zwei Jahre in der Armée de l'Air als Pilotenoffizier tätig, und mir ist es ähnlich ergangen.«

»Ohne Flachs? In der französischen Luftwaffe?«

»Ja, aber so hoch oben hat's mir nicht besonders gefallen, deshalb habe ich den Dienst quittiert und Sprachen studiert, und diese Kombination – ein Pilot mit Fremdsprachenkenntnissen – hat dann das Deuxième dazu veranlaßt, mich einzustellen.«

Sie standen jetzt vor dem Fahrzeug des Bureau; es war derselbe unauffällige Peugeot mit dem Motor, der durchaus in Le Mans oder Daytona Furore gemacht hätte. Lennox erinnerte sich sehr wohl daran. François begrüßte ihn überschwenglich.

»Haben Ihre Töchter Ihnen verziehen?« fragte Drew.

»Niemals!« rief er aus. »*Le Parc de Joie* ist geschlossen worden, und sie geben mir die Schuld dafür!«

»Vielleicht wird ihn jemand kaufen und wieder eröffnen. Gehen wir jetzt, alter Freund. Wir haben es eilig.«

Die N-2-Einheit zwängte sich in den Wagen, und François hob regelrecht ab. Karins Augen waren geweitet und die Gesichter der beiden Veteranen von Wüstensturm kalkweiß, als François mit quietschenden Reifen durch Kurven schlitterte und dann wieder auf geraden Strecken das Gaspedal durchtrat, bis die Tachometernadel hundertsechzig Stundenkilometer anzeigte.

»Was hat dieser Irre eigentlich vor?« fragte Captain Dietz. »Ist das ein Selbstmordkommando? Dann will ich raus!«

»Keine Angst!« rief Drew und drehte den Kopf nach hinten. »Bevor er zum Deuxième kam, war er Rennfahrer.«

»Das hätte er bleiben sollen«, rief Lieutenant Anthony. »Der Mann ist verrückt.«

»Er ist gut«, antwortete Lennox. »Passen Sie auf!«

»Lieber nicht«, murmelte Karin.

Der Deuxième-Wagen kam quietschend auf dem Parkplatz vor einem mächtigen Ziegelbau zum Stehen. Als die Beifahrer zitternd ausstiegen, kam ein Zug Soldaten mit schußbereiten Waffen angelaufen. »*Arrêtez!*« rief Jacques Bergeron. »Wir sind vom Deuxième, hier ist mein Ausweis.«

Ein Offizier trat vor und musterte die Plakette und den zugehörigen Ausweis. »Sie haben wir natürlich erkannt, Monsieur«, sagte er, »aber Ihre Gäste kennen wir nicht.«

»Sie sind mit mir zusammen, mehr brauchen Sie nicht zu wissen.«

»In Ordnung.«

»Verständigen Sie Ihren Kommandanten und sagen Sie ihm, daß ich die N-2-Einheit zu ihm bringe.«

»Wird sofort erledigt«, sagte der Offizier, griff nach einem Walkie-talkie, das an seinem Gürtel befestigt war, und meldete die Neuankömmlinge. »Sie dürfen passieren, der Kommandant der Wache erwartet Sie. Er sagt, Sie möchten sich bitte beeilen.«

»Danke.« Jacques, Lennox, Karin und die beiden Ranger gingen mit großen Schritten zum Eingang des Wasserwerks. Drinnen angelangt, waren sie von dem, was sie zu sehen bekamen, verblüfft. Es wirkte finster wie die Eingeweide einer alten Burg, ohne jeglichen Schmuck, und roch vermodert. Das gesamte Mauerwerk bestand aus alten Ziegeln, mit einer steinernen Treppe in der Mitte. »Kommen Sie«, sagte Jacques Bergeron, »der Aufzug ist hinten im Korridor ganz rechts.«

Während sie hinter dem Franzosen hergingen, sagte Lieutenant Anthony: »Der Bau muß über dreihundert Jahre alt sein.«

»Mit einem Aufzug?« fragte Dietz grinsend.

»Den hat man später eingebaut«, erwiderte Bergeron. »Aber Ihr Kollege hat recht. Diese Anlage mit ihren primitiven, Aquädukten, die aber immer noch voll funktionsfähig sind, ist von den Baronen von Beauvais gebaut worden, um das Wasser aufzufangen und es auf ihre Felder und in ihre Gärten zu schicken. Das war Anfang des siebzehnten Jahrhunderts.«

Der riesige, alte, quadratische Aufzug war von dem Typ, wie man ihn häufig in Lagerhäusern oder Frachtdepots findet, wo schwere Geräte von einem Stockwerk ins andere gebracht werden müssen. Er fuhr ächzend und klappernd nach oben, bis er schließlich das oberste Stockwerk erreicht hatte. Jacques öffnete die schwere Schiebetür mit solch sichtbarer Mühe, daß Captain Dietz ihm schließlich half. Sie sahen sich der imposanten Gestalt eines Generals in der Uniform der französischen Landstreitkräfte gegenüber. Er redete schnell und eindringlich auf Bergeron ein. Dieser runzelte die Stirn, nickte, murmelte ein paar Worte und ging dann schnell mit dem Soldaten weg.

»Was haben die gesagt?« fragte Drew und sah Karin einigermaßen hilflos an, während sie aus dem Aufzug stiegen. »Das ging für mich viel zu schnell, aber ich habe da irgend etwas wie ›schreckliche Nachrichten‹ mitbekommen.«

»Das war im Grunde alles«, antwortete Karin und sah mit zusammengekniffenen Augen zu den beiden Franzosen hinüber, die in einiger Entfernung im Korridor standen. »Der General hat gesagt, er habe schreckliche Nachrichten und müsse mit Jacques unter vier Augen sprechen.«

Plötzlich ertönte ein verzweifelter Schrei. »*Mon Dieu, non! Ce n'est pas vrai!*«

Karin und Drew sahen sich bestürzt an und liefen auf die beiden Franzosen zu.

»Was ist passiert?« fragte Karin atemlos.

Bergeron stand in sich zusammengesunken an die Wand gelehnt da. »Claude ist vor zwanzig Minuten in der Tiefgarage des Deuxième ermordet worden.«

»Oh mein Gott!« rief Karin und trat vor und packte Jacques Arm.

»Wie konnte das passieren?« schrie Lennox. »Inmitten Ihrer eigenen Leute!«

»Die Nazis«, flüsterte der Deuxième-Agent mit halberstickter Stimme. »Sie sind überall.«

40

Hinter dem großen rechteckigen Fenster konnte man das weite Areal des Reservoirs von Beauvais sehen. Sie befanden sich in dem Büro, das sonst der Leiter des Wasserwerks benutzte, der momentan durch den militärischen Befehlshaber abgelöst worden war. Jacques Bergeron telefonierte seit über einer Viertelstunde mit Paris, wobei er sich zwischendurch immer wieder Tränen aus den Augenwinkeln wischte.

Der General hatte auf einem mächtigen Tisch vor dem Fenster eine Landkarte und eine Anzahl Fotografien ausgebreitet und beschrieb jetzt unter Einsatz eines Zeigestabs, wie er die Verteidigung der Anlage organisiert hatte. Dabei war dem alten Soldaten wohl bewußt, daß er nicht die ungeteilte Aufmerksamkeit der vier Gäste hatte, deren Blicke immer wieder zu dem Deuxième-Beamten am Schreibtisch hinüberhuschten. Schließlich legte Jacques den Hörer auf, stand auf und kam zum Tisch herüber.

»Auf Anordnung des Präsidenten der Republik bin ich zum provisorischen Direktor des Deuxième ernannt worden und muß nach Paris zurückkehren.«

»Ich weiß, daß Sie sich das so nie gewünscht hätten, Jacques«, sagte Lennox, »trotzdem meinen Glückwunsch. Man hätte Sie nicht ausgewählt, wenn Sie nicht der beste wären. Ihr Mentor hat Sie gut ausgebildet.«

»Das spielt jetzt keine Rolle. Ganz gleich, was in den nächsten sechzehn Stunden geschieht, ich werde zurücktreten und mir eine andere Tätigkeit suchen.«

»Warum?« fragte Karin. »Sie könnten zum regulären Direktor ernannt werden. Wer ist denn sonst da?«

»Sie sind sehr liebenswürdig, aber ich kenne mich. Ich bin ein zweiter Mann, ein sehr guter zweiter Mann, ein Gefolgsmann, aber kein Führer. Man muß sich selbst gegenüber ehrlich sein.«

»Was geschehen ist, ist schrecklich«, sagte Lennox, »aber wir müssen zurück an die Arbeit. Das sind Sie Claude schuldig und ich Harry. Fangen Sie bitte noch einmal von vorne an, General«, sagte er dann zu dem Offizier gewandt. »Wir waren einen Augenblick lang nicht bei der Sache.«

»Ich muß nach Paris zurückkehren«, wiederholte Bergeron. »Ich will das nicht, aber so lautet meine Anweisung – direkt vom Präsidenten –, und der muß ich gehorchen.«

»Dann tun Sie das«, sagte Karin mit sanfter Stimme.

»Ja. Fahren Sie nach Paris und bleiben Sie mit London und Washington in Verbindung«, sagte Lennox mit fester Stimme. »Aber, Jacques – halten Sie uns auf dem laufenden.«

»*Au revoir, mes amis.*« Der Deuxième-Beamte drehte sich um und ging gebeugt und niedergeschlagen aus dem Zimmer.

»Wo waren wir stehengeblieben, General?« fragte Drew und beugte sich über den Tisch, Dietz und Anthony standen links und rechts von ihm, Karin auf der anderen Tischseite.

»Das sind die Truppen, die ich im Gelände verteilt habe«, begann der alte Soldat und deutete auf das Meßtischblatt des Reservoirs und der Wälder, die es umgaben. »Aus meiner langen Erfahrung auch in Indochina, wo die Guerillataktik des Feindes mich vor ähnliche Probleme stellte, wüßte ich nicht, was man noch mehr tun könnte. Auf einem Luftstützpunkt in dreißig Kilometer Entfernung wartet ein Geschwader von Jagdmaschinen in Bereitschaftszustand. In den Wäldern und auf den Straßen haben wir über zwölfhundert Soldaten verteilt, sämtliche Einheiten stehen miteinander in Funkverbindung. Dazu sind zwanzig Flugabwehrgeschütze in Stellung gebracht worden. Siebzehn Bombensuchtrupps sind eingesetzt und haben rund um die Uhr die ganze Anlage nach irgendwelchen Sprengkörpern abgesucht. Außerdem ist ein Patrouillenboot mit chemischen Analysegeräten im Zuflußbereich im Einsatz. Beim ersten Anzeichen einer toxischen Reaktion werden die Schleusentore geschlossen. Die Alternativversorgung aus anderen Distrikten ist vorbereitet.«

»Wenn sich das als notwendig erweisen sollte«, fragte Drew, »wie lange wird es dann dauern, bis die Alternativversorgung funktioniert?«

»Nach Aussage des Wasserwerksleiters war die längste Zeitspanne, die in den Unterlagen festgehalten ist, vier Stunden und sieben Minuten; das war Mitte der dreißiger Jahre bei einem Maschinenausfall. Das erste größere Problem, das dann freilich auftreten würde, ist ein deutliches Absinken des Wasserdrucks gefolgt von erheblichen Verunreinigungen von den ungenützten Zuflüssen.«

»Verunreinigungen?« fiel Karin ihm ins Wort.

»Damit meine ich keine Vergiftungen; sondern Schlamm, Schmutz und Rohrrückstände. Das könnte allenfalls Magenverstimmungen oder zu Erbrechen und Durchfall führen. Die echte Gefahr liegt bei den unterirdischen Hydranten; der Druckabfall könnte sie für den Fall von Bränden unbrauchbar machen.«

»Dann könnte diese Krise sich sprunghaft ausweiten«, sagte Karin. »Wenn Wasserblitz irgendwie gelingt und Sie Ihre Maßnahmen ergreifen, würde der Druck absinken, und es könnte in ganz Paris Feuer gelegt werden.«

»Das ist richtig, Madame, aber ich frage Sie, und nachdem ich Ihnen die Verteidigungsanlagen draußen gezeigt habe, werde ich Sie noch einmal fragen, glauben Sie wirklich, daß Wasserblitz erfolgreich durchgeführt werden kann?«

»Das will ich nicht hoffen, General.«

»Was ist mit London und Washington?« sagte Lennox. »Moreau hat mir gesagt, Sie stünden mit beiden in Verbindung.«

»Sehen Sie den Kahlkopf dort drüben am Schreibtisch, den mit dem roten Telefon?« Der alte Soldat deutete auf einen Major auf der anderen Seite des Raums, der ein rotes Telefon ans Ohr hielt. »Er ist nicht nur mein vertrautester Adjutant, sondern er ist auch mein Sohn.«

»Ihr Sohn?«

»Oui, Monsieur Lennox«, erwiderte der General lächelnd. »Als die Sozialisten den Quai d'Orsay übernahmen, haben viele von uns Offizieren zu unserem eigenen Schutz Vetternwirtschaft betrieben, bis wir dann herausfanden, daß es eigentlich gar keine so üblen Burschen waren.«

»Wie durch und durch französisch«, sagte Karin.

»Ich kann nur noch einmal sagen, wie recht Sie haben, Madame. *La famille est éternelle.* Aber mein Sohn ist ein hervorragender Offizier. Er telefoniert im Augenblick entweder mit London oder Washington. Die Leitungen sind dauernd offen, ein Knopfdruck genügt.« Der Major legte auf, und der General fragte: »*Adjutant-Major*, gibt es etwas Neues?«

»*Non, mon général*«, antwortete der kahlköpfige Major, stand auf und begrüßte Lennox und die anderen Angehörigen seiner Einheit. »Ich muß Ihnen sagen, daß der General eine hervorragende Verteidigungslinie aufgebaut hat, dafür sind wir alle dankbar. Er hat im Gegensatz zu uns, jedenfalls im Gegensatz zu mir, solche Einsätze schon durchgeführt, aber die Technik hat sich verändert und damit auch die Regeln. London und Washington haben ihre Sicherheitseinrichtungen modernisiert, ebenso wie wir, dabei sind die neuesten elektronischen Geräte zum Einsatz gekommen.«

»Was konkret?« wollte Drew wissen.

»Infrarotschranken überall im Wald und Matten aus gesponnenem Plastik entlang der Straße, die, falls der Feind eindringen sollte, ein lähmendes Gas ausströmen – unsere Soldaten haben natürlich Masken. Außerdem Radar und Radioanlagen, die angreifende Lenkwaffen auf eine Distanz von zweihundert Kilometern ausmachen können und unsere eigenen Boden-Luft-Abwehrraketen mit Hitzesensoren auslösen –«

»So wie die Patriots bei Wüstensturm«, fiel Captain Dietz ihm ins Wort.

»Genau«, pflichtete der Major dem Captain bei.

»Und was ist mit dem Reservoir selbst?« erkundigte sich Karin.

»Was soll damit sein? Falls wirklich Dutzende von großen Kanistern mit Toxinen eingebracht worden sind, und Zeitzünder, um sie aufzusprengen, dann haben unsere Taucher sie nicht gefunden. Die haben alles abgesucht, das kann ich Ihnen versichern, und wenn man bedenkt, welche Mengen nötig wären, dann hätte das Unterwassersonar sie sicherlich entdeckt. Schließlich wird das Reservoir ja auch in normalen Zeiten ständig überwacht, die ganze Anlage ist eingezäunt, und jeder Eindringling wird sofort bemerkt. Wie könnte es also passieren?«

»Ich weiß, daß es theoretisch unmöglich ist. Ich versuche nur an alles zu denken. Aber das haben Sie ja ohne Zweifel auch schon getan.«

»Nicht unbedingt«, widersprach der General. »Sie sind alle erfahrene Abwehrspezialisten und kennen den Feind, Sie haben sich mit ihm auseinandergesetzt. Einmal – das war vor Dien Bien

Phu – sagte mir ein Spion, daß der Gegner über weit größere Feuerkraft verfügte, als Paris zugeben wollte. Paris hatte dafür nur Spott übrig, und wir haben ein ganzes Land verloren.«

»Da sehe ich jetzt den Zusammenhang nicht«, sagte Karin.

»Vielleicht gibt es gar keinen. Ich will lediglich sagen, daß Sie möglicherweise etwas sehen, das uns entgangen ist.«

»Sehen wir uns die Fotografien an«, sagte Drew und trat an den Tisch, wo die Fotos geordnet ausgebreitet waren.

»Ich habe sie von oben nach unten arrangiert, von der größten Entfernung zum Reservoir bis zur kürzesten«, erklärte der Sohn des Generals. »Alle sind aus verhältnismäßig geringer Höhe mit Infrarotkameras aufgenommen worden, und wo irgendwelche verdächtigen Stellen auftauchten, hat man sie aus ein paar hundert Meter Höhe noch einmal wiederholt.«

»Was ist das?« fragte Dietz und deutete auf ein paar dunkle Kreise.

»Farmsilos«, erwiderte der Major. »Wir haben sie, um ganz sicher zu gehen, von der örtlichen Polizei überprüfen lassen.«

»Und das?« sagte Karin und zeigte auf drei Fotos, auf denen man lange, dunkle, rechteckige Strukturen erkennen konnte, die an einer Seite offenbar schwach beleuchtet waren.

»Bahnhöfe. Sie sehen die Lampen unter den Vordächern an den Geleisen.«

»Und das da?« Lennox benutzte den Zeigestab und tippte ein Foto an, auf dem die Umrisse von zwei großen Flugzeugen auf einer kleinen Nebenpiste eines Privatflughafens zu erkennen waren.

»Das sind Flugzeuge, die Saudiarabien gekauft hat und die auf den Abtransport nach Riad warten. Wir haben beim Außenhandelsministerium nachgefragt und festgestellt, daß alles in Ordnung ist.«

»Französische Flugzeuge haben die gekauft, nicht amerikanische?« sagte Gerald Anthony.

»Das tun viele, Lieutenant. Unsere Luftfahrtindustrie ist ausgezeichnet. Unsere Mirage zählen zu den besten Jagdflugzeugen der Welt. Außerdem spart der Käufer Millionen von Francs, wenn er sie aus Beauvais einfliegen läßt, anstatt aus, sagen wir, Seattle im Staate Washington.«

»Das gebe ich zu, Major.«

Und so ging es den restlichen Vormittag, jedes Foto wurde unter die Lupe genommen, hundert Fragen wurden gestellt und beantwortet. Aber sie kamen nicht weiter.

»Wo steckt es?« rief Lennox schließlich aus. »Was haben die versteckt, das wir nicht sehen?«

In einem mehrfach abgesicherten Kellergeschoß der britischen Abwehr brüteten die erfahrensten Analytiker und Kryptographen von MI-5, MI-6 und dem Secret Service Ihrer Majestät über dem Material aus den Kartons von Günter Jägers Haus am Rhein. Plötzlich erhob sich eine Stimme über das gleichmäßige Summen der Geräte.

»Ich habe etwas«, sagte eine Frau vor einem der unzähligen Computer, die in dem riesigen Saal verteilt waren. »Ich weiß auch nicht genau, was es zu bedeuten hat, aber es war jedenfalls mit großer Sorgfalt verschlüsselt.«

»Und was?« Ihr Vorgesetzter von MI-6 trat neben ihren Arbeitstisch, Witkowski wie ein stummer Schatten an seiner Seite.

»›Daedalus wird fliegen, nichts kann ihn aufhalten.‹ So habe ich es entschlüsselt.«

»Und was soll das heißen?«

»Es hat etwas mit dem Himmel zu tun, Sir. In der griechischen Sage versuchte Daedalus von Kreta zu entfliehen, mit Federschwingen, die er mit Wachs verklebt und an seinen Armen befestigt hatte.«

»Was hat das mit Wasserblitz zu tun?«

»Das weiß ich, ehrlich gesagt, auch nicht, Sir.«

»Haben Sie eine Ahnung, wo die Botschaft herkam?« fragte der amerikanische Colonel. »Gibt es ein Datum, eine Zeit?«

»Glücklicherweise kann ich beide Fragen mit ja beantworten. Es war ein Fax von hier, aus London, und es ist vor zweiundvierzig Stunden abgesandt worden.«

»Gut gemacht! Können Sie feststellen, von wo?«

»Das habe ich bereits getan. Es ist in Ihrem Bereich, Sir. MI-6, Euroabteilung, Referat Deutschland.«

»Scheiße! Entschuldigen Sie bitte. Dieses Referat hat über sechzig Beamte. Dazu ist die Zeit zu knapp.«

»Dann, fürchte ich, kann ich Ihnen nicht weiterhelfen«, sagte die grauhaarige Mrs. Graham und wandte sich wieder Ihren Papieren zu.

»Aber ich vielleicht – aber vielleicht auch nicht«, sagte ein Beamter von den Bahamas, ein paar Tische entfernt.

»Ja, Vernal?« fragte der MI-6-Direktor und trat schnell an den Tisch des Mannes.

»Eine weitere Erwähnung von Daedalus, nur ohne Code und diesmal nicht aus London. Das Fax ist vor siebenunddreißig Stunden in Washington abgeschickt worden.«

»Und wie lautet der Text?«

»›Daedalus ist in Position, Countdown begonnen.‹ Was halten Sie davon?«

»Der Countdown hat begonnen, und mir paßt überhaupt nicht, wie zuversichtlich die sind.« Der MI-6-Beamte trat in die Mitte des großen Saals und klatschte in die Hände. »Alle mal herhören, bitte!‹ rief er. »Bitte, hören Sie zu.« Im Raum trat mit Ausnahme des leisen Summens der Computer Stille ein. »Wir haben eine wesentliche Information zu Wasserblitz gefunden. Es ist der Name Daedalus. Ist jemand von Ihnen auch darauf gestoßen?«

»Ja, allerdings«, erwiderte ein schlanker Mann in mittleren Jahren mit einem Kinnbart und einer Nickelbrille, die ihm ein professorales Aussehen verlieh. »Vor einer Stunde etwa. Ich hielt es für die Codebezeichnung eines Naziagenten, sah aber keine Beziehung zu Wasserblitz. Ursprungsort war Paris, und es ist gestern um 11.17 Uhr abgesandt worden. Die Mitteilung lautet folgendermaßen: ›Daedalus in hervorragendem Zustand, bereit zuzuschlagen!‹«

Der MI-6-Direktor winkte einen seiner Mitarbeiter herbei. »Tragen Sie das Material zusammen und rufen Sie Beauvais und Washington an und faxen Sie ihnen alles durch. Jemand muß versuchen, da einen Sinn zu finden.«

»Ja, Sir.«

»Und zwar schnell«, fügte der amerikanische Colonel hinzu.

In dem Dalecarlia-Reservoir in Georgetown studierten Analysten der Central Intelligence und G-2 und der National Security

Agency die Faxe aus London. Ein Deputy Director der CIA warf die Hände in die Luft.

»Da ist nichts, worauf wir nicht vorbereitet sind! Mir ist ganz egal, aus welcher Himmelsrichtung der Angriff kommt, wir fegen die weg. Das Gelände ist abgesichert, genau wie in London und Paris, und unsere Raketen mit Hitzesucher werden jedes Projektil vom Himmel blasen. Was zum Teufel bleibt da noch?«

»Warum sind diese Mistkerle dann so zuversichtlich?« fragte ein Lieutenant Colonel von G-2.

»Weil sie Fanatiker sind«, antwortete ein junger Intellektueller von der National Security Agency. »Sie müssen glauben, was man ihnen vorgeschrieben hat, das wird ihnen eingebleut.«

»Das ist doch Scheiße!« sagte der Brigadegeneral. »Leben diese Saukerle denn in einer anderen Welt?«

»Eigentlich schon«, erwiderte der Analytiker von der NSA. »Die haben ihre eigene Welt, Sir. Eine Welt des absoluten Gehorsams, und nichts anderes ist für sie von Bedeutung.«

»Sie sagen, daß es Spinner sind?«

»Ja, Spinner schon, General, aber nicht dumm. Ich gebe diesem Consular-Operations-Mann in Beauvais völlig recht. Diese Leute glauben, einen Weg gefunden zu haben, und ich kann nicht einfach die Möglichkeit ausschließen, daß das stimmt.«

Beauvais, Frankreich, Stunde Null minus drei. Es war genau 1.30 Uhr morgens. Alle Augen huschten immer wieder zu den Uhren an der Wand und an ihren Handgelenken, und die Spannung steigerte sich von Minute zu Minute.

»Nehmen wir uns noch einmal die Fotografien vor, ja?« sagte Lennox.

»Die haben wir uns doch schon hundertmal angesehen«, erwiderte Karin. »Jede Frage ist beantwortet worden, Drew. Was kann denn da noch sein?«

»Ich weiß es nicht, ich will sie mir nur noch mal ansehen.«

»Was denn, Monsieur?« fragte der Major.

»Nun … diese Silos beispielsweise. Sie haben gesagt, die örtliche Polizei hätte sie untersucht. Waren die Beamten wirklich qualifiziert? Man kann Silos mit Heu oder Stroh vollpacken und etwas völlig anderes darunter verstecken.«

»Man hat ihnen gesagt, wonach sie suchen sollen, und einer meiner Offiziere hat sie begleitet«, sagte der General.

»Je mehr ich an Lenkwaffen denke, um so plausibler scheinen sie mir.«

»Wir sind so gut vorbereitet, wie es nur gerade geht«, sagte der Sohn des Generals. »Das Reservoir ist von mobilen Einheiten mit Abschußvorrichtungen für hitzesuchende Raketen umgeben, das sagte ich Ihnen bereits, Monsieur.«

»Dann sehen wir uns das Zeug aus London noch einmal an. Herrgott noch mal, wer ist Daedalus?«

»Ich kann es Ihnen erklären, Sir«, erbot sich Lieutenant Anthony. »Sie müssen wissen, der Sage nach hat Daedalus, der zugleich Künstler und Architekt war, auf Kreta die Vögel studiert, hauptsächlich Möwen, nehme ich an, und ist auf die Idee gekommen, daß ein Mann durch die Luft gleiten könnte, wenn er Federn an seinen Armen befestigt –«

»Bitte, Gerry, wenn ich das noch ein einziges Mal höre, drehe ich durch!«

»Wir kommen immer wieder auf Luft, nicht wahr?« sagte Karin. »Lenkwaffen, Raketen, Daedalus.«

»Weil wir gerade von Luft sprechen«, fiel ihr der kahlköpfige Major mit einem Anflug von Gereiztheit in der Stimme ins Wort, »keine Lenkwaffe, keine Rakete und kein Flugzeug kann in unseren Luftraum eindringen, ohne bereits lange vorher geortet und dann entweder von der Flak oder von unseren eigenen Flugkörpern abgeschossen zu werden. Und wir waren uns doch alle einig, daß für Wasserblitz mehrere sehr große Frachtmaschinen oder Dutzende von kleineren Maschinen erforderlich wären, die von Flugplätzen ganz in der Nähe kommen müssen, um das Überraschungsmoment auf ihrer Seite zu haben.«

»Haben Sie die Flughäfen in Paris überprüft?« bohrte Lennox.

»Warum glauben Sie eigentlich, daß alle Flüge zur Zeit Verspätung haben?«

»Das wußte ich nicht.«

»Haben sie aber, was bei den Reisenden großen Ärger erzeugt. In Heathrow und Gatwick in England und Dulles und National in Washington ist es genauso. Wir können die Gründe nicht angeben, ohne Aufruhr und Schlimmeres zu riskieren, aber jedes

Flugzeug wird gründlich inspiziert, ehe es die Startfreigabe bekommt.«

»Das war mir nicht bekannt. Tut mir leid, aber warum sind dann diese Neonazis so gottverdammt sicher, daß sie einen Weg gefunden haben?«

»Das entzieht sich meiner Kenntnis, Monsieur.«

London. Stunde Null minus zwei und acht Minuten. Es war 1.22 Uhr nach Greenwich-Zeit und der MI-6-Direktor in Vauxhall Cross telefonierte gerade mit Washington. »Dort drüben irgend etwas Neues?«

»Kein bißchen«, antwortete eine ärgerlich klingende Stimme mit breitem Südstaatenakzent. »Mit der Zeit glaube ich, daß diese ganze blöde Aktion bloß ein Haufen Scheiße ist! Da lacht sich einer kaputt.«

»Ich würde Ihnen ja gern recht geben, alter Junge, aber Sie haben die Bandaufnahme und die Unterlagen selbst gesehen, die wir Ihnen geschickt haben. Ich würde sagen, die wirken recht überzeugend.«

»Und ich würde sagen, das ist ein Rudel paranoider Spinner, die Götterdämmerung spielen!«

»Das werden wir ja bald wissen, Kumpel. Bleiben Sie dran.«

»Ich werde versuchen, nicht einzuschlafen.«

Washington D. C., Stunde Null minus zweiundvierzig Minuten. Es war 21.48 Uhr, der Julihimmel war wolkenbedeckt, es würde bald regnen, und der Brigadegeneral in Dalecarlia ging nervös im Büro des Wasserwerks auf und ab. »London hat keine Ahnung, Paris weiß nicht weiter, und wir hocken hier auf unserm Arsch und zerbrechen uns den Kopf, ob man uns reingelegt hat! Ein beschissener Witz ist das, der den Steuerzahler Millionen kosten wird, und uns wird man die Schuld dafür geben! Herrgott, wie ich diesen Job hasse. Wenn es nicht zu spät wäre, würde ich am liebsten wieder auf die Schule zurückgehen und Zahnarzt werden!«

Stunde Null minus zwölf Minuten. In Paris war es 4.18 Uhr, in London 3.18 Uhr, in Washington, D. C., 10.18 Uhr. Meilen von den Reservoiren der drei Städte entfernt und auf die Minute synchronisiert, starteten sechs Düsenmaschinen.

»*Activitées inconnues!*« sagte der Radarspezialist in Beauvais.

»*Unidentified aircraft!*« sagte der Spezialist in London.

»*Two blips, unknown!*« sagte der Spezialist in Washington. »Nicht mit Dulles abgestimmt.«

Und dann, obwohl zwischen ihnen größere Distanz lag, sprach jeder von ihnen Sekunden später.

»*Superflu*«, korrigierte Paris.

»*False alarm*«, korrigierte London.

»*Forget it*«, korrigierte Washington. »Die fliegen in die andere Richtung. Wahrscheinlich irgendwelche Söhne reicher Eltern in Privatmaschinen, die ihre Flüge nicht angemeldet haben. Hoffentlich sind sie nüchtern.«

Stunde Null minus sechs Minuten. Im dunklen Himmel über den Vororten von Beauvais, Georgetown und North London setzten die Jets ihre Manöver fort, entfernten sich immer weiter von den drei Zielen, stiegen mit enormer Beschleunigung immer höher. Dann setzten die vorausberechneten Flugprogramme ein. Die Jets wendeten, ihre Motorenleistung wurde gedrosselt, und jetzt steuerten sie, ebenso schnell wie sie aufgestiegen waren, im schnellen Senkflug auf schon vorher ausgewählte Flugkorridore zu, die sie zu den Plätzen bringen würden, wo ihre Schlepphaken ausfahren und die schweren Stahlkabel aufgreifen würden, mit denen die Messerschmitt ME 323 Lastensegler himmelwärts gezogen werden sollten.

Wenn das Abbremsmanöver abgeschlossen war, würde jeder der sechs Piloten einen abschließenden Befehl erteilen. Dieser Befehl würde über eine vorher festgelegte Radiofrequenz an jeden einzelnen Lastensegler gehen, sein Signal würde dann ein rotes Licht auf der Computerkonsole im Cockpit sein. Das Kommando würde in einer Minute und sieben Sekunden kommen, mit einer Toleranz von nur wenigen Sekunden, je nach Windgeschwindigkeit und Richtung. Jetzt war alles nur noch eine Frage der Distanz.

Beauvais. Stunde Null minus vier Minuten. Drew starrte durch das Fenster auf das Reservoir hinaus, während Karin mit dem

Major an einem zweiten roten Telefon an dessen Schreibtisch saß. Die beiden Apparate waren mit London und Washington verbunden. Die beiden Ranger standen mit dem General hinter dem Radarspezialisten und seinem Bildschirm.

Plötzlich drehte Lennox sich am Fenster um und sagte mit lauter Stimme: »Lieutenant, was haben Sie über die Flügel von diesem Daedalus gesagt?«

»Die waren aus Federn gemacht –«

»Ja, ich weiß, aber nachher, irgend etwas über diese Federn? Was war das?«

»Bloß Federn, Sir. Manche Leute – hauptsächlich Poeten – vergleichen ihre Dichte mit Luft, weil sie ja im Wind schweben, für die Luft geboren sozusagen, weshalb sie ja auch an den Vögeln ...«

»Und Vögel stoßen doch lautlos herunter, so fangen doch Raubvögel ihre Beute.«

»Was redest du da, Drew?« fragte Karin, die ebenso wie der Major immer noch das rote Telefon ans Ohr hielt. Sie blickte zu dem Cons-Op-Agenten auf.

»Sie gleiten, Karin, Sie segeln!«

»Und, Monsieur?« fragte der Major.

»Gleiter, verdammt noch mal! Segelflugzeuge! Das könnte es sein! Die setzen Segelflugzeuge ein!«

»Dann müßten sie aber riesig groß sein«, sagte der General, »oder es müßten Dutzende sein, vielleicht sogar noch mehr.«

»Und das Radar hätte sie erfaßt, Monsieur«, fügte der Major hinzu. »Besonders die Radargeräte der Flugpatrouillen.«

»Das war ja auch der Fall auf den Fotos! Diese beiden Flugzeuge für Saudiarabien – wie oft ist es denn schon vorgekommen, daß Endverbraucherfreigaben manipuliert worden sind? Aber Ihre hitzesuchenden Lenkwaffen würden sie nicht erfassen. Weil sie nämlich keine Motoren haben und deshalb auch keine Wärme ausstrahlen! Wahrscheinlich enthalten sie auch sehr wenig Metall.«

»*Mon Dieu!*« rief der General mit geweiteten Augen, als wäre ihm plötzlich etwas Schreckliches eingefallen. »Segelflugzeuge! Die Deutschen waren darin Spezialisten, die oberste Autorität. Anfang der vierziger Jahre haben sie den Prototyp aller Lastensegler entwickelt, die heute auf der Welt gebaut werden, viel fortschrittlicher als die British Airspeed-Horsing oder die amerikanischen WACOs. Wir haben ihnen ihre Pläne dann später gestohlen. Die Messerschmitt-Fabriken haben den Gigant gebaut, einen riesigen Höllenvogel, der lautlos über Grenzen und Schlachtfelder schwebte und seine tödliche Ladung absetzte.«

»Könnte es sein, daß es davon noch welche gibt, *mon père?*« fragte der Major.

»Warum nicht? Wir alle auf beiden Seiten haben unsere Flotten – zu Wasser und in der Luft – behalten, ›eingemottet‹, wie die Amerikaner sagen.«

»Könnte man sie nach so vielen Jahren wieder einsatzfähig machen?« bohrte Karin.

»Auch wenn sie Feinde waren«, antwortete der alte Soldat, »die Messerschmitt-Firmen haben für die Ewigkeit gebaut. Natürlich müßte man gewisse Teile ersetzen oder modernisieren, aber weshalb eigentlich nicht?«

»Sie würden aber doch auf dem Schirm erscheinen«, beharrte der Radarspezialist.

»Aber wie deutlich? Wie deutlich würde das Bild sein, das Sie da auf Ihren Bildschirm bekommen, bei einem Flugobjekt, das gar kein oder jedenfalls sehr wenig Metall enthält und keine Motoren, und dessen Spanten vielleicht aus Bambusrohr gemacht sind, aus dem man im Fernen Osten schließlich sogar Gerüste baut – die behaupten, das sei stärker und sicherer als Stahl.«

Der Radarspezialist antwortete, ohne den Blick von seinem Bildschirm zu wenden: »Es wäre wesentlich schwächer als das eines konventionellen Flugzeugs, das stimmt.«

»Ich meine, selbst Wolken erzeugen doch ein gewisses Radarbild, oder nicht?«

»Ja schon, aber man merkt den Unterschied.«

»Und dann gibt es Radarreflektoren für Motor- und Segelboote, die manche Leute mitnehmen, damit das Radar sie erfaßt, falls sie in Schwierigkeiten geraten.«

»Ja, auch das ist ganz normal.«

»Radar ist also interpretationsbedürftig, nicht wahr?«

»Das sind medizinische Röntgenaufnahmen auch, ein Arzt –«

»Augenblick mal!« unterbrach Karin, wühlte plötzlich fieberhaft in ihren Taschen und brachte schließlich einen Papierfetzen zum Vorschein. »Das lag in einem Karton aus, glaube ich, Jägers äußerem Wohnraum. Ich habe den Fetzen behalten, weil ich ihn nicht verstanden habe. Es standen auch nur zwei Wörter in deutscher Sprache drauf: ›Flugzeug gebaut‹. Der Rest war abgerissen.«

»Großer Gott«, murmelte Gerald Anthony, griff in die Brusttasche seines Drillichanzugs und zog ein zerdrücktes Stück Papier hervor. »Ich habe dasselbe getan. Ich fand das in Jägers Kapelle, am Fuß dieses seltsamen Altars. Seitdem habe ich mir den Zettel immer wieder angesehen und versucht, die Schrift zu entziffern. Das ist mir schließlich gelungen, und es paßt zu dem, was Mrs. de Vries sagt. ›Aus Stoff und Holz‹ steht in deutscher Sprache darauf.«

»›Flugzeuge aus Stoff und Holz gebaut‹«, sagte de Vries

»Segelflugzeuge«, fügte Lennox mit leiser Stimme hinzu. »Lastensegler.«

»Arrêtez!« rief der Radarspezialist plötzlich und brachte damit alle zum Schweigen. »Die Flugzeuge sind wieder in unseren Luftraum eingeflogen! Sie sind jetzt vierzig Kilometer vom Wasser entfernt!«

»Boden-Luft-Raketen einsatzbereit machen!« rief der Sohn des Generals in ein drittes Telefon.

London. Stunde Null minus drei Minuten zehn Sekunden. »Unidentifizierte Flugzeuge tauchen wieder auf Bildschirm auf!«

Washington, D. C., Stunde Null minus zwei Minuten neunundvierzig Sekunden. »Verdammte Scheiße! Die Unbekannten sind wieder da und kommen auf uns zu!«

Beauvais. Stunde Null minus zwei Minuten achtundzwanzig Sekunden. »Alarmstart für Militärflugzeuge überall!« schrie Lennox. »Sofort nach London und Washington durchgeben!«

»Aber die Raketengeschosse«, rief der Major.

»Abschießen!«

»Warum dann die Jagdmaschinen?«

»Für das, was die Raketen nicht erwischen! Informieren Sie London und Washington. Sofort!«

»Ist geschehen.«

Im dunklen Himmel über Beauvais, London und Washington stießen die Neonazis jetzt auf die jeweiligen Plätze herunter, die Fangmechanismen für den Anflug ausgefahren.

»Raketen Zündung!«

»Raketen Zündung!«

»Raketen Zündung!«

Unter ihnen flammten unter den Tragflächen aller sechs Messerschmitt-Lastensegler gleichzeitig die Hilfsraketen auf. Jede erreichte einen Startschub von sechshundert Stundenkilometern, als die Jets über ihnen dahinrasten und die Haken ihre Kabel erfaßten, wobei die riesigen Gleiter sich sofort der Beschleunigung der Schleppfahrzeuge anpaßten. Binnen Sekunden waren alle sechs in der Luft. Aus nicht einmal hundert Fuß Höhe wurden die Startraketen abgeworfen. Von dieser Last befreit, wurden die Segler über London, Beauvais und Georgetown auf die vorgeschriebene Höhe von 2700 Fuß gebracht. Dann wurden die Kabel gelöst, und die Segler begannen, sich in weiten Kreisen ihren Zielen zu nähern.

Kurz darauf zuckten am Himmel Blitze, als in den Jets Sprengladungen detonierten und sie in mächtige Feuerbälle verwandelten. Aber die Lastenseglerpiloten in ihren mächtigen, lautlosen Gleitern kannten ihre Mission: Ein Volk, ein Reich, ein Führer!

Beauvais. Stunde Null. »Wir haben sie!« schrie der General, als die weißen Flecken auf dem Radarschirm erschienen. »Sie sind zerstört. Wir haben Wasserblitz geschlagen.«

»London und Washington melden das Gleiche!« schrie der Major. »Die Resultate sind dieselben. Wir haben gewonnen!«

»Nein, das haben Sie nicht!« brüllte Drew. »Sehen Sie doch auf die Radargitter. Die Explosionen haben Tausende von Fuß über dem ursprünglichen Einflugniveau stattgefunden. Sehen Sie doch hin! Sagen Sie Washington, daß sie dasselbe tun sollen ... So und jetzt sehen Sie darunter, ob Sie schwächer sichtbare skelettartige Bilder erkennen können. Schauen Sie. Das sind die Segler!«

»Oh, mein Gott!« rief Lieutenant Anthony aus.

»Wie schätzen Sie die Höhe, Mr. Radar?«

»Ich kann wirklich nur schätzen, Monsieur. Diese Schemen befinden sich zwischen achtzehnhundert und neunzehnhundert Fuß. Sie kreisen in langen, weiten, spiralförmigen Kreisen zwischen drei- und vierhundert Fuß.«

»Und weshalb tun sie das, Radarmann?«

»Man muß annehmen, aus Gründen der Genauigkeit.«

»Wie steht's mit dem Landezeitpunkt? Können Sie uns eine Zahl angeben?«

»Der Wind schlägt um, also muß ich schätzen. Zwischen vier und sechs Minuten.«

»Das sind vier bis sechs Stunden in Jet-Zeit. Major, alarmieren Sie London und Washington und sagen Sie, die sollen ihre Jagdmaschinen in einer Höhe von fünfzehnhundert Fuß über den Reservoiren kreisen lassen! Und die Ihren auch. Schnell!«

»Wenn sie da sind, lassen wir sie hochgehn«, sagte der Sohn des Generals und griff nach seinem roten Telefon.

»Sind Sie wahnsinnig?« erregte sich Lennox. »Diese Flugzeuge sind mit Gift vollgeladen, wahrscheinlich in flüssigem Zustand, und die Behälter sind wahrscheinlich so gebaut, daß sie beim Aufprall auf Land oder Wasser platzen. Die Jagdmaschinen sollen so manövrieren, daß sie mit ihrem Düsenstrahl die Segler vom Kurs wegblasen in unbewohnte Gegenden, Felder oder Wälder, aber um Himmels willen nicht da, wo Menschen sind. Sagen Sie das Washington und London!«

»Ja, natürlich. Verstanden, Monsieur. Die beiden Leitungen sind zusammengeschaltet.«

Die nächsten Minuten waren schier unerträglich. Alle Augen klebten förmlich am Radarschirm, bis dann plötzlich die schemenhaften Bilder in unterschiedlichen Richtungen abtrieben, heftig nach links und rechts, weg von der Zielzone, dem Reservoir von Beauvais.

»Was gibt's in London?« wollte Drew wissen, »und in Washington?«

»Die sind jetzt an der Leitung«, erwiderte der Major. »Sie erleben genau dasselbe wie wir. Die Segler sind von den Wasserreserven weggeblasen worden und werden jetzt in isolierten Gegenden zur Landung gebracht.«

»Alles war auf die Minute genau vorprogrammiert, nicht wahr«, sagte Lennox atemlos und mit bleichem Gesicht. »Möglicherweise haben wir jetzt tatsächlich gewonnen, aber erst eine Schlacht, noch nicht den Krieg.«

»Du hast gewonnen, Drew.« Karin de Vries ging auf ihn zu und legte ihren Arm über seine Schulter. »Harry wäre so stolz gewesen.«

»Wir sind noch nicht fertig, Karin. Harry wurde von innen getötet und Moreau auch. Sie sind beide verraten worden, ich übrigens auch, aber ich hatte Glück. Jemand hat so etwas wie ein Teleskop, das ins Innerste unserer Aktionen blickt. Und dieser Jemand weiß mehr über die Nazibewegung und das Vermächtnis eines verrückten Generals im Loiretal als wir alle zusammengenommen … Das Seltsame ist, ich bilde mir plötzlich ein, daß ich weiß, wer dieser Jemand ist.«

41

Beauvais. Stunde Null plus zwanzig Minuten. Der Sohn des Generals veranlaßte, daß ein Militärfahrzeug Lennox, Karin und die beiden Ranger nach Paris brachte. Ihr Gepäck war inzwischen vom Hotel Königshof in Bonn eingetroffen. Es lag jetzt im Kofferraum des Wagens, der vor dem Wasserturm auf sie wartete.

»Wir werden im selben Hotel absteigen«, sagte Drew, als alle sich von ihren französischen Kollegen verabschiedeten und auf den alten Fahrstuhl zugingen. »Und Sie beide«, fuhr er zu Captain Dietz und Lieutenant Anthony gewandt fort, »Sie können Paris auf den Kopf stellen –«

»*Monsieur, Monsieur Le Noce!*« rief einer der vielen Uniformierten von der Bürotür aus und rannte ihnen im dunklen Korridor nach. »Sie werden am *téléphone* verlangt. Es ist dringend, Monsieur!«

»Warten Sie hier«, sagte Drew. Lennox machte kehrt und ging mit dem Uniformierten ins Büro zurück und nahm dort den Hörer in Empfang. »Hier Cons-Op.«

»Gut gemacht, *chlopak!*« sagte Colonel Witkowski in London. »Harry wäre stolz auf Sie gewesen.«

»Das habe ich inzwischen zweimal zu oft gehört, Stanley, aber trotzdem vielen Dank. Das war Teamarbeit.«

»Den Blödsinn glauben Sie doch selbst nicht.«

»O doch, Stosh. Das Ganze hat mit Harry angefangen, als er zu diesem Tribunal in London sagte ›Ich habe Ihnend das Material gebracht, Ihre Aufgabe ist es jetzt, das Material auszuwerten‹. Wir haben das nicht richtig gemacht.«

»Später«, sagte Witkowski. »Was sagen Sie zu Bonn?«

»Was soll das heißen? Was ist mit Bonn?«

»Hat man Ihnen das nicht gesagt?«

»Was gesagt?«

»Der Bundestag steht in Flammen! Über hundert Feuerwehrwagen versuchen das Feuer zu löschen. Hat Moreau Sie nicht angerufen?«

»Moreau ist tot, Stanley.«

»Was?«

»Man hat ihn in der abgesicherten Tiefgarage des Deuxième ermordet.«

»Wann ist es passiert?«

»Das ist Stunden her.«

»Trotzdem, das Deuxième ist Ihre zweite Leitstelle. Man hätte Sie über Bonn informieren sollen.«

»Ich nehme an, das hat irgend jemand vergessen. Es war eine verrückte Nacht.«

»Was ist los, Drew? Sie klingen ganz durcheinander.«

»Wer wäre das nicht, nach dem, was heute nacht geschehen ist … Ich muß jetzt gehen, Stosh. Es gibt jemand, den ich erreichen muß, ehe das Feuer ausgeht. Ich rufe Sie von Paris aus wieder an.«

Die vier bezogen aneinander angrenzende Suiten im Hotel Plaza Athénée. Es war sechs Uhr siebenunddreißig, und Karin de Vries lag noch in tiefem Schlaf, als Lennox in den ersten Strahlen der frühen Morgensonne lautlos aus dem Bett stieg. Noch bevor er sich ausgezogen hatte, hatte er seine zivilen Kleider ausgepackt und aufgehängt. Jetzt zog er sie an und ging dann in den großen gemeinschaftlichen Salon, wo die beiden Ranger bereits auf ihn warteten.

»Einer von Ihnen beiden muß hierbleiben, Sie erinnern sich doch?« sagte Drew.

»Wir haben eine Münze geworfen«, erwiderte Dietz, »und Sie haben den Dünnen Mann abgekriegt, obwohl ich das für eine schlechte Wahl halte. Schließlich bin ich sein Vorgesetzter.«

»Was Ihnen bevorsteht, ist vielleicht ein härterer Job als der unsere. Die Einheit Marineinfanteristen von der Botschaft ist draußen, aber wenn die ins Hotel kommen würden, könnte das die Neonazis gegebenenfalls auf uns aufmerksam machen. Sollten sie wirklich kommen, stehen Ihnen nur Ihre eigenen Waffen und ein Funkgerät zur Verfügung, mit dem Sie unsere Männer schnell herbeirufen können.«

»Sie glauben wirklich, daß die Neonazis so tief eingedrungen sind?« fragte der Lieutenant.

»Mein Bruder ist getötet worden, obwohl man maximale Sicherheitsvorkehrungen für ihn getroffen hatte; Claude Moreau ist in seiner eigenen Tiefgarage erschossen worden. Was denken Sie?«

»Ich denke, wir sollten uns auf den Weg machen«, sagte Anthony. »Passen Sie auf die Lady auf, Captain. Sie ist etwas ganz Besonderes – im akademischen Sinn natürlich.«

»Bitte brechen Sie mir nicht das Herz«, sagte Drew, als er und der Lieutenant ihre Waffen einsteckten. »Der Wagen steht hinten, wir gehen durch den Keller.«

»*Monsieur Le Noce!*« Der Posten in der Tiefgarage des Deuxième hakte den Namen auf seiner Liste ab. Er war den Tränen nahe. »Ist das nicht schrecklich? Und noch dazu hier, wo so etwas nie passieren kann!«

»Was sagt die Polizei?« fragte Drew und musterte den Mann dabei scharf.

»Die sind genauso fassungslos wie wir! Unser Direktor wurde gestern morgen innerhalb der Tore erschossen, seine Leiche wurde am hinteren Ende der Parkfläche gefunden. Alle, die sich im Gebäude aufhielten, wurden von der Sûreté verhört; es hat Stunden gedauert, und der neue Direktor gleicht einem wütenden Tiger, Monsieur!«

»Hat man Ihre Ausgangsprotokolle überprüft?«

»*Certainement*! Man hat, wie ich höre, alle, die das Gebäude verlassen hatten, in Gewahrsam genommen. Aber bis jetzt gibt es keinerlei Hinweise auf die Täter.«

»Sind die meisten Leute jetzt hier? Ich weiß, es ist noch früh.«

»Beinahe alle, Monsieur. Wie ich gehört habe, finden in jedem Stockwerk Besprechungen statt. Sehen Sie, dort hinten warten bereits drei Fahrzeuge darauf, eingelassen zu werden. Alles ist ein einziges *tohu-bohu!*«

»Was?«

»Chaos«, erklärte Lieutenant Anthony leise. »Tumult, Sir.«

»Vielen Dank.« Lennox trat auf das Gaspedal des Mietwagens und fuhr durch das offene Tor in die riesige Tiefgarage. »Halten Sie die Waffe schußbereit, Lieutenant«, sagte er, als er den Wagen auf einen freien Parkplatz lenkte.

»Das ist sie bereits … Sie denken tatsächlich, hier unten könnten sich noch ein oder zwei Neonazis versteckt halten?«

»Wenn ich im Hotel anrufen und mit Ihrem Kumpel reden könnte, dann könnte ich Ihnen vielleicht mehr sagen.«

»Warum tun Sie das nicht? Sie haben doch das Handy.«

»Weil ich Karin nicht wecken will. Die würde schnurstracks hier auftauchen, und das hat uns gerade noch gefehlt.«

»Dann sollte ich es Ihnen wohl erzählen«, sagte Anthony.

»Mir was erzählen?«

»Vor ein paar Stunden, als wir in diese Nobelherberge kamen und Sie das Deuxième anriefen, um zu sagen, wo wir untergekommen waren, hat Dietz doch sämtliche Telefone in unseren Suiten auf Wanzen untersucht. Nachdem er festgestellt hatte, daß keine da waren, hat er das Telefon in Ihrem Schlafzimmer aus der Dose gezogen –«

»Was hat er?«

»Wir waren der Ansicht, daß Sie beide Ihren Schlaf brauchten. Ich meine, machen wir uns doch nichts vor. Wir sind jünger als Sie beide und auf alle Fälle besser in Form –«

»Würdet ihr beiden Pfadfinder bitte aufhören, uns über die Straße zu helfen!« rief Drew aus, holte das Handy aus der Tasche und fing zu wählen an. »Diese Oper dirigiere immer noch ich, oder haben Sie das vergessen?«

»Wenn ein wichtiger Anruf gekommen wäre, hätten wir Sie geweckt. Ist das denn so schwer zu ertragen?«

»Suite zwei-zehn und zwei-elf«, sagte Lennox zur Vermittlung des Hotels; am anderen Ende meldete sich sofort jemand.

»Ja?«

»Dietz, ich bin's Lennox. Wie steht's?«

»Wir glauben, Sie hatten recht, Cons-Op«, erwiderte der Captain ruhig. »Vor ein paar Minuten haben mich die Marines von der Botschaft angerufen. Ein schwerer Wagen, vermutlich gepanzert, bog um die Ecke, und zwei Typen sind ausgestiegen und – jeder für sich – um das Hotel herum zum Haupteingang gegangen. Sie haben gerade das Hotel betreten –«

»Sind es Neonazis?«

»Das wissen wir noch nicht, aber die Rezeption ist sehr hilfsbereit – Augenblick! Jetzt ruft gerade jemand von unten an.« Die

Sekunden kamen Drew wie Minuten vor, bis Dietz sich wieder meldete. »Wenn nicht alle Statistiken lügen, haben Sie den Nagel auf den Kopf getroffen. Die haben gerade den Knopf für den ersten Stock gedrückt.«

»Holen Sie die Marines!«

»Glauben Sie, das hätte ich nicht von selbst getan?«

Plötzlich ertönte hinter Lennox eine laute Hupe. »Ich glaube, Sie haben jemandem den Parkplatz weggenommen«, sagte der Lieutenant.

»Die können mich mal!«

»Hey, warum fahren wir nicht einfach eine Reihe weiter?«

»Dann nehmen Sie das Telefon. Herrgott, die Neonazis sind gerade ins Hotel gekommen! In den ersten Stock!« Drew setzte den Wagen zurück.

»Da ist niemand am Apparat. Der Captain ist im Felde unbesiegt; wenn die an die Tür kommen, können sie was erleben.«

»Ist die Leitung tot?« fragte Lennox, während er den Wagen auf einen anderen Stellplatz fuhr.

»Er hat aufgelegt, falls Sie das meinen.«

»Dann rufen Sie ihn wieder an.«

»Das ist keine besonders gute Idee, Sir. Er ist jetzt beschäftigt.«

»Scheiße!« explodierte Drew. »Jetzt weiß ich genau, daß ich recht habe.«

In der Fahrstuhlkabine schlossen sich ihnen fünf Männer und zwei Frauen an. Lennox sah sich ihre Gesichter nacheinander an, die verkniffenen Züge, die erregten Stimmen und die deutlich hervortretenden Adern und Muskeln verschwammen zu einer Art Collage schreiender Tiere, von denen jedes versuchte, das andere zu übertönen. Drew griff ohne nachzudenken über eine Schulter und drückte das Stockwerk, an das er sich von seinem letzten Besuch erinnerte. Bevor ihr Ziel erreicht war, hielt der Fahrstuhl zweimal an; als sie dann oben ankamen, waren er und der Lieutenant alleine.

Die Liftkabine kam zum Stillstand, die Türen öffneten sich, und die beiden Männer traten in einen Vorraum, von dem eine Anzahl Türen in die Korridore und Büros der Geheimdienstbehörde führten. Lennox ging auf die ältere Empfangsdame zu und sagte: »*Je m'appelle Drew* –«

»Ich weiß, wer Sie sind«, sagte die Frau freundlich. »Sie waren vor ein paar Tagen hier und haben *monsieur le directeur* besucht. Wir sind alle völlig erschüttert.«

»Das bin ich auch. Er war mein Freund.«

»Ich werde unseren neuen Direktor davon verständigen, daß Sie hier sind. Er ist auf dem schnellsten Wege –«

»Mir wäre lieber, wenn Sie das nicht tun würden«, fiel Lennox ihr ins Wort.

»Wie bitte?«

»Angesichts der jüngsten Ereignisse ist er sicher sehr beschäftigt; da will ich ihn nicht stören. Ich bin eigentlich aus einem ganz unwichtigen Grund hier; ich habe nämlich in seinem Wagen ein paar Dinge liegengelassen. Ist François da? Ich glaube, er hat den Direktor aus Beauvais hergebracht.«

»Ja, er ist da. Soll ich ihn anrufen?«

»Das ist nicht nötig. Sagen Sie mir nur, wo ich ihn finden kann.«

»*Naturellement.*« Die Frau drückte einen Knopf auf ihrem Schreibtisch; an der Tür rechts hinter ihr war ein Summen zu hören, dann öffnete sich das Schloß mit einem Klicken. »Sein Büro liegt in diesem Gang, das dritte links.«

»Vielen Dank. Entschuldigen Sie, das ist mein Kollege, Major Anthony, United States Army, Special Forces.« Der Kopf des Lieutenant fuhr überrascht herum, als Lennox fortfuhr: »Er wird hierbleiben, falls Sie nichts dagegen haben. Er spricht fließend Französisch ... und wahrscheinlich auch Urdu, wenn ich mich nicht sehr täusche.«

»*Bonjour, madame. Enchanté.*«

»*Comment allez vous?*«

Drew öffnete die Tür und ging in den schmalen Korridor, bis er die dritte Tür zur Linken erreicht hatte. Er klopfte einmal, öffnete schnell die Tür und erschreckte François, der mit dem Kopf auf der Schreibtischplatte schlief. Er schoß in die Höhe und lehnte sich in seinem Sessel zurück. »*Qu'est-ce que se passe?*«

»Hallo, François«, sagte Lennox und schloß die Tür hinter sich. »Kleines Nickerchen? Ich muß sagen, ich beneide Sie. Ich bin totmüde.«

»*Monsieur Le Noce*, was machen Sie hier?«

»Ich könnte mir vorstellen, daß Sie das wissen, François.«

»*Mon Dieu,* daß ich was weiß?«

»Sie standen Claude Moreau doch sehr nahe, nicht wahr? Er kannte Ihre Frau, wußte daß sie Yvonne heißt, Ihre beiden Töchter.«

»*Oui,* aber wir waren nicht gerade befreundet, Monsieur. Wir kennen einander alle, auch die Familien, aber mehr oder weniger aus der Ferne.«

»Und Jacques Bergeron ist auch ein guter Freund, Moreaus Spitzenmann.«

»Freund?«

»Sie und Jacques, Jacques und Sie, Cheffahrer und erster Mitarbeiter, immer mit Ihrem Chef zusammen, ein unzertrennliches Trio, einander durch Jahre gemeinsamer Arbeit verbunden. Die drei Musketiere, sozusagen, ist doch ganz normal, durchaus üblich und leicht zu akzeptieren, weil Sie sich jeden Tag sehen.«

»Sie sprechen in Rätseln, Monsieur!«

»Ja, zum Teufel. Weil es nämlich ein Rätsel ist, dabei ist es so einfach. Vor ein paar Stunden, als ich hier anrief, um Jacques zu sagen, wo wir abgestiegen waren – raten Sie mal, wen ich da erreicht habe?«

»Da brauche ich nicht zu raten. Sie haben mit mir gesprochen, Monsieur Le Noce.«

»Jeder steigt eine Stufe höher, wie?«

»Ich weiß wirklich nicht, was das soll!« sagte François. Er beugte sich vor, und dabei bewegte sich seine Hand über die Schreibtischkante auf eine Schublade zu. Plötzlich riß er sie auf, aber Drew stürzte sich auf ihn und knallte die Schublade mit solcher Gewalt über dem Handgelenk des Fahrers zu, daß der einen Schrei ausstieß, den allerdings Lennox' Faust erstickte, die ihm ins Gesicht krachte. Der Franzose kippte nach hinten und fiel zusammen mit seinem Sessel auf den Boden. Drew war sofort über ihm, packte ihn am Hals und zog ihn in die Höhe, schmetterte ihn gegen die Wand. Jetzt hielt er die Waffe aus der Schublade in der linken Hand.

»Jetzt werden wir miteinander reden, François. Ich hoffe nur, daß das ein gutes Gespräch wird, sonst haben Sie die längste Zeit gelebt.«

»Ich habe Familie, Monsieur, eine Frau, zwei Kinder! Wie können Sie das tun?«

»Haben Sie eigentlich eine Ahnung, wieviele Familien in diesen beschissenen KZ's auseinandergerissen wurden und nackt in die Gaskammern gehen mußten, wo sie nur als Leichen herauskamen, Sie Hurensohn!«

»Sie verstehen nicht, Monsieur. Die haben Mittel und Wege, einen unter Druck zu setzen.«

»Was denn zum Beispiel? Und wenn Sie mich anlügen, werde ich mir nicht einmal die Mühe machen, diese Waffe zu benutzen, ich drehe Ihnen dann einfach den Hals um, und dann ist Schluß. Ich hoffe, ich mache keinen Fehler ... Jacques Bergeron ist ein Neonazi, nicht wahr?«

»Ja ... aber wie haben Sie das rausgekriegt?«

»Wenn man müde ist und nicht mehr weiter weiß, dann geht einem alles Mögliche durch den Kopf. Es mußte jemand sein, der Zugang zu sämtlichen Informationen hat, jemand, der jeden Augenblick wußte, wo sich jeder einzelne von uns aufhielt. Zuerst dachten wir, es sei Moreau; er stand auf einer Liste, und wir hatten eine Weile Angst, mit ihm zusammenzuarbeiten; verdammt, ich durfte ihm nicht die kleinste Kleinigkeit sagen. Dann hat ihn der einzige Mann, der das konnte, freigegeben, mein Boß. Wer war es also? Wer wußte immer, wo ich war, ob nun in einem Restaurant in Villejuif mit meinem Bruder oder in diesem oder jenem Hotel, als ich dauernd in Bewegung war? Wer wußte, daß Karin und ich eines Abends mit Claude in einem Straßencafe saßen, wo man uns beinahe alle umgebracht hätte? Die Antwort auf jede dieser Fragen war ein Mann namens Jacques.«

»Ich weiß von all dem nichts, das schwöre ich bei allem, was mir heilig ist!«

»Aber daß er ein Neonazi ist, wissen Sie, nicht wahr? Ein Maulwurf, vielleicht der wichtigste in ganz Frankreich. Habe ich recht?«

»Ja.« François atmete langsam aus, bis kein Atem mehr in ihm war. »Ich hatte keine andere Wahl, ich mußte den Mund halten und tun, was er von mir verlangte.«

»Warum?«

»Ich habe einen Mann getötet, und Jacques hat es gesehen.«

»Wie?«

»Ich habe ihn erwürgt. Er war der Liebhaber meiner Frau. Ich habe ein Zusammentreffen mit dem Mann arrangiert, einem Friseur mit einer Menge Schulden, der schon ein paarmal bankrott gemacht hatte. Wir trafen uns in einer Gasse am Montparnasse. Er machte ein paar obszöne Bemerkungen über meine Frau und lachte dabei. Ich verlor die Nerven und ging auf ihn los, konnte mich nicht mehr zurückhalten, und dann habe ich ihn erwürgt. Als ich aus der Gasse ging, erwartete mich Bergeron.«

»Und damit hatte er Sie in der Hand.«

»Die Alternative wäre gewesen, den Rest meines Lebens im Gefängnis zu verbringen. Er hatte mit einer Infrarotkamera Fotos gemacht.«

»Sie und Ihre Frau sind wieder zusammen, stimmt das?«

»Wir sind Franzosen, Monsieur. Ich bin auch kein Heiliger. Wir haben unseren Frieden miteinander geschlossen, und unsere Ehe ist solide. Wir haben unsere Kinder.«

»Aber Sie haben mit Bergeron zusammengearbeitet, einem Nazi. Wie können Sie das rechtfertigen?«

»Den Rest meines Lebens im Gefängnis verbringen – wie könnten Sie das rechtfertigen? Meine Frau, meine Kinder, meine Familie. Und, Monsieur, ich habe nie für ihn getötet, niemals! Dafür hatte er andere, ich habe mich geweigert.«

Lennox ließ den Mann los und bedeutete ihm, sich hinzusetzen. »Okay, François. Sie und ich werden jetzt eine Amachung treffen. Wenn ich mich nicht sehr täusche, und das glaube ich nicht, sind Sie und Jacques die einzigen Neonazis hier, und Sie sind es nur unter Zwang. Noch mehr wäre zu gefährlich. Ein Meister, ein Sklave, die perfekte Kombination. Wenn Sie jetzt tun, was ich sage, können Sie beweisen, daß Sie unter Zwang gehandelt haben. Wenn nicht, sind Sie ein toter Mann, und das werde ich persönlich erledigen. Ist das klar?«

»Was soll ich tun? Und falls ich annehme, welche Garantie habe ich, daß ich nicht ins Gefängnis wandere?«

»Gar keine, aber Ihre Chancen sind ist nicht schlecht. Ich kann mir vorstellen, daß Bergeron ein viel größeres Interesse daran haben wird, nicht an die Wand gestellt zu werden, als Sie ans Messer zu liefern.«

»Solche Exekutionen gibt es hier in Frankreich nicht, Monsieur.«

»Sie sind wirklich ein Unschuldslamm, was? So etwas geschieht nicht offiziell, aber es passiert. Das können Sie mir glauben.«

»Also, was wollen Sie?« fragte der Fahrer und schluckte.

»Jacques ist in einem anderen Flügel im selben Stockwerk hier, wenn ich mich richtig erinnere.«

»Das stimmt.«

»Aber Sie haben doch Zugang zu ihm, nicht wahr? Ich meine, Sie können sich im ganzen Gebäude frei bewegen, stimmt das?«

»Wenn Sie damit meinen, ob ich Sie zu seinem Büro bringen kann, lautet die Antwort ja.«

»Dann gehen wir.«

»Und was soll ich danach tun?«

»Hierher zurückkommen, hier bleiben und hoffen, daß alles gut geht.«

»Und Sie, Monsieur Le Noce?«

»Ich werde ebenfalls hoffen, daß alles gut geht.«

Captain Christian Dietz legte das Funkgerät auf ein Bücherregal, so daß man es nicht sehen konnte, und bezog links von der Eingangstür zu der Hotelsuite Stellung. Draußen im Korridor konnte er gedämpfte Schritte hören. Dann wurde es still. Er nahm seine Pistole in die Hand, lud sie durch und fragte sich, ob die Eindringlinge sich irgendwo einen Hauptschlüssel besorgt hatten oder die Tür eintreten würden.

Offenbar war letzteres der Fall. Ein donnerndes Krachen zerriß die Stille, als die Tür in den Raum flog. Die beiden Männer stürmten herein, Waffen in der Hand, blickten nach rechts und links, links und rechts und wußten anscheinend nicht, was sie als nächstes tun sollten. Dietz löste ihr Dilemma, indem er rief: »Die Waffen fallen lassen, sonst sind Sie tot!«

Der erste der beiden Eindringlinge fuhr ruckartig herum, ein schmatzendes Geräusch kam aus dem Lauf seiner Waffe. Dietz warf sich auf den Boden und schoß zurück, traf den Eindringling in den Bauch, so daß dieser zusammenklappte und auf den Boden sackte. Der zweite Killer ließ verblüfft die Waffe sinken, als drei Marines zur offenen Tür hereinplatzten.

Plötzlich kam Karin de Vries im Nachthemd aus ihrem Schlafzimmer gerannt.

»Zurück!« schrie Dietz.

Als Karin kehrtmachte, hob der zweite Eindringling seine Waffe und feuerte. Aus ihrer linken Schulter spritzte Blut, als die Marines ihre Waffen auf den Mann richteten.

»Halt!« brüllte Dietz. »Tot nützt er uns nichts!«

»Wir auch nicht, Kumpel!« rief ein Marinesergeant und drückte dem Neonazi seinen Colt.45 an die Schläfe. »Die Waffe fallen lassen, du Wurm, sonst ist Schluß mit dir!«

Der Neonazi ließ die Waffe fallen, während Dietz aufsprang und zu der auf dem Boden liegenden blutenden Karin rannte, und unterwegs dem Nazi die Waffe aus der Hand trat. »Nicht bewegen«, sagte er, riß ihr den Träger des Nachthemds von der Schulter und hob Karin auf. »Das ist nicht schlimm«, erklärte er dann, nachdem er die Wunde überprüft hatte. »Nur ein Streifschuß. Bleiben Sie, wo Sie sind, ich hole ein paar Handtücher.«

»Ich hol sie schon«, sagte der Marine, der neben den beiden stand. »Wo?«

»Durch die Tür ins Badezimmer. Holen Sie drei saubere kleine Handtücher und binden Sie sie zusammen.«

»Eine Adernpresse?«

»Nicht genau, aber so was Ähnliches. Wir wollen die Haut spannen. Und dann holen Sie mir bitte Eis aus der Bar.«

»Bin schon unterwegs.«

»Jetzt sagen Sie mir bloß nicht, daß Sie auch noch Arzt sind«, sagte Karin, die ihr Nachthemd festhielt und sich zu einem schwachen Lächeln zwang.

»Hier geht es nicht um Gehirnchirurgie, Mrs. de Vries, sondern bloß um eine Fleischwunde. Sie haben Glück gehabt; ein oder zwei Sekunden früher hätte das unangenehm werden können. Tut es weh?«

»Die Stelle ist eher taub.«

»Wir bringen Sie zum Arzt in der Botschaft.«

»Wo ist Drew? Das hat Vorrang. Und Gerry, wo ist er?«

»Bitte machen Sie mir jetzt nicht die Hölle heiß, Mrs. de Vries. Mr. Lennox hat uns Befehle erteilt und er hat hier das Sagen. Er und Anthony sind zum Deuxième Bureau gefahren – ich habe mit Gerry eine Münze geworfen und verloren.«

»Zum Deuxième? Warum?«

»Mr. Cons-Op hat gesagt, er wüßte jetzt wahrscheinlich, wer der Nazimaulwurf ist, der die ganze Zeit genau über uns alle Bescheid wußte.«

»Im Deuxième?«

»Das hat er gesagt.«

»Er hat da in Beauvais etwas erwähnt, aber als ich dann auf der Fahrt hierher nachbohrte, hat er es mit einem Achselzucken abgetan und gesagt, es sei bloß eine Vermutung. Und Sie wußten Bescheid?«

»Ich glaube, er wollte nicht, daß Sie da mit hineingezogen werden.«

Der Marine kam zurück. »Hier sind die Handtücher, Sir«, sagte er und war dann seinen Kollegen mit den beiden Neonazis behilflich, von denen einer tot oder bewußtlos war, während der andere sich heftig wehrte und erst beruhigt werden mußte. »Wir müssen hier schleunigst wieder verschwinden, Sir. Das verstehen Sie doch. Für das Eis habe ich jetzt keine Zeit mehr –«

»Dann verschwinden Sie!« befahl Dietz, worauf die Marines mit ihren beiden Gefangenen in den Korridor und dort zur Feuertreppe rannten. Das Telefon klingelte. »Ich lege Sie jetzt auf den Boden.« Er hatte inzwischen mit den Handtüchern einen provisorischen Verband angelegt und ließ sie vorsichtig auf den Teppich herunter. »Ich muß ans Telefon.«

Es war die Hotelrezeption. »Sie müssen hier ausziehen!« sagte der Concierge aufgebracht. »Wir sind zwar gerne bereit, das Deuxième zu unterstützen, aber es hat alles seine Grenzen! Wir können uns vor lauter Beschwerdeanrufen wegen der Schüsse und des Lärms nicht mehr retten!«

»Jetzt machen Sie mal halblang«, antwortete Dietz ungerührt. »Ist ja schon alles vorbei. Geben Sie mir fünf Minuten und rufen Sie dann die Polizei, aber die fünf Minuten muß ich haben.«

»Schön, aber nicht länger.«

»Kommen Sie«, sagte der Captain, legte den Hörer auf und wandte sich wieder Karin zu. »Ich trage Sie hinaus –«

»Ich kann schon gehen«, fiel sie ihm ins Wort.

»Das freut mich zu hören. Wir gehen die Treppe hinunter, es ist ja nur ein Stockwerk.«

»Und unsere Kleider, unser Gepäck? Sie wollen doch nicht, daß die hier zurückbleiben, wo die Polizei sie dann findet.«

»Scheiße! ... Entschuldigen Sie, Ma'am, aber was Sie da sagen, hat einiges für sich.« Der Captain lief ans Telefon zurück und wählte die Nummer des Concierge. »Wenn Sie uns hier raushaben wollen, dann schicken Sie uns den schnellsten Pagen herauf, den Sie haben, damit er unsere Koffer packt und sie runterbringt. Und sagen Sie ihm, wenn er nicht zuviel stiehlt, kriegt er fünfhundert Franc!«

»*Naturellement.*«

»*D'accord.*«

»Los jetzt!« sagte Dietz, knallte den Hörer hin und eilte zu Karin zurück, blieb dann plötzlich stehen und griff nach einem Herrenregenmantel, der auf einem Stuhl lag. »Da, ziehen Sie das an, ich helfe Ihnen. Langsam aufstehen, legen Sie mir dabei den Arm über die Schulter ... So ist's gut, können Sie gehen?«

»Ja, natürlich. Es tut ja nur der Arm weh.«

»Das wird so bleiben, bis wir Sie zum Arzt gebracht haben. Der wird sich darum kümmern. Jetzt ganz vorsichtig.«

»Aber was ist mit Drew und Gerry? Was geht hier vor?«

»Das weiß ich nicht, Mrs. de Vries, aber eines will ich Ihnen sagen. Dieser Cons-Op-Freund von Ihnen, von dem ich offen gestanden am Anfang gar nicht viel gehalten habe, ist große Klasse. Er blickt durch den Nebel, wenn Sie wissen, was ich meine.«

»Nicht genau, Captain«, sagte Karin, während sie auf Dietz gestützt durch den Korridor zur Treppe ging. »Was meinen Sie mit Nebel?«

»Den Rauch, der die Wahrheit verdeckt. Er sieht hindurch, weil sein Instinkt ihm sagt, wo die Wahrheit zu finden ist.«

»Er ist sehr gründlich, nicht wahr?«

»Das ist mehr als gründlich, Mrs. de Vries. Das ist ein Talent. Ich würde jederzeit für ihn durchs Feuer gehen. Solche Führungsoffiziere mag ich.«

»Ich auch, Captain, obwohl ich eine andere Bezeichnung vorziehen würde.«

Die Bürotür des neu ernannten Direktors des Deuxième Bureau trug keine Aufschrift. Drew öffnete sie schnell, ohne zu klopfen, trat ein und schloß sie fest hinter sich. Jacques Bergeron stand an einem Fenster und sah hinaus; jetzt fuhr er herum und starrte Lennox erstaunt an.

»Drew!« rief er verblüfft. »Mir hat niemand gesagt, daß Sie hier sind!«

»Ich wollte auch nicht, daß Sie es erfahren.«

»Aber warum?«

»Weil Sie dann vielleicht irgendeinen Vorwand gefunden hätten, mich nicht zu empfangen, wie vor ein paar Stunden, als ich Ihnen sagen wollte, wo wir sind. Da hat man mich zu François durchgestellt.«

»Du liebe Güte, Mann, ich habe hier tausend Probleme am Hals! Außerdem habe ich François provisorisch zu meinem Assistenten ernannt; er wird morgen in den Direktionsflügel einziehen.«

»Wie praktisch.«

»Ich bitte um Entschuldigung, falls ich Sie beleidigt habe, aber ich finde wirklich, Sie sollten etwas Verständnis haben. Ich habe mich gezwungen gesehen, mich gegen die meisten Anrufe abschirmen zu lassen, aber ich kann mich einfach nicht um alles kümmern. Ich brauche jetzt Zeit zum Nachdenken!«

»Eine ausgezeichnete Idee, Jacques, aber ich habe so das Gefühl, daß Sie schon eine ganze Weile recht gründlich nachgedacht haben, ziemlich lange sogar. Jahrelang, um es genau zu sagen. Übrigens, François hat mir das bestätigt. Wahrscheinlich waren sogar Sie derjenige, der diesen Don Juan auf seine Frau angesetzt hat – einfach ein weiteres Menschenleben, auf das man im Zweifelsfall verzichten konnte.«

Das weiche verletzliche Gesicht Bergerons wirkte plötzlich wie gesprenkelter Granit, und seine sonst so freundlich blickenden Augen wurden eisig. »Was haben Sie getan?« fragte er leise, so leise, daß man seine Stimme kaum hören konnte.

»Ich will Sie nicht mit den vielen verschlungenen Wegen langweilen, die mich zu Ihnen geführt haben, ich sage nur, daß Sie das irgendwie brillant angestellt haben. Der bewundernde Lakai, der seinen Meister vergötterte, sich in sein Vertrauen und seine Zuneigung einschlich und ihm bei der täglichen Arbeit half. Keiner außer Ihnen hätte wissen können, wo ich zu bestimmten Zeiten war, wo mein Bruder war, wo Karins und Moreaus arme Sekretärin waren. Und dann ist es fifty-fifty für Sie ausgegangen. Harry und Moreaus Sekretärin haben Sie getötet, aber bei Karin und mir haben Sie gepatzt.«

»Sie sind erledigt, Drew«, sagte Bergeron ruhig, beinahe freundlich, als würde er Lennox ein Kompliment machen. »Sie befinden sich auf meinem Gelände, und Sie sind ein toter Mann.«

»Ich würde mich an Ihrer Stelle vor vorschnellen Schlüssen hüten. Lieutenant Anthony – Sie kennen den Lieutenant – ist draußen bei Ihrer Empfangsdame. Ich bin überzeugt, daß er inzwischen bereits mit Botschafter Courtland telefoniert hat. Ich habe ihn angewiesen, eine Katastrophensitzung mit dem Präsidenten von Frankreich und seinem Kabinett zu erbitten. Ein Power-Breakfast nennt man so etwas in Amerika.«

»Und was hat ihn dazu veranlaßt?«

»Daß ich ihn nach meinem Gespräch mit François nicht aufgefordert habe, es bleiben zu lassen. Wir hatten uns auf acht Minuten geeinigt. Das schien mir ausreichend. Wissen Sie, als Sie Ihre Killer ins Hotel geschickt haben, haben Sie mir den letzten Beweis geliefert. Aber die dürften sich inzwischen in der Gewalt unserer Marines befinden. Niemand außer Ihnen und François wußte, wo wir sind.«

»Marines …?«

»Ich halte nichts vom Heldentod, Jacques, solange er sich vermeiden läßt.«

»Dafür gibt es nur Ihre Aussage, und die ist nichts gegen die meine! Der Präsident selbst hat mich ernannt!«

»Sie sind ein Sonnenkind, Sie Mistkerl!«

»Das ist unerhört, empörend! Wie wollen Sie das beweisen?«

»Nur mit Indizien, das räume ich ein, aber wenn man das Ganze im Zusammenhang sieht, wird es doch recht überzeugend. Sehen Sie, als ich anfing, Sie zu verdächtigen, bin ich nach der alten Regel ›Im Zweifel für den Angeklagten‹ vorgegangen. Letzte Nacht auf der Fahrt von Beauvais nach Paris habe ich einen unserer Computerfreaks angerufen, einen gewissen Joel, und habe ihn gebeten, Ihre Daten einmal unter die Lupe zu nehmen. Sie sind vor einundfünfzig Jahren ganz legal von einem kinderlosen Ehepaar adoptiert worden, einem Monsieur und einer Madame Bergeron in Lauterbourg, in der Nähe der deutschen Grenze. Sie waren ein ausgezeichneter Student und haben sich so ziemlich jedes Stipendium geholt, das zu bekommen war, und schließlich auf der Universität von Paris Ihr Examen gemacht. Sie hätten ein Dutzend Berufe ergreifen können, bei denen Sie ein reicher Mann geworden wären, ein sehr reicher Mann sogar, aber das haben Sie nicht getan. Sie haben sich für die Beamtenlaufbahn entschieden, die Nachrichtendienste. Nicht gerade der Weg zum großen Jackpot.«

»Weil ich mich dafür interessiert habe, sehr interessiert habe.«

»Da wette ich. Auf die Weise sind Sie mit den Jahren zur rechten Zeit an den rechten Ort gelangt. Sie konnten nichts dagegen unternehmen, weil Sie schon weggefahren waren, bevor wir hinter die Sache mit den Lastenseglern gekommen sind, aber wie war Ihnen eigentlich zumute, als Wasserblitz scheiterte? *Ein Volk, ein Reich, eine Pleite.*«

»Sie sind verrückt! Das sind alles Lügen!«

»Sie haben wirklich nicht damit gerechnet, daß man Sie zum Direktor des Deuxième ernennt, das war das einzig Ehrliche, was Sie gesagt haben, weil Sie nämlich wußten, daß es in den anderen Nachrichtendiensten bessere Leute gab. Also haben Sie vor uns allen erklärt: ›Ich bin ein sehr guter zweiter Mann, ein Gefolgsmann, aber kein Führer.‹ Und dann kam ich auf die Idee, unseren Computerexperten einzuschalten, einfach ein Schuß ins Blaue.«

»Ich wiederhole«, sagte Jacques Bergeron eisig, »ich war Kriegswaise, meine Eltern waren Franzosen, sie sind bei einem Bombenangriff ums Leben gekommen, und meine akademische Laufbahn ist aktenkundig und jedermann zugänglich. Sie sind bloß ein paranoider amerikanischer Unruhestifter, und ich werde dafür sorgen, daß Sie aus Frankreich ausgewiesen werden.«

»Das wollen wir erst mal sehen, Jacques. Sie haben meinen Bruder getötet oder ihn töten lassen. Ich werde dafür sorgen, daß man Ihren Kopf an der höchsten Laterne auf dem Pont Neuf zur Schau stellt. Trotz aller akademischen Leistungen haben Sie etwas übersehen. Lauterbourg ist nie bombardiert worden, von den Alliierten nicht und von den Deutschen auch nicht. Man hat Sie über den Rhein geschmuggelt, damit Sie hier ein neues Leben beginnen konnten – als Sonnenkind.«

Bergeron stand reglos da und musterte Lennox. Dann schlich sich langsam ein verkniffenes, kaltes Lächeln über sein Gesicht. »Sie sind wirklich höchst talentiert, Drew«, sagte er leise. »Aber Sie werden natürlich nicht lebend hier herauskommen, also ist Ihr ganzes Talent vergeudet, *n'est-ce pas?* Ein paranoider Amerikaner, ein Mann, der von der Gewalt lebt, kommt hierher, um den Direktor des Deuxième zu ermorden – wer ist das Sonnenkind? Schließlich hat mein Vorgänger, Moreau, Ihnen nie vertraut. Er hat mir gesagt, Sie hätten ihn immer wieder belogen; so steht es in seinen Notizen, die ich persönlich in seinen Computer eingegeben habe.«

»Sie haben sie eingegeben?«

»Sie sind jedenfalls da, das ist alles, worauf es ankommt. Ich bin der einzige, der den Zugangscode zu seinen geheimen Dateien hat.«

»Warum haben Sie ihn getötet? Warum haben Sie Claude ermorden lassen?«

»Weil er ebenso wie Sie langsam der Wahrheit näherkam. Angefangen hat es mit der Tötung Moniques, seiner Sekretärin, und diesem Abend in dem Café, als ein übereifriger Idiot den Fahrer des Botschaftswagens erschoß. Das war ein unverzeihlicher Fehler, weil Moreau daraus den Schluß zog, daß ich außer ihm der einzige war, der gewußt hatte, wo Sie sind …«

»Seltsam«, sagte Lennox, »das war der Punkt, wo es bei mir ebenfalls anfing. Das und der Umstand, daß mein Bruder, als er aus London kam, angeblich unter Überwachung des Deuxième stand.«

»Was leicht zu arrangieren war«, sagte Bergeron, dessen Lächeln langsam breiter geworden war.

»Frage«, sagte Drew knapp. »Als Moreau und Sie erfuhren, daß ich mich als Harry ausgab, warum haben Sie da nicht Berlin oder Bonn gewarnt?«

»Jetzt haben Sie nicht zu Ende gedacht«, erwiderte Bergeron. »Der Kreis war ungewöhnlich eng, ganz besonders hier im Deuxième. Nur Claude und ich wußten es, und uns war nicht bekannt, wie viele Leute sonst eingeweiht waren. Wenn jemand dahintergekommen wäre, daß es hier im Deuxième eine undichte Stelle gab, dann hätte mich das verraten.«

»Das ist ziemlich schwach, Jacques«, sagte Drew und musterte den Franzosen dabei unverwandt.

»Jetzt schimmert wieder Ihr Talent durch, Monsieur. Besser andere machen Fehler, und einer ist derjenige, der am Ende die Wahrheit ergründet und das Lob dafür einheimst ... Ich habe ganz einfach auf den richtigen Augenblick gewartet. Ihre amerikanischen Politiker sind darin Meister.«

»Sehr gut, Jackie-Baby. Und wenn ich Ihnen jetzt sagen würde, daß alles, was in diesem Raum gesprochen wurde, auf Tonband aufgezeichnet worden ist, auf ein Gerät, das Anthony draußen im Empfang in der Tasche hat und das mit meinem Mikrophon hier über Funk verbunden ist. High-Tech ist etwas Wunderbares, nicht wahr?«

42

Jacques Bergeron, neu ernannter Chef des Deuxième, Sonnen-kind, stürzte mit einem hysterischen Schrei zu seinem Schreibtisch und griff dort nach einem Briefbeschwerer und schleuderte ihn durch sein Fenster, das klirrend zerbrach. Dann hob er mit einer Kraft, die in Anbetracht seiner Körpergröße verblüffte, seinen Sessel auf und schleuderte ihn auf Lennox, der inzwischen François' Pistole aus dem Gürtel gezogen hatte.

»Nein, nicht!« schrie Drew. »Ich will Sie nicht töten! Wir brauchen Ihre Aufzeichnungen! Herrgott, hören Sie doch!«

Doch es war zu spät. Jacques Bergeron riß eine kleine Pistole aus einem Halfter, das er unter dem Jackett auf der Brust trug und feuerte ziellos nach allen Seiten. Lennox warf sich zu Boden, während Bergeron die Tür aufriß und in den Flur rannte.

»Haltet ihn auf!« brüllte Drew und stürzte ihm nach. »Nein, nicht! Haltet ihn nicht auf! Er ist bewaffnet! Geht ihm aus dem Weg!«

Draußen herrschte Chaos. Zwei weitere Schüsse ertönten, Türen flogen auf, Männer und Frauen stürzten in den Gang. Ein Mann wurde getroffen und fiel zu Boden, dann eine Frau. Lennox rannte hinter dem Nazi her und schrie: »Gerry, er muß da durch-kommen! Schießen Sie auf die Beine, wir brauchen ihn lebend!«

Aber der Befehl kam zu spät. Bergeron stieß die Tür der Emp-fangshalle auf, und im gleichen Augenblick schrillten ohren-betäubend die Alarmglocken, und Lieutenant Anthony kam aus dem Fahrstuhl. Der Nazi feuerte; es war die letzte Patrone in sei-nem Magazin, wie das leere Klicken verkündete, das dem Schuß folgte, aber die Kugel durchbohrte den rechten Arm Anthonys. Der fuhr sich an den Ellbogen, ließ ihn wieder los und griff nach seiner Waffe, während die Frau hinter dem Empfangspult sich auf den Boden fallen ließ.

»Hier kommen Sie nicht raus«, schrie der Lieutenant und ver-suchte mit der rechten Hand noch die Waffe zu ziehen, während sein Arm wie Feuer brannte, »die beiden Fahrstühle funktionie-ren nämlich nicht! Ich habe in beiden den Alarm eingeschaltet.«

»Da irren Sie!« rief Bergeron und rannte zur nächsten Fahrstuhlkabine; den Bruchteil einer Sekunde später schloß sich die Schiebetür und die schrille Glocke verstummte.

Inzwischen stand Drew in der Empfangshalle. »Wo ist er?« fragte er wütend.

»In dem Aufzug dort«, antwortete Anthony und verzog dabei das Gesicht. »Ich dachte, ich hätte beide außer Betrieb gesetzt, aber das habe ich wohl nicht.«

»Herrgott, Sie sind getroffen!«

»Damit komme ich schon zurecht, kümmern Sie sich um die Lady.«

»Bei Ihnen alles in Ordnung?« fragte Drew die Angestellte, die sich langsam hinter ihrem Pult in die Höhe arbeitete.

»Das bin ich erst dann, wenn ich meine Kündigung abgegeben habe, Monsieur«, antwortete sie zitternd und außer Atem.

»Können wir den Aufzug stoppen?«

»*Non. Les directeurs* – entschuldigen Sie, die Direktoren und ihre Stellvertreter haben spezielle Nummerncodes für den Notfall, mit denen die Aufzüge auf Express geschaltet werden. Damit können sie durchfahren, ohne anzuhalten.«

»Können wir ihn daran hindern, das Gebäude zu verlassen?«

»Mit welcher Vollmacht, Sir? Er ist der Direktor des Deuxième Bureau.«

»*Il est un Nazi d'Allemagne!*« rief der Lieutenant.

Die Frau starrte Anthony an. »Ich will es versuchen.« Die Frau nahm den Hörer ihres Telefons ab und drückte drei Ziffern. »Wir haben hier einen Notfall, haben Sie den Direktor gesehen?« fragte sie. »*Merci.*« Sie drückte die Gabel nieder, wählte erneut und stellte dieselbe Frage. »*Merci.*« Sie legte auf und sah Drew und Anthony an. »Ich habe zuerst die Tiefgarage gefragt, wo Monsieur Bergeron seinen Sportwagen abstellt. Er ist nicht durchs Tor gekommen. Dann habe ich das Empfangspult im Erdgeschoß angerufen. Die Wache dort hat gesagt, der neue Direktor sei soeben in großer Eile nach draußen gelaufen. Es tut mir leid.«

»Danke, daß Sie es versucht haben«, sagte Gerald Anthony, der sich den blutenden rechten Arm hielt.

»Wenn ich fragen darf«, sagte Lennox, »warum haben Sie es versucht? Wir sind Amerikaner, keine Franzosen.«

»Direktor Moreau hatte eine sehr hohe Meinung von Ihnen, Monsieur. Das hat er mir gesagt, als Sie ihn aufgesucht haben.«

»Und das reichte aus?«

»Nein ... Jacques Bergeron war immer äußerst freundlich und liebenswürdig, wenn er sich in Gesellschaft von Monsieur Moreau befand, aber für sich alleine war er ein arrogantes Schwein. Ich glaube Ihnen, Mr. Lennox, und außerdem hat er auf Ihren äußerst charmanten Major geschossen.«

Sie waren alle wieder in den Privaträumen von Botschafter Courtland versammelt: Drew, Karin, die inzwischen einen Verband an der Schulter trug, und Stanley Witkowski, der aus London zurück war. Dietz und Anthony ruhten sich im Hotel aus.

»Er ist verschwunden«, sagte Daniel Courtland, der auf einem Sessel neben dem Colonel saß, gegenüber von Drew und Karin, die auf der Couch Platz genommen hatten. »Sämtliche Polizeidienststellen und alle Nachrichtendienste in Frankreich suchen nach Jacques Bergeron, aber bis jetzt ohne Erfolg. Sein Foto liegt auf sämtlichen öffentlichen und privaten Flughäfen und Zollstationen in ganz Europa – nichts. Ohne Zweifel ist er inzwischen sicher in Deutschland bei seinen Leuten, wo immer die sein mögen.«

»Und genau das müssen wir herausfinden, Mr. Ambassador«, sagte Lennox. »Wasserblitz ist gescheitert, aber was kommt als nächstes? Und wird das dann auch wieder scheitern? Mag sein, daß die ihre langfristigen Pläne auf Eis gelegt haben, aber die Nazibewegung ist nicht am Ende. Irgendwo muß es Aufzeichnungen geben, und die müssen wir finden. Diese Mistkerle sind über die ganze Welt verteilt und haben ganz bestimmt nicht aufgegeben.«

Auf dem antiken Tisch, den der Botschafter als Schreibtisch benutzte, klingelte das Telefon. »Soll ich abnehmen, Sir?« fragte der Colonel.

»Nein, danke, ich mache das schon«, sagte Courtland und ging zu dem Tisch. »Ja? ... Es ist für Sie, Lennox, jemand namens François.«

»Ich hätte nicht gedacht, daß ich von dem noch einmal hören würde«, sagte Drew und ging schnell zum Telefon. Er nahm den Hörer entgegen. »François ...?«

»Monsieur Le Noce, wir müssen uns irgendwo treffen, unter vier Augen sprechen.«

»Es gibt keine besser gesicherte Leitung, als die, über die Sie jetzt sprechen, das können Sie mir glauben. Sie haben gerade mit dem amerikanischen Botschafter gesprochen, und sein Apparat wird alle paar Stunden überprüft.«

»Ich glaube Ihnen, weil Sie Ihr Wort gehalten haben. Ich werde verhört, aber man will nur das wissen, was ich weiß, nicht wer ich war.«

»Sie steckten in einer schrecklichen Zwickmühle, aber wenn Sie mit den Behörden kooperieren, wird man Sie nach Hause gehen lassen.«

»Ich bin Ihnen unendlich dankbar, ebenso wie meine Frau. Wir haben über alles gesprochen – ich habe ihr nichts verschwiegen – und sind beide zu dem Schluß gekommen, daß ich Ihnen das sagen muß, weil es Ihnen vielleicht weiterhilft.«

»Was denn?«

»Denken Sie an den Abend, an dem der alte Jodelle in dem Theater Selbstmord begangen hat, wo der Schauspieler Jean-Pierre Villier auftrat. Sie erinnern sich?«

»Das werde ich nie vergessen«, sagte Drew. »Was ist damit?«

»Am frühen Morgen dieses Tages hat Sous-directeur Bergeron mich in sein Büro im Deuxième bestellt. Als ich hinkam, war er nicht da. Ich wußte aber, daß er im Gebäude war, weil die Torwachen eine Bemerkung über sein unfreundliches Verhalten ihnen gegenüber gemacht hatten und daß er mich bestimmt deshalb aus dem Schlaf gerissen habe, damit ich ihm den Weg zum Klo zeige. Ich wagte nicht wieder wegzugehen. Also wartete ich, bis er erschien; als er kam, hatte er eine alte Akte aus den Archiven im Keller bei sich, so alt, daß sie offensichtlich nicht in die Computer eingegeben worden war. Der Aktendeckel war völlig vergilbt.«

»Und was war mit dieser Akte?«

»Jacques wies mich an, sie persönlich zu einem Schloß im Loiretal zu bringen. Er wies mich ausdrücklich an, aus dem Wagen alles herauszuholen, was er hergäbe. Ich habe ihn gefragt, ob das unbedingt jetzt sein müsse und ob es nicht Zeit bis zum Morgen hätte? Da wurde er wütend und schrie mich an, wir – er und ich – hätten diesem Château und diesem Mann alles zu verdanken. Es sei unser Heiligtum und unsere Zuflucht.«

»Was ist das für ein Château? Und wie heißt der Mann?«

»*Le Nid de l'Aigle* heißt das Château. Der Mann ist General André Monluc.«

»Irgendwas mit Adler ...«

»Das Adlernest, Monsieur. Monluc soll ein bedeutender General gewesen sein, der von de Gaulle persönlich dekoriert wurde.«

»Sie glauben also, Bergeron könnte dorthin geflohen sein?« sagte Drew.

»Ich erinnere mich ganz deutlich an die Worte Heiligtum und Zuflucht. Und Jacques weiß ganz genau über die Sicherheitsvorkehrungen an den Grenzen Bescheid, und auch wie schwierig es ist, das Land zu verlassen. Schließlich ist er Geheimdienstexperte. Er wird Hilfe benötigen, und ich kann mir gut vorstellen, daß er die in dem Château an der Loire finden wird. Ich hoffe nur, diese Information nützt Ihnen.«

»Das wird sie. Vielen Dank, François.« Lennox legte den Hörer auf und drehte sich zu den anderen um. »Wir haben den Namen des Generals, auf den Jodelle Jagd gemacht hat, des Verräters, von dem er sagte, er habe de Gaulle getäuscht. Und auch wo er lebt, falls er noch am Leben ist.«

»Das war eine ziemlich einseitige Unterhaltung, *chlopak*. Wollen Sie uns nicht einweihen?«

»Lassen Sie mich, Stanley. Ich habe mit dem Mann eine Abmachung getroffen. Dieser Mann hat mehr durchgemacht, als er verdient hat, und hat nie jemanden für die Nazis getötet. Er war ein Wasserträger, ein Handlanger, weil man seine Familie bedroht hat. Es läuft darauf hinaus: Ich habe eine Abmachung getroffen.«

»Solche Deals habe ich sehr viele gemacht«, sagte der Botschafter. »Sagen Sie uns, was wir wissen müssen, Drew.«

»Der General heißt Monluc, André Monluc –«

»André«, fiel Karin ihm ins Wort. »Da kommt die Codebezeichnung her.«

»Richtig. Das Schloß nennt sich Adlernest und liegt im Loiretal. François denkt, Bergeron könne dorthin geflohen sein, weil er dieses Schloß einmal als Zufluchtsort bezeichnet hat.«

»Wann war das?« fragte Witkowski. »Wann hat er es so bezeichnet?«

»Als Bergeron die Anweisung erteilte, eine alte Akte über Monluc dorthin zu bringen – an dem Tag, an dem Jodelle im Theater Selbstmord begangen hat.«

»Womit er jede mögliche Verbindung zwischen Jodelle und dem General vertuscht hat«, sagte der Botschafter. »Weiß jemand etwas über diesen Monluc?«

»Nicht unter seinem Namen«, antwortete Lennox, »weil die geheimen Akten über ihn auch aus Washington entfernt worden sind. Aber die provisorischen Aufzeichnungen über Jodelle enthielten Einzelheiten über seine Anschuldigung, eine Anschuldigung, für die er keine Beweise vorlegen konnte. Deshalb nahm ihn unsere Abwehr auch nicht ernst. Er behauptete, ein französischer General, ein führender Mann der Résistance, sei in Wirklichkeit ein Verräter und für die Nazis tätig gewesen. Das war natürlich Monluc, der Mann, der die Ermordung von Jodelles Frau und Kindern angeordnet und der Jodelle selbst in ein Todeslager geschickt hatte.«

»Und das jüngere Kind, das überlebte, ist Jean-Pierre Villier«, fügte Karin hinzu.

»Genau. Nach Villiers Vater – dem einzigen Vater, den er je kannte – bekam dieser unbekannte General offenbar Wind von Jodelles Anschuldigungen.«

»Ich glaube, ich sollte doch dieses ominöse Gespräch mit dem französischen Präsidenten führen«, sagte Courtland. »Schreiben Sie einen vollständigen Bericht über alles, Drew. Diktieren Sie ihn einer Sekretärin oder auch zwei, ganz wie Sie wollen, aber tun Sie es schnell, sagen wir in einer Stunde und sorgen Sie dann dafür, daß ich den Bericht unten in meinem Büro auf den Schreibtisch bekomme.«

Lennox und Witkowski wechselten einen Blick. Dann nickte der Colonel Drew zu. »Das wird so nicht funktionieren, Sir«, sagte Lennox.

»Was?«

»Zunächst einmal haben wir keine Zeit und wissen auch nicht, mit wem der Präsident sich besprechen wird, aber wir wissen, daß es am Quai d'Orsay Neonazis gibt und möglicherweise auch im engsten Mitarbeiterkreis des Präsidenten.«

»Wollen Sie damit vorschlagen, daß wir selbst handeln, amerikanisches Botschaftspersonal in einem fremden Land? Wenn das wirklich Ihre Absicht ist, müssen Sie den Verstand verloren haben, Drew.«

»Mr. Ambassador, wenn in jenem Château irgend etwas zu erfahren ist, wenn es dort Aufzeichnungen, Papiere, Telefonnummern, Namen gibt, dann dürfen wir einfach nicht das Risiko eingehen, daß sie vernichtet werden. Vergessen Sie für den Augenblick Bergeron, und vergessen Sie, ob dieses Schloß tatsächlich ein Heiligtum oder ein Zufluchtsort ist. Jedenfalls werden wir dort mehr als Bier und Würste und Nazisymbole finden. Wir sprechen hier nicht nur von Frankreich. Wir sprechen von ganz Europa und den Vereinigten Staaten.«

»Das verstehe ich schon, aber wir dürfen unter keinen Umständen in einem Gastgeberland auf eigene Faust handeln!«

»Wenn Claude Moreau noch am Leben wäre, dann sähe das ganz anders aus«, warf Witkowski ein. »Er würde dann im Namen Frankreichs eine verdeckte Aktion starten. Unser FBI tut ähnliches die ganze Zeit!«

»Moreau ist tot, Colonel.«

»Das ist mir bewußt, Sir. Aber vielleicht gibt es einen Weg.« Witkowski drehte sich zu Lennox herum. »Dieser François, mit dem Sie gerade gesprochen haben, der steht doch in Ihrer Schuld, nicht wahr?«

»Hören Sie auf, Stosh. Den werde ich da nicht hineinziehen.«

»Ich weiß nicht, warum Sie das nicht wollen. Sie haben gerade recht überzeugend eine Aktion vorgeschlagen, die, wenn sie auffliegt, dazu führen könnte, daß ein Botschafter ausgetauscht wird.«

»Worauf wollen Sie hinaus?« fragte Drew und fixierte dabei den Colonel.

»Das Deuxième arbeitet mit dem Service d'Etranger zusammen, und bei den Franzosen überlappen sich die Zuständigkeitsbereiche häufig genauso wie es bei uns mit der CIA, dem FBI und der DIA der Fall ist. Das ist doch verständlich, oder?«

»Fahren Sie fort, Colonel.«

»Der Segen und der Fluch aller nachrichtendienstlichen Bürokratien ist die Verwirrung, die aus diesen Konflikten entsteht –«

»Worauf wollen Sie hinaus, Stanley?«

»Ganz einfach, *chlopak*. Dieser François soll jemandem im Etranger anrufen, den er einigermaßen gut kennt, und ihm, nun sagen wir, etwa die Hälfte der Story erzählen, die er gerade Ihnen geschildert hat.«

»Welche Hälfte?«

»Daß ihm plötzlich eingefallen sei, daß ihn Bergeron, nach dem jetzt alle suchen, mit irgendeiner alten Akte zu diesem Château an der Loire geschickt hat. Mehr braucht er nicht zu sagen.«

»Und was soll er anworten, wenn man ihn fragt, warum er das nicht seinen eigenen Leuten im Deuxième gesagt hat?«

»Weil es dort im Augenblick niemanden gibt, der das Sagen hat. Bergeron ist vor ein paar Stunden untergetaucht, und er weiß nicht, wem er vertrauen kann.«

»Und dann?«

»Den Rest übernehme ich«, erwiderte Witkowski leise.

»Wie bitte?« sagte Courtland.

»Nun, Sir, es gibt immer Dinge, die ein Mann in Ihrer Stellung ganz legitim in Abrede stellen kann, weil er nichts davon wußte.«

»Was Sie nicht sagen«, sagte der Botschafter sarkastisch. »Ich verbringe, wie es scheint, eine ganze Menge Zeit damit, etwas über Dinge zu erfahren, die ich nicht wissen darf. Was können Sie mir jetzt sagen, das mich nicht weiter kompromittiert?«

»Eigentlich ist es recht harmlos. Ich habe Freunde, sagen wir einmal Fachkollegen, in den oberen Etagen des Etranger. Möglicherweise waren einmal amerikanische Verbrecher, sagen wir Gestalten aus dem organisierten Verbrechertum oder Drogenbarone in Frankreich, und wir wußten über sie besser Bescheid als die Franzosen ... Ich war gelegentlich recht großzügig mit unseren Informationen.«

»Sehr viel verworrener läßt es sich wohl nicht ausdrücken, Colonel.«

»Vielen Dank, Mr. Ambassador.«

»Noch einmal«, fragte Lennox. »Worauf wollen Sie hinaus?«

»So lange die Information von einer französischen Nachrichtendienststelle kommt, kann ich handeln. Die Franzosen werden begeistert sein, und wir werden so viel Verstärkungspersonal haben, wie wir möglicherweise in einer Notsituation brauchen würden. Und darüber hinaus wird alles geheim bleiben, weil wir nämlich schnell handeln müssen.«

»Wie können Sie da so sicher sein, Colonel?«

»Das kommt daher, Sir, daß wir in den Nachrichtendiensten es genießen, den Mythos unserer Unbesiegbarkeit zu verbreiten. Ganz besonders gefällt es uns, wenn wir erstaunliche Resultate liefern und niemand weiß, daß wir in Aktion getreten sind. Das gehört zu den Eigenheiten aller Nachrichtendienste, Mr. Ambassador, und im vorliegenden Fall kommt uns das zustatten. Sehen Sie, wir liefern die Informationen, wir dirigieren alles, und die Franzosen heimsen das Lob ein. Ein Geschenk des Himmels.«

»Ich glaube, ich habe kein Wort von dem verstanden, was Sie da gesagt haben.«

»Das sollen Sie auch nicht, Sir«, sagte der alte G-2-Veteran und grinste.

»Und was ist mit mir?« fragte Karin de Vries. »Ich bin doch dabei.«

»Ja, das sind Sie, meine Liebe.« Witkowski lächelte sanftmütig und sah dann Drew an. »Wir werden die Karten der Region genau studieren und uns dann eine Bodenerhebung in Sichtweite des Châteaus aussuchen. Sie übernehmen das Funkgerät.«

»Das ist Unsinn. Ich habe es verdient mitzukommen.«

»Sei nicht unfair, Karin«, sagte Lennox. »Du bist verwundet, und auch noch soviel schmerzstillende Mittel bringen dich nicht auf hundert Prozent. Oder, um es ganz deutlich zu sagen, du würdest uns dort mehr belasten als nützen. Das gilt jedenfalls für mich.«

»Weißt du«, sagte Karin ganz ruhig, »ich verstehe und akzeptiere es.«

»Danke. Außerdem wird unser Lieutenant uns nur wenig nützen und deshalb in der Etappe bleiben. Er ist noch schlimmer dran, als du; er kann seine Waffe nur dann abfeuern, wenn man sie ihm an die Hand klebt.«

»Er kann zusammen mit Karin das Radio übernehmen«, schlug der Colonel vor. »Die beiden können koordinieren. Auf die Weise brauchen wir nicht dauernd miteinander in Verbindung zu sein, es reicht dann, wenn wir ständig auf Empfang bleiben.«

»Das klingt ganz schön herablassend, Stanley.«

»Das ist es vielleicht auch, Karin, aber man kann ja nie wissen.«

Der leitende Beamte im Service d'Etranger war ein ehrgeiziger einundvierzigjähriger Analytiker, der zu seinem Glück François, den Fluchtfahrer, kannte. Er war ein Verehrer Yvonnes gewesen, ehe sie François geheiratet hatte, und die beiden Männer waren, obwohl der andere auf der Leiter der Hierarchie höhergestiegen war, immer Freunde geblieben, und François kannte auch den Grund. Der opportunistisch veranlagte Analytiker hörte nie auf, Fragen nach den geheimnisvollen Aktivitäten des Deuxième zu stellen.

»Ich kenne genau den richtigen Mann«, hatte François auf Lennox' Frage geantwortet. »Das ist das wenigste, was ich für Sie tun kann, und wie ich mir vorstelle auch für ihn, nach all den teuren Einladungen zum Essen, bei denen er nie etwas erfahren hat. Er bezieht ein sehr gutes Gehalt, wissen Sie; er hat die Universität besucht und ist sehr intelligent. Ich glaube, er wird geradezu begeistert sein, Ihnen zu helfen.«

Sie alle wußten, daß Analytiker keine Leute für den Außendienst waren und das auch gar nicht von sich behaupteten. Aber wenn man ihnen einen speziellen Einsatz und hypothetische Umstände schilderte, konnten sie in der Regel nützliche Vorschläge machen. *Directeur Adjoint* Cloche, wie er passenderweise hieß, traf sich mit der N-2-Einheit im Plaza Athénée.

»Ah, Stanley!« rief er aus, als er mit einer Mappe in der Hand zur Tür ihrer Suite hereinkam. »Als Sie sich nach François' ziemlich hysterischem Anruf bei mir meldeten, war ich wirklich erleichtert. Das war alles so schrecklich tragisch, aber nun ja, als ich hörte, wie gefaßt Sie das alles sehen, war ich wirklich erleichtert.«

»Danke, Clément, nett, daß Sie kommen konnten. Ich darf Sie vorstellen.« Anschließend nahmen alle an dem runden Tisch im

Eßzimmer Platz. »Konnten Sie das mitbringen, worum ich gebeten hatte?« fuhr der Colonel fort.

»Ja, alles, aber ich muß Ihnen sagen, ich habe das auf Grundlage von *fichiers confidentiels* getan.«

»Was ist das?« fragte Drew

»Die Kopien für Monsieur Cloche wurden auf vertraulicher Basis angefertigt«, erklärte Karin.

»Und das heißt?«

»Ich glaube, bei Ihnen nennt man das einen Alleingang«, erklärte der Beamte aus dem Service d'Etranger. »Ich habe keine Gründe für die Entnahme der Akten angegeben – so wie mein Freund Stanley mich gebeten hatte. *Mon Dieu*, Neonazis in den geheimsten Regierungsstellen! Im Deuxième. Unglaublich! ... Ich bin damit ein beträchtliches Risiko eingegangen, aber wenn wir diesen Verräter Bergeron ausfindig machen können, dann müssen meine Vorgesetzten mir Beifall spenden.«

»Waren Sie je an einer verdeckten Operation beteiligt, Sir?« fragte Captain Dietz.

»Non, Capitaine, ich bin Analytiker, ich beteilige mich nicht an solchen Aktivitäten.«

»Dann werden Sie nicht mit uns mitkommen?«

»*Jamais.*«

»*C'est bon, Sir.*«

»Also schön«, schaltete sich Witkowski mit einem mißbilligenden Blick auf Dietz ein, »kommen wir zur Sache. Haben Sie die Karten, Clément?«

»Nicht bloß einfache Karten. Meßtischblätter mit genauen Höhenangaben, die ich mir vom Katasteramt an der Loire per Fax habe kommen lassen.« Cloche klappte seine Aktentasche auf, holte ein paar zusammengefaltete Blätter heraus und breitete sie auf dem Tisch aus. »Das ist *Le Nid de l'Aigle*. Es umfaßt hundertachtzig Hektar Land und ist damit sicher nicht das größte, aber auch nicht das kleinste Anwesen in der Gegend. Ursprünglich ist es durch königliches Dekret im sechzehnten Jahrhundert einem Herzog übereignet worden, der Familie –«

»Die geschichtlichen Daten interessieren hier nicht«, unterbrach ihn Lennox. »Was ist es heute? Sie müssen mir verzeihen, aber wir haben es verdammt eilig.«

»Nun gut, obwohl die Geschichte im Hinblick auf die Befestigungsanlagen nicht unwichtig ist.«

»Was für Befestigungsanlagen?« fragte Karin, stand auf und betrachtete die Karte.

»Hier, hier, hier und hier«, sagte Cloche, der wie alle anderen aufgestanden war, und deutete dabei auf einzelne Abschnitte der auseinandergefalteten Karte. »Es handelt sich um tiefe Kanäle, die etwa drei Fünftel des Châteaus umgeben und vom Fluß gespeist werden. Sie sind mit Schilf und wildem Gras bewachsen, so daß der Eindruck entsteht, daß sie recht einfach zu überqueren seien, aber diese alten Ritter, die beständig Krieg miteinander führten, verstanden sich darauf, ihre Verteidigung zu organisieren. Eine Armee von Bogenschützen und Kanonieren, die einmal in diese scheinbar seichten Ströme eingedrungen war, ist damals im Schlamm versunken und ertrunken.«

»Verdammt schlau«, sagte Witkowski.

»Im wesentlichen gibt es zwei Zugänge, die Haupttore natürlich und die an der Nordostseite. Unglücklicherweise ist das ganze Château von einer dreieinhalb Meter hohen Steinmauer umgeben, die mit Ausnahme der Tore nur an einer Stelle unterbrochen ist. Diese Öffnung befindet sich im hinteren Bereich, ein Fußweg, der zu einer großen offenen Terrasse führt, von der aus man das Tal überblicken kann. Die Mauer wird Ihnen die größten Schwierigkeiten bereiten. Übrigens ist sie vor neunundvierzig Jahren gebaut worden, kurz nach der Befreiung Frankreichs.«

»Wahrscheinlich ist an der Mauerkrone Stacheldraht gespannt, möglicherweise sogar elektrisch gesichert«, überlegte Captain Dietz laut.

»Ohne Zweifel, *Capitaine*. Man muß davon ausgehen, daß die ganze Anlage, das gesamte Gelände schwer bewacht ist.«

»Selbst die alten Kanäle?« wollte der Lieutenant wissen.

»Die vielleicht nicht ganz so gut, aber wenn wir in Erfahrung bringen konnten, daß es sie gibt, dann hatten andere die gleiche Möglichkeit.«

»Was ist mit dem Fußweg?« fragte Drew. »Wie kommt man an den heran?«

»Nach den Höhenangaben«, erwiderte Cloche und deutete auf eine graugrün schraffierte Partie der Karte, »gibt es einen kleinen Vorsprung, den Kamm eines steilen Hügels, um es genau zu sagen, von dem aus man aus etwa dreihundert Metern Höhe auf den Fußweg herunterblickt. Man könnte sich die Böschung hinunterarbeiten. Aber selbst, wenn keine Alarmdrähte angebracht sind, was aber wahrscheinlich der Fall ist, ist da immer noch die Mauer zu bedenken.«

»Wie hoch ist dieser Vorsprung?« wollte Lennox wissen.

»Das sagte ich gerade, dreihundert Meter über dem Weg.«

»Ich wollte wissen, ob man von diesem Vorsprung aus über die Mauer sehen kann?«

Der Beamte beugte sich vor und studierte die Karte. »Ich würde sagen, ja, aber das hängt natürlich davon ab, wie genau diese Karte ist. Wenn man vom höchsten Punkt des Hügels eine Linie zum höchsten Punkt der Mauer zieht, eine schräg nach unten gerichtete gerade Linie, dann scheint es der Fall zu sein.«

»Ich lese in Ihnen wie in einem Buch, Boß«, sagte Lieutenant Gerald Anthony. »Das ist mein Ausguck.«

»Genau richtig, Dünner Mann«, erwiderte Drew. »Vorgeschobener Beobachter Nummer eins, oder wie ihr Typen vom Militär so etwas nennt.«

»Ich denke, das sollte mein Posten sein«, sagte Karin. »Wenn es Schwierigkeiten gibt, kann ich immerhin eine Waffe abfeuern, während Gerry kaum eine halten kann.«

»Jetzt hören Sie auf, Mrs. de Vries, Sie sind auch angeschossen worden!«

»Aber an der rechten Schulter, und ich bin Linkshänderin.«

»Das werden wir später unter uns besprechen«, sagte Witkowski und wandte sich dann zu Lennox. »Jetzt muß wohl ich fragen, worauf Sie hinauswollen.«

»Ich wundere mich, daß ich Ihnen das erklären muß, Colonel Meisterspion. Wir sind wieder im Wasser, nur diesmal nicht in einem großen Fluß, sondern in einem schmalen alten Kanal, in dem uns Schilf und hohes wildes Gras Deckung bieten. Wir gehen unterhalb des Fußwegs ans Ufer, und unser erfahrener Kundschafter oben im Ausguck gibt uns Bescheid, wann wir die Mauer erklettern können, weil dahinter keine Wachen auf Streife sind.«

»Mit was erklettern?«

»Mit Wurfhaken«, antwortete Captain Dietz. »Womit sonst? Massive, dicke Plexiglashaken mit harten Gummispitzen, die sind leise, kräftiger als Stahl, und die Seile können kurz sein, nur sechs oder acht Fuß lang.«

»Und wenn die Haken auf Stacheldraht treffen?« fragte Witkowski finster. »Diese Mauer hat es in sich.«

Dazu meinte Drew: »Aber es sind nicht die Klippen von Omaha Beach, Stanley, sie ist schließlich nur dreieinhalb Meter hoch. Wenn man die Arme ausstreckt, ist es nur noch ein guter Meter bis zur Mauerkrone. Zehn oder zwölf Sekunden Zeit reichen aus, dann sind Dietz und ich auf der andern Seite, selbst wenn wir uns um den Stacheldraht kümmern müssen.«

»Sie und Dietz?«

»Darüber unterhalten wir uns später, Colonel.« Lennox wandte sich wieder Cloche zu. »Was ist hinter der Mauer?« fragte er schnell.

»Da, sehen Sie selbst«, sagte der Beamte und tippte mit dem Zeigefinger auf einige spezielle Punkte. »Wie Sie sehen können, ist die Mauer in allen Richtungen circa achtzig Meter von den Außenwänden des Châteaus entfernt und läßt damit Platz für ein Schwimmbecken, ein paar Terrassen und einen Tennisplatz, die alle von Rasen und Gartenanlagen umgeben sind. Äußerst gediegen und zugleich auch sicher und ganz bestimmt mit einem wunderschönen Ausblick auf die Berge hinter der Mauer.«

»Was ist in dem Bereich hinter dem Tor zu dem Fußweg?«

»Nach den Plänen ist da das Schwimmbecken mit ein paar Badehütten auf beiden Seiten und dahinter drei Eingänge zu dem eigentlichen Gebäude, hier und hier und hier.«

»Und wohin führen diese Türen?« fragte Lieutenant Anthony.

»Die rechte führt anscheinend in eine riesige Küche, die ganz links zu der verglasten Nordveranda und die in der Mitte in einen sehr großen Saal.«

»Eine Art großes Wohnzimmer?«

»Ein sehr großes, Lieutenant«, sagte Cloche.

»Sind diese Skizzen, wie Sie sie nennen, neueren Datums?« fragte Drew.

»Höchstens zwei Jahre alt. Sie dürfen nicht vergessen, Monsieur, daß in einem sozialistisch regierten Land die Reichen dauernd vom Finanzamt überwacht werden, weil die steuerlichen Abgaben ja auch von der Nutzung abhängen.«

»Die Badehütten?« fragte Dietz.

»Müßten als erstes mit schußbereiter Waffe durchsucht werden«, sagte Anthony.

»Sobald wir dann über die Mauer sind, werden der Captain und ich uns die Türen rechts und links vornehmen und uns dabei im Schatten halten. Die Haken werfen wir zuerst wieder über die Mauer zurück.«

»Und was ist mit mir?« sagte Witkowski.

»Ich sagte eben, wir besprechen das später, Colonel. Welche Unterstützung können Sie uns zur Verfügung stellen, Monsieur Cloche?«

»Wie vereinbart werden zehn erfahrene *agents du combat* etwa hundert Meter entfernt an der Straße bereitstehen und auf ihren Radiobefehl hin das Château angreifen.«

»Sorgen Sie dafür, daß sie sich außer Sichtweite aufhalten. Wir kennen diese Leute; der leiseste Hinweis auf Eindringlinge, und die verbrennen jedes einzelne Dokument im ganzen Bau. Es ist von größter Wichtigkeit, daß wir die Sachen unversehrt in die Hand bekommen.«

»Ich teile Ihre Sorge, Monsieur, aber eine Zwei-Mann-Operation erscheint mir – wie würden Sie in Amerika das nennen? – genau das Gegenteil von ›Overkill‹.«

»Underkill«, sagte Dietz. »Er hat recht, Cons-Op.«

»Wer hat denn etwas von einer Zwei-Mann-Operation gesagt?« fuhr Witkowski erregt dazwischen.

»Herrgott, Stanley!« Lennox funkelte den G-2-Veteranen an. »Ich habe nachgesehen. Sie sind über sechzig, und ich will wirklich nicht die Verantwortung dafür tragen, daß Sie sich eine Kugel einfangen, weil Sie sich nicht rechtzeitig weggeduckt haben.«

»Mit Ihnen werde ich noch jederzeit fertig, *chlopak!*«

»Hören Sie auf mit diesem Machogehabe. Wir geben Ihnen ein Zeichen, daß Sie nachkommen können, sobald das wirklich vernünftig ist.«

»Darf ich auf meinen Einwand zurückkommen«, schaltete sich der Franzose ein. »Ich habe ähnliche Aktionen im Nahen Osten – Oman, Abu Dhabi, Bahrain und sonstwo – organisiert, wo wir die Fremdenlegion eingesetzt haben. Sie sollten mindestens zwei zusätzliche Personen haben, allein schon, um ihren Rücken freizuhalten.«

»Da hat er verdammt recht, Sir«, sagte Lieutenant Anthony.

»Weniger wäre unvernünftig, um nicht zu sagen, Selbstmord«, fügte Karin hinzu.

Drew blickte auf und sah Cloche an. »Vielleicht habe ich nicht klar genug gedacht«, sagte er. »Okay, also noch zwei Mann zusätzlich. Wen haben Sie?«

»Jeder von den zehn wäre mehr als ausreichend qualifiziert, aber da sind drei aus der Fremdenlegion, die für die Sicherheitskräfte der Vereinten Nationen tätig waren.«

»Wählen Sie zwei davon aus und sorgen Sie dafür, daß sie in zwei Stunden hier sind. ... So, jetzt sprechen wir von unserer Ausrüstung, und dabei brauche ich Ihre Hilfe, Stosh.«

»Abgesehen von den Wurfhaken und dem Seil, die neuen MAC-Tens mit Schalldämpfern, dreißig Schuß pro Ladestreifen, vier Ladestreifen pro Mann«, begann Witkowski. »Dann ein schwarzes PVC-Schlauchboot, kleine blaue Taschenlampen, UHF-Militärfunkgeräte, Tarnanzüge, Nachtgläser, beschwerte Jagdmesser, Garotten, vier kleine Beretta-Automatics und, falls es wirklich Probleme geben sollte, drei Handgranaten pro Nase.«

»Können Sie das beschaffen, Monsieur Cloche?«

»Wenn Sie das noch mal langsam zum Mitschreiben wiederholen, ja. Jetzt zur Frage des Zeitpunkts –«

»Heute nacht«, fiel Lennox ihm ins Wort, »wenn es am dunkelsten ist.«

43

Das alte Schloß war im gotischen Stil gebaut, eine unheildro-
hende Silhouette vor dem klaren Nachthimmel mit vom
Mondlicht beschienenen Türmen und Spitzen. Eigentlich war es
eher eine kleine Burg als ein Château, die selbstbewußte Manife-
station eines Angehörigen des niedrigeren Adels, der seinen Anspruch auf Höheres zur Schau stellte. Der eigentliche Baukörper
bestand aus roh behauenem Felsgestein mit Ziegelwerk dazwischen, man konnte förmlich die Jahrhunderte ablesen, die sich
hier schichtweise aufeinandertürmten, Zeugnis ständiger Um-
bauten im Verlauf von Generationen. Es lag etwas Hypnoti-
sches in dem Nebeneinander von großen Satellitenschüsseln und
Mauern aus dem 16. Jahrhundert, etwas beinahe Erhabenes, als
befände sich die Zivilisation auf einem unvermeidlichen Marsch
von der Erde in den Himmel, von Armbrüsten und Kanonen zu
Raumstationen und atomaren Sprengköpfen. Was war vorzuzie-
hen, und wo würde es enden?

Es war kurz vor zwei Uhr morgens, eine leichte Brise wehte,
und das nächtliche Konzert der Tiere war beinahe verstummt,
als die N-Einheit verstärkt durch zwei *agents du combat*, Stellung bezog. Eine Karte in der Hand, auf die er immer wieder den
blauen Lichtkegel seiner Taschenlampe richtete, führte Lieutenant Gerald Anthony Karin de Vries durchs Unterholz zu dem
kleinen Hügel. Plötzlich flüsterte Karin: »Gerry, halt!«

»Was ist?«

»Da, dort unten.« Sie bückte sich, griff unter einen Busch und
hob eine schmutzige alte Mütze auf, die schon eher ein Lumpen
war. Sie drehte sie um und leuchtete mit ihrer blauen Taschenlampe auf das zerfetzte Futter. Was sie sah, ließ sie erschreckt
aufatmen.

»Was ist denn los?« flüsterte Anthony.

»Da, sehen Sie!« Karin reichte ihm die Mütze.

»Du großer Gott!« stöhnte er. In zittrigen Buchstaben, aber
deutlich zu erkennen, stand da *Jodelle*. »Der Alte muß hier oben
gewesen sein«, flüsterte der Lieutenant.

»Das erklärt einiges. Kommen Sie, geben Sie her, ich stecke sie ein ... gehen wir weiter.«

Weit unter ihnen im sumpfigen Marschland, geschützt von Binsen und hohem Gras, kauerten die fünf Männer in dem schwarzen Schlauchboot. Lennox und Captain Dietz hatten sich am Bug postiert, jeder einen *agent du combat* hinter sich, die einfach Eins und Zwei hießen, da sie die Anonymität vorzogen. Colonel Stanley Witkowski hatte sich widerwillig am Heck des kleinen Bootes niedergelassen.

Drew schob das Schilf auseinander und blickte zu der Hügelkuppe hinüber. Das Signal kam. Zwei kurze blaue Lichtblitze. »Los!« flüsterte er. »Sie sind angekommen.«

Unter Einsatz von zwei kleinen schwarzen Paddeln ruderten die *agents* das Gummiboot in den relativ offenen, seichten Wasserlauf, der den alten Kanal füllte. Langsam, Schlag für Schlag arbeiteten sie sich zu dem etwa sechzig Meter entfernten gegenüberliegenden Ufer vor, vorbei an einem kreisförmig gemauerten Tunneleinlaß, der Wasser von der Loire in das Marschland lenkte.

»Sie hatten recht, Cons-Op«, sagte Dietz mit leiser Stimme. »Da, sehen Sie, dort drüben, zwei Drähte quer über die Öffnung. Ich wette, da hängt ein Alarmsystem dran. Auf Induktionsbasis wahrscheinlich, auf die Weise kommt Treibgut vom Fluß gut durch, aber kein menschlicher Körper.«

»Das muß ja so sein, Dietz«, flüsterte Lennox zurück. »Sonst wäre ja der Weg zu diesem verrückten mittelalterlichen Festungskomplex völlig offen.«

Das Schlauchboot hatte jetzt den Uferdamm erreicht, und die Männer holten lautlos die eingerollten Seile und Wurfhaken heraus und wateten durch das schlammige Gelände, bis sie unter dem etwa sechs Meter oberhalb von ihnen verlaufenden Fußweg angelangt waren. Drew holte sein Funkgerät aus der Seitentasche seines Tarnanzugs und drückte den Sendeknopf.

»Ja?« hauchte Karins Stimme im Flüsterton aus dem winzigen Lautsprechergitter.

»Wie ist die Sicht?« fragte Lennox.

»Siebzig, vielleicht fünfundsiebzig Prozent. Mit unseren Feldstechern können wir den größten Teil des Poolbereichs und den südlichen Teil beobachten, den Nordabschnitt nur teilweise.«

»Nicht schlecht.«

»Sehr gut, würde ich sagen.«

»Bewegt sich irgend etwas? Lichter?«

»Ja, auf beide Fragen«, schaltete sich der Lieutenant ebenfalls im Flüsterton ein. »Das läuft wie ein Uhrwerk, zwei Wachen patrouillieren um den hinteren Bereich, schlagen dann einen Bogen zurück zum mittleren Teil der Nord- und der Südseite. Sie tragen kleine Maschinenpistolen, wahrscheinlich Uzis oder so was Ähnliches, und haben Funkgeräte an den Gürteln –«

»Wie sind sie bekleidet?« fiel Drew ihm ins Wort.

»Na, wie wohl? Schwarze Hosen und Hemden und diese verrückten roten Armbinden mit den Blitzstrahlen und dem Hakenkreuz. Das Haar kurz geschoren, richtige Skinheads. Sie können sie nicht übersehen, Boß.«

»Lichter?«

»Vier Fenster, zwei im Erdgeschoß und je eines im ersten und zweiten Stock.«

»Aktivitäten?«

»Abgesehen von den Wachen nur im Küchenbereich. Das ist an der Südseite, Erdgeschoß.«

»Ja, ich erinnere mich an die Pläne. Irgendwelche Vorschläge?«

»Ja. Beide Streifen verschwinden im mittleren Bereich im Schatten, aber da sind sie nicht kürzer als dreizehn und nicht länger als neunzehn Sekunden. Sehen Sie zu, daß Sie an die Mauer rankommen, dann gebe ich Ihnen mit dem Funkgerät kurz hintereinander zwei Signale, und dann gehen Sie drüber, und zwar schnell! Drei Badehütten sind offen, ich nehme alles zurück, was ich vorhin gesagt habe; teilen Sie sich auf und gehen Sie da hinein. Warten Sie, bis die Wachen zurückkommen, setzen Sie sie außer Gefecht und kippen Sie die Leichen über die Mauer oder ziehen Sie sie in die Hütten, je nach dem, was leichter ist. Wenn Sie das getan haben, haben Sie einigermaßen freien Zugang und können dem Colonel ein Zeichen geben.«

»Klingt verdammt gut, Lieutenant. Wo sind diese Möchtegernsoldaten jetzt?«

»Die trennen sich gerade und gehen zu den Seitenflügeln zurück. Sehen Sie zu, daß Sie an die Mauer kommen!«

»Sei vorsichtig, Drew!« sagte Karin.

»Wir sind alle vorsichtig, Karin … Los.« Wie disziplinierte Ameisen, die einen Erdhügel erklettern, krochen die fünf Männer auf allen vieren die Böschung zu der hohen Ziegelmauer und dem Tor hinauf, das Lennox sich genauer ansah. Es war aus dickem, schwerem Stahl gemacht, ragte über die Mauer auf und ließ keinerlei Schlitze für Schlüssel oder dergleichen erkennen. Es ließ sich also nur von innen öffnen. Drew robbte zu den anderen zurück und schüttelte im Mondlicht den Kopf. Die Männer nickten und akzeptieren damit, was sie ohnehin erwartet hatten, daß nämlich die Mauer erklettert werden mußte.

Plötzlich hörten sie über sich Schritte, und dann waren zwei Stimmen zu vernehmen, die in deutscher Sprache miteinander redeten.

»Zigarette?«

»Nein, das ist ungesund!«

»Unsinn.«

Jetzt war wieder das Hallen der Stiefel auf den Steinplatten zu hören; die französischen *agents du combat* standen auf, traten ein paar Schritte zurück und hoben die Wurfhaken mit den daran befestigten Seilen auf. Sie warteten stumm und atmeten geräuschlos. Dann kam es, die zwei kurzen Pieptöne aus Lennox' Gerät. Die Franzosen schleuderten die schweren Plastikhaken über die Mauer, zerrten probeweise daran und hielten die Seile dann gespannt, als Drew und Captain Dietz mit umgehängten Maschinenpistolen wie Affen hinaufkletterten, Hand über Hand mit den Knien immer wieder gegen die Ziegelmauer stoßend, bis sie schließlich über der Mauerkrone verschwunden waren. Jetzt sprangen die beiden ehemaligen Fremdenlegionäre auf und kletterten hinter den Amerikanern her; vier Sekunden später kamen die Wurfhaken zurückgeflogen und gruben sich im feuchten Schlamm ein, wobei sie Witkowski knapp verfehlten.

Auf der anderen Seite der Mauer winkte Lennox Dietz und einen der beiden Franzosen zu der am weitesten entfernten Badehütte und rannte selbst mit dem zweiten Legionär zur ersten. Bei den Badehütten handelte es sich um einfache, zeltähnliche Stangenkonstruktionen, die mit buntgestreiftem Segeltuch bedeckt waren. Der Zugang war lediglich ein mit einer Bleischnur beschwerter Tuchstreifen, den man beiseite schieben konnte, um frische Luft zu bekommen. Der Swimmingpool selbst lag im Dunkeln, aus der Ferne konnte man das gleichmäßige Summen der Filteranlage hören. »Sie wissen doch, was jetzt als nächstes kommt?« fragte Drew den Franzosen, der neben ihm im Schatten kauerte.

»*Oui, Monsieur*«, sagte der Franzose und zog das lange Messer aus der Scheide, während Lennox es ihm gleichtat. »*S'il vous plait, non*«, fügte der Agent hinzu und hielt Drew am Handgelenk. »*Vous êtes courageux*, aber mein Kollege und ich sind in solchen Dingen erfahrener, Monsieur. *Le capitaine* und wir haben das besprochen. Sie sind zu wertvoll, um ein solches Risiko einzugehen.«

»Ich würde von Ihnen nichts verlangen, was ich nicht auch selbst tun würde!«

»Das haben Sie bewiesen, aber Sie wissen, wonach Sie suchen müssen, und wir nicht.«

»Sie haben das mit dem Captain …?«

»Schsch!« machte der Franzose. »Sie kommen.«

Die folgenden Minuten waren wie ein Marionettentheater, das in drei unterschiedlichen Geschwindigkeiten ablief: Zeitlupe, Halt und Zeitraffer. Die beiden *agents* krochen langsam aus den jeweiligen Badehäuschen, gingen um sie herum und arbeiteten sich geduckt wie zwei Raubtiere hinter ihre beiden Zielpersonen. Plötzlich entdeckte die nördliche Wache den *agent du combat* auf der Südseite und machte einen Fehler. Er kniff die Augen zusammen, um sicherzugehen, daß er sich in seiner Verblüffung nicht getäuscht hatte. Dann riß er die Maschinenpistole von der Schulter und wollte gerade einen Ruf ausstoßen, als Nummer Zwei schon über ihm war, die linke Hand wie eine Klaue an seiner Kehle, während die Rechte ihm mit chirurgischer Präzision das Messer in den Rücken trieb. Der verblüffte zweite Posten fuhr herum und konnte gerade noch sehen, wie Nummer Eins mit hoch erhobenem Messer auf ihn zuraste. Als die Klinge dem Nazi die Kehle durchschnitt, erstarb jedes Geräusch.

Reglose Stille herrschte. Die Franzosen zerrten die toten Wachen zur Mauer und schickten sich an, die Leichen darüberzuschieben. Aber Lennox rannte aus seiner Badehütte und hinderte sie daran. »Nein!« flüsterte er so laut, daß er ebensogut hätte schreien können. »Bringen Sie beide hierher!«

Die drei Männer standen verblüfft und ein wenig verärgert um Drew. »Was, zum Teufel, soll das, Cons-Op?« fragte Dietz. »Wir wollen doch nicht, daß jemand diese Typen findet!«

»Ich glaube, Sie haben etwas übersehen, Captain. Die Uniformen.«

»Ja, albern nicht wahr?«

»Mag sein, und vielleicht passen sie auch nicht besonders gut, aber ich wette, wir könnten uns da hineinzwängen – über unseren Tarnanzügen. Selbst die Hemden – da draußen ist es dunkel.«

»Hol mich der Teufel!« sagte Dietz langsam. »Das ist schlau. Bei dem Licht sind die eine bessere Tarnung, als das, was wir anhaben.«

»*Dépêchez-vous* – schnell!« sagte Nummer Eins und kniete mit seinem Kollegen nieder und fing an, den beiden Leichen die blutigen Uniformen auszuziehen.

Wenige Minuten später hatten Lennox und Dietz sich in einermaßen glaubwürdige Kopien der beiden Wachen verwandelt, auch wenn die Uniformen etwas knapp saßen und Blutflecken hatten. Im grellen Lichtschein würden sie damit niemanden täuschen können, aber im Schatten und im Halbdunkel sollte es reichen. Sie griffen nach ihren Waffen und luden durch.

»Jemand soll Witkowski verständigen«, befahl Drew. »Rufen Sie einmal wie ein Käuzchen und passen Sie auf, sonst kriegen Sie einen Wurfhaken auf den Kopf. Stosh ist nicht gerade bester Laune.«

»Das übernehme ich«, sagte Dietz und wollte schon das Badehäuschen verlassen.

»Nein, Sie nicht«, sagte Lennox und hielt ihn auf. »Wenn der die Uniform sieht, könnte er Ihnen den Schädel wegpusten. Gehen Sie, Nummer Eins. Sie haben sich heute nachmittag längere Zeit mit ihm unterhalten; er wird Sie erkennen.«

»*Oui, Monsieur.*«

Keine zwei Minuten später trat die beeindruckende Gestalt von Colonel Stanley Witkowski in das kleine Häuschen. »Ich sehe, Sie waren beschäftigt«, sagte er nach einem Blick auf die beiden in ihrer Unterwäsche daliegenden Leichen. »Was soll die alberne Maskerade?«

»Wir gehen jagen, Stosh, und Sie werden bei unseren französischen Kumpels hier bleiben. Sie werden uns den Rücken freihalten, und unser Leben wird davon abhängen, daß Sie gut aufpassen.«

»Was werden Sie tun?«

»Mit der Suche beginnen, was sonst?«

»Ich dachte, wenn Sie keine klare Gebrauchsanweisung kriegen, bauen Sie vielleicht Mist«, sagte Witkowski, holte ein zusammengefaltetes Papier aus der Jacke und breitete es dann recht pietätlos über einer der Leichen aus. Er knipste seine blaue Taschenlampe an; es handelte sich um einen verkleinerten Grundriß des Château. »Ich habe unseren Freund Cloche das für uns machen lassen. Auf die Weise suchen Sie wenigstens nicht blind herum.«

»Stosh, Sie alter Gauner!« Drew warf Witkowski einen dankbaren Blick zu. »Jetzt sind Sie mir wieder einen Schritt voraus. Das wird uns sehr nützlich sein. Vielen Dank. Wo sollen wir anfangen, haben Sie einen Tip?«

»Am besten wäre, wenn Sie eine Geisel nehmen und ausquetschen könnten. Die Pläne sind immerhin zwei Jahre alt.«

Lennox griff unter das schwarze Nazihemd, das er sich übergestreift hatte, und zog sein Funkgerät heraus. »Karin?« flüsterte er und drückte dabei den Sendeknopf.

»Wo bist du?« war Karins Stimme zu hören.

»Wir sind drinnen.«

»Das wissen wir«, meldete sich die Stimme des Lieutenants, »wir haben die kleine Übung beobachtet, die unsere neuen Rekruten da vorgeführt haben. Sind Sie immer noch am Pool?«

»Ja.«

»Was braucht ihr?« fragte Karin.

»Wir wollen einen Gefangenen nehmen und ihm ein paar Fragen stellen. Sind irgendwelche Kandidaten in Sicht?«

»Nicht im Freien«, sagte Anthony, »aber in der Küche sind zwei oder drei; ich kann sie immer wieder am hinteren Fenster sehen.«

»Danke und Ende«, sagte Lennox ins Funkgerät und verstaute es wieder unter seinem Hemd. »Okay, Leute, wie stellen wir es an, einen von denen da rauszuholen?«

»Das werde ich übernehmen müssen«, erwiderte Dietz, knipste seine Taschenlampe an und studierte die Pläne, die Witkowski mitgebracht hatte. »Wer auch immer diese Leute da drinnen sind, es sind entweder Deutsche oder Franzosen. Drew, Sie sprechen nicht Deutsch, und Ihr Französisch versteht kaum einer, und die anderen sind falsch gekleidet ... da ist eine Tür, hier an der Seite. Ich werde den Kopf hineinstecken und um eine Tasse Kaffee bitten und sagen, jemand soll sie mir bitte rausbringen. Ich werde das auf Deutsch sagen – die beiden Wachen waren Deutsche.«

»Und was ist, wenn die merken, daß Sie nicht der richtige Wachmann sind?«

»Ich werde sagen, daß einem plötzlich übel geworden ist, und ich ihn ersetzt habe, deshalb brauche ich auch den Kaffee, ich bin noch gar nicht richtig wach.« Dietz ging schnell auf den Südflügel mit der Küche zu, und Lennox und Witkowski blickten ihm am Eingang der Badehütte kauernd nach. Plötzlich blieb Dietz wie zu einer Salzsäule erstarrt stehen, als auf beiden Seiten des Château zwei grelle Scheinwerfer aufflammten. Er stand jetzt im hellen Lichtschein, und man konnte deutlich sehen, wie schlecht sein schwarzes Hemd und die dazugehörige Hose saßen. Eine junge Frau im Minirock und ein großer Mann in mittleren Jahren traten aus dem Dunkel in den Lichtschein. Der Mann reagierte zuerst erschrocken, dann wütend auf den Anblick des Captains und griff unter sein Jackett. Das ließ Dietz keine Wahl: Ein Schuß aus seiner schallgedämpften Waffe traf den Mann in die Stirn und ließ ihn lautlos zu Boden sinken. Als die Frau einen Schrei ausstoßen wollte, war Dietz bereits neben ihr und brachte sie mit einem Handkantenschlag an den Hals zum Schweigen. Während sie zu Boden sank, hob Dietz die Waffe und brachte mit zwei weiteren Schüssen die Scheinwerfer zum Erlöschen. Dann warf er sich die Frau über die Schulter und rannte zu der Badehütte zurück.

»Schafft die Leiche weg!« befahl der Colonel im Flüsterton zu den Franzosen gewandt und zog die Plane beiseite.

»Ich werde gehen«, sagte Drew und lief los. Die Leiche des Mannes zeichnete sich silhouettenhaft im Mondlicht ab, das freilich zum größten Teil von den Mauern des Château verdeckt wurde. Er rannte zu der Leiche, als plötzlich die Küchentür aufflog. Lennox duckte sich und preßte sich dann an die Wand. Ein Mann mit einer Kochmütze spähte heraus, sah sich um, zuckte die Achseln und ging wieder in die Küche zurück. Drew stand der Schweiß auf der Stirn; er hängte sich die Waffe um und rannte auf den Toten zu, beugte sich vor, packte ihn an den Füßen und zerrte ihn zu der Badehütte.

»*Qu'est-ce que c'est que vous faîtes la*«, sagte eine Frauenstimme aus der Finsternis heraus.

»Halls-weeh«, antwortete Lennox stockend und außer Atem und fügte dann heiser hinzu: »*trop de whisky*«.

»*Ah, un allemand!*« Eine Frau in einem langen, weißen, fast durchsichtigen Kleid trat ins schwache Mondlicht. Sie lachte, taumelte leicht und fuhr dann auf Französisch fort: »Zu viel Whisky, sagen Sie? Sie auch? Ich habe gute Lust, in den Pool zu springen.«

»Gut«, sagte Drew, der nur die Hälfte verstanden hatte.

»Soll ich Ihnen helfen?«

»Nein, danke.«

»Oh, Heinemann haben Sie da, ein richtiger deutscher Stier, und ein Rüpel obendrein.« Plötzlich erschrak die Frau und ihr Atem stockte, als Lennox den Mann, den sie Heinemann genannt hatte, ins Mondlicht zog; sie sah jetzt das viele Blut an seinem Kopf. Drew ließ die Füße des Toten fallen und riß die kleine Beretta heraus.

»Ein Ton, und ich muß Sie töten«, sagte er in englischer Sprache. »Können Sie mich verstehen?«

»Ja, ich habe verstanden«, antwortete die Frau in fast akzentfreiem Englisch. Der Schrecken schien sie schlagartig ernüchtert zu haben.

Plötzlich tauchten die beiden Fremdenlegionäre auf, und Nummer Zwei zog die Leiche wortlos an die Mauer und leerte ihr die Taschen aus, während Nummer Eins hinter die Frau trat und sie zu der Badehütte führte. Lennox folgte ihnen und stellte überrascht fest, daß die Leichen der beiden Posten nicht mehr zu sehen waren. »Was ist mit …?«

»Unsere beiden hatten eine dringende Verabredung«, erwiderte Witkowski. »Sie sind weggeflogen.«

»Verdammt gute Arbeit, Cons-Op«, sagte Captain Dietz, der neben seiner Gefangenen auf einem gestreiften Liegestuhl saß. »Eigentlich recht gemütlich hier drinnen, nicht wahr?« fügte er hinzu, als Nummer Zwei wieder hereinkam.

Die beiden Frauen starrten einander an. »*Adrienne*?« sagte Lennox' Gefangene.

»*Allô, Elyse*«, erwiderte Dietz' Beute niedergeschlagen. »Wir sind *finis, n'est-ce pas?*«

»Sie sind Nazi-Huren!« stieß Nummer Eins voller Verachtung hervor.

»Reden Sie keinen Blödsinn!« wehrte sich Elyse. »Wir arbeiten dort, wo das meiste Geld zu verdienen ist. Mit Politik haben wir nichts zu tun.«

»Wissen Sie, wer diese Leute sind?« sagte Nummer Zwei. »Diese Bestien! Mein Großvater ist im Kampf gegen sie gestorben!«

»Lang, lang ist's her«, tat Elyse im durchscheinend weißen Kleid den Angriff kühl ab. »Jahrzehnte bevor ich zur Welt gekommen bin.«

»Dann haben Ihnen Ihre Eltern oder Ihre Großeltern also gar nichts erzählt?« sagte Nummer Eins empört. »Diese Faschisten haben Millionen hingeschlachtet. Und mich und meine ganze Familie würden sie sofort umbringen, wenn sie das könnten, einfach weil wir Juden sind!«

»Und wir kommen nur gelegentlich alle paar Monate auf ein, zwei Wochen hierher. Wir sprechen nie über solche Dinge. Außerdem reise ich viel in Europa herum, und die meisten Deutschen, die ich kennengelernt habe, sind sehr charmant und höflich.«

»Das sind sie ganz sicher«, sagte Witkowski. »Aber diese hier sind … aber wir verschwenden nur Zeit. Wir brauchen einen Mann, der hier arbeitet, und statt dessen haben wir zwei Frauen, die als Gäste hier sind. Nicht sehr vorteilhaft.«

»Ich weiß nicht, Colonel.« Drew packte den Arm seiner Gefangenen. »Elyse hat gesagt, sie und, wie ich annehme, ihre Freundin kommen alle paar Monate auf ein oder zwei Wochen zu Besuch hierher, das stimmt doch, Lady?«

»So ist es vereinbart, ja, Monsieur«, sagte die Frau und schüttelte Lennox' Hand ab.

»Und was dann?« bohrte Drew nach.

»Dann werden wir ärztlich behandelt und gehen woanders hin. Ich weiß nichts; wir wissen nichts. Wir sind dafür da, den Männern hier die Zeit zu vertreiben, und ich kann nur darauf vertrauen, daß Sie nicht so geschmacklos sind, darüber Näheres wissen zu wollen.«

»Sie sollten auf gar nichts vertrauen, Lady. Diese Schweine haben meinen Bruder umgebracht, also ist mir nicht viel Vertrauen übriggeblieben.« Lennox packte die Frau erneut am Arm, nur daß er diesmal fester zupackte, wie ein Schraubstock. Die Pläne des Châteaus lagen auf einem Tischchen, das sie in aller Eile vom Rand des Pools hereingeholt hatten. Drew schob sie zu dem Tischchen, griff nach einer Taschenlampe und richtete ihren Lichtkegel auf die Pläne. »Sie und Ihre Freundin werden uns jetzt ganz genau sagen, was in jedem Raum ist, und ich rate Ihnen gut, lügen Sie uns nicht an … höchstens eine Minute von hier entfernt wartet an der Straße ein Einsatzteam der französischen Spionageabwehr darauf, die Tore zu sprengen, den Bau hier zu stürmen und alle auf dem Gelände Anwesenden in Gewahrsam zu nehmen. Ich rate Ihnen sehr, uns zu helfen. Dann leben Sie vielleicht lange genug, um einen Handel abzuschließen. *Entendu?*«

»Es ist alles eine Frage des Überlebens, nicht wahr«, sagte die Kurtisane im weißen Kleid, und ihre kalten verängstigten Augen suchten die Lennox'. »Komm, Adrienne, laß uns die Pläne studieren.« Das unschuldig wirkende Mädchen im Minirock, das neben Dietz auf dem Liegestuhl saß, stand auf und trat neben ihre Kollegin. »Übrigens, Monsieur«, sagte Elyse, »ich kann Pläne gut lesen. Ich habe an der Sorbonne Architektur studiert.«

»Du großer Gott!« sagte Captain Dietz leise und sichtlich beeindruckt.

Minuten verstrichen, in denen die ehemalige Sorbonnestudentin die Pläne betrachtete. Schließlich sagte sie: »Wie Sie sehen können, ist im Erdgeschoß alles ganz eindeutig – die Nordveranda, der große Saal in der Mitte, der auch als Speisesaal benutzt wird, und die Küche, die groß genug wäre, um ein Restaurant an der *Rive Droite* zu versorgen. Im ersten und zweiten Stockwerk befinden sich Gästesuiten für wichtige Besucher; Adrienne und ich können diese Suiten bis in die letzten Einzelheiten beschreiben.«

»Wer hält sich im Augenblick in diesen Gästesuiten auf?« fragte Witkowski.

»Herr Heinemann war doch mit dir zusammen, Adrienne, richtig, *mon chou?*«

»*Oui*«, antwortete das Mädchen. »Ein widerlicher Kerl!«

»In den zwei anderen Suiten im ersten Stock sind Colette und Jeanne, ihre Begleiter sind Geschäftsleute aus München und Baden-Baden; und im zweiten Stock bin ich und ein schrecklich nervöser Mann, der so aufgeregt ist, daß er sich sinnlos betrunken hat und dann zu nichts mehr fähig war. Ich war dafür natürlich sehr dankbar und beschloß, einen kleinen Spaziergang zu machen – wobei ich dann Ihnen begegnet bin, Monsieur. Die anderen Räume werden augenblicklich nicht benutzt.«

»Der Mann, mit dem Sie zusammen waren, wie sieht der aus?« fragte Lennox. Elyse beschrieb ihn, worauf Drew leise sagte: »Das ist unser Mann. Das ist Bergeron.«

»Er hat vor irgend etwas Angst.«

»Dazu hat er allen Grund. Er ist seinen Leuten zur Last geworden und weiß das … Sie haben jetzt drei Stockwerke geschildert; es gibt noch ein viertes. Was ist dort oben?«

»Dort hat niemand Zutritt, mit Ausnahme einiger weniger Männer, die schwarze Anzüge und rote Hakenkreuzarmbinden tragen. Sie sind alle groß, so wie Sie, und haben eine ausgesprochen militärische Haltung. Die Angestellten, selbst die Wachen, haben panische Angst vor ihnen.«

»Der dritte Stock?«

»Er erinnert an ein Grab, Monsieur, die Grabstätte eines großen Pharao, aber statt in den Tiefen der Pyramide vergraben zu sein, befindet es sich am höchsten Punkt, wo es der Sonne und dem Himmel am nächsten ist.«

»Würden Sie bitte deutlicher werden?«

»Ich sagte, daß niemand dort Zugang hat, aber ich sollte vielleicht hinzufügen, daß es auch absolut sicher abgeschlossen ist. Dieses bewohnte Grab nimmt das ganze oberste Stockwerk ein, jede einzelne Tür ist aus Stahl. Nur die Männer in den schwarzen Anzügen gehen dort aus und ein. Sie schieben die Hand in eine Wandvertiefung und drücken mit der Handfläche auf irgend etwas, damit sich die jeweilige Tür öffnet.«

»Elektronische Handlinienscanner«, sagte Witkowski. »Eine absolut sichere Methode.«

»Wenn sie nie dort oben gewesen sind, wie kommt es dann, daß Sie das alles wissen?« fragte Drew.

»Weil die vordere und die hintere Treppe und der Korridor ständig bewacht werden. Selbst die Wachen brauchen gelegentlich Entspannung, und einige davon sind sehr attraktiv.«

»Ah, oui«, ließ sich das junge Mädchen im Minirock vernehmen. »Der blonde Erich hat gesagt, ich soll immer, wenn ich frei bin, zu ihm kommen. Und das tue ich auch.«

»Die Welt ist nicht fair«, murmelte Dietz.

»Und wer ist der Pharao im Obergeschoß?« beharrte Lennox.

»Das ist kein Geheimnis«, antwortete Elyse. »Ein alter Mann, ein sehr alter Mann, den alle verehren. Außer seinen Adjutanten in den schwarzen Anzügen darf niemand ihn ansprechen, aber man bringt ihn jeden Morgen im Aufzug herunter, sein Gesicht ist hinter einem dichten Schleier verhüllt, und man fährt ihn dann zu dem ›Meditationspfad‹, wie sie das nennen, hinter dem Pool. Dann wird das Tor geöffnet und er entläßt alle. Dann erhebt er sich aus seinem Stuhl, steht ganz aufrecht da, trotz seiner Jahre, und marschiert buchstäblich zu einer Stelle, die niemand von uns je gesehen hat. Es heißt, daß er sie sein ›Adlernest‹ nennt und dort meditiert und weise Entscheidungen trifft, während er seinen Morgenkaffee mit Brandy zu sich nimmt.«

»Monluc«, sagte Drew. »Mein Gott, er lebt noch!«

»Wer auch immer er ist, er ist der Schatz, den die am Leben erhalten.«

»Ist er das? Ein Schatz, meine ich?« fragte Witkowski. »Oder ist er in Wirklichkeit eine Gallionsfigur, die diese Leute für ihre eigenen Zwecke einsetzen und manipulieren?«

»Die Frage kann ich Ihnen nicht beantworten«, sagte das Luxus-Callgirl mit Universitätsabschluß, »aber ich bezweifle, daß er sich von jemandem manipulieren läßt. So, wie die Angestellten Angst vor seinen Adjutanten haben, hat es den Anschein, als würden diese Adjutanten panische Angst vor ihm haben. Er beschimpft sie dauernd, und wenn er droht, sie zu entlassen, dann kriechen sie förmlich vor ihm im Staub.«

»Könnte es sein, daß sie ihm bloß ein Theater vorspielen?« Lennox studierte Elyses Gesicht im schwachen blauen Licht.

»Wenn das der Fall ist, würden wir das wissen, wir spielen schließlich auch die ganze Zeit Theater. Uns macht man nicht so leicht etwas vor – das bringt unser Beruf mit sich.«

»Sie spielen Theater?«

»In mehr als einer Hinsicht, Monsieur.«

»Aber es muß doch Gerüchte geben. Derartiges Verhalten kann doch nicht unkommentiert bleiben.«

»Gerüchte gibt es allerdings. Eins der hartnäckigsten lautet, daß der alte Mann über ungeheuren Reichtum verfügt, über Mittel, die nur er verteilen kann. Außerdem soll er unter der Kleidung elektronische Sensoren tragen, die dauernd seine Lebensfunktionen überwachen und Signale an medizinische Gerätschaften im dritten Stock schicken, die sie dann an einen unbekannten Ort irgendwo in Europa weiterleiten.«

»Bei seinem Alter kann ich das verstehen. Er muß über neunzig sein.«

»Man sagt, er sei über hundert.«

»Und trotzdem im Vollbesitz seiner Kräfte?«

»Wenn er Schach spielt, Monsieur, würde ich nicht gegen ihn setzen wollen.«

»Diese Übertragungsmaschinen, *chlopak*«, mischte sich der Colonel ein. »Wenn die auf Weiterschaltung programmiert sind, kann man sie auch zerlegen und diese unbekannten Orte herausfinden.«

»Jedenfalls würden sie uns zu den Geldquellen führen, den Transferpunkten. Deshalb wird er rund um die Uhr überwacht. Wenn er tot umfällt, dann gehen die Safetüren zu, bis andere Anweisungen kommen.«

»Und wenn wir die Orte ausfindig machen können, dann wissen wir auch, wo diese Anweisungen herkommen«, fügte Witkowski hinzu. »Wir müssen da hinauf!«

Drew wandte sich wieder der zwar äußerlich ruhigen, aber dennoch sichtlich verängstigten Elyse zu. »Wenn Sie lügen, verbringen Sie den Rest Ihres Lebens in einer Zelle.«

»Warum sollte ich in einer solchen Situation lügen, Monsieur? Sie haben mir doch keinen Zweifel gelassen, daß ich einiges für meine Freiheit tun muß.«

»Ich weiß nicht. Sie sind intelligent, vielleicht glauben Sie, daß wir den Tod finden, während wir versuchen dort hineinzukommen, und dann könnten Sie ja wieder die Rolle des gutbezahlten Callgirls spielen, das überhaupt nichts weiß. Das könnte klappen.«

»Das würde sie nicht überleben, Monsieur«, sagte Nummer Zwei. »Ich werde sie an das Tor in der Mauer fesseln mit *plastique* zwischen den Beinen, das ich mit meiner elektronischen Fernsteuerung zur Explosion bringen kann.«

»Herrgott, ich wußte gar nicht, daß Sie solche Dinge mitgebracht haben!«

»Ich habe der Liste noch einiges hinzugefügt, *chlopak.*«

»Ich biete Ihnen eine bessere Lösung an«, sagte das Callgirl und griff nach der Schulter des jungen Mädchens. »Ich biete Ihnen uns beide an.«

»*Moi aussi?*« quiekte das Mädchen im Minirock. »Was sagst du da, Elyse?«

»Sei still, *ma petite* … Sie wollen doch in das Adlernest, *n'est-ce pas?* Ich denke, daß das mit uns leichter sein würde, als ohne uns.«

»Wieso?« fragte Lennox.

»Wir sind mit vielen Angestellten und den meisten Wachen recht vertraut. Wir können Sie durch die Küche in das *grand foyer* bringen, wo die große Freitreppe ist. Die hinteren Treppen führen, wie Sie auf den Plänen sehen können, durch kleinere Salons auf der rechten Seite. Das könnten wir für Sie tun und dann noch etwas anderes äußerst Wichtiges. Sie werden einen der Adjutanten des alten Mannes brauchen, um sich Zugang zum obersten Stockwerk zu verschaffen, falls Sie soweit kommen. Insgesamt sind es fünf, alle bewaffnet, und ihre Quartiere befinden sich ebenfalls im dritten Stock, aber der eine oder der andere hat immer Dienst. Er bleibt in der Bibliothek, im vorderen Teil des Châteaus, wo der *patron* oder jemand aus seinem Stab ihn sofort erreichen kann. Ich werde Ihnen die Tür zeigen.«

»Und wir?« fragte Nummer Eins. »Wie wollen Sie uns erklären?«

»Darüber habe ich nachgedacht. Die Sicherheitsvorkehrungen hier sind immens und sehr vielfältig, deshalb herrscht hier ein ständiges Kommen und Gehen von Technikern, die die Anlagen überprüfen. Ich werde sagen, daß Sie eine Streife von außen sind, die man geschickt hat, um das Gelände außerhalb der Mauern zu überwachen. Ihre Kleidung wird meine Lüge bestätigen.«

»Ich spreche ganz gut Deutsch und werde deshalb die Erklärung übernehmen. Es könnte allerdings auffallen, daß meine Uniform so schlecht sitzt«, sagte Dietz.

»Das kommt daher, weil Sie zwei Anzüge übereinander tragen.«

»Wir gehen das falsch an ... Ziehen Sie sich aus, Captain, bis auf die Unterhosen!«

Ein paar Minuten später hatten Lennox und Dietz wieder die paramilitärischen Uniformen der Neonaziwachen angelegt, die diesmal tatsächlich wesentlich besser saßen. In ihren Gürteln steckten Messer, Garotten und kleine automatische Berettas.

»Ziehen Sie sich die Hemden straff, ganz besonders hinten«, befahl der Colonel. »Dann merkt man nicht, daß sie immer noch etwas zu weit sind.«

»Fertig, Leute?« sagte Dietz, nahm die beiden Maschinenpistolen und reichte Lennox eine davon.

»Ja, es kann losgehen.« Drew wandte sich den beiden Frauen zu, die sich aus ihren Liegestühlen erhoben, die junge Adrienne verängstigt und zitternd, die ältere Elyse bleich und resignierend. »Ich gebe kein Urteil ab, ich stelle nur fest«, fuhr Lennox fort, »Sie haben Angst, und die habe ich auch, weil ich das, was diese zwei jungen Burschen tun, gewöhnlich nicht tue – aber ich wurde dazu gezwungen. Glauben Sie mir, irgend jemand muß es tun, mehr kann ich Ihnen nicht sagen. ... Gehen wir jetzt.«

44

Zwei Männer an einem langen blankgescheuerten Tisch waren die ersten, die Lennox und Dietz in ihren Uniformen zur Tür hereinkommen sahen. Einer der Männer war damit beschäftigt, Gemüse zu hacken, der andere strich gerade etwas durch ein Sieb. Sie sahen einander verblüfft an, dann wanderten ihre Blicke wieder zu Drew und dem Captain, die in militärischer Haltung zur Seite traten, um den mit einem Tarnanzug bekleideten Witkowski vorbeizulassen. Mit starrer Miene machten beide eine Naziehrenbezeugung, als wäre der Colonel ein Mann von erheblichem Rang, ein Eindruck, den der G-2-Veteran sofort verstärkte. »*Sprechen Sie Deutsch? Parlez-vous français?*« bellte er.

»Deutsch«, sagte der verblüffte Koch und fuhr dann in deutscher Sprache fort. »Hier wird gekocht und deshalb vertraut man nur uns … wenn Sie gestatten, wer – wer sind Sie?«

»Das ist Oberst Wachner vom Vierten Reich!« erklärte Dietz militärisch knapp, wobei er starr nach vorne blickte. »Er und seine Kollegen vom Sicherheitsdienst haben Anweisung aus Berlin, das Außengelände zu überprüfen. Ohne Voranmeldung. Bringen Sie jetzt die Frauen!«

Auf diese Anweisung kamen die beiden *agents*, die die beiden Callgirls am Arm hielten, durch die offene Tür herein.

»Können Sie diese Frauen identifizieren?« herrschte Witkowski die Küchenangestellten an. »Wir haben die beiden draußen am Pool frei rumlaufen sehen. Das ist hier alles sehr lasch!«

»Das ist uns erlaubt, Sie Schwachkopf!« erregte sich Elyse. »Mir ist egal, wer Sie sind. Sagen Sie Ihren Affen, sie sollen die Hände wegnehmen.«

»Also?« schnarrte ›Oberst Wachner‹, mit einem finsteren Blick auf die beiden Köche.

»Oh ja, Herr Oberst«, sagte der eine Koch, »sie sind Gäste hier.«

»Und wir brauchen uns nicht von Fremden begrapschen zu lassen. Wir sind nur für die Gäste da, die man uns wie es sich gehört vorgestellt hat!« Elyse funkelte Witkowski an. Der Colo-

nel nickte, worauf die *agents du combat* die beiden Frauen los-
ließen. »Ich glaube, Sie sollten sich bei uns entschuldigen«, sagte
das ältere der beiden Callgirls.

»*Madame.*« Der Colonel knallte die Haken zusammen,
senkte den Kopf ruckartig etwa ein oder zwei Zoll und wandte
sich dann wieder den Köchen zu. »Wie Sie sich wahrscheinlich
vorstellen können, haben wir Auftrag, die Sicherheitsmaßnahmen hier ohne irgendwelche Störung seitens der Verantwortlichen zu überprüfen, die sonst ja irgendwelche Schwachstellen
noch schnell beseitigen könnten. Sind Sie beide im Augenblick
die einzigen, die Dienst haben?«

»Im Augenblick ja, Herr Oberst. Unser Kollege Stoltz ist vor
einer Stunde auf sein Zimmer gegangen. Er muß um sechs Uhr
wieder aufstehen und das Frühstücksbüffet aufbauen.«

»Sehr gut, dann werden wir jetzt unsere Inspektion fortsetzen. Wenn irgend jemand sich nach uns erkundigen sollte, dann
wissen Sie von nichts.«

»Alles klar«, sagte der Mann und nickte. »Aber wenn Sie erlauben, Herr Oberst – ich will ja wirklich in jeder Weise behilflich sein –, die Wachen im Haus haben Anweisung, auf jeden
Eindringling zu schießen. Ich möchte nicht schuld sein, wenn
Ihnen etwas passiert – Sie verstehen doch?«

»Denken Sie sich da nichts«, erwiderte Stanley Witkowski
und holte seinen amerikanischen Ausweis heraus und verkündete mit dem ganzen Aplomb seiner polnischen Vorfahren:
»Wenn sonst nichts, wird sie das dazu bringen, die Waffen weg-
zustecken.« Er steckte den Ausweis schnell wieder ein. »Außerdem werden wir die Damen mitnehmen. Die große hier hat ein
lautes Mundwerk. Sie wird schon dafür sorgen, daß uns nichts
passiert!«

Angeführt von Lennox und Dietz an der Spitze trat das
franko-amerikanische Invasionskommando durch die Doppel-
tür in die große Halle des Château. Eine breite von Wandkande-
labern beleuchtete Freitreppe führte ins Obergeschoß, dahinter
verbarg ein Bogen den Zugang zu weiteren abgedunkelten Räumen mit imposanten hohen Decken, und rechts neben den breiten Doppeltüren des Eingangsportals schimmerte unter einen
kleineren Tür Licht durch heraus.

»Das ist die Bibliothek, Monsieur«, flüsterte Elyse Drew zu. »Dort hält sich gewöhnlich der diensthabende Adjutant auf, aber Sie müssen schnell handeln und vorsichtig sein. Es gibt überall Alarmanlagen. Das weiß ich, weil ich manchmal selbst daran gedacht habe, eine einzuschalten.

»Halt!« rief eine nur silhouettenhaft sichtbare Gestalt, die plötzlich auf dem Treppenabsatz erschienen war.

»Wir sind eine Sondereinheit aus Berlin!« rief Dietz dem Mann halblaut zu und rannte die Treppe hinauf.

»Was geht hier vor?« Der Wachmann hob seine Waffe, aber da hatte Dietz bereits schnell hintereinander zwei Schüsse aus seiner schallgedämpften Automatik abgegeben, ohne stehenzubleiben, war dann bei dem zu Boden gesunkenen Mann angelangt, zerrte ihn zur Treppe und rollte ihn die Stufen hinunter.

Die Tür der Bibliothek öffnete sich, und ein Mann in einem dunklen Anzug mit einer langen Zigarettenspitze in der linken Hand kam heraus. »Was soll der Lärm?« fragte er in deutscher Sprache. Lennox riß die Garotte aus dem Gürtel, warf sie Monlucs Adjutanten über den Kopf und zog sie straff und stellte sich hinter den Nazi. Dann lockerte er den Stahldraht etwas.

»Sie tun jetzt genau, was ich Ihnen sage, sonst drehe ich zu und dann sind Sie ein toter Mann!«

»Amerikaner!« stieß der Neonazi halberstickt hervor und ließ seine Zigarettenspitze fallen. »Sie sind ein toter Mann!«

»Oberst Klaus Wachner«, sagte Witkowski und baute sich vor dem Mann auf und starrte in sein verzerrtes Gesicht. »Was man sich über Ihre laschen Sicherheitsvorkehrungen erzählt, scheint also zu stimmen«, fuhr er mit schroffer Stimme und in deutscher Sprache fort. »Berlin – und auch Bonn – ist informiert! Wir haben uns Zugang verschafft, und wenn wir das konnten, dann können unsere Feinde das auch!«

»Sie sind verrückt, ein Verräter. Der Mann, der mich würgt, ist ein Amerikaner!«

»Ein angesehener Soldat des Vierten Reiches, mein Herr. Ein Sonnenkind!«

»Das glaube ich nicht!«

»Doch. Sie werden tun, was er sagt, sonst lasse ich ihn mit Ihnen machen, was er will. Er verachtet jegliche Art von Unfähigkeit.« Witkowski bedeutete Lennox mit einer Kopfbewegung, die Garotte noch mehr zu lockern.

»Danke«, keuchte Monlucs Adjutant und griff sich an den Hals.

»Zwei«, sagte Drew und nickte dem zweiten *agent* zu. »Kümmern Sie sich um diesen Schwachkopf! Gehen Sie die hintere Treppe hinauf; die führt durch diese anderen Räume –«

»Ich weiß, wo die Treppe ist, Monsieur«, fiel ihm der Franzose ins Wort. »Ich weiß nur nicht, wer dort ist.«

»Ich komme mit«, sagte Dietz. »Ich beherrsche die Sprache, und außerdem habe ich meine Automatik.«

»Schalten Sie sie auf Schnellfeuer«, befahl Lennox.

»Ist schon geschehen, Cons-Op.«

»Nach den Plänen«, fuhr Drew fort, »ist das ganze Stockwerk von einem Korridor mit einer Mauer umgeben. Wenn Sie oben sind, bringen Sie ihn in die Mitte.«

»Es sei denn, es gibt Schwierigkeiten«, wandte Dietz ein.

»Was wollen Sie damit sagen, Captain?«

»Sie wissen genausowenig wie ich, was uns dort oben erwartet. Angenommen, wir geraten unter Beschuß, dann muß einer von uns die Bude hochgehen lassen. Ich schiebe die Hand von diesem Mistkerl in einen Türschlitz, öffne sie und werfe Handgranaten hinein.«

»Das werden Sie nicht tun, und das ist eine ausdrückliche Anweisung!«

»Das ist aber üblich, Cons-Op. Wir riskieren doch nicht unser Leben, um dann eine Niete zu ziehen.«

»Wir brauchen das, was dort oben ist. Verdammt, wir können es nicht einfach in die Luft jagen! Ehe ich das zulasse, fordere ich den Einsatztrupp an, der unten an der Straße wartet.«

»Dafür wird keine Zeit sein! Das werden die Neonazis selbst machen!«

»Hören Sie auf!« rief Elyse. »Ich habe doch angeboten, daß wir beide Ihnen helfen, und das Angebot steht immer noch. Adrienne wird Ihrem Captain und dem Nazi auf der hinteren Treppe vorangehen, und ich werde vor Ihnen sein, Monsieur. Die Wachen werden nicht gleich auf eine von uns beiden schießen, dazu kennen wir uns zu gut.«

»Okay! ... Gehen wir. Ich hoffe nur, daß ich die richtige Entscheidung getroffen habe.«

»Sie haben keine Wahl, junger Mann«, sagte der Colonel mit leiser Stimme. »Sie haben das Kommando und müssen wie alle Anführer auf Ihre Leute hören, deren Vorschläge auswerten und dann Ihre eigene Entscheidung treffen. Das ist nicht leicht.«

»Ersparen Sie mir diesen militärischen Quatsch, Stanley, ich würde lieber Eishockey spielen.«

Elyse, die in ihrem durchscheinenden, weißen Abendkleid eine königliche Gestalt abgab, schritt die Freitreppe hinauf. Drew, der Colonel und *agent* Eins folgten zehn Schritte hinter ihr.

»Liebling!« flüsterte eine Wache im Flur hinter dem Treppenabsatz eindringlich. »Du bist wohl diesen Säufer aus Paris losgeworden, wie?«

»Ja, Liebster, ich bin viel lieber bei dir. Ich langweile mich.«

»Alles ist ruhig, komm – oh, wer ist das denn? Hinter dir?«

Agent Eins gab einen Schuß aus seiner schallgedämpften Waffe ab. Die Wache sackte auf das Geländer, rutschte langsam darüber und fiel auf den Marmorboden im Erdgeschoß.

Auf der hinteren Treppe herrschte Dunkelheit; die einzige Lampe weit über ihnen erzeugte mehr Schatten als Licht. Adrienne stieg Schritt für Schritt die steile Treppe hinauf. Sie zitterte am ganzen Körper, und in ihren Augen stand die Angst. Jetzt hatten sie das Obergeschoß erreicht.

»Halt, wer da?« fragte eine scharfe Stimme, im gleichen Augenblick zuckte der Lichtkegel einer starken Taschenlampe über das Treppenhaus. »Nein!«

Agent Zwei feuerte; die Naziwache stürzte und blieb am Treppengeländer hängen. »Weiter!« befahl Captain Dietz. »Noch zwei Stockwerke.«

Sie kletterten weiter, Adrienne liefen die Tränen über die Wangen. Sie schneuzte sich in den Stoff ihrer Bluse.

»Jetzt ist es nicht mehr weit, *ma chérie*«, flüsterte *agent* Zwei dem jungen Mädchen mit sanfter Stimme zu. »Sie sind sehr tapfer, das werden wir auch allen sagen.«

»Bitte sagen Sie es meinem Vater!« wimmerte das junge Mädchen. »Er haßt mich!«

»Das werde ich persönlich tun. Sie sind eine echte Heldin.«

»Wirklich?«

»Geh weiter, Kind.«

Lennox, Nummer Eins und der Colonel blieben ruckartig auf der Treppe stehen, als sie sahen, wie Elyse hinter dem Rücken die Hand bewegte. Sie drückten sich an die im Schatten liegende Wand und warteten. Jetzt tauchte im zweiten Stock am Treppenabsatz ein blonder Wachsoldat auf; er war sichtlich erregt und verärgert. »Elyse, haben Sie Adrienne gesehen?« fragte er in deutscher Sprache. »Sie ist nicht im Zimmer von diesem Schwein Heinemann. Er ist ebenfalls nicht da, und die Tür steht offen.«

»Die haben wahrscheinlich einen Spaziergang gemacht, Erich.«

»Dieser Heinemann ist ein widerlicher Kerl, Elyse.«

»Du wirst doch nicht eifersüchtig sein, mein Lieber. Du weißt doch, daß das für uns ein rein professioneller Einsatz ist. Das hat mit Gefühlen nichts zu tun.«

»Mein Gott, sie ist viel zu jung dafür.«

»Das habe ich ihr auch gesagt.«

»Du weißt doch, daß Heinemann durch und durch pervers ist? Ein ekelhafter Bursche.«

»Zerbrich dir darüber nicht den Kopf.«

»Mir ist das alles hier widerwärtig!«

»Warum bleibst du dann hier?«

»Ich habe keine Wahl. Mein Vater hat mich gemeldet, als ich noch auf die Oberschule ging, und da war ich sehr beeindruckt. Die Uniformen, die Kameradschaft und dann auch, daß wir alle so etwas wie Ausgestoßene waren. Mich haben sie ausgewählt, um bei den Versammlungen die Fahne zu tragen. Man hat Fotos von mir gemacht.«

»Du kannst immer noch weggehen, Erich.«

»Nein, das kann ich nicht. Die sind während meines ganzen Studiums für meinen Lebensunterhalt aufgekommen, und außerdem weiß ich zuviel. Die würden Jagd auf mich machen und mich töten.«

»Erich!« rief eine Männerstimme aus dem Hintergrund. »Kommen Sie her!«

»Wenn ich Adrienne sehe, werde ich ihr sagen, daß du – daß du dir Sorgen gemacht hast.«

»Du bist so nett, Elyse.«

»Danke.«

Erich lief weg, und Elyse ging ein paar Treppen zurück und flüsterte den drei Eindringlingen an der Wand zu: »Töten Sie den nicht. Er könnte Ihnen nützlich sein.«

»Was sagt sie da?« wollte Drew wissen.

Der Colonel erklärte es ihm, während Elyse wieder die Treppe hinaufging. »Sie hat gesagt, wir sollen ihn nicht erledigen, und sie hat recht.«

»Warum?«

»Er will hier raus und weiß eine ganze Menge. Weiter!«

Der Treppenabsatz im dritten Stock war, um Witkowskis Worte zu gebrauchen, nicht sehr ermutigend. Eine zusätzliche Mauer umgab wie eine Art Bogengang das ganze obere Stockwerk. Vermutlich war es an der hinteren Treppe genauso. An dem Zugang standen zwei Wachen, dahinter war ein weiterer Mann zu erkennen, der auf einer Bank saß. Wieder blieben Lennox, Nummer Eins und der Colonel zurück, während Elyse auf die Wachen zuging.

»Halt!« brüllte der Neonazi auf der rechten Seite, riß seine Pistole heraus und zielte damit auf den Kopf des Callgirls. »Was haben Sie hier oben verloren? Es ist streng verboten, diese Treppe heraufzukommen!«

»Dann sollten Sie vielleicht einmal bei Herrn Dingsbums in der Bibliothek nachfragen. Er hat mich von dem neuen Mann aus Paris weggeholt und mir befohlen, so schnell wie möglich hierherzukommen. Was soll ich da machen?«

»Was ist da los?« rief der Mann, der auf der Bank gesessen hatte, und kam auf die beiden Männer vorne am Eingang zu. »Wer sind Sie?« schrie er.

»Wir haben nur Vornamen, das wissen Sie ganz genau«, erwiderte die Frau wütend. »Ich bin Elyse, und ich verbitte mir dieses unhöfliche Verhalten. Dieser Typ in der Bibliothek hat mich angewiesen, hierherzukommen, und ich befolge meine Befehle genauso wie Sie die Ihren.« Plötzlich sprang Elyse aus der Schußlinie und schrie: »Jetzt!«

Ein paar kaum hörbare Schüsse fielen, und die drei Wachen brachen zusammen. Das Einsatzteam unter der Führung von Drew rannte die Treppe herauf und vergewisserte sich, daß alle drei tot waren. Dann warteten sie an die innere Wand gelehnt. »Verschwinden Sie jetzt hier!« sagte Lennox zu Elyse, die jetzt neben sie getreten war. »Sie haben Ihre Freiheit, Lady, und wenn ich dafür den Quai d'Orsay in die Luft jagen muß.«

»*Merci, Monsieur.* Ihr Französisch wird von Mal zu Mal besser.«

»Gehen Sie zurück in die Küche«, sagte Witkowski. »Erzählen Sie denen über uns, was Sie wollen, und sorgen Sie dafür, daß alle ruhig bleiben.«

»Das ist kein Problem, *mon colonel.* Ich werde mich auf einen Tisch setzen und den Rock ein wenig anheben. Das wird sie ganz bestimmt beruhigen, äußerlich wenigstens ... *Au revoir.*«

»Wie Ihr *capitaine* gesagt hat, die Welt ist einfach nicht fair«, murmelte Nummer Eins, als Elyse nach unten verschwand.

»Wo sind die?« sagte Drew. »Sie sollten inzwischen hier sein!«

Auf der schmalen hinteren Treppe schob Nummer Zwei den Adjutanten von General Monluc, der immer noch die Würgeschlinge um den Hals trug, die Treppe hinter Dietz und dem jungen Callgirl hinauf. Jetzt kamen sie zum Stillstand.

»Bist du das, Adrienne?« sagte eine ruhige Stimme im zweiten Stock. »Was machst du hier?«

»Ich wollte dich sehen, Manfred«, wimmerte das Mädchen. »Die sind alle so gemein zu mir, und ich wußte, daß du hier bist.«

»Wie konntest du das wissen, Kleines? Die Einteilung ist doch geheim.«

»Wenn die Adjutanten zuviel getrunken haben, können sie den Mund nicht halten.«

»Das werden die bereuen, mein liebes kleines Mädchen. Komm rauf, hier ist ein schöner weicher Teppich, da können wir es uns bequem machen. Habe ich dir schon gesagt, daß deine Brüste jedesmal schöner sind, wenn du hierherkommst?«

»Bringt ihn um!« schrie Adrienne und preßte sich gegen die Wand.

Zwei gedämpfte Schüsse, und die Wache Manfred fiel. Zwei mußte die Würgeschlinge etwas anziehen, dann gingen sie weiter zum letzten Stockwerk. Auf den ersten Blick schien es unmöglich, sich dort Zugang zu verschaffen. Unmittelbar an das Treppenhaus anschließend war ein drei Meter breiter Gang zu erkennen, mit einem Wachmann in der Mitte und einem weiteren, der hinter ihm auf einer Bank döste.

»Kennen Sie ihn?« flüsterte Dietz Adrienne in französischer Sprache ins Ohr.

»*Non, monsieur*. Er ist neu. Ich habe ihn zwar schon gesehen, aber das ist alles.«

»Wissen Sie, ob er Deutscher oder Franzose ist?«

»Ganz bestimmt Deutscher. Fast alle Wachen sind Deutsche, aber viele sprechen Französisch, die Gebildeteren zumindest.«

»Ich werde jetzt etwas tun, was Sie wahrscheinlich erschrecken wird, aber ich möchte, daß Sie ganz ruhig und gelassen bleiben, haben Sie verstanden?«

»Was werden Sie tun?«

»Es wird ein großes, helles Feuer geben, aber es wird nicht lange dauern. Das war die Idee des Colonel.«

»*Le colonel?*«

»Der Große, der Deutsch spricht.«

»*Oh, oui!* Und was ist das?«

»Das nennt sich Blendgranate«, sagte Dietz und holte ein kleines Papprohr aus seiner rechten Tasche und zündete die Zündschnur hinter vorgehaltener Hand mit einem Streichholz an. Er spähte um das Treppengeländer herum, wartete kurz, dabei die Zündschnur scharf im Auge behaltend, und warf die Blendgranate dann an der Wache vorbei die schmale Treppe hinauf. Der Neonazi zuckte zusammen, als er hörte, wie etwas an ihm vorbeiflog und auf den Boden fiel; ehe er richtig begriffen hatte, was vor sich ging, gab es eine Explosion und einen grellen, weißen Flammenschein, der ihn blendete. Er stieß einen Schrei aus, und der Posten hinter ihm fuhr in die Höhe; er zeichnete sich deutlich vor den grellen Flammen ab. In seiner Panik gab er ein paar Schüsse aus seiner Automatik ab, die ins Treppenhaus peitschten. Adrienne stieß einen Schmerzensschrei aus; sie war am Bein getroffen worden. Dietz zog sie zurück, während Monlucs Adjutant, den Agent Zwei immer noch festhielt, aufstöhnte und dann verstummte. Der Kopf fiel ihm nach vorne; eine Kugel hatte ihn in den Schädel getroffen. Dietz schob seine Waffe um das Treppengeländer herum und jagte einen Feuerstoß nach oben. Die zweite Wache wurde herumgerissen, drehte sich um die eigene Achse und fiel schließlich auf die Leuchtbombe. Überall quoll schwarzer Rauch, als Dietz das junge Mädchen an den Beinen packte, sie sich über die Schultern legte und die Treppe hinaufeilte.

»Bringen Sie diesen Mistkerl rauf!« befahl er *agent* Zwei in französischer Sprache.

»*Il est mort, mon capitaine.*«

»Seine Zukunft ist mir scheißegal, ich will bloß seine Hand, und die ist hoffentlich noch nicht kalt.«

Sie rannten nach links, Dietz mit Adrienne über der Schulter, der Franzose den Nazi neben sich herschleifend. Wenige Sekunden später hatten sie die bogenförmige Öffnung in der Mauer erreicht. Lennox, Witkowski und Nummer Eins erwarteten sie bereits. Dietz ließ das Mädchen vorsichtig zu Boden; es war bewußtlos.

»Ziemlich häßlich«, sagte der Colonel, nachdem er sich die Wunde angesehen hatte, »aber die Blutung ist nur schwach.« Er riß seine Würgeschlinge aus dem Gürtel und legte dem Mädchen eine provisorische Adernpresse an. »Das sollte eine Weile halten.«

Eins und Zwei hatten inzwischen den toten Nazi dicht neben einer schwach beleuchteten Vertiefung an die Wand gedrückt. Dabei handelte es sich vermutlich um den elektronischen Scanner, in den man die Hand einschieben mußte. Wenn der Handabdruck einem gespeicherten Muster entsprach, würde sich die dicke Stahltür vermutlich öffnen. Falls der Abdruck nicht paßte, würde in den mächtigen Gewölben dahinter ein Alarm ausgelöst werden.

»Fertig, Monsieur?« fragte Zwei und griff nach der leblosen rechten Hand des Neonazis.

»Augenblick!« sagte Lennox. »Was ist, wenn er Linkshänder ist?«

»Was?«

»Die Photozellen würden den Abdruck nicht anerkennen, und dann wird der Alarm ausgelöst. So funktionieren diese Dinger.«

»Wir können ihn aber schlecht wecken und fragen, Monsieur.«

»Diese Zigarettenspitze – er hatte sie in der linken Hand ... sehen wir in seinen Taschen nach.« Sie durchsuchten die Taschen des Toten. »Münzen und Geldspange – linke Hosentasche«, fuhr Drew fort, »Zigaretten linke Jackentasche; zwei Kugelschreiber, rechte Innentasche der Jacke, und das ist ein maßgefertigter Anzug, keiner von der Stange.«

»Ich verstehe nicht –«

»Linkshänder greifen nach rechts in die Tasche, um einen Stift herauszuholen, so wie ein Rechtshänder wie ich nach links greift. Das ist einfacher so.«

»Und Ihre Entscheidung, Monsieur?«

»Ich muß mich auf mein Gefühl verlassen«, sagte Lennox und atmete tief durch. »Ziehen Sie ihn auf die andere Seite, dann werde ich seine linke Hand hineinschieben.«

Die Franzosen schoben die Leiche an der Wand entlang auf die rechte Seite der Vertiefung. Drew packte das linke Handgelenk und schob es so langsam und vorsichtig, als würde er eine komplizierte Bombe entschärfen, in die Wandvertiefung und drückte dann die Handfläche innen auf die Glasscheibe. Niemand wagte zu atmen, bis die große Stahltür sich lautlos öffnete. Der tote Nazi fiel zu Boden, und die vier Männer gingen hinein. Der Raum, den sie betraten, wirkte eher wie ein Alptraum als wie der Wohnraum eines Menschen.

Der riesige Raum hatte den Grundriß eines Oktagons mit einer Glaskuppel in der Decke, durch die das Mondlicht hereinströmte. Elyse hatte ihn als Pharaonengrab bezeichnet, eine bewohnte Grabstätte, und Lennox mußte zugeben, daß sie in gewisser Hinsicht recht hatte. Es herrschte eine gespenstische Stille. Von draußen kam kein Laut herein, und anstelle der Besitztümer eines Pharao, die ihn begleiten sollten, gab es eine ganze Wand voll medizinischer Gerätschaften, die verhindern sollten, daß er jene Reise antrat. In jede der acht Wände des Oktagons war eine

Tür eingelassen. Elyse hatte ihnen gesagt, daß General Monlucs Adjutanten ihre Quartiere innerhalb des Grabmals hatten. Fünf Türen mußten also den Männern in den dunklen Anzügen gehören, blieben drei, von denen eine vermutlich in ein Bad führte, während hinter den zwei restlichen Fragezeichen standen.

All das wurde den Betrachtern beim zweiten und dritten Blick bewußt. Aber, was jedem, der den Raum zum ersten Mal betrat, zunächst ins Auge fallen mußte, waren die ins Groteske vergrößerten Fotografien überall an den Wänden, alle von einer indirekten Beleuchtung in blutrotes Licht getaucht, die so etwas wie ein Archiv der Nazigreueltaten darstellten. Es war wie ein finsterer Korridor in einem Holocaustmuseum – die Scheußlichkeiten, die Hitlers fanatische Horden den Juden und anderen ›unerwünschten‹ Elementen zugefügt hatten, mit Fotografien von aufgestapelten, nackten Leichen. Daneben waren Bilder von blonden Männern und Frauen – mutmaßlich Verrätern – die man aufgehängt hatte und deren qualvoll verzerrte Gesichter daran erinnerten, daß jeder abweichende Gedanke verboten war. Nur ein besonders kranker Geist konnte nachts aufwachen und Freude an diesem obszönen Kaleidoskop haben. Doch noch mehr zog einen die mit einem Nachthemd bekleidete Gestalt auf dem Bett in den Bann. Sie war im Gegensatz zu dem dunkelroten Licht der Wände in weiches, weißes Licht getaucht. Ein sehr, sehr alter Mann ruhte dort auf Kissen, die ihn zwergenhaft erscheinen ließen, sein verschrumpeltes Gesicht war in der Seide eingesunken, als läge er in einem Sarg. Und was für ein Gesicht! Je näher man hinsah, desto hypnotischer wurde der Bann, der von ihm ausging.

Die eingesunkenen Wangen, die tiefliegenden Augen! Sie hätten ebenso einem Skelett gehören können. Der kurze Schnurrbart unter der Nase, jetzt schneeweiß, aber präzise gestutzt; das bleiche Gesicht, von dem man sich gut vorstellen konnte, wie es sich früher einmal auf der Rednerbühne in Wut hineingesteigert hatte – das alles war da! Selbst das berühmte Zucken im rechten Auge, das auf den Attentatsversuch in der Wolfsschanze zurückzuführen war. Alles da!

»Heilige Madonna!« flüsterte Witkowski. »Ist das die Möglichkeit?«

»Unmöglich ist es nicht, Stanley. Es würde eine Menge Fragen beantworten, die fünfzig Jahre lang gestellt worden sind. Ganz besonders die: Wer waren die beiden verkohlten Leichen in jenem Bunker wirklich? ... Aber dafür ist jetzt keine Zeit, Stosh. Wir müssen dieses Pharaonengrab sichern, ehe es wirklich eines wird.«

»Rufen Sie die französische Sondereinheit.«

»Erst nachdem wir uns vergewissert haben, daß es hier keine Schaltungen für Selbstzerstörung gibt, denn wenn irgendwo etwas zu finden ist, dann in diesen Räumen ... Wir werden die anderen vier Adjutanten unseres Pharaos herausholen.«

»Und wie wollen Sie das anstellen, *chlopak?*«

»Immer hübsch eines nach dem anderen, Colonel. Die Türen haben Knöpfe, und ich gehe mit Ihnen jede Wette ein, daß sie nicht von innen versperrt sind. Nicht im Vierten Reich, wo es in den oberen Rängen ganz bestimmt kein Privatleben gibt, ganz besonders, da ja Monluc – oder wer auch immer er sein mag – von ihnen umgeben ist.«

»Einleuchtend«, räumte Witkowski ein, »Sie fangen an, erwachsen zu werden, mein Junge, Sie werden immer schlauer.«

»Vielen Dank für das Kompliment.« Lennox gab Dietz und den französischen *agents* mit einer Handbewegung zu verstehen, daß sie sich mit ihm und dem Colonel zur Stahltür begeben sollten. Dann erteilte er seine Anweisungen im Flüsterton und die drei Männer machten sich an die Arbeit. Eine Tür nach der anderen wurde geöffnet und geschlossen, blaue Lichtkegel aus Taschenlampen zuckten durch die Nacht, als die Türen zum zweitenmal geschlossen wurden. Nach der achten Tür erstattete Captain Dietz Drew Meldung.

»Keiner von diesen Drecksäcken wird sich die nächsten paar Stunden bewegen.«

»Und da sind Sie ganz sicher? Sind sie gefesselt, ohne ein Stück Glas oder ein Messer oder eine Rasierklinge in der Nähe?«

»Sie sind alle gut verpackt, Cons-Op, aber das brauchten wir eigentlich gar nicht.«

»Was wollen Sie damit sagen?«

Dietz holte eine Injektionsspritze und ein kleines Fläschchen aus der Tasche. »Etwa ein viertel Zoll pro Nase, stimmt's, Colonel?«

»Was?«

»Nun, Sie können ja auch nicht an alles denken, *chlopak*. Das war nur für alle Fälle ... in die linke Armvene, richtig Captain?«

»Ja, Sir. Nummer Zwei hat zugedrückt, damit ich sie nicht verfehlt habe.«

»Sie stürzen einen von einer Überraschung in die nächste, Stanley. Gibt es sonst noch etwas, was Sie mir nicht gesagt haben?«

»Da müßte ich nachdenken.«

»Bitte, vergessen Sie's«, flüsterte Lennox und wandte sich wieder Dietz zu. »Was war in den anderen drei Zimmern?«

»Das eine, das am nächsten beim Bett liegt, ist das größte Badezimmer, das Sie je zu Gesicht bekommen haben, überall Chromstangen, damit der alte Knabe sich bewegen kann. Die beiden anderen sind in Wirklichkeit nur ein Raum. Man hat die Wand dazwischen entfernt und alles mit Computerkram vollgestopft.«

»Volltreffer«, sagte Drew. »Jetzt brauchen wir nur noch jemanden, der mit diesem Zeug umgehen kann.«

»Ich dachte, wir hätten jemanden. Sie heißt Karin, falls Sie das vergessen haben sollten.«

»Mein Gott, Sie haben recht! Jetzt hören Sie mir zu, Dietz. Sie, unser Colonel Meisterspion hier und Nummer Eins und Zwei bleiben jetzt hier links und rechts vom Bett des alten Monluc –«

»Sie sagen, daß er Monluc ist«, fiel Dietz ihm ins Wort. »Aber ich sage, er ist jemand anders, und daran mag ich nicht einmal denken!«

»Dann lassen Sie es bleiben. Bauen Sie sich jedenfalls neben ihm auf, und wenn er aufwacht, dann lassen Sie nicht zu, daß er irgendetwas berührt. Keinen Knopf, keinen Schalter, keinen Draht, den er vielleicht herausziehen könnte, gar nichts! Wir müssen uns Zugang zu diesen Computern verschaffen und herausbekommen, was da drinnen verborgen ist.«

»Warum setzen wir denn nicht die Zaubernadel des Colonel ein, Cons-Op?«

»Was ...?«

»Statt einem Viertel Zoll vielleicht einen ganzen.«

»Ich weiß nicht, Captain«, sagte Witkowski. »Ich bin kein Arzt. In seinem Alter könnte das Zeug nicht gerade ungefährlich sein.«

»Dann eben nur einen Viertel Zoll. Was macht das schon für einen Unterschied?«

»Keine schlechte Idee«, flüsterte Drew. »Falls Sie es schaffen.«

»Hey, Nummer Zwei versteht sich prächtig auf Venen. Ich glaube, der war mal Sanitäter.«

»Alle Fremdenlegionäre sind als Sanitäter ausgebildet«, erklärte der Colonel. »Was werden Sie tun, Mr. Cons-Op?«

»Was Sie mir empfohlen haben. Ich schließe jetzt die Stahltür und rufe das Einsatzteam. Dann werde ich Karin und unserem Lieutenant Bescheid sagen, daß die mitkommen sollen.« Lennox holte sein Funkgerät heraus, wechselte die Frequenz und befahl der französischen Einheit die Zugangstore zu sprengen und dann die Lautsprecher einzusetzen, ehe sie das Schloß selbst angriffen. Dann schaltete er das Gerät auf die Frequenz Karins und des Lieutenants. »Hört mal zu, ihr beiden. Die Franzosen kommen jetzt rein. Wenn hier alles in Ordnung ist, melde ich mich wieder; und, Karin, du kommst dann, so schnell es geht, ins oberste Stockwerk, aber erst wenn alles unter Kontrolle ist! Nicht vorher! Verstanden?«

»Ja«, erwiderte der Lieutenant. »Ihr habt es also geschafft?«

»Wir haben es geschafft, Gerry, aber das ist noch lange nicht vorbei. Diese Leute sind faschistische Irre; die werden sich in allen Ecken und Winkeln verstecken, um einen von uns zu erledigen. Lassen Sie nicht zu, daß Karin vor Ihnen –«

»Ich bin durchaus imstande, solche Entscheidungen selbst zu treffen –«

»Ach, halten Sie doch den Mund! Ende!« Drew rannte zu Monlucs Bett hinüber, wo Nummer Zwei und Dietz sich gerade anschickten, den skelettartigen alten Mann völlig ruhigzustellen.

»Jetzt!« sagte Dietz. Nummer Zwei griff nach dem dünnen linken Arm und drückte das Fleisch an der Armbeuge auseinander. »Wo ist die Vene?« rief Dietz in Französisch.

»Er ist alt. Wenn Sie etwas Blaues sehen, drücken Sie einfach zu!«

»Mein Gott!« schrie das lebende Skelett, und dann quollen ihm plötzlich die Augen aus den Höhlen, und sein Mund verzerrte sich, das Zucken im rechten Auge wurde heftiger. Und was dann folgte, ließ Witkowski kalkweiß werden, und ein Zittern erfaßte seinen ganzen Körper. Der Erguß, der von den Lippen des alten Mannes kam, krächzend und dennoch durchdringend, war elektrisierend. »Wenn die Berlin bombardieren, werden wir London zerstören! Wenn die hundert Flugzeuge schicken, dann schicken wir Tausende und Abertausende, bis die Stadt nur noch Schutt und Asche ist! Wir werden den Engländern eine Lektion erteilen –« Der alte Mann sank in die Seidenkissen zurück.

»Puls überprüfen!« sagte Lennox. »Er muß am Leben bleiben.«

»Er geht schnell, aber ich spüre ihn, Monsieur«, sagte *agent* Zwei.

»Wissen Sie, was dieser Hurensohn gerade gesagt hat?« fragte Stanley Witkowski mit bleichem Gesicht. »Das war Wort für Wort das, womit Hitler auf den ersten Bombenangriff auf Berlin reagiert hat. Wort für Wort! … Ich kann das einfach nicht glauben.«

Unten auf der Straße vor dem Château feuerten jetzt Panzerfahrzeuge der Einsatzgruppe ihre Raketen ab und jagten die Torflügel in die Luft. Eine Stimme aus einem Lautsprecher dröhnte durch die Nacht, daß man sie Hunderte von Metern weit hören konnte. »Werfen Sie alle Ihre Waffen weg, sonst eröffnen wir das Feuer! Kommen Sie heraus und zeigen Sie sich ohne Waffen! Dies ist ein Befehl der Regierung. Unsere Männer werden jetzt dieses Château durchsuchen und auf jeden schießen, der sich in dem Gebäude befindet. Sie haben zwei Minuten, um unserer Anweisung nachzukommen!«

Langsam kamen Dutzende von Männern und Frauen mit erhobenen Händen heraus. Sie sammelten sich in der kreisförmigen Einfahrt, Wachen, Köche, Kellner und Callgirls. Die Stimme aus dem Lautsprecher fuhr fort: »Dies ist die letzte Aufforderung. Wenn jetzt noch jemand im Gebäude ist, eröffnen wir das Feuer.«

Plötzlich schlug ein blonder Mann im zweiten Stock eine Fensterscheibe ein und schrie: »Ich komme herunter, aber ich muß zuerst jemanden finden. Schießen Sie meinetwegen auf mich, aber ich muß sie finden. Sie haben mein Wort darauf, hier sind meine Waffen!« Wieder splitterte Glas und eine Pistole krachte auf die Steinplatten der Einfahrt, und gleich darauf

noch eine Maschinenpistole. Dann verschwand die Männerge-
stalt wieder.

»*Entrez*!« rief die Lautsprecherstimme, und dann rannten
acht Männer in Kampfanzügen auf die verschiedenen Eingänge
zu, wie Spinnen, die schnell auf Insekten zukriechen, die sich in
ihrem Gewebe verfangen haben. Gelegentlich waren vereinzelte
Schüsse zu hören, als einige unbelehrbare Fanatiker den Tod fanden. Schließlich kam ein Offizier zum Eingangsportal heraus
und schob einen betrunkenen Jacques Bergeron vor sich her.

»Wir haben unseren Verräter aus dem Deuxième!« verkündete
er. »Und er ist betrunken wie ein echter Politiker.«

»Genug. Lassen Sie die beiden anderen hinein.«

Karin und Lieutenant Anthony rannten durch das aufge-
sprengte Tor auf das Eingangsportal zu. »Er hat gesagt, wir sollen die Treppe hinaufgehen!« rief Karin de Vries, die dem Lieutenant vorausgerannt war.

»Würden Sie, um Himmels willen, bitte auf mich warten? Ich
soll Sie beschützen!«

»Wenn Sie zu langsam sind, Gerry, ist das nicht meine
Schuld.«

»Wenn man auf Sie schießt, reißt Cons-Op mir die Eier ab.«

»Ich habe selbst eine Waffe, Lieutenant, machen Sie sich keine
Sorgen.«

»Vielen Dank, Sie Amazone. Herrgott, tut dieser Arm weh!«

Plötzlich blieben beide stehen und blickten verblüfft auf das
Bild, das sich ihnen auf dem Treppenabsatz im zweiten Geschoß
bot. Ein blonder Wachsoldat hielt mit Tränen in den Augen eine
junge Frau in den Armen und trug sie die Treppe herunter. »Sie
ist verletzt, schwer verletzt«, sagte er, »aber sie lebt.«

»Sie waren der Mann im Fenster, stimmt's?« fragte Anthony.

»Ja. Wir beide sind befreundet. Sie hätte nie an diesen schrecklichen Ort kommen dürfen.«

»Tragen Sie sie hinunter und sagen Sie den anderen, sie sollen
sie zu einem Arzt schaffen«, sagte der Lieutenant. »Beeilen Sie
sich!«

»Danke.«

Dann standen sie im obersten Stockwerk vor der Stahltür,
wußten aber nicht, wie sie sie öffnen sollten, weil nirgends eine

Glocke oder dergleichen zu sehen war. »Drew wollte mich unbedingt hier haben, aber wie komme ich jetzt rein?«

»Haben Sie zu einem alten, jungen Lieutenant Vertrauen«, erwiderte Anthony, der die Vertiefung in der Mauer entdeckt hatte, in die man die Hand schieben mußte. »Wir werden jetzt einen Alarm auslösen ... dieses Zeug da war schon vor Jahren ein alter Hut.«

»Was reden Sie da?«

»Passen Sie auf.« Gerald Anthony schob die Hand in die Öffnung und drückte die Handfläche herunter. Sekunden später wurde die Stahltür von einem verblüfften Lennox geöffnet, während ohrenbetäubende Alarmglocken schrillten.

»Was, zum Teufel, haben Sie gemacht?« schrie Drew, um sich Gehör zu verschaffen.

»Schließen Sie die Tür, Boß, dann hört das auf.«

Lennox kam der Aufforderung nach, und der Alarm verstummte. »Woher haben Sie das gewußt?« fragte er.

»Verdammt noch mal, das sind nur einfache Kontaktschalter.«

»Woher haben Sie das gewußt?«

»Gewußt habe ich es nicht, aber es lag nahe. Diese Anlage ist ja schon ziemlich alt, also habe ich es einfach riskiert. Im übrigen, was soll's. Wir haben jetzt ja alles gesichert.«

»Streite dich nicht mit ihm, Drew«, sagte Karin und drückte Lennox kurz an sich. »Ich weiß, ich weiß, für Gefühle ist jetzt keine Zeit. Warum wolltest du mich so dringend hier haben?«

»Da ist ein Raum – genau genommen, zwei Räume – die bis zur Decke mit Computern vollgestopft sind. Zu denen müßten wir uns Zugang verschaffen.«

Nach einer Stunde kam Karin de Vries in Schweiß gebadet zur Tür heraus. »Dein Instinkt hat dich nicht getrogen, mein Lieber«, sagte sie zu Lennox. »Die sind davon ausgegangen, daß dieses Château nie enttarnt werden würde, und haben deshalb sämtliche Aufzeichnungen hier aufbewahrt. Ich habe beinahe zweitausend Eintragungen gefunden, aus denen klar hervorgeht, wer ein Mitglied der Nazibewegung ist. Auf der ganzen Welt.«

»Dann haben wir sie!«

»Viele, Liebster, aber nicht alle. Die werden wir nie finden. Das sind nur die Anführer, die brüllen und schreien und die Menschenmengen aufputschen. Und viele andere tun es auf subtilere Art, geben sich äußerlich großzügig und sind innerlich von Haß erfüllt.«

»Das ist sehr philosophisch gesprochen, Lady, aber ich rede hier von Unterlagen, die für eine Anklageerhebung ausreichen, Anklage gegen gottverdammte Nazis!«

»Die hast du jetzt, Drew. Vergiß aber nie, daß sie nur die Spitze des Eisbergs sind.«

Epilog

Ich bin ein gottverdammter Millionär!« rief Drew Lennox, der Hand in Hand mit Karin über die unbefestigte Straße in Granby, Colorado, ging. »Ich kann es immer noch nicht fassen.«

»Harry hat dich sehr geliebt«, sagte Karin und blickte ehrfürchtig auf die majestätischen Gipfel der Rocky Mountains. »Daran hast du doch nie gezweifelt, oder?«

»Ich habe es aber auch noch nie ausgesprochen. Abgesehen von ein paar Hunderttausend für Mom und Dad, die nie darauf zurückgreifen werden, hat er alles mir hinterlassen.«

»Was überrascht dich denn so?«

»Wo hatte er das alles her?«

»Das haben dir die Anwälte doch erklärt, Liebster. Harry war Junggeselle und hatte wenig feste Ausgaben. Er hat die Börsen auf der ganzen Welt studiert und ein paar höchst geschickte Investitionen getätigt. Das paßt doch gut zu ihm.«

»Harry«, sagte Drew und zog dabei den Namen in die Länge. »Kröger hat dieses verdammte Ding in sein Gehirn eingesetzt. Die Autopsie hat ergeben, daß das ein Produkt einer völlig neuen Technologie war und daß man es duplizieren konnte. Und dann hat es seinen Kopf gesprengt – nach seinem Tod. Und wenn man ihn nicht getötet hätte?«

»Die Ärzte und Wissenschaftler sagen, daß es Jahrzehnte dauern würde, bis man es nachbauen kann, wenn überhaupt.«

»Das wäre nicht das erste Mal, daß sie sich täuschen.«

»Ja, natürlich ... ich vergaß ganz, dir das zu sagen. Wir haben ein Telegramm von Jean-Pierre Villier bekommen. Er eröffnet ›Coriolanus‹ wieder und möchte, daß wir beide zur Premiere nach Paris kommen.«

»Wie kannst du ihm taktvoll beibringen, daß mir das eine Mal reicht?«

»Ich werde es ihm schonend beibringen.«

»Herrgott, es sind noch so viele Fragen offen!«

»Aber du brauchst dich nicht mit ihnen zu belasten. Wir sind frei. Laß andere Ordnung schaffen. Deine Arbeit ist beendet.«

»Ich kann nicht anders … Harry hat gesagt, eine Krankenschwester im Tal der Bruderschaft hat die Antineos davon verständigt, daß er herauskommen würde. Wer war sie und was ist aus ihr geworden?«

»Das steht in dem Wartenfelsbericht, aber den hast du ja nur überflogen.«

»Weil es einfach zu schmerzlich war«, fiel Lennox ihr ins Wort. »Irgendwann einmal werde ich ihn lesen, aber all der medizinische Kram über meinen Bruder – also, ich wollte das jedenfalls nicht lesen.«

»Die Krankenschwester war eine Assistentin von Greta Fritsch, Krögers Frau. Man hatte sie gezwungen, mit von Schnabe, dem Kommandanten, zu schlafen. Sie ist schwanger geworden und hat dort im Frankenwald Selbstmord begangen.«

»Den Wartenfels haben wir ja gefunden. Das ist schon ein tolles Ding, praktisch eine ausgewachsene Militärbasis mitten in einem Naturpark!«

»Jetzt hat man eine riesige Strafkolonie daraus gemacht, ein Gelände von zweitausend Hektar, wo die Gefangenen, Männer wie Frauen, nur Neonaziuniformen tragen, inklusive roter Armbinden. Aber die Armbinden sind vorne auf der Brust aufgenäht, nicht am Arm, so wie die Juden im Dritten Reich den Davidstern tragen mußten.«

»Unglaublich, wirklich unglaublich.«

»Das war die Idee von Botschafter Kreitz. Er sagt, das wird sie daran erinnern, warum sie als Gefangene dort sind und nicht als privilegierte Mitglieder der Gesellschaft.«

»Ja, ich weiß und ich bin immer noch nicht ganz überzeugt, daß ich es gutheiße.«

Er sah sie von der Seite her an. »Hat Knox Talbot herausgefunden, wer sich Zugang zu den AA-Computern verschafft hatte?«

»Natürlich, das war auch in den Archiven des Adlernests, ein Mann und eine Frau, die sich sechzehn Jahre lang in der Agency hochgearbeitet hatten. Pfadfinder, Mitglieder im Kirchenchor, Schulsprecher – und die Frau, Tochter eines Presbyterianerpfarrers.«

»Sonnenkinder«, sagte Drew.

»Genau.« Karin blickte zu Lennox auf. »Warum siehst du mich so an? So fragend?«

»Ich habe eben an meine Mutter und meinen Vater denken müssen. Du hast mir nie etwas von deinen Eltern erzählt. Ich weiß nicht mal, wie du heißt, deinen Mädchennamen, meine ich. Wieso eigentlich?«

»Ist das wichtig?«

»Nein, verdammt! Aber ich bin einfach neugierig, ist das nicht normal? Ich schätze, in meiner Phantasie dachte ich immer, wenn ich jemals eine Frau fragen würde, ob sie mich heiraten wolle, würde ich zu ihrem Vater gehen müssen und so was Ähnliches wie ›Ja, Sir, ich kann für ihren Lebensunterhalt aufkommen und ich liebe sie‹ – in dieser Reihenfolge. Kann ich das tun?«

»Nein, ich fürchte, das kannst du nicht. Also kann ich dir ebensogut auch die Wahrheit sagen … Meine Großmutter war Dänin. Die Nazis haben sie entführt und in den Lebensborn gepreßt. Als ihre Tochter, meine Mutter, zur Welt kam, hat sie es geschafft, sie da rauszuholen, und hat dann mit einer Beharrlichkeit, die man sich kaum vorstellen kann, zusammen mit dem Kind den Weg zurück nach Dänemark geschafft, wo sie sich in einem kleinen Dorf an der Nordsee versteckt hielt. Sie fand dort einen Mann, einen aus der Widerstandsbewegung gegen die Nazis, der sie geheiratet und das Kind, also meine Mutter, adoptiert hat.«

»Du willst also sagen –«

»Ja, Drew, wenn die Hartnäckigkeit einer Frau nicht gewesen wäre, wäre ich vielleicht auch ein Sonnenkind geworden, so wie Janine Clunes. Unglücklicherweise haben die Nazis ihre Akten sehr sorgfältig geführt, und meine Großmutter und ihr Mann waren dauernd auf der Flucht, hatten nie ein festes Zuhause und damit auch keine Möglichkeit, ihr Kind in eine normale Schule zu schicken. Nach dem Krieg zogen sie schließlich nach Belgien, wo das Kind, das kaum lesen konnte, heranwuchs, heiratete und 1962 schließlich mich zur Welt brachte. Weil meine Mutter praktisch keine richtige Schulbildung genossen hatte, wurde meine Ausbildung für sie zu einer Art Manie.«

»Wo sind sie jetzt?«

»Mein Vater verließ uns, als ich neun Jahre alt war, und wenn ich heute zurückblicke, kann ich das verstehen. Meine Mutter war genauso hartnäckig und zielbewußt wie meine Großmutter. Da ihre Mutter alles riskiert hatte – bis hin zum Tod durch den Strang –, um ihr eigenes Kind dem Lebensborn zu entreißen, war meine Mutter von mir besessen. Sie hatte nie Zeit für ihren Mann, ihr ganzes Leben war ihrer Tochter gewidmet. Ich mußte dauernd lesen, die besten Noten nach Hause bringen, studieren, studieren, studieren, bis mich das Fieber selbst packte. Und von da an war ich genauso vom Lernen besessen wie sie.«

»Kein Wunder, daß du mit Harry so gut ausgekommen bist. Lebt deine Mutter noch?«

»Sie ist heute in einem Pflegeheim in Antwerpen. Man könnte sagen, sie hat sich selbst ausgebrannt und erkennt mich jetzt kaum mehr.«

»Dein Vater?«

»Keine Ahnung. Ich habe nie versucht, ihn zu finden. Später dachte ich oft daran, es zu versuchen, weil ich, wie ich schon sagte, verstanden habe, warum er weggegangen ist. Du mußt wissen, bei der ersten Gelegenheit, die sich mir bot, ging ich auch weg, ehe Mutter mich völlig ersticken konnte. Dann trat Freddie auf den Plan, und den Rest der Geschichte kennst auch du.«

»So, das wäre dann auch geklärt«, sagte Drew lächelnd und drückte ihre Hand. »Jetzt habe ich das Gefühl, dich gut genug zu kennen, um mit dir die Lennox-Dynastie fortzusetzen.«

»Wie großzügig. Ich werde versuchen, mich deiner als würdig zu erweisen.«

»Würdig? Für dich sind das ein oder zwei Schritte nach unten, aber du sollst wissen, daß das erste Buch, das ich für die Bibliothek bestellen werde, ein Konversationslexikon sein wird.«

»Welche Bibliothek?«

»Im Haus.«

»In welchem Haus?«

»In unserem Haus. Gleich hinter der nächsten Kurve, an dieser alten Straße hier, die ich natürlich asphaltieren lassen werde, jetzt, nachdem ich es mir leisten kann.«

»Wovon redest du eigentlich?«

»Das hier ist so etwas wie der Hintereingang zum Grundstück.«

»Welchem Grundstück?«

»Unserem Grundstück. Du hast doch gesagt, daß du Berge magst.«

»Ja. Schau doch, sie sind großartig – atemberaubend.«

»Dann komm schon, Freundin der Berge, wir sind beinahe da.«

»Wo?«

»Du wirst schon sehen«, sagte Drew und zog sie weiter.

Sie umrundeten gerade die Kurve, und der Anblick, der sich ihnen bot, ließ Karins Atem stocken. Es war ein See wie aus dem Bilderbuch, blaugrün mit ein paar weißen Segeln auf dem Wasser, und in der Ferne ein paar wunderschöne Häuser mit Landestegen, die unmittelbar an den gepflegten Rasen angrenzten. Darüber schimmerten die Berge wie himmlische Festungen in der Sonne, die eine wunderschöne irdische Enklave beschützten. Und rechts davon dehnte sich ein breites Stück Land, das unmittelbar an den See angrenzte, unbewohnt und nur mit Gras und wilden Blumen übersät.

»Da wären wir, Lady. Das ist unser Haus. Kannst du es sehen? Ein paar Meilen weiter dort hinten ist der Südwesteingang zum Rocky Mountain National Park.«

»Oh, Liebster, ich kann es nicht glauben!«

»Glaub' es ruhig. Es ist da. Es gehört uns. Und in einem Jahr wird das Haus dastehen – nachdem du den Plänen zugestimmt hast, natürlich.«

»Aber, Drew«, lachte Karin und rannte den Hügel hinunter ans Wasser und den kleinen Bach, der das Grundstück säumte. »Das dauert doch so lange. Was tun wir denn bis dahin?«

»Ich hatte daran gedacht, ein großes Zelt aufzuschlagen, aber das geht wohl nicht!« rief Lennox, der ihr nachgerannt war.

»Warum nicht? Mir würde das gefallen!«

»Nein, das würde es nicht«, sagte Drew und hielt sie an beiden Schultern fest. »Wer meinst du wohl, kommt her und überwacht die Bauarbeiten, weil der *chlopak* dazu nicht fähig ist?«

»Der Colonel?«

»Erraten, Lady.«

»Er hat dich auch sehr gern.«

»Ich glaube, er hat dich ins Herz geschlossen. Er ist jetzt pensioniert, aber er weiß nicht, wo er hin soll. Seine Kinder sind erwachsen und haben selbst Kinder, und sobald er ein paar Tage bei ihnen war, wird er unruhig. Er ist ein Mensch, der immer in Bewegung sein muß, Karin. Laß ihn eine Weile bei uns bleiben, bis er wieder weiter muß, einverstanden?«

»Dazu würde ich nie nein sagen.«

»Danke. Ich habe mich bereit erklärt, für fünf Tage im Monat nach Washington zu fliegen, aber nicht mehr. Nur als Berater, kein Außendienst.«

»Bist du da sicher? Wirst du das ertragen?«

»Ja, weil ich mein Bestes getan habe, und jetzt niemandem mehr etwas beweisen muß – weder Harry noch sonst jemandem.«

»Was werden wir tun? Du bist ein junger Mann, Drew, und ich bin jünger als du. Was werden wir tun?«

»Das weiß ich nicht. Zuerst werden wir unser Haus bauen, und das wird bestimmt zwei Jahre in Anspruch nehmen und dann – nun, dann werden wir uns eben etwas einfallen lassen müssen.«

»Wirst du wirklich bei Consular Operations aufhören?«

»Das hängt von Sorenson ab. Abgesehen von fünf Tagen im Monat habe ich jetzt bis nächsten März Urlaub.«

»Dann hast du dich nicht entschieden. Das ist nicht Sorensons Entscheidung, es ist deine.«

»Wesley hat Verständnis. Er kennt das Leben, das ich geführt habe, und er hat Schluß gemacht.«

»Und was war das für ein Leben?« fragte Karin leise. Sie hielt Lennox umschlungen und hatte das Gesicht an seiner Brust vergraben.

»Das weiß ich nicht genau«, erwiderte Drew und legte die Arme um sie. »Beth habe ich zu verdanken, daß ich recht gut für mich sorgen kann, aber in den letzten drei Monaten habe ich noch etwas dazugelernt, und das habe ich in großem Maße dir zu verdanken, in sehr großem Maße sogar ... Ich mag es nicht, wenn ich rund um die Uhr um uns beide Angst haben muß. Ehrlich gesagt, mag ich Waffen nicht, obwohl sie uns mehr als einmal das Leben gerettet haben. Ich kann den Satz nicht mehr hören ›Töte oder werde getötet‹ Ich will da nicht mehr mitspielen und ich will auch nicht, daß du das tust.«

»Das war Krieg, Liebster, das hast du selbst gesagt, und das war auch richtig. Aber für uns ist der Krieg vorbei, wir werden jetzt wie normale menschliche Wesen leben. Außerdem kann ich es nicht erwarten, Stanley wiederzusehen.«

Wie auf Stichwort erschien in diesem Augenblick auf der staubigen Straße ein Stück von ihnen entfernt eine Gestalt, die einen aufgeregten Eindruck machte. »Verdammte Scheiße!« rief Colonel Stanley Witkowski, schwitzend und außer Atem. »Dieser verdammte Taxifahrer wollte nicht bis hierher fahren ... Hübsches Gelände, gar nicht schlecht. Ich habe schon ein paar Ideen – eine Menge Holz und Glas. Übrigens, *chlopak*, Wes Sorenson hat mich angerufen. Wir sind ein verdammt gutes Team, wir drei, und da ist eine Situation, von der er dachte, daß sie uns vielleicht interessieren würde, im Rahmen dieser neuen Übereinkunft, die Sie mit Cons-Op getroffen haben.«

»Alles beim alten«, sagte Lennox, ohne Karin loszulassen. »... Vergessen Sie's, Colonel!«

»Er hat dabei an Sie gedacht, mein Junge, beide haben wir an Sie gedacht«, fuhr Witkowski fort und wischte sich die Stirn, während er die Böschung herunterkam. »Sie sind zu jung für den Ruhestand. Sie müssen arbeiten, und was haben Sie schließlich sonst gelernt? Ich glaube, Eishockeyspielen kommt ja wohl nicht mehr in Frage. Dazu waren Sie zu lange weg.«

»Ich habe gesagt, Sie sollen es vergessen.«

»Ich fliege nächste Woche mit Ihnen zurück, dann wird Wesley es Ihnen erklären. Klingt eigentlich ganz einfach, verdammt gute Spesen, und wir könnten uns dabei abwechseln und uns um die Bauarbeiten hier kümmern.«

»Meine Antwort ist nein, Stanley!«

»Darüber reden wir noch ... Meine liebe Karin, Sie sehen wunderbar aus.«

»Vielen Dank«, sagte Karin und umarmte den Colonel. »Sie sehen ein bißchen erschöpft aus.«

»Ist auch ein ganz schöner Fußmarsch.«

»Nein, nein, *nein!*«

»Wir reden doch bloß, *chlopak* ... So, und jetzt sehen wir uns das Gelände an.«